T. FOURNIER

DU MÊME AUTEUR :

Vol. II. — Dictionnaire de l'Aéronautique et de l'Espace Français-Anglais

à paraître

CONSEIL INTERNATIONAL DE LA LANGUE FRANÇAISE
CILF
103, rue de Lille, 75007 Paris

DICTIONNAIRE DE L'AÉRONAUTIQUE ET DE L'ESPACE

ANGLAIS-FRANÇAIS

VOL. I

1re Édition

DICTIONARY OF
AERONAUTICS &
SPACE TECHNOLOGY
English-French

« à ma Femme et à mes enfants... »

Nous remercions Yves Rengade, Professeur agrégé d'Anglais, chef de la subdivision langues à l'École Nationale de l'Aviation Civile qui a apporté son concours dans la relecture et la révision du manuscrit.

Distribution exclusive pour la France, l'auteur Henri GOURSAU, 14, av. du Mail, 31650 St-Orens-de-Gameville.

L'auteur fait partie de l'association des auteurs autoédités, 62, rue Blanche, 75009 Paris.

Distributeur exclusif pour l'exportation :
SIACE-Service international de Librairie, 33, rue Fortuny, 75017 Paris.
Tél. : 267.43.05 + 267.38.75 - Télex : 643 209 F.

DICTIONNAIRE DE L'AÉRONAUTIQUE ET DE L'ESPACE

ANGLAIS-FRANÇAIS

par

Henri GOURSAU

Avant-propos de Hubert JOLY,
Secrétaire Général du Conseil International
de la Langue Française

Préface de Guy PELTIER,
Directeur Général adjoint d'AIR-FRANCE
Chargé des affaires techniques

AVANT-PROPOS

Parmi les préoccupations du Conseil International de la langue française figure en bonne place le souci de favoriser le dialogue des langues, y compris avec la langue anglaise, dont on peut dire que le français vit quasiment en concubinage avec elle depuis que Guillaume le Conquérant a mordu le sol de l'Angleterre.

Ce souci de dialogue des langues qu'illustre parfaitement le Dictionnaire de l'aéronautique et de l'espace d'Henri Goursau est la contrepartie nécessaire d'une action vigilante pour maintenir à la langue française toute sa vitalité et toute sa capacité à dénommer les réalités du monde moderne, notamment dans le domaine des sciences.

En effet, il importe, pour que la culture française conserve en cette fin de siècle sa signification, qu'elle réussisse à intégrer toutes les données de notre environnement quotidien, fortement marquées par la technique et la technologie, faute de quoi, elle ne serait plus que l'expression d'un mode de vie dépassé.

Aussi, le Conseil international de la langue française s'efforce-t-il de développer et d'encourager toutes les actions capables de donner au français les qualités d'un outil efficace au service du développement économique et social des communautés francophones.

La place des transports dans le monde d'aujourd'hui, l'importance des techniques de pointe dans l'aéronautique et de l'espace, font de ce secteur un des domaines d'élection d'une politique active de la langue française.

Un arrêté de terminologie rédigé par le Conseil international de la langue française et publié en 1973 au Journal Officiel, un Dictionnaire des techniques spatiales sorti en 1978, la préparation d'une seconde édition destinée à paraître en 1984 et *pratiquement doublée en volume, le présent Dictionnaire de traduction enfin, constituent les signes de l'intérêt porté par le Conseil international de la langue française à l'une des branches les plus dynamiques de nos industries.*

Comprendre qu'il y a bien un lien entre la vitalité de la langue française et l'essor technologique ne devrait pas être l'apanage des seuls linguistes. L'exemple donné dans le secteur de l'aéronautique et de l'espace, pourrait montrer à certains industriels et à certains scientifiques, l'exemple salutaire qu'il n'y a pas d'incompatibilité entre langue et technique. Le travail de M. GOURSAU le démontre et, à ce titre notamment, il mérite qu'on l'encourage et qu'on le félicite à la fois de l'effort accompli et du service rendu.

Hubert JOLY,
Secrétaire général
du Conseil international
de la langue française

PRÉFACE

Le Dictionnaire de l'Aéronautique et de l'Espace d'Henri Goursau est un ouvrage remarquable par sa richesse, unique par son contenu.

Un homme, parce qu'il s'est heurté au cours de sa vie professionnelle aux difficultés de traduction de termes techniques en langue anglaise, a pris l'initiative de réaliser un « dictionnaire de traduction » et a su mener cette entreprise jusqu'au bout.

Depuis huit ans il recherche, compile et épluche tout ce qui peut lui apporter les informations qui lui sont nécessaires, consacrant à cette œuvre la majeure partie de ses loisirs.

Le résultat c'est cet ouvrage de 730 pages où chacun pourra trouver le mot ou l'expression qui lui est nécessaire dans le langage de la technique de l'aéronautique et de l'espace.

Henri Goursau ne considère pas son travail comme terminé, car il sait combien les techniques de pointe comme celles-ci évoluent vite, et déjà il songe à de nouvelles éditions pour être toujours « up to date ».

Longue vie au « Goursau »

Guy PELTIER,
Directeur Général Adjoint
Affaires Techniques
d'AIR FRANCE

FOREWORD

One of the major preoccupations ot the International Council of the French Language is the desire to favorize dialogue between languages, including the English language, with which French has cohabited since William the Conqueror arrived on English soil.

This desire for dialogue between languages, as perfectly illustrated by Henri Goursau's "Dictionary of Aeronautics and Space Technology", is the counterpart of vigilant action required to permit the French Language to retain its vitality and its capacity to identify the realities of the modern world, and, in particular, in the sciences.

At the end of the 20th Century, for French culture to retain its significance, it must succeed in integrating all the data of our daily environment, which is strongly marked by techniques and technology. Otherwise, it will be noting more than the expression of an outmoded way of life.

Therefore, the International Council of the French Language is developing and encouraging all action liable to imbue the French language with the qualities of an efficient tool serving the economic and social development of French speaking communities.

The position of transport in today's world and the importance of advanced techniques in the aviation and space industries make this one of the dominant sectors for an active policy towards the French language.

A terminology decree, drawn up by the French Language International Council, published in 1973 in the Journal Officiel, a dictionary of aerospace terms, published in 1978, and the preparation of a second edition intended to appear in 1984 of practically double the volume, and lastly, this "Translator's

Dictionary", *are indicative of the Council's interest in one of the most dynamic branches of our industry.*

The understanding that there is a link between the vitality of the French language and technical growth is not limited to linguists. The example given by the aviation and space sector can usefully demonstrate to some industries and sciences that there is no incompatibility between language and technology. This is fully demonstrated in Mr. Goursau's work, for which the author should be encouraged and congratulated, both for the task accomplished and the service rendered.

HUBERT JOLY
Secretary General
of the International Council
of the French Language

PREFACE

Henri Goursau's "Dictionary of aeronautics and space technology" is remarkable for its richness and unique in its contents.

Being involved throughout his professional life with difficulties in translating English technical terms, he undertook to compile a "translator's dictionary", and has been fully successful in this undertaking.

Devoting most of his spare time to the task of reviewing and compiling the data forming this work for the last 8 years.

The result of this work is a dictionary of 730 pages where the reader will find the term or expression required in the technical language of the aerospace field.

Henri Goursau does not consider that his work is completed, since he knows that advanced techniques evolve rapidly, and he is already considering further editions to keep this work up to date.

Long live Henri Goursau's

GUY PELTIER,
Air France
Deputy Managing Director
For Engineering

A

ABAC (abacus) .... Abaque
ABANDONED TAKE-OFF .... Décollage interrompu, accélération-arrêt
ABATE (to) .... Diminuer, ralentir, réduire
ABEAM .... Par le travers de
ABILITY .... Possibilité, pouvoir, capacité
ABLATING CONE .... Cône érodable, d'ablation
ABLAZE .... En flammes
ABLE TO CARRY .... Capable de transporter
ABNORMAL .... Anormal
ABNORMAL NOISES .... Bruits anormaux
ABNORMAL OPERATION .... Fonctionnement anormal
ABOARD .... A bord, dans, embarqué
ABORT .... Abandon, arrêt
ABORT (to) .... Abandonner, interrompre, échouer, rater
ABORT A MANEUVER (to) .... Interrompre une manœuvre
ABORT THE TAKE-OFF (to) .... Faire une accélération-arrêt
ABORTED START .... Démarrage manqué
ABORTED TAKE-OFF .... Décollage interrompu, accélération-arrêt
ABOVE .... Au-dessus *(de)*
ABOVE GROUND LEVEL .... Au-dessus du sol
ABOVE MEAN SEA LEVEL (AMSL) .... Au-dessus du niveau moyen de la mer
ABOVE TOLERANCE .... Supérieur (e) à la tolérance
ABRADABLE SEAL .... Joint d'usure, abradable
ABRADE (to) .... User par abrasion
ABRADED .... Poncé, usé par frottement
ABRASION .... Abrasion, usure par frottement
ABRASION RESISTANT .... Anti-abrasion
ABRASION RESISTANT FINISH .... Protection, finition anti-abrasion
ABRASION WEAR .... Usure par abrasion, par frottement
ABRASIVE BLAST (to) .... Nettoyer par abrasion
ABRASIVE BLAST CLEANING or
ABRASIVE BLASTING .... Nettoyage par abrasion, sablage à l'abrasif
ABRASIVE CLEANING .... Nettoyage par abrasion
ABRASIVE CLOTH .... Toile d'émeri, abrasive
ABRASIVE DISK (rotary) .... Disque abrasif, meule à saigner
ABRASIVE GRIT .... Grain Abrasif
ABRASIVE HARDNESS .... Dureté sclérométrique
ABRASIVE PAPER .... Papier abrasif, toile d'émeri
ABRASIVE PASTE .... Pâte abrasive, à rôder
ABRASIVE POWDER .... Poudre abrasive *(unirundum)*

ABRASIVE STONE ....Pierre abrasive *(pierre india)*
ABRASIVE STRIP .... Bande, ruban abrasif
ABRASIVE WHEEL .... Meule
ABREAST ....De front, sur la même ligne, côte à côte
(X)-ABREAST SEATING .... *(X)* Sièges de front
ABRUPT PULL OUT (pull up) .... Ressource brutale
ABSOLUTE ....Absolu, théorique ; pur
ABSOLUTE CEILING ....Plafond absolu, théorique
ABSOLUTE PRESSURE (P) ....Pression absolue
ABSOLUTE TEMPERATURE (T) .... Température absolue
ABSOLUTE VELOCITY .... Vitesse absolue
ABSOLUTE VISCOSITY .... Viscosité absolue
ABSOLUTE VOLTAGE ....Tension absolue
ABSOLUTE ZERO (— 459.688 °F) .... Zéro absolu *(— 273,16 °C)*
ABSORB (to) ....Absorber, amortir, encaisser
ABSORBED WAVE .... Onde amortie
ABSORBENT COTTON .... Coton absorbant, hydrophile
ABSORBENT MATERIALS .... Matériaux, matières absorbantes
ABSORBER ....Amortisseur
ABSORBER CIRCUIT (absorption circuit) .... Circuit d'absorption
ABSORBING FILM .... Film absorbant
ABSORPTION .... Absorption
ABSORPTION FACTOR ....Facteur, coefficient d'absorption
ABUT (to) .... S'appuyer, buter *(contre)*, prendre appui sur, venir en butée, abouter
ABUTMENT .... Butée, aboutement, contrefort, attache
ABUTMENT FACE ....Face d'appui, de contact, de butée
ABUTTING SURFACE (abutment surface) ....Surface d'appui, de contact, de butée
A.C (alternating current) .... Courant alternatif (~)
A.C BUS .... Bus alternative
A.C GENERATOR ....Alternateur
A.C LINE FREQUENCY ....Fréquence du secteur
A.C POWER LINE .... Alimentation sur secteur
A.C POWER ON PLANE .... Réseau de bord
A.C SUPPLY .... Génération alternative
A.C VOLTAGE ....Tension alternative
ACCELERATE (to) .... Accélérer, prendre de la vitesse
ACCELERATE-STOP DISTANCE .... Distance accélération-arrêt
ACCELERATE-STOP DISTANCE AVAILABLE (ASDA) .... Distance accélération-arrêt utilisable
ACCELERATING PUMP .... Pompe de reprise
ACCELERATION ....Accélération
ACCELERATION DETECTOR .... Détecteur d'accélération
ACCELERATION FACTOR .... Facteur d'accélération

ACCELERATION GOVERNOR .... Régulateur de survitesse
ACCELERATION INDICATOR .... Indicateur d'accélération
ACCELERATION OF GRAVITY (due to gravity) .... Accélération de la pesanteur *(g)*
ACCELERATION TIME .... Temps d'accélération
ACCELERATOR .... Accélérateur
ACCELERATOR PEDAL .... Accélérateur, pédale d'accélération
ACCELEROMETER .... Accéléromètre, compteur de *(g)*
ACCELEROMETRIC SENSOR .... Boîtier capteur, senseur accélérométrique
ACCEPTANCE FAMILIARIZATION FLIGHT .... Vol de prise en main
ACCEPTANCE FLIGHT .... Vol de réception
ACCEPTANCE OF MATERIAL .... Réception de matériel
ACCEPTANCE STANDARD .... Standard d'acceptation
ACCEPTANCE TEST .... Essai de recette, de réception
ACCEPTANCE TEST SPECIF (ATS) .... Conditions de réception
ACCESS .... Accès, accessibilité
ACCESS DOOR .... Porte de visite, porte, trappe d'accès
ACCESS OPENINGS .... Portes de visite
ACCESS PANEL .... Panneau d'accès, de visite
ACCESS REMOVAL .... Dépose pour accès
ACCESS TIME .... Temps d'accès
ACCESSIBILITY .... Accessibilité, facilité d'accès
ACCESSORIES DRAIN LINE .... Drainage accessoires
ACCESSORY .... Accessoire, équipement, objet
ACCESSORY DRIVE .... Commande, entraînement des accessoires
ACCESSORY DRIVE GEARBOX (case) .... Boîte d'entraînement des accessoires *(carter)*
ACCESSORY GEARBOX (gearcase) .... Boîtier, *(boîte de)* relais d'accessoires, d'équipements
ACCESSORY UNIT .... Bloc d'accessoires
ACCIDENT .... Accident
ACCIDENT RATE .... Taux d'accidents
ACCORDANCE .... Conformité
ACCORDION FOLD (to) .... Plier en accordéon
ACCORDING TO .... Selon, suivant, d'après, conforme à
ACCOUNT .... Compte, note
ACCOUNTING .... Comptabilité
ACCOUNTS DEPARTMENT .... Service de comptabilité
ACCRETION .... Accrétion *(astronomie et météorologie)*
ACCUMULATE (to) .... Accumuler, emmagasiner
ACCUMULATION .... Accumulation, dépôt
ACCUMULATOR .... Accumulateur
ACCUMULATOR BATTERY .... Batterie d'accumulateurs
ACCUMULATOR CHARGING VALVE .... Valve de recharge accumulateur *(hydraulique)*

ACCUMULATOR PLATE .... Plaque d'accumulateur
ACCURACY .... Exactitude, précision, justesse
ACCURACY LIMITS .... Incertitude
ACCURATE .... Précis, exact
ACCURATE INDICATION .... Indication précise
ACE .... As *(de l'aviation)*
ACETATE .... Acétate
ACETIC ACID .... Acide acétique
ACHIEVE (to) .... Accomplir, réaliser, arriver *(à)*, parvenir *(à)*
ACHIEVED OVERHAUL LIFE .... Age avant révision
ACID .... Acide
ACID CONTENT .... Potentiel hydrogène *(pH)*, coeff. acidité
ACID ETCHING .... Attaque acide
ACID PICKLING .... Dérochage, décapage à l'acide
ACID SOLUTION .... Électrolyte, eau acidulée
ACIDITY .... Acidité
ACIDOMETER .... Pèse-acide
ACORN NUT .... Écrou borgne, à portée sphérique
ACOUSTIC .... Acoustique, insonorisant
ACOUSTIC FATIGUE .... Fatigue acoustique
ACOUSTIC FREQUENCY .... Fréquence audible
ACOUSTIC INSULATION .... Insonorisation
ACOUSTIC NOISE .... Bruit acoustique
ACOUSTIC TREATMENT .... Insonorisation
ACOUSTIC WAVE .... Onde acoustique, onde sonore
ACOUSTICAL .... Acoustique
ACOUSTICAL COUPLER .... Coupleur acoustique
ACOUSTICAL INSULATION PANEL .... Panneau d'isolation sonore, acoustique
ACOUSTICAL TEST STAND .... Banc acoustique
ACOUSTICAL WALL .... Paroi acoustique
ACOUSTICS .... L'acoustique
ACQUISITION ....Acquisition *(en fréquence, en phase, en distance)*
ACROBATIC FLIGHT (stunt) .... Vol acrobatique, voltige aérienne
ACROBATICS .... Acrobaties aériennes
ACRYLIC .... Acrylique
ACRYLIC LACQUER .... Laque acrylique
ACROSS .... En croix, en travers *(de)*
ACROSS-TRACK ERROR .... Erreur transversale *(navigation)*
ACT (to) .... Agir
ACTING .... Agissant
ACTIVATED .... Excité, actionné
ACTIVATOR .... Durcisseur, activateur, accélérateur
ACTIVE CELL .... Élément chargé

ACTIVE CONTROL TECHNOLOGY (ACT) .... Conception automatique généralisée *(CAG)*
ACTIVE GUIDANCE .... Guidage actif
ACTIVE MAINTENANCE DOWNTIME .... Immobilisation pour travaux de maintenance
ACTIVE MAINTENANCE TIME .... Temps de maintenance effective
ACTIVE RUNWAY .... Piste en service
ACTIVE SEEKER (active homing head) .... Autodirecteur actif
ACTIVE TENSION .... Tension active
ACTUAL .... Réel, effectif
ACTUAL FLIGHT PATH .... Trajectoire de vol réelle
ACTUAL HORSE POWER .... Puissance réelle
ACTUAL TIME OF ARRIVAL (departure) .... Heure réelle d'arrivée *(de départ)*
ACTUAL TIME OVER (A.T.O) .... Heure réelle
ACTUAL TIME OVERFLIGHT .... Heure de passage à la verticale
ACTUATE (to) .... Agir sur, actionner, mettre en mouvement, manœuvrer, commander, enclencher, faire fonctionner, solliciter
ACTUATED TAB .... Flettner asservi
ACTUATING BELLCRANK .... Guignol d'attaque
ACTUATING CYLINDER (ram) Vérin de commande, vérin de manœuvre
ACTUATING LEVER .... Levier de commande, d'attaque
ACTUATING ROD .... Bielle de commande
ACTUATION .... Commande, manœuvre, déplacement, sollicitation
ACTUATION LINK .... Biellette de commande
ACTUATION ROD .... Bielle de commande
ACTUATION TEST .... Essai de relevage *(train)*
ACTUATOR .... Vérin moteur électrique d'asservissement, servo-moteur, actionneur
ACTUATOR BEAM .... Bielle oscillante *(TP)*
ACTUATOR CYLINDER .... Corps de vérin
ACUTE ANGLE .... Angle aigu
ACYCLIC .... Apériodique
ADAPTER (TOR) .... Adaptateur, manchon d'adaptation, adapteur, raccord droit, douille pour clé, embout
ADAPTER SLEEVE .... Manchon d'adaptateur
ADAPTER SOCKET .... Douille de réduction
ADAPTER TEE .... Raccord en « T »
ADAPTOR = ADAPTER .... Manchon de fixation, adapteur, raccord, réducteur
ADAPTOR BUSHING .... Bague d'adaptateur
ADAPTOR COUPLING .... Manchon d'adaptation
ADAPTOR FITTING .... Raccord d'adaptation
ADD (to) .... Ajouter

ADD OIL (to) .... Rajouter de l'huile
ADD-ON .... Additionnel
ADDED .... Ajouté
ADDER .... Additionneur
ADDING-MACHINE .... Machine à calculer, calculatrice
ADDITIONAL .... Additionnel, supplémentaire
ADDITIONAL FLIGHT .... Vol supplémentaire
ADDITIONAL PROTECTION .... Protection supplémentaire
ADDITIONAL SEATS .... Sièges supplémentaires
ADDITIONAL TANK .... Réservoir additionnel
ADDRESS DECODER .... Décodeur d'adresses
ADDRESS MARK .... Marque d'adresse
ADDRESSEE .... Destinataire
ADDRESSING .... Adressage
ADF (Automatic Direction Finder) .... Radiogoniomètre automatique
ADF APPROACH .... Approche, percée radiocompas
ADF BEARING .... Relèvement ADF
ADF CONTROL UNIT .... Boîte de commande ADF
ADF LOOP .... Cadre radio-compas, ADF
ADF RECEIVER .... Récepteur ADF
ADHESION .... Adhérence, adhésion
ADHESIVE .... Adhésif, colle
ADHESIVE SEALANT .... Mastic adhésif
ADHESIVE TAPE .... Bande collante, adhésive, chatterton, Ruban adhésif, scotch
ADIABATIC .... Adiabatique
ADIABATIC COMPRESSIBLE FLOW Écoulement en compression adiabatique
ADIABATIC EFFICIENCY .... Efficacité adiabatique
ADIABATIC PROCESS .... Transformation adiabatique
ADIABATIC TEMPERATURE .... Température adiabatique
ADIABATIC WALL EFFECTIVENESS .... Éfficacité définie pour une paroi adiabatique
ADIABATIC WALL TEMPERATURE .... Température de paroi adiabatique
ADJUST (to) .... Régler, ajuster, étalonner, mettre au point, compenser, répartir
ADJUST WEIGHT .... Masse de réglage, de compensation
ADJUSTABLE .... Ajustable, réglable, variable
ADJUSTABLE ADAPTOR .... Adapteur, douille de réglage
ADJUSTABLE BRACKET .... Support réglable
ADJUSTABLE CONDENSER .... Condensateur variable
ADJUSTABLE CONTROL ROD .... Bielle de commande réglable
ADJUSTABLE DIE .... Filière extensible
ADJUSTABLE HEIGHT LANDING GEAR .... Train baraquable *(hélicoptère)*

ADJUSTABLE NOZZLE (clamshell type) .... Tuyère à section variable *(type coquilles)*
ADJUSTABLE-PITCH PROPELLER .... Hélice à pas réglable
ADJUSTABLE ROD END ....Embout réglable
ADJUSTABLE SPANNER ....Clé anglaise, universelle
ADJUSTABLE STOP .... Butée réglable
ADJUSTABLE WRENCH (monkey spanner) .... Clé à molette, clé anglaise, à ouverture variable
ADJUSTED ....Ajusté, réglé
ADJUSTED DATA PLATE .... Table de correction
ADJUSTER .... Ajusteur, régleur, metteur au point, appareil, vis, tige de réglage
ADJUSTING NUT .... Écrou de réglage
ADJUSTING POINT .... Point de réglage
ADJUSTING SCREW .... Vis de réglage
ADJUSTING SHIM .... Cale de réglage
ADJUSTING TOOL .... Outil de réglage
ADJUSTING WASHER ....Rondelle de réglage
ADJUSTMENT .... Ajustement, réglage, compensation, mise au point, correction
ADJUSTMENT/TEST .... Réglage/essai
ADJUSTMENT SCREW .... Vis de réglage
ADMISSIBLE .... Admis, permis, toléré
ADMISSION .... Admission, accès, aspiration, injection
ADMISSION LAG .... Retard à l'admission
ADMIT (to) .... Admettre
ADMITTANCE .... Admittance *(élect.)* = 1/Impédance (Z) ; admission, entrée
ADVANCE .... Avance, perfectionnement
ADVANCE (to) .... Avancer, mettre de l'avance, faire progresser
ADVANCE BOOKING CHARTER (ABC) ...... Vol affrété avec réservation à l'avance, anticipée
ADVANCE DRAWING CHANGE NOTICE (ADCN) .... Additif pour zone modifiée
ADVANCED ....Avancé, évolué, d'avant-garde, de pointe, de conception avancée, élaboré, perfectionné, haut de gamme
ADVANCED AIRCRAFT .... Avion de pointe
ADVANCED FIGHTER AIRCRAFT .... Avion de chasse de la nouvelle génération
ADVANCED IGNITION .... Avance à l'allumage
ADVANCED MODULAR DESIGN .....Conception modulaire très poussée
ADVANCED SYSTEM .... Système élaboré
ADVANCED TECHNOLOGY .... Technologie avancée, de pointe
ADVANCED TIMING .... Avance à l'allumage
ADVANCED TRAINING .... Entraînement avancé

ADVANCING THE LEVER .... L'avancement de la manette
ADVECTION .... Advection *(météorologie)*
ADVERSE .... Adverse, contraire, opposé
ADVERSE WEATHER .... Mauvais temps, sale temps
ADVERSE WEATHER CONDITIONS .... Conditions météo défavorables
ADVERSE WIND .... Vent contraire
ADVERTISEMENT .... Annonce publicitaire
ADVERTISING .... Publicité
ADVISE (to) .... Conseiller, aviser
ADVISER .... Conseiller
ADVISORY AIRSPACE .... Espace aérien à service consultatif
ADVISORY ROUTES .... Routes à service consultatif
AERATION .... Aération
AERATOR .... Aérateur, bouche de ventilation
AERAULIC RESEARCH .... Recherche aéraulique
AERIAL .... Aérien, antenne aérienne
AERIAL CABLE .... Câble d'antenne
AERIAL COLLISION .... Abordage aérien
AERIAL COMBAT (aerial fight) .... Combat aérien
AERIAL DUSTING (spraying) .... Épandage aérien
AERIAL EVACUATION .... Évacuation par voie aérienne
AERIAL NAVIGATION .... Aéronautique, navigation aérienne
AERIAL PHOTOGRAPHY Photographie aérienne, prise de vues aérienne
AERIAL REFUELING .... Ravitaillement en vol, aérien
AERIAL SEARCH PATTERN .... Circuit de recherches aériennes
AERIAL SURVEY .... Levé aérophotogrammétrique, topographique aérien, photographie aérienne, photo-topographie
AERIAL WORK .... Travail aérien
AEROBATICS .... Acrobaties aériennes, voltige aérienne
AEROBRIDGE (airbridge) .... Passerelle télescopique
AERO CLUB (aeroclub) .... Aéro-club
AERODROME .... Aérodrome
AERODROME BEACON .... Phare d'aérodrome
AERODROME CIRCLING (circuit) .... Tour de piste, circuit d'aérodrome
AERODROME CONTROL TOWER .... Tour de contrôle d'aérodrome
AERODROME FIRE SERVICES PERSONNEL ..... Personnel des services d'incendie d'aérodrome
AERODROME GROUND SIGNALS .... Signaux fixes d'aérodrome
AERODROME REFERENCE POINT .... Point de référence d'aérodrome
AERODROME TRAFFIC .... Circulation d'aérodrome
AERODROME TRAFFIC CIRCUIT .... Circuit de circulation en vol
AERODROME TAXI CIRCUIT .... Circuit de circulation au sol
AERODYNAMIC ASPECT-RATIO .... Allongement aérodynamique
AERODYNAMIC BALANCE .... Balance aérodynamique, compensation aérodynamique

AERODYNAMIC BOOSTING .... Assistance aérodynamique
AERODYNAMIC BRAKING .... Freinage aérodynamique
AERODYNAMIC CENTRE (center) Centre aérodynamique, de poussée, foyer aérodynamique, d'un profil aérodynamique
AERODYNAMIC CLEANNESS .... Pureté aérodynamique
AERODYNAMIC CONTROL TAB (boost tab) .... Servo-tab
AERODYNAMIC DESIGN .... *(Conception)* aérodynamique d'un avion
AERODYNAMIC DRAG .... Trainée aérodynamique
AERODYNAMIC EFFICIENCY .... Finesse, efficience, rendement aérodynamique
AERODYNAMIC FACTOR .... Coefficient aérodynamique
AERODYNAMIC FLUTTER .... Vibration aéroélastique
AERODYNAMIC FORCE .... Force aérodynamique
AERODYNAMIC HEATING ...... Échauffement aérodynamique, cinétique
AERODYNAMIC LOADING ..... Charges, efforts, forces aérodynamiques
AERODYNAMIC MATCHING .... Adaptation aérodynamique
AERODYNAMIC MOMENT .... Moment aérodynamique
AERODYNAMIC PRESSURE .... Poussée, pression aérodynamique
AERODYNAMIC PROFILE .... Profil aérodynamique
AERODYNAMIC REFINEMENT Affinement, amélioration aérodynamique
AERODYNAMIC REVERSER .... Inverseur aérodynamique
AERODYNAMIC SEAL .... Joint aérodynamique
AERODYNAMIC SHROUD .... Carénage aérodynamique, profilé
AERODYNAMIC SMOOTHING SEALANT .... Mastic pour joint aérodynamique, mastic pour nivellement aérodynamique
AERODYNAMIC SURFACE .... Compensateur aérodynamique
AERODYNAMIC TESTING .... Essais aérodynamiques
AERODYNAMICAL BALANCING .... Compensation d'évolution
AERODYNAMICAL BLOCKAGE THRUST REVERSER .... Inverseur de poussée à déflection aérodynamique
AERODYNAMICAL BUFFET .... Secousses aérodynamiques
AERODYNAMICAL CHARACTERISTICS
Caractéristiques aérodynamiques
AERODYNAMICIST .... Aérodynamicien
AERODYNAMICS .... (L') aérodynamique
AERODYNE (heavier-than-air aircraft) .... Aérodyne, aéronef plus lourd que l'air
AEROELASTIC DISTORTION .... Aérodistorsion
AEROELASTIC INSTABILITY .... Instabilité aéroélastique
AEROELASTIC STABILITY .... Stabilité aéroélastique
AERO-ELASTICITY .... Aéro-élasticité *(aéroélasticité)*
AERO-ENGINE .... Aéromoteur, moteur aéronautique, d'avion, d'aviation
AEROFOIL .... Plan aérodynamique, surface sustentatrice, portante

AEROFOIL SECTION (airfoil section) Profil aérodynamique, profil d'aile
AEROGRAPH (aerography) ....Aérographe *(aérographie)*
AEROHYDRODYNAMIC TESTING .... Essais aérohydrodynamiques
AEROLITE ....Aérolithe, météorite
AEROLOGY ....Aérologie
AEROMAGNETISM .... Aéromagnétisme
AEROMARINE ....Aéromarine
AEROMEDICAL RESCUE ....Sauvetage aéromédical
AEROMETRY .... Aérométrie
AEROMODELLING ....Aéromodélisme
AERONAUT .... Aéronaute, aérostier
AERONAUTICAL ....Aéronautique
AERONAUTICAL CHART ....Carte aéronautique
AERONAUTICAL CLIMATOLOGY (meteorology) .... Climatologie aéronautique *(météo)*
AERONAUTICAL ENGINEERING ....Construction, ingénierie aéronautique
AERONAUTICAL INDUSTRY........................ Industrie aéronautique
AERONAUTICAL ROUTE CHART .... Routier aéronautique
AERONAUTICAL STATION OPERATOR .... Opérateur de station aéronautique
AERONAUTICS .... (L') aéronautique
AERONAVAL ....Aéronaval
AERONOMY ....Aéronomie
AEROPAUSE .... Aéropause
AEROPHOTOGRAMMETRY
Photogrammétrie aérienne, aérophotogrammétrie
AEROPHOTOGRAPHY ....Aérophotographie, photographie aérienne
AEROPLANE .... Aéroplane, avion
AEROPULSE .... Pulso-réacteur
AEROSOL CAN .... Bombe aérosol
AEROSPACE .... Aérospatial
AEROSPACE INDUSTRY .... Industrie aérospatiale
AEROSPACE MEDICINE ....Médecine aérospatiale
AEROSPACE VEHICLE .... Véhicule aérospatial
AEROSTALL .... Pompage aérodynamique
AEROSTAT (balloon, airship) .... Aérostat *(ballon, dirigeable)*, aéronef plus léger que l'air
AEROSTATIC BALLOON .... Ballon aérostatique
AEROSTATICS ....(L') aérostatique
AEROTECHNICS ....(L') aérotechnique
AEROTHERMODYNAMICS .... Thermodynamique des gaz, (l')aérothermodynamique, (l')aérothermique
AERO-TOW FLIGHT ....Vol remorqué
AETHER ....Éther *(liquide)*

AF AMPLIFIER (audio-frequency) .... Amplificateur basse fréquence
AF INPUT .... Entrée BF *(basse fréquence)*
AFFECT (to) .... Affecter
AFFECTED AREA .... Zone affectée, touchée, incriminée
AFIRE, AFLAME .... En feu, en flammes
AFLOAT .... A flot, sur l'eau, à la mer
AFOCAL TELESCOPE .... Télescope afocal
AFT .... Sur, vers l'arrière, arrière
AFT ENTRY DOOR .... Porte pax arrière
AFT FLAP .... Élément arrière du volet hypersustentateur
AFT FUSELAGE JACK .... Vérin de queue
AFT GALLEY DOOR .... Porte office arrière
AFT LAVATORY ....Toilette arrière
AFT STAIR WELL .... Logement escalier arrière
AFT THRUST REVERSER .... Inverseur de poussée arrière réacteur
AFT TRANSLATION ....Translation, déplacement vers l'arrière
AFTER GLOW .... Trainage lumineux
AFTER-HEAT .... Chaleur résiduelle
AFTER-PLATING ....Après placage
AFTER-SALE(S)/SERVICE SUPPORT ....Service d'après vente
AFTER USE ....Après utilisation
AFTERBURNER .... Allumage post-combustion, réchauffe
AFTERBURNER DUCT .... Canal, rallonge de réchauffe
AFTERBURNER LIGHT-UP .... Allumage de la post-combustion
AFTERBURNING .... Post-combustion, réchauffe
AFTERCOOLER .... Radiateur, refroidisseur
AFTERGLOW .. Incandescence résiduelle, rémanence lumineuse *(radar)*
AGE HARDENING .... Durcissement par vieillissement, maturation
AGEING (aging) .... Vieillissement, maturation
AGENCY ....Agence
AGENT ....Agent
AGENT DISCHARGE CIRCUIT ....Circuit de décharge extincteurs
AGING OF MATERIALS .... Vieillissement des métaux
AGITATE (to) ....Agiter
AGITATOR ....Agitateur, appareil de brassage
AGREE (to) ....Consentir, approuver, accepter, convenir, admettre
AGREED TARIFF ....Tarif convenu
AGRICULTURAL AIRCRAFT .... Avion agricole
AGRICULTURAL PILOT .... Pilote agricole
AHEAD .... En tête, en avant, devant, debout
AHEAD OF SCHEDULE .... En avance sur l'horaire
AHEAD OF THE WING .... A l'avant de l'aile
AID ....Aide, assistance, secours, appui
AID TO AID NAVIGATION ....Aide à la navigation aérienne
AID TO APPROACH ....Aide d'approche

AIDS TO LOCATION .... Aides de repérage
AILERON .... Aileron, gouverne de gauchissement
AILERON AND ELEVATOR CONTROL COLUMN ..... Manche de commande gauchissement et profondeur
AILERON CONTROL .... Commande d'aileron, de gauchissement
AILERON CONTROL SURFACE SNUBBER ASSY .. Amortisseur d'aileron
AILERON CONTROL WHEEL .... Volant de gauchissement
AILERON GUST LOCK .... Blocage aileron
AILERON HYDRAULIC COMPENSATOR ..... Compensateur hydraulique aileron
AILERON LOCKOUT .... Verrouillage aileron
AILERON SERVO .... Servo-moteur d'aileron
AILERON SPRING CARTRIDGE .... Bielle à ressort d'aileron
AILERON TAB .... Tab d'aileron
AILERON TRIM .... Compensation, trim aileron(s)
AILERON TRIM WHEEL .... Bouton du compensateur ailerons
AIM .... But
AIM (to) .... Viser, ajuster, pointer
AIMING .... Visée, pointage
AIMING POINT .... Point de visée
AIR .... Air
AIR ACCIDENTS .... Accidents aériens *(collision)*
AIR AMBULANCE .... Évacuation sanitaire
AIR AMBULANCE HELICOPTER .... Hélicoptère de transport sanitaire
AIR-AMBULANCE SERVICE .... Service d'ambulance aérienne
AIR-AND-OIL SHOCK-ABSORBER .... Amortisseur oléopneumatique
AIR ATTACK .... Attaque aérienne
AIR BAFFLE .... Déflecteur d'air
AIR BATTLE .... Bataille aérienne
AIR BASE .... Base aérienne
AIR BLAST .... Soufflage, éjection d'air, jet d'air *(comprimé)*
AIR BLAST ATOMIZER .... Injecteur à pulvérisation aérodynamique
AIR BLEED PORT .... Orifice de prélèvement d'air, de prise d'air
AIR BLEED SYSTEM (airbleed) .... Circuit de prélèvement, de soutirage d'air
AIR BLEED VALVE .... Vanne de décharge
AIR BORNE .... Porté par l'air, en vol, à bord
AIR BREATHING .... Aérobie
AIR BREATHING ENGINE .... Moteur aérobie
AIR BRIDGE (airbridge) .... Pont aérien, parcours aérien ; passerelle télescopique d'embarquement
AIR BUBBLE .... Bulle d'air, soufflure
AIR BUMP .... Trou d'air, coup de tabac, rabattant
AIR CARGO .... Fret aérien
AIR CARGO TERMINAL .... Aérogare de fret

AIR CARRIER .... Compagnie aérienne, transporteur aérien
AIR CART .... Groupe pneumatique
AIR CHAMBER .... Chambre à air
AIR CHANNEL .... Conduit d'air
AIR CHARGING INTAKE .... Prise de gonflage
AIR CHARGING VALVE .... Valve, clapet de gonflage
AIR CHUTE .... Parachute, manche à air
AIR CIRCULATION OVEN .... Four à circulation d'air
AIR CLEANER .... Épurateur d'air, filtre à air
AIR COLLISION .... Collision aérienne
AIR COMBAT .... Combat, bataille, duel aérien
AIR COMBAT FIGHTER .... Avion de combat aérien
AIR COMBAT SIMULATOR .... Simulateur de combat aérien
AIR CONDITIONED .... Climatisé
AIR CONDITIONER .... Climatiseur
AIR CONDITIONING .... Conditionnement d'air, climatisation
AIR CONDITIONING PACK .... Groupe de conditionnement d'air
AIR CONDITIONING SYSTEM .... Climatiseur
AIR COOLED .... Refroidi à l'air, à refroidissement par l'air
AIR COOLED ENGINE .... Moteur à refroidissement par air
AIR COOLING .... Refroidissement à l'air, réfrigération, ventilation
AIR COOLING UNIT .... Groupe de réfrigération
AIR CORRIDOR .... Couloir aérien
AIR COVER .... Force de protection, de couverture aérienne
AIR CREW .... Personnel navigant
AIR CRUISE .... Croisière aérienne
AIR CURING .... Polymérisation à l'air
AIR CURRENT .... Courant d'air
AIR-CUSHION .... Coussin d'air, aéroporteur, matelas pneumatique
AIR-CUSHION VEHICLE (ACV) .... Véhicule sur coussin d'air, à effet de sol, aéroglisseur
AIR-CUSHION SYSTEM .... Système à coussin d'air
AIR CYCLE MACHINE (ACM) .... Groupe de réfrigération *(de bord)*, turbo-compresseur, groupe turbo-refroidisseur, turbine de détente
AIR DATA COMPUTATIONS .... Calculs d'anémométrie
AIR DATA COMPUTER (system) .... Centrale aérodynamique *(anémométrique)*
AIR DATA INSTRUMENTS ..... Instruments de référence atmosphérique
AIR DATA PACKAGE .... Centrale aérodynamique
AIR DATA SENSOR (probe) .... Détecteur de pression statique et dynamique, capteur aérodynamique, sonde de données aérodynamiques
AIR DATA SYSTEM .... Centrale aérodynamique

AIR DEFENCE .... Défense aérienne
AIR DEFENCE BATTERIES .... Batteries de DCA
AIR DEFENCE SYSTEM .... Système de défense anti-aérien
AIR DEFENCE VARIANT (ADV) .... Version de défense aérienne
AIR DEFLECTOR (door) .... Déflecteur d'air
AIR DELIVERY .... Débit d'air
AIR DENSITY .... Densité de l'air
AIR DEPRESSION .... Dépression atmosphérique
AIR DISPLAY .... Manifestation aérienne, meeting aérien
AIR DISTRIBUTION .... Distribution d'air
AIR DRAUGHT .... Courant d'air
AIR DRILL .... Perceuse, perforatrice à air
AIR DRONE .... Cible aérienne, avion-cible
AIR DRYING .... Séchage à l'air sec, siccatif
AIR DUCT .... Manche à air
AIR EJECTOR .... Éjecteur d'air
AIR ESCAPING .... Fuite d'air
AIR EXIT GRILLE .... Grille d'évacuation
AIR EXPRESS .... Messageries aériennes
AIR FARE .... Tarif aérien
AIR FEED HOLE .... Orifice d'alimentation en air
AIR-FERRY .... Avion transbordeur, service d'avions transbordeurs
AIR-FILED FLIGHT PLAN .... Plan de vol déposé en vol *(AFIL)*
AIR FILLING VALVE .... Valve de gonflage
AIR FILTER .... Filtre à air, épurateur d'air
AIR FLOW (airflow) .... Circulation d'air *(voir airflow)*
AIR FLOW CHARACTERISTICS .... Caractéristiques aérodynamiques
AIR FLOW CONTROL UNIT (controller) .... Contrôleur de débit d'air
AIR FLOW MEASURING UNIT .... Calculateur de débit
AIR FORCE .... Armée de l'air, force aérienne
AIR FREIGHT (air-freight service) .... Fret aérien *(ligne cargo)*
AIR FRICTION .... Frottement de l'air
AIR FRICTION HEATING .... Échauffement cinétique
AIR-FUEL HEAT EXCHANGER .... Échangeur thermique air-carburant
AIR-FUEL RATIO .... Rapport air-carburant
AIR GAP .... Entrefer
AIR/GROUND (air-ground) COMMUNICATIONS Communications air-sol
AIR/GROUND SENSING SYSTEM .... Système de référence air/sol
AIR GUN .... Soufflette
AIR HAMMER (bit) .... Marteau pneumatique *(embout)*
AIR HEATER .... Réchauffeur d'air, radiateur
AIR HOLE .... Trou d'évent, prise d'air, soufflure, bulle d'air
AIR-HOSTESS .... Hôtesse de l'air
AIR IMPACT WRENCH .... Clé à choc pneumatique

(AIR) INCLUSIVE TOUR .... Voyage aérien à forfait
AIR INLET, AIR INTAKE .... Entrée d'air, admission d'air, prise d'air
AIR INLET ANTI-ICING .... Anti-givrage d'entrée d'air
AIR INLET CONTROL .... Régulation d'entrée d'air
AIR INLET COVER .... Obturateur d'entrée d'air
AIR INLET DUCT .... Manche, conduit d'entrée d'air
AIR INTAKE CASE .... Carter d'entrée d'air
AIR INTAKE DUCT .... Canal, conduit d'entrée d'air, manche d'entrée d'air, d'admission
AIR INTAKE PRESSURE .... Pression d'admission
AIR INTAKE SCREEN .... Grille d'entrée d'air
AIR JACKET .... Gilet de sauvetage
AIR JET PUMP .... Pompe venturi, à vide, trompe à air
AIR-LAUNCHED MISSILE .... Missile lancé d'aéronef
AIR LAW .... Droit aérien
AIR LEAK .... Fuite d'air
AIR LETTER (aerogram) .... Aérogramme
AIR LIFT .... Pont aérien
AIR LINE .... Canalisation d'air
AIR LOAD .... Charge aérodynamique
AIR LOCK .... Poche d'air, bouchon de vapeur
AIR MAIL .... Poste aérienne
AIR MAIL PARCEL .... Colis postal aérien
AIR MAIL SERVICE .... Service postal aérien
AIR MANIFOLD .... Collecteur d'admission d'air
AIR-MAPPING .... Cartographie
AIR MARSHAL (A.M) .... Général d'armée aérienne
AIR MASS .... Masse d'air
AIR MECHANIC .... Mécanicien d'avion
AIR MISS .... Risque d'abordage aérien, de collision en vol, quasi-collision, quasi-abordage, airmiss
AIR MOLECULE .... Molécule d'air
AIR MOTOR (turbine-type) .... Turbine à air
AIR MOVER .... Ventilateur
AIR NAVIGATION .... Navigation aérienne
AIR NAVIGATION REGION .... Région de navigation aérienne
AIR NOZZLE .... Soufflette
AIR-OIL SEAL .... Joint air-huile
AIR/OIL VAPOR MIXTURE .... Émulsion air/huile
AIR OPERATION .... Opération aérienne
AIR OUTLET .... Sortie, échappement d'air
AIR PAGEANT .... Manifestation aérienne
AIR PARCEL POST .... Colis postal avion
AIR PASSAGE .... Passage, veine d'air
AIR PICKUP .... Prise d'air

AIR PIONEER .... Pionnier de l'air
AIR PIRACY (aerial piracy) .... Piraterie aérienne
AIR PIRATE (aerial pirate) .... Pirate de l'air
AIR POCKET .... Poche d'air, trou d'air
AIR PORT .... Orifice d'air, hublot
AIR POSITION .... Position air
AIR PRESSURE .... Pression d'air, pression atmosphérique
AIR PRESSURE INDICATOR .... Indicateur pression d'air
AIR PRESSURE MODULATOR .... Modulateur de pression d'air
AIR PRESSURE REDUCER .... Détendeur d'air
AIR PRESSURE REGULATOR .... Régulateur pression d'air
AIR PRESSURE SOURCE Source d'air comprimé, source pneumatique
AIR PRESSURIZATION .... Pressurisation
AIR PRESSURIZING LINE TO HYDRAULIC TANK .... Pressurisation bâche hydraulique
AIR PROOF .... Hermétique, étanche à l'air
AIR PUMP .... Pompe à air
AIR RAID .... Raid aérien, bombardement aérien, attaque aérienne
AIR RATCHET .... Cliquet pneumatique
AIR REACTION .... Réaction de l'air
AIR REGULATIONS .... Réglementation aérienne
AIR REPORT (AIREP) .... Compte-rendu en vol
AIR RESISTANCE .... Résistance à l'air
AIR ROUTE .... Route aérienne, voie aérienne, aéroroute, ligne, itinéraire aérien
AIR ROUTE NETWORK .... Réseau de routes aériennes
AIR ROUTE TRAFFIC CENTER (ARTCC) (US) .... Centre de contrôle régional (CCR)
AIR SCOOP .... Prise d'air, ouïe d'admission, d'entrée d'air, manche à air
AIR SCREEN .... Filtre à air
AIR SCRIBE .... Crayon graveur pneumatique
AIR SEAL .... Joint d'air
AIR SENSOR .... Capteur aérodynamique, référence air/sol
AIR SHOW .... Exposition aérienne, meeting aérien, salon de l'aéronautique
AIR SICK BAG .... Sac vomitoire
AIR SICKNESS .... Mal de l'air, d'avion
AIR SICKNESS BAG .... Sac vomitoire
AIR SOCK .... Manche à air
AIR SQUADRON .... Escadrille aérienne
AIR SPEED INDICATOR (ASI) .... Anémomètre
AIR STAFF .... Personnel navigant
AIR STAIRS .... Escalier d'accès avion
AIR START .... Démarrage pneumatique, à l'air comprimé

AIR START UNIT ....Groupe de démarrage pneumatique
AIR STARTER .... Démarreur à air comprimé, pneumatique
AIR STRAINER .... Épurateur d'air
AIR STREAM (airstream) ....Filet, écoulement, flux d'air
AIR STRIP ....Bande d'atterrissage
AIR SUCTION ....Aspiration d'air
AIR SUPERIORITY .... Supériorité, suprématie aérienne
AIR SUPERIORITY AIRCRAFT (fighter) ....Avion de supériorité aérienne *(chasseur)*
AIR SUPPLY .... Alimentation d'air, arrivée d'air
AIR SUPPORT ....Appui aérien
AIR SYSTEM ....Circuit d'air
AIR TAPPING ....Prise, piquage, prélèvement d'air
AIR TARGET INDICATOR .... Éliminateur d'écho de sol *(radar)*
AIR TAXI ....Taxi aérien
AIR TERMINAL ....Aérogare
AIR TIGHT SEAL ....Joint hermétique
AIR-TO-AIR ....Air-air
AIR-TO-AIR MISSILE .... Engin air-air
AIR-TO-GROUND ....Air-sol, avion-terre
AIR-TO-GROUND MISSILE ....Engin air-sol
AIR-TO-SURFACE .... Air-sol, air-surface
AIR TRAFFIC .... Circulation aérienne, trafic aérien
AIR TRAFFIC CONTROL (ATC) .... Réglementation et contrôle de la circulation aérienne, du trafic aérien
AIR TRAFFIC CONTROL OFFICER (controller) ....Contrôleur de la navigation aérienne
AIR TRAFFIC CONTROL RADAR BEACON SYSTEM .... Système CTA de balise radar
AIR TRAFFIC CONTROLLER .... Contrôleur de la circulation aérienne, aiguilleur du ciel
AIR TRAFFIC RULES ....Règlement de la circulation aérienne
AIR TRAFFIC ZONE ....Zone de circulation d'aérodrome
AIR TRANSPORT .... Transport aérien, aviation commerciale, aérotransport
AIR TRANSPORT COMMITTEE (ATC) ....Comité du transport aérien
AIR TRANSPORT PILOT .... Pilote de ligne
AIR TRANSPORTATION .... Transport aérien
AIR TRAVEL .... Voyage aérien
AIR TRAVELLER .... Voyageur
AIR TUBE .... Chambre à air
AIR TUNNEL .... Tunnel aérodynamique
AIR TURBINE STARTER .... Démarreur à air
AIR TURNBACK (technical) .... Interruption technique en vol
AIR VALVE .... Soupape à air, reniflard

AIR VECTOR .... Vecteur air
AIR VENT .... Mise à l'air libre, évent
AIR VENT VALVE .... Clapet de mise à l'air libre
AIR WARFARE .... Guerre aérienne
AIR WAYBILL .... Lettre de transport aérienne (LTA)
AIRBASE (air base) .... Base d'aviation, terrain militaire
AIRBORNE (adj) .... Aéroporté, porté, sustenté par l'air, transporté par air, embarqué, de bord
AIRBORNE AT () .... Décollé à, décollage à
AIRBORNE AUXILIARY POWER .... Groupe auxiliaire de bord
AIRBORNE COMPUTER .... Calculateur de bord, embarqué
AIRBORNE DELAY .... Attente en vol
AIRBORNE EARLY WARNING (AEW) .... Détection et identification lointaines
AIRBORNE EQUIPMENT .... Matériel de bord, équipement aéroporté
AIRBORNE FLIGHT INSTRUMENTS .... Instruments de bord
AIRBORNE FORCES .... Forces aéroportées
AIRBORNE HOUR .... Heure de vol
AIRBORNE INSTRUMENTS .... Instruments de bord
AIRBORNE RADAR .... Radar de bord, radar aéroporté
AIRBORNE RANGING RADAR .... Radar télémétrique de bord
AIRBORNE SUPPORT EQUIPMENT (ASE) .... Matériel de servitude embarqué
AIRBORNE TAXI .... Taxi aérien, avion-taxi
AIRBORNE TIME .... Temps de vol ; heure de décollage
AIRBORNE TRANSPONDER .... Répondeur aéroporté
AIRBORNE TROOPS .... Troupes aéroportées
AIRBORNE WARNING AND CONTROL SYSTEM (AWACS) .... Systèmes embarqués d'avertissement et de contrôie, systèmes d'avertissement et de surveillance aéroportés, système volant d'alerte et de contrôle, avion de détection et d'alerte
AIRBRAKES (Speed brakes) .... Aérofreins, freins aérodynamiques
AIRBREATHING MOTOR .... Moteur aérobie
AIRBRIDGE .... Pont aérien, liaison aérienne ; passerelle télescopique *(d'embarquement)*
AIRBUS (pluriel airbuses) .... Aérobus, airbus
AIRBUS PROGRAM .... Programme airbus
AIRCRAFT (A/C) .... Aéronef, aérodyne, avion, appareil ; navigation aérienne
AIRCRAFT ACCIDENT .... Accident d'avion
AIRCRAFT ATTITUDE .... Assiette de l'avion
AIRCRAFT BALANCE .... Centrage de l'avion
AIRCRAFT BREAK-UP .... Bris, dislocation d'avion
AIRCRAFT CARRIER .... Porte-avion, porte-aéronefs

AIRCRAFT COMMANDER .... Commandant de bord
AIRCRAFT DISPATCHER .... Contrôleur d'exploitation aérienne, agent d'exploitation
AIRCRAFT DIVISION DIRECTOR .... Directeur de la division avions
AIRCRAFT ENGINE .... Moteur d'avion, d'aviation
AIRCRAFT ENGINE MANUFACTURER .... Motoriste
AIRCRAFT EQUIPMENT .... Équipement de bord
AIRCRAFT FURNISHINGS .... Aménagement des avions
AIRCRAFT GROSS WEIGHT .... Masse totale de l'avion
AIRCRAFT GROUND EQUIPMENT (AGE) .... Matériel de servitude au sol
AIRCRAFT GROUNDING .... Immobilisation de l'avion, avion immobilisé au sol
AIRCRAFT HANDLING AGENT .... Consignataire d'aéronefs
AIRCRAFT IN DISTRESS .... Avion en détresse
AIRCRAFT IN SERVICE .... Aéronefs en service
AIRCRAFT INSTRUMENTS .... Instruments de bord
AIRCRAFT INTEGRATED DATA SYSTEM (AIDS) .... Enregistreur de maintenance, système embarqué d'enregistrement et d'acquisition de données
AIRCRAFT LOG BOOK .... Carnet de route, de bord, livret aéronef et moteurs
AIRCRAFT MAINTENANCE .... Entretien, maintenance des aéronefs
AIRCRAFT MAINTENANCE ENGINEER (mechanic) .... Mécanicien d'entretien avion
AIRCRAFT MANEUVERS .... Manœuvres de l'avion
AIRCRAFT MANUFACTURER .... Constructeur d'avion, avionneur
AIRCRAFT MECHANIC .... Mécanicien avion
AIRCRAFT-MILE .... Avion-kilomètre
AIRCRAFT MOTIONS .... Mouvements de l'avion
AIRCRAFT MOVEMENT .... Mouvement d'avion
AIRCRAFT NAVIGATION .... Navigation aérienne
AIRCRAFT-ON-GROUND (AOG) .... Avion au sol, immobilisé au sol, service de dépannage d'urgence, alerte dépannage
AIRCRAFT OPERATING AGENCY .... Exploitant d'aéronef
AIRCRAFT OPERATING CYCLE .... Cycle d'exploitation aéronef
AIRCRAFT OPERATION .... Exploitation technique des aéronefs
AIRCRAFT OPERATOR .... Exploitant d'avions
AIRCRAFT OUT OF RANGE .... Avion hors de portée *(d'atteinte)*
AIRCRAFT OUTLINE .... Silhouette d'un avion
AIRCRAFT OVERHAUL .... Révision avion
AIRCRAFT PIRACY .... Piraterie aérienne
AIRCRAFT PLANE (A/C) .... Avion
AIRCRAFT POWER SUPPLY .... Alimentation de bord
AIRCRAFT RADAR .... Radar aéroporté

AIRCRAFT STAND .... Poste de stationnement d'avion
AIRCRAFT SYSTEMS .... Circuits de bord
AIRCRAFT TRIM .... Centrage de l'avion
AIRCRAFT UTILIZATION .... Activité de la flotte, taux d'utilisation, nombre d'heures de vol annuel
AIRCRAFT WEIGHT .... Masse de l'avion
AIRCRAFT WIRING .... Câblage avion
AIRCREW .... Équipage avion
AIRDROME .... Aérodrome
AIRED .... Ventilé
AIREP (air report) .... Airep (rapport aéronautique)
AIRFIELD .... Champ, terrain d'aviation, aérodrome, piste en herbe
AIRFIELD PRESENTATION .... Visualisation de la piste
AIRFIELD SURFACE MOVEMENT INDICATOR (ASMI) Radar de contrôle des mouvements d'avions au sol
AIRFIGHT .... Combat aérien
AIRFILLED .... Gonflé à l'air
AIRFLOW .... Flux, débit, écoulement, courant, circulation d'air
AIRFLOW DETECTOR .... Détecteur de débit d'air
AIRFLOW DIRECTION .... Sens de l'écoulement
AIRFLOW MEASURING DEVICE .... Calculateur de débit
AIRFLOW PATTERN .... Configuration de l'écoulement
AIRFOIL (aerofoil) .... Surface portante, voilure, profil aérodynamique, section d'aile ; planeur
AIRFOIL CHORD .... Corde du profil
AIRFOIL FLOWFIELD .... Champ d'écoulement autour d'un profil
AIRFOIL SECTION (aerofoil section) .... Profil, section de profil, profil d'aile, coupe de voilure
AIRFRAME .... Cellule *(avion)*
AIRFRAME MANUFACTURER .... Avionneur, celluliste
AIRFRAME MECHANIC .... Mécanicien cellule
AIRFREIGHT CONTAINER .... Conteneur de fret aérien
AIRFREIGHTER .... Avion-cargo
AIRLIFT POTENTIAL .... Potentiel de transport
AIRLIFTER .... Avion de transport
AIRLINE .... Compagnie d'aviation, aérienne, service, entreprise de transport aérien, transporteur aérien
AIRLINE'S CHAIRMAN .... Président de compagnie aérienne
AIRLINE COUNTER .... Comptoir de la compagnie
AIRLINE DEREGULATION .... Déréglementation du transport aérien
AIRLINE HAND LUGGAGE .... Valise attaché-case
AIRLINE NETWORK .... Réseau aérien
AIRLINE OPERATOR .... Exploitant aérien
AIRLINE PILOT .... Pilote de ligne

AIRLINE TRANSPORT .... Transport de ligne
AIRLINE TRANSPORT PILOT CERTIFICATE .... Brevet de pilote de ligne
AIRLINER ....Avion de transport, avion de ligne
AIRLOAD .... Charge aérodynamique
AIRMAIL ....Aéropostal
AIRMAN .... Aviateur, spécialiste aéronautique
AIRPLANE ....Avion
AIRPLANE DESIGN .... Conception des avions
AIRPLANE ON JACKS ....Avion sur vérins
AIRPLANE STRUCTURE ....Structure avion
AIRPLANE SYSTEMS ....Circuits avion
AIRPLANE WING HEADING .... Orientation de l'avion pour le point fixe
AIRPLANE WIRING .... Câblage avion
AIRPORT .... Aéroport, aérodrome
AIRPORT ALTITUDE ....Altitude du terrain
AIRPORT AUTHORITIES .... Autorités aéroportuaires
AIRPORT AUTHORITY ....Organisme gestionnaire d'aéroport
AIRPORT BEACON ....Phare d'aéroport
AIRPORT CHARGE .... Taxe, redevance d'aéroport, aéroportuaire
AIRPORT CONTROL TOWER ....Tour de contrôle de l'aéroport
AIRPORT EQUIPMENT (airport ground equipment) .... Équipement aéroportuaire
AIRPORT INDICATOR (designator) .... Indicatif d'aéroport
AIRPORT LIGHTING .... Balisage d'aéroport
AIRPORT LIGHTING MONITOR SYSTEM ....Système de surveillance de balisage aéroport
AIRPORT MANAGER .... Directeur de l'aéroport
AIRPORT REVENUES ....Recettes d'aéroport
AIRPORT SURVEILLANCE RADAR (ASR) .... Radar de surveillance d'aéroport
AIRPORT TERMINAL .... Aérogare
AIRPORT TRAFFIC .... Trafic d'aéroport, circulation d'aéroport
AIRPORT TRAFFIC CONTROL .... Contrôle d'aérodrome
AIRPORT UNSAFE .... Aéroport dangereux
AIRPORTABLE .... Aérotransportable
AIRPOWER ....Puissance aérienne
AIRSCREW .... Hélice *(propulsive)*
AIRSCREW BRAKE .... Frein d'hélice
AIRSCREW DRAUGHT .... Vent de l'hélice
AIRSCREW SLIPTREAM .... Souffle, sillage de l'hélice
AIRSCREW TORQUE ....Couple d'hélice
AIRSCREW TORQUE REACTION ..... Couple de renversement de l'hélice
AIRSCREW WASH .... Remous de l'hélice

AIRSHIP .... Dirigeable
AIRSHOW .... Meeting aérien, meeting d'aviation, salon de l'aéronautique
AIRSPACE .... Espace aérien
AIRSPACE RESERVATION .... Espace aérien réservé
AIRSPACE RESTRICTED AREA .... Zone réglementée de l'espace aérien *(réglementation de l'espace aérien)*
AIRSPEED .... Vitesse aérodynamique, vitesse propre Vp, vitesse relative, vitesse air
AIRSPEED BUG .... Curseur, index de vitesse
AIRSPEED INDICATOR (meter) .... Badin, indicateur de vitesse relative, anémomètre
AIRSPEED/MACH INDICATOR .... Anémo-machmètre
AIRSPEED/MACHMETER .... Anémo-machmètre
AIRSPEED SENSOR .... Détecteur de vitesse
AIRSPEED SWITCH .... Contacteur de Vi, contacteur anémométrique
AIRSPEED TUBE .... Prise anémobarométrique
AIRSTAIR(S) .... Escalier incorporé, escamotable, trappe-escalier
AIRSTREAM .... Filet d'air, courant d'air, écoulement d'air, flux d'air
AIRSTREAM SEPARATION .... Décollement de filets d'air
AIRSTRIP .... Piste, terrain d'atterrissage
AIRTIGHT .... Étanche à l'air, hermétique
AIRWAY (AWY) .... Aéroroute, radioalignement, voie, route aérienne ; orifice passage d'air
AIRWAY BEACON .... Radiophare de ligne aérienne
AIRWAY INSPECTION .... Surveillance des voies aériennes
AIRWAY MARKER .... Radioborne de voie aérienne
AIRWAY ROUTING .... Itinéraire des voies aériennes
AIRWAYS .... Voies aériennes contrôlées
AIRWAYS CLEARANCE ...... Autorisation de route, de contrôle régional
AIRWAYS NAVIGATION (flying airways) .... Radiobalisage
AIRWORTHINESS .... Navigabilité, aptitude au vol, tenue au vol, valeur aéronautique
AIRWORTHINESS CERTIFICATE .... Certificat de navigabilité
AIRWORTHINESS DIRECTIVE .... Consigne de navigabilité
AIRWORTHY .... En état de vol
AISLE .... Allée centrale, couloir central *(avion)*, corridor
ALARM .... Alerte, alarme, avertisseur, signal
ALARM BELL .... Sonnerie d'alarme, sonnette d'alarme
ALARM SYSTEM .... Système d'alarme
ALCLAD .... Alclad, vedal
ALCOHOL .... Alcool
ALCOHOL THERMOMETER .... Thermomètre à alcool
ALEE .... A l'abri du vent

ALERT LIGHT .... Voyant d'alerte
ALERT MESSAGE .... Télégramme d'alerte
ALERT RADAR .... Radar d'alerte
ALERTING SERVICE .... Service d'alerte
ALGORITHM .... Algorithme
ALIGHT (to) .... Descendre, amerrir, se poser
ALIGHTING .... Amerrissage, atterrissage
ALIGHTING GEAR .... Train d'atterrissage, amerrisseur
ALIGHTING RUN .... Longueur de roulement à l'atterrissage, hydroplanage à l'amerrissage
ALIGN (to) .... Aligner, mettre en ligne, centrer, faire coïncider
ALIGNING PIN .... Broche d'alignement
ALIGNMENT .... Alignement, centrage, orientation *(aides radio)*
ALIGNMENT CHECK .... Contrôle d'alignement
ALIGNMENT ERROR .... Erreur d'orientation *(aides radio)*
ALIGNMENT PIN .... Broche d'alignement
ALIGNMENT SIGHT .... Viseur d'alignement
ALIGNMENT TELESCOPE .... Lunette d'alignement
ALIPHATIC NAPHTA .... Solvant naphta, kérosène
ALIVE .... Sous tension, sous potentiel, chargé
ALKALINE CLEANING .... Nettoyage, dégraissage alcalin, nettoyage en bain alcalin
ALKALINE SOLUTION .... Solution alcaline
ALKALINITY .... Alcalinité
ALL-AREAS .... Tous secteurs
ALL-CARGO AIRCRAFT .... Avion « tout cargo », de transport exclusif de fret
ALL CLEAR .... Libre, dégagé, personne autour
ALL-FREIGHT .... Tout-cargo, exclusif de fret
ALL-INCLUSIVE TOUR .... Voyage à forfait, organisé, tous frais compris
ALL METAL .... Entièrement métallique
ALL-NEW AIRCRAFT .... Avion entièrement nouveau
ALL OVER .... Sur toute la surface, partout
ALL-PASSENGER CONFIGURATION .... Aménagement tout-pax
ALL-PURPOSE .... Universel, répondant à tous les besoins, polyvalent
ALL-ROUND PRICE .... Prix global, total
ALL-ROUND VIEW .... Vue circulaire
ALL-UP WEIGHT (lb) .... Poids total, maximum, poids global, masse maximale, totale
ALL-WEATHER .... Tous-temps, tout-temps
ALL-WEATHER FIGHTER .... Chasseur tous-temps
ALL-WEATHER LANDING .... Atterrissage tous-temps

ALL-WEATHER OPERATIONS .... Mission tout-temps ; exploitation tous-temps
ALL-WEIGHT .... Poids maximum
ALLEN HEAD SCREW .... Vis à tête six pans creux, vis holochrome
ALLEN KEY (wrench) .... Clé allen, six pans male
ALLIGATOR CLIP(S) .... Pince(s) crocodile(s)
ALLIGATORING .... Ecaillage, peinture craquelée
ALLOW (to) ....Admettre, permettre, tolérer, accorder laisser, consentir
ALLOW TO COOL (to) ....Laisser refroidir
ALLOW TO DRY (to) .... Laisser sécher
ALLOW TO SETTLE (to) .... Laisser reposer
ALLOWABLE ....Autorisé, permis, toléré, admissible, admis, tolérance
ALLOWABLE LOAD .... Charge admissible
ALLOWABLE OVERSIZE DIAMETER .... Diamètre sup. toléré
ALLOWABLE TAKE-OFF WEIGHT .... Masse autorisée au décollage
ALLOWANCE-ALLOWER .... Tolérance, jeu, marge
ALLOWED TAKE-OFF WEIGHT .... Poids maxi au décollage autorisé
ALLOY ....Alliage
ALLOY (to) ....Allier
ALLOY STEELS .... Aciers alliés, aciers spéciaux
ALLOYED .... Allié
ALLOYING .... Dépôts fondus
ALMEN TEST GAGE .... Outillage de mesure de flèche *(flexion)*
ALMEN TEST STRIP .... Éprouvette almen
ALMOST ....Presque, à peu près
ALOCROM (GB) ....Alodine
ALODIZE (to) ....Alodiner *(alodine 1000 et 1200)*
ALODIZING .... Alodisation, alodinage
ALOFT .... En vol
ALONG THE CENTER-LINE ....Dans l'axe
ALONG-TRACK ERROR .... Erreur longitudinale *(navigation)*
ALONG-TRACK MILEAGE .... Distance à parcourir
ALPAX .... Alpax
ALPHANUMERIC DISPLAY ...... Écran de visualisation alphanumérique, afficheur alphanumérique
ALPHANUMERIC INFORMATION ....Données alphanumériques
ALPHANUMERIC KEYBOARD .... Clavier alphanumérique
ALPHANUMERIC SYMBOLS .... Symboles alphanumériques
ALTER (to) .... Retoucher, modifier, changer, reprendre
ALTERABLE MEMORY ....Mémoire altérable
ALTERATION OF COURSE ....Changement de cap
ALTERNATE (to) ....Alterner, se succéder
ALTERNATE (item) ....Adaptable, équivalent adaptable

ALTERNATE AIRPORT .... Aéroport de déroutement, de dégagement
ALTERNATE AIRWAY .... Voie aérienne facultative
ALTERNATE LANDING .... Atterrissage sur un terrain de dégagement
ALTERNATE LEG .... Étape de dégagement
ALTERNATE LONGITUDINAL TRIM .... Compensation longitudinale auxiliaire
ALTERNATE ROUTE .... Parcours de suppléance
ALTERNATING CURRENT (A.C) .... Courant alternatif, ~
ALTERNATING CURRENT GENERATOR (A/C generator) ..... Alternateur
A.C GENERATOR CONSTANT SPEED DRIVE ...... Entraînement à vitesse constante de l'alternateur
A.C GENERATOR COOLING .... Ventilation alternateur
A.C GENERATOR UNIT .... Générateur courant alternatif, alternateur
A.C POWER DISTRIBUTION .... Distribution de courant alternatif
ALTERNATING FLASHES .... Éclats alternés
ALTERNATIVE .... Alternatif
ALTERNATION .... Alternance
ALTERNATIVE FUEL .... Carburant de remplacement
ALTERNATOR .... Alternateur
ALTERNATOR BUS BAR .... Barre alternateur
ALTIGRAPH .... Altimètre enregistreur
ALTIMETER .... Altimètre
ALTIMETER SETTING .... Réglage, calage de l'altimètre, altimétrique
ALTIMETRIC COLUMN .... Colonne altimétrique, barométrique
ALTIMETRY .... Altimétrie
ALTITUDE .... Altitude, élévation, hauteur
ALTITUDE ALERT .... Avertisseur d'altitude
ALTITUDE CHAMBER .... Chambre à vide
ALTITUDE CHART .... Isohypses
ALTITUDE COLUMN .... Colonne altitude
ALTITUDE COMPENSATING REGULATOR ... Régulateur à compensation d'altitude
ALTITUDE COMPENSATOR .... Correcteur altimétrique
ALTITUDE CORRECTION .... Correction d'altitude
ALTITUDE CORRECTOR .... Correcteur altimétrique
ALTITUDE ENGINE .... Moteur suralimenté
ALTITUDE FLIGHT .... Vol d'altitude
ALTITUDE HOLD .... Maintien de l'altitude, tenue d'altitude
ALTITUDE HORN .... Klaxon d'altitude *(cabine)*
ALTITUDE MIXTURE .... Correction altimétrique
ALTITUDE MIXTURE CONTROL .... Correcteur altimétrique
ALTITUDE PRESSURE SWITCH .... Manocontact d'altitude
ALTITUDE PRESSURE TRANSMITTER .... Transmetteur de pression altitude
ALTITUDE RECORD (world) .... Record *(mondial)* d'altitude

ALTITUDE REMINDER BUG .... Curseur d'altitude
ALTITUDE REPORT .... Compte-rendu d'altitude
ALTITUDE SELECT INDICATOR .... Indicateur d'affichage, de sélection d'altitude
ALTITUDE SENSING UNIT (ASU) .... Contrôleur d'altitude
ALTITUDE SENSOR .... Capteur d'altitude
ALTITUDE WARNING HORN .... Klaxon d'altitude excessive
ALTOCUMULUS .... Altocumulus
ALTO STRATUS (altostratus) .... Altostratus *(alto-stratus)*
ALUMEL LEAD .... Câble en alumel
ALUMILITING .... Alumilitage
ALUMINA .... Alumine
ALUMINISED .... Aluminisé
ALUMINISED BLADE .... Ailette aluminisée
ALUMINISING .... Aluminisation
ALUMINIUM .... Aluminium
ALUMINIUM ALLOYS .... Alliages d'aluminium, alliages légers
ALUMINIUM HONEYCOMB .... Nid d'abeille d'aluminium
ALUMINIUM OXIDE .... Oxyde d'aluminium, d'alumine
ALUMINIUM PLATE .... Tôle d'aluminium
ALUMINIUM POWDER .... Poudre d'aluminium
ALUMINIUM SHEET (foil) .... Tôle, feuille d'aluminium
ALUMINIUM TAPE .... Bande alu *(adhésive)*
ALUMINIUM WOOL .... Brosse à poil d'aluminium
ALUMINIZING .... Alumilitage, aluminisation
AMALGAMATED ZINC .... Zinc amalgamé
AMBER LIGHT .... Feu jaune, voyant jaune
AMBER WARNING LIGHT .... Voyant ambre, témoin ambre
AMBIENT AIR .... Air ambiant
AMBIENT (air) TEMPERATURE .... Température ambiante *(de l'air)*
AMBIENT THERMORESISTOR .... Sonde d'ambiance
AMBULANCE .... Ambulance, sanitaire
AMBULANCE TRANSPORT .... Transport sanitaire, évacuation sanitaire, médicale
AMBULANCE VERSION .... Version d'évacuation sanitaire
AMENDMENT .... Rectification, modification
AMERICAN SIZE(S) .... Pas américain, dimensions américaines
AMERICAN STANDARD CODE FOR INFORMATION INTERCHANGE (ASCII) .... Code américain standard pour les échanges d'informations
AMMETER .... Ampèremètre
AMMUNITION .... Munitions *(de guerre)*
AMORTIZE (to) .... Amortir
AMOUNT .... Quantité, montant, total, somme
AMOUNT (to) .... S'élever *(à)*, se monter *(à)*, revenir *(à)*

AMOUNT OF FUEL .... Quantité de carburant
AMOUNT OF MATERIAL .... Quantité de matière
AMPERAGE .... Ampérage, intensité
AMPERE .... Ampère *(A)*
AMPERE-HOUR .... Ampère-heure *(A-H)*
AMPERE-METER .... Ampèremètre
AMPHIBIAN .... Avion amphibie
AMPLIFICATION FACTOR .... Facteur d'amplification
AMPLIFIER .... Amplificateur, haut-parleur
AMPLIFIER-COMPUTER (package) .... Ampli-calculateur, boîte d'amplification
AMPLITUDE .... Amplitude
AMPLITUDE DISTORTION .... Distorsion d'amplitude
AMPLITUDE MODULATION .... Modulation d'amplitude
ANABATIC WIND .... Vent anabatique
ANALOG COMPUTER .... Ordinateur, calculateur analogique
ANALOG DATA .... Information analogique
ANALOG-DIGITAL CONVERTER (A/D converter) .... Convertisseur analogique-numérique
ANALOG-DIGITAL INTERACTION .... Influence réciproque analogique-numérique
ANALOG GROUND .... Masse analogique
ANALOG INPUT .... Entrée analogique
ANALOG METER .... Indicateur analogique, galvanomètre
ANALOG MULTIPLEXER .... Multiplexeur analogique
ANALOG OUTPUT .... Sortie analogique
ANALOG TAPE RECORDER .... Enregistreur analogique
ANALOG TO DIGITAL .... Analogique-digital *(A/D)*
ANALYSE (to) .... Analyser
ANALYSER .... Analyseur
ANALYSIS .... Étude, analyse, interprétation
ANALYST .... Analyste
ANALYTICAL .... Analytique
ANCHOR .... Ancrage, attache, fixation, crochet
ANCHOR (to) .... Ancrer, fixer, sceller, amarrer
ANCHOR BOLT .... Boulon de fixation
ANCHOR PIN .... Broche, goupille de fixation
ANCHOR PLATE .... Plaque de fixation, d'ancrage
ANCILLARIES .... Servitudes
ANCILLARY .... Auxiliaire, annexe, secondaire
ANCILLARY CIRCUIT .... Circuit auxiliaire
ANCILLARY EQUIPMENTS .... Équipements annexes, accessoires, matériels de servitude, auxiliaires, matériels de piste
ANCILLARY SYSTEM .... Servitude
ANECHOIC CHAMBER (room) .... Chambre anéchoïde, anéchoïque, chambre sourde

ANEMO-BAROMETRIC SENSOR .... Sonde anémo-barométrique
ANEMOMETER (wind speed) ....Anémomètre *(vitesse du vent)*
ANEMOMETRIC SWITCH .... Contacteur anémométrique
ANEROID .... Baromètre, anéroïde, capsule anéroïde, barométrique, manométrique
ANEROID ALTIMETER (barometer) ..... Altimètre anéroïde *(baromètre)*
ANEROID CAPSULES ....Capsules anéroïdes, de vidi
ANEROID PRESSURE DIAPHRAGM .... Capsule anéroïde
ANEROID SWITCH .... Contacteur anéroïde
ANGLE ....Angle, cornière, tôle pliée, charnière, coin, inclinaison
ANGLE BAR ....Cornière, profilé
ANGLE BLOCK .... Cale, coin
ANGLE BRACKET .... Console, équerre de fixation
ANGLE COUNTERSHAFT .... Renvoi d'angle
ANGLE DRILL .... renvoi d'angle *(perceuse)*
ANGLE DRIVE .... Renvoi d'angle
ANGLE GEARBOX (gear) .... Boîtier d'angle, de renvoi d'angle
ANGLE-HEAD WRENCH ....Clé tête d'angle
ANGLE-IRON .... Cornière
ANGLE KEEL ....Quille d'angle
ANGLE OF APPROACH .... Angle d'approche
ANGLE OF ATTACK (AOA) ......Angle d'attaque, d'incidence, incidence
ANGLE OF ATTACK INDICATOR .... Indicateur d'incidence
ANGLE OF BANK ....Angle de roulis, d'inclinaison
ANGLE OF CLIMB .... Angle de montée
ANGLE OF ELEVATION ....Angle de site
ANGLE OF GLIDE .... Angle de pente, de plané
ANGLE OF INCIDENCE ....Angle d'incidence
ANGLE OF ROLL .... Angle de roulis
ANGLE OF SETTING .... Angle de calage
ANGLE OF SIDE-SLIP .... Angle de dérapage latéral
ANGLE OF SLOPE .... Angle d'inclinaison, pente
ANGLE OF STALL ....Angle, incidence de décrochage, angle d'incidence critique
ANGLE OF TRAVEL .... Angle de débattement
ANGLE PLATE .... Équerre
ANGLE SPEED ....Vitesse angulaire
ANGLE, SUPPORT .... Cornière, support en « L »
ANGLED PARKING .... Stationnement de biais
ANGULAR .... Angulaire
ANGULAR ACCELERATION (rd/sec^2) .... Accélération angulaire
ANGULAR ACCURAY .... Précision angulaire
ANGULAR MEASURES ....Mesures angulaires
ANGULAR MOMENTUM ....Moment cinétique

ANGULAR MOVEMENT .... Débattement angulaire
ANGULAR POINTS .... Poinçons coudés
ANGULAR POSITION .... Position angulaire
ANGULAR THREE-AXIS RATE-SENSOR ..... Détecteur angulaire 3-axes, de gyromètre
ANGULAR VELOCITY .... Vitesse angulaire, pulsation
ANGULAR VELOCITY SENSOR .... Capteur de vitesse angulaire, tachymètre
ANHEDRAL .... Dièdre négatif
ANHYDROUS .... Anhydre
ANISOTROPIC (anisotrope) .... Anisotropique *(anisotrope)*
ANISOTROPIC MATERIALS .... Matériaux anisotropes
ANISOELASTIC DRIFT .... Dérive anisoélastique *(des gyroscopes)*
ANISOELASTICITY FACTOR .... Coefficient d'anisoélasticité
ANNEAL (to) .... Recuire, détremper
ANNEALED .... Recuit
ANNEALING .... Recuit
ANNEALING FURNACE .... Four à recuire
ANNOUNCEMENT .... Annonce
ANNOUNCER .... Annonceur, « speaker »
ANNULAR COMBUSTION CHAMBER Chambre de combustion annulaire
ANNULAR COMBUSTOR ....Chambre de combustion annulaire
ANNULAR FLANGE .... Bride circulaire
ANNULAR GASKET .... Joint annulaire
ANNULAR SPACE .... Cavité annulaire
ANNULUS .... Collecteur, chambre annulaire, couronne
ANNULUS GEAR .... Couronne dentée
ANNUNCIATOR .... Annonciateur *(d'appel)*, panneau annonciateur, indicateur
ANNUNCIATOR FLAG .... Drapeau annonciateur
ANNUNCIATOR LAMPS .... Lampes de panneau annonciateur
ANNUNCIATOR PANEL .... Panneau annonciateur
ANODE .... Anode, pôle positif, plaque
ANODE BATTERY .... Batterie de plaque
ANODE CURRENT .... Courant anodique, de plaque
ANODE DROP (fall) .... Chute anodique
ANODE ETCHING .... Attaque anodique
ANODIC DEGREASING .... Dégraissage électrolytique en phase anodique
ANODIC FILM .... Film, couche anodique
ANODIC OXIDATION .... Oxydation anodique
ANODIC TREATMENT .... Traitement, protection anodique
ANODICALLY .... Anodiquement
ANODIZATION (anodizing) .... Anodisation, protection, oxydation anodique

ANODIZE (to) .... Anodiser
ANODIZED .... Anodisé
ANOMALY DETECTOR (MAD) .... Détecteur d'anomalie magnétique *(perturbation du champ)*
ANTENNA (E) .... Antenne, aérien
ANTENNA ARRAY .... Groupe, réseau d'antenne, antenne réseau
ANTENNA BAY .... Logement d'antenne
ANTENNA COAXIAL CONNECTOR .... Prise coaxiale d'antenne
ANTENNA COUPLER .... Coupleur d'antenne, boîtier d'accord antenne
ANTENNA DISK .... Réflecteur d'antenne
ANTENNA GAIN .... Gain d'antenne
ANTENNA HORN .... Cornet d'antenne
ANTENNA LOOP .... Cadre antenne
ANTENNA MAST .... Mât d'antenne
ANTENNA PATTERN .... Diagramme d'antennes
ANTENNA-POST .... Mât d'antenne
ANTENNA REEL (-winder) .... Rouet d'antenne
ANTENNA REFLECTOR .... Réflecteur d'antenne
ANTENNA SCAN .... Balayage d'antenne
ANTENNA TUNER .... Bloc, boîte d'accord antenne
ANTI-ABRASION COATING .... Couche, protection anti-abrasion
ANTI-AIRCRAFT (anti-aerial) .... Anti-aérien
ANTI-AIRCRAFT DEFENCE .... Défense anti-aérienne, DCA
ANTI-AIRCRAFT MISSILE .... Missile de défense anti-aérienne
ANTI-ARMOUR .... Anti-blindage
ANTI-BALANCE TAB .... Flettner de contre-équilibrage, anti-tab automatique
ANTI-BOOM CLIMB .... Montée anti-bang
ANTI-CHAFING .... Anti-friction, anti-usure, anti-frottement
ANTICYCLONE .... Anticyclone
ANTI-CLOCKWISE .... Dans le sens inverse des aiguilles d'une montre
ANTI-COLLAPSE SPRING .... Ressort antagoniste
ANTI-COLLISION LIGHTS .... Feux anti-collision, phares anti-collision
ANTICORROSION GREASE .... Graisse anti-corrosion
ANTI-CORROSIVE (anticorrosive) .... Anti-corrosif
ANTI-CORROSIVE COAT (compound) .... Protection anti-corrosion *(enduit)*
ANTI-CORROSIVE OIL .... Huile anti-corrosive
ANTI-CORROSIVE TREATMENT .... Traitement anti-corrosif
ANTICYCLONE .... Anticyclone
ANTICYCLONIC .... Anticyclonique
ANTI-DAZZLING .... Anti-aveuglant, anti-éblouissant

ANTI-FLOAT TAB .... Tab anti-flottement
ANTI-FOGGING .... Anti-buée, anti-condensation
ANTI-FREEZE .... Anti-gel
ANTI-FREEZING GREASE .... Graisse incongelable
ANTI-FREEZING LIQUID .... Anti-gel
ANTI-FRET PLATE .... Plaquette anti-usure
ANTI-FRETTING COMPOUND .... Produit anti-corrosion, antigrippant
ANTI-FRETTING STRIP .... Bande anti-frottement, d'usure
ANTI-FRICTION (bearing) .... Antifriction *(roulement à billes ou à galets)*
ANTIFRICTION BEARING (rolling element) .... Roulement anti-friction
ANTI-FROST .... Anti-givrage
ANTI-GLARE .... Anti-éblouissant, non éblouissant, anti-reflet
ANTIGRAVITY .... Antigravité
ANTIHUNTING CIRCUIT .... Circuit anti-battement
ANTI-ICE DUCTING .... Gaine d'antigivrage
ANTI-ICE VALVE .... Vanne de dégivrage
ANTI-ICER .... Anti-givreur, anti-givrant
ANTI-ICING .... Anti-givrage *(antigivrage)*
ANTI-ICING AIR REGULATOR .... Régulateur de dégivrage
ANTI-ICING DUCT .... Conduit, canalisation de dégivrage
ANTI-ICING FLUID .... Anti-gel
ANTI-ICING SYSTEM .... Circuit anti-givrage
ANTI-ICING THERMOSTAT .... Thermostat dégivrage
ANTI-ICING VALVE .... Vanne de dégivrage
ANTI-INTERFERENCE FILTER .... Filtre anti-parasites
ANTI-JAMMING .... Anti-brouillage
ANTI-KNOCK (fuel) .... Anti-détonnant *(carburant)*
ANTI-MAGNETIC .... Anti-magnétique
ANTI-MIST .... Anti-buée
ANTIMONY .... Antimoine
ANTI-NOISE .... Anti-bruit
ANTIRESONANT CIRCUIT .... Circuit bouchon
ANTIROTATION BOLT .... Boulon anti-rotation
ANTIROTATION LUG .... Tenon, languette frein
ANTIROTATION SCREW .... Vis indesserrable
ANTI-RUST .... Anti-rouille
ANTI-SAND FILTER .... Filtre anti-sable
ANTI-SCUFFING .... Anti-frottement, anti-usure
ANTI-SEIZE COMPOUND .... Enduit, produit antigrippant, anti-couple *(silkolène)*
ANTISEIZE LUBRICANT .... Antigrippant
ANTI-SHIMMY DEVICE .... Amortisseur anti-shimmy
ANTI-SHIP MISSILE .... Missile anti-navire *(antinavire)*

ANTI-SHOCK .... Anti-choc
ANTI-SIPHON LINE .... Anti-siphon
ANTI-SIPHON LOOP .... Boucle anti-siphon
ANTI-SKID (antiskid) .... Anti-patinage, anti-blocage, antidérapage, antidérapant
ANTI-SKID CONTROL VALVE .... Électrovalve anti-patinage
ANTISKID DETECTOR .... Détecteur anti-patinage
ANTISKID RELAY .... Relais anti-patinage
ANTI-SKID SYSTEM .... Système, dispositif anti-patinage, anti-dérapage
ANTI-SKID VALVE .... Valve anti-patinage
ANTI-SLIP .... Anti-dérapant
ANTI-SPIN .... Anti-vrille
ANTI-STALL FENCE .... Cloison de décrochage
ANTISTATIC AGENT .... Agent anti-statique *(nettoyage hublots et parebrise)*
ANTISTATIC FILTER (anti-static filter) .... Filtre antiparasite
ANTI-SUBMARINE (torpedo) .... Anti-submersible, anti-sous-marin(e) *(torpille)*
ANTI-SUBMARINE PATROL PLANE .... Avion de patrouille anti sous-marin
ANTI-SURFACE SHIP .... Anti-bâtiment de surface
ANTI-SURGE SYSTEM .... Système anti-pompage
ANTI-TANK COMBAT .... Lutte anti-char
ANTI-TANK HELICOPTER .... Helicoptère de lutte antichar
ANTI-TANK WEAPON SYSTEM .... Système d'arme antichar *(missile)*
ANTI-TEAR STRAP .... Sangle anti-déchirure
ANTI-TORQUE .... Anti-couple
ANTI-TORQUE ROTOR .... Hélice, rotor anti-couple
ANTI-VESSEL .... Antinavire, anti-bâtiment
ANTI-VIBRATION DAMPER .... Amortisseur anti-vibration
ANTIVORTEXING COVER .... Couvercle anti-tourbillon
ANVIL .... Enclume
ANVIL CLOUD .... Nuage en enclume
AOG PRIORITY .... Priorité avion immobilisé
AOG SERVICE (aircraft-on-ground) .... Service de dépannage rapide
APASTRON .... Apoastre *(mécanique céleste)*
APERIODIC CIRCUIT .... Circuit apériodique
APERTURE .... Ouverture, lumière, orifice, diaphragme
APEX .... Sommet, pointe
APEX OF CONE .... Pointe de cone
APOGEE .... Apogée *(mécanique céleste)*
APOGEE MOTOR .... Moteur d'apogée
APPARATUS .... Appareil, appareillage, dispositif

APPARATUS HEAD .... Tête d'appareil
APPARENT ASPECT-RATIO .... Allongement apparent
APPARENT POWER .... Puissance apparente
APPENDIX .... Appendice, annexe
APPLIANCE .... Appareil, dispositif
APPLICATION .... Application, enduit
APPLIED LOAD .... Charge appliquée
APPLIED MATHEMATICS .... Mathématiques appliquées
APPLIED TORQUE .... Couple appliqué
APPLY (to) .... Appliquer, passer, exercer, serrer, enduire
APPLY BRAKES (to) .... Freiner, serrer les freins
APPLY ONE COAT (to) .... Appliquer une couche
APPLY TENSION (to) .... Tendre
APPOINTMENT .... Équipement, aménagement
APPRECIATE (to) .... Évaluer, estimer, apprécier
APPROACH .... Approche, prise de terrain, présentation
APPROACH (to) .... (s') approcher
APPROACH AID .... Aide à l'approche
APPROACH AND LEAD-IN LIGHTS .... Feux d'approche et de prise de terrain
APPROACH ANGLE .... Angle d'approche
APPROACH AREA .... Aire d'approche
APPROACH BEACON .... Radiophare d'approche, d'atterrissage
APPROACH CHART .... Carte d'approche
APPROACH CLEARANCE .... Permission donnée pour l'approche finale
APPROACH COMPLETED .... Approche terminée
APPROACH CONTROL .... Contrôle d'approche
APPROACH FIX .... Repère d'approche
APPROACH FUNNEL .... Trouée d'approche
APPROACH GUIDANCE .... Guidage en phase d'approche
APPROACH LIGHT .... Balise d'approche, feu d'atterrissage
APPROACH LIGHT BEACON .... Phare d'approche
APPROACH LIGHT TOWER .... Feu d'approche
APPROACH LIGHTING SYSTEMS .... Balisage lumineux d'approche
APPROACH LIGHTS .... Feux, rampe d'approche
APPROACH MARKER .... Borne de balisage
APPROACH PATH .... Axe, alignement, trajectoire, chenal d'approche, trajectoire en approche
APPROACH PROCEDURE .... Procédure d'approche
APPROACH PROGRESS DISPLAY ... Indicateur de séquence d'approche
APPROACH SEQUENCE .... Séquence d'approche
APPROACH SLOPE .... Plan de descente
APPROACH SPEED .... Vitesse d'approche
APPROACH SURFACE .... Surface d'approche

APPROACH SURVEILLANCE RADAR Radar de surveillance d'approche
APPROACH TO LAND ....Approche à l'atterrissage, début d'atterrissage
APPROPRIATE AUTHORITY .... Autorité compétente
APPROVAL ....Approbation, agrément, homologation
APPROVE (to) .... Approuver, agréer, accepter, homologuer
APPROVED REPAIR .... Réparation tolérée, permise
APPROXIMATE VALUE .... Valeur approximative
APPROXIMATIVELY (approximately) ...... Approximativement, environ
APPROXIMATION .... Approximation, rapprochement
APRON .... Parking, aire de stationnement, aire d'embarquement, de trafic, d'envol ou d'atterrissage, tablier
APRON CART .... Chariot de piste
APRON CONTROLLER ....Chef de piste
APRON FLOODLIGHTING .... Éclairage de l'aire de chargement
APRON FLOODLIGHTS .... Projecteurs de parking
APRON SUPERVISOR ....Chef de piste
APU (auxiliary power unit) ....Groupe auxiliaire d'énergie, de puissance
APU ENGINE SHROUD ....Carénage d'APU
APU FIRE DETECTION .... Détection incendie APU
APU MOUNT ....Fixation APU
AQUAPLANING ....Hydroplanage *(roue)*
AQUEOUS FILM ....Film aqueux *(eau légère)*
AQUEOUS SOLUTION .... Solution aqueuse
ARALDITE LAYER .... Couche d'araldite *(colle)*
ARAMIDE FIBRE ....Fibre aramide
ARBOR .... Arbre *(lisse)*, axe, mandrin *(de tour)*
ARBOR PRESS ....Presse à crémaillère, à mandriner
ARC .... Arc, champ de l'hélice
ARC (to) .... Cracher des étincelles
ARC-BACK ....Courant inverse
ARC BRAZING ....Soudo-brasage à l'arc
ARC HEIGHT ....Flèche *(flexion)*, *(hauteur de la)* flèche
ARC WELD (to) .... Souder à l'arc *(électrique)*
ARC WELDING .... Soudage, soudure à l'arc
ARCH .... Arceau
ARCH (to) ....Arquer, cintrer, cambrer
ARCH PANEL .... Panneau de voûte
ARCHED .... Cintré
ARCING ....Production d'un arc électrique
ARCING TEST .... Essai de claquage
AREA .... Zone, aire, surface, section, région, superficie
AREA BOMBING .... Pilonnage
AREA COMMUNICATION CENTRE .. Centre régional de communications

AREA CONTROL (centre) (GB) .... Contrôle régional *(centre de)*
AREA FORECAST .... Prévision de zone
AREA NAVIGATION SYSTEM .... Système de navigation de zone, navigation de surface *(calculateur de)*
AREA OF SEPARATION .... Zone de décollement
ARGON ARC WELDING .... Soudage, soudure à l'arc sous argon, à l'argon, sous atmosphère d'argon
ARGON FLOW .... Débit argon
ARGON SUPPLY .... Débit argon
ARGON WELDING .... Soudure, soudage à l'argon
ARIANE BOOSTER .... Fusée ariane
ARISE (to) .... S'élever
ARITHMETIC LOGIC UNIT (ALU) .... Unité arithmétique et logique (UAL) (microprocesseurs)
ARM .... Bras, guignol
ARM (to) .... Armer
ARM REST (folding) .... Accoudoir *(repliable)*
ARMAMENT .... Armement
ARMAMENT CONTROL PANEL .... Boîtier sélecteur d'armement
ARMATURE .... Armature, induit
ARMATURE CORE .... Noyau d'induit
ARMATURE CURRENT .... Courant d'induit
ARMATURE GAP .... Entrefer, ouverture d'induit
ARMATURE IRON .... Fer d'induit
ARMATURE WINDING .... Enroulement, bobinage d'induit
ARMCHAIR .... Fauteuil
ARMED FORCES .... Forces armées
ARMING .... Armement
ARMING LIGHT .... Lampe d'armement
ARMOUR (armor US) .... Blindage, armature
ARMOUR PIERCING .... *(Pouvoir)* perforant ; obus de rupture
ARMOUR PLATE .... Plaque de blindage
ARMOUR PROTECTION .... Blindage
ARMOURED .... Armé, protégé *(cables)*, renforcé, blindé
ARMOURED CABLE .... Câble armé
ARMOURED VEHICLE (armored vehicle) .... Véhicule blindé, automitrailleuse
ARMREST .... Accoudoir
ARMY AIR CORPS .... Aviation de l'armée de terre
AROUND .... Autour, à l'entour, aux alentours
ARRANGE (to) .... Arranger, disposer, ranger, agencer
ARRANGEMENT .... Disposition, arrangement, agencement
ARRAY .... Arrangement, dispositif, déploiement, groupement
ARRAY EFFECT .... Effet de masque
ARREST (to) .... Arrêter

ARRESTED LANDING .... Appontage, atterrissage avec brin d'arrêt
ARRESTER BARRIER (arresting net) .... Filet d'arrêt
ARRESTER HOOK .... Crosse, crochet d'appontage, dispositif d'arrêt, crosse d'arrêt
ARRESTING CABLE .... Câble, brins d'arrêt
ARRESTING FENCE .... Barrière d'arrêt
ARRESTING GEAR .... Dispositif d'arrêt, barrière d'arrêt
ARRESTOR .... Éclateur, parafoudre
ARRIVAL .... Arrivée, arrivage
ARRIVAL GATE .... Bretelle d'accès
ARRIVAL LOUNGE .... Salle des arrivées
ARRIVAL TIME .... Heure d'arrivée
ARRIVING PASSENGERS .... Passagers à l'arrivée, en provenance
ARROW .... Flèche *(sens vecteur)*
ARROW WING .... Aile en flèche
ARROWING .... Fléchage
ARTICULATE (to) .... (s') articuler
ARTIFICIAL FEEL .... Sensation musculaire, artificielle
ARTIFICIAL FEEL INDICATOR .... Indicateur sensation musculaire
ARTIFICIAL FEEL UNIT (system) .... Dispositif de sensation musculaire
ARTIFICIAL HORIZON .... Horizon artificiel
ARTIST'S VIEW .... Vue d'artiste
ASBESTOS .... Amiante
ASBESTOS BLANKET .... Couverture d'amiante
ASBESTOS CLOTH (fiber) .... Toile d'amiante *(fibre)*
ASCEND TO (to) .... Monter à
ASCENSIONAL (power) .... Ascensionnel *(force)*
ASCENT .... Montée, ascension
ASCERTAIN (to) .... S'assurer, vérifier
ASEPTIC TANK .... Cuve W.C
AS FOLLOW .... Comme suit
ASH .... Cendre
ASH-TRAY .... Cendrier
ASHORE .... A terre
ASIDE .... De côté, à l'écard, à part
ASKEW .... De biais, de côté, oblique
ASLANT .... Obliquement, de travers, de biais
ASPECT RATIO .... Allongement géométrique *(ailes)*, rapport de l'envergure à la profondeur
ASPHALT .... Asphalte, bitume, goudron minéral
ASPHALTED RUNWAY .... Piste asphaltée
ASPIRATOR .... Aspirateur
ASPIRITY .... Aspérité
ASSAULT HELICOPTER .... Hélicoptère d'assaut

ASSEMBLE (to) .... Assembler, monter, réunir, ajuster, équiper
ASSEMBLER .... Monteur, ajusteur, assembleur
ASSEMBLY (assy) .... Ensemble, assemblage, montage
ASSEMBLY DRAWING .... Plan d'ensemble
ASSEMBLY HALL .... Salle, hall d'assemblage, de montage
ASSEMBLY JIG .... Bâti d'assemblage
ASSEMBLY LINE .... Chaine de montage
ASSEMBLY SHOP .... Atelier de montage
ASSIGNED TRACK .... Route assignée
ASSIST (to) .... Assister, aider, prêter assistance
ASSISTANT .... Auxiliaire, adjoint
ASSISTANT DIRECTOR .... Directeur adjoint
ASSOCIATED HARDWARE .... Quincaillerie, visserie jointe
ASSOCIATED PARTS .... Pièces annexes
ASSOCIATED SYSTEM .... Circuit annexe
ASSORTMENT (of tools) .... Assortiment, jeu *(d'outils)*, composition
ASTERN .... A l'arrière, vers l'arrière
ASTEROID .... Astéroïde, planetoïde
ASTRAY .... Egaré, écarté de sa route
ASTRIONICS .... Astrionique, Électronique appliquée à l'astronautique, électronique spatiale
ASTROCOMPASS .... Astrocompas
ASTRODROME .... Astrodrome
ASTRODYNAMICS .... (L') astrodynamique
ASTRO FIX .... Point astro
ASTROLOGY .... Astrologie
ASTROMETRY SATELLITE .... Satellite d'astrométrie
ASTRONAUT .... Astronaute, cosmonaute, spationaute
ASTRONAUTICS .... (L') astronautique, spationautique
ASTRONOMER .... Astronome
ASTRONOMIC SIGHTING .... Visée astrale
ASTRONOMICAL FIX .... Point astronomique
ASTRONOMICAL OBSERVATION .... Observation astronomique
ASTRONOMICAL OBSERVATORY (orbiting OAO) .... Laboratoire astronomique *(orbital LAO)*
ASTRONOMICS TELESCOPE .... Télescope astronomique
ASTRONOMY .... Astronomie
ASTRONOMY OBSERVATORY .... Observatoire d'astronomie
ASTROPHYSICS .... L'astrophysique
ASYMMETRIC FLIGHT .... Vol dissymétrique
ASYMMETRIC THRUST .... Poussée dissymétrique
ASYMMETRICAL DEFLECTION .... Débattement asymétrique
ASYMMETRICAL RETRACTION .... Rentrée asymétrique
ASYMMETRICAL WINGS .... Voilure asymétrique
ASYMMETRY .... Asymétrie, dissymétrie

ASYNCHRONOUS .... Asynchrone
ASYNCHRONOUS COMPONENT INTERFACE ADAPTOR (ACIA) Adaptateur d'interface de communications asynchrones
AT ALL TIMES .... A toutes heures
AT RIGHT ANGLE .... A angle droit
ATC (air traffic control) .... Contrôle de la circulation aérienne
ATC GROUND INTERROGATOR .... Interrogateur ATC au sol
ATC OFFICE .... Bureau de piste
ATC RADAR BEACON SYSTEM .... Répondeur de bord, transpondeur
ATC TRACK .... Route ATC
ATC TRANSPONDER .... Répondeur radar secondaire, répondeur de bord, transpondeur
ATHERMANOUS WALL .... Paroi athermane
ATHWART .... En travers *(de)*
ATMOSPHERE .... Atmosphère
ATMOSPHERIC .... Atmosphérique
ATMOSPHERIC FLIGHT .... Vol atmosphérique
ATMOSPHERIC PHYSICS .... Physique atmosphérique
ATMOSPHERIC POLLUTION .... Pollution atmosphérique
ATMOSPHERIC PRESSURE .... Pression atmosphérique
ATMOSPHERIC REENTRY .... Rentrée dans l'atmosphère
ATOM .... Atome
ATOMIC BOMB .... Bombe atomique
ATOMIC WEIGHT .... Poids atomique
ATOMIZATION (atomizing) .... Atomisation, pulvérisation
ATOMIZE (to) .... Pulvériser, atomiser, vaporiser
ATOMIZER .... Atomiseur, pulvérisateur, vaporisateur, gicleur
ATS ROUTE .... Route ATS
ATTACH (to) .... Attacher, lier, fixer, agrafer, monter rendre solidaire, connecter
ATTACH FITTING .... Ferrure d'attache, de fixation
ATTACH LUGS .... Pattes, brides de fixation
ATTACH POINT .... Point d'attache
ATTACHE CASE .... Mallette à documents, d'affaires, attaché-case
ATTACHED .... Fixe, solidaire de
ATTACHING COLLAR .... Collier de fixation
ATTACHING DEVICES .... Dispositifs de fixation
ATTACHING HARDWARE .... Visserie, fixations
ATTACHING LUG .... Patte, bride de fixation
ATTACHING PARTS .... Organes, pièces de fixation, visserie
ATTACHING PLATE .... Flasque de fixation
ATTACHING SCREW .... Vis de fixation
ATTACHMENT .... Attache, attachement, fixation, liaison, montage, équipement

ATTACHMENT BOLT .... Boulon de fixation
ATTACHMENT CLIP .... Patte de fixation
ATTACHMENT FITTING .... Ferrure d'attache, de fixation
ATTACHMENT HOLE .... Trou de fixation
ATTACHMENT LUGS .... Pattes d'attache, chape de fixation
ATTACHMENT PARTS .... Pièces, organes de fixation, attaches
ATTACHMENT PIN .... Axe, boulon de fixation
ATTACHMENT PLATE .... Plaque, platine de fixation
ATTACHMENT POINT .... Point de fixation, d'accrochage
ATTACK PLANE .... Avion d'assaut
ATTAIN (to) .... Atteindre, parvenir, arriver *(à)*
ATTAINABLE .... Accessible, à portée
ATTEMPT .... Essai, tentative
ATTEMPT (to) .... Tenter, essayer
ATTEMPT TO LAND .... Tentative pour se poser
ATTEMPTED TAKE-OFF .... Essai de décollage
ATTENDANCE .... Service, assistance, entretien
ATTENDANT .....Personnel de service, PNC, steward, hôtesse, préposé
ATTENDANT CALL BUTTON .... Bouton d'appel PNC
ATTENDANT'S DOOR .... Porte personnel de bord
ATTENDANT'S PANEL .... Tableau agent de bord
ATTENDANT'S STATION .... Poste PNC
ATTENUATE (to) .... Atténuer
ATTENUATION ....Atténuation, affaiblissement, amortissement, perte d'amplitude d'un signal
ATTENUATOR .... Atténuateur
ATTITUDE .... Pente, assiette longitudinale, position *(en vol),* attitude, pente, orientation
ATTITUDE AND ORBIT CONTROL SYSTEM (AOCS) Système de contrôle d'attitude et d'orbite
ATTITUDE CONTROL Commande d'orientation, régulation d'orientation, stabilisation d'orientation
ATTITUDE CONTROL SYSTEM .... Chaîne de pilotage *(engin spatial)*
ATTITUDE CONTROL UNIT .... Bloc de contrôle d'attitude, centrale d'orientation *(véhicule spatial)*
ATTITUDE DIRECTOR INDICATOR (ADI) ....Directeur d'attitude, indicateur directeur d'attitude
ATTITUDE ERROR .... Erreur d'assiette
ATTITUDE EXCURSION .... Variation d'assiette
ATTITUDE GAGE .... Jauge, indicateur d'attitude, niveau à bulle
ATTITUDE GYRO SENSOR .... Détecteur d'assiette
ATTITUDE INDICATOR .... Indicateur d'incidence, d'assiette, horizon artificiel
ATTITUDE OF FLIGHT .... Assiette du vol

ATTITUDE PLATFORM .... Plate-forme d'attitude
ATTITUDE REFERENCE .... Référence d'assiette
ATTITUDE REFERENCE UNIT .... Centrale d'attitude
ATTITUDE REPEATER .... Répétiteur d'horizon
ATTRACT (to) .... Attirer
ATTRACTIVE .... Attractif, attirant
ATTRITION (war of attrition) .... Attrition, usure par frottement *(guerre d'usure)*
AUDIBLE .... Perceptible, audible
AUDIBLE ALARM .... Alarme audible, sonore
AUDIBLE WARNING SYSTEM .... Klaxon, avertisseur sonore, signalisation audible
AUDIO .... Audio, acoustique, (d') audiofréquence
AUDIO AMPLIFIER .... Ampli audio-fréquences, ampli BF
AUDIO CONTROL PANEL .... Panneau sélection/écoute
AUDIO FREQUENCY (AF) .... Basse fréquence (BF), fréquence audible, acoustique, sonore, audiofréquence
AUDIO/INTERPHONE SYSTEM .... Système audio/interphone
AUDIO JACK .... Jack d'écoute
AUDIO-POWER UNIT .... Dispositif de réglage de l'ampli de puissance
AUDIO RESPONSE .... Réponse basse fréquence
AUDIO SELECT(OR) PANEL .... Panneau sélection/écoute
AUDIO SELECTOR .... Commutateur téléphonique
AUDIO SIGNAL .... Signal sonore
AUDIO SWITCH .... Commutateur acoustique, sélecteur d'écoute
AUDIO-TONE .... Fréquence audible
AUDIO VOLUME .... Volume d'écoute
AUDIO WARNING DEVICE .... Alarme sonore
AUGER .... Foret, mèche, perçoir
AUGER (to) .... Forer, percer
AUGER IN (to) .... S'écraser au sol
AUGMENTOR WING .... Aile soufflée, aile-trompe, aile à effet de trompe
AURAL .... Sonore, audible
AURAL SIGNAL .... Signal sonore, audible
AURAL WARNING .... Avertissement, alarme sonore
AURAL WARNING DEVICE .... Avertisseur sonore
AUSTENITIC STEEL .... Acier austénite, austénitique
AUTO-APPROACH .... Auto-approche, approche automatique
AUTOCLAVE .... Autoclave
AUTOCOLLIMATOR .... Autocollimateur
AUTO-CONTROL .... A commande, à fonctionnement automatique
AUTO-FEATHERING .... Mise en drapeau automatique
AUTO-FLIGHT CONTROL .... Commande de vol automatique

AUTOFLIGHT SYSTEM .... Système de vol automatique
AUTOGENOUS WELDING .... Soudure autogène
AUTOGYRO (Autogyre rotor) .... Autogire *(autogyre)* *(rotor, voilure d'autogyre)*
AUTO-IGNITION .... Auto-allumage
AUTOLAND (auto-land) .... Atterrissage entièrement automatique
AUTOLAND APPROACH .... Approche automatique
AUTOLAND CAPABILITY .... Aptitude à l'atterrissage automatique
AUTOMATED .... Automatisé
AUTOMATIC .... Automatique
AUTOMATIC ANTENNA TUNER .... Coupleur automatique d'antenne
AUTOMATIC APPROACH .... Auto-approche
AUTOMATIC BRAKE ADJUSTER .... Valve automatique de rattrapage de jeu
AUTOMATIC BRAKING .... Freinage automatique
AUTOMATIC CUT-OUT .... Coupe-circuit automatique
AUTOMATIC CYCLE .... Cycle automatique
AUTOMATIC DATA PROCESSING (ADP) .... Traitement automatique des données
AUTOMATIC DIRECTION FINDER SYSTEM (ADF) .... Radiocompas, radiogoniomètre automatique
AUTOMATIC FEATHERING .... Mise en drapeau automatique
AUTOMATIC FEED .... Avance automatique
AUTOMATIC FLIGHT CONTROL SYSTEM ...... Système de commandes de vol automatiques
AUTOMATIC FLOW CONTROL VALVE .... Vanne de régulation automatique
AUTOMATIC FLYING .... Pilotage automatique
AUTOMATIC FREQUENCY CONTROL .... Contrôle automatique de fréquence
AUTOMATIC GAIN CONTROL .... Contrôle, réglage automatique de gain
AUTOMATIC INFLATION .... Gonflage automatique
AUTOMATIC INSTRUMENT LANDING APPROACH SYSTEM (AILAS) ....Système d'approche automatique aux instruments
AUTOMATIC LANDING (autoland) .... Atterrissage automatique
AUTOMATIC LATHE .... Tour automatique
AUTOMATIC PILOT SYSTEM (autopilot) .... Pilote automatique
AUTOMATIC PITCH TRIM .... Compensation automatique de tangage
AUTOMATIC RELEASE .... Déclenchement automatique
AUTOMATIC SEND RECEIVE (ASR) .... Émetteur-récepteur automatique
AUTOMATIC THROTTLE (auto-throttle) .... Automanette
AUTOMATIC TRIM (ming) .... Compensation, trim automatique, autotrim

AUTOMATIC VOLUME CONTROL (AVC) .... Anti-fading
AUTOMATIC WELDING MACHINE .... Machine à souder automatique
AUTOMATIC ZERO SETTING .... Remise à zéro automatique
AUTOMATICALLY .... Automatiquement
AUTOMATICALLY UPDATING .... Remise à jour automatique
AUTOMATICS .... (L') automatisme
AUTOMATION .... Automatisation, automation
AUTOMATIONING .... Automatisation
AUTOMATON .... Automate
AUTOMOTIVE ENGINEER .... Ingénieur automobile
AUTOMOTIVE ENGINEERING .... Construction automobile
AUTOMOTIVE INDUSTRY .... Industrie automobile
AUTONOMOUS .... Autonome
AUTONOMY .... Autonomie *(de vol)*
AUTOPACK TRIP SYSTEM .... Circuit d'arrêt automatique des groupes
AUTOPILOT .... Pilote automatique *(PA)*
AUTOPILOT AMPLIFIER .... Amplificateur de PA
AUTOPILOT COMPUTER .... Calculateur du pilote automatique
AUTOPILOT DISENGAGE .... Débrayage, débranchement, déconnexion du PA
AUTOPILOT DISENGAGE LIGHT .... Lampe témoin débrayage PA
AUTOPILOT/FLIGHT DIRECTOR SYSTEM .... Pilote automatique/ directeur de vol
AUTOPILOT SENSOR .... Détecteur PA
AUTOPILOT SERVO .... Servo-moteur du PA
AUTOPILOT TRIM MOTOR .... Moteur de compensation pilote automatique
AUTOPILOT UNIT .... Bloc de pilotage *(pilotage engin spatial)*
AUTORANGING .... Ajustement de gamme automatique
AUTOROTATION .... Autorotation
AUTOROTATION FLIGHT .... Vol en autorotation
AUTOROTATIONAL SPEED .... Vitesse autorotative
AUTO-SHUTDOWN .... Arrêt automatique
AUTOSTABILIZATION .... Autostabilisation
AUTOSTABILIZER .... Système de stabilisation automatique
AUTOSYN .... Moteur synchrone, appareil synchro
AUTOSYN DYNAMOTOR .... Convertisseur autosyn
AUTOSYN ROTOR .... Rotor autosyn
AUTOSYN SYNCHRO VOLTAGE .... Tension synchro-autosyn
AUTOTHROTTLE (auto-throttle, automatic throttle) ...... Automanette *(auto-manette)*
AUTOTHROTTLE CLUTCH SYSTEM .... Système d'embrayage de commande automatique de poussée, embrayage de l'auto-manette

AUTOTHROTTLE DRIVE .... Entraînement automanette
AUTO-THROTTLE LEVER .... Levier d'embrayage automanette
AUTO-TRACKING ANTENNA .... Antenne autopointée
AUTOTRANSFORMER .... Auto-transformateur
AUXILIARY .... Auxiliaire, secondaire, accessoire
AUXILIARY CIRCUIT .... Circuit auxiliaire
AUXILIARY GEARBOX .... Boîte de commande accessoires
AUXILIARY HYDRAULIC RESERVOIR .... Bâche hydraulique auxiliaire
AUXILIARY HYDRAULIC SYSTEM .... Circuit hydraulique auxiliaire
AUXILIARY POWER LINES .... Alimentations de parc
AUXILIARY POWER UNIT (APU) .... Groupe d'énergie auxiliaire, groupe auxiliaire de puissance, turbine auxiliaire, groupe, générateur auxiliaire de bord
AUXILIARY POWER AC GENERATOR .... Alternateur d'APU
AUXILIARY STRUCTURE .... Structure auxiliaire
AUXILIARY TANK .... Réservoir auxiliaire, supplémentaire
AVAILABLE .... Disponible, utilisable, offert
AVAILABLE PAYLOAD .... Charge moyenne offerte
AVAILABLE POWER .... Puissance disponible
AVAILABLE SEAT-KILOMETER .... Siège-kilomètre offert
AVAILABLE THRUST .... Poussée disponible
AVERAGE .... Moyen(ne), avarie
AVERAGE CONVERSION RATE .... Vitesse moyenne de conversion
AVERAGE DEPTH .... Profondeur moyenne
AVERAGE PAYLOAD AVAILABLE .... Charge moyenne offerte
AVERAGE READING .... Lecture moyenne
AVERAGE SPEED .... Vitesse moyenne
AVERAGE VALUE .... Valeur moyenne
AVIATION .... Aviation
AVIATION GASOLINE .... Essence aviation
AVIATION INDUSTRY .... Industrie aéronautique
AVIATION MEDICINE .... Médecine aéronautique
AVIATION METEOROLOGY .... Météorologie aéronautique
AVIATOR .... Aviateur
AVIONICS .... Avionique, électronique appliquée aux avions, électronique de bord, aéro-électronique, Électonique aérospatiale
AVOID (to) .... Eviter
AVOID BREATHING (to) .... Eviter de respirer
AVOID FLYING (to) .... Eviter de voler
AVOIDANCE .... Prévention
AWACS (airborne warning and control system) .... Avion de surveillance et de contrôle aérien, avion radar
AWASH .... A fleur d'eau, flottant

AWAY .... Loin, au loin
AWAY FROM THE CENTERLINE .... Ecarté de l'axe
AXE .... Hache, hachette
AXIAL AIR INTAKE .... Entrée d'air axiale
AXIAL COMPRESSOR .... Compresseur axial
AXIAL DIFFUSER .... Diffuseur axial
AXIAL FLOW .... Flux, écoulement axial
AXIAL FLOW COMPRESSOR .... Compresseur axial
AXIAL LOAD .... Charge axiale, effort axial
AXIAL NOZZLE .... Tuyère axiale
AXIAL-PISTON TYPE HYDRAULIC MOTOR .... Moteur hydraulique à pistons axiaux
AXIAL PLAY .... Jeu axial
AXIAL THRUST .... Poussée axiale, butée axiale
AXIAL WHEEL .... Roue axiale
AXIS .... Axe géométrique
AXIS OF ROTATION .... Axe de rotation
AXLE .... Axe, arbre, essieu
AXLE-ARM .... Fusée
AXLE JACK .... Cric, vérin d'essieu
AXLE-JOURNAL .... Tourillon
AZIMUTH .... Azimut
AZIMUTH BEAMWIDTH .... Largeur des faisceaux en azimut
AZIMUTH CARD .... Rose compas
AZIMUTH COMPASS .... Compas azimutal, compas de relèvement
AZIMUTH GYRO .... Gyro d'azimut
AZIMUTH INDICATOR .... Indicateur d'informations d'azimut
AZIMUTH RADAR .... Radar d'azimut
AZIMUTH RING .... Limbe d'azimut, horizontal
AZIMUTHAL .... Azimutal
AZIMUTHAL CONTROL .... Commande cyclique
AZURE .... Azur

B

BABBIT BEARING .... Palier régulé
BABBIT LINED .... Régulé
BABBIT METAL .... Métal antifriction, régule
BACK .... Dos, dossier, envers, verso, derrière, arrière
BACKBEAM (back beam) .... Faisceau inverse, faisceau arrière d'un ILS
BACK BEARING SECTOR .... Angle mort *(radiogoniométrie)*
BACKBONE .... Fer de lance, épine dorsale, élément principal, cheval de bataille
BACK COURSE .... Alignement arrière (ILS)
BACK-CURRENT .... Contre-courant, courant de retour
BACK-DRILL (to) .... Contrepercer
BACK-ELECTROMOTIVE FORCE .... Force contre-électromotrice
BACK-FIRE .... Retour de flamme, allumage prématuré, en retour *(contre-allumage)*
BACKFIRE (to) .... Pétarder
BACKGROUND NOISE .... Bruit de fond
BACKING .... Renforcement, soutien, appui
BACKING BOARD .... Doublure
BACKING PLATE .... Plaque de renfort, contre-plaque, flasque de retenue, plaque d'appui
BACKING PUMP .... Pompe auxiliaire, de gavage, de suralimentation
BACKING WASHER .... Rondelle de renfort
BACKING WIND .... Vent levogyre
BACKLASH .... Battement, jeu *(dans la denture des pignons, dans les cannelures)* ; courant inverse de grille *(électronique)*
BACKLASH IN GEARS .... Jeu dans les engrenages
BACKLASH SPRING .... Ressort de rattrapage de jeu
BACKLOG .... Carnet de commande *(commandes non encore exécutées)*
BACK MARKER .... Radioborne alignement arrière
BACK OF SEAT .... Dossier de fauteuil
BACK OFF (to) .... Débloquer, dévisser, revenir en arrière, dégager
BACK OUT (to) .... Faire machine arrière
BACKPLATE .... Contre-plaque, flasque, plaque d'appui
BACK PRESSURE .... Contre-pression
BACK PRESSURE REGULATOR .... Régulateur de contre-pression
BACK PRESSURE VALVE .... Clapet de pression minimum, clapet de retenue

BACKREST .... Dossier
BACK SCATTER .... Diffusion vers l'arrière
BACK SCATTERED LIGHT .... Lumière rétrodiffusée
BACK SCATTERED RADIATION .... Rayonnement rétrodiffusé
BACK SCATTERING .... Rétrodiffusion
BACK STROKE .... Contre-coup, course de retour *(piston)*
BACK SWEEP .... Flèche d'une aile
BACK-SWEPT WING .... Aile en flèche positive
BACK-TO-BACK .... Dos-à-dos
BACKTRACK (to) .... Remonter la piste
BACK UP .... De soutien, support, complémentaire
BACK-UP (to) .... Soutenir, renforcer, épauler, appuyer
BACK-UP PUMP .... Pompe de secours
BACK-UP RING .... Contre-joint, rondelle d'appui, de renfort
BACKWARD MOTION .... Mouvement rétrograde, en arrière, de recul
BACK WHEEL .... Roue motrice
BAD WEATHER .... Mauvais temps
BADIN HEAD .... Antenne badin
BADLY WORN .... Fortement usé
BAFFLE .... Chicane, déflecteur, cloison, baffle, écran *(haut-parleur)*
BAFFLE PLATE .... Tôle de chicane, déflecteur
BAFFLE RING .... Anneau de déflection
BAG .... Sac, pochette, membrane souple, « vessie », housse
BAG CURING (bag bonding) .... Collage au sac
BAG MOLDING .... Moulage au sac
BAGGAGE CHECK-IN .... Enregistrement des bagages
BAGGAGE CLAIM .... Livraison des bagages, retrait, réclamation des bagages, bagages à l'arrivée
BAGGAGE COMPARTMENT .... Soute à bagages, coffre, compartiment à bagages
BAGGAGE COUNTER .... Comptoir de bagages
BAGGAGE HANDLER .... Bagagiste
BAGGAGE HOLD .... Soute à bagages
BAGGAGE RACK .... Porte-bagages, compartiment à bagages
BAGGAGE ROOM .... Consigne
BAGGAGE STOWAGE BIN .... Casier, compartiment à bagages
BAGGAGE TROLLEY (cart) .... Chariot à bagages
BAGGING .... Ensachage
BAIL OUT (to) .... Sauter en parachute
BAILER .... Écope
BAKE (to) .... Cuire, chauffer, mettre au four, porter à une température de
BAKE AFTER PLATING (to) .... Dégazer

BAKELITE .... Bakélite
BAKELITE CASING .... Carter en bakélite
BAKING .... Dégazage
BALANCE .... Équilibre, équilibrage, compensation, centrage, égalisation, balance, peson, contrepoids
BALANCE (to) .... Balancer, équilibrer, compenser
BALANCE BEAM .... Balancier
BALANCE CALCULATIONS .... Calculs d'équilibrage avion
BALANCE CHART .... Schéma, feuille de centrage
BALANCE CONTROL MANUAL .... Manuel de centrage
BALANCE PANEL .... Panneau de compensation *(gouverne)*
BALANCE PLUG .... Bouchon d'équilibrage *(masse)*
BALANCE RELAY .... Relais d'équilibrage
BALANCE SPRING .... Ressort d'équilibrage
BALANCE SURFACE .... Compensateur aérodynamique
BALANCE TAB .... Tab automatique de compensation, volet de compensation, flettner d'équilibrage, compensateur d'évolution
BALANCE WASHER .... Rondelle d'équilibrage
BALANCE WEIGHT .... Masse d'équilibrage, contrepoids
BALANCED BEAM NOZZLE .... Tuyère à volets équilibrés
BALANCED BRAKING .... Freinage équilibré
BALANCED CONTROL SURFACE .... Gouverne compensée
BALANCED FIELD LENGTH .... Longueur de piste équivalente, balancée, équilibrée
BALANCED LOAD .... Charge équilibrée
BALANCED OUTPUT .... Sortie symétrique
BALANCED SURFACE .... Gouverne compensée
BALANCER .... Balancier, compensateur
BALANCING .... Équilibrage, égalisation
BALANCING COIL .... Bobine, enroulement d'équilibrage
BALANCING IMPEDANCE .... Impédance caractéristique
BALANCING MACHINE .... Machine à équilibrer, équilibreuse
BALANCING OUT .... Neutralisation
BALANCING RESISTOR .... Résistance d'équilibrage, compensatrice
BALANCING TAB (balanced tab) .... Tab automatique, de compensation
BALANCING WEIGHT .... Masse d'équilibrage, contrepoids d'équilibrage
BALK .... Madrier, poutre ; défaillance, panne
BALKED APPROACH .... Approche interrompue
BALKED LANDING .... Atterrissage manqué, interrompu
BALKING ENGINE (balky engine) .... Moteur ayant des ratés d'allumage
BALL .... Bille *(de roulement),* boule
BALL AND SOCKET BEARING .... Palier à tourillon sphérique

BALL AND SOCKET JOINT .... Joint cardan, rotule, joint, accouplement à rotule
BALL BEARING .... Roulement à billes, rotule
BALL BEARING ROD END .... Embout à rotule
BALL END .... Rotule *(d'embout),* embout sphérique
BALL JOINT .... Joint sphérique, rotule, embout à rotule, joint à rotule, cardan
BALL-LOCK PIN .... Broche de verrouillage
BALL PEEN HAMMER .... Marteau américain, à panne ronde
BALL RACE .... Cage de roulement, chemin de roulement
BALLSCREW (ball screw) .... Vérin à vis, vis à billes *(vérin mécanique)*
BALL SEAT .... Siège de la bille
BALL SELF ALIGNING BEARING .... Palier à alignement automatique
BALL SHAPED .... Sphérique
BALL STAKE (to) .... Sertir par points
BALL STAKING .... Sertissage par empreinte sphérique
BALL TESTING .... Billage
BALL THRUST BEARING .... Palier de butée à billes, butée à billes
BALL VALVE .... Clapet à bille, clapet de retenue, robinet à boisseau sphérique, à boule
BALLAST .... Lest, ballast, lestage
BALLAST (to) .... Jeter du lest, alourdir
BALLAST RELEASER .... Délesteur
BALLAST RESISTOR .... Résistance chutrice
BALLISTIC .... Balistique
BALLISTIC MISSILE .... Missile, engin balistique
BALLISTIC PATH .... Trajectoire balistique
BALLISTIC TRAJECTORY .... Trajectoire balistique
BALLOON .... Ballon, aérostat, saucisse
BALLOON (to) .... Remonter, flotter, rebondir*(à l'atterrissage)*
BALLOONING .... Aérostation ; rebondissement à l'atterrissage
BALLOONIST .... Ballonniste, aéronaute, aérostier, pilote de ballon
BALLSCREW ACTUATOR .... Vérin à vis
BALSA WOOD .... Balsa
BANANA PLUG .... Fiche banane
BAND .... Bande, bride, collier, bandeau, ruban
BAND (to) .... Bander, fretter
BAND CONVEYOR .... Courroie transporteuse
BAND-LIMITING FILTER .... Filtre limiteur de bande
BAND OF WEAR .... Bande d'usure
BAND-PASS AMPLIFIER .... Amplificateur passe-bande
BAND-PASS FILTER .... Filtre passe-bande, de fréquence

BAND-PULLEY .... Poulie à courroie
BAND-REJECTION FILTER .... Filtre à élimination de bande, coupe-bande
BAND-SAW .... Scie à ruban
BAND-SAWING MACHINE .... Machine à scier à ruban
BAND-STOP FILTER .... Filtre coupe-bande, filtre éliminateur de bande
BAND SUPPRESSOR .... Coupe-bande
BAND WAVE .... Gamme d'ondes
BAND WIDTH (bandwidth) .... Largeur de bande *(intervalle de fréquences transmises)*
BAND WIDTH CURVE .... Courbe de sélectivité
BANDWIDTH FILTER .... Filtre à largeur de bande
BANG .... Détonation, fracas, bang sonique, impulsion départ *(du radar)*
BANJO BOLT .... Boulon « banjo »
BANJO CONNECTION (fitting) .... Raccord « banjo »
BANK .... Pente, inclinaison latérale, assiette latérale, roulis ; faisceau *(de tubes),* groupe, bloc, rangée
BANK (to) .... Incliner latéralement, virer, s'incliner sur l'aile
BANK-AND-PITCH INDICATOR .... Indicateur d'inclinaison longitudinale et latérale
BANK ANGLE .... Angle d'inclinaison latérale, de roulis
BANK ATTITUDE .... Assiette latérale, en roulis, inclinaison latérale
BANK INDICATOR .... Index, indicateur de glissade, d'inclinaison latérale, de pente transversale
BANK TURN .... Inclinaison de virage
BANKED .... Relevé, incliné, en parallèle
BANKED ANGLE .... Angle de roulis, d'inclinaison latérale
BANKED TURN .... Virage incliné
BANKING .... Inclinaison latérale
BANKING MANOEUVRE .... En virage incliné
BAR .... Barre, plat, barreau, pied de biche ; bar *(pression),* barye
BAR-EXTENSION .... Rallonge
BAR SERVICE .... Service de boissons, de consommations
BAR STEEL .... Acier en barre
BARE .... Nu, dénudé, dégarni, découvert, exposé
BARE (to) .... Dénuder, mettre à nu, découvrir, décaper
BARE A CABLE (to) .... Dénuder un fil
BARE COPPER WIRE .... Fil en cuivre nu
BARE ENGINE .... Moteur nu
BARE METAL .... Métal nu

BARE WEIGHT .... Poids nu
BARE WIRE .... Fil dénudé *(élect)*, câblage en fils nus, partie nue du fil
BARED CABLE .... Fil dénudé
BARIUM CHLORIDE .... Chlorure de baryum
BARNSTORMING or JOY RIDING .... Vol, pilotage du dimanche
BAROGRAPH .... Barographe
BAROMETER .... Baromètre
BAROMETER ANEROID .... Baromètre anéroïde
BAROMETER CORRECTION .... Correction barométrique
BAROMETRIC .... Barométrique
BAROMETRIC ALTITUDE HOLD .... Tenue d'altitude barométrique
BAROMETRIC ALTIMETER .... Baro-altimètre, altimètre barométrique, anéroïde
BAROMETRIC CAPSULE .... Capsule barométrique
BAROMETRIC CORRECTION SELECTOR .... Bouton de correction barométrique
BAROMETRIC CORRECTOR .... Correcteur barométrique
BAROMETRIC HEAD .... Colonne barométrique
BAROMETRIC HEIGHT .... Hauteur barométrique
BAROMETRIC PRESSURE .... Pression barométrique
BAROMETRIC PRESSURE ALTIMETER .... Altimètre barométrique
BAROMETRIC PRESSURE CONTROL .... Correcteur barométrique
BAROMETRIC PRESSURE SETTING .... Calage altimétrique
BAROMETRIC/RADIO ALTIMETER .... Altimètre radio-barométrique
BAROMETRIC RANGE .... Échelle barométrique
BAROMETRIC SCALE .... Échelle barométrique
BAROMETRIC SWITCH .... Commutateur barométrique
BAROSTAT .... Barostat
BAROSTATIC DEVICE .... Dispositif barostatique
BARO-STATIC METERING VALVE .... Doseur barostatique
BAROTHERMOGRAPH .... Barothermographe
BARREL .... Baril, fût, tonneau, cylindre, barillet, corps, tube
BARREL FINISHING .... Ébavurage au tonneau
BARREL-ROLL .... Tonneau barriqué
BARRIER .... Barrière, obstacle, sous-couche *(placage)*
BARRIER-LAYER .... Couche semi-conductrice, d'arrêt
BARRIER NET .... Filet de sécurité, de protection
BARRIER PAPER .... Papier filtre
BARROW .... Dévidoir
BARYCENTER .... Barycentre, centre de masse
BASE .... Base, embase, socle, fond, châssis, partie inférieure, semelle, bâti, support, culot
BASE (to) .... Baser, se baser
BASEBAND ANALYSER .... Analyseur de bande de base

BASE DRAG .... Traînée de culot
BASE LEG .... Étape, parcours de base
BASE LINE .... Ligne de base
BASE METAL .... Métal commun, métal de base
BASE NUT .... Écrou à embase
BASEPLATE (base plate) .... Socle, plaque de base, d'assise, semelle, embase, platine, châssis *(électrique)*
BASE TURN .... Virage de base
BASE WIDTH .... Empattement
BASIC .... De base, d'origine, fondamental
BASIC .... Langage de programmation
BASIC AIRCRAFT .... Avion de base
BASIC CAUSE .... Cause intrinsèque *(de défaillance)*
BASIC DATA .... Données de base
BASIC ENGINE .... Moteur nu, de base
BASIC FAILURE .... Défaillance intrinsèque
BASIC INSTALLATION .... Installation de base
BASIC LOAD .... Charge unitaire
BASIC MATERIALS .... Matériaux de base
BASIC MODEL .... Modèle de base, version originale
BASIC PRICE .... Prix de base
BASIC PRINCIPLE .... Principe de base, fondamental
BASIC SYSTEM .... Système de base
BASIC VERSION .... Version de base
BASIC WEIGHT .... Poids de base, à vide équipé
BASKET .... Panier, nacelle
BATCH .... Groupe, ensemble, lot, série *(de pièces),* tranche
BATCH MACHINING .... Travaux de série
BATCH NUMBER .... Numéro de lot, de série
BATCH PROCESSING .... Traitement par lots
BATCH PRODUCTION .... Fabrication en petite ou moyenne série
BATH .... Bain
BATTALION .... Bataillon
BATTEN .... Éclisse, latte, liteau, couvre-joint, moulure, baguette, tringle ; planche
BATTERING .... Matage
BATTERY (electrical accumulator) .... Batterie, pile électrique, série, accumulateur
BATTERY CELL .... Cellule de batterie, élément de batterie, d'accumulateur
BATTERY CHARGER UNIT .... Chargeur de batterie
BATTERY CLIP .... Pince crocodile
BATTERY COMPARTMENT .... Logement de batterie
BATTERY FAILURE .... Panne de batterie

BATTERY FLUID .... Électrolyte
BATTERY POD .... Conteneur de batterie
BATTERY SWITCH .... Interrupteur batterie
BATTERY TERMINALS .... Bornes, cosses batterie
BATTERY TESTER .... Contrôleur de batterie
BATTERY TRANSFER BUS .... Bus de transfert batterie
BATTLEFIELD .... Champ de bataille, appui feu
BAUD RATE .... Nombre de bits/seconde, d'informations élémentaires
BAULKED LANDING .... Atterrissage manqué
BAY .... Baie, voûte, travée, nacelle, logement, compartiment *(réacteur),* soute, trappe
BAYONET BASE .... Culot à baïonnette
BAYONET RECEPTACLE .... Douille, prise femelle baïonnette
BAYONET TYPE BULB .... Sonde baïonnette
BCD OUTPUT .... Sortie décimale codée en binaire
BEACON .... Phare, balise, radiobalise, radiophare
BEACON HOMING .... Ralliement sur balise
BEACON LIGHT .... Phare, feu anti-collision, feu de balise
BEACON MARKER INDICATOR .... Voyant marqueur de balise
BEAD .... Goutte, cordon, bourrelet, talon, bavure, perle
BEAD BLOW-OUT .... Déjantage
BEAD HEEL .... Arrondi de talon
BEAD OF SEALANT .... Cordon de mastic
BEAD SIZE .... Diamètre du boudin *(pneu)*
BEAD TOE .... Pointe de talon
BEADED .... Perlé
BEADED EDGE .... Talon de pneu
BEADED RIM .... Jante à rebord
BEADED TYRE .... Pneu à talons, à bourrelets
BEAM .... Poutre, poutrelle, longeron, traverse ; rayon, faisceau *(lumineux ou radio)*
BEAM ANTENNA (aerial) .... Antenne directionnelle, directive
BEAM APPROACH .... Approche sur faisceau
BEAM CAP .... Semelle de longeron
BEAM CAPTURE .... Capture de faisceau
BEAM FLYING .... Vol radioguidé
BEAM INDEX TUBE .... Tube à index de faisceau
BEAM OF LIGHT .... Faisceau lumineux, de rayons, pinceau lumineux
BEAM OF RAYS .... Faisceau de rayons
BEAM PATTERN .... Diagramme des faisceaux
BEAM SHARPENING .... Affinage de faisceau doppler
BEAM SPREAD .... Ouverture du faisceau
BEAM SPREAD ANGLE .... Ouverture angulaire du faisceau

BEAM WIDTH (beamwidth) .... Largeur du faisceau
BEAM WIND .... Vent de travers
BEAR (to) .... Porter, supporter, soutenir
BEARD .... Barbes, bavures
BEARERS (engine) .... Bâti-moteur
BEARING .... Porteur ; bague, surface d'appui, roulement, portée, palier, coussinet ; relèvement, azimut
BEARING AND DISTANCE .... Gisement et distance
BEARING BLOCK .... Palier
BEARING CAGE .... Cage de roulement, cage à billes
BEARING CAP .... Chapeau de roulement, de palier
BEARING FAILURE .... Défaillance de roulement
BEARING HOUSING .... Boîtier roulement, logement de roulement
BEARING INDICATOR .... Indicateur de gisement
BEARING INSTALLATION .... Montage de roulement
BEARING JOURNAL .... Portée de roulement
BEARING MARKER .... Repère de relèvement
BEARING OIL SCAVENGE PUMP .... Pompe de récupération d'huile roulement
BEARING OUTER RACE .... Chemin extérieur de roulement
BEARING PLATE .... Plaque d'appui, flasque de palier
BEARING POINTER .... Aiguille de relèvement
BEARING PULLER .... Extracteur de roulement
BEARING RACE .... Cage roulement, bague de roulement, chemin de roulement
BEARING RETAINER .... Flasque de retenue de roulement, chapeau
BEARING RETENTION (point staking, ball staking, roller staking, ring swaging) .... Rétention des roulements et des rotules
BEARING ROTATIONAL TORQUE .... Couple de rotulage
BEARING SELECTOR .... Sélecteur de relèvement
BEARING SEPARATOR .... Décolleur de roulements
BEARING SHAFT .... Arbre de roulement, arbre porte-roulement
BEARING STRAP .... Bande de roulement
BEARING SURFACE .... Surface d'appui, portée d'articulation, surface portante
BEARING SURFACES .... Portées ou surfaces portantes
BEARING TRACK .... Piste, chemin de roulement
BEARINGLESS ROTOR HUB .... Moyeu rotor non articulé
BEAT .... Battement
BEAT FREQUENCY .... Fréquence de battement
BEAT OSCILLATOR .... Hétérodyne de battement
BEAVERTAIL .... Queue de castor
BECQUEREL EFFECT .... Effet photovoltaïque
BED TESTS .... Essais au banc

BEDDING .... Portée, incrustation, enrobage
BEEF UP (to) .... Renforcer
BEEPER TRIM .... Rappel de manche
BEEP LEVER .... Manche à balai
BEESWAX .... Cire
BEFORE .... Avant
BEFORE DELIVERY .... Avant livraison
BEFORE USE .... Avant utilisation, avant usage
BELCH OUT FLAMES (to) .... Vomir, cracher des flammes
BELL .... Sonnette, sonnerie, gong
BELLCRANK (bell crank) .... Renvoi, guignol, basculeur différentiel, levier coudé, relais
BELLMOUTH .... Buse d'entrée
BELLMOUTHED .... Évasé, épanoui, entrée en entonnoir
BELLMOUTHING .... Évasement
BELLOW CHAMBER .... Chambre de dépression
BELLOW VALVE .... Robinet à soufflet
BELLOWS .... Ressort *(extension, compression de capsule manométrique)*, capsules, soufflets, membrane
BELLOWS SEAL .... Joint à soufflet
BELLY .... Dessous, ventre
BELLY COMPARTMENT .... Soute
BELLY-LAND (to) .... Atterrir sur le ventre, train rentré
BELLY-LANDING .... Atterrissage sur le ventre, train rentré
BELOW .... En bas, au-dessous, inférieur
BELOW (to be) .... Être inférieur, en retrait
BELOW MINIMUM LEVEL .... En dessous de la valeur minimum de sécurité
BELOW TOLERANCE .... En dessous de la tolérance
BELT .... Ceinture, courroie *(de transmission)*
BELT CONVEYOR .... Transporteur à courroie, convoyeur à bande
BELT DRIVE .... Entraînement par courroie
BELT LOADER .... Tapis roulant
BELT SAW .... Scie à ruban
BENCH .... Établi, banc, banquette
BENCH CHECK REMOVAL .... Dépose pour visite en atelier
BENCH GRINDER .... Affûteuse-polisseuse d'établi, touret à meuler
BENCH SHEARS .... Cisaille d'établi
BENCH VICE (vise) .... Étau d'établi
BEND .... Flexion, coude *(tuyau)*
BEND (to) .... Plier, flamber, courber, cintrer, tendre, déformer, couder, replier, rabattre

BEND BACK (to) .... Replier, recourber
BEND TAB OF LOCKWASHER (to) .... Replier la languette de la rondelle-frein
BEND TANG OF WASHER (to) .... Replier, rabattre la languette de la rondelle-frein
BEND RADII (radius) .... Rayon de pliage, de cintrage
BEND UP (to) .... Replier vers le haut
BENDER .... Cintreuse
BENDING .... Cintrage, pliage, flambage, flexion, voilage, grippage
BENDING LOAD .... Charge de flexion
BENDING MACHINE .... Cintreuse, plieuse
BENDING MOMENT .... Moment de flexion, fléchissant
BENDING PRESS .... Presse à cintrer
BENDING RADIUS .... Rayon de pliage
BENDING STRAIN .... Effort à la flexion
BENDING STRENGTH .... Résistance à la flexion
BENDING STRESS .... Effort, contrainte de flexion
BENDING TOOL .... Fer à dégauchir
BENEATH .... En dessous
BENT .... Galbé, cintré, coudé, tordu
BENT HANDLE .... Poignée coudée
BENT NEEDLE NOSE PLIER .... Pince à becs coudés, pince à becs effilés courbés
BENT PIPE .... Tube, tuyau coudé
BENT PROPELLER .... Hélice faussée
BENT-TIP BLADE .... Pale à extrémité recourbée
BENZENE .... Benzène, benzine
BENZOL .... Benzol
BENZOLINE .... Essence minérale
BERTHABLE SEAT .... Siège couchette, couchette
BERTHS .... Lits, couchettes
BETWEEN CENTERS .... Entre pointes
BEVEL .... Chanfrein, biseau
BEVEL (to) .... Biseauter, chanfreiner
BEVEL EDGE .... Bord biseauté, en chanfrein
BEVEL GEAR .... Pignon conique, engrenage conique, d'angle, pignon d'angle, renvoi d'angle
BEVEL GEARING .... Commande par pignon d'angle, engrenage conique
BEVEL WHEEL .... Roue dentée conique, roue d'angle
BEVELLED .... Biseauté, taillé en biseau, chanfreiné, en oblique
BEVELLED SECTION .... Section évolutive
BEVERAGE .... Boisson, consommation

BEVERAGE TROLLEY .... Chariot boissons
BEWILDER (to) .... Dérouter
BEYOND LIMITS .... Hors tolérances
BEZEL .... Biseau *(boîtier)* ; drageoir ; lunette *(d'instrument),* boîtier, enjoliveur
BEZEL RING .... Rehaut
BIAS .... Polarisation ; biais, écart
BIAS (to) .... Polariser ; être en pente, (s')incliner
BIAS=SLANT(ING) .... Oblique
BIAS CELL .... Pile de polarisation
BIAS CURRENT .... Courant de polarisation
BIASED RELAY .... Relais polarisé
BICYCLE LANDING GEAR .... Train monotrace
BIDIMENSIONAL .... Bidimensionnel
BIFILAR WINDING .... Enroulement, bobinage bifilaire
BIG END .... Tête de bielle
BIG FAN .... Soufflante de grand diamètre
BIG FAN ENGINE .... Réacteur à grosse soufflante, gros moteur à double-flux
BIG JET .... Gros avion à réaction
BILL .... Note, facture (US)
BILL OF STAYING .... Certificat d'entrepôt
BIMETAL .... Bilame, bimétal, bimétallique
BIMETALLIC .... Bilame, bimétallique
BIN .... Coffre, casier
BINARY .... Binaire
BINARY SEARCH .... Recherche dichotomique
BIND (to) .... Serrer, coincer, gripper
BINDER .... Liant ; collier, ligature, attache
BINDING .... Grippage, coincement, coinçage, point dur, frottement, blocage, ligature
BINDING CONTROLS .... Commandes dures
BINDING-POST .... Serre-fils, borne
BINOCULAR INSPECTION .... Inspection au binoculaire
BINOCULAR MAGNIFIER .... Loupe binoculaire
BIOCHEMISTRY .... Biochimie
BIODEGRADABLE DETERGENT .... Détergent bio-dégradable
BIOTELEMETRY .... Biotélémétrie
BIPLANE .... Biplan, avion biplan
BIPROPELLANT .... Bipropergol, diergol, biergol
BIRD GUN .... Canon à poulets
BIRD INGESTION .... Ingestion, absorbtion d'oiseaux
BIRD STRIKE .... Impact d'oiseaux
BIRD STRIKE HAZARD .... Péril, risque aviaire
BIRD STRIKE TEST .... Essai d'impact d'oiseaux

BIT .... Mors, mèche ; morceau, trépan ; embout ; bit *(binox, chiffre binaire)*
BIT BLANKING .... Suppression d'éléments binaires
BIT ERROR RATE .... Taux d'erreur de bit
BIT-HOLDER .... Porte-embout
BIT WORD (bit=binary digit) .... Élément binaire
X-BIT WORD .... Mot de x-bit *(microprocesseur)*
BITS PER INCH (BPI) .... Bits par pouce
BITUMEN .... Bitume
BIZJET .... Avion d'affaires à réaction *(biréacteur d'affaires)*
BLACK .... Noir(e)
BLACK BOX (computer) .... Boîte noire
BLACK FINISH .... Fini, revêtement noir
BLACK FINISHED .... Bruni
BLACK HOLE .... Trou noir
BLACK LIGHT .... Lumière noire, de wood
BLACK LIGHT MONITOR .... Contrôleur de lumière noire
BLACK-OUT .... Silence radio, occultation, voile noir, extinction *(télécom)*
BLACK OXIDE TREATMENT ..... Brunissage *(bain eau distillée* + soude caustique + nitrate de sodium + bichromate de potassium)
BLADDER (fuel cell) .... Réservoir souple, vessie, baudruche
BLADDER CELLS .... Cellules, réservoirs souples, baudruches
BLADDER TANK .... Réservoir souple
BLADDER TYPE FUEL CELL .... Cellule en caoutchouc souple
BLADE .... Pale, ailette, lame, aube mobile
BLADE AIRFOIL .... Profil d'ailette, section profilée
BLADE ANGLE .... Angle d'attaque, d'incidence, de pas, de calage de pale
BLADE CHORD .... Corde de pale
BLADE CRACKING .... Cassure d'ailette
BLADE CREEPING .... Fluage d'ailette
BLADE FLUTTER .... Flottement de pale
BLADE FOLDED BACK .... Pale repliée
BLADE FOLDING .... Repliage des pales
BLADE HUB CONTACT SWITCH .... Contacteur de pied de pale
BLADE LIFT .... Portance de pale
BLADE LIFT COEFFICIENT .... Coefficient de portance d'une pale
BLADE LIFT/DRAG RATIO .... Finesse de la pale
BLADE LOADING .... Charge de pale
BLADE PLATFORM .... Plateforme d'ailette
BLADE RETAINER .... Frein d'ailette
BLADE RETAINING LUG .... Plaquette de retenue d'ailette
BLADE ROOT .... Pied de pale, racine d'ailette, d'aube

BLADE SECTION .... Section de pale
BLADE SHANK .... Pied de pale
BLADE SPACING CABLE .... Câble de tierçage
BLADE SPAR .... Longeron de pale
BLADE TIP .... Bout de pale, extrémité de pale, d'ailette
BLADE TIP VELOCITY (speed) .... Vitesse en bout de pale
BLADE TWIST .... Vrillage de pale
BLADED TOOL .... Outil à lame
BLANK .... Blanc, espace vide ; pièce brute
BLANK .... Obturateur ; ébauche, pièce brute
BLANK (to) .... Obstruer, masquer
BLANK OFF (to) .... Obstruer, masquer, obturer, boucher, épargner
BLANK PAGE .... Page blanche, vierge
BLANKET .... Matelas, couverture *(aviation)*
BLANKING .... Découpage à la presse
BLANKING CAP .... Obturateur femelle, capuchon
BLANKING DISC .... Obturateur
BLANKING FLAP .... Volet obturateur
BLANKING PLATE .... Plaque obturatrice
BLANKING PLUG .... Obturateur mâle, bouchon
BLANKING PULSE .... Impulsion d'effacement
BLANKING STRAP .... Sangle d'obturation
BLAST .... Rafale, jet d'air, souffle, coup de vent, souffle réacteur, soufflerie
BLAST (to) .... Souffler
BLAST AIR .... Air dynamique
BLAST FENCE (blast screen, blast deflector) .... Déflecteur de souffle, écran, barrière anti-souffle *(réacteur)*, pare-souffle
BLAST FURNACE .... Haut-fourneau
BLAST PIPE .... Tuyère
BLASTING .... Soufflage, sablage
BLEACHED .... Décoloré
BLED .... Prélevé
BLED AIR .... Air prélevé, soutiré
BLEED .... Évacuation, prélèvement, soutirage, purge, ventilation, mise à l'air libre, évent, piquage
BLEED (to) .... Prélever, soutirer, décharger, purger
BLEED AIR .... Air de prélèvement
BLEED AIR CLEANER .... Épurateur d'air de soutirage
BLEED AIR HEAT EXCHANGER .... Refroidisseur d'air de soutirage
BLEED AIR PRECOOLER SYSTEM .... Circuit refroidisseur d'air de soutirage
BLEED BRAKES (to) .... Purger les freins
BLEED CONNECTION .... Connexion de soutirage pneumatique
BLEED FROM (to) .... Évacuer

BLEED HOLE .... Orifice de prélèvement, de purge
BLEED HOSE .... Tuyauterie de prélèvement
BLEED ISOLATION VALVE .... Vanne d'intercommunication
BLEED LINE .... Tuyauterie de purge
BLEED MANIFOLD .... Collecteur de soutirage
BLEED OFF (to) .... Purger, évacuer
BLEED SCREW .... Vis de purge
BLEED SHUTOFF VALVE .... Vanne d'isolement soutirage
BLEED VALVE .... Clapet, robinet de purge, de mise à l'air libre, vanne de soutirage, de prélèvement, de décharge
BLEEDER .... Purgeur
BLEEDER SCREW .... Vis de purgeur
BLEEDER WRENCH .... Clé pour purger
BLEEDING OF SYSTEM .... Purge du circuit
BLEEDING OPERATION .... Opération de purge
BLEMISH .... Défaut, imperfection, défectuosité
BLEMISHED SURFACE .... Surface endommagée, abîmée
BLEND .... Mélange, mélangeur
BLEND (to) .... Mélanger, mêler, joindre, raccorder, adoucir, éliminer par retouche, retoucher
BLEND OUT (to) .... Donner la forme d'une soucoupe *(dérochage mécanique corrosion),* raccorder
BLENDED AREA .... Zone adoucie
BLENDING RADIUS .... Congé, rayon de raccordement
BLIMP .... Dirigeable, aérostat souple
BLIND .... Aveugle, borgne
BLIND (to) .... Aveugler, éblouir
BLIND AREA .... Zone de silence
BLIND BOLT .... Boulon aveugle, jo-bolt
BLIND CRACK .... Crique non débouchante
BLIND FLYING (flight) .... Pilotage, vol sans visibilité, en PSV, vol aveugle
BLIND FLYING TRAINING .... Entraînement au P.S.V.
BLIND HOLE .... Trou borgne
BLIND LANDING .... Atterrissage par mauvaise visibilité, atterrissage aveugle
BLIND NAVIGATION .... Navigation sans visibilité
BLIND NUT .... Écrou borgne
BLIND PENETRATION .... Pénétration en vol sans visibilité
BLIND RIVET .... Rivet aveugle, rivet explosif *(huck, good, rich, cherry, avdel)*
BLIND SPOT .... Angle mort
BLINK (to) .... Clignoter
BLINKER .... Clignotant, clignoteur, phare à éclats
BLINKER INDICATOR .... Indicateur clignotant

BLINKER LIGHT .... Feu à éclats rapides
BLINKING LIGHT .... Feu clignotant, à éclats
BLIP .... Écho sur écran radar, top, repère, plot *(radar)*
BLISTER .... Boursouflure, renflement, soufflure, cloque
BLISTERED PAINT .... Peinture boursouflée
BLISTERING .... Soufflure
BLITZKRIEG ATTACK .... Attaque éclair
BLOCK .... Bride, palan, moufle, bloc, cale *(de roue)*, socle, groupe ; programme de vols ; cale
BLOCK (to) .... Stopper, arrêter, caler ; obstruer, boucher, obturer, encombrer, bloquer, colmater, encrasser
BLOCK-DIAGRAM .... Synoptique, schéma simplifié, de principe, général
BLOCK FUEL .... Carburant cale à cale, bloc à bloc
BLOCK HOURS .... Heures « block », cale à cale
BLOCK INSPECTION .... Visite bloc
BLOCK SPEED .... Vitesse cale à cale, vitesse commerciale
BLOCK TIME .... Temps cale à cale, temps de vol cale à cale, temps bloc-bloc
BLOCK TO BLOCK TIME .... Temps bloc à bloc
BLOCKAGE .... Déflexion
BLOCKAGE TYPE REVERSER .... Inverseur à obstacle, à déflexion
BLOCKED-OFF CHARTER .... Vol décommercialisé
BLOCKED SEATS .... Sièges réservés
BLOCKED UP .... Obstrué
BLOCKER DOOR .... Volet déviateur, volet inverseur de poussée
BLOCKHOUSE .... Poste, centre de lancement
BLOCKING .... Blocage, arrêt
BLOCKING VALVE .... Robinet d'arrêt, clapet de blocage, de colmatage
BLOW (to) .... Souffler, gonfler, faire sauter les plombs
BLOW-BACK .... Retour de flamme
BLOW DOWN .... Purge, chasse, vide-vite
BLOW HOLE .... Soufflure
BLOW-IN DOOR .... Porte d'air tertiaire, volet d'aspiration *(production d'un flux d'air tertiaire)*, entrée d'air auxiliaire, porte additionnelle, couronne d'aspiration *(tuyère)*
BLOW LAMP .... Lampe à souder
BLOW OFF (to) .... Purger, souffler, laisser échapper, fuir, évacuer, vidanger
BLOW OFF VALVE .... Vanne de vidange ou vide-vite, clapet de décharge, robinet d'extraction
BLOW OFF VALVE BODY .... Corps de clapet de vidange
BLOW OUT .... Expansion
BLOW OUT (to) .... Évacuer, expulser, gonfler, chasser, souffler, éclater

BLOW-TORCH .... Lampe à souder
BLOW UP (to) .... Sauter, éclater, exploser, gonfler
BLOWED WING .... Aile soufflée
BLOWER .... *(machine)* soufflante, soufflette, compresseur, ventilateur, souffleur
BLOWING .... Soufflage
BLOWING RATE .... Taux de soufflage
BLOWN FLAP .... Volet soufflé
BLOWN FUSE .... Fusible sauté
BLOWOUT .... Crevaison
BLOWOUT CYCLE .... Cycle de ventilation, de brassage
BLOWOUT DISC .... Disque de sûreté
BLOWOUT PANEL (blow out panel) .... Panneau de décompression, porte de surpression
BLOWPIPE (blow pipe) .... Chalumeau
BLUCKET (bluck) .... Palan
BLUE ANNEALING .... Recuit bleu
BLUE FLIGHT .... Vol bleu (IT)
BLUE PRINT .... Tirage plans, tirage bleu, bleu
BLUED STEEL .... Acier bronzé
BLUING .... Bleuissage
BLUNT .... Émoussé, arrondi, épointé
BLUNT BODY .... Corps camus
BLUNT OBJECT .... Objet épointé
BOARD .... Planche, tableau, panneau, plaque, carte, carton
BOARD (to) .... Embarquer, monter à bord, aborder
BOARDING .... Embarquement
BOARDING AT .... Embarquant à
BOARDING BRIDGE .... Passerelle télescopique
BOARDING CARD (pass) Carte d'embarquement, carte d'accès à bord
BOARDING CHECK .... Contrôle d'embarquement
BOARDING TIME .... Heure d'embarquement
BOAT SEAPLANE .... Hydravion à coque
BOAT TAILED .... Rétreint *(adj.)*
BOB WEIGHT (bobweight) .... Masselotte, masse à inertie
BOBBIN .... Bobine
BODY .... Corps, fuselage d'avion, carrosserie, boîtier, caisse
BODY BULKHEAD FRAME .... Cadre de traversée de cloison fuselage
BODY REPAIR .... Réparation fuselage, réparation carrosserie
BODY SEARCH .... Fouille des personnes
BODY SKIN .... Revêtement fuselage
BODY STATION .... Station, couple fuselage
BODYWORKING TOOL SET .... Jeu d'outils à débosseler

BOGGED .... Embourbé, enlisé
BOGIE .... Boggie *(de train)*
BOGIE BEAM .... Balancier de boggie
BOIL (to) .... Bouillir, entrer en ébullition, bouillonner
BOILED CHEESECLOTH .... Étamine stérilisée
BOILER HOUSE .... Chaufferie
BOILING .... Ébullition, bouillant(e)
BOILING POINT .... Point, température d'ébullition
BOILING WATER .... Eau bouillante
BOLSTER .... Patin, sabot, embase
BOLT .... Boulon
BOLT CUTTER .... Coupe-boulon
BOLT SHANK .... Tige de boulon
BOLTED .... Boulonné
BOLTER .... Remise des gaz
BOLTHEAD (bolt head) .... Tête de boulon
BOLTING .... Boulonnage
BOMB .... Bombe
BOMB BAY .... Soute à bombes
BOMB COMPARTMENT (bomb hold) .... Soute à bombes
BOMB DROP TEST .... Essai de lâcher de bombes
BOMB LAUNCHER .... Lance-bombe
BOMB-RACK .... Lance-bombes
BOMB SCARE .... Alerte à la bombe
BOMB SIGHT .... Viseur de bombardement, de lance-bombes
BOMBER (bombardier, bomb-aimer) .... Bombardier, avion de bombardement
BOMBING ACCURACY .... Précision en bombardement
BOMBING MISSION .... Mission de bombardement
BOMBING RAID .... Raid de bombardement
BOND .... Liant, aggloménant, lien, attache ; dépôt, entrepôt, magasin
BOND (to) .... Lier, assembler, relier, coller, adhérer, sceller, agglomérer, mettre à la masse
BOND WIRE .... Fil de masse, tresse de métallisation
BONDED .... Collé
BONDED ABRASIVES .... Abrasifs agglomérés
BONDED AREA .... Zone sous douane
BONDED PANELS .... Panneaux collés
BONDED SEAL .... Joint collé
BONDED STORE .... Magasin sous douane
BONDING .... Liaison, collage, adhérisation, soudage, métallisation, mise à la masse
BONDING AGENT .... Agent de collage
BONDING AUTOCLAVES .... Autoclaves de collage

BONDING BRAID .... Tresse de métallisation
BONDING JUMPER .... Cavalier, fil de mise à la masse, fil de masse, raccord, tresse de métallisation
BONDING LEAD .... Fil de masse, de métallisation
BONDING STRAP (strip) .... Tresse de mise à la masse, de métallisation
BONNET ....Capot *(auto)*, capuchon, chapeau
BOOK (to) .... Réserver
BOOKING .... Réservation, location
BOOKING CLERK ....Agent de réservation
BOOLEAN LOGIC .... Logique booléenne
BOOM ....Longeron, poutrelle, semelle *(longeron)*, flèche, portée, perche, canne
BOOM TAIL ....Empennage à poutre
BOOST (to) .... Suralimenter, survolter, accélérer
BOOST PRESSURE .... Surpression, pression de suralimentation, surpression d'admission
BOOST PUMP ....Pompe de suralimentation, de gavage, pompe auxiliaire, d'appoint
BOOST TAB .... Servo-tab
BOOSTED .... Accru, accéléré, assisté
BOOSTED CONTROLS ....Commandes assistées
BOOSTER .... De renfort, de gavage, de suralimentation, moteur fusée d'appoint, transporteur, avion-fusée, accélérateur, pousseur, propulseur d'accélération, auxiliaire, relais pyrotechnique ; magnéto de départ, survolteur, amplificateur *(de pression)*, surpresseur
BOOSTER ACCELERATION .... Accélération par propulseur
BOOSTER COIL ....Bobine d'allumage, de démarrage survolteur
BOOSTER CONTROL ....Servocommande
BOOSTER CYLINDER .... Servo-commande, servo-moteur
BOOSTER ENGINE ....Accélérateur, propulseur d'accélération, auxiliaire
BOOSTER INJECTION .... Injection de rappel
BOOSTER NOZZLE ....Tuyère d'accélération
BOOSTER PUMP .... Pompe auxiliaire de surcompression, pompe de gavage, de suralimentation, d'appoint, d'amorçage
BOOSTER ROCKET ...... Fusée de lancement, de propulsion, d'appoint, porteuse, moteur-fusée d'accélération
BOOSTER UNITS .... Groupes auxiliaires
BOOSTING VOLTAGE ....Surtension
BOOT .... Coffre à bagages ; gaine, manchon *(dégivrage)*
BOOT STRAP .. Système autonome de remplacement réacteur sur avion
BOOTH .... Cabine
BOOTSTRAP-SYSTEM .... Système autoentretenu, autochargeur

BORDER (to) .... Border
BORDERING .... Rebord
BORE .... Alésage, trou, calibre
BORE (to) .... Percer, creuser, aléser, trouer
BORESCOPE EXAMINATION .... Inspection, examen à l'endoscope
BORESCOPE INSPECTION .... Inspection boroscopique
BORESCOPE INSPECTION PORT .... Orifice d'inspection boroscopique, endoscopique
BORESCOPY .... Boroscopie, endoscopie
BORIC ACID .... Acide borique, orthoborique
BORING .... Alésage, perçage
BORING BAR .... Barre d'alésage
BORING CUTTER .... Alésoir
BORING MACHINE .... Aléseuse, radiale
BORING TOOL .... Outil à aléser, alésoir
BORNE (voir bear)
BORON .... Bore
BORON FIBER COMPOSITE .... Matériau composite de fibre de bore, à base de fibres de bore
BORON OXIDE .... Oxyde de bore
BOROSCOPE .... Endoscope, boroscope d'inspection aubages
BORROW .... Retenue
BOSS .... Bossage, renflement, moyeu *(d'hélice)* bossette ; chef, patron
BOTTLE .... Bouteille, flacon
BOTTLE PIN .... Axe de fixation aile/fuselage, axe de liaison voilure/fuselage
BOTTLENECK .... Embouteillage
BOTTOM .... Bas, partie inférieure, fond, dessous
BOTTOM DEAD-CENTRE (center) .... Point mort bas
BOTTOM OF STROKE .... Point mort bas
BOTTOM VIEW .... Vue de dessous
BOUM .... Rebond à l'atterrissage
BOUNCE .... Rebond, rebondissement, heurt
BOUNCE (to) .... Rebondir *(à l'atterrissage)*
BOUNDARY .... Limite, borne, frontière
BOUNDARY LAYER .... Couche limite
BOUNDARY LAYER BLEED .... Décharge couche limite
BOUNDARY LAYER BLOWING .... Soufflage de la couche limite
BOUNDARY LAYER SEPARATION .... Décollement de la couche limite
BOUNDARY LAYER SUCTION .... Aspiration de la couche limite
BOUNDARY LAYER TRANSITION .... Transition de la couche limite
BOUNDARY LIGHT .... Feu de délimitation
BOUNDARY LIGHTING .... Éclairage de délimitation
BOUNDARY LIGHTS .... Feux de délimitation, de balisage, balises lumineuses

BOUNDARY MARKER ...... Radioborne intérieure, balise de délimitation
BOUNDARY SPEED .... Vitesse au-dessous du seuil de piste, à l'entrée de piste
BOUNGEE CORD .... Sandow
BOURDON TUBE TYPE PRESSURE GAUGE ...... Manomètre de bourdon
BOW (to) .... Fléchir, courber, plier
BOW HEAVY .... Centrage avant
BOW LEADING .... Chargé sur l'avant
BOW SHOCK WAVE .... Onde de choc avant
BOW WAVE .... Onde de choc amont, de nez
BOWING .... Courbage
BOWL COMPASS .... Compas à cuvette
BOWSER .... Camion-citerne, avitailleur
BOX .... Boîte, caisse, caisson, carter
BOX BEAM .... Poutre de caisson
BOX COUPLING .... Accouplement à manchon
BOX RIB .... Nervure-caisson
BOX SPANNER (socket wrench) .... Clé à douille, à tube, à pipe
BOX SPAR .... Longeron caisson
BOX WRENCH (socket spanner) .... Clé à douille, clé à tube, clé à œil, clé à pipe
BRACE (bracing) .... Contrefiche, nervure, croisillon, renfort, bras, entretoise, haubanage, étai, contreventement, attache, vilebrequin
BRACE (to) .... Croisillonner, entretoiser, haubaner, renforcer, raidir
BRACE LINK .... Biellette de contrefiche
BRACE STRUT .... Contrefiche, jambe de force
BRACED .... Croisillonné, haubané, renforcé, triangulé
BRACED WINGS .... Ailes haubannées
BRACING STRUT .... Jambe de force
BRACING TRUSS .... Bielle de triangulation
BRACKET .... Support, patte, console, bride, équerre, étrier, ferrure de support
BRACKET (to) .... Fourcheter
BRACKET SUPPORT .... Étrier
BRAD .... Pointe, clou
BRAID (braiding) .... Tressage, tresse, guipage, gaine
BRAIDING .... Gaine tressée
BRAIN (electronic) .... Cerveau *(cerveau électronique)*
BRAKE .... Frein
BRAKE (to) .... Freiner
BRAKE ACCUMULATOR .... Accumulateur de frein, accu freins
BRAKE APPLICATION (point of) .... *(Point de début)* de freinage

BRAKE BAR .... Barre frein
BRAKE BLOCKS .... Pavés de frein
BRAKE CHATTER .... Broutage des freins
BRAKE CHUTE .... Parachute de queue, parachute-frein
BRAKE CONTROL VALVE .... Répartiteur de frein, de freinage
BRAKE DISC .... Disque de freinage
BRAKE DRUM .... Tambour de frein
BRAKE EQUALIZER ROD .... Bielle, biellette égalisatrice de freinage
BRAKE HANDLE .... Poignée de frein
BRAKE HARD (to) .... Freiner fort, brusquement
BRAKE HEAT SINK .... Puits de chaleur du frein
BRAKE-HORSE-POWER (BHP) .... Puissance au frein
BRAKE INTERCONNECT VALVE .... Robinet intercom-freins
BRAKE JAW (block) .... Mâchoire de frein
BRAKE LINING .... Garniture de frein
BRAKE LOCKOUT-DEBOOST VALVE .... Détenteur de frein
BRAKE MEAN EFFECTIVE PRESSURE Pression moyenne efficace au frein
BRAKE METER VALVE .... Répartiteur de freins
BRAKE METERING VALVE .... Répartiteur de freinage, de frein
BRAKE OPERATION .... Fonctionnement des freins
BRAKE OVERHEAT .... Surchauffe freins
BRAKE PAD .... Tampon de freinage
BRAKE PARACHUTE .... Parachute de queue, parachute-frein
BRAKE PEDAL .... Pédale de frein
BRAKE PLATE .... Flasque, plateau, plaquette de frein
BRAKE POWER .... Puissance au frein, effective
BRAKE RELEASE .... Laché des freins
BRAKE SEIZURE .... Freins collés
BRAKE SELECTOR VALVE .... Sélecteur frein
BRAKE SHOE .... Sabot, semelle, segment, mâchoire de frein
BRAKE-SHOE LININGS .... Garnitures de frein, segments de frein
BRAKE SYSTEM .... Circuit de freinage
BRAKE TEMPERATURE PANEL .... Panneau température freins
BRAKE TEMPERATURE SELECTOR .... Poussoir température freins
BRAKE TEMPERATURE SENSOR .... Détecteur, indicateurs de température des freins
BRAKE TORQUE .... Couple de freinage
BRAKE WEAR .... Usure des freins
BRAKES APPLIED .... Freins appliqués
BRAKES OFF (brake release) .... Lâcher des freins
BRAKES RELEASED .... Freins relâchés
BRAKETING .... Fourchettage *(d'un faisceau)*

BRAKING ACTION .... *(Coefficient de)* freinage
BRAKING DISTANCE .... Distance de freinage
BRAKING EFFECT .... Effet de freinage
BRAKING FORCE .... Force de freinage
BRAKING TORQUE .... Couple de freinage
BRANCH .... Succursale, filiale, direction, branchement
BRANCH (to) .... (se) brancher, raccorder, connecter
BRANCH CABLE .... Câble de dérivation
BRANCH LINE .... Ligne secondaire
BRANCH PIPE .... Pipe de raccordement
BRAND OF OIL .... Marque d'huile
BRASS .... Laiton, cuivre jaune
BRASS SOLDER .... Soudure au cuivre, brasure
BRAYTON CYCLE .... Cycle brayton
BRAZE (to) .... Braser
BRAZE ALLOY .... Brasure
BRAZED .... Brasé
BRAZIER HEAD RIVET .... Rivet à tête goutte de suif, à tête chaudronnée
BRAZIER HEADSCREW .... Vis à tête goutte de suif
BRAZING .... Brasure, brasage
BRAZING FILLER WIRE .... Fil de métal d'apport
BRAZING FLUX .... Fondant de brasage, flux de brasage
BRAZING LAMP .... Lampe à braser
BRAZING METAL (material) .... Brasure, matière d'apport
BRAZING TORCH .... Chalumeau
BREAK (breakage) .... Rupture, brisure, cassure, fracture, ouverture, brèche, interruption, dégagement
BREAK (to) .... Briser, casser, couper, rompre
BREAK A RECORD (to) ..... Battre un record *(vitesse, altitude, distance)*
BREAK AWAY .... Manœuvre de dégagement
BREAK-AWAY HEIGHT (break-off height) .... Hauteur minimum de sécurité d'approche
BREAK CONTACT (to) .... Couper le contact
BREAK-DOWN REPAIRS .... Réparation de fortune
BREAK-EVEN POINT .... Seuil de rentabilité
BREAK IN (to) .... Enfoncer, défoncer, roder
BREAK-IN POINT .... Zone de pénétration
BREAK-OFF POINT .... Point de décollement *(aérodynamique)*
BREAK OUT .... Percée
BREAK OUT (to) .... Commencer à prendre feu, éclater, prendre naissance *(feu)*
BREAK SHARP CORNERS (to) .... Abattre, moucher les angles, casser les angles vifs
BREAK SHARP EDGES (to) .... Abattre les angles vifs

BREAK THE CIRCUIT (to) .... Couper, ouvrir le circuit
BREAK THE SOUND BARRIER (to) .... Passer le mur du son
BREAK UP (to) ....Casser, démolir, rompre, déchirer, (s')écailler, se dissiper, se disperser *(nuages)*
BREAKAGE .... Cassure, bris, rupture, fracture, casse, facette
BREAK AWAY (to) ....Séparer, détacher
BREAKAWAY TORQUE ....Couple de rotulage
BREAKDOWN ....Panne, avarie, rupture, discontinuité, claquage
BREAKDOWN DRAWING ....Eclaté
BREAKDOWN OF AIR FLOW .... Déflexion ascendante, décollement des filets d'air, discontinuité de l'écoulement
BREAKDOWN STRENGTH TESTING ....Essais diélectriques
BREAKDOWN VOLTAGE ... Tension de claquage, de rupture, disruptive, tension d'avalanche *(zener)*
BREAKER ....Disjoncteur, coupe-circuit, rupteur, sectionneur
BREAKER BAR ....Poignée articulée
BREAKEVEN LEVEL (point) « break-even point » ....Seuil de rentabilité *(transport aérien)*
BREAKEVEN LOAD FACTOR ....Facteur d'amortissement, coefficient de remplissage d'équilibre
BREAKING .... Rupture, cassure
BREAKING LOAD ....Charge de rupture
BREAKING STRAIN ....Force, effort de rupture
BREAKING STRENGTH .... Résistance à la rupture
BREAKING STRESS .... Effort de rupture
BREAKOVER VOLTAGE .... Tension de déclenchement *(thyristor)*
BREAKPOINT ....Point d'arrêt
BREAKTHROUGH .... Percée ; interférence
BREATHE (to) .... Respirer, souffler
BREATHER .... Reniflard, purge d'air, soupape de respiration
BREATHER HOLE ....Trou d'évent
BREATHER OUTLET .... Sortie reniflard
BREATHER PIPES .... Tuyauteries de dégazage
BREATHER PRESSURE .... Pression reniflard
BREATHER SYSTEM .... Circuit de mise à l'air libre, reniflard
BREATHER WEB .... Ame de liaison voilure
BREATHING MASK .... Masque respiratoire
BREATHING VAPORS ....Vapeurs reniflard
BREECH .... Culasse, culotte
BREEZE ....Brise, vent assez fort
BREEZE PLUG ....Prise

BREEZE PLUG SHELL .... Carter de prise
BRIDGE .... Pont, pontet
BRIDGE (to) .... Faire un court-circuit
BRIDGE BALANCE .... Équilibre du pont
BRIDGE-BLOCK .... Bloc de culasse
BRIDGE CIRCUIT .... Montage en pont
BRIDGE RECTIFIER .... Redresseur en pont
BRIDGED .... Shunté, mis en parallèle
BRIDGING COIL .... Bobine en dérivation
BRIEF (to) .... Passer, donner des consignes, des instructions
BRIEFCASE .... Serviette d'affaires
BRIEFING .... Breffage, exposé verbal, instructions, directives, consignes, rapport, briefing, réunion préparatoire au vol
BRIEFING UNIT .... Salle de briefing des équipages
BRIGHT .... Lumineux, brillant, poli
BRIGHT CADMIUM .... Cadmium brillant
BRIGHT CADMIUM PLATING .... Cadmiage brillant
BRIGHT-SHOT .... Brillantage
BRIGHT SPOT .... Point lumineux
BRIGHT STEEL .... Acier poli
BRIGHTEN (to) .... Poncer, brillanter
BRIGHTENER .... Brillanteur
BRIGHTENING .... Brillantage
BRIGHTNESS (brilliancy) .... Brillance, luminosité, luminance
BRINELL (to) .... Marquer une surface par pression sur une bille
BRINELL HARDNESS MACHINE .... Machine à biller Brinell, duromètre Brinell
BRINELLED AREA .... Zone matée
BRINELLING .... Empreintes *(de billes)*
BRING (to) .... Amener, apporter, emporter, ramener
BRING INTO SERVICE (to) .... Mettre en service
BRING INTO STEP (to) .... Synchroniser, mettre en phase
BRISTLE BRUSH (soft) .... Brosse à poils en soie *(de porc)*
BRITTLE .... Fragile, cassant
BRITTLENESS .... Fragilité
BROACH .... Brunissoir, broche, alésoir
BROACH (to) .... Brocher, mandriner *(à la broche)*
BROACHING .... Brochage, mandrinage
BROAD-BAND (broadband) .... Large bande *(passante)*
BROADCAST (to) .... Diffuser, radiodiffuser, télédiffuser
BROADCAST(ING) .... *(radio)* diffusion, émission
BROADCAST-BAND .... Bande de radiodiffusion
BROADCASTING STATION .... Station de radiodiffusion
BROADCASTING TV SATELLITE .... Satellite de télédiffusion
BROADER .... Plus large

BROKEN .... Cassé, brisé
BROKEN WHITE .... Blanc cassé
BROLLY .... Parachute
BRONZE .... Bronze
BRONZE BUSHING .... Bague en bronze
BRUISE .... Mâchure, bosselure, bosse, contusion *(personnes)*
BRUISING (bruise) .... Matage, écrasement
BRUSH .... Brosse, balai *(élect)*, pinceau, charbon
BRUSH APPLICATION .... Application au pinceau
BRUSH BLOCK .... Ens-porte-balai
BRUSH BOX .... Bloc porte-charbons
BRUSH CADMIUM PLATING .... Cadmiage au tampon
BRUSH-CARRIER .... Porte-balai
BRUSH COAT .... Couche au pinceau
BRUSH-GEAR .... Porte-balais
BRUSH GEAR SLIPRINGS .... Bagues collectrices de balais
BRUSH-HOLDER .... Bloc porte-charbons, porte-balais
BRUSH-HOLDER CROWN .... Couronne porte-balais
BRUSH PLATING .... Placage sélectif ou au tampon
BRUSHING .... Brossage
BRUSHING WHEEL .... Touret à brosser
BRUSHLESS .... Sans balai
BUBBLE .... Bulle, soufflure, bulbe
BUBBLE CANOPY .... Verrière, canopée à bulle
BUBBLE CHAMBER .... Chambre à bulles
BUBBLE LEVEL .... Niveau à bulle
BUBBLE PROTRACTOR .... Rapporteur d'angle *(à bulle)*
BUBBLE WINDOW .... Coupole vitrée d'observation, verrière à bulle
BUBBLING .... Formation de bulles
BUCKET .... Auget, gobet, coquille, paupière *(tuyère Olympus)*, aube, ailette *(mobile)*, déflecteur
BUCKET GROOVE .... Logement d'ailette
BUCKING BAR .... Contre-bouterolle, tas à river *(rivet)*
BUCKLE .... Boucle, agrafe
BUCKLE (to) .... (se) déformer, gauchir
BUCKLED SKIN .... Revêtement déformé, gondolé, voilé
BUCKLING .... Faussage, flambage, flexion, gauchissement, déformation, gondolage, voilage, agrafage
BUFFER .... Tampon, coussin, amortisseur, butoir ; mémoire, tampon *(électronique)*
BUFFER AMPLIFIER .... Ampli-tampon, étage préamplificateur
BUFFER BATTERY .... Batterie tampon
BUFFER MEMORY (buffer store) .... Mémoire tampon
BUFFER STOP .... Butoir, heurtoir, tampon d'arrêt
BUFFET .... Coup, secousse, choc, perturbation, tremblement

BUFFET EFFECT .... Effet de turbulence
BUFFET-FREE PERFORMANCE .... Performance sans perturbations
BUFFETED (to be) .... Être secoué
BUFFETING .... Battements, vibrations *(dangereuses)*, secousses sur gouvernes, tremblement, turbulences, oscillations aéro-élastiques *(de basse fréquence)*
BUFFING .... Polissage, émeulage
BUG .... Erreur ; curseur
BUILD ERROR .... Anomalie de fabrication, de production
BUILD UP (to) .... Renforcer, augmenter, croître, (s') amorcer, déposer, (s')accumuler, apporter, recharger
BUILD-UP OF WELD METAL (to) .... Recharger de soudure
BUILD UP SPEED (to) .... Prendre de la vitesse, accélérer
BUILDER .... Constructeur
BUILT-IN .... Intégré, incorporé, non-amovible
BUILT-IN NAVIGATION COMPUTER .... Calculateur de navigation intégré
BUILT-IN SWITCH .... Commutateur incorporé
BUILT UNDER LICENSE .... Fabriqué, construit sous licence
BUILT-UP .... Assemblé, monté ; dépôt, apport, recharge, accumulation
BUILT-UP AREAS .... Zones bâties, agglomérations, zones rechargées
BULB .... Lampe, ampoule *(électrique)*, sonde
BULB ANGLE .... Profilé, raidisseur en « oméga », cornière à bord roulé
BULB SOCKET (bulb-holder) .... Douille de lampe
BULGE .... Bosse, bombement, renflement, gonflement
BULGED .... Bombé, renflé
BULK .... Masse, volume, grosseur, charge, encombrement, grandeur, vrac
BULK CARGO .... Fret en vrac
BULK LOADING .... Chargement en vrac
BULK MATERIAL .... Matière en vrac
BULK STORAGE .... Mémoire de masse
BULKHEAD .... Cadre étanche, fort, renforcé, cloison, cadre-ferme, fausse nervure
BULKHEAD NUT .... Écrou de traversée de cloison étanche
BULKHEAD PRESSURIZED .... Cloison pressurisée
BULKHEAD RIB .... Nervure forte
BULKHEAD RIM .... Couple fuselage
BULKHEAD UNION .... Raccord de traversée de cloison
BULKY .... Encombrant
BULL NOSE PLIERS .... Pince universelle
BULLET .... Balle *(arme)*
BULLET SHAPED NOSE DOME .... Dôme d'entrée en forme d'ogive
BULLETIN BOARD .... Panneau, tableau d'affichage

BUMP .... Coup de boutoir, de tabac, trou d'air
BUMPER .... Amortisseur, tampon, pare-choc, butée élastique
BUMPER STOP .... Butée élastique
BUMPER STRIP .... Bande élastique
BUMPINESS .... Turbulence
BUMPING HAMMER .... Marteau à débosseler
BUMPS .... Bosses, irrégularités, secousses *(coup de boutoir, trou d'air)*
BUMPY .... Agité
BUMPY FLIGHT .... Vol secoué, chahuté
BUMPY RIDE .... Vol soumis à des trous d'air
BUNCHED CIRCUIT .... Circuit approprié
BUNCHING OF CABLES .... Faisceau de fils, de câbles
BUNDLE .... Paquet ; faisceau, toron
BUNDLE OF CABLES .... Faisceau de câbles
BUNGEE .... Amortisseur, ressort de maintien, sandow de rappel, tendeur à ressort
BUNGEE CORD .... Sandow, extenseur
BUNT .... Ressource sur le dos, looping à l'envers
BUNT (to) .... Faire un looping à l'envers
BUOY .... Bouée
BUOYANCY .... Flottabilité, poussée *(d'un liquide)*, poussée hydrostatique
BUOYANT .... Flottant, porté par l'eau
BURBLE .... Décollement aérodynamique *(écoulement)*
BURBLE POINT .... Angle d'incidence critique
BURBLING .... Remous, tourbillons, écoulement tourbillonnaire
BURN .... Brûlure
BURN (to) .... Brûler
BURN IN .... Rodage
BURN OFF (to) .... Brûler, fondre
BURN-OFF FUEL .... Consommation prévue de carburant, carburant consommé
BURN OUT (to) .... Se consumer, s'éteindre par épuisement, griller, claquer, sauter
BURNER .... Brûleur, injecteur *(réacteur)* chambre de combustion
BURNER CAN .... Chambre de combustion
BURNER LINER .... Tube à flamme mélangeur, mélangeur
BURNER MANIFOLD .... Rampe d'injection
BURNER SECTION .... Section combustion, chambre de combustion
BURNING .... Brûlage, combustion, brûlure, incendie
BURNING TIME .... Temps de combustion

BURNISH (to) .... Brunir, polir, satiner, lisser *(un métal)*
BURNISHER .... Brunissoir
BURNISHING .... Brunissage
BURNISHING MANDREL .... Mandrin de brunissage
BURNT GASES .... Gaz brûlés
BURNT OUT .... Grillé
BURNT SPOT .... Point chaud
BURR .... Bavure, barbe, barbure ; outil de coupe, foret
BURR (to) .... Ébavurer, ébarber ; mater
BURRING .... Ébarbage
BURST (Bursting) .... Éclatement, explosion, crevaison, rupture
BURST OF WAVES .... Train d'ondes
BURST PRESSURE .... Pression d'éclatement
BURST PROOF .... Increvable
BURST TYRE .... Éclatement, limite dangereuse, surchauffe
BURSTING PRESSURE .... Pression d'éclatement
BUS .... Voie principale, canal, câblage, circuit d'alimentation ; autocar, car, autobus ; bus, chemin ; coucou, zinc
BUS (to) .... Relier
BUS BAR .... Barre-omnibus, barre bus, barre de distribution
BUS CABLE .... Câble de liaison, de synchronisation
BUS CONTROLLER .... Contrôleur de bus
BUS LINE .... Ligne collectrice, ligne omnibus
BUS ROD .... Bielle de conjugaison, de synchronisation
BUS SYSTEM .... Système de conjugaison
BUS TIE .... Bus de couplage
BUS TIE BREAKER (relay) .... Relais de couplage de bus *(relais bus de couplage)*
BUSH .... Bague, coussinet, manchon, douille, frette
BUSH HOLE .... Alésage de bague
BUSH HOLE (to) .... Baguer l'alésage
BUSH OVERSIZE .... Bague cote réparation
BUSHING .... Manchon *(mâle ou femelle)*, bague, douille, canon, coussinet, garniture, fourrure, baguage
BUSHING CUTTER .... Coupe coussinets
BUSHING INSTALLATION .... Montage ou mise en place de la bague
BUSHING PERMITTED .... Baguage toléré
BUSHING SEGMENT .... Demi-coussinet
BUSHING STOP .... Arrêt de bague
BUSINESS FLYING .... Aviation d'affaire(s)
BUSINESS JET .... Avion d'affaire à réaction
BUSINESS PASS .... Billet, carte de service
BUSINESS TRAVELLER (traveler) .... Voyageur d'affaire

BUSINESS TRIP .... Vol, voyage d'affaire
BUSINESSMAN .... Homme d'affaire
BUTT (to) .... Mettre bout à bout
BUTT ACTION CONTACT .... Contact à pression
BUTT JOINT .... Joint bout à bout, en about
BUTT STRAP .... Couvre-joint
BUTT WELD (to) .... Souder bout à bout
BUTT WELDING .... Soudure en bout, soudure bout à bout, soudage bord à bord
BUTTER LUBRICATE WITH GREASE (to) .... Enduire de graisse
BUTTERFLY .... Papillon, disque
BUTTERFLY NUT .... Écrou papillon, à oreilles
BUTTERFLY PLATE .... Papillon
BUTTERFLY TYPE VALVE .... Robinet à papillon, vanne à papillon
BUTTERFLY VALVE .... Soupape à papillon, volet mobile, vanne type papillon, vanne à papillon, papillon des gaz
BUTTON .... Bouton, touche, poussoir
BUTTON SWITCH .... Bouton poussoir
BUTTRESS .... Contrefort, arc-boutant
BUTTRESSED .... Étayé, arc-bouté
BUTTWELD (to) .... Souder bout à bout
BUY ORDER .... Commande d'achat
BUYER .... Acheteur
BUZZ .... Bourdonnement, vibrations de faible amplitude
BUZZ (to) .... Bourdonner, vrombir, assourdir, sonner *(téléphone)*
BUZZER .... Sirène ; vibreur sonore, trembleur, vibrateur, klaxon avertisseur, ronfleur, bourdonneur
BUZZER COIL .... Bobine à trembleur
BUZZING .... Bourdonnement ; vol à basse altitude
BUZZING SOUND .... Son ronflé
BY AIRMAIL .... Par avion
BY MEANS .... Au moyen, par l'intermédiaire
BY-PASS (bypass) .... Déviation, dérivation, système « by-pass »
BY-PASS (to) .... Shunter, détourner, dériver, contourner, dépasser
BY-PASS AIR (bypass air) .... Air de dilution, air secondaire
BY-PASS AIR DUCT .... Conduit d'air secondaire
BY-PASS AIRFLOW .... Écoulement secondaire, de dilution
BY-PASS ENGINE .... Turboréacteur double flux, moteur « bypass », moteur à dérivation
BY-PASS GAS TURBINE ENGINE .... Moteur double flux
BY-PASS RATIO .... Taux de dilution, rapport de dilution

BY-PASS SECTION .... Double flux
BY-PASS TAXIWAY .... Bretelle de dépassement
BY-PASS TURBOFAN ENGINE .... Moteur double flux, à soufflante
BY-PASS VALVE .... Robinet, clapet « by-pass », de dérivation, de déviation, clapet de détente
BYPASS DUCT .... Canal du flux secondaire
BYPASSED ....Bypassé, dérivé
BY-PRODUCT ....Sous-produit
BYTE .... Octet = 8 bits, multiplet

C

CAB .... Vigie ; taxi
CAB-DRIVER .... Chauffeur de taxi
CABIN (Cab) .... Cabine, carlingue
CABIN .... Cabine
CABIN ACCOMMODATION .... Aménagement de la cabine
CABIN AIR COMPRESSOR .... Compresseur cabine
CABIN AIR SUPPLY TEMPERATURE BULB .... Sonde température entrée d'air cabine
CABIN AISLE .... Couloir cabine, passagers
CABIN ALTIMETER .... Altimètre cabine *(correspond à la pression cabine)*
CABIN ALTITUDE .... Altitude cabine
CABIN ALTITUDE INDICATOR .... Altimètre cabine
CABIN ALTITUDE LIMITER .... Contrôleur de pression mini cabine
CABIN ALTITUDE SELECTOR .... Sélecteur d'altitude cabine
CABIN ALTITUDE WARNING CUTOUT SWITCH .... Arrêt klaxon altitude cabine
CABIN ALTITUDE WARNING HORN AND SWITCH .... Interrupteur et klaxon altitude excessive cabine
CABIN ATTENDANT(S) .... Hôtesse, steward, PNC, équipage commercial, personnel commercial de bord
CABIN ATTENDANT'S STATIONS .... Postes PNC
CABIN BAGGAGE .... Bagages de cabine
CABIN CREW (Cabin staff) .... Personnel de cabine, PNC, équipage commercial
CABIN DEPRESSURIZATION .... Dépressurisation cabine
CABIN DIFFERENTIAL PRESSURE INDICATOR (gage) .... Manomètre de cabine *(pression statique ext/press int cabine),* mano de pression différentielle cabine
CABIN DOOR .... Porte cabine
CABIN FLOOR .... Plancher cabine
CABIN HEATER .... Groupe de réchauffement cabine
CABIN LAYOUT .... Aménagement cabine
CABIN OVERPRESSURIZATION .... Surpression cabine
CABIN PERSONNEL .... Personnel de cabine, PNC
CABIN PRESSURE ALTITUDE .... Altitude pression cabine
CABIN PRESSURE AUTOMATIC CONTROLLER .... Contrôleur automatique de pression cabine, régulateur de pression cabine
CABIN PRESSURE CONTROL .... Régulation de pression cabine

CABIN PRESSURE CONTROLLER .... Contrôleur, régulateur de pression cabine
CABIN PRESSURE EMERGENCY RELIEF VALVE .... Clapet de surpression cabine
CABIN PRESSURE INDICATOR
Indicateur de mesure de la pression cabine
CABIN PRESSURE MANUAL CONTROL .... Commande manuelle de pression cabine
CABIN PRESSURE OUTFLOW VALVE
Vanne d'échappement pression cabine
CABIN PRESSURE TEST .... Essai de pressurisation cabine
CABIN PRESSURIZING .... Pressurisation, gonflage cabine
CABIN RATE OF CLIMB INDICATOR .... Variomètre cabine
(= taux de variation de la pression cabine)
CABIN RATE SELECTOR .... Sélecteur de vitesse ascensionnelle
CABIN SIGNS .... Consignes passagers
CABIN STAFF .... Personnel commercial de bord, PNC
CABIN SUPERCHARGING .... Pressurisation cabine
CABIN TEMPERATURE CONTROL (selector) .... Commande de régulation de température cabine
CABIN TEMPERATURE CONTROL VALVE .... Vanne de mélange cabine, vanne sextuple
CABIN TEMPERATURE INDICATOR .... Indicateur de température cabine
CABIN VERTICAL SPEED INDICATOR .... Variomètre cabine
CABIN WIDTH .... Largeur de cabine
CABIN WINDOWS .... Hublots
CABINET .... Réserve, boîtier, armoire, coffret, châssis
CABLE .... Câble, drisse ; télégramme
CABLE AIR SEAL .... Joint étanche de câble
CABLE BOX .... Boîte à câbles
CABLE BUNDLE .... Nappe, faisceau de câbles
CABLE BUS SYSTEM .... Timonerie à câbles de liaison
CABLE CHANNEL .... Gouttière de câble
CABLE CHART .... Charte des câbles
CABLE CLAMP .... Serre-câble
CABLE COMPENSATOR .... Tendeur de câble
CABLE CONDUIT .... Tube guide-fils, manchon pour câbles
CABLE CUTTER .... Coupe-câble
CABLE DRUM .... Tambour, poulie à câble
CABLE DUCT .... Gouttière, conduit de câble
CABLE EYE .... Cosse de câble
CABLE GRIP .... Serre-câble(s)
CABLE GROMMET .... Guide-câble
CABLE GROOVE .... Gorge passage de câble

CABLE GUARD .... Protection de câble, protège-câble
CABLE GUIDE .... Guide-câble
CABLE JOINT .... Raccord de câbles
CABLE LOAD .... Tension du câble
CABLE LOOSE OR BROKEN .... Câble détendu ou cassé
CABLE LUG .... Cosse de câble
CABLE OPERATED .... Commandé, actionné par câble
CABLE PLAITING .... Tressage de câble
CABLE PULLEY .... Poulie à câble, poulie à gorge
CABLE RIGGING LOAD .... Tension de réglage de câble
CABLE RUN .... Cheminement de câble, parcours de câble, routage
CABLE RUN No .... Tronçon de câble n°
CABLE SEAL .... Joint passage de câble
CABLE SEPARATION .... Rupture de câble
CABLE STRAND .... Toron de câble
CABLE TAG .... Étiquette de câble
CABLE TENSION CHART .... Charte des câbles
CABLE TENSION REGULATOR .... Régulateur de tension de câble, tendeur de câble
CABLE TERMINAL .... Embout de câble, cosse
CABLE TROUGH .... Gouttière pour câbles
CABLE TURNBUCKLE LOCKING CLIP .... Épingle de sûreté sur tendeur de câble
CABLE WRAPPING .... Gaine de câble
CABLED .... Câblé
CABLING .... Câblage
CABLES CROSSED .... Câbles croisés
CADMIUM .... Cadmium
CADMIUM ANODE .... Anode de cadmium
CADMIUM-NICKEL BATTERY .... Batterie au cadmium-nickel, au nickel-cadmium
CADMIUM PLATE (to) .... Cadmier
CADMIUM PLATING .... Cadmiage
CAGE .... Cage, boîte
CAGE (to) .... Bloquer
CAGING .... Calage de gyro
CAGING DEVICE .... Dispositif de blocage *(gyroscope)*
CAKE UP (to) .... S'agglomérer *(graisse)*
CALAMINE .... Calamine
CALCULATE (to) .... Calculer, évaluer, compter
CALCULATING UNIT .... Calculateur
CALCULATION .... Calcul
CALCULATOR .... Machine à calculer, calculatrice, calculateur

CALENDAR LIFE .... Potentiel calendrier *(mois, année, etc.)*
CALIBRATE (to) .... Étalonner, graduer, calibrer, tarer
CALIBRATED AIRSPEED (CAS) .... Vitesse propre corrigée (VC), conventionnelle
CALIBRATED ALTITUDE .... Altitude corrigée
CALIBRATED INDICATED AIRSPEED (CIAS) .... Vitesse lue corrigée
CALIBRATED ORIFICE .... Orifice calibré
CALIBRATED STEM .... Tige graduée
CALIBRATED VALVE .... Clapet taré
CALIBRATING CURVE .... Courbe d'étalonnage
CALIBRATING FLUID .... Liquide de calibrage
CALIBRATION .... Étalonnage, calibration, équivalence, tarage
CALIBRATION CHART (table) .... Table d'étalonnage
CALIBRATION CHECK .... Vérif, contrôle d'étalonnage
CALIBRATION GENERATOR .... Générateur étalon
CALIBRATION OF THERMOCOUPLE .... Tarage de la ligne thermocouple
CALIBRATION TEST .... Essai d'étalonnage
CALIBRE .... Calibre, alésage d'un tube
CALIPER .... Compas, calibre
CALIPER SQUARE (gage) .... Pied à coulisse
CALL .... Appel, communication
CALL BULB .... Signalisation d'appel *(voyant lumineux)*
CALL BUTTON .... Bouton d'appel
CALL BUZZER .... Sonnerie d'appel
CALL CHIME .... Sonnette d'appel
CALL DEVICE .... Dispositif d'appel
CALL HORN .... Corne d'appel
CALL INDICATOR .... Indicateur lumineux d'appel
CALL LAMP .... Lampe d'appel
CALL LIGHT .... Voyant d'appel
CALL-OUT .... Annonce
CALL SIGN .... Indicatif d'appel
CALL SWITCH .... Interrupteur, poussoir d'appel
CALL SYSTEM .... Système d'appel
CALLER .... Demandeur
CALLIPER (caliper) .... Compas à calibrer
CALORIC ENERGY .... Énergie thermique, calorifique
CALORIFIC .... Calorifique
CALORIFIC VALUE .... Pouvoir calorifique
CALORIMETER .... Calorimètre
CALORIMETRIC GAUGES .... Jauges calorimétriques
CALORY .... Calorie
CAM .... Came, excentrique
CAM DRUM .... Plateau à cames

CAM FOLLOWER .... Came suiveuse, galet de came, galet suiveur, palpeur
CAM LOBE .... Bossage de came
CAM ROLLER ....Galet de came, galet suiveur
CAMBER .... Courbure, cambrure, bombement, cintrage, flèche
CAMBER FLAP ....Volet de courbure
CAMBER RATIO .... Flèche relative
CAMBERED .... Cambré
CAMBERED FACE (hammer) .... Face bombée *(marteau)*
CAMBERED WING ....Aile courbe
CAMEL HAIR BRUSH .... Pinceau à poils de chameau
CAMERA ....Appareil photo, caméra
CAMOUFLAGE (to) ....Camoufler
CAMOUFLAGED FIGHTER .... Chasseur camouflé
CAMPLATE ....Came
CAMSHAFT (cam shaft) ....Arbre à came(s), arbre de distribution
CAN ....Boîte métallique, bidon, burette
CAN or CELLULAR TYPE COMBUSTOR .... Chambres séparées, tubulaires
CAN-ANNULAR or CANNULAR COMBUSTION CHAMBER ... Chambre(s) mixte(s), tubo-annulaire
CANNULAR .... Cannulaire
CANARD FLAPS .... Volets type « canard »
CANARD PLAN .... Plan canard
CANARD SURFACES ....Empennage(s) canard(s)
CANARD TAIL .... Empennage canard
CANCEL (to) .... Annuler, effacer
CANCEL AN ORDER (to) .... Annuler une commande
CANCELLATION OF FLIGHT .... Annulation de vol
CANDLE .... Bougie
CANDLING .... Mise en torche
CANISTER .... Boîte, logement, mitraille, boîte à mitraille
CANNIBALIZATION REMOVAL ....Dépose pour cannibalisation
CANNIBALIZE (to) .... Pirater des pièces
CANNULAR .... Cannulaire
CANOPY .... Canopée, verrière, dais de cockpit, voilure, coupole de parachute, toit, capote, auvent, tente, marquise (aéroport)
CANT .... Arête, inclinaison, devers
CANT ANGLE .... Angle d'inclinaison
CANTED DOWNWARD ....Incliné vers le bas
CANTED PARKING .... Stationnement en épis, de biais
CANTILEVER ....Porte-à-faux, cantilever
CANTILEVER (to) .... Être en porte-à-faux

CANTILEVER FITTED .... Monté en porte-à-faux
CANTILEVER WINGS .... Ailes en porte-à-faux
CANVAS .... *(Grosse)* toile, bâche
CANVAS-COVERED RUBBER .... Caoutchouc entoilé
CANYON APPROACH (profile) .... *(Figure de)* tour de piste rapproché
CAP .... Chapeau, calotte, capuchon, cabochon, bouchon femelle, obturateur, couvercle, bouton coupe-feu *(moteur)*, semelle *(longeron)*
CAP (to) .... Boucher, obturer, coiffer
CAP OFF (to) .... Déboucher
CAPABILITY .... Capacité, possibilité
CAPABLE OF CARRYING .... Capable de transporter
CAPABLE OF LIFTING .... Capable de soulever
CAPACITANCE .... Réactance, résistance de capacité, capacité *(condensateur)*
CAPACITANCE BRIDGE .... Pont capacitif
CAPACITANCE MEASURING BRIDGE .... Pont de mesure de capacité
CAPACITANCE METER .... Capacimètre
CAPACITOR .... Condensateur, capacité électrique
CAPACITOR GAGE .... Jaugeur à capacité
CAPACITOR PROBE .... Sonde à condensateur
CAPACITY .... Quantité, capacité, contenance, volume, nbre de places avion
CAPACITY DIODE .... Diode à capacité
CAPACITY TON MILES .... Tonnes-milles commerciales
CAPE CHISEL .... Bédane
CAPILLARY .... Capillaire
CAPILLARY ACTION .... Action capillaire
CAPNUT (cap nut) .... Écrou capuchon, bouchon fileté, écrou borgne
CAPPED .... Obturé, bouché
CAPRING SEAL .... Porte-joint
CAPSCREW (cap screw) .... Vis à tête
CAPSIZE (to) .... Capoter, chavirer
CAPSTAN .... Cabestan, tourelle, tourelle revolver *(de tour)*
CAPSTAN LATHE .... Tour revolver, à barillet
CAPSTAN SCREW .... Vis à tête percée
CAPSULE .... Capsule
CAPSULE PRESSURE GAGE .... Mano à capsule
CAPTAIN .... Commandant de bord
CAPTAIN'S PANEL .... Tableau commandant
CAPTAINCY .... Commandement
CAPTIVE .... Captif, prisonnier
CAPTIVE BALLOON .... Ballon captif

CAPTIVE FLIGHT .... Vol captif, vol porté
CAPTIVE NUT .... Écrou prisonnier
CAPTIVE SCREW .... Vis imperdable
CAPTOR .... Capteur
CAPTURE OF A BEAM .... Prise, capture d'un faisceau
CAPTURE POINT .... Point de capture
CAR .... Voiture, automobile
CAR BODY .... Carrosserie
CAR RENTAL (hire) .... Location de voiture
CARBIDE .... Carbure
CARBIDE DRILL .... Forêt en carbure
CARBIDE INSERT .... Carbure à plaquette rapportée
CARBIDE TIP .... Pointe, plaquette, pastille en carbure
CARBO-BLAST CLEANING .... Noyautage *(compresseur)*
CARBON .... Carbone, charbon, calamine
CARBON-CARBON COMPOSITE MATERIALS .... Matériaux composites carbone-carbone
CARBON BRAKES .... Freins au carbone
CARBON BRUSH .... Balai, charbon
CARBON DEPOSIT .... Dépôt de calamine, dépôt charbonneux
CARBON DIOXIDE .... Dioxyde de carbone, anhydride carbonique, CO_2, gaz carbonique
CARBON DIOXIDE SNOW .... Neige carbonique
CARBON DIOXIDE TYPE FIRE EXTINGUISHER .... Extincteur type à oxide de carbone, extincteur CO_2
CARBON FIBER .... Fibre de carbone
CARBON FIBER REINFORCED PLASTIC (CFRP) .... Fibres de carbone renforcées
CARBON FIBRE COMPOSITE .... Matériau composite à fibres de carbone, à base de fibres de carbone
CARBON MONOXIDE .... Monoxyde de carbone
CARBON PILE .... Pile de carbone
CARBON REMOVAL (carbon removing) .... Décalaminage
CARBON REMOVER .... Décalaminant
CARBON SCRAPER .... Grattoir à décalaminer
CARBON SEAL .... Joint carbone
CARBON STEEL .... Acier au carbone
CARBON STEEL CABLE .... Câble en acier au carbone
CARBONIC ICE (dry ice) .... Neige carbonique
CARBONIZATION (carbonising) .... Carbonisation, encrassement, calaminage
CARBORUNDUM CLOTH .... Toile au carborundum *(carbure de silice)*
CARBORUNDUM STONE .... Carborundum
CARBOY .... Bonbonne, tourie

CARBURETOR (US), CARBURETTER (rettor : GB) .... Carburateur
CARBURETOR JET .... Gicleur de carburateur
CARBURETOR PRE-HEAT DUCT .... Conduit de préchauffage du carburateur
CARBURIZE (to) .... Carburer *(l'acier, un gaz)*, durcir superficiellement, cémenter
CARBURIZED PARTS .... Pièces carburées
CARCASS (carcase) .... Carcasse, charpente
CARD .... Carte, fiche
CARD INDEX .... Fichier
CARD-PUNCHER .... Perforatrice de carte
CARD READER .... Lecteur de carte
CARDAN COUPLING .... Accouplement à cardan
CARDAN JOINT .... Joint de cardan, joint universel
CARDBOARD .... Carton
CARDINAL POINT .... Point cardinal
CARE .... Attention, soin
CAREFULLY .... Soigneusement, avec soin, avec précaution
CARELESS FLYING .... Pilotage négligent, dangereux
CARGO .... Cargaison, chargement, marchandises, fret, messageries
CARGO AGENCY .... Agence messageries
CARGO AGENT .... Agent de fret
CARGO AIRCRAFT .... Avion cargo, cargo
CARGO ATTENDANT .... Convoyeur de fret
CARGO BIN .... Conteneur de fret
CARGO CAPACITY .... Volume des soutes, capacité d'emport de fret, capacité de fret
CARGO COMPARTMENT .... Soute à bagages, à fret
CARGO COMPARTMENT DECK PANEL .... Panneau de pont de soute
CARGO COMPARTMENT INSULATION .... Isolation soute
CARGO COMPARTMENT LINING .... Garnissage de soute
CARGO DISPATCH .... Acheminement du fret
CARGO DOOR .... Porte de soute, de chargement, de fret, porte cargo
CARGO HANDLING .... Traitement du fret
CARGO HATCH .... Porte de chargement
CARGO HOLD .... Soute
CARGO LOAD FACTOR .... Coefficient de remplissage fret
CARGO LOADER .... Véhicule de chargement de fret
CARGO LOADING (unloading) .... Chargement *(déchargement)*
CARGO LOADSHEET .... Feuille de chargement de fret
CARGO MANIFEST .... Manifeste de marchandises, liste du fret
CARGO PALLET .... Palette de fret, de chargement
CARGO-PASSENGER (passenger-cargo) .... Passagers-fret

CARGO TERMINAL .... Gare, aérogare de frêt
CARGO TRANSPORT .... Transport de fret
CARPET .... Tapis, moquette
CARPET MAT .... Tapis *(voiture)*
CARRIAGE .... Transport, emport, chariot *(de volet, de tour)*, chariot boggie
CARRIED FLIGHT ENVELOPE .... Domaine d'emport
CARRIER .... Porteur(se), support ; compagnie d'aviation, de transport, transporteur
CARRIER AIRCRAFT .... Avion de transport, transporteur, avion porteur
CARRIER-BASED AIRCRAFT .... Avion embarqué
CARRIER-BASED FIGHTER .... Chasseur embarqué
CARRIER-BORNE .... Embarqué
CARRIER-BORNE AIRCRAFT .... Aviation embarquée
CARRIER DECK .... Pont de porte-avion
CARRIER FREQUENCY .... Fréquence porteuse
CARRIER-RING .... Anneau support *(d'aubes)*
CARRIER-ROCKET .... Fusée porteuse
CARRIER SHAFT .... Arbre porte-satellite
CARRIER SIGNAL .... Signal porteur
CARRIER WAVE (carrier oscillation) .... Onde porteuse
CARRY (to) .... Porter, transporter
CARRY-ON BAGGAGE .... Bagages à main
CARRY OUT (to) .... Effectuer, procéder, faire, réaliser, exécuter
CARRY UP (to) .... Transporter
CARRYING CAPACITY .... Charge utile, capacité de transport, de charge, nombre de places
CART .... Chariot
CARTESIAN .... Cartésien *(système d'axes)*
CARTESIAN COORDINATES .... Coordonnées cartésiennes
CARTOGRAPHIC PLOTTING .... Tracé cartographique
CARTRIDGE .... Cartouche, bielle à ressort, chargeur
CARTRIDGE FILTER .... Filtre à cartouche
CARTRIDGE STARTER .... Démarreur à cartouche
CARTRIDGE TYPE FILTER .... Filtre à cartouche
CAS (calibrated airspeed) .... VC *(vitesse corrigée)*
CASCADE .... Grille *(d'aubes de dérivation)*, déflecteur
CASCADE TYPE THRUST REVERSER ...... Grille déviatrice de poussée, aubages déviateurs
CASCADE VANES .... Aubage déviateur de poussée, grilles d'aubes déviatrices, grille de déviateur de jet, aubes de déviation, déflecteurs en persienne
CASE .... Carter, boîtier, boîte, caisse, enveloppe, coffret, étui

CASE HARDEN (to) .... Cémenter
CASE HARDENING .... Cémentation, durcissement superficiel d'un métal
CASH .... espèces, argent comptant
CASH (to) .... Encaisser, toucher
CASH DESK .... Caisse
CASHIER .... Caissier
CASING .... Carter, corps, cylindre, enveloppe, capot, chemise, boîtier
CASSETTE .... Cassette, chargeur
CAST .... Fondu, coulé, moulé
CAST (to) .... Couler, mouler, fondre ; jeter, projeter, lancer
CAST BLADE .... Aube coulée
CAST IRON .... Fonte coulée, fonte *(de fer)*, fonte grise
CAST STEEL .... Acier coulé, moulé, fondu
CASTELLATED .... Crénelé, à créneaux
CASTELLATED NUT .... Écrou crénelé, à créneaux *(symb. HK)*
CASTELLATION .... Créneau, crénelure
CASTER (steer) .... Roulette *(orientable)*, galet pivotant ; mouleur, couleur
CASTERING (castoring) .... Orientable
CASTING .... Pièce coulée, pièce moulée, pièce de fonderie ; coulage, moulage, fonte
CASTINGS .... Fonderie, pièces de fonderie, de fonte, pièces coulées
CASTLE NUT .... Écrou à créneaux, à entailles, crénelé
CASTLE SHEAR NUT .... Écrou à créneaux
CASTOR .... Roulette
CASTOR (to) .... Pivoter
CASTOR OIL .... Huile de ricin
CASTOR WHEEL .... Roue pivotante
CASUALTIES .... Victimes
CATALOG .... Catalogue
CATALYSIS .... Catalyse
CATALYST .... Catalyseur
CATALYTIC FILTER .... Filtre catalytique *(ozone)*
CATAPULT .... Catapulte *(de lancement)*
CATAPULT A PLANE (to) .... Lancer un avion
CATAPULT LAUNCH .... Catapultage
CATAPULT TAKEOFF .... Décollage avec catapulte
CATAPULTED TEST .... Essai au catapultage
CATCH .... Prise, loquet, loqueteau, fermoir, agrafe, déclic, cliquet, crochet, arrêtoir, ergot
CATCH (to) .... Attraper, saisir, accrocher
CATCH LOCK .... Serrure

CATCHING .... Prise, accrochage
CATEGORY III A LANDING .... Atterrissage automatique cat III A
CATERGOL .... Catergol *(propulsion)*
CATERED .... Approvisionné
CATERER .... Approvisionneur
CATERING .... Approvisionnement, prestations, hôtellerie de bord, commissariat
CATERING MANAGEMENT DOCUMENT Document gestion commissariat
CATERING SERVICES .... Commissariat, services hôteliers
CATERING TRUCK .... Camion du commissariat
CATERPILLAR .... Chenille
CATHODE .... Cathode, pôle négatif ⊖
CATHODE-RAY TUBE (CRT) .... Tube à rayons cathodiques (TRC), à faisceau cathodique, cathoscope
CATHODE RAY TUBE DISPLAY .... Indicateur, écran cathodique, console de visualisation, visualisation cathodique, par tube cathodique
CATHODE SCREEN .... Écran cathodique
CATHODIC .... Cathodique
CATHODIC BEAM .... Faisceau cathodique
CAULK (to) .... Mater, calfater, calfeutrer
CAULKING .... Matage *(d'un rivet, de tôles)*, calfatage, calfeutrage, calfeutrement
CAULKING COMPOUND .... Produit de calfatage
CAUSE DAMAGE (to) .... Endommager
CAUSE OF REMOVAL .... Motif de dépose
CAUSTIC ETCH(ING) .... Attaque à la soude caustique
CAUSTIC SODA .... Soude caustique
CAUSTIC SOLUTION .... Solution caustique
CAUTION .... Attention, précaution, avertissement, prudence
CAUTION LIGHT .... Voyant d'avertissement
CAVITATION (in pump) .... Cavitation *(pompe)*, désamorçage, piquage
CAVITY .... Cavité, creux, trou, grumelure, logement
CEASE (to) .... Cesser, arrêter
CEASE TO ROTATE (to) .... Arrêter de tourner
CEILING .... Plafond, paroi supérieure
CEILING BLOWOUT PANEL .... Panneau sécurité plafond
CEILING LIGHT .... Plafonnier
CEILING LINING .... Garnissage de plafond
CEILOMETER .... Célomètre, télémètre de plafond, de nuages
CELERITY .... Célérité
CELESTIAL BODY (object) .... Corps céleste *(objet)*
CELESTIAL DECLINATION .... Déclinaison astronomique
CELESTIAL GUIDANCE .... Guidage stellaire, astronomique

CELESTIAL MECHANICS .... Mécanique céleste
CELESTIAL NAVIGATION .... Navigation astro, astrale
CELESTIAL PLOTTING ....Point astronomique
CELL ....Cellule, élément de pile, alvéole, compartiment
CELL TYPE TANK .... Réservoir indépendant
CELLULAR STRUCTURE .... Structure cellulaire, alvéolaire
CELLULOSE VARNISH ....Vernis cellulosique
CELORON WASHER .... Rondelle en céloron
CELSIUS SCALE (centigrade) ....Échelle celsius
CEMENT .... Mastic, colle, enduit, cément, adhésif
CEMENT (to) .... Coller, cémenter, mastiquer
CEMENTATION .... Cémentation, collage
CEMENTING .... Masticage
CENTER (centre) .... Centre, pointe
CENTER BIT .... Mèche anglaise, forêt à centreur, à pilote
CENTER ELECTRODE ....Électrode centrale
CENTER ENGINE .... Réacteur central (B 727, DC 10)
CENTER LINE ....Ligne médiane
CENTER OF GRAVITY .... Centre de gravité (G)
CENTER OF LIFT ....Centre de poussée, de sustentation
CENTER OF PRESSURE ....Centre de pression
CENTER OF THRUST .... Centre de poussée
(position variable suivant M)
CENTER OIL TRANSFER .... Transfert central d'huile
CENTER POSITION .... Position intermédiaire
CENTER PUNCH .... Pointeau
CENTER SECTION ....Plan central, section, partie centrale
CENTER SPAR ....Longeron central
CENTER WING .... Section centrale de voilure
CENTER WING BOX ....Caisson central d'aile
CENTER WING SECTION .... Plan central, voilure médiane
CENTER WING TANK ....Réservoir central d'aile
CENTERBODY NOZZLE .... Tuyère à noyau central
CENTERED ....Centré
CENTERING BAR ....Contre-pointe
CENTERING CAM ....Came de centrage, de positionnement
CENTERING DEVICE .... Dispositif de centrage, rappel dans l'axe
CENTERING DOWEL .... Pied de centrage
CENTERING PIN ....Centreur, pion de centrage
CENTERING RING ....Anneau de centrage
CENTERING SPIGOT .... Pion de centrage
CENTERING SPRING .... Ressort de centrage
CENTERLESS ....Sans centre
CENTERLINE ....Axe de centrage, ligne d'axe, axe géométrique
CENTERLINE LIGHTS .... Feux d'axe de piste

CENTERLINE OF ENGINE .... Axe du réacteur
CENTERS .... Centres, pointes
CENTRAL PROCESSOR UNIT (CPU) .... Unité centrale
CENTRE (center) .... Centre
CENTRE LINE .... Axe central, ligne d'axe, ligne moyenne d'un profil
CENTRE-LINE APPROACH .... Approche dans l'axe de la piste
CENTRE OF BUOYANCY .... Centre de poussée, de portance, de carène
CENTRE OF GRAVITY .... Centre de gravité
CENTRE OF LIFT .... Centre de poussée aérodynamique
CENTRE OF PRESSURE .... Centre de poussée, de pression
CENTRE OF THRUST .... Centre de poussée
CENTRE PUNCH .... Pointeau
CENTRE-PUNCH (to) .... Effectuer, faire un trou de centrage
CENTRE-TAPPED TRANSFORMER .... Transformateur à point milieu
CENTRES (between) .... Entre-pointes
CENTRIFUGAL ACCELERATION .... Accélération centrifuge
CENTRIFUGAL BOOST ELEMENT .... Étage centrifuge
CENTRIFUGAL BREATHER .... Épurateur centrifuge
CENTRIFUGAL BREATHER SYSTEM .... Circuit de dégazage centrifuge
CENTRIFUGAL CLUTCH .... Embrayage centrifuge
CENTRIFUGAL COMPRESSOR .... Compresseur centrifuge
CENTRIFUGAL FILTER .... Filtre centrifuge
CENTRIFUGAL FORCE .... Force centrifuge
CENTRIFUGAL FUEL INJECTION .... Injection centrifuge *(de carburant)*
CENTRIFUGAL GOVERNOR .... Régulateur centrifuge
CENTRIFUGAL PUMP .... Pompe centrifuge
CENTRIFUGAL SEPARATOR .... Séparateur centrifuge
CENTRIFUGAL SWITCH .... Contacteur centrifuge
CENTRIFUGAL TACHOMETER .... Tachymètre centrifuge
CENTRING SPRING .... Ressort de centrage
CENTRIPETAL FORCE (acceleration) .... Force centripète *(accélération centripète)*
CENTRIPETAL TURBINE .... Turbine centripète
CERAMIC CAPACITOR .... Condensateur céramique
CERAMIC MOULD .... Moule de céramique
CERAMICS .... (La) céramique
CERTIFICATE .... Brevet
CERTIFICATE OF AIRWORTHINESS .... Certificat de navigabilité
CERTIFICATE OF COMPLIANCE .... Certificat de conformité
CERTIFICATE OF VACCINATION .... Certificat de vaccination
CERTIFICATED .... Breveté, homologué

CERTIFICATION .... Homologation
CERTIFICATION AIRSPEED .... Vitesse caractéristique
CERTIFICATION FLYING .... Vol de certification
CERTIFICATION TESTING (test) .... Épreuve, essai d'homologation
CERTIFIED .... Certifié, homologué
CERTIFIED PERSONNEL .... Personnel breveté
CETENE NUMBER .... Nombre de cétène
CETHYL ALCOHOL .... Alcool céthylique
CHAFE (to) .... Écorcher, s'écailler, user, échauffer *(par frottement)*
CHAFED SPOT .... Point de frottement
CHAFING .... Friction, écorchement, usure, frottement, éraflure, écaillage, éraillement
CHAFING STRIP .... Bande de frottement
CHAFING WASHER .... Rondelle de protection, d'usure
CHAIN .... Chaîne, chaînette
CHAIN HOIST .... Palan à chaîne, moufle
CHAIN PIPE-WRENCH .... Clé à chaîne pour tubes
CHAIN REACTION .... Réaction en chaîne
CHAIN SPROCKET .... Roue à chaîne
CHAIN TENSIONING DEVICE .... Tendeur de chaîne
CHAIN WHEEL (chainwheel) .... Volant à chaîne
CHAIN-WHEEL GEAR .... Transmission à chaîne
CHAIN WRENCH .... Clé à chaîne
CHAIRMAN .... Président, PDG
CHAIRTABLE .... Tablette
CHALK .... Craie, talc
CHAMBER .... Chambre
CHAMBER PRESSURE .... Pression foyer, chambre
CHAMBERS .... Chambres séparées, alvéoles, cavités
CHAMFER .... Chanfrein
CHAMFER (to) .... Chanfreiner, exécuter un chanfrein, biseauter
CHAMFER BOTH ENDS (to) .... Exécuter un chanfrein aux deux extrémités
CHAMFERED .... Chanfreiné
CHAMPIONSHIP .... Championnat
CHANGE (changing) .... Changement, déplacement, variation
CHANGE (to) .... Changer, modifier, varier
CHANGE OF HEADING .... Changement de cap
CHANGE OVER (to) .... Passer d'un système à un autre, permuter, commuter, inverser
CHANGE-OVER FREQUENCY .... Fréquence de commutation
CHANGE-OVER RELAY .... Relais de transfert
CHANGE-OVER SWITCH .... Commutateur, interrupteur permutateur

CHANGER .... Inverseur, variateur
CHANGING THE OIL .... Vidange d'huile
CHANNEL .... Canal, conduit, voie, rainure, glissière, profilé en « U », cannelure, gouttière
CHANNEL AMPLIFIER .... Amplificateur à canaux
CHANNEL BRACKET .... Support en « U »
CHANNEL CONVERTER .... Convertisseur de voies
CHANNEL LIGHT .... Feu de chenal
CHANNEL SEAL .... Joint en « U », joint gouttière
CHANNEL SECTION .... Profilé en « U », U, fer en U
CHANNEL SELECTOR .... Sélecteur de canaux
CHANNEL SWITCHING .... Commutation de voies
CHANNELING .... Sélection
CHANNELS .... Canaux, voies
CHANNELTRON UNIT .... Bloc channeltron
CHAPTER .... Chapitre
CHARACTERISTIC CURVE .... Courbe caractéristique
CHARACTERISTIC EQUATION .... Équation caractéristique (pV=RT)
CHARGE (to) .... Gonfler, charger, remplir, recharger
CHARGE AMPLIFIER .... Amplificateur de charge
CHARGE COUPLED DEVICE (CCD) .... Mémoire à couplage de charges
CHARGE-HAND .... Chef d'équipe
CHARGE LOSS .... Perte de charge
CHARGED CONDUCTOR .... Conducteur chargé, sous tension
CHARGED PARTICLES (charged electrical particles) .... Particules chargées *(électriquement)*
CHARGES PREPAID .... Port payé
CHARGING CONNECTION .... Prise de gonflage
CHARGING CURRENT .... Courant de charge
CHARGING VALVE .... Clapet, valve de gonflage, de remplissage
CHARGING VOLTAGE .... Tension de charge
CHARRED .... Calciné, carbonisé
CHARRING .... Carbonisation
CHART .... Carte, diagramme, abaque, tableau, table, organigramme
CHART CASE .... Porte-documents
CHARTS (cable) .... Charte des câbles
CHARTER .... Affrètement, avion affrété
CHARTER (plane) .... Avion charter, avion affrété, avion taxi
CHARTER (to) .... Affréter, fréter, noliser
CHARTER AIR TRANSPORTATION .... Transport aérien à la demande
CHARTER CARRIER or CHARTER AIRLINE .... Compagnie de transport à la demande
CHARTER CLASS FARE (CCF) .... Tarif noliprix
CHARTER FLIGHT .... Vol charter, affrété, nolisé, à la demande, d'affrètement

CHARTER ROUTE .... Route pour vol nolisé
CHARTERED AIRCRAFT .... Avion affrété, nolisé
CHARTERED FLIGHT .... Vol d'affrètement, affrété
CHARTERER .... Affréteur
CHARTERING .... Services à la demande
CHASE (to) .... Chasser, repousser le métal
CHASE PILOT .... Pilote de chasse
CHASE PLANE .... Avion de chasse
CHASER .... Filière à peigne, peigne à fileter
CHASING .... Repoussage, ciselage
CHASING-FIGHTER (chaser) .... Avion de chasse
CHASSIS (assembly) .... Châssis, socle
CHATTER .... Cliquetis, claquement, vibration, broutement, broutage
CHATTER (to) .... Brouter, cliqueter, claquer
CHEAP .... à bon marché
CHEAPER .... Meilleur marché
CHECK .... Vérification, contrôle, examen, visite ; frein, arrêt, butée
CHECK (to) .... Vérifier, s'assurer, contrôler, enregistrer, pointer
CHECK CIRCUIT CONTINUITY (to) .... Sonner un circuit
CHECK FOR LEAKS (to) .... Rechercher les fuites éventuelles, vérifier l'étanchéité
CHECK GAP BETWEEN (to) .... Vérifier le jeu entre
CHECK-IN (to) .... Enregistrer, se faire enregistrer
CHECK-IN COUNTER .... Comptoir d'enregistrement
CHECK-IN DESK .... Comptoir, banque d'enregistrement
CHECK-IN TIME .... Heure d'enregistrement, de convocation des passagers
CHECKING JIGS .... Gabarits de contrôle
CHECK-LIST .... Liste d'opérations, liste de contrôle, de vérification
CHECK-NUT .... Écrou de bloquage, contre-écrou
CHECK-OUT SYSTEM .... Équipement de contrôle
CHECK RIGGING (to) .... Vérifier le réglage
CHECK RUN SHEET .... Relevé des paramètres de fonctionnement
CHECK SAMPLE .... Échantillon, témoin
CHECK SCREW .... Contre-vis
CHECK SHEET (engine trimming) .... Fiche de relevé vérif et réglage réacteur
CHECK THE ADJUSTMENT OF (to) .... Vérifier le réglage de
CHECK VALVE .... Soupape, vanne, clapet, valve anti-retour, de non-retour, clapet de retenue
CHECKED BAGGAGE .... Bagages enregistrés

CHECKER .... Vérificateur, contrôleur
CHECKING .... Contrôle, vérification, pointage, enregistrement
CHEEK .... Joue, flasque, bras *(manivelle)*, machoire *(étau)*
CHEESE .... Antenne radar *(à cornet)*
CHEESECLOTH .... Gaze, étamine
CHEESE-HEAD SCREW .... Vis à tête ronde, cylindrique
CHEMICAL .... Chimique, produit chimique
CHEMICAL COMPOSITION .... Composition chimique
CHEMICAL COMPOUND .... Agent chimique
CHEMICAL ENERGY .... Énergie chimique
CHEMICAL ENGINEER .... Ingénieur chimiste
CHEMICAL ETCHING .... Attaque chimique
CHEMICAL FORMULA .... Formule chimique
CHEMICAL PROPULSION .... Propulsion chimique, propergolique
CHEMICAL REACTION .... Réaction chimique
CHEMICAL REMOVAL .... Dérochage chimique
CHEMICAL STRIPPING .... Décapage chimique
CHEMICAL TREAT (to) .... Traiter chimiquement
CHEMICAL TREATMENT .... Traitement chimique
CHEMICALLY CLEANING .... Nettoyage chimique
CHEMICALLY MILLED .... Fraisé, usiné chimiquement
CHEMICALLY STRIP (to) .... Décaper chimiquement
CHEMIST (chemistry) .... Chimiste *(chimie)*
CHEQUERED .... Quadrillé, strié, à carreaux, en damier
CHERRY-LOCK .... Rivet aveugle
CHEST .... Coffre, coffret, caisse, boîte
CHEVRON .... Chevron
CHICKEN CANNON .... Canon à poulets
CHIEF .... Principal, *(en)* chef
CHIEF ENGINEER .... Ingénieur en chef
CHIEF PILOT .... Chef pilote, pilote inspecteur
CHIEF STEWARD .... Chef de cabine
CHILL (to) .... Couler, tremper en coquille, refroidir, réfrigérer, glacer
CHILL CAST (to) .... Couler en coquille
CHILL CAST ALLOY .... Alliage coulé en coquille
CHILL CASTING .... Coulée, moulage en coquille, fonte en coquille
CHILL MOULDING .... Moulage en coquille
CHILL PLATE .... Coquille *(à fonte)*
CHILLED .... Refroidi, glacé, tempé
CHILLING .... Réfrigération, trempe en coquille
CHIME .... Carillon, gong, klaxon, sonnette, sonnerie, alarme sonore
CHIME SOUND .... Carillon, sonnerie, son musical
CHINE .... Quille d'angle

CHIP .... Copeau, éclat, écaille ; microplaquette, puce, pastille de silicum, boîtier
CHIP BREAKER .... Brise-copeau
CHIP DETECTOR .... Bouchon magnétique
CHIP SELECT .... Sélection de boîtier
CHIPPING .... Burinage, piquage, écaillage
CHIPPINGS .... Copeaux, éclats, limailles, arrachement *(de métal)*
CHISEL .... Burin, ciseau, bédane
CHISEL (to) .... Ciseler
CHISELS .... Ciseaux
CHLORIDE .... Chlorure
CHLORINATED .... Chloré
CHOCK .... Cale *(de roue)*, coin
CHOCK-TO-CHOCK TIME .... Temps cale à cale
CHOCKS ON (away) .... Mettez les cales *(enlevez les cales)*
CHOKE .... Bobine d'arrêt, de réactance, starter, étouffoir, étrangleur, étranglement, restriction, diffuseur, buse
CHOKE (to) .... Étrangler, étouffer, obstruer, engorger, boucher
CHOKE COIL .... Bobine d'arrêt
CHOKE CONTROL .... Commande de volet d'air du carburateur
CHOKE TUBE .... Diffuseur, buse
CHOKE VALVE .... Clapet restricteur
CHOKE VENTURI .... Venturi à étranglement
CHOKED .... Noyé, encrassé, bouché, obstrué
CHOKED JET .... Gicleur bouché
CHOKED NOZZLE .... Tuyère en régime sonique
CHOKED STATOR .... Stator saturé
CHOKING .... Engorgement, obstruction
CHOP (to) .... Couper, fendre, séparer
CHOP THE THROTTLES (to) .... Couper les gaz
CHOPPED PART .... Pièce découpée
CHOPPER .... Découpeur, hachoir
CHORD .... Corde de profil, profondeur d'aile ; semelle de longeron
CHORD FLANGE .... Aile de semelle
CHORD LENGHT .... Longueur de la corde
CHORD LINE .... Corde de référence d'un profil
CHORD/THICKNESS RATIO .... Épaisseur relative de la corde
CHORDWISE .... Dans le sens de la corde
CHROMA-AMPLIFIER .... Ampli-chrominance
CHROMATE TREATMENT .... Mordançage
CHROMATING .... Mordançage
CHROME (chromium) .... Chrome
CHROME-NICKEL STEEL .... Acier au nickel-chrome

CHROME OXIDE POWDER .... Poudre à roder *(rodage de finition)*, oxyde de chrome
CHROME PLATE BUILDUP .... Recharge par chromage
CHROME PLATING .... Chromage
CHROMEL/ALUMEL THERMOCOUPLE .. Thermocouple chromel/alumel
CHROMEL LEAD .... Câble, fil en chromel
CHROMIC (acid) .... Chromique *(acide)*
CHROMIC ACID ANODIZE (to) .... Anodiser dans un bain d'acide chromique *(oxydation anodique chromique)*
CHROMIC ACID ANODIZING .... Chromoaluminisation, anodisation chromique
CHROMINANCE SIGNAL .... Signal chromatique, de chrominance
CHROMIUM NICKEL STEEL .... Acier au nickel chrome
CHROMIUM PLATE (to) .... Chromer
CHRONOMETER .... Chronomètre
CHUCK .... Mandrin
CHUCK JAWS .... Mordaches
CHUFFING .... Halètement, ronflement *(instabilité de combustion d'un moteur-fusée à poudre)*
CHUTE .... Parachute *(de freinage)*, rampe d'évacuation, toboggan d'évacuation
CIGAR LIGHTER .... Allume-cigare
CINDER .... Mâchefer, scorie
CIPHER (to) .... Chiffrer, calculer
CIRCLE .... Cercle
CIRCLE THE FIELD .... Tournez autour du terrain
CIRCLE TO LAND .... Approche indirecte
CIRCLE TRIP .... Voyage, vol circulaire
CIRCLING APPROACH .... Tour de piste en approche, approche indirecte, en circuit
CIRCLING APPROACH MINIMUM .... Tour de piste basse altitude
CIRCLIP .... Circlips, jonc d'arrêt, de retenue
CIRCLIP PLIERS .... Pinces pour circlips
CIRCUIT .... Circuit, parcours, révolution
CIRCUIT-BREAKER (C-B) .... Interrupteur, disjoncteur, coupe-circuit
CIRCUIT BREAKER PANEL .... Panneau des disjoncteurs, Panneau disjoncteur
CIRCUIT CLOSER .... Conjoncteur, disjoncteur, coupe-circuit
CIRCUIT CONTINUITY .... Continuité du circuit
CIRCUIT TESTER .... Contrôleur de tension *(tournevis)*
CIRCUITRY .... Circuit(s), ensemble des circuits, montage
CIRCULAR MOTION .... Mouvement circulaire
CIRCULAR ORBIT .... Orbite circulaire
CIRCULAR PATTERN .... Circuit circulaire

CIRCULAR PITCH .... Pas circulaire *(pignon)*
CIRCULAR POLARIZATION .... Polarisation circulaire
CIRCULAR ROUTE ....Route loxodromique
CIRCULAR TICKET .... Billet circulaire
CIRCULATING AIR (dry with) .... Sécher par circulation d'air
CIRCUMFERENCE .... Circonférence, pourtour, périphérie
CIRCUMFERENTIAL FRAME .... Couple circonférentiel
CIRCUMFERENTIAL GROOVE .... Gorge annulaire
CIRCUMFERENTIAL SKIN JOINT .... Joint circonférentiel *(de revêtement)*
CIRCUMFERENTIAL SPEED ....Vitesse circonférentielle
CIRRO-CUMULUS (cirrocumulus) ....Cirro-cumulus
CIRRO-STRATUS (cirrostratus) ....Cirro-stratus
CIRRUS .... Cirrus
CIT SENSOR (compressor inlet temperature) ....Sonde T.2C (CF6-50)
CIT SENSOR SIGNAL .... Signal T.2C
CITRIC ACID ....Acide citrique
CIVIL AIRCRAFT ....Appareil, avion civil
CIVIL AIRLINER ....Avion, appareil civil
CIVIL AVIATION ....Aviation civile
CIVIL AVIATION AUTHORITY (CAA) ....Direction de l'aviation civile, secrétariat général de l'aviation civile
CIVIL TRANSPORT ....Avion de transport civil
CIVIL VERSION .... Version civile
CLACK SOUND .... Son aigu
CLACK VALVE .... Valve, soupape à clapet
CLAD .... Revêtement, tôle de revêtement, plaque ; matériau
CLAD (aluminium surfaces) .... Habillé, revêtu, recouvert *(de tôles alu),* plaqué
CLAD ALUMINIUM .... Alclad
CLAD STEEL .... Acier plaqué
CLAIM ....Demande, réclamation
CLAIMS DEPARTMENT ....Service des réclamations
CLAMP .... Collier de fixation, bride de serrage, presse, patte d'attache, serre-joint, serre-fil, étrier, mâchoire, crampon
CLAMP (to) .... Brider, bloquer, serrer, attacher, épingler
CLAMP, HOSE .... Collier « serreflex »
CLAMP RING .... Anneau, bague de serrage
CLAMP SCREW ....Vis de blocage
CLAMP WIRE .... Serre-fil
CLAMPING BLOCK .... Bride de fixation, bloc de serrage
CLAMPING BOLT ....Boulon de serrage, de bridage
CLAMPING DEVICE .... Procédé de blocage

CLAMPING RING .... Bride *(turbine)*
CLAMPING SCREW .... Vis de blocage, de serrage
CLAMSHELL .... Coquille
CLAMSHELL DOOR .... Coquille *(inverseur de poussée)*
CLAMSHELL TYPE DOOR .... Porte en forme de coquille
CLAMSHELL TYPE FLAPS (nozzle) .... Volets du type paupières
CLANGING .... Impact, contact de 2 ailettes consécutives par effet de pompage du compresseur
CLAPPER VALVE .... Robinet, valve à clapet
CLASP .... Agrafe, fermoir
CLASSIFIER .... Appareil de classification
CLATTER .... Cliquetis
CLAW .... Griffe, pince, mordache, mâchoire
CLAY .... Argile, terre décolorante, pâte à modeler
CLEAN .... Propre, net
CLEAN AIRCRAFT .... Avion en configuration lisse
CLEAN CONFIGURATION .... Avion lisse, configuration lisse, tout rentré
CLEAN-LINED (clean lines) .... A lignes élancées, fines *(lignes racées)*
CLEAN LINES .... Lignes pures
CLEAN OUT (to) .... Nettoyer
CLEAN UP (to) .... Éliminer, enlever, dérocher, supprimer, blanchir
CLEAN WATER .... Eau claire
CLEANER .... Nettoyeur, nettoyant, détachant ; moins polluant
CLEANING .... Nettoyage, dégraissage ; dégagement
CLEANING AGENT .... Agent de nettoyage
CLEANING SOLVENT .... Solvant de nettoyage
CLEANLINESS .... Propreté, netteté
CLEANSING AGENT (cleanser) .... Agent de nettoyage
CLEAR .... Dégagé, déblayé, libre, effacé
CLEAR (to) .... Dégager, débarrasser, désobstruer, déboucher, évacuer, enlever, ôter ; dédouaner
CLEAR AIR TURBULENCE .... Turbulence en air limpide, clair
CLEAR GROUND (to) .... Quitter le sol, décoller du sol
CLEAR LACQUER .... Laque incolore
CLEAR OF CLOUD .... Hors des nuages
CLEAR OF ICE .... Sans givre
CLEAR OF PROPELLER (to) .... S'éloigner, se tenir à l'écart de l'hélice
CLEAR OUT (to) .... Nettoyer, vider
CLEAR SWITCH .... Touche d'effacement
CLEAR THE COMBUSTION CHAMBERS OF FUEL ACCUMULATION (to) Brasser le moteur

CLEAR THE FLOOR (to) .... Quitter le sol
CLEAR TO LAND (descend) .... Autorisé à atterrir *(à descendre)*
CLEAR(ED) TO TAXI .... Autorisé à rouler
CLEAR WEATHER .... Temps clair
CLEARANCE .... Écart, espacement, tolérance, garde, jeu, dégagement ; autorisation, homologation, dédouanement
CLEARANCE ARRAY .... Antenne de couverture latérale *(radiophare d'alignement de piste ILS)*
CLEARANCE FIT .... Ajustement avec jeu
CLEARED ALTITUDE .... Altitude autorisée
CLEARED BY CUSTOMS .... Dédouané
CLEARED TO .... Autorisé à
CLEARED FOR A VOR APPROACH .... Autorisé pour une approche VOR
CLEARED FOR TO TAKE OFF (land) .... Autorisé à décoller *(à atterrir)*
CLEARWAY .... Prolongement dégagé dans l'axe de la piste
CLEAT .... Tasseau, taquet, attache, noix, tenon, griffe
CLEAVE (to) .... Fendre
CLERK .... Employé, agent
CLEVIS (fork, knuckle-joint) .... Chape, boulon à chape, maillon d'attache
CLEVIS BOLT .... Chape filetée à tige, boulon de chape
CLEVIS LUG .... Oreille de chape
CLEVIS TERMINAL .... Chape d'extrémité
CLICK .... Déclic, cliquetis, bruit sec
CLICK-TYPE TORQUE WRENCH .... Clé dynamométrique à déclenchement, type cliquet
CLIENT .... Client
CLIMATIC CONDITIONS .... Conditions climatiques
CLIMATOLOGY .... Climatologie
CLIMAXING STALL .... Décrochage en chandelle
CLIMB (to) .... Monter, grimper, prendre de l'altitude
CLIMB AT SEA LEVEL .... Vitesse ascensionnelle au niveau de la mer
CLIMB ATTITUDE .... Configuration de montée
CLIMB GRADIENT .... Pente de montée, aérodynamique
CLIMB INDICATOR .... Variomètre, indicateur de vitesse ascensionnelle
CLIMB MILLING .... Fraisage « en avalant »
CLIMB ON COURSE .... Montée sur l'axe, au cap
CLIMB-OUT .... Montée au décollage
CLIMB-OUT SPEED .... Vitesse de montée initiale
CLIMB RATE .... Vitesse ascensionnelle (m/s, Ft/min), taux de montée
CLIMB TIME .... Temps de montée

CLIMBING .... *(en)* montée
CLIMBING TURN (climb turn) .... Virage en montée
CLINCH (to) .... River
CLINOMETER .... Clinomètre, indicateur angulaire de pente
CLIP .... Étrier, collier de fixation, de serrage, attache, pince, épingle, patte, cosse, taquet, agrafe, griffe de serrage
CLIP (to) .... Cisailler, couper, trancher, pincer, agrafer ; écrêter
CLIP (spring steel) .... Épingle de verrouillage *(oddie)*
CLIPPER CIRCUIT .... Circuit écrêteur
CLOAKROOM .... Vestiaire
CLOCK .... Horloge, montre
CLOCK-OVER (to) .... Tourner au grand ralenti
CLOCK PULSE GENERATOR .... Générateur de cadence
CLOCK-TIMER .... Chronographe de bord
CLOCKING-IN MACHINE .... Horloge de pointage
CLOCKWISE .... Sens des aiguilles d'une montre, sens horaire
CLOG (to) .... Colmater, encrasser, obstruer
CLOGGED .... Colmaté, bouché, obstrué, gommé, collé
CLOGGED UP .... Totalement encrassé
CLOGGING .... Obstruction, colmatage, encrassement
CLOGGING INDICATOR .... Indicateur de colmatage
CLOSE .... Près, serré, rapproché
CLOSE (to) .... Fermer, terminer, conclure ; serrer, resserrer
CLOSE A CIRCUIT (to) .... Fermer un circuit
CLOSE AIR COMBAT .... Appui rapproché
CLOSE AIR SUPPORT AIRCRAFT .... Avion d'appui tactique rapproché
CLOSE CIRCUIT BREAKERS (to) .... Enclencher les disjoncteurs
CLOSE COMBAT .... Combat rapproché
CLOSE FIT .... Ajustement serré
CLOSE FITTING .... Ajusté, serré ; ajustement avec serrage
CLOSE-IN .... Rapproché
CLOSE-IN (to) .... Se rapprocher
CLOSE-OUT TIME .... Heure limite d'enregistrement
CLOSE-SUPPORT AIRCRAFT .... Avion d'appui-feu
CLOSE TO .... Près de
CLOSE UP (to) .... Serrer la formation, les rangs ; serrer, se tasser, boucher, barrer, se refermer
CLOSE UP (view) .... Détail rapproché, gros plan
CLOSED .... Fermé, obturé, bouché, barré
CLOSED (cutout) .... Collé *(conjoncteur)*
CLOSED CIRCUIT .... *(en)*Circuit fermé
CLOSED CONTACT .... Contact fermé, travail

CLOSED CYCLE .... Cycle fermé
CLOSED-DIE FORGINGS .... Pièces estampées
CLOSED FLIGHT .... Vol fermé, complet
CLOSED-JET WIND TUNNEL .... Soufflerie à veine guidée
CLOSED LOOP .... Boucle fermée
CLOSED SPANNER .... = Ring spanner
CLOSETS .... Toilettes
CLOSING .... Fermeture, clôture ; collage *(relais)*
CLOSING LEVEL .... Niveau de fermeture
CLOSING PRESSURE .... Pression de fermeture *(clapet)*
CLOSING TIME .... Temps de fermeture
CLOSURE .... Compression, fermeture, obturation
CLOSURE PANEL .... Panneau de fermeture, obturateur de raccordement, carénage
CLOSURE PLUG .... Bouchon d'obturation
CLOSURE RATE .... Vitesse de rapprochement
CLOSURE RIB .... Nervure de rive
CLOTH .... Tissu, toile, chiffon
CLOTHING .... Habillement
CLOTHLINED .... Feutré
CLOUD .... Nuage, voile, turbidité, nuée, masse nuageuse
CLOUD AMOUNT .... Nébulosité
CLOUD-BURST .... Trombe, pluie torrentielle
CLOUD-COVER .... Nébulosité
CLOUD FLYING .... Vol en conditions nuageuses
CLOUD LAYER .... Couche nuageuse, de nuages
CLOUDINESS .... Nébulosité
CLOUDY .... Nuageux
CLOUDY SKY (clouded sky) .... Ciel nuageux, couvert
CLUSTER .... *(disposition en)* groupe, groupement, amas, faisceau, grappe *(en)*, barillet *(en)*
CLUSTER BOMBS .... Bombes en grappes, bombes cigognes
CLUSTER OF FUEL NOZZLES .... Chapelet annulaire d'injecteurs carburant
CLUSTERING .... Configuration en faisceau
CLUTCH COUPLING .... Embrayage, accouplement *(à débrayage)*
CLUTCH DISC (plate) .... Disque d'embrayage
CLUTCH FORK .... Fourchette d'embrayage
CLUTCH FRICTION PLATES .... Disques d'embrayage
CLUTCH HOUSING .... Carter d'embrayage
CLUTCH PEDAL .... Pédale d'embrayage
CLUTCH PLATE .... Plateau d'embrayage
CLUTCH RELEASE BEARING .... Butée de débrayage
CLUTCH SLIP .... Patinage de l'embrayage
CLUTCH SPRING .... Ressort d'embrayage

CLUTTER = CLATTER .... Bruit, vacarme, ferraillement, écho parasite *(radar),* échos fixes, brouillage au sol
COACH .... Autocar
COACH-BUILDER (coach-work) .... Carrossier *(carrosserie)*
COACH CLASS .... Classe économique
COACH-CLASS SEAT .... Siège classe touriste
COACH SCREW .... Tirefond
COANDA EFFECT .... Effet coanda
COARSE .... Grossier, brut
COARSE ADJUSTMENT .... Réglage approximatif
COARSE-FIBRED .... A gros grains, grossier, à grosses fibres
COARSE GRIT .... A gros grains *(papier abrasif)*
COARSE PITCH .... Grand pas *(hélice)*
COARSE THREAD .... Pas gros *(filetage),* pas large
COARSE TUNING .... Accord, réglage approximatif
COARSENING THE PITCH .... Augmentation du pas
COAST .... Côte, rivage
COAST (to) .... Descendre en roue libre, moteur débrayé ; suivre la côte
COASTAL DEFENCE AIRCRAFT .... Avion garde-côte
COASTAL SURVEILLANCE (survey) .... Surveillance côtière
COASTING FLIGHT .... Phase balistique *(non propulsé)*
COASTING TRAJECTORY .... Trajectoire balistique
COAT .... Couche, revêtement, enduit, protection, voile, flash, dépôt
COAT (to) .... Protéger, recouvrir, enduire
COAT CLOSET .... Vestiaire
COAT COMPARTMENT .... Penderie, vestiaire
COAT HOOK .... Crochet de porte-manteau
COAT OF PRIMER .... Couche de primaire *(peinture)*
COAT RACK .... Penderie, porte-manteau
COAT RACKS (room) .... Vestiaires
COATED .... Protégé, revêtu
COATING .... Revêtement, protection, enduit, couche, pellicule, dépôt, enrobage, peinture
COATING OF GREASE .... Couche de graisse
COATS .... Vestiaires
COAXIAL .... Coaxial
COAXIAL CABLE .... Câble coaxial
COAXIAL COMMUTATOR .... Commutateur coaxial
COAXIAL CONNECTOR .... Connecteur, prise coaxiale
COAXIAL PLUG .... Fiche coaxiale
COAXIAL PROPELLERS .... Hélices coaxiales
COAXIAL REDUCTION GEAR BOX .... Réducteur de vitesse coaxial
COAXIAL SOCKET .... Prise coaxiale

COAXIAL SWITCH .... Commutateur coaxial
COAXIAL TRUNKLINES .... Câbles coaxiaux
COBALT POWDER .... Poudre de cobalt
COBALT STEEL .... Acier au cobalt
COCK .... Petit robinet à boisseau, robinet pointeau
COCK (to) .... Armer un mécanisme
COCKED POSITION .... Position ouvert *(pour un robinet)*
COCKING .... Armement *(arme)*
COCKPIT .... Habitacle, cockpit, poste de pilotage, d'équipage
COCKPIT DISPLAYS .... Affichages de poste de pilotage
COCKPIT FLIGHT DATA RECORDER .... Enregistreur de données de vol et voix dans cabine de pilotage
COCKPIT FLOOR .... Plancher du cockpit
COCKPIT FURNISHINGS .... Aménagements du cockpit
COCKPIT INSTRUMENT PANEL .... Tableau de bord
COCKPIT INSTRUMENTS .... Instruments de la planche de bord
COCKPIT LAYOUT .... Conception du poste de pilotage
COCKPIT PANEL .... Planche, tableau de bord
COCKPIT PERSONNEL (crew) .... PNT *(personnel navigant technique)*
COCKPIT SYSTEM SIMULATOR (CSS) .... Simulateur de systèmes de cabine de pilotage
COCKPIT VOICE RECORDER (CVR) .... Enregistreur de conversation dans le poste de pilotage
CODE (to) .... Coder, programmer
CODE LETTER .... Lettre d'identification *(aérodrome)*
CODED PULSE .... Impulsion codée
CODER .... Codeur
CODEWORD .... Mot codé
CODING .... Codage, codification
CODING ALTIMETER .... Altimètre codeur, alticodeur
CODING DEVICE .... Capteur de codage
CODING UNIT .... Codeur *(de piste)*
COEFFICIENT .... Coefficient, facteur, indice, module
COEFFICIENT OF DRAG (CD) .... Coefficient de traînée (Cx)
COEFFICIENT OF FRICTION .... Coefficient de frottement
COEFFICIENT OF LIFT (CL) .... Coefficient de portance (Cz)
COEFFICIENT OF SAFETY .... Coefficient, facteur de sécurité, de sûreté
COERCIVITY .... Coercitivité
COFFEE MAKER .... Percolateur, cafetière
COG .... Dent, cran, ergot, tenon
COG (to) .... Denter, endenter, s'engrener, encliqueter
COG BELT .... Courroie à créneaux
COG-RAIL .... Crémaillère

COG-WHEEL .... Roue dentée
COGGED .... Denté
COIL .... Serpentin, spire, bobinage, bobine, self, enroulement, rouleau
COIL (to) .... Lover, enrouler, embobiner
COIL FRAME .... Carcasse de bobine
COIL POLARITY .... Polarité des bobines
COIL SPRING .... Ressort à boudin, spirale, hélicoïdal
COIL TURNS INDICATOR .... Compteur de spires
COIL WINDING .... Solénoïde
COKE (to) .... Calaminer
COKE CLEANING .... Décrassage, décalaminage
COLD .... Froid
COLD AIR .... Air froid
COLD AIR UNIT .... Turboréfrigérateur
COLD AIR VALVE .... Papillon, volet, vanne d'air froid, réfrigération
COLD BONDING PROCESS .... Procédé de collage à froid
COLD BUCKLING .... Déformation à froid, repoussage, fluotournage
COLD DRAWING .... Étirage à froid
COLD-DRAWN .... Écroui, étiré à froid
COLD FOG .... Brouillard froid
COLD FORGED PARTS .... Pièces frappées à froid
COLD FORGING .... Forgeage à froid
COLD FORMING .... Formage à froid
COLD/HOT RATIO .... Rapport de dilution
COLD PARTS .... Pièces froides
COLD-RIVETED .... Rivé à froid
COLD ROLLING .... Laminage à froid
COLD-SHRINK FIT .... Ajustement, montage à froid *(azote, neige carbonique)*
COLD SHRUNK .... Rétreint à froid
COLD SPELL .... Vague de froid
COLD STRIKING .... Frappe à froid
COLD WEATHER OPERATION .... Fonctionnement par temps froid
COLD WORK CRACK .... Crique d'étirage à froid
COLD WORKING (of holes) .... Brunissage des trous, formage à froid, écrouissage
COLDSTREAM .... Soufflante
COLINEAR CRACK .... Crique colinéaire
COLLABORATION .... Collaboration, coopération, association
COLLABORATIVE PROGRAMS .... Programmes en coopération, en collaboration
COLLAPSE (to) .... Basculer, se dégonfler, gauchir, fléchir, s'affaisser, s'effondrer

COLLAPSED .... Effacé
COLLAPSIBLE .... Pliant, repliable, démontable, escamotable
COLLAPSIBLE TUBE ASSY .... Tuyauterie repliable
COLLAR .... Collier, douille, manchon, bague, collar, anneau, entretoise, écrou-bague
COLLECT (to) .... Collecter, recueillir, récupérer, rassembler
COLLECTING BAR .... Barre omnibus
COLLECTION OF WATER .... Accumulation d'eau
COLLECTIVE PITCH (control) .... Pas général, pas collectif *(commande)*
COLLECTIVE PITCH (control) LEVER .... Levier de pas général
COLLECTOR .... Collecteur
COLLECTOR RING .... Anneau collecteur, bague collectrice
COLLECTOR TANK .... Reniflard, boîte, bidon de récupération, nourrice
COLLET .... Bague *(de serrage),* douille, pince, mandrin
COLLET CHUCK .... Mandrin à pince(s)
COLLET CLAMPING .... Serrage en pinces
COLLIMATOR .... Collimateur
COLLISION .... Collision, abordage, choc
COLLISION AVOIDANCE .... Prévention des abordages, système anti-collision
COLLISION AVOIDING .... Évitement de collision, d'abordage
COLLISION COURSE .... Trajectoire d'abordage
COLLISION RISK MODEL (CRM) .... Modèle de risque de collision
COLLISION WARNING SYSTEM .... Avertisseur de collision
COLLOID PROPULSION .... Propulsion colloïdale
CO-LOCATION .... Coimplantation *(aides à la Nav)*
COLOR .... Couleur
COLOR DISPLAY .... Visualisation en couleur
COLOR-DISPLAY RADAR (coloradar) .... Radar à visualisation en couleur, coloradar
COLOR RADAR INDICATOR .... Indicateur radar à écran couleur
COLOR WEATHER RADAR .... Radar météorologique à affichage en couleur
COLORED FILM (alodization) .... Alodine 1200
COLORED LIGHT .... Signal lumineux couleur
COLORLESS .... Incolore
COLOUR .... Couleur
COLOUR DISPLAY .... Affichage couleur
COLOURED ETCHING .... Attaque colorante
COLUMN .... Colonne, montant
COMBAT AIR PATROL .... Patrouille aérienne de combat
COMBAT AIRCRAFT .... Avion d'armes, avion de combat

COMBAT FIGHTER .... Avion de combat
COMBAT SQUADRON .... Escadre, escadrille de combat
COMBINAISON WRENCH SET .... Jeu clés combinées
COMBINATION .... Combinaison
COMBINATION AIRCRAFT .... Avion passager/cargo, avion combi
COMBINATION IMPULSE-REACTION TYPE TURBINE .... Turbine mixte *(action-réaction)*
COMBINATION PASSENGER-CARGO AIRCRAFT .... Avion combi, Avion mixte
COMBINATION PLIERS .... Pinces universelles
COMBINATION PUMP .... Pompe mixte
COMBINE (to) .... Combiner, allier, unir, joindre, associer, fusionner
COMBINED (action) .... Combiné, conjugué
COMBINED PASSENGER/CARGO CONFIGURATIONS Aménagement mixte
COMBINER .... Combinateur
COMBIPLANE .... Avion combi, convertible, à aménagement mixte cargo/passagers
COMBIS .... Avions mixtes « combi »
COMBUSTIBLE MIXTURE .... Mélange carburé
COMBUSTIBLE VAPORS .... Vapeurs de combustible
COMBUSTION CHAMBER=COMBUSTOR ...... Chambre de combustion
COMBUSTION CHAMBER DRAIN TANK .... Réservoir de drainage de la chambre de combustion
COMBUSTION CHAMBER DRAIN TANK VENT .... Mise à l'air libre drain chambre de combustion
COMBUSTION CHAMBER SHROUD .... Carénage de chambre de combustion
COMBUSTION EFFICIENCY .... Rendement de combustion
COMBUSTION GASES .... Gaz brûlés
COMBUSTION INSTABILITY .... Instabilité de combustion
COMBUSTION-PNEUMATIC STARTER .... Démarreur mixte BP/HP
COMBUSTION SECTION HOUSES ..... La section combustion comporte
(x) COMBUSTION CHAMBERS .... (x) Chambres
COMBUSTION STARTER .... Démarreur à combustion, à turbine chaude, à cartouche, à explosion
COMBUSTOR (chamber) .... Chambre de combustion
COMBUSTOR CAN .... Tube à flamme
COME INTO CONTACT (to) .... Venir en contact
COMET .... Comète
COMFORT .... Confort
COMING FROM .... Venant de
COMMA-SHAPED DOLLY .... Tas virgule
COMMAND .... Commandement, instruction, ordre, directive ; télécommande *(télécommunication)*

COMMAND (to) .... Commander, ordonner
COMMAND ANTENNA .... Antenne de télécommande
COMMAND BAR .... Barre directrice, de tendance
COMMAND RECEIVER .... Récepteur d'ordre
COMMANDER (spaceship) .... Commandant de bord
COMMERCIAL AGENCY .... Agence commerciale
COMMERCIAL AIR TRANSPORT .... Transport aérien commercial
COMMERCIAL AIRCRAFT .... Avion commercial
COMMERCIAL AVIATION .... Aviation commerciale, marchande
COMMERCIAL DIRECTOR .... Directeur commercial
COMMERCIAL FLIGHTS .... Vols commerciaux
COMMERCIAL JET AIRCRAFT .... Avion de ligne, avion de transport à réaction
COMMERCIAL LOAD .... Charge marchande
COMMERCIAL PILOT (licence) .... Pilote professionnel *(licence de)*
COMMERCIAL PLANE .... Avion commercial
COMMERCIALIZATION .... Commercialisation
COMMIT POINT .... Point de décision
COMMODITY .... Marchandise, produit
COMMON CARRIAGE .... Transport public
COMMON CARRIER .... Transporteur public
COMMON MANIFOLD .... Collecteur commun
COMMON MODE (voltage) .... Mode commun *(tension en)*
COMMON WIRE .... Fil neutre
COMMUNICATION RECEIVER .... Récepteur de radiocommunications
COMMUNICATION SATELLITE .... Satellite de télécommunications, de communication
COMMUNICATION TRANSCEIVER .... Émetteur-récepteur VHF de télécommunication
COMMUNICATIONS LINKS .... Réseaux de télécommunications
COMMUNICATIONS NETWORK .... Réseau des télécommunications, de transmission
COMMUNICATIONS REPEATER .... Répéteur de télécommunications
COMMUTATE (to) .... Commuter, permuter
COMMUTATION .... Commutation
COMMUTATOR .... Commutateur, collecteur
COMMUTATOR BAR .... Lame de collecteur
COMMUTATOR RING .... Bague de collecteur
COMMUTE (to) .... Commuter
COMMUTER .... Compagnie, transporteur régional, exploitant pour ligne d'apport, ligne d'appoint
COMMUTER AIRCRAFT .... Avion pour (de) ligne d'apport *(avion de petite & moyenne capacité utilisé sur les compagnies de 3e niveau)*

COMMUTER AIRLINE .... Compagnie aérienne régionale, transporteur régional, ligne, compagnie de 3e niveau, compagnie complémentaire
COMMUTER AIRLINER .... Avion pour ligne régionale
COMMUTER TRANSPORT AIRCRAFT ....Avion de ligne d'apport, avion de transport régional
COMPANY .... Société, compagnie, firme, entreprise
COMPARATOR (unit) .... Comparateur
COMPARATOR AMPLIFIER .... Amplificateur-comparateur
COMPARE (to) .... Comparer
COMPARISON UNIT ....Comparateur, unité de comparaison
COMPARTMENT .... Soute, compartiment, logement
COMPARTMENT CAPACITY ....Volume soute
COMPARTMENT SURFACE HEATER .... Panneau chauffant de soute
COMPASS .... Compas, boussole
COMPASS BEARING .... Relèvement compas
COMPASS-BOWL .... Cuvette de compas
COMPASS CARD .... Rose des vents, rose compas
COMPASS COUPLER ....Coupleur de compas
COMPASS COURSE (GB) .... Cap compas
COMPASS DEVIATION (C.D) ....Déviation compas
COMPASS DIAL (card, rose) .... Rose des vents
COMPASS ERROR (C.E) ....Variation, erreur compas
COMPASS HEADING (US) .... Cap compas
COMPASS LOCATOR ....Radiobalise, balise radiocompas, de ralliement, phare de radiocompas, radiophare
COMPASS POINTS .... Pointes de compas
COMPASS REPEATER INDICATOR .... Répétiteur de cap
COMPASS ROSE ....Rose compas
COMPASS SYNCHRONIZER MOTOR Moteur synchroniseur de compas
COMPASS SWINGING ....Régulation, compensation de compas
COMPASS VARIATION .... Déclinaison
COMPASSION FLANGE ....Contre-bride
COMPEL TO LAND ....Vous oblige à atterrir
COMPENSATE (to) ....Compenser, balancer, équilibrer
COMPENSATED PITOT-STATIC PRESSURE PROBE ....Sonde pitot-statique compensée
COMPENSATING ARM ....Bras de rappel
COMPENSATING CHAMBER .... Chambre de compensation
COMPENSATING MAGNETS .... Aimants de compensation, correcteurs
COMPENSATING VALVE .... Régulateur de débit, clapet de compensation
COMPENSATION CHAMBER .... Chambre de compensation
COMPENSATION WEIGHT .... Contrepoids
COMPENSATOR .... Compensateur

COMPENSATOR UNIT .... Unité compensatrice, élément compensateur
COMPETING AIRLINES .... Compagnies concurrentes
COMPILER ....Compilateur, autoprogrammeur
COMPLAINT .... Anomalie rapportée
COMPLAINTS DEPARTMENT ....Service des réclamations
COMPLETE (to) .... Compléter, achever, terminer, accomplir
COMPLETE A TICKET (to) .... Remplir un billet
COMPLETE CONTACT ....Contact parfait
COMPLETE OVERHAUL .... « Grande visite », révision générale
COMPLIANCE ....Nécessité d'application ou d'exécution
COMPONENT ....Composant, constituant, élément, organe, accessoire, équipement ; composante *(force, vecteur)*
COMPONENT PARTS ....Parties constituantes, pièces détachées
COMPOSITE ....Composé, mixte, composite, combiné
COMPOSITE AIRCRAFT .... Avion composite
COMPOSITE ENGINE .... Moteur compound
COMPOSITE MATERIALS .... Matériaux composites *(fibre de bore, de graphite)*
COMPOSITE PROPELLANT .... Propergol composite
COMPOSITE SEPARATION ....Espacement composite
COMPOSITE SIGNAL ....Signal composite, complexe
COMPOSITE TRACK ....Route mixte
COMPOUND ....Pâte, mastic, enduit anti-fretting, anti-corrosion, combiné, composé, composition, hybride, mélange
COMPOUND AIRCRAFT .... Girodyne
COMPOUND GAUGE .... Mano-vacuomètre
COMPOUND HELICOPTER .... Hélicoptère combiné, convertible
COMPOUND MOTOR .... Moteur compound
COMPRESS (to) .... Comprimer, bander *(un ressort)*
COMPRESS THE SPRING (to) ....Comprimer, écraser le ressort
COMPRESSED AIR ....Air comprimé, sous pression
COMPRESSED POSITION .... Position « comprimé » *(vérin), position « rentré »*
COMPRESSIBILITY .... Compressibilité
COMPRESSIBILITY BUFFET ....Buffeting précurseur de la compressibilité
COMPRESSIBILITY DRAG .... Traînée de compressibilité, d'onde
COMPRESSIBILITY STALL ....Onde de choc
COMPRESSIBLE FLOW ....Écoulement compressible
COMPRESSION .... Compression
COMPRESSION CHAMBER ....Chambre de compression
COMPRESSION GAUGE .... Compressiomètre
COMPRESSION IGNITION ENGINE ....Moteur à auto-combustion, diesel

COMPRESSION LEG .... = Shock strut
COMPRESSION PRESSURE RATIO ....Taux de compression, rapport manométrique *(du compresseur)*
COMPRESSION RATIO ....Taux de compression
COMPRESSION RIB .... Nervure forte, de compression, nervure-caisson
COMPRESSION SPRING .... Ressort de compression
COMPRESSION WAVE .... Onde de compression
COMPRESSIVE LAYER .....Couche placée dans un état de compression
COMPRESSIVE STRAIN ....Effort de compression, déformation due à la compression
COMPRESSIVE STRENGTH (resistance) ....Résistance à la compression
COMPRESSIVE STRESS ....Effort, contrainte de compression
COMPRESSOR .... Compresseur
COMPRESSOR BLEED SYSTEM .... Circuit de décharge compresseur
COMPRESSOR BLEED VALVE .... Vanne de décharge compresseur
COMPRESSOR CASE (casing) .... Carter compresseur
COMPRESSOR DISCHARGE PRESSURE (CDP) .... Pression sortie compresseur
COMPRESSOR DRIVE SHAFT ....Arbre d'entraînement compresseur
COMPRESSOR INLET CASING ....Carter AV compresseur, carter d'entrée compresseur
COMPRESSOR INLET GUIDE VANE .... Aubage fixe d'entrée compresseur, couronne directrice d'entrée
COMPRESSOR INLET TEMPERATURE ....Température d'entrée compresseur
COMPRESSOR INTERSTAGE CASING .... Carter intermédiaire compresseur
COMPRESSOR OUTLET CASING ....Carter de sortie compresseur, carter AR compresseur
COMPRESSOR OUTPUT .... Débit compresseur
COMPRESSOR REAR FRAME .... Carter diffuseur
COMPRESSOR ROTOR .... Compresseur mobile, rotor compresseur
COMPRESSOR SECTION .... Section, module compresseur
COMPRESSOR STAGE .... Étage compresseur
COMPRESSOR STALL (surge) ....Pompage compresseur
COMPRESSOR STATOR CASE .... Carter compresseur
COMPRESSOR SURGE BLEED VALVE .... Vanne de décharge compresseur
COMPRESSOR-TURBINE ASSEMBLY .... Attelage compresseur-turbine
COMPRISE (to) .... Comprendre, comporter
COMPUTATION .... Calcul, estimation
COMPUTE (to) .... Calculer, computer

COMPUTED AIRSPEED (speed) .... Vitesse conventionnelle, préétablie
COMPUTED SPEED .... Vitesse calculée
COMPUTER .... Calculateur, ordinateur, machine à calculer, calculatrice
COMPUTER AIDED DESIGN .... Conception assistée par ordinateur (CAO)
COMPUTER AIDED DESIGN AND MANUFACTURING (CAD/CAM) .... Conception et fabrication assistées par ordinateur (CFAO)
COMPUTER AIDED MANUFACTURING (CAM) ...... Fabrication assistée par ordinateur (FAO)
COMPUTER-ASSISTED .... Automatisé
COMPUTER CENTRE (center) .... Centre de calcul
COMPUTER-CONTROLLED .... Informatisé
COMPUTER DISPLAY SYSTEM .... Système de visualisation du calculateur
COMPUTER ENGINEER .... Informaticien
COMPUTER FLIGHT PLAN .... Plan de vol ordinateur
COMPUTER INTERFACES .... Interfaces du calculateur, de l'ordinateur
COMPUTER MANAGED TRAINING (CMT) ...... Système d'entraînement informatisé
COMPUTER MEMORY ....Mémoire de l'ordinateur, de calculatrice
COMPUTER NETWORK .... Réseau informatique
COMPUTER ROOM .... Salle des ordinateurs
COMPUTER TERMINAL .... Terminal d'ordinateur
COMPUTERIZE (to) ....Automatiser, informatiser
COMPUTERIZED ....*(assisté)* par ordinateur, commandé par ordinateur
COMPUTERIZED RESERVATIONS SYSTEM .... Système de réservations électronique
COMPUTING (cycle) .... Calcul *(cycle de)*
COMPUTING CHAIN ....Chaîne calculatrice
CONCAVE AIRFOIL .... Profil concave
CONCEALED LIGHTING ....Éclairage indirect
CONCENTRATED NITRIC ACID .... Acide nitrique concentré
CONCENTRIC WITHIN ....Concentrique à moins de
CONCENTRICITY CHECK ....Contrôle de concentricité
CONCOURSE .... Hall, salle
CONCRETE ....Béton
CONCRETE RUNWAY .... Piste en béton
CONDENSER ....Condensateur, condenseur, capacité

CONDENSER BOX .... Bâche de condensateur
CONDENSER LOAD .... Charge capacitive
CONDENSER PLATE .... Plaque de condensateur
CONDENSER TESTER .... Capacimètre
CONDITION .... État, aspect
CONDITION ANALYSIS REMOVAL .... Dépose pour vérification de l'état de l'élément
CONDITION MONITORED MAINTENANCE .... Surveillance du comportement en service
CONDITION MONITORING .... Surveillance du comportement en service
CONDITION OF INSULATOR .... État de l'isolant
CONDITION OF PART .... Aspect, état de la pièce
CONDITIONED AIR INLET VALVE .... Vanne d'entrée d'air conditionné
CONDITIONED AIR VENT DIFFUSER .... Diffuseur d'air conditionné
CONDITIONER .... Conditionneur, climatiseur
CONDITIONING .... Conditionnement, climatisation, remise en état
CONDITIONING PACK .... Groupe de réfrigération
CONDUCT (to) .... Conduire, mener, diriger
CONDUCTANCE .... Conductance
CONDUCTION (heat) .... Conduction, transmission *(chaleur)*
CONDUCTIVE COATING .... Revêtement conducteur
CONDUCTIVE FILM .... Pellicule, film conductif
CONDUCTIVE LAYER .... Couche conductrice
CONDUCTIVE PAINTS .... Peintures conductrices
CONDUCTIVE STRIPS .... Bandes conductrices
CONDUCTIVITY .... Conductibilité, conductivité
CONDUCTOR .... Conducteur
CONDUIT .... Conduit, canalisation, tuyau, tube, gaine
CONDUIT CONNECTOR .... Raccord de tuyauterie
CONDUIT PIPE .... Tube de canalisation
CONDULET .... Boîte de connexion *(électrique)*
CONDULET REDUCER .... Raccord de réducteur *(électrique)*
CONE (to) .... Prendre un avion dans un cône de projecteurs
CONE BOLT .... Boulon à portée conique
CONE CLUTCH .... Embrayage à cône
CONE FITTING .... Ferrure d'attache à portée conique
CONE INDICATOR .... Manche à air
CONE OF SILENCE .... Cône de silence *(aides radio)*
CONE PULLEY .... Poulie étagée
CONE-SHAPED STRUCTURE .... Structure en forme de cône
CONE WHEEL .... Roue conique

CONFIDENCE LIMITS ....Limites de confiance
CONFIGURATED CONTROL VEHICLE (CCV) ....Contrôle automatique généralisé (CAG)
CONFIGURATION ....Configuration, version, forme, aspect
CONFIRMED REMOVAL .... Dépose confirmée
CONGESTED AIRWAY .... Voie aérienne encombrée
CONGESTED AREA .... Zone encombrée, saturée, à trafic intense
CONICAL STREAMER ....Manche à air, biroute
CONJUNCTION (in) .... *(en)* Coopération
CONNECT (to) .... Lier, relier, brancher, accoupler, réunir, raccorder, joindre, fixer
CONNECTED ....Accouplé, branché, embrayé, lié
CONNECTED IN SERIES .... Montés en série
CONNECTING .... Reliant ; mise en circuit
CONNECTING BAGGAGE ....Bagages en correspondance
CONNECTING BAR .... Barrette de connexion
CONNECTING BLOCK ....Planchette, réglette de raccordement
CONNECTING CABLE .... Câble de liaison, de raccordement
CONNECTING CARRIER ....Transporteur correspondant
CONNECTING FLIGHT .... Correspondance, vol en correspondance
CONNECTING GEAR ....Embrayage
CONNECTING PASSENGER .... Passager en correspondance
CONNECTING ROD ....Bielle de liaison, bielle élastique, bielle d'accouplement
CONNECTING ROD ASSY .... Embiellage
CONNECTING SERVICES .... Lignes en correspondance
CONNECTING SLEEVE ....Manchon d'assemblage
CONNECTING STRAP (strip) .... Barrette de connexion, de raccordement
CONNECTING TAXIWAY ....Bretelle de raccordement
CONNECTING TERMINAL .... Borne de jonction
CONNECTING TIME .... Temps de transit
CONNECTION .... Raccord, connexion, raccordement, joint, bobine, borne, prise de courant, assemblage, embrayage, branchement, accouplement, montage
CONNECTION BOX .... Boîte de connexions, boîte de jonction, boîte de raccordement
CONNECTION DIAGRAM ....Schéma de connexions
CONNECTION LEAD ....Câble de connexion
CONNECTOR .... Joint, raccord, prise, connecteur, fichier, borne, barrette de connexion
CONNECTOR (electric) ....Prise électrique
CONNECTOR PINS .... Broches de prise
CONNECTOR PLUG .... Prise, douille
CONSERVATION OF ENERGY .... Conservation de l'énergie

CONSIGN (to) .... Expédier, envoyer, adresser
CONSIGNEE .... Consignataire, destinataire
CONSIGNMENT .... Envoi, expédition *(de marchandises)*
CONSIGNOR .... Expéditeur, consignateur
CONSOLE .... Console, corniche, pupitre, tunnel
CONSTANT DELIVERY PUMP .... Pompe à débit constant
CONSTANT FAILURE RATE PERIOD .... Durée de vie utile
CONSTANT PRESSURE .... Pression constante
CONSTANT RATING .... Régime constant
CONSTANT RPM .... Régime constant, vitesse de rotation constante
CONSTANT ΔP DEVICE .... Dispositif à ΔP constant
CONSTANT SPEED (C.S) .... (à) Vitesse constante
CONSTANT SPEED DRIVE (CSD) .... Entraînement à vitesse constante
CONSTANT SPEED DRIVE OIL TANK .... Réservoir d'huile « sundstrand »
CONSTANTAN CABLE .... Câble (en) constantan *(alliage de cuivre et de nickel)*
CONSTRICTION .... Resserrement, étranglement
CONSULTANT .... Ingénieur-conseil
CONSUMABLE .... Consommable
CONSUMABLE MATERIAL .... Matériel consommable
CONSUMPTION .... Consommation
CONTACT .... Contact, portée, plot
CONTACT (to) .... Entrer en contact, toucher
CONTACT-BREAKER .... Rupteur
CONTACT-BREAKING CAM .... Came de rupture
CONTACT BRUSH .... Balai *(moteur électrique)*
CONTACT CLOSES .... *(le)* contact se ferme
CONTACT FACE .... Face de contact
CONTACT FLIGHT RULES (CFR) .... Règles de vol à vue du sol
CONTACT FLYING .... Navigation à vue
CONTACT FLYING RULES (CFR) .... Condition du vol à vue
CONTACT OF BRUSHES .... Contact des balais
CONTACT OPENING .... Ouverture entre contacts
CONTACT PIN .... Broche de contact *(électrique)*
CONTACT PLATE .... Plaque à plots, à bornes
CONTACT PLOT .... Plot de contact
CONTACT POINT .... Contact, vis platinée
CONTACT SURFACES .... Surfaces en contact
CONTACT SWITCH .... Contacteur
CONTACTING ALTIMETER .... Altimètre à contact
CONTACTING SURFACES .... Surfaces en contact
CONTACTOR .... Contacteur, conjoncteur

CONTAINED .... Contenu
CONTAINER .... Boîte, caisse, container, bidon, conteneur, récipient, réservoir, bac de récupération ; corps
CONTAINER/PALLET LOADER .... Chargeur mobile de conteneurs et de palettes
CONTAINERIZED FREIGHT .... Fret en conteneur
CONTAMINANT (metal particles) .... Éléments de contamination *(particules métalliques)*
CONTAMINATED FILTER .... Filtre contaminé
CONTAMINATION .... Contamination, souillure, pollution
CONTAMINATION AREAS .... Zones de contamination
CONTAMINATION-FREE .... Stérile
CONTAMINATION OF THE OIL SYSTEM .... Contamination du circuit d'huile
CONTENT .... Sommaire, contenu, volume, contenance, teneur
CONTIGUOUS PULSES .... Impulsions contiguës
CONTINGENCY .... Éventualité, imprévu, urgence
CONTINGENCY POWER .... Puissance de surcharge
CONTINGENCY RATING .... Régime de surcharge
CONTINUANCE OF FLIGHT .... Poursuite du vol
CONTINUITY .... Continuité, uniformité du courant éléctrique
CONTINUITY EQUATION .... Équation de la continuité
CONTINUITY TEST .... Essai de continuité électrique
CONTINUITY TESTER .... Appareil de contrôle de continuité *(ohmmètre, lampe)*
CONTINUOUS BEAD .... Écoulement permanent
CONTINUOUS FLOW .... Écoulement, débit continu
CONTINUOUS FLOW CONTROL UNIT .... Régulateur à débit continu
CONTINUOUS FUNCTIONING .... Fonctionnement en continu
CONTINUOUS OSCILLATIONS .... Oscillations entretenues
CONTINUOUS PATH CONTROL .... Commande de contournage
CONTINUOUS RATING .... Régime continu, régime permanent
CONTINUOUS RUNNING .... Marche, fonctionnement continu
CONTINUOUS VOLTAGE .... Tension continue
CONTINUOUS WAVE .... Onde entretenue
CONTINUOUS WIRE LOOP DETECTION SYSTEM .... Boucle de détection continue
CONTOUR (outside) .... Contour *(extérieur)*, courbe de niveau, isohypse *(météo)*
CONTOUR CHART .... Carte de surface isobare
CONTOUR LINE .... Ligne de niveau, courbe de niveau
CONTOUR MAPPING .... Découpe iso-altitude
CONTOURED BEAM ANTENNA .... Antenne à contours formés
CONTOURING .... Détourage

CONTRACT .... Contrat
CONTRACTION .... Contraction, rétrécissement, retrait
CONTRACTUAL DATE .... Délai contractuel
CONTRAIL (condensation trail) .... Trainée de condensation
CONTRA-ROTATING PROPELLER .... Hélice contra-rotative
CONTRAST .... Contraste
CONTROL .... Contrôle, commande, régulation, réglage ; surveillance
CONTROL (to) .... Contrôler, commander, réguler, moduler, régler
CONTROL AND DISPLAY UNIT (CDU) .... Boîte de commande et de visualisation *(affichage)*
CONTROL APPARATUS .... Appareil de commande
CONTROL AREA .... Région de contrôle
CONTROL BOARD .... Panneau, pupitre, tableau de commande, tableau de contrôle
CONTROL BOX .... Boîte de commande
CONTROL BUS .... Bus de commande
CONTROL CABIN .... Poste de pilotage
CONTROL CABIN LINING .... Garnissage du poste de pilotage
CONTROL CABIN TEMPERATURE CONTROL VALVE Vanne de mélange du poste de pilotage
CONTROL CABLE .... Câble de commande
CONTROL CENTER .... Centre de contrôle, de direction
CONTROL CIRCUIT .... Circuit de commande
CONTROL COLUMN .... Manche à balai, manche pilote, manche de pilotage, levier de commande
CONTROL COLUMN FORCE .... Effort au manche
CONTROL CONFIGURED VEHICLE (CCV) .... Commande automatique généralisée (CAG), contrôle automatique généralisé, contrôle actif généralisé
CONTROL DAMPER .... Amortisseur de commande
CONTROL DESK .... Pupitre de commande, table des commandes
CONTROL DISPLAY UNIT (CDU) .... Boîtier de commande à affichage digital
CONTROL/DISPLAY UNIT (CDU) .... Panneau, boîte de commande et d'affichage *(visualisation)*
CONTROL DRUM .... Tambour de commande
CONTROL GEAR .... Timonerie de commande
CONTROL HANDLE .... Manette de puissance, des gaz, de commande
CONTROL KNOB .... Bouton de réglage
CONTROL LEVER .... Poignée, manette, levier de commande
CONTROL LINKAGE .... Timonerie de commande
CONTROL LINKAGES .... Timonerie et câbles de commandes
CONTROL PANEL .... Tableau de commande, pupitre de commande, pylône central, boîtier de commande.

CONTROL PEDESTAL .... Pupitre de commande, pylône de commande, socle des commandes
CONTROL ROD .... Bielle de commande, tige de commande
CONTROL ROOM .... Salle de commande, de contrôle
CONTROL SECTOR .... Secteur de contrôle
CONTROL-SERVO .... Servo-commande
CONTROL STAND .... Pupitre de commande, pylône de commande
CONTROL STATION .... Poste de commande
CONTROL STICK .... Manche de commande, manche à balai, de pilotage
CONTROL SURFACE .... Gouverne
CONTROL SURFACE BALANCE .... Compensation de gouverne
CONTROL SURFACE DISPLACEMENT .... Braquage des gouvernes
CONTROL SURFACE REBALANCING .... Rééquilibrage des gouvernes
CONTROL SWITCH .... Interrupteur, bouton de commande
CONTROL SWITCHING .... Commutation
CONTROL SYSTEM .... Système de commande, régulation
CONTROL TAB .... Flettner de commande, servo-tab compensateur commandé
CONTROL TOWER .... Tour de contrôle
CONTROL UNIT .... Boîtier de régulation, unité de commande
CONTROL VALVE .... Distributeur, *(robinet)* sélecteur, valve de commande, de régulation, régulateur, vanne de débit, régulatrice
CONTROL WHEEL .... Volant de commande *(gauchissement)*
CONTROL WHEEL STEERING .... Pilotage transparent
CONTROL WIRE .... Corde à piano
CONTROL ZONE .... Zone de contrôle
CONTROLLABILITY .... Pilotabilité, manœuvrabilité, maniabilité
CONTROLLABLE .... Maniable, manœuvrable
CONTROLLABLE PITCH .... Pas variable
CONTROLLABLE PITCH PROPELLER .... Hélice à pas réglable
CONTROLLABLE PROPELLER .... Hélice à commande de pas
CONTROLLABLE TAB .... Volet, compensateur commandé
CONTROLLED AIRSPACE .... Espace aérien contrôlé
CONTROLLED ATMOSPHERE (in) .... *(en)* atmosphère contrôlée
CONTROLLED CONFIGURATION VEHICLE (CCV) .... Contrôle actif généralisé
CONTROLLED PRESSURE .... Pression régulée
CONTROLLED SPIN .... Vrille déclenchée
CONTROLLED TAB .... Tab commandé
CONTROLLER .... Contrôleur *(de la circulation aérienne)* ; poste de commande
CONTROLLER UNIT .... Régulateur, contrôleur, appareil de contrôle

CONTROLLER UNIT PUMP .... Pompe de régulateur
CONTROLLING .... Régulation
CONTROLS SETTING .... Réglage des commandes
CONVECTION (heat) .... Convection *(chaleur)*
CONVECTION COOLING ....Refroidissement par convection
CONVECTIVE HEATING .... Chauffage par convection
CONVECTIVE HEAT TRANSFER .... Transfert, échange de chaleur par convection
CONVENIENCE ....Commodité
CONVENTIONAL ....Conventionnel, courant, classique, ordinaire, normal
CONVENTIONAL AIRCRAFT .... Avion classique
CONVENTIONAL MILLING .... Fraisage « normal »
COVERED WIRE .... Fil guipé
CONVERGENT-DIVERGENT DIFFUSER .... Diffuseur convergent-divergent, mixte
CONVERGENT-DIVERGENT EXHAUST NOZZLE (C-D nozzle) ..... Tuyère convergente-divergente
CONVERGENT DUCT .... Conduit convergent, veine convergente
CONVERGENT JET NOZZLE ....Tuyère convergente
CONVERGING .... Convergent
CONVERSATIONAL MODE .... Mode dialogue
CONVERSE .... Inverse, réciproque
CONVERSION ....Conversion, transformation
CONVERSION ANGLE (C/A) .... Correction de givry
CONVERSION CYCLE ....Période de conversion
CONVERSION FACTORS (table) ....Facteurs de conversion *(table de conversion)*
CONVERSION RATE .... Vitesse de conversion
CONVERSION TABLE (scale) .... Table de conversion *(échelle de)*
CONVERT (to) .... Convertir, transformer
CONVERTER (pressure) ...... Accumulateur pneumatique, hydraulique, convertisseur, commutatrice, onduleur, changeur de fréquence
CONVERTER PLUG-IN ....Tiroir convertisseur
CONVERTIBLE ....Convertible, transformable, décapotable
CONVERTIPLANE (convertible aircraft) .... Avion convertible, transformable ; giravion à voilure mixte
CONVERTOR ....Convertisseur
CONVEX .... Convexe, bombé
CONVEY (to) ....Conduire, transporter, accompagner, véhiculer
CONVEYAGE CHARGE .... Rémunération de transport *(transport aérien)*
CONVEYER (OR) .... Transporteur mécanique, convoyeur

CONVEYING .... Transport
CONVEYOR BELTS .... Tapis roulants *(élévateurs)*, bandes transporteuses, convoyeur à tapis roulant
COOL (to) .... refroidir, rafraîchir, baisser la température
COOL PLACE .... Local frais
COOLANT (liquid) .... Liquide de refroidissement, refroidisseur, réfrigérant, liquide d'arrosage, de coupe *(refroidissement de l'outil)*
COOLED BLADE .... Aube refroidie
COOLER .... Refroidisseur, réfrigérateur, radiateur
COOLER BOX .... Bâche de réfrigérant
COOLING .... Refroidissement, réfrigération
COOLING AIR .... Air de refroidissement
COOLING AIR SUPPLY .... Canalisation d'air de refroidissement
COOLING AGENT .... Agent de refroidissement
COOLING BLOWER .... Ventilateur
COOLING BLOWER SCREENS .... Filtres de ventilation
COOLING DOOR .... Volet de refroidissement
COOLING FAN .... Ventilateur de refroidissement
COOLING FINS (ribs, flanges) .... Ailettes de refroidissement
COOLING FLAP .... Volet de refroidissement
COOLING FLUID .... Fluide réfrigérant
COOLING PACKS .... Groupes de réfrigération
COOLING RIB .... Ailette de refroidissement
COOLING TURBINE .... Turbine de réfrigération
COOLING UNIT .... Groupe de réfrigération
COORDINATED TURN .... Virage coordonné
CO-ORDINATES .... Coordonnées
COOPERATION .... Coopération, collaboration
COPHASAL .... De même phase
COPIER .... Copieur, photocopieur
CO-PILOT (second pilot) .... Co-pilote, deuxième pilote
CO-PILOT'S INSTRUMENT PANEL .... Planche copilote
COPILOT'S P9-1 PANEL .... Panneau co-pilote P9-1
COPPER .... Cuivre *(rouge)*
COPPER-ASBESTOS GASKET .... Joint métallo-plastique
COPPER BUS (bus bar) .... Barre omnibus en cuivre
COPPER DEPOSIT .... Dépôt de cuivre
COPPER PLATE (to) .... Cuivrer
COPPER PLATING .... Cuivrage
COPPER WIRE .... Fil de cuivre
CO-PRODUCTION PROGRAM .... Programme de coproduction
COPTER .... Hélicoptère
COPYING LATHE .... Tour à copier
COPYING MACHINE .... Machine à reproduire, de reproduction *(fraiseuse, tour)*

COPY MILLING .... Fraisage par reproduction
CORD .... Corde, cordon, cordeau, conducteur souple
CORE .... Noyau, âme, matériau de remplissage, conducteur isolé, tore *(de ferrite)* magnétique, faisceau, armature
CORE ENGINE .... Veine chaude, moteur chaud, central, générateur de gaz, ens. HP *(compresseur HP chambre de combustion, turbine HP)*
CORE EXHAUST .... Échappement primaire
CORE FLOW .... Flux primaire
CORE MEMORY .... Mémoire à tores
CORE STORAGE .... Mémoire à tores
CORE-TYPE TRANSFORMER .... Transformateur à noyau
CORING .... Nodulation, noyautage
CORIOLIS EFFECT .... Effet de coriolis
CORK .... Liège
CORNER .... Angle, coin
CORNER LOCATIONS .... Dans les angles
CORONA .... Couronne
CORONA EFFECT .... Effect corona, de peau
CORPORATE AIRCRAFT (airplane) .... Avion d'affaires, de société
CORRECT (to) .... Corriger, rectifier
CORRECT OPERATION .... Fonctionnement correct
CORRECT SEATING (position) .... Position corrigée
CORRECT SETTING .... Réglage correct
CORRECTED POSITION .... Position corrigée
CORRECTED SPEED .... Vitesse corrigée
CORRECTED TRUE AIRSPEED .... Vitesse vraie corrigée
CORRECTED WEIGHT .... Poids corrigé
CORRECTION ACTION .... Action corrective
CORRECTION CHART .... Table de correction
CORRECTION FACTOR .... Facteur de correction
CORRECTION MANEUVER .... Manœuvre de correction *(espace)*
CORRECTION VALUE .... Correction
CORRECTOR .... Correcteur
CORRIDOR .... Couloir
CORRODED SURFACE .... Surface corrodée, rongée
CORROSION .... Corrosion
CORROSION INHIBITING OIL .... Huile anti-corrosion
CORROSION INHIBITING PRIMER .... Primaire de protection anti-corrosion
CORROSION INHIBITOR .... Inhibiteur de corrosion, anti-corrosion
CORROSION PITS (Pitting) .... Points, piqûres de corrosion
CORROSION PREVENTIVE COMPOUND .... Enduit anti-corrosion, de protection contre la corrosion

CORROSION PROTECTIVE FINISH .... Finition anti-corrosive
CORROSION REMOVAL ...... Dérochage corrosion, grattage corrosion, dérouillage, désoxydation
CORROSION REMOVER (phosphoric acid) .... Acide de dérochage chimique (Cee-bee)
CORROSION RESISTANT ....Anticorrosion
CORROSION RESISTANT STEEL (CRES) .... Acier inoxydable
CORROSIVE .... Corrosif
CORROSIVE-RESISTANT COMPOUND .... Enduit anti-corrosion
CORRUGATE (to) .... Onduler, plisser
CORRUGATED .... Ondulé, gaufré, plissé, strié, ridé
CORRUGATED SHEET (corrugation) .... Tôle ondulée
CORRUGATING .... Plissage *(de la tôle)*
CORRUGATION .... Gaufrage
COSMIC RADIATIONS ....Rayonnements, radiations cosmiques, rayons cosmiques
COSMIC RAY(S) ....Rayon(s) cosmique(s)
COSMIC VEHICLE .... Vaisseau cosmique
COSMIC VELOCITY .... Vitesse cosmique,
COSMOLOGICAL DISTANCE .... Distance cosmologique
COSMOLOGY .... Cosmologie
COSMONAUT ....Cosmonaute
COSMOTICS .... *(la)* cosmotique
COST-EFFECTIVE .... Rentable
COST-EFFECTIVE RATIO .... Rapport coût-efficacité, rapport coût-rendement
COST-EFFECTIVENESS .... Rentabilité
COST PRICE .... Prix courant, prix de revient
COTTER ....Clavette, goupille
COTTER (to) .... Claveter
COTTER-DRIVER ....Chasse-clavette
COTTER PIN (split pin) .... Goupille fendue *(Goupille « V »)*
COTTER PIN PUNCH .... Chasse-goupille
COTTER PIN TOOL .... Arrache-goupille
COTTER SLOT .... Logement de clavette
COTTERING .... Clavetage
COTTON GLOVES .... Gants en coton
COTTON SAIL TWINE ....Ficelle de coton
COTTON WHOOL .... Ouate
COUCH .... Couchette, sofa, « dormette »
COUNT-DOWN ....Compte à rebours, chronologie de lancement
COUNTER .... Compteur ; comptoir, meuble bar
COUNTER-CASING ....Contre-carter
COUNTER-CENTRE .... Contre-pointe

COUNTER-DRILL (to) .... Contre-percer
COUNTER-ELECTRODE .... Contre-électrode
COUNTER-ELECTROMOTIVE FORCE .... Force contre-électromotrice
COUNTER-FLOW .... Contre-courant
COUNTER-PRESSURE .... Contre-pression
COUNTER-ROTATING .... Contrarotatif
COUNTER-ROTATING FREE TURBINE .... Turbine libre contra-rotative
COUNTER-ROTATING PROPELLERS .... Hélices contra-rotatives
COUNTERACTING FORCE .... Force antagoniste
COUNTERACTION .... Action contraire, mouvement opposé
COUNTERBALANCE (to) .... Contre-balancer, faire contrepoids, compenser
COUNTERBALANCE FORCE .... Force de contre-équilibrage
COUNTERBALANCE SPRING CARTRIDGE .... Bielle à ressort de contre-équilibrage
COUNTERBALANCE VALVE .... Valve d'équilibrage, de contre-pression
COUNTERBORE .... Alésoir, outil à repercer
COUNTERBORE (to) .... Contrepercer, réaléser
COUNTERBORING .... Suréalésage, chambrage, contre-perçage
COUNTERCLOCKWISE .... Dans le sens inverse des aiguilles d'une montre, sens trigonométrique, sens anti-horaire
COUNTERMEASURE .... Contre-mesure
COUNTERPART .... Contre-pièce
COUNTERPOISE .... Contrepoids
COUNTERPOISE (to) .... Contrebalancer, faire contrepoids
COUNTER-ROTATING ROTORS .... Rotors contra-rotatifs
COUNTER-SCREW .... Contre-vis
COUNTERSHAFT .... Arbre intermédiaire, secondaire, de renvoi, contre-arbre
COUNTERSINK (to) .... Fraiser, exécuter une fraisure, noyer, encastrer, fraisurer
COUNTERSUNK HEAD-SCREW .... Vis à tête fraisée
COUNTERSUNK WASHER .... Rondelle fraisée
COUNTERWEIGHT .... Contre-poids, masse d'équilibrage
COUPLE (to) .... Coupler, accoupler, atteler, grouper, mettre en prise
COUPLED .... Couplé
COUPLER .... Coupleur, connecteur, manchon de liaison, d'accouplement, raccord
COUPLING .... Assemblage, emmanchement, manchon, attelage, accouplement, collier, raccord, raccordement, couplage, embrayage, joint, flector
COUPLING FLANGE .... Bride de liaison, d'accouplement, plateau d'entraînement

COUPLING LOOP .... Boucle de couplage
COUPLING NUT .... Écrou d'accouplement, de liaison, raccord
COUPLING SHAFT .... Arbre d'accouplement
COUPLING SLEEVE .... Manchon d'accouplement, de raccordement, collier de jonction
COUPLING UNIT .... Prise d'accouplement
COURSE .... Cap, circuit, route ; débattement ; radioalignement de piste (ILS), alignement *(VOR, radiophare)*
COURSE ANGLE .... Angle de cap
COURSE BAR .... Barre de route
COURSE CALCULATOR .... Calculateur de cap
COURSE DEVIATION INDICATOR (CDL) .... Indicateur de déviation de route, de cap
COURSE INDICATOR .... Conservateur de cap
COURSE LINE .... Alignement de piste, axe de radio-alignement
COURSE LINE COMPUTER (CLC) .... Calculateur VOR
COURSE PITCH .... Grand pas hélice
COURSE SECTOR .... Secteur d'alignement de piste
COURSE SELECTOR .... Sélecteur de cap, de route, de course
COURSE SELECTOR INDICATOR .... Indicateur sélecteur de course
COURSE SPEED .... Vitesse de croisière
COURSE SPEED AT SL (Sea level) .... Vitesse de croisière au niveau de la mer
COURSE SURFACE .... Surface d'alignement de piste
COURSE WINDOW .... Fenêtre de route
COVALENT .... Covalent
COVE .... Rampe lumineuse *(cabine),* voûte
COVE LIGHT(S) .... Éclairage indirect, lampe fluorescente
COVE LIP DOOR .... Porte de carénage, volet de fente, porte couvre-joint
COVER .... Couvercle, cache, chapeau, boîtier, bâche, capot, capote, housse, couverture, carénage, capuchon
COVER (to) .... Couvrir, recouvrir
COVER PLATE .... *(voir coverplate)* plaque d'obturation, couvercle, tôle de fermeture
COVER PLUG .... Bouchon de protection
COVER STRIP .... Couvre-joint
COVERAGE .... Couverture ; champ d'exploration
COVERING .... Revêtement, recouvrement, gainage, guipage, habillage, entoilage
COVERPLATE (cover plate) .... Couvercle, plaque, tôle de fermeture, de recouvrement, cache-poussière
COWL .... Auvent, capot
COWL FASTENER .... Fixation capot *(Dzus)*
COWL PANEL .... Capot

COWL RING .... Capot mobile d'inverseur de poussée AV
COWL SIDE PANEL .... Capot latéral
COWLED .... Capoté
COWLING .... Capot, capotage *(de moteur)*
COWLING FASTENER .... Verrou, sauterelle *(capots réacteur)*, fixation capots
COWLINGS .... Panneaux, capots
CRAB .... Crabe ; treuil, pont roulant, chèvre
CRAB (to) .... Voler en crabe, de biais
CRAB ANGLE .... Angle de dérive
CRAB-CLUTCH .... Embrayage à crabots
CRABBING .... Vol en crabe, dérivation
CRABWISE .... En crabe
CRACK .... Crique, félure, cassure, déchirure, fente, crevasse, fissure, micro-fissure
CRACKS ADJACENT TO RIVETS .... Criques adjacentes aux rivets
CRACK DETECTION .... Détection de crique
CRACK-FREE HOLE .... Trou exempt de criques
CRACK GROWTH .... Propagation de criques
CRACK LENGTH .... Longueur de crique
CRACK OPEN PRESSURE .... Pression d'ouverture
CRACK ORIGINATING .... Amorce de crique, formation de crique
CRACK PROPAGATION .... Propagation de crique
CRACK STARTING .... Départ de crique, amorce de crique
CRACK TEST (to) .... Éffectuer une recherche de crique
CRACK TEST(ING) .... Recherche de criques
CRACKED FINISH .... Fini vermiculé
CRACKED PART .... Pièce criquée, cassée, félée
CRACKING (sound) .... Claquement, craquement, craquelure, craquage
CRACKING PRESSURE .... Pression d'ouverture
CRACKLE (to) .... Craqueler, fendiller
CRACKLE PAINT .... Peinture vermiculée
CRACKLING .... Crachements, « friture »
CRADLE .... Berceau, bâti, support
CRAFT .... Appareil de transport, avion, engin
CRAMP .... Serre-joint, agrafe
CRAMP (to) .... Serrer, presser *(à l'étau)*
CRANE .... Appareil de levage, grue, pont roulant
CRANE-TYPE HELICOPTER .... Hélicoptère-grue
CRANK .... Guignol, manivelle, levier coudé, bras, basculeur
CRANKARM .... Bras du vilo
CRANKCASE .... Carter moteur
CRANKCASE SUMP .... Puisard
CRANK-HEAD .... Tête de bielle

CRANK LEVER .... Guignol, levier
CRANKED .... Coudé
CRANKING .... Mise en marche, brassage, dégommage, ventilation
CRANKPIN .... Maneton, tourillon *(de manivelle)*
CRANKSHAFT .... Vilebrequin, arbre de manivelle, levier, arbre coudé
CRASH .... Accident, catastrophe, écrasement
CRASH (to) .... (s')écraser, s'échouer, « se crasher »
CRASH AXE .... Hache de secours
CRASH BOAT .... Embarcation de secours
CRASH-DAMAGED .... Accidenté, endommagé
CRASH LANDING .... Atterrissage de détresse, brutal, forcé, accidentel, en catastrophe, crash à l'atterrissage
CRASH PROOF .... A l'épreuve des impacts
CRASH RECORDER .... Enregistreur d'accident
CRASH RESISTANCE .... Résistance à l'écrasement
CRASH-WORTHINESS (crashworthiness) .. Résistance à l'écrasement, à l'impact
CRATE .... Caisse, cageot ; coucou, zinc *(Arg.),* vieil avion
CRATER .... Cratère
CRAZE (to) .... Fendiller, craqueler
CRAZING .... Micro-criques *(hublot),* craquelures, rayures, fendillement
CREATE (to) .... Créer, produire, engendrer
CREATIVE FARE .... Tarif promotionnel
CREDIT CARD .... Carte de crédit
CREEP (creeping) .... Dérapage, glissement, fluage, fluence *(métaux)*
CREEP (to) .... Gonfler, se boursoufler
CREEP FATIGUE .... Fatigue due au fluage
CREEP RESISTANCE (strength) .... Résistance au fluage
CREEP TESTING .... Essai de fluage
CREEPAGE DISTANCE .... Distance contacts masse *(ligne de fuite)*
CREPE PAPER .... Papier crêpé
CRES (corrosion Resistant Steel) .... Acier inoxydable
CRESCENT WING .... Aile en croissant
CREVICE .... Crevasse, fente
CREW .... Personnel embarqué, équipage
CREW BASE .... Base de rattachement, d'affectation
CREW CARS .... Camionnettes d'équipages
CREW DOOR .... Porte équipage
CREW COMPARTMENT .... Poste de pilotage, d'équipage
CREW OXYGEN CYLINDER .... Bouteille d'oxygène équipage
CREW OXYGEN MASK .... Masque à oxygène équipage
CREW REST AREA (compartment, station) .... Poste, compartiment de repos équipage

CREW'S REST COMPARTMENT .... Salle de repos de l'équipage
CREW ROSTERING .... Affectation, rotation des équipages
CREW SCHEDULING ....Affectation des équipages
CREW SIZE .... Effectif d'exécution
CREW STATION .... Poste membre d'équipage
CREW TRAINING ....Instruction, formation, entraînement des équipages
CREWMEMBERS ....Membres d'équipage, de l'équipage
CRIB (to) .... Étayer
CRIBBING .... Câlage *(avion)*
CRIMP (to) .... Sertir, gaufrer, plisser, déformer
CRIMPED .... Serti, estampé
CRIMPED PIN .... Broche sertie
CRIMPED WIRE ....Brins torsadés
CRIMPING .... Sertissage
CRIMPING BUSHING .... Bague de sertissage
CRIMPING LUG ....Cosse *(à sertir)*
CRIPPLED AIRCRAFT ....Avion défaillant
CRISSCROSS PATTERN .... Configuration croisillonnée
CRISTAL FILTER ....Filtre à quartz
CRISTAL OSCILLATOR .... Oscillateur à quartz
CRISTAL RESONATOR .... Résonateur à quartz
CRITICAL ALTITUDE .... Altitude critique, de rétablissement
CRITICAL ANGLE ....Angle critique
CRITICAL ENGINE .... Moteur critique *(navigabilité)*
CRITICAL ENGINE FAILURE SPEED ....Vitesse de décision
CRITICAL FLIGHT PHASE .... Phase de vol critique
CRITICAL HEIGHT .... Hauteur critique, altitude de rétablissement
CRITICAL MACH NUMBER .... Nombre de mach critique
CRITICAL POINT .... Point équitemps, point milieu, point critique
CRITICAL POINT FUEL ....Carburant point équitemps
CRITICAL RATE (velocity) ....Régime critique *(vitesse)*
CRITICALITY ANALYSIS ....Analyse de criticité
CROP DUSTING AIRCRAFT .... Avion d'épandage agricole
CROP SPRAYING .... Pulvérisation agricole
CROPPED FAN ....Soufflante diminuée en ∅
CROPPED-FAN ENGINE .... Moteur à pales de soufflante tronquées
CROSS (to) .... Croiser, traverser
CROSSBAR .... Traverse, croisillon, barre transversale, rampe transversale
CROSSBAR SWITCH ....Commutateur crossbar
CROSS-BEARINGS .... Relèvements simultanés
CROSS-BEAM ....Traverse, poutre transversale
CROSS BLEED VALVE .... Vanne d'intercommunication

CROSS-BRACE .... Croisillon
CROSS-BRACED .... Croisillonné
CROSS-BRACING .... Contreventement, croisillonnage
CROSS COAT(ING) .... Couche croisée
CROSS-POINTER INDICATOR .... Indicateur à aiguilles croisées
CROSSED THREADS .... Filets endommagés, arrachés, croisés
CROSSFEED (cross feed) .... Intercommunication
CROSSFEED LINES .... Tuyauteries d'intercommunication
CROSSFEED MANIFOLD .... Collecteur d'alimentation croisillon
CROSSFEED SIGNAL .... Signal d'interaction *(aileron)*
CROSSFEED SYSTEM .... Circuit d'intercommunication
CROSSFEED VALVE .... Clapet, robinet d'intercommunication, intercom
CROSS FITTING .... Raccord en croix
CROSSFLOW .... Écoulement transversal
CROSS-HATCHED .... Hachuré, quadrillé
CROSSHEAD (cross-head) .... Croisillon, barre d'accouplement, pied de bielle
CROSS-HEAD SCREW .... Vis cruciforme
CROSSING .... Croisement
CROSSING RUNWAY .... Piste transversale
CROSS-LAPPED COAT .... Couche croisée
CROSS-LOOP ANTENNA .... Antenne à cadres croisés
CROSS-MEMBER .... Traverse
CROSS-MODULATION .... Diaphonie
CROSS-OVER FREQUENCY .... Fréquence de recouvrement
CROSSOVER TEE .... Té double
CROSSOVER TUBE .... Tube d'intercommunication, d'interconnexion
CROSSOVER VALVE .... Robinet intercom, d'intercommunication
CROSSPIN .... Contre-goupille
CROSS-POINTER INDICATOR .... Indicateur à aiguilles croisées
CROSS-POINTERS .... Aiguilles croisées
CROSS-RIVETING .... Rivetage en quinconce
CROSS SECTION .... Section transversale, coupe, section droite, verticale
CROSS-SERVICING .... Soutien logistique, aide mutuelle
CROSS-SHAFT .... Arbre transversal
CROSS-SHAPED TAIL UNIT .... Empennage cruciforme
CROSS-SLOT SCREW .... Vis cruciforme
CROSS-TALK (crosstalk, cross-modulation) .... Diaphonie
CROSS-THREADING .... Arrachement des filets, foirage
CROSS TRACK (error) .... Écart de route
CROSS TRACK DISTANCE (deviation) .... Écart latéral
CROSS UNION .... Raccord en croix

CROSSWHEEL .... Poulie de commande et de renvoi
CROSSWIND (cross wind) .... Vent de travers, de côté, latéral, traversier
CROSS-WIND COMPONENT .... Composante transversale du vent
CROSS-WIND FORCE .... Force de dérapage
CROSSWIND TAKE-OFF .... Décollage vent de travers
CROWBAR .... Pince, levier, barre à mine
CROWDED .... Encombré
CROWDED AIRSPACE .... Ciel, espace aérien saturé
CROWFOOT RING SPANNER .... Clé « pied-de-corneille »
CROWFOOT WRENCH .... Clé « pied-de-biche »
CROWN .... Couronne ; bombé, courbure, bourrelet ; ligne de faite
CROWN CORPORATION .... Société nationale, d'état
CROWN WHEEL .... Roue dentée sur face
CROWNED .... Bombé, cintré
CROWNING .... Bombement, courbure
CRT DISPLAY (cathode-ray tube) .... Indicateur cathodique
CRT INSTRUMENTS .... Instruments cathodiques
CRUCIBLE PLIERS .... Pince à creuset
CRUDE .... Brut, cru
CRUDE OIL .... Huile brute
CRUISE .... Croisière
CRUISE (to) .... Voler, faire une croisière
CRUISE CLIMB .... Montée en régime de croisière, croisière ascendante
CRUISE CONTROL .... Conduite du vol en croisière
CRUISE DATA .... Paramètres de vol en croisière
CRUISE DESCENT .... Croisière descendante
CRUISE INFORMATION FORM .... Fiche des paramètres de croisière
CRUISE MISSILE .... Missile de croisière
CRUISE RATING .... Régime de croisière
CRUISE SPEED .... Vitesse de croisière
CRUISING .... De croisière
CRUISING ALTITUDE .... Altitude de croisière
CRUISING LEVEL .... Niveau de croisière
CRUISING POWER .... Régime de croisière
CRUISING RADIUS .... Autonomie
CRUISING RANGE .... Autonomie de vol, rayon d'action
CRUISING SPEED .... Vitesse de croisière
CRUMBLE (to) .... S'effriter
CRUSH (to) .... Écraser, aplatir, comprimer
CRUSHED ICE .... Glace pilée
CRUSHER .... Manomètre à écrasement
CRUSHING MILL .... Broyeur

CRUSHING STRENGTH .... Résistance à l'écrasement
CRYOGEN .... Cryogène
CRYOGENIC .... Cryogénique, cryotechnique
CRYOGENIC PROPELLANTS ...... Ergols cryogéniques, cryotechniques *(hydrogène et oxygène liquides)*
CRYOGENIC PROPULSION .... Propulsion cryogénique
CRYOGENIC STAGE .... Étage cryogénique
CRYOGENIC TANK .... Réservoir cryogénique
CRYOGENIC TEMPERATURE .... Température cryogénique
CRYOGENICS .... Cryogénie, cryotechnique
CRYOPUMP .... Cryopompe
CRYOPUMPING .... Cryopompage
CRYOSTAT .... Cryostat
CRYPTOPHONICS .... Cryptophonie
CRYSTAL .... Cristal, quartz
CRYSTAL-CONTROLLED OSCILLATOR .... Oscillo à quartz, oscillateur piloté par quartz
CRYSTAL FILTER .... Filtre piézoélectrique
CRYSTAL LIQUID CONTROL DISPLAY .... Afficheur de contrôle à cristaux liquides
CSK HEAD SCREW .... Vis TF/
CUBAN EIGHT .... Huit cubain *(voltige)*
CUBBY-HOLE .... Boîte à gants
CUBIC CAPACITY .... Cylindrée, capacité volumique
CUBIC METER (Cu.m) .... Mètre cube *(m^3)*
CUE .... Point de repère
CUMULATIVE PROCESS .... Réaction en chaîne
CUMULO-NIMBUS (cumulonimbus) .... Cumulo-nimbus
CUMULO-STRATUS .... Cumulo-stratus
CUMULUS .... Cumulus
CUP .... Coupelle, cuvette ; gobelet, godet
CUP-AND-BALL JOINT .... Joint à rotule
CUP ANEMOMETER .... Anémomètre à coupelles
CUP DISPENSER .... Distributeur de gobelets
CUP HEAD SCREW .... Vis à tête ronde
CUP-HOLDER .... Porte-gobelet, porte-tasse, support de tasse
CUP LOCKWASHER .... Rondelle cuvette, coupelle frein
CUP SPRING .... Ressort concave
CUP VALVE .... Soupape à cloche
CUP WASHER (cupwasher) .... Rondelle cuvette, coupelle-frein, rondelle de forme, de belleville
CUP WHEEL .... Meuble boisseau
CUPEL .... Coupelle
CUPOLA .... Coupole

CUPPED WASHER .... Rondelle belleville
CURE (to) .... Vulcaniser, sécher, durcir par chauffage, thermodurcir, polymériser
CURE DATE .... Date de vulcanisation *(stockage),* péremption
CURING .... Vulcanisation, durcissement, polymérisation
CURING AGENT .... Agent siccatif
CURING DATE .... Validité
CURING TIME .... Temps de vulcanisation
CURL .... Boucle ; spirale
CURRENT .... Courant ; intensité
CURRENT FLIGHT PLAN .... Plan de vol en vigueur
CURRENT FLOW .... Flux du courant
CURRENT REGULATOR .... Régulateur de courant
CURRENT RELAY .... Relais d'intensité
CURRENT SOURCE .... Source de courant
CURRENT TERMINAL .... Borne d'intensité
CURRENT TRANSFORMER .... Transformateur d'intensité
CURRENT TRANSFORMER BOX .... Transformateur
CURRENTOMETER .... Courantomètre
CURSOR .... Curseur
CURTAIN .... Rideau
CURTAIN TRACK .... Rail de rideau, tringle à rideau
CURTAINS .... Rideaux
CURVATURE .... Courbure
CURVE .... Courbe, virage
CURVED .... Incurvé, galbé
CURVED APPROACH .... Approche curviligne
CURVED LINE .... *(Ligne)* courbe
CURVED PANEL (sheet) .... Panneau incurvé, tôle galbée
CURVIC-COUPLINGS .... Dentures type « curvic-couplings »
CUSHION .... Coussin, amortisseur
CUSHION (to) .... Amortir *(chocs)*
CUSHIONCRAFT .... Aéroglisseur, véhicule sur coussin d'air
CUSHIONING .... Amortissement
CUSTOM .... Coutume, usage
CUSTOMER .... Client
CUSTOMER AIRLINE .... Compagnie cliente
CUSTOMER SERVICE .... Service après-vente
CUSTOMIZATION (customisation) .... Adaptation à l'usager, adaptation client, particularisation
CUSTOMIZE (to) .... Modifier, changer, remanier
CUSTOMS .... Douane(s)
CUSTOMS AIRPORT .... Aéroport douanier
CUSTOMS CLEARANCE .... Dédouanement, passage en douane
CUSTOMS CONTROL .... Contrôle douanier, de douane

CUSTOMS DECLARATION .... Déclaration en douane
CUSTOMS DUTY (duties) .... Droits de douane
CUSTOMS OFFICER .... Douanier
CUSTOMS REGULATIONS .... Réglementation douanière
CUT .... Coupure, entaille, incision, découpe, coupe, taillade, taille, passe (MO), saignée
CUT (to) .... Couper, découper, trancher, tailler
CUTAWAY DRAWING (cutaway view) .... Écorché, dessin en coupe, vue en coupe, coupée
CUTAWAY RIB .... Nervure évidée
CUT BY HALF (to) .... Réduire de moitié, couper par moitié, partager
CUT EDGE .... Tranchant *(d'un outil)*
CUT-IN .... Conjoncteur
CUT-IN (to) .... Enclencher
CUT-IN DIAL .... Cadran ajouré
CUT-IN SPEED .... Vitesse de conjonction
CUT-IN VOLTAGE .... Tension de collage
CUT LOCKWIRE (to) .... Couper le fil à freiner
CUT OFF (to) .... Couper, interrompre, sectionner, caler *(l'hélice)*
CUT-OFF BIAS .... Polarisation de coupure
CUT-OFF FREQUENCY .... Fréquence de coupure, limite
CUT-OFF LINE .... Ligne d'extinction *(bang sonique)*
CUT-OFF RELAY .... Relais de coupure
CUT OFF POSITION .... Position coupé
CUT OFF THE ENGINE (to) .... Couper le moteur, couper les gaz
CUTOUT (CUT-OUT) .... Découpe, échancrure, dégagement, lardage, perçage, ajourage, fenêtre, évidement ; coupe-circuit, disjoncteur, conjoncteur-disjoncteur, ouverture, coupure, isolement, fusible de sûreté, décrochage *(électrique)*
CUT-OUT (to) .... Découper, détourer, échancrer, supprimer, isoler, sectionner
CUTOUT PRESSURE SWITCH .... Manocontacteur de coupure
CUTOUT RELAY (cut-out relay) .... Relais de coupure
CUTOUT SPEED .... Vitesse de désengagement
CUTOUT SWITCH .... Interrupteur *(d'isolement, de coupure, de désengagement)*, disjoncteur, coupe-circuit, conjoncteur
CUT-OUT VOLTAGE .... Tension de décollage
CUTTER .... Outil de coupe fraise, coupoir, lame, couteau
CUTTER PLIER .... Pince coupante, cisaille
CUTTING .... Coupe, découpage, taille ; morceau, débris
CUTTING CHIP .... Copeau de coupe, d'usinage

CUTTING EDGE .... Tranchant, taillant
CUTTING FLUID .... Liquide, huile, lubrifiant de coupe
CUTTING NIPPERS .... Tenailles coupantes
CUTTING-OFF .... Tronçonnage, coupure
CUTTING-OFF MACHINE .... Machine à tronçonner
CUTTING-OFF TOOL .... Outil à découper
CUTTING OIL .... Lubrifiant d'usinage
CUTTING SPEED (cutting rate) .... Vitesse de coupe
CUTTING TOOLS .... Outils de coupe
CUT UP (to) .... Couper, découper, tailler
CUT-VIEW .... Écorché
CYANIDE SALT .... *(sel)* cyanure
CYANIDING .... Cyanuration
CYBERNETICS .... *(la)* Cybernétique
CYCLE .... Cycle, période
CYCLE (to) .... Répéter le cycle
CYCLE CLOSED .... Cycle fermé
CYCLE SEVERAL TIMES (to) .... Répéter plusieurs fois *(un essai)*
CYCLIC LOADS .... Charges répétées
CYCLIC PITCH .... Pas cyclique
CYCLIC PITCH CONTROL (column, stick) .... Commande de pas cyclique *(levier, manche cyclique)*
CYCLIC PRESSURE .... Pression cyclique
CYCLIC SWASHPLATE .... Plateau cyclique
CYCLING .... Périodicité
CYCLONE .... Cyclone
CYLINDER .... Cylindre, corps de vérin
CYLINDER BARREL .... Barillet *(pompe)*
CYLINDER BLOCK .... Bloc moteur, bloc-cylindre(s), barillet
CYLINDER CAPACITY .... Cylindrée
CYLINDER FIN .... Ailette de refroidissement
CYLINDER HEAD .... Culasse, tête de cylindre, de vérin
CYLINDER-HEAD WASHER .... Joint de culasse
CYLINDER JACKET .... Chemise de circulation d'eau
CYLINDER LINER .... Chemise de cylindre
CYLINDER-OPERATED .... A commande par vérin
CYLINDER WALL .... Paroi du cylindre
CYLINDRICAL NUT .... Écrou cylindrique
CYLINDRICAL PIN .... Goupille cylindrique

D

D-HEADED BOLT .... Boulon à tête en forme de D *(D-shaped bolt)*
D-RING .... Joint D-ring
DADO .... Plinthe, lambris
DADO PANELS .... Panneaux lambris, plinthes
DAILY .... Journalier, quotidien
DAILY FLIGHT .... Vol, service quotidien
DAILY INSPECTION .... Visite, vérification journalière
DAILY MAINTENANCE .... Entretien quotidien
DAIS .... Socle
DAISY CHAIN .... Chaînage
DAM .... Barrage *(de retenue)*, bourrelet
DAMAGE .... Avarie, détérioration, dommage, dégât, dégradation
DAMAGE (to) .... Endommager, avarier, abîmer, esquinter
DAMAGE AREA .... Zone endommagée
DAMAGE EVALUATION .... Évaluation d'un dommage *(mesures)*
DAMAGED PART .... Pièce endommagée, détériorée, dégradée, abîmée
DAMP .... Humide, mouillé
DAMP AIR .... Air humide
DAMP ATMOSPHERE .... Atmosphère humide
DAMP CLOTH .... Vêtement humide, mouillé
DAMP HAZE .... Brume humide
DAMP OUT (to) .... Amortir
DAMP OUT PRESSURE SURGE (to) .... Amortir les coups de bélier
DAMPED OSCILLATIONS .... Oscillations amorties
DAMPED WAVE .... Onde amortie
DAMPEN (to) .... Imbiber, tremper
DAMPENED WITH SOLVENT .... Imprégné de solvant
DAMPER .... Amortisseur, atténuateur
DAMPER (YAW) .... Amortisseur de lacet
DAMPING .... Amortissement, atténuation ; humidification
DAMPING FACTOR .... Facteur, coefficient d'amortissement
DAMPING POT .... Pot d'amortissement
DANGER AREA (danger zone) .... Zone dangereuse, aire de danger, périmètre de sécurité
DARK .... Sombre, obscur, noir
DARKEN (to) .... (s') obscurcir
DARKENED PORTION .... Portion noircie, foncée
DART (to) .... (se) précipiter, (s')élancer, foncer

DASH .... Trait, tiret ; coup, choc
DASH-BOARD .... Planche de bord, tableau de bord
DASH NUMBER .... Indice
DASH-POT .... Pot de détente, amortisseur *(à fluide)*
DASH-SPEED .... Vitesse en pointe, de pointe
DASHED CURVE .... Courbe à traits interrompus, discontinue, en pointillé
DATA .... Donnée(s), information, renseignement(s), paramètre(s)
DATA ACQUISITION .... Acquisition, saisie des données
DATA ACQUISITION INSTRUMENTS .... Instruments, matériels de saisie de l'information
DATA ACQUISITION SYSTEM .... Système d'acquisition des données, de mesures, de saisie de données
DATA AVAILABLE .... Donnée disponible
DATA BANK .... Banque de données
DATA BASE .... Base de données, fichier central
DATA BUS .... Bus de données
DATA COLLECTION .... Collecte de données, acquisition de données
DATA COMMUNICATION SYSTEM .... Système de transmission de données
DATA CONVERTER .... Convertisseur de données
DATA DISPLAY .... Écran
DATA ENTRY KEYBOARD (unit) .... Clavier d'introduction de données *(unité)*
DATA EXTRACTOR .... Extracteur de données *(radar)*
DATA LINK .... Système de communication, système de transmission des données, liaison de données
DATA LINK CONTROL (DLC) .... Contrôle de liaison
DATA MANAGEMENT STATION .... Station d'exploitation
DATA OUTPUT .... Sortie des données
DATA PROCESSING .... Traitement des données, de l'information, informatique
DATA PROCESSING SECTION .... Département informatique
DATA PROCESSOR .... Machine de traitement de l'information, calculateur, ordinateur
DATA RATE .... Cadence d'informations
DATA RECORDING .... Enregistrement des données
DATA SELECTOR .... Sélecteur de données
DATA SERVICE .... Transmission de données
DATA SHEET .... Fiche suiveuse, de caractéristiques
DATA SIGNAL .... Transmission de données
DATA SINK .... Collecteur de données
DATA TRANSFER .... Appel de données
DATA TRANSMISSION .... Émission des données
DATA TERMINAL .... Terminal *(informatique)*

DATE OF ISSUE .... Date d'émission
DATE-TIME GROUP .... Groupe date-heure
DATUM .... Référence théorique, niveau, *(pt de)* repère
DATUM FACE .... Face de référence
DATUM LINE .... Ligne, axe de référence, ligne de repère
DATUM MARK .... Repère
DATUM POINT .... Point de repère
DATUM SURFACE .... Surface, face de référence
DAY MARKING .... Balisage diurne
DAY SMOKE SIGNAL .... Pot fumigène
DAYLIGHT .... Lumière du jour
DAZZLE (to) .... Éblouir, aveugler
DAZZLING .... Éblouissant, aveuglant
DC (direct current) .... Courant continu
DC GENERATOR .... Génératrice à courant continu, dynamo
DC MOTOR .... Génératrice
DC VOLTS .... Tension continue
DE-ACTIVATE (to) .... Désexciter, mettre hors service
DEAD .... Mort, calé
DEAD AIRSCREW .... Hélice calée
DEAD BEAT DISCHARGE .... Décharge apériodique
DEAD BOTTOM CENTER .... Point mort bas
DEAD CALM .... Calme plat
DEAD CENTER (dead centre) .... Point mort
DEAD LEAF DIVE .... Piqué en feuille morte
DEAD LOAD (weight) .... Poids mort, charge permanente
DEAD RECKONING (by) .... Estime (à l')
DEAD RECKONING NAVIGATION .... Navigation à l'estime, estimée, point estimé
DEAD RISE .... Amortissement
DEAD SOFT STEEL .... Acier extra-doux
DEAD SPOT .... Point mort
DEAD STICK LANDING .... Atterrissage sans moteur
DEAD STOP .... Immobilisation, butée fixe
DEAD TIME .... Temps mort
DEAD TOP CENTER .... Point mort haut
DEADEN (to) .... Amortir, étouffer, assourdir
DEADHEAD .... Passager non payant
DEADHEAD FLIGHT .... Vol de mise en place
DEADHEADING .... Mise en place
DEADLINE .... Ligne de repère, délimitation, limite
DEADLOAD CAPACITY .... Capacité des soutes
DE-AERATOR .... Dégazeur, de-aérateur
DE-AERATOR TRAY .... Plateau dégazeur

DEALER .... Distributeur
DEBOOST VALVE .... Détendeur
DEBOOSTER .... Détendeur
DEBOUNCING .... Anti-rebond
DEBOW .... Interrupteur débalourdage
DEBRIEFING .... Rapport, compte-rendu
DEBRIS .... Débris
DEBUG (to) .... Mettre au point, dépanner
DEBUGGING .... Dépannage, mise au point, déverminage
DEBURR (to) .... Ébavurer, ébarber
DEBURRER .... Ébarbeur
DEBURRING .... Ébavurage
DECADE COUNTER .... Compteur à décades
DECADIC FREQUENCY SWITCH .... Commutateur décadique de fréquence
DECAL (instructions) .... Décalcomanie
DECALCOMANIA (decals) .... Décalcomanie
DECANT (to) .... Décanter, transvaser
DECARBONIZE (to) .... Décalaminer, décarboniser, décrasser
DECAY (to) .... S'altérer, se désintégrer
DECCA FLIGHT LOG .... Traceur de route Decca
DECELERATE (to) .... Décélérer, ralentir, freiner
DECELERATED APPROACH .... Approche décélérée
DECELERATION .... Décélération, accélération négative, ralentissement
DECELERATION VALVE .... Valve de freinage, de ralentissement
DECELERATIVE G. FORCE .... (force de) décélération
DECELERATOR .... Décélérateur
DECELEROMETER .... Décéléromètre
DECIBEL .... Décibel (dB)
DECIMAL NUMBER (digit) .... Nombre décimal *(chiffre)*
DECIMAL POINT .... Point décimal
DECIMETER WAVES .... Ondes décimétriques
DECISION HEIGHT .... Hauteur de décision, de descente minimum
DECISION POINT .... Point de décision
DECISION SPEED .... Vitesse de décision
DECK .... Pont *(bateau),* plancher, plateau, plan, plate-forme
DECK-LAND (to) .... Apponter
DECKING .... Pontage
DECLARED COURSE .... Parcours déclaré
DECLINATION .... Déclinaison

DECLINATION CIRCLE .... Cercle de déclinaison
DECLUTCH (to) .... Débrayer
DECODER .... Décodeur
DECODING .... Déchiffrage, déchiffrement, décodage
DECODING UNIT .... Décodeur *(de piste)*
DECOMPRESS (to) .... Décomprimer
DECOMPRESSION PANEL .... Panneau de décompression
DECOMPRESSION VALVE .... Valve de décompression
DECORATIVE FINISH .... Harmonie *(peinture, placage)*
DECORATIVE LINING .... Revêtement décoratif
DECORATIVE PAINT .... Peinture décorative
DECOUPLING CAPACITOR .... Condensateur de découplage
DECOUPLING DIODE .... Diode de découplage
DECOUPLING TRANSFORMER .... Transformateur séparateur
DECRAB (to) .... Décraber
DECRABBING .... Décrabage
DECREASE (to) .... Diminuer, décroître
DECREASE PITCH .... Petit pas
DECREASING (of temperature) .... Diminution, baisse *(de température)*
DE-EMBRITTLE (to) .... Dégazer, effectuer un traitement de stabilisation
DE-EMBRITTLEMENT .... Dégazage, stabilisation
DE-ENERGIZE (to) .... Mettre hors tension, au repos, couper l'alimentation, désexciter, désamorcer *(un relais)*
DEEP .... Profond
DEEP ANODIZING .... Anodisation profonde
DEEP DRILLING .... Forage
DEEP SOCKET .... Douille profonde
DEEP SPACE .... Espace lointain, espace interplanétaire
DEEP SPACE MISSION .... Mission spatiale lointaine, mission interplanétaire
DEEP SPACE PROBE .... Sonde lointaine
DEEP SPACE TRANSPONDER .... Transpondeur pour sonde lointaine
DEEP STALL .... Superdécrochage
DEEPLY SCORED .... Profondément rayé
DEFECT .... Défaut *(voir defects)*
DEFECTIVE .... Défectueux, en mauvais état
DEFECTIVE BUSHING .... Bague defectueuse
DEFECTIVE PART .... Pièce défectueuse
DEFECTIVE SEAL .... Joint défectueux
DEFECTIVE WORKMANSHIP .... Défaut de fabrication
DEFECTOMETER .... Défectomètre
DEFECTS .... Défauts, défectuosités, anomalies, dégâts, vices, imperfections

DEFENCE .... Défense, protection
DEFERRED .... Retardé, différé
DEFERRED MAINTENANCE .... Maintenance différée
DEFERRED SNAG .... Anomalie technique à revoir
DEFERRED SUSPECT REMOVAL .... Dépose différée
DEFLATE (to) .... Dégonfler
DEFLATED TYRE .... Pneu dégonflé, à plat
DEFLATION .... Dégonflage
DEFLECT (to) .... Dévier, détourner, braquer, défléchir, fléchir, redresser
DEFLECTED DOWN .... Dévié, braqué vers le bas
DEFLECTION .... Déviation, débattement, déflexion, flèche, flexion, braquage, déformation
DEFLECTION CHECK .... Vérif. du débattement *(des gouvernes)*
DEFLECTION PLATE .... Plaque de déviation
DEFLECTION TEST .... Essai de flexion
DEFLECTION TRAVEL .... Débattement
DEFLECTOR .... Déflecteur
DEFLECTOR DOOR .... Déflecteur, volet déviateur de poussée
DEFOCUSING .... Défocalisation
DEFOGGER .... Anti-buée
DEFOGGING (de-fogging) .... Désembuage
DEFORMED .... Déformé
DEFROSTER .... Dégivreur
DEFROSTING .... Dégivrage
DEFRUITER .... Corrélateur, éliminateur de signaux non synchronisés
DEFRUITING .... Élimination des réponses parasites *(radar)*
DEFUEL (to) .... Vidanger
DEFUEL VALVE .... Robinet de vidange carburant
DEFUELING .... Reprise carburant, vidange carburant
DEFUELING PUMP .... Pompe *(aspirante)* de reprise carburant
DEFUELING VALVE .... Robinet de reprise *(par la citerne)*
DEGARBLING .... Voir DEFRUITING
DEGAS (to) .... Dégazer
DEGASSING .... Dégazage
DEGAUSS (to) .... Démagnétiser, dégausser
DEGRADATION .... Dégradation
DEGREASE (to) .... Dégraisser
DEGREASING .... Dégraissage
DEGREE .... Degré, marche
DEGREE-OF-FREEDOM .... Degré de liberté
DEHUMIDIFY (to) .... Déshydrater, sécher
DE-ICE (to) .... Dégivrer
DE-ICER .... Dégivreur

DE-ICER BOOT .... Dégivreur pneumatique, boudin de dégivrage
DE-ICER VALVE .... Dégivreur
DE-ICING .... Dégivrage *(avion)*, déverglaçage *(piste)*
DE-ICING DUCT .... Gaine de dégivrage
DE-ICING FLUID .... Liquide de dégivrage
DE-ICING HOT AIR .... Air chaud de dégivrage
DE-ICING OVERSHOE .... Dégivreur bord d'attaque
DE-ICING SLIPRINGS .... Bagues collectrices de dégivrage
DE-INHIBIT (to) .... Déstocker
DE-IONIZED WATER .... Eau dé-ionisée
DELAMINATE SHIM (to) .... Peler la cale
DELAMINATION .... Délamination
DELAMINATION LIMITS .... Tolérances de délamination *(glaces)*
DELAY .... Délai, retard, retardement
DELAY (to) .... Différer, retarder, arrêter
DELAY COUNTER .... Compteur à retard
DELAY DEVICE .... Retardateur, temporisateur
DELAY LINE .... Ligne de retard
DELAY RELAY .... Relais retardé
DELAY SWITCH .... Microrupteur de relais temporisé
DELAY TIMER .... Retardateur
DELAY TIMING .... Temporisation
DELAYED ARRIVAL (departure) .... Arrivée retardée *(départ retardé)*
DELAYED FLAPS APPROACH (DFA) .... Système de sortie retardée des volets
DELAYED FRACTURE .... Rupture différée
DELAYED SWITCHING .... Commutation retardée
DELETED .... Annulé, supprimé, éliminé
DELIMIT (to) .... Délimiter
DELIVER (to) .... Délivrer, livrer, fournir, remettre, refouler, débiter, alimenter
DELIVERY .... Remise, livraison ; débit, sortie, refoulement
DELIVERY CONTROL .... Commande, contrôle de débit
DELIVERY DATE (time) .... Date de livraison *(délai)*
DELIVERY LINE .... Tuyauterie de refoulement
DELIVERY ORDER .... Bordereau de livraison
DELIVERY POWER .... Puissance de sortie
DELIVERY PRESSURE .... Pression de refoulement
DELIVERY RATE (gal/min) .... Débit
DELTA BEAM .... Poutre delta
DELTA CONNECTION .... Montage en triangle
DELTA FITTING .... Ferrure en triangle, en delta
DELTA METAL .... Delta *(alliage cuivre-zinc-fer)*

DELTA WING .... Aile delta
DE LUXE SERVICE .... Service de luxe
DEMAGNETIZE (to) (de-magnetise) .... Démagnétiser, désaimanter
DEMAGNETIZER (demagnetiser) .... Tunnel, appareil de démagnétisation, démagnétiseur
DEMAGNETIZATION .... Démagnétisation, désaimantation
DEMAND .... A la demande
DEMESH (to) .... Désengrener
DEMINERALIZE (to) .... Déminéraliser
DEMINERALIZED WATER .... Eau déminéralisée, distillée
DE-MIST (to) .... Désembuer
DE-MISTER .... Dispositif anti-buée
DE-MISTING (demisting) .... Désembuage
DE-MISTING FAN .... Ventilateur désembuage
DEMISTING PANEL .... Glace, panneau de désembuage
DEMODULATE (to) .... Démoduler, détecter
DEMODULATOR .... Démodulateur, détecteur
DEMONSTRATION FLIGHT .... Vol de démonstration, de présentation
DE-MOULD (to) .... Démouler
DEMOUNT (to) .... Démonter
DEMULSIBILITY .... Désémulsion
DEMULTIPLEXER .... Démultiplexeur
DEMULTIPLEXING FILTER .... Filtre démultiplexeur
DENATURED ALCOHOL .... Alcool dénaturé
DENOMINATOR .... Dénominateur
DENSE FOG .... Brouillard à couper au couteau
DENSE TRAFFIC .... Trafic dense
DENSITOMETER .... Densimètre
DENSITY .... Densité, masse, gravité spécifique, poids spécifique
DENSITY ALTITUDE .... Altitude densimétrique
DENSITY HEIGHT .... Altitude-densité
DENT .... Enfoncement, bosse, impact, marque de choc, écorchure, entaille, rayure, indentation, empreinte, bosselure
DENT (to) .... Bosseler, ébrécher, entailler
DENTED AREA .... Zone bosselée
DE-OIL (to) .... Déshuiler
DEOXIDISE (to) .... Désoxyder
DEPARTING PASSENGERS .... Passagers au départ
DEPARTING PLANE .... Avion en partance
DEPARTMENT .... Service, branche, département
DEPARTURE .... Départ

DEPARTURE ANNOUNCEMENT .... Annonce du départ
DEPARTURE BOARD .... Panneau, tableau des départs
DEPARTURE GATE .... Porte de départ
DEPARTURE LOUNGE .... Hall, salle de départ
DEPARTURE NOISE LEVEL .... Niveau de bruit au décollage
DEPARTURE OF FLIGHT .... Départ du vol
DEPARTURE POINT .... Point de départ
DEPARTURE ROUTING .... Itinéraire de départ
DEPENDABLE .... Sûr, fiable, digne de confiance
DEPENDENT FAILURE .... Défaillance dépendante, secondaire
DEPHASE (to) .... Déphaser, déchiffrer
DEPLANE (to) .... Quitter, descendre de l'avion, débarquer, désembarquer
DEPLANEMENT .... Débarquement, déchargement
DEPLETE (to) .... Épuiser *(stock)*
DEPLETION SENSOR .... Canne de niveau
DEPLOY SPOILERS .... Sortir les spoilers
DEPLOYMENT .... Déploiement, sortie, extension
DEPOLARISE (to) .... Dépolariser
DEPORTED PASSENGER .... Passager refoulé
DEPOSIT .... Dépôt, résidu, calamine, tartre ; arrhes *(argent)*
DEPRESERVE (to) .... Déstocker, amorcer un circuit
DEPRESS (to) ... Abaisser, baisser, appuyer sur ; renfoncer, comprimer
DEPRESS A BUTTON (to) .... Appuyer sur un bouton
DEPRESS KNOB (to) .... Enfoncer, pousser le bouton
DEPRESS SPRING (to) .... Comprimer un ressort
DEPRESSED AREA .... Creux, dénivellation
DEPRESSION .... Dépression, cyclone ; creux
DEPRESSOR SEAL .... Joint d'étanchéité à dépression
DEPRESSURIZATION .... Dépressurisation
DEPRESSURIZATION VALVE .... Vanne, soupape, clapet de dépressurisation, de décompression
DEPRESSURIZE (to) .... Dépressuriser, faire chuter la pression
DEPRESSURIZING VALVE .... Clapet de dépressurisation
DEPTH .... Profondeur
DEPTH GAUGE .... Jauge de profondeur
DEPTH GREATER THAN .... Profondeur supérieure à
DEPTH MICROMETER .... Micromètre de profondeur, jauge micrométrique de profondeur
DEPUTY CHAIRMAN .... Vice-président
DEPUTY LEADER .... Chef de patrouille
DEPUTY MANAGING DIRECTOR .... Directeur G^{al} adjoint
DERATED (de-rated) .... Détaré

DERATING .... Détarage, réduction des caractéristiques de fonctionnement
DEREGULATION .... Déréglementation, dérégulation
DERRICK .... Potence, chèvre
DE-RUST (to) .... Dérouiller, désoxyder, dégriffer
DE-RUSTER .... Dérouillant, dégrippant
DE-RUSTING .... Dérouillage, dégrippage
DE-RUSTING SCRAPER .... Grattoir à dérouiller
DESCALER .... Décalaminant
DESCALING (de-scaling) .... Détartrage, décalaminage
DESCENSIONAL POWER .... Force descensionnelle
DESCENT .... Descente, chute
DESCENT (to) .... Descendre, perdre de l'altitude
DESCENT IN TURBULENCE .... Descente en turbulence
DESCENT RATE .... Taux de descente, vitesse descensionnelle, vitesse verticale de descente
DESCENT WITHOUT POWER .... Descente moteur coupé
DESCRIBED .... Décrit, indiqué
DESCRIPTION .... Description, désignation
DESHYDRATOR .... Déshydrateur
DESICCANT .... Dessiccateur
DESICCANT BAG .... Sachet déshydratant, silicagel en sachet
DESICCATE (to) .... Déshydrater, dessécher
DESICCATION .... Dessiccation, déshydratation, dessèchement
DESIGN .... Dessin, conception, étude, projet, configuration, modèle, type, technique
DESIGN (to) .... Calculer, dessiner, concevoir, projeter, étudier
DESIGN AIRSPEED .... Vitesse de calcul
DESIGN CHANGE .... Modification
DESIGN CRUISING SPEED .... Vitesse caractéristique de croisière, vitesse de calcul en croisière
DESIGN DEPARTMENT .... Bureau d'étude(s), *(les)* études
DESIGN DIMENSION .... Côte d'origine, dessin, fabrication, nominale
DESIGN DIVING SPEED .... Vitesse de calcul en piqué, vitesse limite de piqué
DESIGN LANDING WEIGHT .... Poids ou masse de calcul à l'atterrissage
DESIGN LIMITS .... Tolérances de fabrication, d'usinage
DESIGN LOAD .... Charge théorique
DESIGN MANŒUVERING SPEED .... Vitesse de manœuvre de calcul
DESIGN MAXIMUM WEIGHT .... Poids maximal de calcul
DESIGN OFFICE .... Bureau d'études, de dessin

DESIGN POWER .... Puissance de calcul, nominale
DESIGN ROUGH AIR SPEED ....Vitesse de calcul en air turbulent
DESIGN SPEED .... Vitesse de calcul
DESIGN TAKE-OFF WEIGHT .... Poids ou masse de calcul au décollage
DESIGN TAXIING WEIGHT .... Poids de calcul pour les évolutions au sol
DESIGN-TO-COST .... Conception à coût plafonné, conception pour un coût optimum, conception pour un coût objectif (CCO)
DESIGN-TO-LIFE-CYCLE-COST .... Conception pour un coût global objectif (CCGO)
DESIGN WEIGHT .... Masse de calcul
DESIGN WING AREA ....Surface alaire, surface conventionnelle de voilure
DESIGNATED .... Désigné
DESIGNATED POINT ....Point désigné
DESIGNATOR .... Indicatif, code
DESIGNED .... Conçu
DESIGNED SPEED ....Vitesse prévue
DESIGNER ....Projecteur, dessinateur, ingénieur d'études
DESIGNING ....Étude(s), conception
DESIRED TRACK ANGLE ....Angle de route désirée
DESIRED COURSE (track) .... Route à suivre
DE-SOLDER (to) .... Dessouder
DESPATCH .... Expédition, envoi
DESPIN (to) .... Dégyrer, contregyrer
DESPUN ANTENNA ....Antenne contre - rotative
DESTINATION .... Destination
DESTINATION AIRPORT .... Aéroport de destination
DESTINATION STATION .... Escale de destination
DESTROY (to) .... Détruire
DESTRUCTIVE POWER .... Puissance de destruction
DESTRUCTIVE TEST (ing) ....Essai destructif
DESYNCHRONIZATION INDICATOR .... Indicateur de désynchronisation
DETACH (to) ....Détacher, séparer, isoler
DETACHABLE ....Démontable, amovible, largable
DETAIL .... Détail, particularité, organe, pièce
DETAIL DRAWING .... Plan de détail
DETAIL OF JOINT .... Détail articulation
DETAIL PART .... Pièce primaire, détachée
DETAILED EXAMINATION .... Inspection détaillée
DETECT (to) .... Détecter, déceler, localiser

DETECTER .... Détecteur
DETECTING LOOP (detection loop) .... Boucle de détection *(incendie)*
DETECTION INK (crack) .... Liquide de détection (crique), révélateur (coloré, fluorescent)
DETECTOR .... Détecteur, sonde
DETECTOR CIRCUIT .... Circuit de détection
DETENT .... Cran, encoche
DETENT ARC .... Secteur à crans
DETENT QUADRANT .... Secteur cranté
DETERGENT .... Détersif, détergent *(teepol)*
DETERIORATE (to) .... Détériorer, endommager
DETERIORATED SEAL .... Joint détérioré
DETERMINATION OF SENSE .... Lever de doute *(navigation)*
DETERMINE (to) .... Déterminer
DETERRENCE .... Dissuasion
DETERRENT .... Agent de dissuasion
DETONATE (to) .... Mettre à feu
DETONATION .... Détonation, explosion
DETONATION HAZARD .... Risque d'explosion
DETUNE (to) .... Désaccorder
DEVELOP (to) .... Développer, mettre au point, perfectionner
DEVELOPED LENGTH .... Longueur développée
DEVELOPER .... Révélateur, développeur(se)
DEVELOPMENT .... Développement, mise au point, perfectionnement, aménagement, construction, réalisation
DEVELOPMENT AIRCRAFT .... Avion de présérie
DEVELOPMENT DESIGN OFFICE .... Bureau d'études
DEVELOPMENT FLYING .... Vol de mise au point, vol d'essai
DEVELOPMENT LABORATORY .... Laboratoire d'étude
DEVELOPMENT TESTING .... Essai de mise au point
DEVIATION .... Déviation, déport, écart, déroutement, excursion
DEVIATION ANGLE .... Angle d'écart
DEVIATION INDICATOR .... Indicateur de déviation
DEVIATION METER .... Mesureur d'excursion
DEVICE .... Système, dispositif, mécanisme, appareil, équipement, unité
DE-WATER (to) .... Hydrofuger
DE-WATERING UNIT .... Séparateur d'eau, système déshydrateur, déshumidificateur
DEW POINT .... Point de rosée
DEW-POINT HYGROMETER .... Hygromètre à condensation
DEWATERING OIL .... Lubrifiant, huile hydrofuge, anti-corrosion

DEWAXING .... Déparaffinage
DIAGONAL BRACE .... Contrefiche diagonale
DIAGONAL TRUSS MEMBER (main L/G) .... Contrefiche diagonale, *(atterrisseur principal)*
DIAGRAM .... Diagramme, schéma, tracé, graphique, tableau, abaque
DIAGRAMMATIC .... Schématique
DIAL .... Cadran, montre
DIAL (to) .... Composer un numéro *(cadran téléphone)*
DIAL CALIBRATION .... Graduations
DIAL CALIPER .... Pied à coulisse à lecteur à cadran
DIAL GAUGE (gage) .... Comparateur à cadran
DIAL INDICATOR .... Indicateur, comparateur à cadran, cadran gradué
DIAL POINTER .... Aiguille du cadran, indicatrice
DIAL PULSE .... Impulsion de cadran
DIAL TEST INDICATOR .... Comparateur à cadran
DIAL TESTER .... Comparateur à montre
DIAL TYPE .... A cadran
DIAMETER .... Diamètre, ∅
DIAMETRAL PITCH .... Nombre de dents par pouce de diamètre primitif, pas diamétral
DIAMETRICALLY OPPOSITE .... Diamétralement opposé
DIAMOND GRINDING WHEEL .... Meule diamantée
DIAMOND INDENTER .... Pénétrateur diamant *(Rockwell, Vickers)*
DIAMOND POINT CHISEL .... Burin facette diamant
DIAMOND POWDER .... Poudre de diamant*(polissage)*
DIAMOND TIPPED TOOL .... Outil à pointe de diamant
DIAMOND TOOL .... Diamant *(dresseur)*
DIAMOND WING .... Aile trapézoïdale
DIAPHRAGM .... Diaphragme, membrane, capsule
DIAPHRAGM PUMP .... Pompe à diaphragme
DICHROMATE .... Bichromate
DICHROMATE TREATMENT .... Mordançage
DIE .... Moule, matrice ; filière, pastille
DIE-BAR .... Bouterolle
DIE CASTING (cast) .... Moulage en coquille, sous pression, pièce moulée, coulée en coquille, coulée en matrice
DIE FORGING .... Forgeage par matricage
DIE FORGINGS .... Pièces matricées, estampées
DIE NUT .... Écrou taraudeur
DIE PRESS .... Presse à matricer
DIE STOCK (die wrench) .... Porte-filière *(à 2 branches)*

DIELECTRIC .... Diélectrique
DIELECTRIC BREAKDOWN .... Rupture diélectrique
DIELECTRIC CONSTANT .... Constante diélectrique, pouvoir inducteur spécifique
DIELECTRIC STRENGTH .... Résistance, rigidité électrique, diélectrique, résistance de claquage
DIELECTRIC TEST .... Essai diélectrique, d'isolement
DIELECTRIC TESTER .... Contrôleur d'isolement
DIESEL .... Diesel, gas-oil
DIESEL ENGINE .... Moteur diesel
DIESEL OIL .... Gas-oil, huile lourde
DIFFERENCE .... Différence, écart
DIFFERENCE OF POTENTIAL .... Différence de potentiel (ddp)
DIFFERENTIAL .... Différentiel
DIFFERENTIAL ACTION .... Action différentielle
DIFFERENTIAL AIR PRESSURE REGULATOR .... Régulateur de presssion différentielle
DIFFERENTIAL AMPLIFIER .... Amplificateur différentiel
DIFFERENTIAL BRAKING .... Freinage différentiel
DIFFERENTIAL CONTROL REGULATOR .... Contrôleur de pression différentielle
DIFFERENTIAL CONTROL VALVE .... Régulateur différentiel
DIFFERENTIAL EQUATION .... Équation différentielle
DIFFERENTIAL GEAR .... Engrenage, pignon différentiel
DIFFERENTIAL PRESSURE .... Pression différentielle
DIFFERENTIAL PRESSURE INDICATOR .... Indicateur de pression différentielle, mano-différentiel
DIFFERENTIAL PRESSURE SWITCH .... Contacteur de pression différentielle, de détection colmatage *(filtre)*, manocontacteur, manocontact différentiel, interrupteur à pression différentielle
DIFFERENTIAL PUMP .... Pompe différentielle
DIFFERENTIAL RELAY .... Relais différentiel
DIFFERENTIAL SECTOR .... Secteur différentiel
DIFFERENTIAL THRUST .... Poussée différentielle
DIFFRACTED .... Diffracté
DIFFUSE (to) .... Répandre, diffuser
DIFFUSE FIELD .... Champ diffus
DIFFUSER .... Diffuseur, volute de refoulement
DIFFUSER CASE .... Carter diffuseur
DIFFUSER HOLDER PLATE .... Plateau porte-diffuseur
DIFFUSER RING .... Couronne diffuseur, anneau diffuseur
DIFFUSER SECTION .... Diffuseur
DIFFUSER TAKE OFF .... Prélèvement diffuseur
DIFFUSER VANE .... Aube de diffuseur

DIFFUSION BRAZING (welding, bonding) .... Soudage par diffusion *(diffusion des atomes à travers l'interface des pièces pressées l'une contre l'autre sous conditions extrêmes de température)*
DIFFUSOR .... Diffuseur
DIG (to) .... Creuser
DIGEST .... Condensé, sommaire
DIGIBUS .... Bus numérique
DIGIBUS BAR .... Barre digibus (μ A), barre bus numérique
DIGIT .... Doigt, chiffre *(arabe)*
DIGITAL .... Digital, numérique, chiffre ; touche
DIGITAL-ANALOG CONVERTER (DAC) .... Convertisseur numérique-analogique, digital-analogique
DIGITAL AUTOPILOT (digital automatic pilot) .... Pilote automatique numérique, pilotage automatique du type numérique
DIGITAL AVIONICS .... Avionique numérisée, digitale
DIGITAL CALIPER .... Pied à coulisse digital
DIGITAL CLOCK .... Horloge numérique
DIGITAL COMPUTER .... Calculateur numérique, arithmétique, ordinateur numérique
DIGITAL CONTROL .... Commande numérique
DIGITAL DATA .... Donnée numérique
DIGITAL DATA COMPUTER .... Calculateur digital
DIGITAL DISPLAY .... Affichage numérique, afficheur, indicateur numérique
DIGITAL ELECTRONICS .... Électronique numérique
DIGITAL FLIGHT CONTROLS .... Commandes de vols numériques
DIGITAL FLIGHT DATA RECORDER (DFDR) .... Enregistreur digital de données de vol
DIGITAL FUEL MANAGEMENT SYSTEM .... Système numérique de gestion carburant
DIGITAL INDICATOR (counter) .... Compteur numérique
DIGITAL MULTIMETER .... Multimètre numérique
DIGITAL RECORDER .... Enregistreur numérique
DIGITAL SENSOR .... Capteur numérisé
DIGITAL SIGNAL .... Signal numérique
DIGITAL SIGNAL PROCESSING .... Traitement numérique des données
DIGITAL VOLTMETER (ohmmeter) .... Voltmètre digital *(ohmmètre)*
DIGITALLY CONTROLLED .... Contrôlé numériquement
DIGITIZED .... Numérique, numérisé
DIGITIZED RADAR .... Radar numérique, numérisé
DIGITIZER .... Digitaliseur, convertisseur analogique-numérique, entrée digitale d'informations
DIHEDRAL .... Dièdre, angle de dièdre

DILATATION .... Dilatation
DILUTE (to) .... Diluer, couper
DILUTION ZONE .... Zone de dilution
DIM .... Faible, sombre
DIM (to) .... Réduire, diminuer, mettre en veilleuse, en code
DIMENSION .... Dimension, côte, distance
DIMENSIONAL CHECK .... Contrôle dimensionnel
DIMENSIONED SKETCH .... Croquis coté
DIMINISH (to) .... Diminuer, réduire
DIMINUTION .... Diminution
DIMMER .... Atténuateur, veilleuse, réducteur d'éclairage, d'intensité, obscurcisseur, rhéostat
DIMMER CAP .... Cabochon
DIMMER FEATURE .... Dispositif de mise en veilleuse
DIMMER RELAY .... Relais d'atténuation
DIMMER SWITCH .... Interrupteur de mise en veilleuse
DIMMING .... Mise en veilleuse
DIMPLE (to) .... Embrever, alvéoler, cribler
DIMPLE (dimpling) .... Embrèvement, fossette, logement de tête de rivet *(fraisure)* ; criblage
DIMPLED HOLE .... Trou embrevé
DINGHY .... Canot pneumatique, embarcation de sauvetage
DIODE .... Diode
DIODE RECTIFIER .... Redresseur à diode
DIOXIDE .... Bioxyde, dioxyde
DIP (to) .... Plonger, tremper, immerger, baisser, incliner, jauger, piquer
DIP .... Inclinaison, déclivité
DIP THE NOSE (to) .... Incliner l'appareil longitudinalement
DIPLEXER .... Diplexeur
DIPLOMATIC POUCH (bag) .... Valise diplomatique
DIPOLAR .... Bipolaire
DIPOLE ANTENNA (aerial) .... Antenne bipolaire, dipole
DIPPING .... Immersion ; dérochage, décapage
DIP-ROD .... Jauge
DIPSTICK .... Jauge à main *(tige pleine)*, jaugeur manuel
DIRECT ACCESS .... Accès sélectif
DIRECT APPROACH (straight-in approach) .... Approche directe
DIRECT-BROADCAST TV SATELLITE .... Satellite de télévision directe, de télédiffusion directe
DIRECT CONTROL .... Commande directe
DIRECT CURRENT (DC) .... Courant continu
DIRECT-CURRENT GENERATOR (DC Generator) .... Générateur à courant continu, génératrice

DIRECT-CURRENT POWER DISTRIBUTION .... Distribution de courant continu
DIRECT-CURRENT POWER SUPPLY .... Alimentation en courant continu
DIRECT-CURRENT VOLTAGE .... Tension continue
DIRECT DRIVE .... Prise directe, commande directe, entraînement direct
DIRECT DRIVE PROPELLER .... Hélice à prise directe *(sans réducteur)*
DIRECT-DRIVE TORQUE MOTOR .... Moteur couple à prise directe
DIRECT ELECTRIC POWER .... Puissance électrique continue
DIRECT FLIGHT .... Vol direct
DIRECT FLOW .... Écoulement direct
DIRECT HIT .... Coup au but
DIRECT LIFT CONTROL .... Commande directe de portance
DIRECT MAINTENANCE COST .... Coût d'entretien direct
DIRECT OPERATIONAL COST (DOC)
(direct operating cost) .... Coût opérationnel direct, coût direct d'exploitation
DIRECT ORBIT .... Orbite directe
DIRECT READING .... (à) lecture directe
DIRECT READING GAUGE .... Jauge à lecture directe
DIRECT READING PRESSURE GAGE .... Manomètre à lecture directe
DIRECT SERVICE .... Vol direct
DIRECT SIDEFORCE CONTROL .... Commande latérale directe
DIRECT TV SATELLITE .... Satellite de télévision directe, de TV directe
DIRECT VISION WINDOW .... Glace ouvrante, glace pilote *(coulissante)*
DIRECTED WAVE .... Onde dirigée
DIRECTION .... Direction, sens, orientation
DIRECTION-FINDER (DF) .... Radiogoniomètre, goniomètre (VHF/UHF), radio-compas directionnel
DIRECTION-FINDING (DF) .... *(radio)* goniométrie, radiogoniométrique
DIRECTION-FINDING STATION .... Station radiogoniométrique, de radiogoniométrie
DIRECTION INDICATOR .... Indicateur de direction, de cap, conservateur de cap, directionnel, flèche de direction
DIRECTION PANEL .... Panneau de direction, d'acheminement *(piste)*
DIRECTIONAL .... Directionnel, dirigé
DIRECTIONAL AERIAL (antenna) .... Antenne à rayonnement dirigé

DIRECTIONAL CONTROL .... Contrôle en lacet, de direction
DIRECTIONAL CONTROL « Q » SPRING ASSY .... Ensemble capsule manométrique de sensation direction
DIRECTIONAL CONTROL VALVE .... Valve de distribution
DIRECTIONAL COUPLER .... Coupleur de direction
DIRECTIONAL GYROSCOPE (gyro-unit) .... Gyro directionnel, directionnel gyroscopique, centrale de cap gyroscopique, conservateur de cap
DIRECTIONAL GYRO STABILIZATION Stabilisation par gyro directionnel
DIRECTIONAL INDICATOR .... Indicateur de cap
DIRECTIONAL LOCALIZER .... Radiophare directionnel d'alignement
DIRECTIONAL LOOP .... Cadre radiogoniométrique
DIRECTIONAL RADIO TRANSMISSION .... Liaison radio dirigée
DIRECTIONAL RELAY .... Relais directionnel
DIRECTIONAL STABILITY .... Stabilité de route
DIRECTIONAL VALVE .... Distributeur, valve de direction
DIRECTIONS .... Notice, mode d'emploi, instructions
DIRECTOR .... Directeur, contrôleur d'approche-radar
DIRECTORY .... Répertoire, table des matières
DIRIGIBLE .... *(ballon)* dirigeable
DIRT .... Saleté, impureté, encrassement
DIRT SEAL SEGMENT .... Segment de joint à poussière
DIRTY (to) .... Salir, encrasser
DIRTY AIRCRAFT .... Avion configuration tout sorti
DIRTY CONFIGURATION .... Avion avec traînée *(tout sorti)*
DIRTY FILTER .... Filtre encrassé
DISABLE (to) ..... Mettre hors service, en panne, désarmer, débrancher
DISABLED AIRCRAFT .... Aéronef accidentellement immobilisé
DISABLED PASSENGER .... Passager invalide
DISAGREEMENT LIGHT .... Voyant désaccord
DISARM (to) .... Désarmer
DISASSEMBLY (disassembling) .... Démontage, dégroupage, déshabillage
DISASSEMBLY PROCEDURE .... Procédure de démontage
DISC .... Disque, flasque, pastille ronde
DISC BRAKES .... Freins à disques
DISC CLUTCH .... Embrayage à disques
DISC LOADING .... Charge de disque
DISC-TYPE GATE .... Vanne à papillon
DISCARD (to) .... Rebuter, détruire, rejeter ; abandonner, renoncer
DISCARD USED O-RINGS (to) .... Rebuter les joints usagés
DISCARDED PART .... Pièce rebutée, refusée
DISCHARGE .... Refoulement, décharge, échappement, dégagement, débit, vidange

DISCHARGE (to) .... *(se)* décharger, évacuer
DISCHARGE ACCUMULATOR (to) .... Décharger l'accumulateur
DISCHARGE BUTTON .... Bouton de percussion
DISCHARGE CURRENT .... Courant de décharge
DISCHARGE DISC .... Disque témoin de décharge
DISCHARGE INDICATOR .... Indicateur de décharge *(disque)*
DISCHARGE LINE .... Conduit, tuyauterie de décharge, de retour, de sortie, de vidange, d'évacuation
DISCHARGE NOZZLE .... Buse de décharge, injecteur
DISCHARGE PIPE .... Tuyau d'évacuation, de vidange
DISCHARGE PORT .... Orifice de décharge
DISCHARGE PRESSURE .... Pression d'échappement, de décharge, de refoulement *(pompe)*
DISCHARGE VALVE .... Valve, vanne de décharge, de sortie, d'échappement
DISCHARGE WICK .... Déperditeur d'électricité statique
DISCHARGER .... Déperditeur
DISCOLORATION (discolouration) .... Décoloration
DISCOLORED PAINT .... Peinture décolorée
DISCONNECT (to) .... Débrancher, désaccouper, déconnecter, décrocher, déclencher, séparer, détacher, débrayer
DISCONNECT CLUTCH .... Crabot
DISCONNECT DEVICE .... Dispositif de décrabotage, de désaccouplage, de débrayage, dispositif de déconnexion, sectionneur, prise
DISCONNECTED .... Désaccouplé, débranché, découplé
DISCONNECTED APPROACH .... Approche interrompue
DISCONNECTION (disconnecting) .... Coupure, débranchement, mise hors circuit
DISCONTINUE APPROACH .... Approche interrompue
DISCOUNT .... Escompte, réduction, remise, rabais, ristourne
DISCOUNT FARE .... Tarif promotionnel
DISCREPANCY .... Anomalie
DISCRETE TRACK .... Route préférentielle
DISEMBARK (to) .... Débarquer, descendre de l'avion
DISEMBARKATION CARD .... Carte de débarquement
DISENGAGE (to) .... Désaccoupler, dégager, débrayer, débrancher, désengrener, déboîter
DISH (to) .... Donner une forme concave ou convexe, bomber
DISH ANTENNA .... Antenne parabolique, réflecteur paraboloïde
DISH WHEEL .... Meule assiette

DISHED .... Embouti, bombé
DISHED GRINDING WHEEL .... Meule assiette
DISHED PLATE (sheet) .... Tole emboutie, bombée
DISHED WASHER .... Rondelle belleville
DISHED WHEEL .... Roue désaxée
DISINFECT (to) .... Désinfecter
DISINFECTING .... Désinfection *(d'un avion)*
DISJUNCTOR .... Disjoncteur
DISK (disc) .... Disque
DISK FILE .... Fichier disque, unité de disques
DISK KEY .... Clavette disque *(sur arbres petits ∅)*
DISK OPERATING SYSTEM (DOS) .... Système d'exploitation disque
DISLOCATE (to) .... Disloquer
DISLODGE (to) .... Déloger, sortir
DISMANTLE (to) .... Déséquiper, démonter, démanteler
DISMANTLING .... Démontage
DISMANTLING STAND .... Bâti de démontage
DISMISS (to) .... Débouter *(jur.)*, congédier, révoquer
DISMISSAL .... Rejet *(d'une demande)*, déboutement, renvoi *(d'un employé)*
DISPATCH(ing) .... Expédition, envoi, acheminement, lancement ; les opérations
DISPATCH AN AIRCRAFT (to) .... Autoriser un avion à commencer le roulage
DISPATCH CENTER .... Centre de régulation des vols
DISPATCH INOPERATIVE EQUIPMENT LIST .... Liste minimale d'équipement
DISPATCH RELEASE .... Autorisation de départ
DISPATCHER .... Expéditeur, distributeur, agent d'opérations, largueur *(parachutage)*
DISPATCHING .... Largage *(parachutage)*
DISPENSER .... Distributeur
DISPLACE (to) .... Déplacer, décaler
DISPLACED THRESHOLD .... Seuil décalé
DISPLACEMENT .... Déplacement, débattement, course, décalage, cylindrée
DISPLACEMENT GYRO .... Gyro d'assiette
DISPLAY .... Présentation, écran, scope *(radar)*, panneau, afficheur, affichage, console de visualisation, visuel
DISPLAY (to) .... Montrer, indiquer, présenter, visualiser, afficher
DISPLAY DEVICE .... Afficheur
DISPLAY STAND .... Stand d'exposition
DISPLAY STORAGE (tube) .... Consigne d'affichage *(lampe)*

DISPLAY SYSTEMS .... Systèmes de visualisation
DISPLAY TUBE .... Tube-écran, tube d'affichage
DISPLAY UNIT .... Visionneuse, dispositif, unité de visualisation ; oscilloscope
DISPOSABLE .... Disponible
DISPOSABLE LOAD .... Charge disponible
DISPOSABLE WRAPPING .... Emballage perdu
DISPOSAL CABINET .... Boîte à déchet, à ordures
DISPOSAL TANK .... Réservoir d'eaux usées
DISRUPT (to) .... Briser, rompre, disloquer
DISRUPTION .... Dislocation
DISRUPTIVE DISCHARGE .... Décharge disruptive
DISRUPTIVE STRENGTH .... Rigidité diélectrique
DISRUPTIVE VOLTAGE .... Tension de rupture, d'éclatement, potentiel explosif
DISSIPATED (power) .... Dissipé *(puissance)*
DISSIPATION TRAIL .... Traînée de dissipation
DISSOLVE (to) .... Dissoudre, fondre
DISSYMMETRICAL .... Dissymétrique
DISSYMMETRY .... Dissymétrie
DISTANCE .... Distance, éloignement, écartement
DISTANCE FLIGHT .... Vol de distance
DISTANCE-MARKING LIGHTS .... Feux de distance
DISTANCE MEASURING EQUIPMENT (DME) .... Dispositif de mesure de la distance de l'avion à la station, équipement de mesure de distance, mesureur, interrogateur de distance
DISTANCE PIECE .... Entretoise
DISTANCE SCALE .... Échelle de distance
DISTANCE SLEEVE (piece) .... Entretoise
DISTANCE TIME AND BURN DISTANCE .... Temps et consommation carburant
DISTANCE-TO-GO INDICATOR .... Indicateur de distance à parcourir
DISTANT CONTROL .... Commande à distance, télécommande
DISTILLED WATER .... Eau distillée
DISTORT (to) .... *(se)* déformer, *(se)* tordre, *(se)* fausser
DISTORTED BLADES .... Ailettes tordues, déformées
DISTORTION .... Déformation, distorsion, décalage, faussage
DISTORTION ANALYSER .... Analyseur de distorsion
DISTORTION MEASURE .... Mesure de distorsion
DISTORTION MEASURING SET .... Distorsiomètre
DISTORTION METER .... Distorsiomètre
DISTRESS (signal) .... Détresse *(signal de)*
DISTRESS CALL .... Appel de détresse

DISTRESS MESSAGE .... Message de détresse
DISTRESS SIGNAL .... Signal de détresse
DISTRESSED AIRCRAFT .... Avion en détresse
DISTRIBUTE (to) .... Distribuer, répartir, diffuser
DISTRIBUTION .... Distribution, diffusion, répartition
DISTRIBUTION BUS .... Bus de distribution
DISTRIBUTION DUCT .... Gaine de distribution
DISTRIBUTION SLIDE .... Tiroir de distribution
DISTRIBUTION SYSTEM .... Circuit de distribution
DISTRIBUTOR .... Répartiteur, distributeur ; de distribution
DISTRIBUTOR AND DUMP VALVE .... Purgeur-distributeur
DISTRIBUTOR VALVE .... Soupape de distribution, distributeur
DISTURB (to) .... Troubler, fausser, perturber, brouiller, déranger, dérégler
DISTURBANCE .... Trouble, perturbation, bruit
DISTURBED ORBIT .... Orbite perturbée
DISUSED RUNWAY .... Piste abandonnée, désaffectée
DITCHING .... Amérissage forcé
DITCHING LIGHTS .... Éclairage *(des issues)* en cas d'amérissage forcé
DIVE .... Piqué *(en vol)*
DIVE (to) .... Piquer, plonger
DIVE-BOMBER .... Bombardier en piqué
DIVE BOMBING .... Bombardement en piqué
DIVE-BRAKE .... Frein de piqué
DIVE RECOVERY FLAP .... Volet de ressource *(après un piqué)*
DIVERGENCE SPEED .... Vitesse de divergence, critique
DIVERGENT DUCT .... Conduit divergent
DIVERGENT SECTION .... Divergent
DIVERGENT STREAM .... Courant divergent
DIVERSION .... Détournement, déroutement, dérivation, changement de route
DIVERT (to) .... Détourner, dériver, dévier, écarter
DIVERTED AIRCRAFT .... Avion dérouté
DIVERTER VALVE .... Vanne de dérivation
DIVIDE (to) .... Diviser, sectionner, partager, répartir
DIVIDER .... Diviseur, compas à pointe sèche
DIVIDING HEAD .... Diviseur, tête de division
DIVIDING VALVE .... Valve de déviation
DIVING BRAKE .... Frein de piqué
DIVING FIGHTER .... Chasseur en piqué
DIVING MOMENT .... Moment piqueur

DIVING SPEED .... Vitesse en piqué
DME FIX (distance measuring equipment) .... Repère DME
DME HOLDING .... Attente DME
DME INTERROGATOR .... Interrogateur de mesure de distance DME
DMM (digital multimeter) .... Multimètre numérique
DOCK .... Dock, plateforme, quai
DOCKING .... Amarrage, attelage *(spatial)*
DOG .... Crabot, cliquet, griffe, dent, tenon
DOG CLUTCH .... Crabotage, clabotage, embrayage à crabots
DOG COUPLING .... accouplement à griffe(s)
DOG LEG .... Baïonnette*(manœuvre)*
DOG LEG ROUTE PATTERN .... Itinéraire avec changement de cap
DOG TOOTH CLUTCH .... Crabots
DOG TYPE JAW TEETH .... Crabots, crabotage
DOGFIGHT (dog fight) .... Combat tournoyant rapproché, combat aérien, duel aérien
DOGGING FIXTURE .... Bâti, outillage de blocage
DOLLY .... Chariot *(de manutention) ;* tas, bouterolle
DOLLY BLOCK .... Tas à river *(de forme)*
DOM (digital ohmmeter) .... Ohmmètre numérique
DOME .... Dome, cône, calotte
DOME HEAD .... Tête bombée
DOME LIGHT .... Plafonnier
DOME RADAR .... Radome
DOMED .... Bombé, en forme de dôme
DOMESTIC .... Domestique, intérieur
DOMESTIC AIR SERVICE .... Transport domestique
DOMESTIC AIRLINE .... Ligne intérieure, régionale, compagnie intérieure, nationale
DOMESTIC AIRPORT .... Aéroport régional
DOMESTIC FARE .... Tarif vols intérieurs, domestiques, sur le réseau intérieur
DOMESTIC FLIGHT .... Vol domestique, vol sur le réseau intérieur
DOMESTIC TRUNK LINE .... Grande ligne intérieure
DOMINANT OBSTACLE ALLOWANCE (DOA) .... Marge de franchissement de l'obstacle dominant
DOMING .... Bombage
DOOR .... Porte, trappe *(de train)*
DOOR ADJUSTMENT .... Réglage de porte
DOOR CLOSE PRESSURE .... Pression de fermeture de porte
DOOR CLOSED POSITION .... Position porte fermée
DOOR CONTROL VALVE .... Sélecteur de porte

DOOR COVERING .... Garniture de porte
DOOR DOWNLOCK .... Verrouillage bas *(porte de TP)*
DOOR FLAP .... Volet de porte
DOOR FRAME .... Encadrement de porte
DOOR GROUND RELEASE HANDLE .... Manette d'ouverture de porte au sol
DOOR HANDLE .... Poignée de porte
DOOR HINGE .... Charnière de porte
DOOR IN-TRANSIT LIGHT .... Voyant, lampe porte en mouvement
DOOR JAMB .... Encadrement de porte, montant de porte
DOOR LATCH .... Loquet, blocage de porte
DOOR LINING .... Habillage, garnissage de porte
DOOR LOCK .... Verrou de porte
DOOR LOCK MECHANISM .... Mécanisme de verrouillage de porte
DOOR LOCK SWITCH .... Micro-rupteur de verrouillage de porte
DOOR LOCK WARNING .... Signalisation de verrouillage porte
DOOR-LOCKED POSITION .... Position porte verrouillée
DOOR LOCKS .... Sécurités de porte
DOOR MOUNTED INFLATABLE ESCAPE SLIDE .... Manche d'évacuation gonflable de porte
DOOR OPEN PRESSURE .... Pression d'ouverture de porte
DOOR OPEN WARNING LIGHT SWITCH .... Switch de signalisation « porte ouverte »
DOOR OPERATION .... Fonctionnement de la porte
DOOR PATH .... Trajectoire de porte
DOOR RELEASE CABLE .... Câble d'ouverture de porte
DOOR SEAL .... Joint de porte
DOOR SILL .... Seuil de porte
DOOR STOP (doorstop) .... Arrêt, butée de porte, butoir
DOOR STRUCTURE .... Structure de porte
DOOR UNLATCH(ing) .... Déverrouillage de porte
DOOR WARNING .... Signalisation de porte
DOOR WARNING ANNUNCIATOR PANEL .... Panneau avertisseur sonore de fermeture porte
DOPE .... Enduit, revêtement laqué ; doping
DOPE (to) .... Enduire
DOPING .... Enduisage
DOPPLER BEAM SHARPENING .... Affinage doppler
DOPPLER COMPUTER .... Calculateur doppler
DOPPLER DRIFT .... Dérive doppler
DOPPLER EFFECT .... Effet doppler
DOPPLER-INERTIAL LOOP .... Bouclage inertie-doppler

DOPPLER NAVIGATION .... Navigation doppler
DOPPLER PROCESSING .... Traitement doppler
DOPPLER RADAR .... Radar doppler
DOPPLER SHIFT .... Dérive, glissement doppler, décalage de fréquence
DOPPLER SYSTEM .... Radar doppler
DORSAL FIN .... Dérive dorsale, arête dorsale de dérive
DORSAL SPINE .... Épine dorsale
DOT .... Point
DOT MATRIX .... Matrice de points
DOTTED .... En pointillé
DOTTED LINE .... Ligne en pointillé, pointillés, trait interrompu
DOUBLE .... Double
DOUBLE-ACTING .... A double effet, va et vient
DOUBLE-ACTING COMPRESSOR .... Compresseur à double effet
DOUBLE-ACTING CYLINDER .... Vérin à double effet
DOUBLE-ACTING PISTON .... Piston double effet
DOUBLE-BACK(ed) ADHESIVE TAPE .... Bande adhésive double face
DOUBLE BANG .... Double bang
DOUBLE BOLT .... Boulon renfort
DOUBLE-BUBBLE FUSELAGE .... Fuselage à section bibolée
DOUBLE DECK AIRPLANE .... Avion à deux ponts
DOUBLE-DELTA WING .... Voilure en double delta, en double flèche
DOUBLE-ENTRY COMPRESSOR .... Compresseur à double entrée
DOUBLE-FACE IMPELLER .... Roue à double entrée *(compresseur centrifuge)*
DOUBLE-FACE JOINING TAPE .... Bande collante double face
DOUBLE GRID VALVE .... Lampe bigrille
DOUBLE HEXAGON .... Ouverture 12 pans
DOUBLE IGNITION COIL .... Bobine double allumage
DOUBLE ORIFICE NOZZLE .... Injecteur à deux débits, à double débit
DOUBLE POLE CHANGE OVER SWITCH .... Inverseur bipolaire
DOUBLE POLE ISOLATING SWITCH .... Inverseur d'isolement bipolaire
DOUBLE-POLE SWITCH .... Inverseur bipolaire
DOUBLE REFRACTION .... Biréfringence
DOUBLE ROTARY SWITCH .... Contacteur double à commande rotative
DOUBLE-ROW BALL BEARING .... Roulement à deux, à double rangées de billes

DOUBLE SCHEAVE PULLEY .... Poulie à deux gorges
DOUBLE SIDED ADHESIVE TAPE .... Bande collante double face
DOUBLE-SLOTTED FLAPS .... Volets à double fente, à deux fentes
DOUBLE TAB WASHER .... Double rondelle frein, à 2 languettes rabattables
DOUBLE TAIL FIN .... Double dérive, bidérive
DOUBLE THROW SWITCH .... Inverseur *(électrique)*, commutateur à deux directions
DOUBLE TRACK .... Double voie, couches croisées *(de peinture)*
DOUBLE TWIST METHOD .... Méthode double torsade *(pour freinage écrous)*
DOUBLE WALL .... Double paroi, double cloison
DOUBLE-WEDGED AIRFOILS .... Profils d'aile à double biseaux
DOUBLE WIRE CIRCUIT .... Circuit à deux fils, bifilaire
DOUBLER .... Renfort *(tôle)*, éclisse
DOUBTFUL .... Douteux
DOUGHNUT COIL .... Bobine toroïdale
DOVETAIL .... Queue d'aronde, adent
DOVETAIL SERRATIONS .... Pied sapin *(ailettes turbine)*
DOVETAILED JOINT .... Assemblage à queue d'aronde
DOWEL .... Goujon, pion de centrage, cheville, clavette, ergot
DOWEL (hollow) .... Douille, bague, fourrure de centrage, de positionnement
DOWEL LOCATING HOLE .... Trou de centrage
DOWEL PIN .... Ergot, pion de centrage, goujon, goupille
DOWN .... Sous, vers le bas
DOWN-DRAUGHT (downdraught, downdraft) .... Courant d'air descendant, rabattant
DOWN-DRAUGHT CARBURETTOR .... Carburateur inversé
DOWN GUST .... Bourrasque rabattante, coup de tabac
DOWN LOCK ROLLER .... Galet de verrouillage en position basse
DOWN POSITION .... Position basse
DOWN RANGE STATION .... Station-aval
DOWN TIME .... Heure d'atterrissage ; temps d'imobilisation, de panne
DOWN WASH (downwash) .... Déflexion des filets d'air vers le bas, déflexion aérodynamique descendante
DOWN WIND (downwind) .... Vent arrière, vent rabattant, avec le vent
DOWNBURST .... Rabattant soudain
DOWNGRADE (to) .... Réduire à un niveau inférieur, déclasser
DOWNGRADING .... Déclassement

DOWNLINK .... Liaison descendante *(radioélectrique)*
DOWNLOCK (down latch) .... Verrouillage bas, sécurité verrouillage bas *(du train)*
DOWNSTOP .... Butée basse, inférieure
DOWNSTREAM .... En aval, d'aval
DOWNSTREAM PRESSURE .... Pression aval
DOWNSTROKE .... Course descendante *(piston)*
DOWNTIME .... Durée d'immobilisation au sol, temps d'escale
DOWNWARD (motion, movement) .... Vers le bas, *(mouvement)* descendant, de haut en bas
DOWNWARD SLIP .... Glissade sur la queue
DOWNWARD VISIBILITY .... Visibilité vers le bas
DOWNWASH .... Vent descendant, déflexion descendante du courant d'air, effet piqueur
DRAFT (draught) .... Dessin, plan, tracé, ébauche, *(avant)*-projet, dégagement, dépouille
DRAFTING ROOM .... Bureau de dessin, bureau d'étude
DRAFTSMAN .... Dessinateur industriel
DRAG (D) .... Trainée, résistance *(à l'avancement)*
DRAG (to) .... Traîner, tirer, entraîner, offrir de la résistance, frotter sur les roues ; draguer
DRAG AXIS .... Axe de traînée, de traînance
DRAG BRACE .... Genouillère *(train avant)*, contrefiche de verrouillage du train avant en position basse ou haute
DRAG BRAKES .... Aérofreins
DRAG BRAKING .... Freinage par aérofreins, aérodynamique
DRAG CHUTE .... Parachute de queue, parachute-frein
DRAG CHUTE (to) .... Freiner
DRAG COEFFICIENT (CD) .... Coefficient de traînée (Cx)
DRAG COMPONENT .... Composante de traînée
DRAG FLAP .... Volet frein
DRAG FORCE .... Force de traînée
DRAG LINK .... Béquille, barre de rappel, contrefiche longitudinale
DRAG LOAD .... Charge de traînée
DRAG MOMENT .... Moment de traînée
DRAG REDUCTION .... Réduction de traînée, diminution de traînée
DRAG RISE .... Augmentation de la traînée
DRAG RUN .... Traînée aérodynamique
DRAG SCREW .... Vis de rappel
DRAG STRUT .... Contrefiche longitudinale ou de traînée, jambe de force, bielle de rétraction, mât de traînée
DRAG WIRE .... Câble de recul, hauban de traînée
DRAIN .... Drain, drainage, évacuation, écoulement, vidange, purge

DRAIN (to) .... Vidanger, évacuer, drainer
DRAIN BOX .... Puisard
DRAIN COCK .... Robinet de vidange, robinet purgeur, de purge
DRAIN HOLE .... Trou d'évacuation
DRAIN LINE .... Tuyauterie, canalisation de drainage, de vidange, de purge
DRAIN MAST .... Mât de vidange
DRAIN-OFF (to) .... Vidanger
DRAIN PAN .... Bac de récupération
DRAIN PLUG .... Bouchon de vidange
DRAIN PORT .... Orifice de drainage
DRAIN TANK .... Boîte de drainage, collecteur de drainage
DRAIN TANK OVERBOARD DRAIN .... Drain de trop-plein du collecteur de drainage *(chambre de combustion)*
DRAIN TUBE .... Tuyauterie de vidange, tube de drainage
DRAIN VALVE .... Clapet de vidange, de drainage ; robinet de purge
DRAINABLE .... Drainable, vidangeable ; vidange, purge
DRAINAGE PLUG .... Bouchon de vidange
DRAINAGE SYSTEM .... Circuit de drainage, de vidange
DRAINAGE VALVE .... Clapet de vidange
DRAINING .... Drainage, vidange
DRAUGHT .... Tirant d'eau ; courant d'air
DRAUGHTSMAN .... Dessinateur, traceur
DRAW .... Tirage
DRAW (to) .... Admettre, aspirer, soutirer, tirer, remorquer, arracher ; tracer, dessiner ; étirer, tréfiler ; séparer, écarter ; recuire
DRAW BAR .... Barre d'attelage
DRAW BENCH .... Banc à étirer, à tréfiler
DRAW HOLE .... Trou de coulée
DRAW OUT (to) .... Extraire
DRAWER .... Tiroir
DRAWING (DWG) .... Plan, croquis, étude, schéma, dessin, tirage ; étirage, démoulage
DRAWING BOARD .... Table, planche à dessin
DRAWING CHANGE NOTICE (D.C.N.) .... Dessin modifié
DRAWING FILE .... Liasse de plans
DRAWING MACHINE .... Table traçante
DRAWING MACHINE (bar, tube) .... Machine à étirer *(barre, tube)*
DRAWING MILL .... Banc de traction
DRAWING PRESS .... Presse à emboutir
DRAWING TEMPLATE .... Gabarit de dessin

DRAWN STEEL .... Acier tréfilé, étiré
DRESS (to) .... Préparer, apprêter *(une surface)*, dresser, tailler
DRESS NUT .... Écrou enjoliveur
DRIFT (to) .... Brocher, mandriner, chasser ; dériver, se déporter
DRIFT .... Jet *(d'extraction) ;* glissement *(de fréquence)*
DRIFT (angle) .... Dérive *(angle de)*
DRIFT DOWN (to) .... Descendre moteur coupé ou au ralenti
DRIFT-DOWN SPEED .... Vitesse de descente progressive
DRIFT ERROR .... Erreur de dérive
DRIFT INDICATOR (meter) .... Dérivomètre, indicateur de dérive, cinémodérivomètre
DRIFT LANDING .... Atterrissage ripé
DRIFT OF RAIN .... Rafale de pluie
DRIFT PUNCH .... Chasse-goupille, chasse-clavette, poinçon
DRIFT RATE .... Vitesse de précession
DRIFT SIGHT .... Dérivomètre
DRIFT WIRE .... Câble de recul
DRIFTING BUOY .... Bouée dérivante
DRIFTING FLIGHT .... Vol en dérapage
DRIFTING FOG .... Brouillard en mouvement
DRIFTMETER .... Dérivomètre
DRIFTMETER COMPENSATOR .... Compensateur de dérivomètre
DRIFTMETER SIGHT .... Viseur de dérivomètre
DRILL .... Exercice, manœuvre ; foret, mèche, fraise
DRILL (to) .... Percer, forer
DRILL AND TAP (to) .... Percer et tarauder
DRILL-BACK (to) .... Contrepercer
DRILL BITS .... Forets, mèches
DRILL BUSH .... Canon de perçage
DRILL DEPTH .... Profondeur de perçage
DRILL GUIDE .... Canon de perçage, guide-foret
DRILL MARK (to) .... Pointer
DRILL OUT (to) .... Chasser *(rivet)*
DRILL SET .... Jeu de forets
DRILL TEMPLATE .... Gabarit de perçage
DRILLED PASSAGE .... Perçage, trou usiné
DRILLING .... Perçage
DRILLING JIG .... Gabarit de perçage
DRILLING MACHINE (radial) .... Perceuse *(radiale)*, foreuse
DRINKING FAUCET .... Robinet d'eau potable
DRIP (to) .... (s')égoutter, couler, tomber goutte à goutte

DRIP FEED .... Distributeur, compte gouttes *(d'huile)*
DRIP FENCE .... Cloison d'écoulement
DRIP PAN .... Égouttoir de condensation, panneau de protection *(des disjoncteurs contre l'humidité de condensation)*, panneau de condensation
DRIPSTICK (drip stick) .... Jauge à main, jauge(ur) à canne, jauge d'intrados *(à tige creuse)*
DRIVE .... Commande, transmission, entraînement, conducteur
DRIVE (to) .... Conduire, actionner, entraîner, commander
DRIVE ACCESSORIES (to) .... Entraîner les accessoires
DRIVE BELT .... Courroie d'entraînement
DRIVE CONNECTION .... Prise de mouvement
DRIVE GEAR .... Pignon de commande
DRIVE OUT (to) .... Chasser, faire sortir
DRIVE PAWL JAW .... Noix d'entraînement
DRIVE PICK-UP .... Prise de mouvement
DRIVE PIN .... Pion, doigt, ergot d'entraînement
DRIVE PULLEY .... Poulie d'entraînement
DRIVE SHAFT .... Arbre d'entraînement, de commande, moteur, de transmission, attelage
DRIVE SPINDLE .... Vis d'entraînement
DRIVE SQUARE .... Carré d'entraînement
DRIVE TANG .... Tenon d'entraînement
DRIVE TOWARD (to) .... Se déplacer vers
DRIVE WHEEL .... Roue motrice
DRIVEN .... Actionné, commandé, entraîné, mené
DRIVEN GEAR .... Pignon mené, roue menée, commandée
DRIVER .... Entraîneur, conducteur, prise ; poinçon, chasse-clavette ; amplificateur
DRIVER BIT .... Douille tournevis
DRIVING .... Menant
DRIVING FORCE .... Force motrice
DRIVING GEAR (driver gear) .... Engrenage de transmission, pignon menant, d'attaque
DRIVING MOTOR .... Moteur de commande, d'entraînement
DRIVING PIN .... Axe, arbre, doigt d'entraînement
DRIVING POWER .... Puissance motrice
DRIVING PRESSURE .... Pression motrice
DRIVING PULLEY .... Poulie motrice
DRIVING SHAFT .... Arbre menant, arbre moteur, arbre d'entraînement, d'accouplement
DRIVING SOURCE .... source motrice
DRIVING WHEEL .... Roue motrice
DRIZZLE .... Bruine, crachin

DROGUE PARACHUTE .... Parachute-frein
DROGUE TARGET .... Cible remorquée
DRONE .... Bourdonnement ; avion-cible, engin téléguidé, aérodyne, aéronef sans pilote, télépiloté, drone
DRONE OF THE ENGINE .... Ronronnement, vrombissement du moteur
DRONE TARGET .... Engin-cible
DROOP (to) .... (se) pencher, (s')abaisser, (s')incliner
DROOP NOSE (droopable nose) .... Nez basculant
DROOP STOP (restrainer) .... Butée d'affaissement, Butée basse, inférieure
DROOPING LEADING EDGE .... Bec basculant
DROP .... Chute, baisse ; goutte ; dénivélation ; abatée
DROP (to) .... Abaisser ; lâcher, larguer, parachuter, tomber, chuter
DROP (pressure) .... Baisse, chute *(de pression)*
DROP BOMBERS (to) .... Lâcher des bombes
DROP-FEED LUBRIFICATION .... Graissage à compte-gouttes
DROP-FORGED PART .... Pièce estampée, matricée
DROP-FORGED STEEL .... Acier matricé
DROP FORGING .... Pilonnage, estampage, matricage, pièce emboutie, matricée, estampée, ébauche matricée
DROP FORGING PRESS .... Presse à estamper, à emboutir
DROP-HAMMER .... Marteau-pilon, mouton
DROP IN PRESSURE .... Chute de pression
DROP PER MINUTE .... Goutte/mn *(tolérance de fuite)*
DROP TANK .... Réservoir largable *(sous aile)*
DROP TO ZERO (to) .... Tomber, descendre à zéro
DROP TUBE .... Compte-gouttes
DROP VALVE .... Soupape renversée
DROP ZONE .... Zone de largage, de poser, de saut (parachutage)
DROPLET .... Gouttelette
DROPPABLE .... Largable
DROPPABLE TANK (slip tank) .... Réservoir, bidon largable
DROPPING .... Descente, chute, parachutage, largage
DROSS .... Crasse, impuretés, déchet, rebut, scories, laitier
DRUM .... Tambour, bobine, cylindre, dévidoir, barillet ; bidon, collecteur
DRUM AND POINTER ALTIMETER .... Altimètre à tambour et aiguille
DRUM BRAKE .... Frein à tambour
DRUM SWITCH .... Interrupteur rotatif

DRY .... Sec, sèche
DRY (to) .... Sécher, déshydrater
DRY AIR .... Air sec
DRY ABRASIVE BLAST CLEANING .... Nettoyage par projection d'abrasifs secs
DRY BATTERY .... Pile, batterie sèche
DRY BAY .... Compartiment étanche, logement sec
DRY BLASTING .... Sablage sec
DRY BULB TEMPERATURE .... Température sèche, température de bulbe sec
DRY BULB THERMOMETER .... Thermomètre à boule sèche, sec
DRY CELL .... Pile sèche
DRY-CHEMICAL TYPE FIRE EXTINGUISHER .... Extincteur à poudre
DRY ENGINE .... Moteur sans injection d'eau
DRY FIELD .... Piste sèche
DRY ICE (carbonic ice) .... Neige, glace carbonique
DRY IN WARM AIR (to) .... Sécher à l'air chaud *(étuve)*
DRY LEASE .... Affrètement, location sans équipage
DRY LUBRICANT (solid film) .... Lubrifiant sec *(film solide),* lubrifiant solide
DRY POWER .... Puissance sans injection d'eau
DRY RUNWAY .... Piste sèche
DRY SANDING .... Sablage sec
DRY STORAGE BATTERY .... Accumulateur sec
DRY SUMP .... Carter sec
DRY SUMP LUBRICATION .... Graissage à carter sec
DRY TAKE-OFF .... Décollage sans injection *(d'eau)*
DRY THRUST .... Poussée sans réchauffe, sans PC, à sec, sèche, sans injection
DRY WEIGHT .... Poids à vide, poids, masse à sec
DRY WITH BLASTED AIR (to) .... Sécher à l'air comprimé
DRYER .... Dessiccateur, séchoir
DRYING .... Séchage, dessiccation, essuyage
DRYING TIME .... Temps de séchage
DRYING WITH COMPRESSED AIR .... Soufflage à l'air sec
DUAL .... Double
DUAL ACTING PISTON .... Piston double effet
DUAL-ANTENNA RADAR .... Radar à deux antennes
DUAL AXIAL COMPRESSOR (split compressor) .... Double compresseur axial (HP, BP), compresseur axial à double rotor, compresseur bi-rotor, double corps
DUAL CONTROLS .... Double commandes
DUAL DRIVE .... Double commande
DUAL FLOW .... Double flux
DUAL IGNITION .... Double allumage

DUAL INSTRUCTION .... Vol en double commande
DUAL ORIFICE .... Double orifice
DUAL POSITION INDICATOR .... Indicateur à deux positions
DUAL ROTOR .... Birotor, double rotor, double attelage (HP, BP)
DUAL TONE HORN .... Klaxon à deux tons
DUAL TRAINING .... Entraînement en double commande
DUAL TYRES .... Pneus jumelés
DUAL WHEEL GEAR .... Train à diabolo
DUAL WHEELS .... Roues en diabolo, jumelées
DUBIOUS CRACK .... Crique douteuse, incertaine
DUCK-BILL PLIER .... Pince bec de canard
DUCT (ducting) .... Canal, canalisation, tube, tuyau, conduit(e), gaine *(gaz, fumée),* cheminée
DUCT (to) .... Canaliser
DUCT CLAMP .... Collier de conduit, de tuyauterie
DUCT OVERHEAT SWITCH .... Thermostat de surchauffe conduit
DUCT TAIL ROTOR .... Rotor anti-couple caréné, fenestron
DUCT TEMPERATURE PROBE .... Sonde thermométrique de gaine
DUCT TEMPERATURE SENSOR .... Détecteur de température conduit
DUCTED .... Canalisé
DUCTED FAN .... Soufflante canalisée, double flux, hélice carénée
DUCTED-FAN ENGINE .... Moteur à soufflante canalisée, double-flux
DUCTED PROPELLER .... Hélice carénée
DUCTILE .... Ductile, malléable, souple
DUCTILITY .... Ductilité
DULL .... Lent, lourd ; sourd ; émoussé ; terne, mat, sombre
DULL HOLLOW SOUND .... Son creux
DULL SOUND .... Bruit sourd, son mat
DUMBELL SIGNAL .... Signal en forme d'haltère *(aérodrome)*
DUMMY .... Faux, factice, fictif, passif, provisoire
DUMMY AERIAL (antenna) .... Antenne fictive, artificielle
DUMMY LOAD .... Charge fictive
DUMMY PART .... Pièce factice
DUMMY PLUG .... Bouchon de protection
DUMMY RUN .... Passage pour rien, sans lâcher de bombes
DUMMY TELEMETRY .... Fausse télémétrie
DUMMY VARIABLE .... Variable muette
DUMP .... Décharge ; dépôt

DUMP (to) .... Larguer, vider, déverser, vidanger
DUMP CHUTE (fuel) .... Manche de vide-vite, de vidange rapide
DUMP CHUTE ACTUATOR .... Vérin de manche de vide-vite
DUMP VALVE (jettison valve) .... Vide-vite, clapet de décharge, robinet de vidange, clapet de draînage
DUMP-WAITER .... Desserte
DUMPER .... Déporteur
DUMPING .... Vidange, délestage carburant en vol
DUPLEX .... Double, bidirectionnel, bilatéral
DUPLEX BEARING .... Roulement à double rangée
DUPLEX BURNER .... Brûleur à double débit
DUPLEX CABLE .... Câble, fil torsadé
DUPLEX CARBURETTER .... Carburateur à double corps
DUPLEX SPRAY NOZZLE .... Injecteur à deux débits, brûleur à double débit
DUPLEXER .... Duplexeur
DUPLEXING .... Duplexage
DUPLICATE (to) .... Copier, doubler, reproduire
DUPLICATE THROTTLES .... Double commande
DUPLICATED .... Doublé, à double commande
DUPLICATED AUTO-PILOTS .... Doubles systèmes de pilotage automatique
DUPLICATING MACHINE .... Machine à polycopier
DUPOFF .... Passager excédentaire
DURABILITY .... Durée, résistance, longévité, durabilité
DURALUMIN .... Duralumin (AU4G), dural
DURATION .... Temps, durée, laps de temps
DURATION FLIGHT .... Vol de durée
DURING .... Durant, pendant
DURING FLIGHT .... En cours de vol
DUST .... Poussière
DUST (to) .... Saupoudrer, épousseter
DUST CAP .... Protecteur, bouchon anti-poussière
DUST-BIN .... Poubelle
DUST BRUSH .... Brosse à épousseter
DUST COVER .... Cache-poussière, cache-moyeu
DUST DEVIL (whirl) .... Tourbillon de poussière
DUST PARTICLES .... Particules de poussière
DUST PROOF (dustproof = dust tight) .... Étanche, imperméable *(à la poussière),* protégé contre la poussière
DUST PROOF BAG .... Sac anti-poussière
DUST SEAL .... Joint anti-poussière

DUSTING .... Poudrage, saupoudrage
DUTCH ROLL .... Roulis hollandais
DUTY .... Devoir, tâche, service ; taxe, droit, redevance
DUTY CHART .... Tableau de service
DUTY CYCLE .... Cycle d'utilisation, facteur de durée, taux d'impulsion
DUTY-FREE .... Hors taxe(s), détaxé, en franchise, franc de droits, libre de droits
DUTY-FREE SHOP .... Boutique hors taxe, franche
DUTY PILOT .... Pilote de permanence
DUTY RUNWAY .... Piste en service
DUTY TIME .... Durée, temps de service
DWELL METER .... Contrôleur d'angle de came
DYE .... Colorant, teinture
DYE CHECK .... Ressuage
DYE CHECK (to) .... Effecteur un ressuage
DYE PENETRANT METHOD (DPM) .... Ressuage
DYNAMIC AIR INTAKE .... Entrée d'air dynamique
DYNAMIC BALANCING .... Équilibrage dynamique
DYNAMIC PRESSURE .... Pression dynamique
DYNAMIC SEAL .... Joint dynamique
DYNAMIC STABILITY .... Stabilité dynamique
DYNAMIC TESTS .... Essais dynamiques
DYNAMIC VISCOSITY .... Viscosité dynamique
DYNAMIC WEATHER CONDITIONS .... Mauvais temps, mauvaises conditions atmosphériques
DYNAMICS .... *(la)* dynamique
DYNAMO .... Dynamo, générateur de courant, génératrice
DYNAMOELECTRIC .... Électrodynamique
DYNAMOMETER .... Dynamomètre, frein dynamométrique
DYNAMOMETER TEST STAND .... Banc dynamométrique
DYNAMOTOR .... Convertisseur radio, dynamoteur
DYNE .... Dyne
DZUS FASTENER .... Agrafe « dzus » *(fixation)*

E

EARLY ARRIVAL .... Arrivée en avance
EARLY DUTY .... Équipe du matin
EARMUFF .... Protecteur d'oreilles, casque anti-bruit
EARNING .... Profit, bénéfice, salaire
EARPHONE .... Casque avec oreillettes
EARPHONE-HEADSET .... Écouteur, casque
EARTH (to) .... Mettre à la terre, à la masse
EARTH (electrical ground) .... Terre *(électrique)*, masse
EARTH BONDING PLATE .... Plaquette de métallisation
EARTH CONNECTOR (earth connection) .... Prise de terre *(mise à la masse)*, prise de masse
EARTH ELECTRODE .... Électrode de masse
EARTH GROUND STATION .... Station terrestre, terrienne
EARTH INDUCTOR .... Appareil de mesure du champ magnétique terrestre
EARTH OBSERVATION SATELLITE .... Satellite d'observation de la terre
EARTH-ORBITING MISSION .... Mission circumterrestre
EARTH-RESOURCES RESEARCH AIRCRAFT .... Avion de détection des ressources terrestres
EARTH'S ATMOSPHERE .... Atmosphère terrestre
EARTH'S AXIS .... Axe de la terre
EARTH'S MAGNETIC FIELD .... Champ magnétique terrestre
EARTH'S SURFACE .... Surface de la terre, terrestre
EARTH SATELLITE .... Satellite terrestre
EARTH SHINE .... Lumière cendrée
EARTH STATION .... Station terrienne
EARTH SYNCHRONOUS SATELLITE .... Satellite géosynchrone
EARTH TESTER .... Vérificateur de prise de terre
EARTH-TO-ORBIT SHUTTLE .... Navette spatiale
EARTH WIRE .... Fil de masse, prise de terre
EARTHED .... Mis à la terre
EARTHED CONDUCTOR .... Conducteur de masse
EARTHED WIRE .... Fil de mise à la terre
EARTHING .... Mise à la terre, à la masse
EARTHING LEAD .... Fil de masse
EARTHING TERMINAL .... Prise de masse
EARTHSHINE .... Clair de terre, lumière cendrée
EAS (equivalent airspeed) .... Équivalent de vitesse
EASE .... Facilité, simplicité, tranquillité
EASE OF MAINTENANCE .... Facile à entretenir

EASIER ACCESS .... Accès plus facile
EAST VARIATION .... Déclinaison orientale
EASY MAINTENANCE .... Entretien facile
EBONITE .... Ébonite
ECCENTRIC .... Excentrique, excentré
ECCENTRIC ORBIT .... Orbite excentrique
ECHO ALTIMETER .... Altimètre à écho
ECHO BOX .... Boîte à écho
ECHO-SOUNDER .... Sonar
ECHO SUPPRESSOR .... Suppresseur, élimination d'écho
ECHOING AREA .... Surface réfléchissante *(radar)*
ECHOMETER .... Échomètre
ECLIPTIC .... Écliptique
ECM POD .... Nacelle de CME *(contremesures électroniques)*
ECONOMIC CLIMB .... Mode économique montée
ECONOMICAL .... Économique
ECONOMICAL CRUISE .... Croisière économique
ECONOMICAL SPEED .... Vitesse économique
ECONOMY .... Économie
ECONOMY CABIN .... Cabine de classe économique
ECONOMY CLASS .... Classe économique
ECONOMY FARE .... Tarif économique, de classe économique
ECONOMY SEAT .... Siège 2e classe
EDDY .... Tourbillon, remous, turbulence
EDDY-CURRENT INSPECTION .... Inspection aux courants de Foucault, examen au métalloscope
EDDY FLOW .... Écoulement turbulent
EDGE (edging) Coin, (re)bord, arête, bordure, tranche, chant, fil *(outil)*
EDGE (to) .... Tomber un bord, border ; aiguiser, affiler
EDGE BOLT .... Boulon de bordure
EDGE CHAMFER .... Chanfrein
EDGE CHISEL .... Burin
EDGE DISTANCE (rivet) .... Pince, marge de bordure
EDGE LIGHTING .... Éclairage périphérique
EDGE-TO-EDGE .... Bord à bord
EDGED (tool) .... Tranchant, acéré *(outil)*
EDGING .... Profilé de bordure, bordure
EFFECT .... Effet, influence
EFFECT (to) .... Effectuer, réaliser, accomplir
EFFECTIVE .... Efficace, effectif, utile, réel
EFFECTIVE ASPECT-RATIO .... Allongement réel
EFFECTIVE BRAKING .... Freinage efficace
EFFECTIVE CURRENT .... Courant efficace
EFFECTIVE LIFT .... Portance réelle
EFFECTIVE PAGES .... Pages effectives

EFFECTIVE PITCH .... Pas effectif, avance par tour *(d'hélice)*
EFFECTIVE POWER (EHP) .... Puissance effective, utile
EFFECTIVE RUNWAY LENGTH .... Longueur de piste utilisable
EFFECTIVE THRUST .... Poussée effective
EFFECTIVE VALUE .... Valeur efficace *(quadratique moyenne)*
EFFECTIVE WORK .... Puissance utile
EFFECTIVENESS .... Efficacité
EFFECTIVITY .... Efficacité, validité, applicabilité, possibilité d'application
EFFICIENCY (η) .... Rendement, efficacité
EFFICIENCY OF WING (CL/CD) .... Finesse de l'aile ($\frac{Cz}{Cx}$)
EFFICIENT .... Efficace
EFFICIENT BRAKING .... Freinage efficace
EFFLUX .... Flux,jet
EGG INSULATOR .... Isolateur ovoïde
EGG-SHAPED .... Ovoïde
EGRESS SYSTEM .... Dispositif d'évacuation
EIFFEL TYPE WIND-TUNNEL .... Soufflerie eiffel
EIGHT-BLADED PROP-FAN .... Turboprop à huit pales
EIGHT-CYLINDER RADIAL ENGINE .... Motor en étoile huit-cylindres
EJECT (to) .... Éjecter, expulser
EJECTION SEAT .... Siège éjectable
EJECTOR .... Éjecteur, trompe
EJECTOR NOZZLE .... Tuyère d'éjection
ELAPSED .... Écoulé
ELAPSED TIME .... Temps réel, durée totale, temps écoulé, passé, délai d'exécution
ELAPSED TIME INDICATOR .... Compteur horaire
ELASTIC .... Élastique, flexible, à ressort
ELASTIC LIMIT .... Limite élastique
ELASTIC STOP .... Butée élastique
ELASTIC WHEEL (elastic grinding wheel) .... Meule caoutchouc
ELASTICITY .... Élasticité
ELASTOMER .... Élastomère
ELASTOMER GASKET .... Joint élastomère
ELASTOMERIC BEARING .... Roulement, pallier en élastomère
ELASTOMERIC ROTOR .... Rotor en élastomère
ELBOW .... Coude
ELBOW 90° .... Raccord coudé à 90°
ELBOW FITTING .... Raccord coudé, coude

ELBOW UNION (connection) .... Raccord coudé, équerre
ELECTRIC .... Électrique
ELECTRIC ACTUATOR .... Vérin, moteur électrique
ELECTRIC ARC .... Arc électrique
ELECTRIC BALANCE .... Pont de Wheatstone
ELECTRIC BONDING .... Tresse de métallisation
ELECTRIC CHARGE .... Charge électrique
ELECTRIC CONTACT .... Contact électrique
ELECTRIC CONTINUITY .... Continuité électrique
ELECTRIC CURRENT .... Courant électrique
ELECTRIC DISCHARGE .... Décharge électrique
ELECTRIC DRILL .... Perceuse, chignole électrique
ELECTRIC DRIVE .... Commande électrique
ELECTRIC EQUIPMENT .... Équipement électrique
ELECTRIC EYE .... Cellule photo-électrique
ELECTRIC FIELD .... Champ électrique
ELECTRIC FLUX .... Flux électrique
ELECTRIC FURNACE .... Four électrique
ELECTRIC HEATER .... Réchauffeur, radiateur électrique
ELECTRIC MOTOR .... Moteur électrique
ELECTRIC MOTOR DRIVEN PUMP ... Électro-pompe, pompe électrique
ELECTRIC MOTOR OPERATED .... A commande électrique
ELECTRIC PEN .... Crayon électrique
ELECTRIC PLUG .... Prise électrique, de courant
ELECTRIC POWER .... Énergie, puissance, génération électrique
ELECTRIC PROPULSION .... Propulsion électrique
ELECTRIC PULSE .... Impulsion électrique
ELECTRIC PUMP (unit) .... Électro-pompe, pompe électrique, moto-pompe
ELECTRIC SCRIBER .... Crayon électrique
ELECTRIC SHUT-OFF COCK .... Robinet électrique, robinet coupe-feu électrique
ELECTRIC SIGNAL .... Signal électrique
ELECTRIC SIGNALLING .... Signalisation électrique
ELECTRIC SOLDERING IRON .... Fer à souder électrique
ELECTRIC STARTER .... Démarreur électrique
ELECTRIC TIMER .... Minuterie électrique
ELECTRIC TRANSFORMER .... Transformateur électrique
ELECTRIC VACEWAY .... Gouttière électrique de cabine
ELECTRIC VALVE .... Robinet électrique
ELECTRIC WELDING .... Soudure électrique
ELECTRIC WIRING .... Câblage électrique
ELECTRICAL .... Électrique
ELECTRICAL ACCUMULATOR (battery) .... Batterie

ELECTRICAL BONDING .... Métallisation, fil de masse
ELECTRICAL COMPONENT .... Équipement, composant électrique
ELECTRICAL CONNECTION .... Connexion électrique
ELECTRICAL CONNECTOR .... Connecteur, raccord, prise électrique
ELECTRICAL CONTACT .... Contact électrique
ELECTRICAL CONTINUITY .... Continuité électrique
ELECTRICAL CONTROL PANEL .... Panneau électrique
ELECTRICAL CURRENT .... Courant électrique
ELECTRICAL DIAGRAM .... Schéma électrique
ELECTRICAL DISCHARGE .... Décharge électrique
ELECTRICAL DRILL .... Perceuse électrique
ELECTRICAL/ELECTRONIC MODULE .... Module électrique/électronique
ELECTRICAL ENERGY .... Énergie électrique, courant électrique
ELECTRICAL ENGINEER .... Ingénieur électricien, technicien en électricité
ELECTRICAL EQUIPMENT .... Appareillage, équipement électrique
ELECTRICAL EQUIPMENT RACK .... Châssis équipements électriques
ELECTRICAL FAILURE .... Panne électrique
ELECTRICAL GROUND POWER UNIT .... Groupe électrogène, groupe d'alimentation électrique
ELECTRICAL GROUNDING .... Mise à la terre, à la masse
ELECTRICAL GYRO HORIZON .... Horizon électrique
ELECTRICAL HARNESS .... Harnais électrique
ELECTRICAL HEATING .... Chauffage électrique
ELECTRICAL INTERLOCK .... Interverrouillage, asservissement électrique, sécurité électrique
ELECTRICAL LEAD .... Fil électrique
ELECTRICAL LOAD .... Charge électrique
ELECTRICAL OVERRIDE .... Shunt, by-pass électrique
ELECTRICAL PANEL .... Panneau, tableau électrique
ELECTRICAL PLUG .... Prise électrique *(mâle)*
ELECTRICAL POWER .... Courant électrique, génération électrique, puissance électrique
ELECTRICAL POWER SOURCE .... Prise, groupe de parc électrique
ELECTRICAL POWER SUPPLY .... Source d'alimentation électrique, alimentation électrique
ELECTRICAL POWER UNIT .... Groupe électrogène
ELECTRICAL PUMP .... Électro-pompe

ELECTRICAL RECEPTACLE .... Prise électrique femelle
ELECTRICAL SERVOSYSTEM .... Asservissement électrique
ELECTRICAL SHOCK .... Électrocution
ELECTRICAL SIGNAL .... Signal électrique
ELECTRICAL SYSTEM .... Circuit électrique
ELECTRICAL TESTING .... Essai électrique
ELECTRICAL WIRE .... Fil, câble électrique
ELECTRICAL WIRE BUNDLE .... Faisceau électrique
ELECTRICAL WIRING .... Câblage électrique
ELECTRICALLY .... A commande électrique
ELECTRICALLY DRIVEN .... Entraîné électriquement
ELECTRICALLY DRIVEN PUMP .... Pompe électrique, électro-pompe
ELECTRICALLY ENERGIZED .... Commandé électriquement
ELECTRICALLY OPERATED .... Commandé, actionné électriquement, à commande électrique
ELECTRICALLY OPERATED CLUTCH .... Embrayage électrique
ELECTRICIAN .... Électricien
ELECTRICITY .... Électricité
ELECTRO-CHEMICAL MACHINING .... Usinage par électrochimie
ELECTRO-CHEMISTRY .... Électro-chimie
ELECTRO-DISCHARGE MACHINING (EDM) .... Usinage par électro-érosion
ELECTRO-ETCH (to) (electro-engrave) .... Électro-graver, graver au crayon électrique
ELECTRO-FORMING .... Électro-formage
ELECTRO-HYDRAULIC ACTUATOR .... Servo-commande
ELECTRO-MAGNET (electromagnet) .... Électro-aimant
ELECTRO-MAGNETIC CRACK DETECTION .... Détection de crique par procédé électro-magnétique
ELECTRO-MECHANICAL .... Électro-mécanique
ELECTRO-METALLURGY .... Galvanoplastie
ELECTRO-MOTIVE FORCE (emf) .... Force électromotrice *(F.e.m)*
ELECTRO-OPTIC (AL) .... Électro-optique, optoélectronique
ELECTRO-OPTICALLY GUIDED .... Guidé électro-optiquement
ELECTRO-OPTICS .... *(l')* Électro-optique
ELECTRO-PLATING BATH .... Bain électrolytique
ELECTRO-PNEUMATIC CLUTCH .... Embrayage électro-pneumatique
ELECTRO-VALVE .... Électro-valve, électro-robinet
ELECTROCHEMICAL CLEANING .... Nettoyage électrochimique
ELECTROCHEMICAL ENERGY .... Énergie électro-chimique
ELECTROCHEMICAL ETCHING .... Attaque électrochimique
ELECTROCHEMICAL MILLING (machining) .... Usinage électro-chimique, par électrochimie

ELECTROCHEMISTRY .... Électrochimie
ELECTRODE .... Électrode
ELECTRODE EROSION .... Érosion d'électrode
ELECTRODE GAP .... Écartement des électrodes
ELECTRODEPOSITED NICKEL PLATING .... Électro-nickelage, nickelage électrolytique
ELECTRODEPOSITED PLATING .... Protection par électrolyse, placage électrolytique
ELECTRODEPOSITION (of cadmium) .... Déposition par procédé électrolytique *(de cadmium)*, galvanoplastie
ELECTRODYNAMIC .... Electrodynamique
ELECTROFORMING .... Électroformage
ELECTROHYDRAULIC ACTUATION ...... Commande électrohydraulique
ELECTROLESS .... Non-électrolytique
ELECTROLESS NICKEL PLATING .... Nickelage chimique, par réduction chimique en bain perdu
ELECTROLUMINESCENT PANEL .... Panneau électroluminescent
ELECTROLYSIS .... Électrolyse
ELECTROLYSIS PLANT (electrolysis bath) .... Usine d'électrolyse *(bain d'électrolyse)*
ELECTROLYTE .... Électrolyte
ELECTROLYTIC CLEANING .... Nettoyage électrolytique
ELECTROLYTIC COATING .... Revêtement, placage électrolytique
ELECTROLYTIC CONDENSER (capacitor) .... Condensateur électrolytique, électrochimique
ELECTROLYTIC DISPLAY .... Afficheur électrolytique
ELECTROLYTIC ETCHING .... Attaque électrolytique
ELECTROLYTIC PLATING .... Placage électrolytique
ELECTROLYTIC SOLUTION .... Bain électrolytique
ELECTROLYTIC STRIPPING .... Décapage électrolytique
ELECTROMAGNET COIL (winding) .... Bobine d'un électro-aimant *(enroulement)*
ELECTROMAGNETIC BRAKE (electro-magnetic) .... Frein électromagnétique
ELECTROMAGNETIC INDUCTION .... Induction électromagnétique
ELECTROMAGNETIC INTERFERENCE (EMI) .... Interférence électromagnétique *(dûe à des champs)*
ELECTROMAGNETIC SHIELDING ENCLOSURE .... Cage de Faraday
ELECTROMECHANICAL .... Électromécanique
ELECTROMETER .... Électromètre
ELECTROMOTIVE FORCE (EMF) .... Force électromotrice (f.e.m.)
ELECTRON .... Électron

ELECTRON BEAM .... Faisceau électronique, d'électrons, cathodique, spot
ELECTRON BEAM MICROSCOPE .... Microscope à balayage électronique
ELECTRON BEAM WELDING .... Soudure par bombardement électronique, soudage par faisceau d'électrons
ELECTRON BEAMS .... Faisceaux d'électrons
ELECTRON COUPLED OSCILLATOR (ECO) .... Oscillateur à couple cathodique
ELECTRON FLOW .... Flux électronique
ELECTRON GUN .... Canon à électrons, cathodique
ELECTRON MICROSCOPE .... Microscope électronique
ELECTRON TUBE .... Tube électronique
ELECTRONIC .... Électronique
ELECTRONIC ACCESS DOOR .... Porte accès compartiment électronique
ELECTRONIC BALANCE .... Balance électronique
ELECTRONIC CLOCK .... Horloge, montre électronique
ELECTRONIC COMPARTMENT .... Compartiment électronique
ELECTRONIC COMPONENTS .... Composants électroniques
ELECTRONIC COMPUTER .... Calculatrice, calculateur électronique
ELECTRONIC CONTROL PANEL .... Tableau de commande électronique
ELECTRONIC CONTROL UNIT .... Boîtier électronique de régulation
ELECTRONIC COUNTER .... Compteur électronique
ELECTRONIC COUNTER-MEASURES (ECM) .... Contre-mesures électroniques, mesures par comptage électronique
ELECTRONIC CURRENT .... Courant d'émission électronique
ELECTRONIC DATA PROCESSING (EDP) .... Traitement électronique de l'information, informatique
ELECTRONIC ENGINEER .... Ingénieur électronicien, technicien en électronique
ELECTRONIC FILTER .... Filtre électronique
ELECTRONIC FUEL CONTROL .... Régulation électronique carburant
ELECTRONIC GENERATOR .... Générateur électronique
ELECTRONIC INSTRUMENTS .... Appareils électroniques
ELECTRONIC INTERFACE UNIT .... Boîtier électronique d'interface
ELECTRONIC INTELLIGENCE .... Espionnage électronique
ELECTRONIC STORE .... Mémoire électronique
ELECTRONIC SWITCH .... Commutateur électronique
ELECTRONIC TIMER .... Minuterie électronique

ELECTRONIC VALVE (tube) .... Valve électronique
ELECTRONIC WARFARE .... Guerre électronique
ELECTRONIC WEIGHTING UNIT .... Balance électronique
ELECTRONICS .... *(l')* électronique
ELECTRONICS COMPARTMENT .... Soute électronique
ELECTRONICS ENGINEER .... Ingénieur électronicien, technicien en électronique
ELECTROPLATED STEEL .... Acier galvanisé
ELECTROPLATING (electro-plating) .... Revêtement, placage électrolytique, galvanoplastie, électro-déposition
ELECTROPOLISHING (blade) .... Polissage électrolytique *(ailette)*
ELECTROSPARK MACHINING .... Usinage par électro-érosion
ELECTROSTATIC CAPACITY .... Capacité électrostatique
ELECTROSTATIC CHARGE .... Charge électrostatique
ELECTROSTATIC SHIELDING .... Blindage électrostatique
ELECTROSTATIC SPRAY GUN .... Pistolet électrostatique *(application révélateur poudre)*
ELECTROTHERMAL
(electrothermal anti-icer) .... Thermoélectrique
ELECTRO-THERMY .... Électro-thermie
ELECTRO-VALVE .... Électro-valve
ELECTRO-WELDING .... Électro-soudable
ELEMENT .... Élément
ELEVATED TEMPERATURE .... Température élevée
ELEVATING .... Cabrage
ELEVATION (above sea level) .... Altitude *(au-dessus du niveau de la mer)*, site
ELEVATION ANGLE .... Angle de site
ELEVATION GUIDANCE .... Guidage vertical, en site
ELEVATION RADAR .... Radar de site
ELEVATOR .... Gouvernail de profondeur, gouverne de profondeur ; élévateur, monte-charge ; ascenseur
ELEVATOR AFT CONTROL QUADRANT .... Secteur de commande arrière gouverne de profondeur
ELEVATOR ANTIBALANCE TAB .... Tab de compensation gouverne de profondeur
ELEVATOR BOOSTER .... Servo-moteur, servo-commande profondeur
ELEVATOR CONTROL .... Commande de profondeur
ELEVATOR CONTROL TAB .... Servo-tab de profondeur
ELEVATOR GUST LOCK .... Blocage gouverne de profondeur
ELEVATOR POWER CONTROL UNIT ...... Servo-commande profondeur
ELEVATOR SERVO .... Servo-moteur profondeur
ELEVATOR TAB .... Flettner gouverne de profondeur
ELEVATOR TRIM .... Trim profondeur

ELEVON .... Élevon, *(contraction de)* elevator aileron
ELEVONS .... Élevons
ELIMINATE (to) .... Éliminer
ELL (elbow) .... Coude, raccord coudé
ELLIPTIC ORBIT (elliptical orbit) .... Orbite elliptique
ELLIPTICAL FUSELAGE .... Fuselage elliptique
ELLIPTICAL WING .... Aile elliptique
ELONGATED .... Étiré, allongé, étendu
ELONGATED HOLE .... Trou oblong, ovalisé, fente haricot
ELONGATED NOSE .... Nez allongé
ELONGATION .... Ovalisation, allongement, élongation
EMBARK (to) .... (s')embarquer, monter à bord ; faire une embardée au sol
EMBARKATION .... Embarquement
EMBARKATION CARD .... Carte d'accès à bord, d'embarquement
EMBARKED .... Embarqué, à bord
EMBED (to) .... Encastrer, noyer, enrober, sceller
EMBEDDED .... Logé, encastré
EMBODIED .... Incorporé, contenu
EMBOSS (to) .... Graver en relief, repousser, estamper *(le métal),* frapper, gaufrer
EMBOSSING (embossment) .... Bosselage, estampage, repoussage, gaufrage
EMBOSSMENT-MAP .... Carte en relief
EMBRITTLE (to) .... Fragiliser
EMBRITTLEMENT .... Fragilisation, inclusion
EMERGENCY .... Secours, urgence, état d'urgence, détresse, cas urgent, danger
EMERGENCY AIRCRAFT .... Avion en détresse
EMERGENCY ALIGHTING .... Atterrissage, amérrissage d'urgence
EMERGENCY BEACON .... Radiobalise de détresse
EMERGENCY BRAKE SYSTEM .... Freins de secours, de détresse
EMERGENCY CHECK-LIST .... Liste de vérifications en cas d'urgence
EMERGENCY CONTROL .... Commande de secours
EMERGENCY DESCENT .... Descente de secours, d'urgence
EMERGENCY DITCHING EVACUATION .... Évacuation en cas d'amerrissage
EMERGENCY DRILL .... Procédure d'urgence
EMERGENCY DRIVE GEARBOX .... Boîte de transmission de secours
EMERGENCY ESCAPE (egress) .... Évacuation d'urgence, de secours
EMERGENCY ESCAPE HATCH DOOR .... Porte sortie de secours

EMERGENCY ESCAPE SLIDE LIGHT BATTERY PACK .... Batterie d'éclairage toboggan
EMERGENCY EVACUATION SYSTEM .... Système d'évacuation d'urgence
EMERGENCY EXHAUST SELECTOR VALVE .... Robinet mise à l'air libre secours
EMERGENCY EXIT .... Sortie de secours, issue de secours
EMERGENCY EXIT DOOR .... Sortie, porte, issue de secours
EMERGENCY EXIT HATCH .... Issue de secours
EMERGENCY EXIT LIGHTS .... Éclairage issues de secours, de sortie de secours
EMERGENCY EXIT OVERWING LIGHTS .... Éclairage des issues de secours extrados ailes
EMERGENCY EXIT WINDOW .... Hublot issue de secours
EMERGENCY EXTENSION .... Sortie en secours *(train)*
EMERGENCY FLAP MODULE .... Module secours volets
EMERGENCY FLAP UP POSITION .... Rentrée en secours des volets
EMERGENCY FUEL SHUT OFF VALVE .... Robinet coupe-feu
EMERGENCY HANDLE .... Poignée de secours
EMERGENCY HATCH .... Panneau d'évacuation
EMERGENCY INSTRUCTIONS .... Consignes en cas d'urgence, de danger
EMERGENCY LANDING .... Atterrissage d'urgence, forcé
EMERGENCY LANDING GEAR EXTENSION .... Descente du train en secours
EMERGENCY LIFE RACK .... Radeau de sauvetage
EMERGENCY LIGHTING (lights) .... Éclairage de secours
EMERGENCY LOCATION BEACON .... Radiophare de repérage d'urgence
EMERGENCY LOCATOR TRANSMITTER .... Radiobalise de détresse
EMERGENCY MODE .... Mode « secours »
EMERGENCY POWER RATING .... Puissance maximale d'urgence
EMERGENCY POWER UNIT (EPU) .... Groupe auxiliaire de secours, groupe de secours
EMERGENCY PUMP .... Pompe de secours
EMERGENCY REPAIR .... Dépannage, réparation de fortune
EMERGENCY SAFE ALTITUDE .... Altitude de sécurité en cas d'urgence
EMERGENCY SET .... Groupe de secours
EMERGENCY SHUTDOWN .... Arrêt d'urgence
EMERGENCY SHUTOFF VALVE .... Robinet coupe-feu, d'arrêt d'urgence
EMERGENCY SLIDE .... Toboggan, glissière d'évacuation d'urgence

EMERGENCY SYSTEM .... Circuit de secours
EMERGENCY VALVE .... Vanne de secours
EMERY BELT .... Courroie, bande abrasive
EMERY CLOTH .... Toile émeri, potée
EMERY PAPER .... Papier émeri
EMERY PASTE .... Potée d'émeri
EMERY POWDER .... Poudre d'émeri, potée
EMERY STRING .... Cordon émeri
EMERY WHEEL .... Meule en émeri, toilée
EMISSIVE POWER .... Pouvoir émissif
EMISSIVITY .... Émissivité *(facteur)*
EMITTANCE .... Émittance
EMITTER .... Émetteur
EMITTER COUPLED LOGIC (ECL) .... Logique à couplage par les émetteurs
EMPENNAGE .... Empennage
EMPHASIS .... Accentuation
EMPIRICAL DATA .... Donnée empirique
EMPLOY (to) .... Employer
EMPLOYMENT .... Emploi, travail, place ; effectif
EMPTY .... Vide
EMPTY EQUIPPED .... A vide
EMPTY WEIGHT .... Masse à vide, poids à vide
EMULGATOR .... Émulgateur
EMULSIFIED .... Émulsifié
EMULSIFIER .... Émulsifiant, émulseur
EMULSIFY (to) .... Émulsifier
EMULSION .... Émulsion
EMULSION CLEANING .... Nettoyage par émulsion
ENAMEL .... Émail, vernis, peinture vernissante
ENAMEL (to) .... Émailler, vernir, vernisser, glacer, satiner
ENAMEL VARNISH .... Laque émail
ENAMELLED .... Laqué, émaillé, vitrifié
ENAMELLING .... Émaillage, vernissage, glaçage
ENCAPSULANT .... Enrobage électrique *(polyuréthane, époxy)*
ENCIPHER (to) .... Chiffrer, coder
ENCIRCLE (to) .... Encercler
ENCLOSE (to) .... Enfermer, renfermer, blinder
ENCLOSURE .... Enceinte
ENCODER .... Encodeur, codeur, enregistreur
ENCODING ALTIMETER .... Alti-codeur, altimètre codeur
ENCOMPASS (to) .... Entourer, envelopper, renfermer, enclaver, inclure
ENCROACH (to) .... Empiéter sur, entamer, gagner sur

ENCUMBER. (to) .... Encombrer, gêner
END .... Bout, extrémité, fin, queue
END (to) .... Finir, achever, terminer
END AN APPROACH (to) .... Terminer une approche
END CAP .... Chapeau d'extrémité
END CUTTER .... Pince coupante devant
END-CUTTING PLIERS .... Pinces coupantes devant
END FITTING .... Chape, embout
END FLOAT (play) .... Jeu longitudinal, axial
END OF CRACK .... Extrémité de crique
END OF TRAVEL .... Fin de course
END PIECE .... Embout
END PLATE .... Flasque d'extrémité
END PLAY .... Jeu axial, longitudinal
END PRODUCT .... Produit fini, final
END RIB .... Nervure d'extrémité, extrême, de rive
ENDLESS .... Sans fin
ENDLESS SCREW .... Vis sans fin
ENDOSCOPE .... Endoscope
ENDURANCE .... Autonomie, endurance, résistance
ENDURANCE RECORD .... Record d'endurance, de durée
ENDURANCE TESTING (trial) .... Épreuve, essai d'endurance
ENERGETIC EFFICIENCY .... Rendement énergétique
ENERGIZE (to) = energise (to) .... Exciter, amorcer, mettre en route, en mouvement, sous tension, alimenter *(en tension),* actionner
ENERGIZED .... Sous tension, alimenté
ENERGIZING CIRCUIT .... Circuit d'alimentation, d'amorçage, d'excitation
ENERGIZING CURRENT .... Courant d'excitation
ENERGY .... Énergie, force, travail
ENERGY ABSORBER CARTRIDGE .... Cartouche d'amortisseur
ENERGY ABSORBING DEVICE .... Dispositif amortisseur
ENERGY CONSERVATION .... Conservation de l'énergie
ENERGY CONSUMPTION .... Consommation d'énergie
ENERGY CRUNCH .... Crise de l'énergie
ENERGY EFFICIENT ENGINE (E^3) .... Moteur économique, à haut rendement énergétique
ENERGY RANGE .... Domaine d'énergie
ENERGY RATE INDICATOR .... Indicateur de taux d'énergie
ENERGY SOURCE .... Source d'énergie
ENERGY SPECTRUM .... Spectre d'énergie
ENGAGE (to) .... Engager, embrayer, enclencher, mettre en prise ; embaucher
ENGAGED STOP .... Butée enclenchée

ENGAGEMENT (of a latch pin) .... Engagement d'un verrou, embrayage
ENGINE .... Machine, moteur, réacteur
ENGINE (to) .... Motoriser
ENGINE POSITION 1 (engine # 1) .... Moteur position 1
ENGINE AIR BLEED .... Piquage, prélèvement d'air réacteur
ENGINE AIR INTAKE (inlet) .... Entrée d'air du moteur
ENGINE AFT MOUNTS .... Attaches AR réacteur
ENGINE ANTI-ICE .... Antigivrage réacteur
ENGINE ANTI-ICE VALVE .... Vanne dégivrage réacteur
ENGINE ANTI-ICING .... Dégivrage réacteur
ENGINE ATTACH FITTING .... Ferrure d'attache moteur
ENGINE ATTACHMENTS .... Fixations du moteur
ENGINE BAY .... Nacelle, compartiment réacteur
ENGINE BEARER .... Berceau moteur
ENGINE BED .... Berceau du moteur
ENGINE BLEED AIR .... Air de soutirage compresseur, de prélèvement réacteur
ENGINE BLEED VALVE .... Vanne de soutirage réacteur
ENGINE BLOW OUT .... Ventilation, brassage moteur
ENGINE BREATHER SYSTEM .... Reniflard moteur
ENGINE BURIED .... Moteur incorporé
ENGINE BYPASS AIR .... Flux secondaire réacteur
ENGINE CHANGE .... Changement ou remplacement réacteur
ENGINE CONTROL CABLES .... Câbles de commande de gaz
ENGINE CONTROL PARAMETERS .... Paramètres de commande, de pilotage du moteur
ENGINE CONTROL STAND .... Pylône commande de gaz
ENGINE CONTROLS .... Commandes réacteur
ENGINE COWL .... Capot moteur
ENGINE COWLING(s) .... Capotage, capot(s) réacteur, moteur
ENGINE CRADLE (bed) .... Bâti-moteur
ENGINE CUT-OFF .... Moteur coupé
ENGINE CYCLE LIFE .... Vie en cycles du moteur *(atterrissages)*
ENGINE DATA PLATE .... Plaquette moteur *(paramètres banc)*
ENGINE DE-ICING .... Dégivrage réacteur
ENGINE DRAIN VENT .... Mise à l'air libre des drains moteur
ENGINE-DRIVEN GEARBOX .... Boîte d'entraînement accessoires
ENGINE-DRIVEN PUMP .... Pompe entraînée par le moteur *(kellog),* pompe moteur
ENGINE EFFICIENCY .... Rendement du moteur
ENGINE ENTRY PLUG .... Obturateur d'entrée réacteur
ENGINE FAILURE .... Panne moteur
(x)ENGINE FERRY FLIGHT .... Convoyage sur (x) moteurs

ENGINE FIRE .... Feu, incendie moteur
ENGINE FIRE DETECTION SYSTEM .... Circuit détection incendie réacteur
ENGINE FIRE EXTINGUISHER SYSTEM .... Circuit d'extinction incendie GTR
ENGINE FIRE SHUTOFF HANDLE .... Poignée coupe-feu réacteur
ENGINE FIRE SWITCH .... Commande de coupe-feu moteur *(interrupteur)*
ENGINE FIRE WARNING LIGHT .... Voyant indicateur d'incendie réacteur
ENGINE FLAME-OUT .... Extinction moteur
ENGINE FORWARD MOUNTS .... Attaches AV réacteur
ENGINE FRAME .... Bâti-moteur
ENGINE FUEL FEED .... Alimentation moteur
ENGINE FUEL PUMP .... Pompe carburant moteur
ENGINE FUEL SUPPLY .... Alimentation moteur (GTR)
ENGINE GROUND RUN .... Point fixe
ENGINE HUNTING .... Pompage du moteur
ENGINE ICE PROTECTION .... Protection givrage moteur
ENGINE IDLING .... Régime de ralenti, gaz réduits
ENGINE IN-POD (engine in-strut) .... Moteur en pod
ENGINE IGNITION .... Allumage réacteur
ENGINE INCIDENT .... Incident de moteur
ENGINE-INDICATING AND CREW-ALERTING SYSTEM .... Ecran de visualisation couleur des paramètres de fonctionnement critique moteurs et d'alerte équipage
ENGINE INLET DOORS .... Ouies moteur
ENGINE INSTRUMENT PANEL .... Panneau, tableau des instruments moteur
ENGINE INSTRUMENTS .... Instruments moteur
ENGINE LOG BOOK .... Livret moteur
ENGINE MALFUNCTION .... Mauvais fonctionnement du réacteur
ENGINE MANUFACTURER .... Motoriste
ENGINE MECHANICS .... Mécaniciens moteur
ENGINE MONITORING .... Surveillance des moteurs
ENGINE MOTORING RUN .... Brassage réacteur
ENGINE MOUNT .... Bâti-moteur, attaches réacteur, suspension moteur
ENGINE MOUNT FITTING .... Ferrure d'attache réacteur
ENGINE MOUNTING .... Support, bâti, berceau-moteur
ENGINE MOUNTINGS .... Fixations du moteur
ENGINE NACELLE .... Fuseau-moteur
ENGINE NOSE DOME .... Cône, dôme d'entrée d'air réacteur
ENGINE-OFF LANDING .... Atterrissage moteur coupé
ENGINE OIL .... Huile moteur

ENGINE OIL TANK .... Réservoir d'huile moteur
ENGINE OPERATING CYCLE .... Cycle d'exploitation moteur
ENGINE OUT LANDING .... Atterrissage moteur en panne, coupé
ENGINE OUT PROCEDURE .... Procédure d'arrêt moteur
ENGINE PAD .... Embase moteur
ENGINE PERFORMANCE .... Performances du moteur
ENGINE POD .... Fuseau, nacelle moteur, nacelle de réacteur, fuseau réacteur
ENGINE POWER .... Puissance motrice
ENGINE POWER CONTROL SYSTEM .... Dispositif de commande de poussée réacteur
ENGINE PRESERVATION .... Stockage du moteur
ENGINE PRESSURE RATIO (EPR) .... Rapport $\frac{PT\ 7}{PT\ 2}$ = Rapport manométrique du réacteur, rapport de pression moteur
ENGINE PRESSURE RATIO INDICATOR .... Indicateur d'EPR
ENGINE PRESSURE RATIO TRANSMITTER .... Transmetteur d'EPR
ENGINE PYLON .... Pylône, mât réacteur
ENGINE RATINGS .... Performances du moteur
ENGINE REMOVAL .... Dépose du moteur
ENGINE RUN-UP (engine run) .... Point fixe réacteur, moteur
ENGINE RUNNING .... Moteur en marche
ENGINE SHROUD (A.P.U) .... Carénage d'A.P.U.
ENGINE SHUTDOWN .... Coupure, arrêt moteur, extinction
ENGINE SHUTDOWN (to) .... Couper le moteur
ENGINE SPEED .... Régime moteur
ENGINE SPEED INDICATOR .... Compte-tours, tachymètre
ENGINE STALL .... Calage du moteur
ENGINE START(ing) .... Démarrage réacteur, mise en route du moteur
ENGINE START LINKAGE .... Timonerie de commande réacteur
ENGINE STOPPAGE .... Arrêt moteur
ENGINE STRUT .... Bras réacteur ; nacelle réacteur
ENGINE STUB STRUCTURE .... Structure mât réacteur
ENGINE SUPERCHARGER ...... Turbo-compresseur de suralimentation pour moteur d'avion
ENGINE SURGING .... Pompage du moteur
ENGINE TACHOMETER .... Tachymètre réacteur
ENGINE TACHOMETER GENERATOR .... Générateur tachymétrique réacteur
ENGINE TEST STAND .... Banc d'essai moteur
ENGINE THRUST .... Poussée du moteur, du réacteur
ENGINE TORQUE .... Couple moteur

ENGINE TRIMMING .... Trim, mise au point, réglage réacteur
ENGINE TROLLEY .... Chariot de transport du moteur
ENGINE TROUBLE .... Panne moteur, ennuis moteur
ENGINE UNIT .... Groupe motopropulseur (GMP)
ENGINE VENT LINE .... Reniflard
ENGINE VIBRATION MONITORING (EVM) .... Système de surveillance des vibrations moteur
ENGINE VIBRATION PICK-UP .... Détecteur de vibration
ENGINE WEIGHT .... Masse du moteur
ENGINEER .... Ingénieur, technicien, mécanicien
ENGINEER'S EXAMINATION REMOVAL .... Dépose pour enquête technique
ENGINEER'S PANEL .... Panneau, tableau OMN, second officier
ENGINEERING .... Technique, travail de l'ingénieur, études, ingénierie, construction
ENGINEERING ASSESSMENT .... Évaluation technique
ENGINEERING DRAWING .... Dessin d'étude
ENGINEERING MODEL .... Maquette d'ingénierie
ENGINEERING OFFICE .... Bureau d'études
ENGLISH SIZE (units) .... Pas anglais *(unités anglaises)*
ENGRAVE (to) .... Graver
ENGRAVER .... Crayon électrique
ENGRAVING .... Gravure
ENLARGE (to) .... Agrandir, augmenter, élargir
ENLARGED VIEW AT « A » .... Grossissement détail « A »
ENLARGED WING (larger wing) .... Voilure plus importante
ENLARGING FASTENER HOLES .... Agrandissement *(réalésage)* des trous de fixation
ENOUGH .... Assez
ENPLANE (to) .... Monter à bord, charger
ENQUIRY DESK .... Comptoir de renseignements
EN ROUTE .... En cours de vol, en vol, d'escale
EN ROUTE AIR NAVIGATION .... Navigation aérienne de route
EN ROUTE CHARTS .... Cartes de cheminement
EN ROUTE CLEARANCE .... Autorisation en route
EN ROUTE FEES .... Redevances « en route »
EN ROUTE PROGRESS REPORT .... Information en vol
EN ROUTE RELIABILITY .... Fiabilité du vol
EN ROUTE STOP (station) .... Escale intermédiaire
EN ROUTE TIME .... Temps de vol en route
EN ROUTE TRAFFIC .... Trafic en route
ENSURE (to) .... (s') assurer
ENTANGLE (to) .... Emmêler, empêtrer, embrouiller
ENTER (to) .... Entrer, pénétrer, introduire
ENTER SERVICE (to) .... Entrer en service

ENTERING EDGE .... Bord d'attaque (BA)
ENTHALPIC COMBUSTION EFFICIENCY .... Rendement enthalpique de combustion
ENTHALPY .... Enthalpie
ENTIRE LENGTH .... Longueur totale
ENTITLE (to) .... Intituler
ENTRANCE .... Entrée, admission, accès
ENTRANCE DOOR .... Porte d'entrée
ENTRANCE OF AIR .... Entrée d'air
ENTRANCE STEP .... Marche d'entrée
ENTRAPMENT OF AIR POCKETS .... Emprisonnement de poches d'air
ENTRAPMENT POCKETS .... Poches prisonnières
ENTRAPPED AIR .... Air emprisonné
ENTROPY .... Entropie
ENTRY .... Entrée, introduction, insertion
ENTRY DOOR .... Porte d'entrée, porte pax, porte d'accès
ENTRY FIX .... Repère d'entrée
ENTRY INTO SERVICE .... Mise en service
ENTRY POINT .... Point d'entrée
ENTRY TEMPERATURE (turbine) .... Température d'entrée *(turbine)*
ENTRY VISA .... Visa d'entrée
ENTRY WHEEL .... Roue d'entrée
ENVIRONMENTAL CONTROL .... Conditionnement d'air
EPICYCLIC GEAR .... Engrenage épicycloïdal
EPICYCLIC REDUCING GEAR TRAIN .... Train réducteur épicycloïdal
EPICYCLIC REDUCTION GEAR .... Train épicycloïdal
EPICYCLIC TRAIN .... Train épicycloïdal
EPOXY PAINT .... Peinture époxy
EPOXY PRIMER .... Primaire époxy
EPOXY RESIN (epoxyde resin) .... Résine époxyde
EPR .... Voir Engine pressure ratio
EPR PRESSURE RATIO .... Rapport des pressions EPR
EPR TRANSMITTER .... Transmetteur EPR
EQUAL .... Égal
EQUAL NOISE CONTOUR .... Courbe isosonique
EQUAL-PART MIXTURE .... Mélange à parts égales
EQUAL TIME POINT .... Point équitemps *(navigation)*
EQUALIZE (to) .... Égaliser, compenser, équilibrer, corriger
EQUALIZE STRAIN (to) .... Répartir les contraintes
EQUALIZER .... Compensateur, stabilisateur
EQUALIZER ROD .... Barre de réaction, bielle égalisatrice
EQUALIZING (equalization) .... Égalisation, équilibrage, compensation

EQUALLY CENTERED .... Centré
EQUALLY SPACED .... Équidistant, à égale distance
EQUATORIAL ORBIT .... Orbite équatoriale
EQUILIBRIUM CONDITION .... Condition d'équilibre
EQUIP (to) .... Équiper, doter, outiller, monter, installer, armer
EQUIPMENT .... Équipement, outillage, appareillage, matériel, armement, machine
EQUIPOTENTIAL .... Équipotentiel
EQUIPPED .... Équipé
EQUIPPED ENGINE .... Moteur équipé
EQUIPPED LATCH .... Verrou équipé
EQUIPPED VERSION .... Version équipée
EQUI-SPACED .... Équidistant
EQUIVALENT AIRSPEED (EAS) .... Vitesse équivalente *(au sol)*, équivalent de la vitesse (EV)
EQUIVALENT HEADWIND .... Vent effectif
EQUIVALENT PIN .... Goupille, axe de remplacement
EQUIVALENT SHAFT HORSEPOWER (ESHP) .... Puissance équivalente sur l'arbre *(en ch)*, puissance équivalente brute
ERASABLE .... Effaçable
ERASABLE PROGRAMMABLE ROM (EPROM) .... Rom effaçable et reprogrammable plusieurs fois
ERASE (to) .... Effacer, gommer, raturer
ERASE BUTTON (pushbutton) .... Poussoir d'effacement
ERASE TIME (rate) .... Vitesse d'effacement, rémanence
ERASER .... Gomme
ERASURE .... Rature, grattage
ERASURE CURRENT .... Courant d'effacement
ERECT (to) .... Monter
ERECTION .... Montage, installation, construction, érection
ERECTION DIAGRAM .... Schéma de montage
ERGONOMETRIC STUDY .... Étude de l'ergonomie
ERGONOMICS .... L'ergonomie *(relation homme-machine)*
ERK .... Aviateur
ERODE (to) .... Éroder, ronger, corroder
ERODED AREA .... Zone corrodée
ERODED ELECTRODE .... Électrode érodée, désagrégée
EROSION .... Érosion, usure
EROSION RESISTANT LACQUER .... Laque anti-érosion *(résistant à l'érosion)*
ERRATIC .... Irrégulier, intermittent
ERRATIC FIRING .... Allumage irrégulier, ratés d'allumage

ERROR .... Erreur, faute
ERROR ANGLE .... Écartométrie
ERROR BUDGETING .... Pondération des erreurs
ERROR DETECTOR .... Détecteur d'erreur
ERROR INTEGRATOR .... Intégrateur d'erreur
ERROR OF THE COMPASS .... Variation du compas
ERROR RATES .... % d'erreurs
ERROR VOLTAGE .... Tension de régulation
ESCALATOR .... Escalier roulant, escalier mécanique
ESCAPE .... Fuite, évasion, échappement
ESCAPE (to) .... (s') échapper
ESCAPE CHUTE .... Manche d'évacuation rapide, toboggan
ESCAPE HATCH .... Trappe, panneau amovible d'évacuation, issue de secours
ESCAPE ROPE .... Corde de sauvetage, d'évacuation
ESCAPE SLIDE (chute) .... Rampe d'évacuation, toboggan d'évacuation rapide
ESCAPE STRAP (tape) .... Sangle d'évacuation
ESCAPE VALVE .... Soupape d'échappement, de décharge
ESCAPE VELOCITY .... Vitesse de libération, d'évasion, parabolique, seconde vitesse cosmique
ESCORT AIRCRAFT .... Avion escorteur
ESCUTCHEON .... Écusson, entrée de serrure
ESSENTIAL BUS (essential service bus) .... Bus essentielle
ESSENTIAL POWER SELECTOR SWITCH .... Sélecteur bus essentielle
ESTIMATED ELAPSED TIME (EET) .... Durée prévue de vol, temps écoulé prévu
ESTIMATED HEADING .... Cap estimé
ESTIMATED OFF-BLOCKS TIME (EOBT) .... Heure estimée de départ de l'aire de stationnement
ESTIMATED POSITION .... Point estimé
ESTIMATED TAKE-OFF WEIGHT .... Masse estimée au décollage
ESTIMATED TIME OF ARRIVAL (ETA) .... Heure prévue d'arrivée, heure estimée d'arrivée
ESTIMATED TIME OF DEPARTURE (ETD) .... Heure prévue de départ
ESTIMATED TIME EN-ROUTE .... Durée estimée en route
ESTIMATED ZERO FUEL WEIGHT .... Masse estimée sans carburant
ETCH (to) .... Graver ; décaper
ETCHED CIRCUIT .... Circuit gravé
ETCHING .... Gravure ; attaque, décapage
ETCHING PENCIL .... Crayon à graver électrique, crayon graveur, vibreur

ETCHING SOLUTION .... Réactif d'attaque
ETHANOL .... Éthanol, alcool éthylique
ETHER .... Éther
ETHYL .... Éthyle
ETHYL ALCOHOL .... Alcool éthylique, éthanol
ETHYLENE .... Éthylène
EUTECTIC ALLOY .... Alliage eutectique
EUROPEAN SPACE AGENCY (ESA) .... Agence spatiale européenne
EVACUATE (to) .... Évacuer, vider, expulser, refouler
EVACUATED BELLOWS .... Soufflet anéroïde
EVACUATED TUBE .... Tube à vide
EVACUATION SLIDE .... Glissière, rampe d'évacuation rapide, toboggan
EVALUATE (to) .... Évaluer, estimer
EVALUATION FLIGHT .... Vol d'essai, d'évaluation
EVAPORATE (to) .... (s') évaporer, (se) vaporiser, volatiliser
EVAPORATION .... Évaporation, volatilisation
EVEN .... Uni, lisse, régulier, uniforme, égal
EVEN NUMBERED .... De numéro pair
EVEN PARITY .... Parité paire
EVENNESS .... Uniformité
EVIDENCE .... Évidence, preuve, marque, trace, signe
EVIDENCE OF LEAKAGE .... Présence de fuites
EVIDENCE OF OVERHEATING .... Trace, signe, évidence de surchauffe
EXAMINATION .... Examen
EXAMINE (to) .... Examiner
EXAMPLE .... Exemple, exemplaire
EXCEED (to) .... Etre supérieur, excéder, dépasser
EXCEPT .... Excepté, sauf, mise à part
EXCESS .... Excédent, excès, surplus
EXCESS ADHESIVE .... Excès d'adhésif
EXCESS BAGGAGE (luggage) .... Excédent de bagages
EXCESS OIL .... Excédent d'huile
EXCESSIVE .... Excessif, surabondant
EXCESSIVE PLAY (clearance) .... Jeu excessif
EXCESSIVE PRESSURE .... Surpression, pression excessive, écrasement
EXCESSIVE SINK RATE .... Vitesse verticale de descente excessive
EXCESSIVE TIGHTENING .... Serrage excessif
EXCHANGE .... Échange
EXCHANGE OFFICE .... Bureau de change

EXCHANGER .... Échangeur
EXCITATION .... Excitation
EXCITER .... Excitateur, excitatrice
EXCITER BOX .... Boîte d'allumage HE *(haute énergie)*
EXCITER FIELD .... Excitatrice
EXCITER FIELD CURRENT .... Courant d'excitation
EXCITER UNIT .... Boîte d'allumage haute énergie
EXCITING BATTERY .... Batterie d'excitation
EXCITING COIL .... Bobine d'excitation
EXCITING VOLTAGE (current) .... Tension d'excitation *(courant)*
EXCLUDED .... Non compris, exclu
EXCLUDER .... Chapeau
EXCURSION .... Excursion, voyage, sortie *(de piste)*
EXCURSION FARE .... Tarif excursion
EXDUCER .... Trompe à air, giffard, grille directrice de sortie, roue de sortie
EXECUTE (to) .... Exécuter, effectuer
EXECUTIVE .... Cadre *(personnel d'encadrement)*
EXECUTIVE AIRCRAFT (airplane) .... Avion d'affaires
EXECUTIVE AVIATION .... Aviation d'affaires
EXECUTIVE HELICOPTER .... Hélicoptère d'affaires, pour les affaires
EXECUTIVE JET .... Avion d'affaires à réaction
EXECUTIVE TERMINAL .... Aérogare d'affaires
EXFOLIATION CORROSION .... Corrosion exfoliatrice
EXHAUST .... Échappement, éjection, sortie, évacuation
EXHAUST AIR DUCT .... Tuyauterie d'évacuation d'air
EXHAUST CASE .... Carter d'échappement, de sortie
EXHAUST CHAMBER .... Tuyère
EXHAUST COLLECTOR .... Collecteur d'échappement
EXHAUST CONE .... Cône d'éjection, cône d'échappement
EXHAUST DIFFUSER .... Diffuseur de sortie
EXHAUST DUCT .... Conduit d'échappement, canal, rallonge, tuyère d'éjection
EXHAUST GAS .... Gaz d'échappement, brûlés, d'éjection
EXHAUST GAS DEFLECTOR .... Déflecteur d'éjection des gaz
EXHAUST GAS FLOW .... Flux primaire
EXHAUST GAS SENSING PROBE .... Sonde thermométrique tuyère
EXHAUST GAS TEMPERATURE (EGT) .... Température sortie turbine, des gaz d'échappement, de sortie des gaz, tuyère
EXHAUST GAS TEMPERATURE INDICATOR .... Indicateur de température sortie turbine (T7)
EXHAUST HOUSING .... Carter d'échappement
EXHAUST LINE .... Tuyauterie d'échappement

EXHAUST MANIFOLD .... Collecteur d'échappement
EXHAUST MUFFLER .... Silencieux
EXHAUST NOZZLE (unit) .... Tuyère d'éjection buse d'éjection, d'échappement
EXHAUST OUTLET .... Sortie d'échappement
EXHAUST PIPE .... Buse d'éjection, tuyère, tuyau d'échappement
EXHAUST PORT .... Orifice d'échappement
EXHAUST PRESSURE .... Pression à l'échappement, de sortie
EXHAUST REHEATER .... Dispositif de post-combustion, de réchauffe
EXHAUST SECTION .... Tuyère d'échappement, canal d'éjection, section d'éjection
EXHAUST SILENCERS .... Silencieux, atténuateurs de bruit
EXHAUST STACK .... Pipe d'échappement
EXHAUST STREAM .... Flux d'éjection
EXHAUST STROKE .... Temps d'échappement
EXHAUST VALVE .... Soupape d'échappement, clapet de décharge, de refoulement
EXHAUST VELOCITY .... Vitesse d'échappement, d'éjection
EXHAUSTION .... Aspiration, épuisement, panne sèche
EXHIBIT .... Exposition
EXHIBITOR .... Exposant *(salon)*
EXISTING .... Existant
EXIT .... Sortie
EXIT FIX .... Repère de sortie
EXIT LIGHTS .... Éclairage d'issues
EXIT NOZZLE .... Buse d'évacuation, de sortie
EXIT POINT .... Point de sortie
EXIT TAXIWAY .... Sortie de piste
EXIT VISA .... Visa de sortie
EXPAND (to) .... (se) détendre, (se) dilater, déployer
EXPANDABLE BUSHING .... Douille expansible
EXPANDABLE MEMORY .... Mémoire extensible
EXPANDED LOCALIZER .... Index d'écart d'alignement de piste
EXPANDER .... Expanseur, extenseur
EXPANDER RING .... Circlips
EXPANDING (expandable) .... Extensible, expansible
EXPANSION .... Détente, dilatation, expansion, allongement
EXPANSION CHAMBER .... Chambre, cône d'expansion, de détente
EXPANSION JOINT .... Joint de dilatation
EXPANSION RATIO .... Taux de détente
EXPANSION RING .... Anneau de dilatation

EXPANSION TANK .... Bâche d'expansion
EXPANSION TURBINE .... Turbine de détente
EXPANSION VALVE .... Soupape de détente
EXPANSION WAVE .... Onde de détente
EXPECT (to) .... (s') attendre
EXPECT FURTHER INSTRUCTIONS .... Attendez de plus amples instructions
EXPECTED ARRIVAL TIME .... Heure d'arrivée prévue
EXPEDITE AN ORDER (to) .... Exécuter une commande en urgence
EXPEDITE CLEARANCE OF THE RUNWAY (to) .... Dégager rapidement la piste
EXPEDITE TAXIING (to) .... Accélérer le roulage
EXPEDITE THROUGH A FLIGHT LEVEL (to) .... Passer rapidement au niveau de vol
EXPEL (to) .... Expulser, chasser, éjecter
EXPEND (to) .... Dépenser
EXPENDABLE .... Non-récupérable, consommable
EXPENDABLE ITEM .... Élément consommable
EXPENDABLES .... Matières consommables
EXPENSES .... Dépenses, frais
EXPERIMENT .... Expérience, épreuve, expérimentation, essai
EXPERIMENT (to) .... Expérimenter, essayer
EXPERIMENTAL .... Expérimental
EXPERIMENTAL MEAN PITCH .... Pas efficace *(hélice)*
EXPIRY DATE .... Date d'expiration
EXPLAIN (to) .... Expliquer, exposer
EXPLANATION .... Explication
EXPLODE (to) .... Exploser
EXPLODED VIEW .... Vue éclatée, éclaté
EXPLOSION .... Explosion
EXPLOSION ENGINE .... Moteur à explosion
EXPLOSION HAZARD .... Risque d'explosion
EXPLOSION PROOF .... Anti-déflagrant
EXPLOSIVE BOLT .... Boulon explosif
EXPLOSIVE LOAD .... Charge explosive
EXPLOSIVE MIXTURE .... Mélange explosif, détonant
EXPLOSIVE RIVET .... Rivet explosif *(DuPont)*
EXPORT .... Exportation
EXPORT (to) .... Exporter
EXPORT ORDERS (for fighters) .... Commandes d'achat étrangères, commandes à l'exportation
EXPOSE (to) .... Exposer, mettre à nu, à découvert
EXPOSED PART (surface) .... Partie nue, découverte

EXPOSURE .... Exposition, pose
EXPOSURE METER .... Posomètre
EXPOSURE SUITS .... Vêtements de protection
EXPOSURE TIME .... Temps d'exposition
EXPRESS .... Messageries
EXPUL (to) .... Expulser
EXTEND (to) .... Étendre, allonger, prolonger, étaler, agrandir, déployer, sortir, (se) décomprimer
EXTENDED LENGTH .... Longueur en position d'extension, détendue, sortie, déployée
EXTENDED POSITION .... Position « sorti » *(vérin)*
EXTENDER .... Extenseur, rallonge
EXTENSION .... Allonge, rallonge, extension, sortie, prolongement, agrandissement, détente *(ressort)*
EXTENSION BAR .... Rallonge
EXTENSION CABLE (lead) .... Prolongateur
EXTENSION LIGHT .... Baladeuse
EXTENSION SPANNER .... Clé rallonge *(de torquemètre)*
EXTENSION SPRING .... Ressort d'extension, de traction
EXTENSION STEM .... Tige de rallonge, rallonge
EXTENSION WORK .... Travaux d'allongement *(de piste)*
EXTENSION WRENCH .... Clé à rallonge
EXTENT .... Étendue, ampleur
EXTENT OF DAMAGE .... Étendue du dommage, importance du dommage
EXTERIOR LIGHTING MODULE .... Module d'éclairage extérieur
EXTERNAL .... Externe, extérieur
EXTERNAL AIR SOURCE .... Prise de parc démarrage
EXTERNAL DIAMETER .... Diamètre extérieur
EXTERNAL ELECTRIC(AL) POWER .... Groupe de parc électrique, groupe électrogène de parc
EXTERNAL EQUIPMENT .... Habillage réacteur
EXTERNAL FUEL TANK .... Réservoir supplémentaire
EXTERNAL HYDRAULIC POWER .... Banc hydraulique de parc
EXTERNAL LEAKAGE .... Fuite externe
EXTERNAL LOAD .... Charge extérieure
EXTERNAL POWER .... *(alimentation par)* groupe de parc, alimentation de parc
EXTERNAL POWER BUS .... Bus de parc
EXTERNAL POWER RECEPTACLE .... Prise de parc électrique, réceptacle prise de parc
EXTERNAL SURFACE .... Surface extérieure
EXTERNAL TANK .... Réservoir extérieur

EXTERNAL THREAD .... Filetage mâle, extérieur
EXTERNAL TRIGGER .... Déclenché externe
EXTERNALLY BLOWN FLAP (EBF) .... Volet soufflé
(jet de gaz issu du réacteur soufflant sous les volets hypersustentateurs)
EXTINGUISH (to) .... Éteindre, étouffer
EXTINGUISHANT .... Liquide, produit extincteur
EXTINGUISHED .... Éteint
EXTINGUISHER .... Extincteur, éteignoir
EXTINGUISHER CYLINDER .... Bouteille extincteur
EXTINGUISHER MANIFOLD .... Rampe d'extinction
EXTINGUISHING AGENT .... Agent extincteur
EXTRA .... En plus, en sus, supplémentaire
EXTRA FLIGHT/SECTION .... Vol/parcours supplémentaire
EXTRA-SECTION .... Parcours complémentaire
EXTRA-SENSITIVE .... Ultra-sensible
EXTRA-TANK .... Réservoir supplémentaire
EXTRACT (to) .... Extraire, tirer
EXTRACTING SCREW (screw extractor) .... Vis d'extraction
EXTRACTING TOOL .... Extracteur, outil d'extraction
EXTRACTION FORCE .... Force d'extraction, d'arrachement
EXTRACTOR .... Extracteur
EXTRACTOR CHUCK .... Décolleur
EXTRADOS .... Extrados
EXTRATERRESTRIAL LIFE .... Vie extraterrestre
EXTREME RANGE .... Distance maxi-franchissable
EXTREMITY .... Extrémité, bout
EXTRUDE (to) .... *(faire)* sortir, expulser, profiler, refouler *(un métal)*
EXTRUDED .... Obtenu par profilage, profilé, extrudé
EXTRUDED SECTION (extruded shape) .... Section profilée, profilé
EXTRUDED STRINGER .... Lisse profilée
EXTRUDING PRESS .... Presse à profiler, à matricer
EXTRUSION .... Profilé, cornière, profilé filé
EXTRUSION GUN .... Pistolet, tube de masticage
EXTRUSION PRESS .... Presse à filer, à profiler, à matricer
EYE .... Œil, yeux, boucle, anneau
EYE BALL NOZZLE .... Buse d'air individuelle *(cabine)*
EYE BEARING .... Palier lisse
EYE BOLT .... Boulon à œil, à chape, piton
EYE CASING .... Volute
EYE END .... Piton de câblage, embout à œil, à rotule
EYE END FITTING .... Ferrure à œil

EYE LEVEL .... Niveau des yeux
EYE LOCATOR .... Repère de position optimale
EYE TERMINAL .... Cosse
EYELET .... Œillet, cosse
EYELID .... Paupière
EYEPIECE (eye-piece) .... Oculaire, viseur

F

FAA (federal aviation administration) .... Agence fédérale de l'aviation
FABRIC .... Fabrique, toile, tissu, entoilage, étoffe
FABRIC-COVERED .... A revêtement de toile
FABRIC-COVERED WING .... Aile entoilée
FABRIC COVERING .... Entoilage
FABRICATE (to) .... Fabriquer, chaudronner, inventer
FABRICATE BUSHINGS (to) .... Fabriquer des bagues
FABRICATION .... Fabrication
FACE MILLING .... Dressage *(fraisage)* de face
FACE MILLING CUTTER .... Fraise à surfacer
FACE PLATE .... Plateau
FACE SHIELD .... Masque de soudure
FACED NOMEX (balsa) .... Panneau sandwich
FACED SURFACE .... Surface dressée, usinée
FACEPIECE .... Groin, inhalateur *(oxygène)*
FACILITIES .... Installations, aménagements
FACING .... Surfaçage, dressage ; revêtement, garniture
FACING MACHINE .... Machine à dresser
FACING SURFACE .... Surface usinée, dressée
FACING TOOL .... Outil à dresser
FACTOR .... Facteur, coefficient, indice, taux
FACTOR OF SAFETY .... Coefficient, facteur de sécurité, de sûreté
FACTORY .... Usine, fabrique, ateliers
FADING .... Affaiblissement, évanouissement radio, fading
FAHRENHEIT SCALE .... Échelle Fahrenheit
FAIL (to) .... Manquer, échouer, faillir, chuter, être HS, inopérant, tomber en panne
FAIL-SAFE .... A sureté intégrée, totalement sûr, fiable, à l'épreuve de toute avarie
FAIL-SAFE DESIGN .... Conception anti-rupture
FAIL-SAFE FEATURE .... Caractéristiques de sécurité
FAIL-SAFE LINK .... Biellette de sécurité
FAIL-SAFE STRENGTH .... Résistance après défaillance
FAIL-SOFT .... A panne limitée
FAILURE .... Panne, ratage, raté, bris, rupture, défaillance, avarie, crique, défaut, incident
FAILURE FLAG (light) .... Drapeau de panne *(voyant)*
FAILURE RATE .... Taux de panne, d'avarie

FAILURE REPORT .... Rapport d'incident
FAILURE WARNING CIRCUIT .... Circuit avertisseur de panne
FAILURE WARNING PANEL .... Panneau avertisseur de panne
FAINT OBJECTS CAMERA (foc) .... Caméra pour objets faiblement lumineux
FAIR (to) .... Caréner, profiler, aligner
FAIR LINES .... Lignes fuselées *(d'un avion)*
FAIR-SHAPED .... Fuselé, caréné
FAIR WEATHER .... Temps clair, beau temps
FAIR WIND .... Vent propice
FAIR WITH (to) .... Se raccorder avec
FAIRED AIRSCREW .... Hélice carénée
FAIRED ANTI-TORQUE ROTOR .... Rotor anti-couple caréné
FAIRED LANDING GEAR .... Train caréné
FAIRED POSITION .... Position neutre, escamotée
FAIRING .... Capotage, carénage *(congé de raccordement),* raccord, profilage, galbe, entoilage ; coiffe (fusée)
FAIRING FASTENER .... Fixation carénage *(dzus)*
FAIRING PANEL .... Karman, carénage
FAIRLEAD .... Guide-cable, câble sous gaine
FALL (falling) .... Chute, descente, baisse, abaissement, pente, inclinaison
FALL (to) .... Chuter, tomber
FALLING LEAF .... Feuille morte
FALSE ALARM .... Fausse alarme
FALSE CONES .... Fading
FALSE FRAME .... Faux couple
FALSE ILS GLIDE PATH .... Faux alignement de descente ILS
FALSE INDICATION .... Fausse indication
FALSE RIB .... Fausse nervure
FALSE SPAR .... Faux longeron
FALSE START .... Faux départ, faux démarrage
FAMILIARIZATION FLIGHT .... Vol de familiarisation, d'adaptation, de prise en main
FAMILY .... Famille
FAMILY OF HELICOPTERS .... Famille, gamme d'hélicoptères
FAN .... Ventilateur, soufflante, roue à ailettes carénées
FAN AIR EXHAUST CASE .... Carter de sortie soufflante
FAN BELT .... Courroie de ventilateur
FAN BLADE .... Pale de soufflante, ailette de ventilateur
FAN BLEED .... Soutirage soufflante
FAN CASCADE VANES .... Grilles d'aubes de la soufflante
FAN COOLED .... Refroidi par ventilateur
FAN DUCT (engine) .... Conduit de soufflante

FAN ENGINE (fan jet) .... Moteur à double-flux, à soufflante
FAN FLOW .... Flux secondaire, de soufflante
FAN FRAME (FF) .... Carter de soufflante
FAN FRAME CASE .... Carter de sortie soufflante
FAN FRAME SMU .... Module carters de soufflante
FAN-IN .... Entrance
FAN JET .... Réacteur à double flux, avion à turboréacteur à double flux
FAN JET ENGINE .... Réacteur double-flux, moteur à soufflante
FAN LINER .... Avion de croisière à hélice carénée
FAN MARKER BEACON .... Radioborne, radiobalise en éventail
FAN MARKERS .... Radiobornes en éventail, balises à faisceaux dirigés obliques, bornes ILS
FAN-OUT .... Sortance
FAN REVERSER DOOR .... Volet d'inverseur de soufflante
FAN ROTOR HMU .... Module rotor de soufflante
FAN SECTION .... Soufflante
FAN SECTION ANTI-ICING AIR SUPPLY LINE .... Conduit de dégivrage soufflante
FAN STARTOR CASE .... Carter de soufflante
FAN TRAINER .... Avion école ou d'entraînement à hélice carénée
FAR END .... Bout, extrémité *(de piste)*
FARAD .... Unité de capacité *(Farad)*
FARADAY'S CAGE .... Cage de Faraday
FARE .... Tarif, prix
FARE-PAYING PASSENGER (revenue passenger) .... Passager payant
FARES AND RATES AGREEMENT .... Accord tarifaire
FASHION (to) .... Façonner, former
FAST .... Rapide, solide, serré, fixe
FAST APPROACH .... Approche rapide
FAST CRUISE .... Croisière rapide
FAST FEED .... Avance rapide
FAST SPEED .... Vitesse rapide
FASTEN (to) .... Fixer, attacher, agrafer, brider
FASTEN SEAT BELT .... Bouclez, attachez vos ceintures
FASTENER .... Fixation, attache, agrafe, fermoir, pression, verrou, bouton à pression
FASTENER CORROSION .... Corrosion des fixations
FATALITY RATE .... Taux d'accidents mortels
FATHOM .... Brasse *(= 6 feet)*
FATIGUE CRACK (cracking, fracture) .... Crique de fatigue

FATIGUE LIFE .... Durée de vie en fatigue
FATIGUE RESISTANCE .... Tenue, résistance à la fatigue
FATIGUE STRENGTH .... Résistance à la fatigue, endurance
FATIGUE TEST PROGRAM .... Programme d'essais de fatigue
FATIGUE TESTING (tests) .... Essais de fatigue
FATTY MATTERS .... Matières grasses
FAUCET (US) = TAP (GB) .... Robinet
FAULT .... Défaut, imperfection, panne, défectuosité, défaillance, vice mécanique
FAULT DETECTION .... Détection de panne
FAULT-FINDING .... Recherche de pannes
FAULT LIGHT .... Voyant de défaut
FAULT RELAY .... Relais de panne
FAULTY .... Défaillant, défectueux, en mauvais état, inexact, incorrect
FAULTY AIRCRAFT .... Avion en panne
FAULTY INSULATION .... Défaut d'isolement
FAULTY O-RING .... Joint défectueux
FAULTY WIRING .... Câblage défectueux
FAYING SURFACE SEAL .... Joint de mastic pour surfaces en recouvrement
FAYING SURFACES .... Surfaces en recouvrement, surfaces en *(de)* contact *(par recouvrement)*
FAYING SURFACES (of pins) .... Portées *(des broches)*
FEATHER .... Plume ; biseau
FEATHER (to) .... Mettre une hélice en drapeau
FEATHER POSITION .... Position drapeau
FEATHER THE PROPELLER (to) .... Mettre l'hélice en drapeau
FEATHERED PROPELLER .... Hélice en drapeau
FEATHERING .... Mise en drapeau
FEATHERING CONTACTORS .... Relais de la pompe de mise en drapeau
FEATHERING PITCH .... Pas de mise en drapeau
FEATHERING PUMP (feather pump) .... Pompe de mise en drapeau
FEATHERING/UNFEATHERING SWITCH .... Bouton poussoir drapeau/dévirage
FEATURE .... Trait, caractéristique, particularité
FED .... Acheminé, alimenté, gavé, appliqué
FEDERAL AVIATION
FEDERAL AVIATION ADMINISTRATION (FAA) (agency) .... Agence fédérale de l'aviation, bureau fédéral de l'aviation
FEED .... Alimentation, charge, avance (MO)
FEED (to) .... Alimenter, refouler, ravitailler, amener
FEED AIR INTO DIFFUSER CASE (to) .... Refouler l'air dans le carter diffuseur

FEED CONTROL .... Commande de l'avance machine
FEED LINE (tube) .... Tuyauterie d'alimentation
FEED OIL .... Huile sous pression
FEED PIPE .... Tuyauterie d'alimentation
FEED PUMP .... Pompe d'alimentation
FEED RATE .... Taux d'avance *(machine)*, vitesse d'avance
FEED TANK .... Nourrice
FEED TRANSFORMER .... Transformateur d'alimentation
FEED WATER HEATER .... Réchauffeur d'eau d'alimentation
FEED WIRE .... Fil d'amenée du courant
FEEDBACK .... Renvoi, action en retour *(d'asservissement)*, *(contre-)* réaction, rétroaction, réinjection
FEEDBACK (to) .... Réintroduire
FEEDBACK AMPLIFIER .... Amplificateur à réaction
FEEDBACK CABLE .... Câble de retour d'asservissement
FEEDBACK SIGNAL .... Signal de réaction
FEEDBACK VOLTAGE .... Tension d'asservissement, de retour
FEEDER .... Alimentation, conducteur, câble, ligne d'alimentation, coaxial *(antenne)*
FEEDER AIRLINE .... Compagnie subsidiaire, complémentaire
FEEDER CABLE .... Câble d'alimentation
FEEDER-LINE .... Ligne d'apport intérieure
FEEDER LINER (feeder-line route) .... Ligne d'apport
FEEDER ROUTE .... Ligne d'apport
FEEDER TANK .... Nourrice
FEEDER TUBE .... Tube, tuyauterie d'alimentation
FEEDERLINER .... Avion pour ligne d'apport
FEEDING .... Alimentation
FEEDING SYSTEM .... Circuit d'alimentation
FEEDING UP .... Suralimentation
FEEL .... Sensation, sens, sensibilité
FEEL ACTUATOR .... Vérin de loi d'effort
FEEL COMPUTER .... Calculateur, régulateur de sensation
FEEL CONTROL UNIT .... Générateur de sensation
FEEL MECHANISM .... Mécanisme de sensation
FEEL SIMULATOR CONTROL .... Simulateur de sensation musculaire
FEEL SIMULATOR JACK .... Vérin de sensation musculaire
FEEL SPRING .... Ressort de sensation artificielle
FEELER .... Calibre d'épaisseur, jauge
FEELER GAUGE (gage) .... Jauge d'épaisseur, pige, cale d'épaisseur, calibre d'épaisseur
FELT .... Feutre
FELT PAD .... Tampon de feutre

FELT SEAL .... Joint en feutre
FELT STRIP .... Bande de feutre
FELT WIPER .... Joint feutre
FEMALE ELBOW .... Coude femelle
FEMALE EXTENSION .... Rallonge femelle
FEMALE SCREW .... Vis femelle, creuse
FEMALE SQUARE DRIVE .... Carré femelle
FEMALE THREAD .... Filet intérieur, filetage femelle
FENCE .... Arête-guide, barrière de décrochage, cloison de décrochage
FENCE RECESS .... Logement du déflecteur
FERRIC CHLORIDE .... Perchlorure de fer
FERROMAGNETIC MATERIAL (ferromagnetic) .... Matière, métal ferromagnétique
FERROMAGNETIC PARTICLES .... Particules ferromagnétiques
FERROMAGNETIC VOLTMETER .... Voltmètre ferromagnétique
FERROMAGNETISM .... Ferromagnétisme
FERROUS .... Ferreux
FERROUS ALLOYS .... Alliages ferreux
FERROUS DEPOSIT .... Dépôt ferreux
FERROUS METAL .... Métal ferreux
FERRULE .... Virole, frette, embout, manchon, ferrure, godet, olive, cloche, passant
FERRY BOAT .... Traversier
FERRY FLIGHT .... Vol de convoyage
FERRY MISSION .... Mission de convoyage
FERRY RANGE .... Distance de convoyage
FERRYING .... Convoyage
FETTLING (operation) .... Ébarbage
FIBER, FIBRE .... Fibre, filament
FIBER COMPOSITE MATERIALS .... Matériaux composites à fibres *(carbone, verre, kevlar)*
FIBER/EPOXY MATERIALS .... Matériaux composites plastiques
FIBERGLASS (material) .... Fibre de verre
FIBERGLASS BLANKET .... Matelas en laine de verre
FIBERGLASS CLOTH .... Tissu de verre, laine de verre
FIBERGLASS FIBER FABRIC .... Tissu de verre
FIBERGLASS HONEYCOMB PANEL .... Panneau nida de verre
FIBERSCOPE .... Analyseur de fibres
FIBRE-REINFORCED COMPOSITE .... Composite renforcé de fibres
FICTITIOUS VELOCITY .... Vitesse fictive
FIELD .... Champ, domaine, champ d'induction
FIELD ANTENA .... Antenne de champ
FIELD BREAKER .... Relais d'inducteur

FIELD CIRCUIT .... Circuit d'excitation, de champ, inducteur
FIELD COIL .... Bobine de champ, d'excitation, d'inducteur
FIELD CURRENT .... Courant de champ *(magnétique)*
FIELD EFFECT TRANSISTOR .... Transistor à effet de champ
FIELD ELEVATION .... Altitude terrain
FIELD EXCITATION .... Excitation des champs
FIELD IN SIGHT .... Terrain en vue
FIELD INDICATOR .... Montre de magnétisation
FIELD LENGTH REQUIRED .... Longueur de piste nécessaire
FIELD LEVEL (elevation) .... Niveau du sol
FIELD MAGNET .... Aimant de champ
FIELD-MAGNET COIL .... Bobine d'induction magnétisante, bobine inductive
FIELD MAINTENANCE .... Entretien de piste
FIELD MEASURING INSTRUMENT .... Mesureur de champ
FIELD OF AIRFLOW .... Champ d'écoulement d'air
FIELD OR COVERAGE .... Champ de diffusion
FIELD OF GRAVITY .... Champ de gravité
FIELD OF VIEW .... Champ de vision, champ visuel
FIELD OF VISION .... Champ de vision
FIELD POLES .... Pièces, masses polaires, pôles
FIELD RELAY .... Relais de l'inducteur
FIELD SCANNING .... Balayage (TV)
FIELD SERVICE .... Détachement de personnel, service après-vente
FIELD SUPPORT CREW .... Personnel d'entretien de piste
FIELD SUPPORT EQUIPMENT .... Matériel de servitude
FIELD WINDING .... Stator, enroulement inducteur, bobine d'excitation
FIGHT .... Combat, bataille, lutte
FIGHT (to) .... Combattre, lutter (un incendie)
FIGHTER (aircraft) .... Avion de chasse, chasseur
FIGHTER-BOMBER .... Chasseur-bombardier
FIGHTER-BOMBER SQUADRON .... Escadre de chasseur-bombardiers
FIGHTER COMMAND .... Aviation de chasse
FIGHTER-INTERCEPTOR .... Chasseur d'interception
FIGHTER WING .... Escadre de chasse
FILAMENT .... Filament, fibre, fil, filet *(d'air)*
FILAMENT LAMP .... Lampe à filament
FILE .... Lime ; dossier, fichier
FILE (to) .... Limer, adoucir ; classer, ranger, déposer (un message)

FILE A FLIGHT PLAN (to) .... Déposer un plan de vol
FILE HOLDER .... Porte-lime
FILE MANAGEMENT SYSTEM .... Système de gestion de fichiers
FILE SEPARATOR .... Séparateur de fichiers
FILED FLIGHT PLAN .... Plan de vol déposé
FILING .... Dépôt *(d'un plan de vol, de tarifs)*
FILLING(s) .... Limaille
FILING INSTRUCTIONS (manuals) .... Instructions de classement, de mise à jour
FILINGS (to wipe) .... Enlever la limaille
FILL (to) .... Remplir, emplir, charger, garnir
FILL IN A FORM (to) .... Remplir un formulaire
FILL OUT (to) .... Gonfler
FILL UP (to) .... Faire le plein, boucher *(avec du mastic)*
FILL-UP TRAFFIC .... Trafic de remplissage
FILLED CORE .... Âme pleine
FILLER .... Câle de remplissage, matériau de remplissage, recharge
FILLER ADAPTOR (ter) .... Raccord de remplissage
FILLER CAP .... Bouchon de remplissage
FILLER CEMENT .... Mastic de remplissage, de rebouchage
FILLER CONNECTOR .... Prise de remplissage
FILLER METAL .... Métal d'apport
FILLER NECK .... Col de remplissage, goulot
FILLER NECK SCREEN .... Crépine de remplissage
FILLER PLATE .... Plaque d'appoint, cale
FILLER PLUG .... Bouchon de remplissage
FILLER PORT .... Orifice de remplissage
FILLER ROD .... Métal d'apport *(soudure)*, baguette de soudure, de métal d'apport
FILLER VALVE .... Robinet, clapet de remplissage, valve de gonflage
FILLER WIRE .... Baguette d'apport
FILLER WELL .... Coupelle de remplissage
FILLET .... Filet, couche, raccord, congé, rayon de raccordement, karman, carénage de raccordement
FILLET FAIRING .... Karman, carénage *(de raccordement)*
FILLET FLAP .... Volet de raccordement, volet de karman, volet d'emplanture
FILLET FLAP DRIVE SHAFT .... Arbre d'entraînement volet de karman
FILLET FLAP FENCE .... Déflecteur de volet de karman
FILLET GUN (sealant) .... Pistolet à mastic
FILLET RADIUS .... Congé, rayon de raccordement

FILLET SEAL .... Filet, cordon de mastic, joint de mastic
FILLET WELD .... Soudure d'angle
FILLING .... Remplissage, chargement, comblement
FILLING COMPOUND .... Mastic de remplissage
FILLING ORIFICE .... Orifice de remplissage
FILLING STATION .... Station de remplissage
FILLING UP .... Colmatage, plein
FILLISTER HEAD SCREW (cheeze head screw) .... Vis à tête cylindrique bombée (CB)
FILM .... Film, pellicule, couche
FILM COOLING .... Refroidissement par film fluide *(fluide réfrigérant)*, gazeux, pariétal, refroidissement pelliculaire, par film d'air réfrigérant
FILM RECORDER .... Enregistreur d'images
FILM TRANSDUCER .... Capteur pelliculaire
FILTER .... Filtre, épurateur, tamis
FILTER AMPLIFIER .... Ampli-filtre
FILTER BLOCKAGE .... Colmatage du filtre
FILTER BOWL .... Corps du filtre
FILTER BYPASS LIGHT .... Voyant de colmatage filtre
FILTER CARD .... Carte filtre
FILTER CARTRIDGE .... Cartouche de filtre, filtrante
FILTER CASE (body) .... Carter, corps du filtre
FILTER CIRCUIT .... Circuit de filtrage
FILTER CLOGGING .... Colmatage, bouchage du filtre
FILTER ELEMENT .... Cartouche filtrante, élément filtrant
FILTER HEAD .... Partie supérieure du filtre
FILTER PAPER .... Papier filtre, filtrant
FILTER SELECTOR .... Sélecteur de fréquences
FILTERED AIR .... Air filtré *(sec)*
FILTERING ELEMENT (cartridge) .... Élément, bloc filtrant *(cartouche)*
FILTRATION .... Filtration, filtrage
FIN .... Ailette, aileron, dérive, plan dérive verticale, plan fixe vertical ; bavure *(d'une pièce)*
FIN FRONT SPAR .... Longeron avant de dérive
FIN TIP .... Saumon, extrémité de dérive
FINAL APPROACH .... Approche finale
FINAL APPROACH COURSE .... Axe d'approche finale
FINAL APPROACH FIX (point) .... Point, repère, balise d'approche finale
FINAL APPROACH PATH .... Trajectoire d'approche finale
FINAL APPROACH SPEED .... Vitesse en approche finale
FINAL ASSEMBLY .... Montage final, définitif

FINAL ASSEMBLY LINE .... Chaîne de montage, d'assemblage final
FINAL DELIVERY .... Livraison finale
FINAL LEG .... Parcours final
FINAL PHASE .... Phase finale
FINAL REAMING .... Alésage final
FINAL TEST .... Essai final
FINANCE DIVISION .... Division financière
FINCH PAINT .... Peinture finch
FIND (to) .... Trouver, rencontrer, découvrir
FIND ONE'S BEARING (to) .... S'orienter, déterminer son gisement
FINDER .... Indicateur, détecteur
FINE .... Fin, raffiné, effilé, pointu
FINE ADJUSTMENT .... Réglage précis, fin
FINE BORING .... Alésage fin
FINE CRACKS .... Craquelures, criques fines, cheveu
FINE EMERY CLOTH .... Toile émeri fine
FINE GRIT .... A grains fins *(papier abrasif)*
FINE GRAIN RADAR .... Radar à haute définition, à grand pouvoir séparateur
FINE OFF (to) .... Dériver
FINE PITCH .... Petit pas *(d'hélice)*
FINE PITCH STOP .... Butée petit pas
FINE SANDPAPER .... Papier verre fin
FINE STONE .... Pierre fine
FINE SURFACE FINISH .... Bon état de surface
FINE THREAD .... Pas fin
FINENESS RATIO .... *(rapport de)* finesse, allongement *(d'un corps fuselé)*
FINER .... Plus fin
FINER ABRASIVE CLOTH .... Toile émeri à grains plus fins
FINGER .... Doigt
FINGERPRINT .... Empreinte de doigt, marque digitale, trace de doigt
FINGER STRAINER .... Crépine
FINGER-TIGHT BOLT .... Boulon serré à la main
FINISH .... Poli, fini, verni ; couche de finition
FINISH (to) .... Finir, terminer, achever
FINISH DIAMETER .... Diamètre final
FINISH MACHINING .... Usinage de finition
FINISH SIZE .... Cote finition
FINISHED PRODUCT .... Produit fini
FINISHING .... Finition
FINISHING CUT .... Passe de finition

FINISHING REAMER .... Alésoir de finition
FINITE ELEMENTS .... Éléments finis
FINNED .... A ailettes
FINNED TUBE .... Tube à ailettes
F.I.R (Flight information region) .... Région d'information de vol
FIR .... Sapin
FIR-TREE ROOTS .... Racines en sapin, emmanchement sapin
FIR-TREE SERRATIONS .... Rainures des emmanchements en sapin *(turbine)*, emmanchement sapin, nervures de sapin
FIRE .... Feu, incendie
FIRE (to) .... Enflammer, allumer, exploser, (s') amorcer, tirer
FIRE-ALARM .... Avertisseur d'incendie
FIRE AND FORGET MISSILE .... Missile « tire et oublie »
FIRE AXE .... Hache d'incendie
FIRE BOTTLE .... Bouteille extincteur
FIRE-BULKHEAD .... Tôle, cloison pare-feu
FIRE BUTTON .... Bouton de mise à feu
FIRE CONTROL COMPUTER .... Calculateur de conduite de tir
FIRE-CONTROL RADAR .... Radar de conduite de tir, de contrôle de tir
FIRE DETECTION HARNESS .... Harnais pyrométrique
FIRE DETECTION LOOP .... Boucle de détection incendie
FIRE DETECTION SENSING LOOP .... Boucle de détection incendie
FIRE DETECTION SYSTEM .... Ligne de détection incendie
FIRE DETECTOR .... Détecteur d'incendie *(gaine, ligne graviner)*
FIRE DETECTOR ELEMENT .... Élément sensible de détection d'incendie
FIRE DETECTOR LOOP .... Boucle de détection incendie
FIRE EXTINGUISHANT (foam, vapourizing liquid, carbon dioxide or dry powder chemical) .... Agent, produit extincteur
FIRE EXTINGUISHER .... Extincteur d'incendie
FIRE EXTINGUISHER BOTTLE .... Bouteille d'extinction incendie
FIRE EXTINGUISHER CARTRIDGE .... Cartouche de percussion bouteille
FIRE EXTINGUISHER SWITCH .... Bouton de percussion bouteille
FIRE EXTINGUISHER TEST SWITCH .... Bouton d'essai extincteurs
FIRE EXTINGUISHING RING .... Rampe d'extinction incendie
FIRE EXTINGUISHING SYSTEM .... Circuit d'extinction incendie
FIRE EXTINGUISHING SYSTEM INDICATOR DISC .... Disque indicateur du circuit d'extinction

FIRE FIGHTING .... Lutte contre le feu, l'incendie
FIRE FIGHTING ACCESS DOOR .... Porte d'accès incendie
FIRE FIGHTING TEAM .... Pompiers
FIRE FIGHTING VARIANT .... Version de lutte contre les incendies
FIRE HANDLE .... Tirette coupe-feu
FIRE HAZARD .... Danger, risque d'incendie
FIRE-HYDRANT PLUG .... Bouche d'incendie
FIRE LOOP .... Boucle d'incendie
FIRE OUTBREAK .... Début d'incendie
FIRE POINT .... Point de feu, d'inflammabilité
FIRE POWER .... Puissance de feu
FIRE PROOFED .... Ignifugé
FIRE PROTECTION .... Protection incendie
FIRE RESISTANT .... Ininflammable, ignifuge
FIRE RESISTANT HYDRAULIC FLUID .... Liquide hydraulique ininflammable
FIRE RESISTANT PANEL .... Panneau ignifuge
FIRE RESISTANT SYNTHETIC LIQUID .... Liquide ininflammable
FIRE-SAFE CONDITION .... Condition de sécurité incendie
FIRE SEAL (fireseal) .... Cloison, joint pare-feu, ignifuge
FIRE SHIELD .... Écran pare-feu
FIRE SHUTOFF HANDLE (lever) .... Poignée, tirette coupe-feu
FIRE SHUTOFF VALVE .... Robinet coupe-feu
FIRE STATION .... Poste d'incendie
FIRE SWITCH .... Poignée coupe-feu
FIRE SWITCH HANDLE .... Tirette coupe-feu
FIRE TRUCK .... Camion d'incendie
FIRE VEHICLE .... Véhicule de lutte contre les incendies
FIRE WARNING BELL .... Sonnerie d'alarme incendie
FIRE WARNING HORN .... Klaxon d'alarme incendie
FIRE WARNING LIGHT .... Lampe avertisseuse d'incendie, voyant alarme incendie
FIRE WARNING SYSTEM .... Circuit avertisseur d'incendie
FIRE WARNING TEST .... Essai d'alarme incendie
FIRE WIRE .... Ligne, fil, boucle de détection incendie
FIREPROOF .... Anti-feu, ignifuge, réfractaire, incombustible, anti-déflagrant
FIREPROOF BULKHEAD .... Cloison pare-feu
FIREPROOF MATERIAL .... Matière à l'épreuve du feu, ininflammable
FIREPROOF SHROUD .... Carénage ignifuge
FIREWALL (fire wall) .... Cloison, tôle pare-feu
FIREWALL SHUTOFF VALVE .... Robinet coupe-feu

FIREWALL WEB .... Cloison pare-feu
FIRING .... Allumage, mise à feu, tir
FIRING ANGLE .... Angle, champ de tir
FIRING BACK .... Retour de flamme
FIRING CENTRE .... Champ de tir
FIRING CIRCUIT .... Circuit de percussion *(extinction incendie)*
FIRING IMPLEMENTATION BOX .... Boîtier de mise en œuvre de tir
FIRING ORDER .... Ordre d'allumage
FIRING POWER .... Puissance de feu
FIRING ROOM .... Salle de lancement
FIRING SEQUENCE .... Ordre de mise à feu, d'allumage
FIRING SIGHT .... Viseur de tir
FIRING WINDOW .... Fenêtre, créneau de lancement
FIRM ORDER .... Commande ferme
FIRST AID .... Premiers soins, de première urgence, de premier secours
FIRST AID BOX (kit) .... Trousse de secours, trousse, boîte pharmacie, équipement de 1er secours, de premiers soins
FIRST CLASS .... Première classe
FIRST-CLASS FARE .... Tarif première classe
FIRST FLIGHT .... Premier vol, baptême de l'air
FIRST FLY (to) .... Voler pour la première fois, accomplir son premier vol
FIRST GENERATION .... Première génération
FIRST-LEVEL CARRIER .... Transporteur de 1er niveau
FIRST MODEL .... Premier modèle, prototype
FIRST OBSERVER .... Premier observateur
FIRST OFFICER .... Co-pilote, premier officier
FIRST OFFICER'S PANEL .... Tableau premier officier
FIRST PILOT .... Premier pilote
FIRST POINT OF ARIES .... Point vernal
FIRST PRODUCTION AIRCRAFT .... Appareil, avion tête de série
FIRST PRODUCTION LINE .... Tête de série
(FIRST) ROLL OUT .... Première sortie
FIRST STAGE NOZZLE .... Distributeur premier étage
FIRST STAGE NGV HMU .... Module stator 1er étage turbine H.P
FISH BONE AERIAL .... Antenne en arête de poisson
FISH-PLATE .... Éclisse, ferrure d'assemblage
FISHMOUTH SEAL .... Joint en forme de « bouche de poisson »
FISHTAIL (to) .... Faire une queue de poisson
FISSURE .... Fissure, fente, crevasse

FIT .... Ajustage, calage, ajustement
FIT (to) .... Adapter, ajuster, assembler, monter, engager, mettre en place, être solidaire, se raccorder, emboîter, équiper
FIT IN (to) .... (s') emboîter, (s') enclaver
FIT IN BETWEEN (to) .... S'emboîter entre
FIT ON (to) .... S'adapter sur
FIT OUT .... Trousseau, équipement
FIT OUT (to) .... Équiper, garnir, outiller
FIT UP (to) .... Monter *(une machine)*
FITMENT .... Montage
FITS AND CLEARANCES .... Jeux & tolérances, table des « jeux & tolérances »
FITTED .... Monté, ajusté, équipé, installé
FITTED BETWEEN .... Intercalé
FITTED WITH G.E ENGINES .... Équipé de moteurs G.E
FITTED WITH TWO PROPELLERS .... Pourvu de deux hélices
FITTER .... Ajusteur, monteur, installateur, metteur au point
FITTING .... Ferrure, embout, raccord, accessoire, monture, garniture, montage, ajustage, agencement, installation, équipement
FITTING A SHIM .... Montage d'une cale
FITTING SHOP .... Atelier d'ajustage
FITTING TOOL .... Outil *(lage)* d'emmanchement
FIVE-ENGINE (plane) .... Pentamoteur
FIX .... Modification, réparation, remise en état ; point, position géographique d'un aéronef (Nav), relèvement, point observé
FIX (to) .... Caler, monter, fixer, réparer, arranger
FIX END .... Cote repère *(circuit d'attente)*
FIX UP (to) .... Placer, mettre, installer
FIXATION .... Fixation
FIXED AREA .... Section fixe
FIXED-BASE SIMULATOR .... Simulateur statique
FIXED BLADE (stator) .... Aube fixe
FIXED COWL .... Capot fixe
FIXED DELIVERY .... Débit constant
FIXED EQUIPMENT .... Installations fixes
FIXED EXHAUST NOZZLE AREA .... Tuyère d'éjection à sortie fixe
FIXED GEAR .... Train fixe *(non rétractable)*
FIXED LANDING GEAR .... Train fixe
FIXED LIGHT .... Feu fixe
FIXED ORIFICE .... Orifice constant, invariable

FIXED-PITCH PROPELLER .... Hélice à pas fixe
FIXED PLUG .... Prise fixe
FIXED SCALE .... Échelle fixe
FIXED TAIL SKID .... Sabot de queue fixe
FIXED TYPE TURBINE .... Turbine liée *(au compresseur)*
FIXED WEIGHT .... Masse permanente
FIXED WINDOW .... Glace fixe
FIXED-WING AIRCRAFT .... Avion à voilure fixe, à ailes fixes
FIXED WINGS .... Voilure fixe
FIXING .... Fixation, ancrage ; montage
FIXING AIDS .... Aides, dispositifs de repérage de position
FIXTURE .... Pièce fixe, bâti, montage, gabarit, support
FLAG .... Drapeau, fanion, « flag », pavillon, banderole, index, indicateur *(d'état),* indicateur rouge *(sur cadran)*
FLAG AIR CARRIER .... Transporteur aérien national, compagnie de pavillon
FLAG AIRLINE (carrier) .... Compagnie nationale de transport aérien
FLAG MARKER .... Flamme
FLAG SHAFT .... Hampe de drapeau
FLAG-STOP .... Escale technique
FLAKE .... Écaille, paillette, éclat
FLAKED PAINT .... Peinture écaillée
FLAKING PAINT .... Peinture écaillée, écaillage de la peinture
FLAMABILITY SPECIFICATIONS .... Normes de tenue au feu
FLAME .... Flamme
FLAME ARRESTER .... Arrête-flamme, coupe-feu, pare-flamme
FLAME CUT (to) .... Découper au chalumeau
FLAME DAMPER .... Anti-retour de flammes
FLAME DETECTOR (UV) .... Détecteur de flamme
FLAME EXTINCTION .... Extinction de flamme
FLAME HARDEN (to) .... Tremper au chalumeau, à la flamme
FLAME HARDENING .... Trempe au chalumeau, à la flamme
FLAME HOLDER .... Dispositif de tenue de flamme, accroche-flamme, stabilisateur de flamme
FLAME-HOLDER RING .... Anneau accroche-flamme
FLAME-OUT (flameout) .... Extinction *(réacteur)*
FLAME PROOF .... Ignifuge
FLAME RESISTANT .... Incombustible
FLAME SPRAY .... Projection à la flamme
FLAME SPRAY GUN .... Pistolet de métallisation
FLAME SPRAYING .... Métallisation à la flamme

FLAME TRAP .... Anti-retour de flamme
FLAME TUBE .... Tube à flamme
FLAMMABLE .... Inflammable
FLAMMABLE LIQUID .... Liquide inflammable
FLANGE .... Bride d'assemblage *(carters pour réacteur)*, d'accouplement, couronne, embase, collet, bord tombé, collerette, rebord, saillie, semelle, flasque, joue, bourrelet, voile, boudin *(de roue)*
FLANGE (to) .... Brider, cambrer, tomber le bord, épanouir
FLANGE ADAPTOR .... Collet
FLANGE COUPLING .... Joint, raccordement, accouplement à brides, à plateaux
FLANGE MOUNTING .... Montage à bride
FLANGED .... (à) bride, épanoui, à rebord, à boudin
FLANGED BEARING .... Roulement à collerette
FLANGED BUSH (bushing) .... Bague épaulée, bague à collerette
FLANGED COUPLING .... Raccord bridé
FLANGED EDGE .... Bord tombé
FLANGED END .... Extrémité, orifice à bride, bord tombé
FLANGED GEAR .... Engrenage à plateau
FLANGED HOLE .... Trou à bord tombé
FLANGED NUT .... Écrou à embase, à collet
FLANGED PIPE .... Tubulure à épanoui
FLANGED PLATE .... Tôle à bord tombé
FLANGED SHAFT .... Arbre à bride
FLANGED SLEEVE .... Manchon à collerette *(à bride)*
FLANK .... Flanc
FLANK DRIVE WRENCH .... Clé polygonale
FLANK OF TOOTH (shape) .... Profil de la dent
FLAP .... Volet, volet de courbure, obturateur, abattant, clapet, battement, claquement
FLAP (to) .... Battre *(des ailes)*, avoir un débattement
FLAP ACTUATOR .... Vérin de volet
FLAP ANGLE .... Angle de braquage des volets
FLAP AREA .... Surface de volets
FLAP ASYMMETRY LANDING .... Atterrissage avec volets asymétriques
FLAP BY-PASS VALVE .... Robinet by-pass de volet
FLAP CANOE .... Glissière de volet
FLAP CARRIAGE .... Chariot de volet
FLAP CONTROL HANDLE .... Manette, poignée de commande des volets
FLAP CONTROL VALVE .... Sélecteur de volet
FLAP DEFLECTION .... Braquage volets

FLAP DEPLOYMENT .... Descente, sortie des volets
FLAP DOWN .... Volets sortis
FLAP DRIVE MECHANISM .... Mécanisme d'entraînement des volets
FLAP DRIVE POWER UNIT .... Boîtier d'entraînement des volets ext. & int.
FLAP EXTENSION .... Sortie des volets
FLAP GUIDE RAIL .... Rail de guidage de volet
FLAP LANDING (flapless) .... Atterrissage avec volets *(sans volets)*
FLAP LEVER (handle) .... Levier de commande des volets
FLAP LOAD RELIEF (limiter) .... Limiteur de charge volets
FLAP OVERRIDE SWITCH .... Interrupteur surpassement volets
FLAP PEENING .... Grenaillage avec volet à grenaille
FLAP POSITION INDICATOR (transmitter) .... Indicateur de position des volets *(transmetteur)*
FLAP POWER UNIT .... Boîtier d'entraînement des volets
FLAP RETRACTION .... Rentrée, effacement des volets
FLAP SEAT .... Strapontin
FLAP SETTING .... Angle de braquage des volets
FLAP SPINDLE .... Vérin à vis de volets
FLAP SPOILER .... Spoiler articulé
FLAP TRACK (rib) .... Rail de guidage de volet *(nervure)*
FLAP TRUCK .... Chariot de volet
FLAP-TYPE NOZZLE .... Tuyère à volets de striction, buse à diaphragme, multi-volets
FLAP-VALVE .... Clapet
FLAP WHEEL .... Volet à grenaille
FLAPPER .... Volet, clapet
FLAPPER VALVE .... Clapet, soupape à clapet, clapet à battant
FLAPPING .... Battement, levée de pale ; battant
FLAPPING BLADE .... Pale battante
FLAPPING WING .... Aile battante
FLAPS .... Volets hypersustentateurs
FLAPS ARE FULLY UP .... Volets sont complètement rentrés
FLAPS DOWN (extended, lowered) .... Volets sortis, baissés
FLAPS UP .... Volets rentrés, relevés
FLARE .... Feu *(de signal)*, fusée éclairante, lumineuse, de signalisation, éclairant, artifice lumineux ; épanoui, évasement ; arrondi *(avant atterrissage)*
FLARE (to) .... Évaser, épanouir ; flamboyer, vaciller
FLARE AND TOUCHDOWN .... Arrondi et impact
FLARE DROPPING .... Largage d'éclairants

FLARE FITTING CONNECTION .... Raccord épanoui
FLARE JOINT .... Raccord à épanoui
FLARE NUT WRENCH .... Clé polygonale à tuyauter
FLARE-OUT .... Arrondi, manœuvre de redressement
FLARE-OUT (to) .... Arrondir
FLARE PATH .... Piste balisée
FLARE PISTOL .... Pistolet lance-fusées
FLARE POT .... Torchère
FLARED TUBE .... Tube épanoui
FLARED TUBE FITTING .... Raccord avec épanoui
FLARELESS ASSEMBLY .... Raccordement sans épanoui
FLARELESS ELBOW FITTING .... Coude sans épanoui
FLARELESS FITTING .... Raccord sans épanoui
FLARELESS TUBE .... Tube sans épanoui
FLARING .... Évasage *(d'un tube)*
FLARING TOOLS .... Outils à évaser
FLASH .... Éclair, éclat, étincelle, flash ; bavure d'un métal ; flash, fine couche, voile
FLASH (to) .... Clignoter, donner des éclats, des éclairs, claquer
FLASH BACK .... Retour de flamme
FLASH CONCEALER (eliminator) .... Cache-flamme
FLASH-LIGHT (flashlight) .... Lampe torche, lampe de poche, feu à éclats
FLASH OF LIGHTNING .... Éclair
FLASH OVER (to) .... Cracher des étincelles
FLASH POINT .... Point d'éclair, point d'ignition, d'inflammabilité
FLASH RESISTANT .... Non fusant
FLASH SUPPRESSOR .... Suppresseur d'étincelles
FLASH TEST .... Essai d'isolement, de claquage
FLASH TESTER .... Boîte de claquage et d'isolement
FLASH WELDING .... Soudage par étincelage
FLASHER .... Clignotant, feu clignotant, clignoteur
FLASHING INDICATOR LIGHT .... Voyant à éclat
FLASHING LIGHT .... Feu à éclats, feu clignotant
FLASHING WARNING LIGHT .... Témoin clignotant
FLASK .... Flacon, fiole
FLAT .... Plat, horizontal, aplati, dégonflé, à plat, plan ; pan, méplat
FLAT BAR .... Fer plat
FLAT BLADE ANGLE .... Pas nul, pas 0
FLAT CHISEL .... Burin plat
FLAT HEAD PIN .... Goupille à tête plate
FLAT IRON .... Fer plat

FLAT MOUNTING .... Montage à plat
FLAT-NOSE PLIER (flat-nosed plier) .... Pince plate
FLAT PATTERN .... Développé, calibre, gabarit
FLAT PLATE ANTENNA .... Antenne plane
FLAT RATE .... Tarif uniforme
FLAT RATED (to 820 shp) .... Détaré *(débit et température entrée turbine réduits),* ramené à une puissance de
FLAT RATED... OF .... A poussée maintenue jusqu'à ... °C
FLAT RATED ENGINE .... Moteur à puissance, à poussée constante
FLAT RESPONSE .... Réponse plane
FLAT SCREW .... Vis à tête plate
FLAT SPANNER .... Clé plate
FLAT SPIN .... Vrille à plat
FLAT SPOT (side) .... Méplat
FLAT SURFACE .... Surface plane
FLAT TUNING .... Accord flou
FLAT TURN .... Virage à plat, virage dérapé
FLAT WASHER .... Rondelle plate
FLATNESS .... Planéité
FLATTEN (to) .... (s') aplatir, aplanir, écraser, lisser, laminer
FLATTEN OUT (to) .... Aplanir, redresser *(après un piqué),* allonger un vol
FLATTENED .... Aplati
FLATTENED END .... Extrémité aplatie
FLATTENING .... Aplatissement, affaissement, écrasement
FLATTENING OUT .... Ressource, redressement
FLATTENING TOOL .... Outil de planage
FLAW .... Crique, fissure, fente, fêlure, défaut, défectuosité, imperfection, soufflure, paille
FLAW DETECTION .... Détection de crique, de défaut
FLAX .... Lin
FLECK .... Petite tâche, particule *(de poussière)*
FLEET .... Flotte, flottille, parc aérien
FLEET (to) .... Passer rapidement, s'enfuir
FLEET AIR ARM .... Aéronavale
FLEET COMMONALITY .... Homogénéité de la flotte
FLEET STATUS (fleet strength) .... Parc aérien
FLETTNER .... Compensateur, volet additionnel compensateur de gouverne, flettner
FLEX .... Cordon, câble souple, flexible
FLEX-HEAD WRENCH .... Clé à tête articulée
FLEX LINE .... Tuyauterie souple
FLEX SOCKET .... Cardan à clé, douille articulée
FLEX WING .... Aile souple

FLEXIBILITY .... Souplesse, élasticité, flexibilité
FLEXIBILITY OF USE .... Souplesse d'emploi
FLEXIBLE .... Flexible, souple, pliant
FLEXIBLE BLADE .... Pale souple
FLEXIBLE CABLE .... Câble flexible
FLEXIBLE CAGE .... Cage souple
FLEXIBLE COUPLING .... Raccord, accouplement flexible, souple, élastique
FLEXIBLE DRIVE .... Commande flexible, élastique
FLEXIBLE DRIVE SHAFT .... Câble flexible d'entraînement *(reverse CF6-50)*, entraînement flexible, transmission flexible
FLEXIBLE DUCT .... Durite, tuyauterie souple, flexible
FLEXIBLE HOSE (line) .... Tuyau flexible, tuyauterie, canne souple, durite
FLEXIBLE JOINT .... Raccord flexible
FLEXIBLE LINES .... Tuyauteries souples
FLEXIBLE MOUNT .... Silentbloc, tampon souple *(caoutchouc)*
FLEXIBLE SHAFT .... Transmission flexible
FLEXIBLE SOCKET .... Douille flexible
FLEXIBLE TAKE-OFF .... Décollage à poussée réduite
FLEXION .... Flexion, courbure
FLICK ROLL .... Tonneau déclenché, rapide
FLIGHT .... Vol, ligne, envol, transport aérien ; escadrille
FLIGHT ALTITUDE .... Altitude de vol
FLIGHT ANALYSER .... Analyseur de vol
FLIGHT ATTENDANTS .... PNC, personnel commercial de bord *(hôtesses, stewards)*, agents de bord
FLIGHT ATTENDANT'S STATION .... Poste agent de bord
FLIGHT ATTITUDE .... Assiette, attitude, configuration de vol
FLIGHT BACK .... Vol retour
FLIGHT BENCH .... Banc volant
FLIGHT CANCELLATION .... Annulation de vol
FLIGHT CENTER .... Centre d'essai en vol (CEV)
FLIGHT CERTIFICATION TESTS .... Essais de certification en vol
FLIGHT CLEARANCE .... Autorisation de vol
FLIGHT CLOSED .... Vol complet
FLIGHT COMMAND .... Directive de vol
FLIGHT COMPARTMENT .... Poste de pilotage
FLIGHT COMPUTER .... Calculateur de vol, centrale aérodynamique

FLIGHT CONDITIONS .... Conditions de vol
FLIGHT CONTROL .... Contrôle de vol, pilotage
FLIGHT CONTROL PLATFORM .... Plate-forme de pilotage
FLIGHT CONTROLLER .... Contrôleur de vol
FLIGHT CONTROLS .... Commandes de vol
FLIGHT CREW (flightcrew) .... Équipage *(de vol, de conduite, technique)*, PNT, personnel navigant
FLIGHT DATA .... Données de vol
FLIGHT DATA ACQUISITION UNIT (FDAU) .... Bloc, boîtier d'acquisition de données de vol *(pour enregistrement)*
FLIGHT DATA AND VOICE RECORDER .... Enregistreur de vol et de conversation
FLIGHT DATA RECORDER (FDR) .... Enregistreur (de données) de vol, boîte noire *(couleur orange)*
FLIGHT DATA SYSTEM .... Système de données de vol
FLIGHT DECK ...... Poste de pilotage, compartiment d'équipage de vol, pont de porte-avion, pont d'envol
FLIGHT DEMONSTRATION .... Démonstration en vol
FLIGHT DESIGNATOR .... Indicatif, numéro de vol
FLIGHT DEVELOPMENT .... Mise au point en vol
FLIGHT DIRECTOR .... Directeur de vol
FLIGHT DIRECTOR MODE LIGHT .... Voyant mode directeur de vol
FLIGHT DISPATCH .... Régulation des vols
FLIGHT DISPATCH CENTRE .... Centre de régulation des vols
FLIGHT DISPATCHER .... Agent d'opérations aériennes
FLIGHT DIVERSION .... Vol dérouté
FLIGHT DOCUMENTS .... Documents de vol
FLIGHT DURATION .... Temps de vol
FLIGHT DYNAMICS .... (la) dynamique de vol
FLIGHT EFFICIENCY .... Rendement du vol $= \text{Mach} \times \frac{\text{Portance}}{\text{Trainée}}$
FLIGHT ENDURANCE .... Endurance de vol, distance franchissable, autonomie de vol
FLIGHT ENGINEER .... Mécanicien navigant (OMN), ingénieur de vol
FLIGHT ENGINEER'S PANEL .... Planche *(de bord)* mécanicien
FLIGHT ENGINEER'S UPPER INSTRUMENT PANEL ...... Panneau sup. mécanicien, tableau supérieur OMN, second officier
FLIGHT ENVELOPE .... Enveloppe, domaine de vol
FLIGHT FINE PITCH .... Petit pas vol
FLIGHT FINE PITCH LOCK WITHDRAWAL SOLENOID ..... Électro-valve de verrouillage « PP sécurité croisière »
FLIGHT FINE PITCH STOP (FFPS) .... Butée petit pas vol

FLIGHT FITNESS .... Aptitude au vol *(d'une personne)*
FLIGHT FORECAST .... Prévision de vol
FLIGHT FORMATION .... Formation de vol
FLIGHT FREQUENCIES .... Fréquences de vol
FLIGHT HOSTESS .... Hôtesse de l'air
FLIGHT HOUR .... Heure de vol, temps de vol *(heure)*
FLIGHT IDLE .... Ralenti vol
FLIGHT IDLE LIMIT SWITCH .... Contact limite ralenti vol
FLIGHT INDICATOR .... Horizon artificiel
FLIGHT INFORMATION .... Information de vol
FLIGHT INFORMATION BOARD .... Tableau d'affichage des vols
FLIGHT INFORMATION CENTER (FIC) .... Centre d'information de vol
FLIGHT INFORMATION DISPLAY .... Panneau d'affichage des vols
FLIGHT INFORMATION REGION (FIR) .... Région d'information de vol
FLIGHT INSTRUCTOR .... Instructeur, moniteur de vol
FLIGHT INSTRUMENTATION (instruments) .... Instruments de vol
FLIGHT INSTRUMENTS PANEL .... Tableau d'instruments de vol
FLIGHT INTERPHONE (intercom) .... Interphone PNT, interphone vol
FLIGHT LEG .... Étape, tronçon de vol
FLIGHT LEVEL .... Niveau de vol, plage de vol
FLIGHT LEVEL LIMITATION .... Limitation de niveau de vol
FLIGHT LINE (flightline) .... Ligne de vol
FLIGHT LOAD .... Charge de vol
FLIGHT LOG .... Carnet, imprimé de route, de vol, journal de bord
FLIGHT MANAGEMENT COMPUTER (FMC) .... Ordinateur de gestion de vol
FLIGHT MANAGEMENT SYSTEM (FMS) .... Système de gestion de vol, de conduite du vol, de navigation
FLIGHT MANEUVER .... Manœuvre, évolution en vol
FLIGHT MANUAL .... Manuel de vol
FLIGHT MECHANIC .... Mécanicien navigant
FLIGHT MECHANICS .... Mécanique de vol
FLIGHT MODE .... Mode vol
FLIGHT NAVIGATOR .... Navigateur
FLIGHT NUMBER .... Numéro de vol
FLIGHT OF (x)AIRCRAFT .... Formation de (x) appareils, patrouille
FLIGHT OFFICERS .... Personnel navigant technique (PNT)
FLIGHT OPEN .... Vol ouvert
FLIGHT OPERATING COSTS .... Coûts d'exploitation des services aériens

FLIGHT OPERATIONAL REPORT (FOR) .... Compte rendu de vol
FLIGHT OPERATIONS .... Opérations aériennes, exploitation
FLIGHT OPERATIONS DIRECTOR .... Directeur des opérations aériennes
FLIGHT OPERATIONS OFFICER .... Agent technique d'exploitation
FLIGHT OUT .... Vol aller
FLIGHT PATH .... Trajectoire de vol, route, ligne de vol
FLIGHT PATH ANALYSIS .... Trajectographie
FLIGHT PER WEEK .... Vol par semaine
FLIGHT PERFORMANCE REPORT .... Compte rendu d'exécution du vol
FLIGHT PERSONNEL .... PNT, équipage, personnel de conduite, navigant
FLIGHT PHASES .... Phases de vol
FLIGHT PLAN .... Plan de vol
FLIGHT PLAN FILING .... Dépôt de plan de vol
FLIGHT PLAN MESSAGE .... Message de plan de vol
FLIGHT PLAN ROUTE .... Cheminement du plan de vol
FLIGHT PLAN UPDATING .... Mise à jour du plan de vol
FLIGHT PLANNED ROUTE .... Itinéraire du plan de vol
FLIGHT PLANNING .... Préparation des vols, planification de vol, conduite de vol
FLIGHT PLANNING FORM .... Plan de vol
FLIGHT PLANNING TABLE (chart) .... Table, graphique de préparation du vol
FLIGHT PLANNING STATION .... Bureau des plans de vol *(compagnie)*
FLIGHT PLOTTER .... Traceur de route
FLIGHT POLAR CURVE .... Polaire de vol
FLIGHT PREPARATION .... Préparation des vols
FLIGHT PRESENTATION OFFICE .... Bureau des présentations en vol (BPV)
FLIGHT PROCEDURES TRAINER .... Entraîneur de procédures de vol
FLIGHT PROFILE .... Profil de vol
FLIGHT PROGRESS .... Déroulement du vol
FLIGHT PROGRESS CHART (board) .... Tableau de progression de vol
FLIGHT PROGRESS STRIP .... Fiche de progression de vol, de vol, « strip »
FLIGHT RADIO OPERATOR .... Opérateur radio navigant
FLIGHT RANGE .... Autonomie de vol, rayon d'action
FLIGHT RECORDER .... Enregistreur de vol, de bord, boîte noire *(couleur orange)*

FLIGHT REFUELLING BOOM (PROBE) .... Perche de ravitaillement en vol *(prise)*
FLIGHT REGIME .... Régime de vol
FLIGHT REGULARITY .... Régularité de vol
FLIGHT REGULATIONS .... Règles de l'air
FLIGHT RELIABILITY .... Sécurité en vol
FLIGHT REPORT .... Compte rendu de vol
FLIGHT RESTRICTIONS .... Restrictions de vol
FLIGHT ROUTE .... Route, itinéraire de vol
FLIGHT SAFETY .... Sécurité croisière
FLIGHT SAFETY STOP .... Butée sécurité croisière
FLIGHT SCHEDULING .... Programmation des vols
FLIGHT SEGMENT .... Segment, tronçon de vol
FLIGHT SEQUENCE .... Séquence de vol
FLIGHT SERVICE DIRECTOR .... Directeur de bord
FLIGHT SERVICE STATION (FSS)-US .... Service d'information en vol
FLIGHT SIMULATION .... Simulation de vol
FLIGHT SIMULATOR .... Simulateur de vol
FLIGHT SPOILER .... Déporteur, spoiler vol, déporteur de roulis
FLIGHT STAGE .... Étape de vol
FLIGHT START .... Réallumage en vol
FLIGHT STATION .... Poste de pilotage
FLIGHT STATION ENTRY DOOR .... Porte poste de pilotage
FLIGHT STATION LIGHTING .... Éclairage poste de pilotage
FLIGHT SUIT .... Combinaison de vol
FLIGHT STATION OVERHEAD ESCAPE HATCH ..... Trappe d'évacuation poste de pilotage
FLIGHT SURFACE .... Gouverne
FLIGHT TEST (trial) .... Essai en vol
FLIGHT TEST CENTER .... Centre d'essai en vol (CEV)
FLIGHT TEST PROGRAM .... Programme d'essais en vol
FLIGHT TESTING .... Essais en vol
FLIGHT TICKET .... Billet d'avion
FLIGHT TIME .... Durée, temps de vol, d'étape, total
FLIGHT TRACK .... Route, trajectoire de vol
FLIGHT TRAINER .... Simulateur
FLIGHT TRAINING .... Entraînement, instruction en vol, entraînement au pilotage
FLIGHT TRAINING CENTRE (flying training centre) .... Centre d'entraînement en vol (CEV)
FLIGHT TRIAL .... Essai en vol
FLIGHT VISIBILITY .... Visibilité en vol

FLINGE .... Frange
FLIP (to) .... Replier
FLIP-FLOP .... Circuit ouvert-fermé, bascule, basculeur bi-stable, flip-flop
FLIP-FLOP SWITCHING .... Commutation flip-flop
FLIPPED SIDE .... Rabat, bord tombé
FLIR (Forward Looking Infra-Red) .... Ens. IR à balayage frontal
FLOAT .... Flotteur ; jeu, déplacement
FLOAT (to) .... Flotter, avoir du jeu
FLOAT-CHAMBER .... Cuve à niveau constant
FLOAT NEEDLE .... Pointeau *(de carburateur)*
FLOAT SEAPLANE (float plane) .... Hydravion à flotteurs
FLOAT SWITCH .... Contacteur à flotteur
FLOAT TYPE .... A flotteur
FLOAT-TYPE CARBURETTOR .... Carburateur à flotteur, à niveau constant
FLOAT VALVE .... Valve, robinet, soupape, clapet à flotteur
FLOATED GYRO .... Gyro flottant
FLOATING .... Flottant, souple, libre, mobile, instable
FLOATING BEARING .... Roulement flottant
FLOATING HEAD .... Tête mobile
FLOATING INPUT .... Entrée flottante
FLOATING NUT .... Écrou flottant, écrou en cage
FLOATING PISTON .... Piston flottant
FLOATING POINT (gate) .... Virgule flottante *(grille)*
FLOATPLANE .... Hydravion
FLOOD (to) .... Inonder, submerger, noyer
FLOODED PORT .... Orifice noyé
FLOODED RUNWAY .... Piste inondée
FLOODING .... Noyage
FLOODING (prevent from) .... Éviter de noyer le moteur
FLOODLIGHT (flood lights) .... Rampe d'éclairage, phare, projecteur *(de parking)*, rampe lumineuse *(d'approche)*
FLOOR .... Plancher, fond
FLOOR BEAM .... Traverse, poutrelle de plancher
FLOOR COVERING .... Revêtement de plancher
FLOOR PANEL .... Panneau de plancher
FLOOR TRACK .... Rail de plancher, de cabine
FLOOR WELL DOOR .... Trappe de plancher
FLOPPY-DISK .... Disque souple
FLOTATION .... Flottaison
FLOW .... Écoulement *(fluide)*, flux, courant, débit, passage *(du courant)*, volume
FLOW (to) .... Couler, s'écouler, débiter

FLOW BY GRAVITY (to) .... S'écouler par gravité
FLOW BREAKAWAY .... Décollement des filets d'air
FLOW-CHART (flowchart) .... Organigramme de traitement de l'information, ordinogramme
FLOW CONTROL .... Commande de débit, régulation du débit ; régulation de la circulation aérienne
FLOW CONTROL UNIT (FCU) .... Régulateur de débit
FLOW CONTROL VALVE .... Vanne de réglage, de régulation, de débit, contrôleur de débit, vanne régulatrice, régulateur de débit
FLOW CONTROLLER (regulator) .... Régulateur, contrôleur de débit
FLOW DIAGRAM .... Ordinogramme
FLOW DIRECTION .... Direction, sens d'écoulement
FLOW DIVERTER .... Séparateur de flux
FLOW DIVIDER VALVE .... Soupape de distribution, distributrice
FLOW FIELD (flowfield) .... Champ d'écoulement, de propagation
FLOW FORMING .... Fluotournage
FLOW GUN .... Pistolet *(de masticage)*
FLOW INDICATOR .... Indicateur de débit, d'écoulement
FLOW LIMITER .... Limiteur de débit
FLOW LIMITING VALVE .... Clapet limiteur de débit, clapet restricteur, régulateur de débit
FLOW LINE .... Ligne de courant
FLOW-METERING .... Débitmétrie
FLOW MULTIPLIER .... TC Auxiliaire *(Turbo-Compresseur)*
FLOW MULTIPLIER BY-PASS VALVE .... Vanne by-pass de TC auxiliaire
FLOW MULTIPLIER CHECK VALVE .... Clapet anti-retour de TC auxiliaire
FLOW OF A CURRENT .... Intensité d'un courant
FLOW OF AIR .... Débit d'air
FLOW OF TRAFFIC .... Écoulement du trafic
FLOW OUT (to) .... S'écouler, déborder
FLOW PATTERN .... Diagramme d'écoulement
FLOW-RATE .... Débit, valeur de débit, vitesse d'écoulement
FLOW REDUCER .... Réducteur de débit
FLOW REGULATING VALVE .... Vanne régulatrice de débit
FLOW REGULATOR .... Régulateur de débit
FLOW STRAIGHTENER AND MUFFLER .... Redresseur de flux et silencieux
FLOW TEST .... Essai d'écoulement
FLOW TRANSMITTER .... Transmetteur de débit

FLOW TUBE .... Tube de courant
FLOW VELOCITY .... Vitesse d'écoulement
FLOW-TURNING .... Fluotournage
FLOWING OUT .... Débordement
FLOWMETER .... Débitmètre, indicateur de débit, rhéomètre
FLOWMETER TRANSMITTER .... Transmetteur de débit
FLOWMETRY .... Débitmétrie
FLOWSPINNING .... Fluotournage
FLUCTUATE (to) .... Varier, osciller, flotter
FLUCTUATING RESISTANCE .... Résistance variable
FLUCTUATION .... Variation, fluctuation, oscillation
FLUE .... Carneau *(aire lancement)*
FLUID .... Fluide, liquide, fluidique
FLUID FLOW .... Écoulement des fluides, débit
FLUID LEAKAGE .... Fuite de liquide
FLUID LEVEL .... Niveau du liquide
FLUID LOGIC SYSTEM .... Système fluidique
FLUID MECHANICS .... Mécanique des fluides
FLUID MECHANICS INSTITUTE .... Institut de mécanique des fluides
FLUID MOTOR .... Moteur hydraulique
FLUID QUANTITY TRANSMITTER .... Transmetteur de jaugeur
FLUID TIGHT .... Étanche aux liquides
FLUID-TIGHT RIVET .... Rivet étanche, non fuyard
FLUIDICS .... Mécanique des fluides, fluidique
FLUIDITY .... Fluidité
FLUOBORIC ACID .... Acide fluoborique
FLUORESCENCE .... Fluorescence
FLUORESCENT DYE .... Colorant fluorescent
FLUORESCENT DYE CRACK DETECTION .... Détection de défauts par ressuage fluorescent
FLUORESCENT INK .... Révélateur fluorescent *(Magnaglo)*
FLUORESCENT INTENSITY .... Intensité de la fluorescence, de la lumière noire *(Lux, Foot-candle)*
FLUORESCENT LAMP .... Tube fluorescent
FLUORESCENT LIGHT (fluo-light) .... Lumière, éclairage fluorescent, lampe fluorescente
FLUORESCENT PENETRANT .... Pénétrant fluorescent
FLUORESCENT PENETRANT CHECK .... Contrôle ressuage fluorescent
FLUORESCENT PENETRANT DEVELOPER .... Révélateur
FLUORESCENT PENETRANT EXAMINATION .... Ressuage fluorescent, procédé zyglo
FLUORESCENT PENETRANT REMOVER EMULSIFIER .... Émulsifiant *(ressuage fluorescent)*

FLUORIDE ATMOSPHERE .... Atmosphère fluorée
FLUORINATED PRODUCT .... Produit fluoré
FLUOROSCOPIC INSPECTION .... Contrôle fluoroscopique
FLUSH .... Plein, débordant, affleurant, lisse, ras, de niveau, encastré
FLUSH (to) .... Rincer ; affleurer, encastrer, noyer, raser, araser
FLUSH ANTENNA .... Antenne noyée, encastrée
FLUSH CUTTER PLIER .... Pince coupante à coupe rase
FLUSH CUTTING (cut) .... Coupe rase
FLUSH HEAD (100°) .... Tête noyée *(fraisée 100°)*
FLUSH HEADSCREW (to) .... Noyer la tête de vis
FLUSH MARKER LIGHT .... Plot lumineux *(d'atterrissage)*
FLUSH MOTOR .... Moteur de rinçage
FLUSH PLUG (to) .... Boucher
FLUSH RIVET .... Rivet à tête fraisée, à tête noyée
FLUSH SCOOPS .... Prises d'air affleurantes
FLUSH SCREW .... Vis à tête noyée
FLUSH SKIN .... Revêtement affleurant
FLUSH SYSTEM .... Circuit de rinçage
FLUSH WITH (to be) .... Être à fleur, au ras, à ras bord, affleurer
FLUSHING .... Rinçage sous pression
FLUSHNESS .... Affleurement
FLUTE .... Rainure, cannelure
FLUTED REAMER .... Alésoir cannelé
FLUTTER .... Agitation, vibration, battement, flottement, oscillation, instabilité aérodynamique
FLUTTER (to) .... Battre, vibrer
FLUTTER DAMPER .... Amortisseur de battement
FLUTTER TRIALS .... Essais de flottement
FLUTTER TROUBLE .... Flottement, vibration aéroélastique *(de haute fréquence)*
FLUTTERING .... Battement des gouvernes
FLUX (fluxes) .... Fondant, flux ; décapant
FLUX (to) .... Décaper
FLUX VALVE .... Sonde magnétométrique
FLUXMETER .... Fluxmètre
FLY (to) .... Voler, piloter, voyager par avion, prendre l'avion
FLY ABREAST (to) .... Voler de front
FLY AN AIRCRAFT .... Piloter un avion
FLY AWAY (to) .... (s') envoler
FLY AWAY COST .... Prix clés en main
FLY AWAY KIT .... Lot de bord

FLY-BY-LIGHT .... Fibres optiques pour transmission des ordres de pilotage
FLY-BY-WIRE (FBW) .... (à) commandes de vol électriques (CDVE), pilotage, vol par fils
FLY-BY-WIRE CONTROLS .... Commandes de vol à transmission électrique *(pilotage électrique)*
FLY CRABWISE (to) .... Voler en crabe
FLY CROSSWIND (to) .... Voler vent de travers
FLY DRILLS .... Manœuvres en vol
FLY GROUND .... Terrain d'aviation
FLY HEADWING (to) .... Voler vent de face
FLY IN SUPPLIES (to) .... Amener par avion *(de l'équipement)*
FLY LEVEL (to) .... Voler en palier
FLY LINE ASTERN (to) .... Voler en ligne décalée
FLY-NUT .... Écrou à oreilles, papillon
FLY ON INSTRUMENTS (to) .... Naviguer aux instruments
FLY OUT (to) .... S'envoler de
FLY OVER (to) .... Survoler
FLY-PAST .... Défilé aérien
FLY UP-WIND (to) .... Voler vent de face, de bout
FLY WHEEL (Flywheel) .... Volant d'inertie
FLYER .... Aviateur, aviatrice ; aile
FLYING .... Volant ; vol, aviation ; sautage *(d'un rivet)*
FLYING-BOAT .... Hydravion monocoque, à coque
FLYING BY NUMBERS (flying the needles) .... Piloter aux instruments
FLYING BY OBSERVATION .... Navigation observée, vol à vue
FLYING CENTRE .... Centre d'aviation
FLYING CLUB .... Aéro-club
FLYING CONTROLS .... Commandes de vol
FLYING CRANE .... Grue volante
FLYING DEMONSTRATION .... Présentation en vol
FLYING DISPLAY .... Présentation, démonstration en vol
FLYING FORTRESS .... Forteresse volante (B29, B52)
FLYING HOUR .... Heure de vol
FLYING-OFF PLATFORM .... Plateforme d'envol
FLYING OFFICER .... Lieutenant *(armée de l'air)*
FLYING QUALITIES .... Qualités de vol
FLYING RANGE .... Rayon d'action
FLYING SCHOOL .... École d'aviation, de pilotage
FLYING SICKNESS .... Mal de l'air
FLYING SQUAD .... Volant commercial
FLYING TEST-BED (bench) .... Banc d'essai volant
FLYING TEST CENTER .... Centre d'essais en vol, CEV

FLYING THE NEEDLES .... Piloter aux instruments
FLYING TIME .... Temps de vol, nombre d'heures de vol
FLYING WEIGHT .... Poids en ordre de vol
FLYING WING .... Aile volante
FLYOVER .... Défilé aérien à basse altitude, survol
FLYOVER (to) (fly over) .... Survoler, prendre son vol
FLYWEIGHT ASSY .... Dispositif centrifuge à masselottes
FLYWEIGHT GOVERNOR .... Régulateur à masselottes
FLYWEIGHTS .... Masselottes
FLYWHEEL .... Volant
FLYWHEEL-INERTIA MECHANISM .... Volant à inertie
FOAM .... Mousse, écume, émulsion
FOAM CARPET (pad) .... Tapis de mousse
FOAM COMPOUND .... Émulseur
FOAM ELEMENT .... Élément filtrant *(à mousse)*
FOAM EXTINGUISHER .... Extincteur à mousse
FOAM GENERATOR .... Générateur de mousse
FOAM METHOD .... Procédé de recherche de crique par mousse
FOAM-RUBBER .... Caoutchouc mousse
FOAM-RUBBER MATERIAL .... Caoutchouc mousse
FOAM THE RUNWAY (to) .... Mettre le tapis de mousse sur la piste
FOAMING .... Émulsion, moussage, formation de mousse
FOAMING AGENT .... Agent moussant
FOCAL DETECTOR .... Détecteur focal
FOCAL LENGTH .... Distance focale
FOCAL PLANE (point) .... Plan focal *(point)*
FOCUS .... Foyer, centre
FOCUS (to) .... Concentrer, focaliser, diriger, mettre au point
FOCUSING (focussing) .... Concentration, focalisation, réglage de la distance, mise au point
FOCUSING EFFECT .... Effet de focalisation
FOCUSSING ELECTRODE .... Électrode de concentration
FOCUSSING MIRROR .... Miroir focalisateur
FOCUSSING SCALE .... Échelle des distances
FOD (fuel over destination) .... Carburant à l'arrivée
FOD (foreign object damage) .... Dégâts causés par des corps étrangers *(dans un réacteur)*
FODDED ENGINE .... Moteur qui a absorbé des corps étrangers
FOG .... Brouillard, brume
FOG BANK .... Banc, nappe de brouillard
FOG CLEARANCE SYSTEM .... Système de dénébulation

FOG DISPERSAL .... Dénébulation, dissipation du brouillard
FOG DISPERSAL SYSTEM .... Système, dispositif de dénébulation
FOG DISSIPATION .... Dissipation du brouillard
FOG HORN .... Corne de brume
FOG LIGHT (lamp) .... Phare antibrouillard
FOG PATCH .... Plaque, banc de brouillard
FOGGING .... Embuage
FÖHN CLOUD .... Nuage de foehn
FOIL .... Feuille, lame, clinquant
FOIL BEARING .... Palier à feuille
FOIL MARKER .... Plaquette d'inscription
FOLD .... Pli, repli, rabat ; agrafe
FOLD (to) .... Plier, rabattre, replier
FOLD BACK (to) .... Rabattre, escamoter, retourner
FOLD LINE .... Ligne de pliage
FOLDABLE .... Pliable
FOLDED WINGS .... Ailes repliées
FOLDER .... Dépliant
FOLDING .... Pliant, repliant, escamotable ; pliage
FOLDING BLADE .... Pale repliable
FOLDING HATRACKS .... Porte-bagages repliables
FOLDING MACHINE .... Machine à plier, plieuse
FOLDING PRESS .... Presse plieuse
FOLDING ROTOR .... Rotor pliant, repliable
FOLDING SEAT .... Strapontin
FOLDING TRAY .... Tablette pliante
FOLDING UP (down) .... Repliage, repliement, rabattement, agrafage *(de tôles)*
FOLDING WING .... Aile repliable
FOLIATED .... Feuilleté, lamellaire, lamellé
FOLLOW (to) .... Suivre
FOLLOW-UP .... Suivi, asservissement
FOLLOW-UP CABLE .... Câble d'asservissement
FOLLOW-UP CONTROL CRANK .... Guignol d'asservissement
FOLLOW-UP CONTROLS .... Commandes d'asservissement
FOLLOW-UP LEVER .... Levier d'asservissement
FOLLOW-UP LINKAGE .... Timonerie d'asservissement
FOLLOW-UP PULLEY .... Poulie d'asservissement
FOLLOW-UP SYSTEMS .... Asservissements
FOLLOWED .... Suivi
FOLLOWING PAGE .... Page suivante
FOOD SERVING CART .... Chariot de service à bord
FOOD-TRAY .... Plateau repas
FOOL PROOF .... Indéréglable, indétraquable

FOOL PROOF DEVICES .... Détrompage mécanique
FOOT .... Pied
FOOT BRAKE .... Frein à pied, à pédale, au palonnier, pédale de frein
FOOT PEDALS .... Palonnier
FOOTPLATE .... Pédale
FOOTREST (footstool) .... Repose-pieds
FOOTSTEP .... Marchepied
FOOTSTOCK .... Poupée mobile de tour
FORBID (to) .... Défendre, interdire
FORCE .... Force, effort
FORCE (in) .... En vigueur *(réglementation, procédures)*
FORCE (to come into) .... Entrer en vigueur
FORCE (to) .... Forcer
FORCE FIT (to) .... Emmancher à force
FORCE OF GRAVITY .... Force de la pesanteur
FORCE OF SPRING .... Force du ressort
FORCE OUT (to) .... Refouler
FORCE PUMP .... Pompe refoulante
FORCE THE ENGINE (to) .... Trop pousser le moteur
FORCED CONVECTION (cooling) .... Convection forcée *(refroidissement)*
FORCED DESCENT .... Descente forcée
FORCED FEED LUBRICATION .... Graissage sous-pression
FORCED FLOW .... Écoulement forcé
FORCED LANDING .... Atterrissage forcé
FORE .... Avant, à l'avant
FORE FLAP .... Élément avant du volet hypersustentateur
FORE PART .... Partie avant
FORECAST .... Prévision
FORECAST (to) .... Prévoir, calculer
FORECAST UPPER AIR CHART .... Carte de prévisions en altitude
FORECAST .... Prévisions
FOREGOING .... Antérieur, précédent
FOREGROUND .... Premier plan
FOREIGN .... Étranger
FOREIGN BODY .... Corps étrangers
FOREIGN CARRIER .... Compagnie étrangère *(d'aviation)*
FOREIGN DEPOSIT .... Dépôt de corps étrangers
FOREIGN FLAG CARRIER .... Compagnie nationale étrangère
FOREIGN MATTER .... Corps étrangers, impuretés
FOREIGN OBJECT DAMAGE (FOD) .... Dommages causés par les corps étrangers

FOREIGN OBJECT INGESTION .... Ingestion d'objets étrangers
FOREIGN OBJECTS .... Objets, corps étrangers
FOREMAN .... Contremaître, chef d'équipe, chef d'atelier
FOREWORD .... Avant-propos, préface
FORGE (to) .... Forger
FORGE HAMMER .... Marteau à forger
FORGEABLE .... Forgeable
FORGED BEAM .... Poutre forgée
FORGED STEEL .... Acier forgé
FORGING .... Pièce forgée, travail de forge, forgeage, ébauche
FORGING PRESS .... Presse à forger
FORGING ROLL .... Laminoir à forger
FORGINGS .... Pièces forgées, produits forgés
FORK .... Fourche, chape, fourchette
FORK END .... Chape, fourche
FORK JOINT .... Chape
FORK LIFT TRUCK .... Chariot élévateur à fourche, hyster
FORKED .... Fourchu, à chape, à fourche
FORKED END .... Chape d'extrémité
FORKED ROD .... Bielle à fourche
FORM .... Forme, configuration, figure, formulaire, imprimé
FORM (to) .... Former, façonner, faire
FORM CUTTER .... Fraise de forme
FORM DRAG .... Trainée de forme
FORMAT .... Format
FORMATION (in) .... En formation
FORMATION FLYING (formation flight) .... Vol en formation, de patrouille
FORMED RIB .... Nervure emboutie
FORMED SECTION .... Cornière, profilé
FORMED SHEET .... Tôle emboutie, mise en forme, formée
FORMER .... Gabarit, calibre, matrice, cadre *(fuselage)*, cloison, couple, cintre, tôle pliée, formée *(bords rabattus)*, fausse nervure d'aile
FORMER PLATE .... Gabarit
FORMIC ACID .... Acide formique
FORMING .... Formage, cambrage
FORMING RIBS .... Fausses nervures
FORMULAE .... Formule
FORWARD (FWD) .... De l'avant, d'avant, de devant, à l'avant
FORWARD DIRECTION .... Vers l'avant
FORWARD END .... Extrémité, pointe avant, l'avant
FORWARD ENGINE MOUNTS .... Attaches avant réacteur

FORWARD ENTRY DOOR .... Porte pax avant
FORWARD FACING CREW COCKPIT (FFCC) .... Poste de pilotage avec planche de bord équipée de tous les instruments et cadrans *(pour équipage technique)*, cockpit de face, de type « face à l'avant », tableau de bord, poste de pilotage tout à l'avant
FORWARD FLIGHT (helicopter) .... Vol vers l'avant, en translation avant
FORWARD GALLEY DOOR .... Porte office avant
FORWARD LAVATORY .... Toilettes avant
FORWARD LOOKING INFRA-RED (FLIR) .... Système de visualisation infra-rouge
FORWARD LOWER CARGO .... Soute avant
FORWARD MOTION .... Mouvement d'avance, en avant
FORWARD MOUNT .... Attache avant
FORWARD-SWEPT WING (FSW) .... Voilure à flèche négative, inverse, aile en flèche négative
FORWARD THRUST (positive) .... Poussée positive, vers l'avant, normale
FORWARD THRUST LEVER .... Manette de poussée
FORWARD THRUST REVERSER ACTUATOR .... Vérin inverseur de poussée avant
FORWARD TRANSLATION .... Translation vers l'avant
FORWARD VISIBILITY (vision) .... Visibilité vers l'avant
FORWARD VOLTAGE .... Polarisation directe
FORWARDING .... Expédition, acheminement
FOUL (to) .... Encrasser
FOUL WEATHER .... Sale temps, temps pourri, temps bouché
FOULED PLUG .... Bougie encrassée
FOULING .... Encrassement
FOUND (to) .... Fondre *(les métaux)*, mouler *(la fonte)*
FOUNDRY .... Fonderie
FOUR-BLADED PROPELLER .... Hélice quadripale
FOUR-BLADED ROTOR .... Rotor quadripale
FOUR-CYCLE ENGINE .... Moteur quatre temps
FOUR-ENGINE TURBOPROP .... Quadripropulseur
FOUR-ENGINE VERSION .... Version quadrimoteur
FOUR-ENGINED .... Quadrimoteur
FOUR-JET .... Quadrimoteur, quadriréacteur
FOUR-JET TRANSPORT .... Avion quadrimoteur, quadriréacteur *(DC8, B 707)*
FOUR-POLE .... Tétrapolaire, quadripole
FOUR-POLE TOGGLE SWITCH .... Inverseur quatre étages
FOUR STRIKE CYCLE (four-stroke cycle) .... Cycle à quatre temps

FOUR-STROKE ENGINE .... Moteur à quatre temps *(4-temps)*
FOUR-WAY NUT WRENCH .... Clé en croix
FOUR-WAY VALVE .... Valve, sélecteur quatre voies
FOUR-WIRE .... A quatre fils
FOURIER'S LAW .... Loi de Fourier
FOWLER FLAPS (fowler-type flaps) .... Volets fowler *(du type Fowler)*
FRACTOCUMULUS .... Fracto-cumulus
FRACTOSTRATUS .... Fracto-stratus
FRACTURING (fracture) .... Fracture, cassure, dislocation, rupture
FRAME .... Couple, cadre, encadrement, châssis, carcasse, monture, ossature, bâti, armature, charpente
FRAME CAP .... Semelle de couple
FRAME MEMBER .... Armature de l'encadrement
FRAME POST .... Montant
FRAMING ERROR .... Erreur de cadrage
FRAMING PULSE .... Impulsion d'encadrement *(radar)*
FRAMEWORK .... Charpente, armature, ossature, carcasse, cadre, bâti, châssis
FRAMEWORK FUSELAGE .... Fuselage en treillis
FRANGIBLE DISC .... Disque fusible
FRAY (to) .... Érailler, effiler, effilocher, élimer, craqueler
FRAYED END .... Extrémité effilochée
FREE .... Libre, exempt, gratuit
FREE (to) .... Libérer, dégager, décolmater
FREE AIR .... Air libre
FREE AIRPORT .... Aéroport franc
FREE AIRSTREAM .... Écoulement libre
FREE ATMOSPHERE .... Atmosphère libre
FREE BAGGAGE ALLOWANCE .... Franchise de bagages
FREE BALLOON .... Ballon libre
FREE DROP (fall, dropping) .... Chute libre
FREE FALL (of landing gear) .... Chute libre *(du train)*
FREE-FALL TOWER .... Tour d'impesanteur
FREE FIELD .... Champ libre
FREE FIT .... Ajustement libre
FREE FLIGHT .... Vol libre
FREE FLOATING .... Se mouvant librement
FREE FLOW .... Écoulement libre, libre débit
FREE FLOWING DUCT .... Conduit à libre écoulement
FREE FROM (to) .... Libérer, relâcher, désolidariser
FREE LENGTH .... Longueur libre
FREE OF OIL, GREASE, DIRT (area) .... Surface parfaitement propre et réceptive

FREE ON BOARD (FOB) .... Franco à bord
FREE RING .... Bague libre
FREE SEATED FLIGHT .... Vol sans attribution de sièges
FREE SHAFT .... Arbre flottant
FREE-STANDING .... Tenant librement
FREE STREAM .... Écoulement libre
FREE TICKET .... Billet gratuit
FREE TO TURN .... Libre de tourner
FREE TRAVEL .... Libre déplacement, débattement
FREE TURBINE .... Turbine libre
FREE TURBINE ENGINE .... Moteur à turbine libre, type à turbine libre
FREE WHEEL .... Roue libre
FREE WHEELING AIRSCREW .... Hélice tournant en moulinet
FREE ZONE .... Zone franche
FREED .... Dégazé
FREEDOM .... Liberté, facilité de mouvement
FREEDOM OF ROTATION .... Liberté de rotation
FREEZE (to) .... Geler, givrer, refroidir
FREEZE FIT (to) .... Monter à l'azote liquide, à la neige carbonique
FREEZE PLUG .... Bouchon d'antigel
FREEZING .... Congélation, gel ; givrant, (se) congelant
FREEZING CONDITIONS .... En atmosphère givrante
FREEZING FOG .... Brouillard givrant
FREEZING LEVEL .... Altitude de l'isotherme zéro
FREEZING PLUG .... Mandrin pour emmanchement bague à l'azote
FREEZING POINT .... Point de congélation, le zéro, point de cristallisation
FREEZING RAIN .... Pluie givrante
FREIGHT .... Fret, marchandises, cargaison, transport *(de marchandises)*, affrètement, chargement
FREIGHT (to) .... Affréter, fréter
FREIGHT AGENCY .... Agence messageries
FREIGHT CLERK .... Agent de messageries
FREIGHT DOOR .... Porte de soute
FREIGHT ELEVATOR .... Monte-charge
FREIGHT FORWARDER .... Transitaire
FREIGHT HOLD .... Soute à frêt
FREIGHT LINER .... Avion-cargo
FREIGHTER (freight plane, cargo plane) .... Avion cargo, avion de transport de frêt, affréteur
FREIGHTER AIRCRAFT .... Avion-cargo
FRENCH CHALK .... Talc, craie

FREON EXTINGUISHER .... Extincteur au fréon
FREON GAS .... Fréon, agent frigorifique
FREQUENCY .... Fréquence, période
FREQUENCY BAND .... Bande de fréquence
FREQUENCY CHANNEL .... Voie de fréquence
FREQUENCY CONVERTER .... Changeur, convertisseur de fréquence
FREQUENCY COVERAGE .... Gamme de fréquences
FREQUENCY DEVIATION .... Déviation, excursion de fréquence, écart de fréquence maximal
FREQUENCY-DIVERSITY RADAR .... Radar à diversité de fréquence
FREQUENCY DRIFT .... Glissement, dérive de fréquence
FREQUENCY GENERATOR .... Générateur de fréquence
FREQUENCY INVERTER .... Inverseur de fréquence
FREQUENCY METER (frequency counter) .... Fréquencemètre, compteur de fréquence
FREQUENCY MODULATION (FM) .... Modulation de fréquence
FREQUENCY MULTIPLIER .... Multiplicateur de fréquence
FREQUENCY NOISE .... Bruit de fréquence
FREQUENCY RANGE .... Gamme de fréquence
FREQUENCY SHIFT (drift) .... Glissement, déplacement, dérive de fréquence
FREQUENCY SHIFT METER .... Appareil de mesure de glissement de fréquence
FREQUENCY SPECTRUM .... Spectre de fréquence
FREQUENCY STABILITY .... Stabilité de fréquence
FREQUENCY SWING .... Excursion de fréquence maximale
FREQUENCY SYNTHESIZER .... Synthétiseur de fréquence
FREQUENCY TRACKING .... Poursuite en fréquence
FRESH WATER .... Eau douce
FRETTAGE (rough wear) .... Corrosion de contact, frottement, usure par contact intermittent *(battements)*, matage, usure par arrachement de métal *(mvt de 2 surfaces en contact sous une forte pression)*
FRETTED .... Rongé, usé
FRETTING (frettage) .... Usure par corrosion, par entraînement ; arrachement de métal, grippage
FRETTING CORROSION .... Corrosion de zones en contact, usure par frottement
FRETTING WEAR .... Usure par fatigue superficielle (avec ou sans mvt des pièces)
FRICTION .... Frottement, friction, serrage
FRICTION BEARING (sliding element) .... Roulement à friction
FRICTION BRAKE .... Frein à friction, à patin

FRICTION CLUTCH .... Embrayage à friction
FRICTION DISC .... Disque, plateau de friction
FRICTION DRAG .... Traînée de frottement
FRICTION FACTOR (f) .... Coefficient de frottement
FRICTION-FREE OPERATION .... Fonctionnement sans frottement
FRICTION POINT .... Point dur
FRICTION PAD .... Patin
FRICTION RING .... Anneau de friction
FRICTION STOP .... Arrêt de friction
FRICTION STRIP .... Bande de frottement
FRICTION TEST .... Essai de frottement, de friction
FRICTION TORQUE .... Couple de frottement
FRICTION TYPE BEARING .... Palier à serrage
FRICTION WASHER .... Bague de friction
FRICTIONAL HEATING .... Échauffement cinétique
FRINGE .... Frange
FRINGE EFFECT .... Effet pelliculaire
FROM .... En provenance de, à partir de
FRONT .... Avant, de façade, front *(masses d'air)*
FRONT EXTRUSION .... Profilé de façade *(meubles)*
FRONT FACE .... Face avant
FRONT LAVATORY .... Toilette avant
FRONT PANEL .... Panneau avant, de façade
FRONT SEAT .... Siège avant
FRONT SPAR .... Longeron avant *(d'aile)*
FRONT SUSPENSION .... Suspension avant
FRONT VIEW .... Vue de face
FRONT WHEEL .... Roue, roulette avant
FRONT WIND .... Vent debout
FRONTAL .... Frontal(e), de front
FRONTAL AREA .... Surface frontale
FROST .... Gelée, gel
FROSTED .... Givré, dépoli
FROSTED GLASS .... Verre dépoli
FROSTY .... Glacial, de gelée, de givre
FROUD NUMBER .... Nombre de Froude
FROUD WATER BRAKE .... Frein Froude
FROZEN EXPANSION .... Détente figée
FRUITSTONE BLASTING .... Nettoyage à l'abrasif végétal
FRUSTUM OF A CONE .... Tronc de cône, tronçon
FRYING .... Friture
FUEL .... Combustible, carburant, essence
FUEL (to) .... Faire le plein, avitailler en carburant
FUEL/AIR RATIO .... Rapport, dosage carburant/air (1/15)
FUEL-AIR MIXTURE .... Mélange carburant-comburant, carburé

FUEL ATOMIZER .... Vaporisateur, pulvérisateur carburant, injecteur carburant
FUEL BOOST PUMP (fuel booster pump) .... Pompe d'appoint, auxiliaire carburant
FUEL BURN OFF .... Consommation prévue de carburant, carburant consommé
FUEL BURNER .... Injecteur carburant
FUEL CAPACITY .... Contenance, capacité en carburant
FUEL CELL .... Réservoir souple carburant ; pile à combustible
FUEL CHECK .... Relevé consommation, vérification carburant
FUEL COCK (HP, BP) .... Robinet carburant (HP, BP)
FUEL CONSUMPTION .... Consommation carburant
FUEL CONTROL .... Régulation carburant
FUEL CONTROL SYSTEM .... Système régulateur de débit carburant, régulation carburant
FUEL CONTROL UNIT (FCU) .... Régulateur carburant, régulateur de débit carburant, contrôleur de débit
FUEL COST .... Coût, prix du carburant
FUEL COST INCREASE (rise) .... Augmentation du prix carburant
FUEL CUT-OUT .... Robinet coupe-feu
FUEL DEICING HEATER .... Réchauffeur carburant
FUEL DUMP (ing) .... Vidange, largage carburant
FUEL DUMP CHUTE .... Manche de vide-vite
FUEL DUMP SYSTEM .... Circuit de vidange carburant, vide-vite
FUEL DUMP NOZZLE VALVE .... Robinet de la manche de vidange
FUEL DUMP(ING) SYSTEM .... Mécanisme de vide-vite, circuit de vide-vite, largage carburant
FUEL DUMP VALVE .... Robinet vide-vite, robinet de vidange rapide
FUEL-EFFICIENT AIRCRAFT .... Avion consommant moins de carburant, économique
FUEL-EFFICIENT ENGINE .... Moteur sobre, économe
FUEL ENDURANCE .... Autonomie carburant
FUEL FEED LINE SHROUD .... Gaine sur tuyauterie alimentation en carburant
FUEL FEED SYSTEM .... Circuit d'alimentation carburant
FUEL FILTER .... Filtre à carburant
FUEL FIRE SHUT-OFF VALVE .... Robinet coupe-feu carburant
FUEL FLOW .... Débit carburant
FUEL FLOW CONTROL UNIT .... Régulateur de débit carburant
FUEL FLOW GAGE (fuel flowmeter) .... Débitmètre carburant

FUEL FLOW INDICATOR .... Indicateur de débit carburant, débitmètre carburant
FUEL FLOW RATE .... Débit carburant *(valeur)*
FUEL FLOW SYSTEM .... Circuit de débitmètre
FUEL FLOW TRANSMITTER .... Transmetteur débitmètre carburant, de débit carburant
FUEL FLOWMETER INDICATOR .... Indicateur de débit carburant
FUEL GAGE (fuel gauge) .... Jaugeur carburant, indicateur de quantité carburant
FUEL GAGE INDICATOR .... Indicateur jaugeur réservoir
FUEL GAUGING SYSTEM .... *(système de)* jaugeage carburant
FUEL GOVERNING .... Régulation carburant
FUEL GOVERNOR .... Régulateur de pompe d'injection
FUEL GRADE .... Indice d'octane, qualité de carburant
FUEL HEAT VALVE .... Vanne de réchauffage carburant
FUEL HEATER .... Réchauffeur carburant
FUEL HYDRANT .... Bouche de ravitaillement en carburant, oléoprise
FUEL-INJECTED ENGINE .... Moteur à injection
FUEL INJECTION .... Injection carburant
FUEL INJECTOR .... Injecteur, gicleur carburant
FUEL INLET .... Arrivée carburant
FUEL JETTISON .... Vide-vite, largage carburant
FUEL LEVEL CONTROL SHUTOFF VALVE .... Clapet d'arrêt de niveau remplissage
FUEL LINE .... Tuyauterie carburant
FUEL LOG .... Fiche carburant
FUEL LOW PRESSURE SWITCH .... Mano-contacteur baisse de pression carburant, basse pression carburant
FUEL MANAGEMENT COMPUTER (system) ...... Calculateur de gestion carburant
FUEL MANIFOLD .... Rampe d'injection carburant, rampe à combustible
FUEL METERING VALVE .... Doseur carburant
FUEL MISER .... Économiseur de carburant
FUEL NOZZLE (fuel burner) .... Injecteur carburant, brûleur
FUEL-OIL .... Gasoil, mazout, fuel domestique, huile lourde
FUEL-OIL COOLER .... Radiateur d'huile
FUEL-OIL HEAT EXCHANGER .... Échangeur thermique huile/carburant
FUEL OVER DESTINATION .... Carburant à l'arrivée
FUEL-OXIDIZER MIXTURE RATIO .... Rapport de mélange carburant-comburant
FUEL PRESSURE INDICATING SYSTEM .... Circuit indicateur de pression carburant

FUEL PRESSURE TRANSMITTER .... Transmetteur pression carburant
FUEL PRESSURIZING AND DUMP VALVE .... Purgeur-distributeur
FUEL PUMP .... Pompe carburant, à combustible
FUEL PUMP FILTER .... Filtre pompe carburant
FUEL QUANTITY GAGE .... Jaugeur carburant
FUEL QUANTITY INDICATOR .... Indicateur jaugeur carburant, de quantité carburant
FUEL QUANTITY TOTALIZER .... Totalisateur de carburant
FUEL REGULATING VALVE .... Doseur carburant
FUEL RELIEF VALVE .... Vide-vite
FUEL RESERVES .... Réserves carburant
FUEL SAVING(s) .... Économie(s) carburant, économie(s) d'énergie
FUEL SAVING ENGINE .... Moteur sobre, qui ne consomme pas beaucoup, économique, à faible consommation
FUEL SHUTOFF LEVER .... Manette coupe-feu
FUEL SHUTOFF VALVE .... Robinet coupe-feu carburant, robinet d'arrêt carburant
FUEL SPRAYER .... Vaporisateur carburant, brûleur
FUEL STOP .... Escale d'avitaillement en carburant
FUEL STRAINERS .... Filtres carburant
FUEL SUPPLY LINE .... Alimentation carburant
FUEL SUPPLY SYSTEM .... Circuit d'alimentation carburant
FUEL SYSTEM .... Circuit carburant, réseau d'alimentation en carburant
FUEL TANK .... Réservoir d'essence, carburant
FUEL TEMPERATURE BULB (probe) .... Sonde de température carburant
FUEL TEMPERATURE INDICATING SYSTEM .... Circuit indicateur de température carburant
FUEL TENDER .... Avitailleur, camion-citerne
FUEL-TO-AIR RATIO .... Mélange air/carburant
FUEL TOTALIZER INDICATOR .... Indicateur de quantité totale, totalisateur carburant
FUEL TRANSFER SYSTEM .... Système de transfert carburant
FUEL TRIMMER .... Correcteur de dosage carburant
FUEL TRUCK .... Camion citerne, groupe avitailleur
FUEL TRUCK DEFUELING PUMP .... Pompe de reprise du camion citerne
FUEL USED (indicator) .... Carburant utilisé, consommé *(indicateur)*
FUEL VENT SYSTEM .... Circuit de mise à l'air libre carburant
FUEL WEIGHT .... Masse carburant

FUELING (fuelling) .... Avitaillement, remplissage de carburant, plein
FUELING ADAPTOR (adapter) .... Prise de remplissage, d'avitaillement
FUELING LEVEL CONTROL PILOT VALVE .... Valve pilote à flotteur
FUELING LEVEL CONTROL SHUTOFF VALVE .... Robinet limiteur de remplissage
FUELING OVERWING PORT .... Orifice de remplissage par gravité *(extrados aile)*
FUELING OPERATION .... Opération de plein carburant
FUELING PORT .... Orifice, prise de remplissage
FUELING QUANTITY INDICATOR .... Indicateur quantité carburant
FUELING RECEPTACLE .... Prise de remplissage carburant
FUELING STATION (point) .... Station de remplissage, poste d'avitaillement
FUELING SWITCH .... Interrupteur de remplissage
FUELING SYSTEM .... Circuit de remplissage
FUELING TRUCK .... Avitailleur
FUELLER .... Camion-citerne
FULCRUM .... Point d'appui, support, pivot, centre
FULCRUM PIN .... Axe de pivotement, de pivotage, d'oscillation
FULCRUM SCREW .... Vis de centrage
FULL .... Plein, rempli, comblé, complet ; à fond
FULL DOWN .... Plein piqué
FULL FARE TRAVEL .... Voyage à plein tarif
FULL FLOW .... Plein débit
FULL INSPECTION .... Inspection complète
FULL LOAD .... Pleine charge, charge totale
FULL NOSE DOWN POSITION .... Position plein piqué
FULL NOSE UP POSITION .... Position plein cabré
FULL-OUT .... (à) pleins gaz, (à) pleine gomme
FULL POWER .... Plein gaz, pleine puissance, plein régime, poussée décollage
FULL ROUND ANTENNA .... Antenne circulaire
FULL SCALE .... Échelle grandeur nature, vraie grandeur, pleine échelle
FULL-SCALE MOCKUP .... Maquette grandeur nature
FULL SIZE .... Grandeur nature, échelle 1
FULL THROTTLE .... Pleins gaz, pleine gomme
FULL THROTTLE (at) .... (à) plein gaz, plein régime, poussée maxi, pleine puissance
FULL THRUST .... Poussée décollage, pleine puissance

FULL THRUST TAKE-OFF .... Décollage à pleine poussée
FULL TRAVEL .... Débattement, course complète, à fond de course
FULL UP .... Plein cabré
FULL WAVE .... Onde pleine
FULL-WAVE DIODE .... Diode à deux alternances
FULL WAVE RECTIFIER .... Redresseur à deux alternances
FULLY AUTOMATIC .... Entièrement automatique
FULLY BOOKED .... Complet *(vol)*
FULLY COMPRESSED .... Rentré, compressé à fond
FULLY DISCHARGED .... A plat
FULLY EQUIPPED .... Entièrement équipé
FULLY EXTENDED .... Sorti à fond
FULLY FUELED .... Plein, ras bord
FULLY OPEN .... Ouvert à fond
FULLY OPENED (closed) .... Complètement ouvert *(fermé)*
FULLY POSITION (in) .... A fond
FULLY UP .... A fond vers le haut
FUME .... Fumée, vapeur, émanation
FUMEPROOF .... Anti-fumée
FUNCTION .... Fonction
FUNCTION GENERATOR .... Générateur de fonctions
FUNCTION SWITCH (selector) .... Sélecteur de fonctions
FUNCTIONAL CHECK .... Vérification fonctionnelle
FUNCTIONAL DIAGRAM .... Schéma de principe
FUNCTIONAL TEST .... Essai de fonctionnement, fonctionnel
FUNCTIONING .... Fonctionnement
FUND (to) .... Financer
FUNDAMENTAL (principle) .... Fondamental *(principe)*
FUNDING PROBLEM .... Financement
FUNGICIDE PAINT .... Peinture fongicide
FUNGUS .... Bactéries
FUNNEL .... Entonnoir
FUR (to) .... Entartrer, encrasser, incruster
FURNACE .... Fourneau, four
FURNISH (to) .... Fournir, pourvoir, donner
FURNISHINGS .... Aménagements *(commerciaux)*
FURTHER .... (adv)Plus, davantage ; (adj) nouveau, supplémentaire, additionnel
FURTHER INFORMATION (for) .... Pour plus d'information
FUSE .... Fusible, plomb ; fuselage ; fusée
FUSE (to) .... Fondre, mettre en fusion, sauter *(plombs)*
FUSE BASE PLATE .... Plaque à fusibles
FUSE BOLT .... Boulon fusible
FUSE BOX .... Boîte à fusibles

FUSE CAP .... Coiffe de la fusée ; tête de fusible
FUSE CORD .... Cordeau fusible
FUSE COUPLING .... Raccord fusible
FUSE CUT-OUT .... Coupe-circuit
FUSE FLOW (to) .... Fondre
FUSE HOLDER .... Porte-fusible
FUSE PLUG .... Bouchon fusible
FUSE RIVET .... Rivet fusible
FUSE WIRE .... Fil fusible, fil à rompre, fusible
FUSELAGE .... Fuselage
FUSELAGE NOSE .... Pointe avant fuselage
FUSELAGE SKIN .... Revêtement fuselage
FUSELAGE STRINGER .... Lisse fuselage
FUSELAGE TAIL SECTION .... Partie, section arrière fuselage
FUSIBILITY .... Fusibilité
FUSIBLE INSERT .... Bouchon fusible
FUSIBLE PLUG .... Fusible, bouchon fusible
FUSION .... Fusion, fondage, fonte
FUSION WELDING .... Soudure par fusion du métal, soudage autogène *(oxyacétylénique, à l'arc électrique, par résistance, par plasma, par bombardement électronique)*
FUTURE GENERATION AIRCRAFT Avion futur, de la génération future
FUTURE USE .... Utilisation future
FUZE .... Fusée
FUZZ .... Peluches, bourre, duvet ; flou, voilé, nuageux
FUZZY .... Bouffant, flou, moutonné, cotonneux, crêpelu, (= clouded, hazy) nuageux, couvert, brumeux, nébuleux

G

G-FORCE .... Force d'accélération
G-LOAD FACTOR .... Facteur de charge *(-g)*
G-METER (g-meter) .... Accéléromètre, compteur de g
G-SENSITIVE DRIFT .... Balourd
G-SUIT .... Combinaison anti -g
GADGET .... Accessoire, dispositif, système
GAGE .... Appareil de mesure *(voir gauge)*
GAGE (to) .... Mesurer
GAGE TESTING SWITCH .... Interrupteur d'essai jaugeur
GAIN .... Gain, augmentation, amplification
GAIN (to) .... Gagner, acquérir
GAIN ACCESS (to) .... Avoir accès, accéder
GAIN CONTROL .... Commande, contrôle de gain
GAIN FACTOR .... Facteur de gain, de rendement
GAIN OF HEIGHT FLIGHT .... Vol de gain d'altitude
GAIN POTENTIOMETER .... Potentiomètre de gain
GAIN REDUCTION .... Réduction de gain
GAIN-TIME CONTROL .... Atténuateur sélectif
GALACTIC .... Galactique *(voie lactée)*
GALACTIC ASTRONOMY .... Astronomie galactique
GALACTIC CLOUD .... Nuage galactique
GALACTIC DISTANCE .... Distance galactique
GALE .... Vent fort, coup de vent, tempête
GELENA .... Galène
GALL .... Écorchure, excoriation *(par frottement)*
GALL (to) .... Écorcher *(par frottement)*, excorier, gripper, piquer
GALLED BEARING .... Roulement grippé
GALLEY .... Meuble cuisine *(de bord)*, office, meuble office de bord, aménagement hôtelier de bord
GALLEY DOOR .... Porte de soute, de frêt, galley
GALLEY UNIT .... Bloc cuisine, bloc-office
GALLING .... Traces, points de frottement, usure, broutage, grippage
GALLON .... Gallon = 4,54 l ; US 3,78 l
GALVANIC .... Galvanique
GALVANIC CORROSION .... Corrosion galvanique
GALVANIZATION .... Galvanisation, étamage, zingage, métallisation électrique
GALVANIZE (to) .... Galvaniser, étamer
GALVANIZED (steel) .... Galvanisé *(acier)*, acier zingué
GALVANIZED STEEL SHEET .... Tôle d'acier galvanisée

GALVANOMETER .... Galvanomètre
GALVANOMETER LOOP .... Cadre de galvanomètre
GALVANOMETRIC INSTRUMENTS ...... Instruments galvanométriques
GALVANOPLASTICS .... Galvanoplastie
GALVANOPLASTY .... Galvanoplastie
GAMMA RADIOGRAPHY .... Gammagraphie
GAMMA RAY .... Rayon gamma (γ)
GAMMA-RAYS .... Gammagraphie
GANG .... Équipe, groupe, atelier ; cage, carter
GANG BAR .... Barrette d'accouplement
GANGED .... Relié(s), couplé(s), jumelé(s)
GANGER CONTROL .... Commande unique
GANGWAY .... Couloir central, passage, passerelle de débarquement
GAP .... Jeu, interstice, écartement, espacement, espace, baillement, intervalle, entreplan, entrefer *(de machine électrique)*
GAP ADJUSTMENT .... Réglage du jeu
GARBAGE CAN .... Poubelle
GARBLED .... Brouillé
GAS .... Gaz ; essence *(gazoline)*
GAS BALLOON .... Ballon à gaz
GAS-BURNER .... Bec de gaz
GAS CONSTANT .... Constance des gaz parfaits, de gay-lussac
GAS CYANIDING .... Cyanuration
GAS DEFLECTOR .... Déflecteur
GAS ENGINE .... Moteur à gaz
GAS EXHAUST .... Échappement, sortie, éjection des gaz
GAS EXPELLING .... Évacuation des gaz
GAS FLOW .... Flux de gaz, dynamique des gaz
GAS GENERATOR .... Gazogène, générateur de gaz
GAS HOLDER .... Réservoir à gaz, gazomètre
GAS LEAK .... Fuite de gaz
GAS METER .... Compteur à gaz
GAS-OIL .... Gas-oil
GAS STARTER .... Démarreur à air
GAS STREAM .... Flux de gaz
GAS TEMPERATURE .... Température des gaz
GAS TUNGSTEN ARC WELDING .... Soudure à l'arc
GAS TURBINE .... Turbine à gaz
GAS TURBINE ENGINE ..... Turbine à gaz, turbo-moteur, turbomachine
GAS TURBINE STARTER .... Système de démarrage à turbogénérateur d'air, turbomoteur de démarrage
GAS VELOCITY .... Vitesse des gaz
GASEOUS .... Gazeux
GASEOUS ENVELOPE .... Enveloppe gazeuse

GASEOUS OXYGEN .... Oxygène gazeux
GASEOUS RELEASE .... Dégagement gazeux
GASEOUS STATE .... État gazeux
GASH .... Coupure, entaille
GASKET .... Joint rigide, joint métallo-plastique, joint plat, garniture *(de joint)*, rondelle joint, membrane
GASOLINE (petrol) .... Essence (US)
GASOLINE ENGINE .... Moteur à essence
GASOLINE INLET .... Arrivée d'essence
GASOLINE MOTOR .... Moteur à essence
GASPER .... Ventilation *(alimentation ouies pax)*, prise d'air individuelle
GASPER FAN .... Ventilateur d'aérateur individuel, de buses d'air individuelles
GATE .... Grille, vanne, porte, guillotine, volet ; accès avion, porte, salle d'embarquement, poste de stationnement ; fenêtre *(impulsion)* ; grille *(thyristor)*
GATE NUMBER .... Porte numéro
GATE VALVE .... Vanne à passage direct, robinet à guillotine, boisseau, robinet-vanne
GATED MODE .... Mode porte
GATEWAY .... Point d'entrée, de sortie, porte
GATHER (to) .... Rassembler, assembler, ramasser
GAUGE, GAGE .... Jauge, calibre, indicateur, contrôleur, mano-indicateur, appareil de mesure, instrument
GAUGE (to) .... Étalonner, calibrer, jauger, doser
GAUGE COCK (valve) .... Robinet de jauge ou de niveau
GAUGE LINE .... Ligne de référence
GAUGE PRESSURE .... Pression manométrique, relative
GAUGES .... Instruments
GAUGING SYSTEM .... Circuit de jaugeage
GAUSS .... Gauss *(unité de champ magnétique)*
GAUSSMETER .... Gaussmètre
GAUZE .... Gaze, toile filtrante
GAUZE WIRE (filter) .... Tissu, toile métallique *(filtre)*
GEAR .... Engrenage, pignon, train *(d'atterrissage)*, *appareil, appareillage, mécanisme, transmission ; vitesse*
GEAR (to) .... Engrener, enclencher, embrayer, accoupler
GEAR BOX (gearbox) .... Boîte de vitesse, de transmission, relais
GEAR CASE .... Carter
GEAR CHANGE LEVER .... Levier de vitesse
GEAR COLLAPSED .... Train effacé
GEAR CUTTING .... Taillage des engrenages
GEAR CUTTING MACHINE (gear cutter) .... Machine à tailler les engrenages

GEAR DOOR .... Trappe de train
GEAR DOWN .... Train sorti
GEAR DOWN AND LOCKED .... Train sorti et verrouillé
GEAR DOWN (to) .... Démultiplier
GEAR EXTENDS .... Le train sort
GEAR EXTENSION .... Descente, sortie du train
GEAR FOLLOW-UP LINKAGE ...... Timonerie d'asservissement du train
GEAR HOBBING .... Fraise-mère
GEAR LEG .... Jambe de train
GEAR LEVER (handle) .... Levier de commande de train, levier de commande de vitesse
GEAR LOCKS .... Sécurités de train
GEAR PULLER .... Extracteur d'engrenages
GEAR PUMP (integral) .... Pompe à engrenages *(incorporée)*
GEAR RATIO .... Rapport de réduction, d'engrenage, de multiplication
GEAR RETRACTED .... Train rentré
GEAR RETRACTS .... Le train rentre, s'efface
GEAR SECTOR .... Secteur denté
GEAR SHAFT .... Arbre porte-pignon, arbre de pignon, de transmission
GEAR SNUBBER .... Amortisseur de tangage
GEAR SPIN-UP .... Mise en rotation des roues
GEAR TAB .... Tab automatique
GEAR TEETH .... Dents de pignon, denture de pignon
GEAR TRAIN .... Train d'engrenages, démultiplication, chaîne de pignons
GEAR TRUCK .... Bogie
GEAR-TYPE OIL PUMP .... Pompe à engrenages
GEAR UNSAFE LIGHT .... Voyant désaccord train
GEAR UP .... Train rentré
GEAR UPLOCK .... Verrouillage train rentré
GEAR WHEEL .... Roue dentée, pignon
GEAR WITHDRAWER .... Arrache-pignon
GEAR WORK .... Engrenages
GEARBOX .... Boîte de vitesse, d'engrenages, boîte de transmission, relais d'accessoires, boîte relais, boitier relais
GEARBOX CASING .... Boîtier accessoires
GEARBOX SUMP .... Puisard de boîte
GEARED DOWN .... Démultiplié
GEARED ENGINE .... Moteur démultiplié
GEARED PUMP .... Pompe à engrenages
GEARED TAB .... Flettner commandé, compensateur articulé, tab automatique

GEARED UP .... Multiplié
GEARING .... Transmission, engrenage, pignonerie
GEARSHIFT .... Changement de vitesse
GEE .... GEE *(système VHF de radionavigation)*
GEL (to) .... Gélifier
GELLED .... Gélifié
GENERAL .... Généralités
GENERAL AVIATION .... Aviation générale
GENERAL CONDITION .... État général
GENERAL MANAGEMENT .... Direction générale
GENERAL OVERHAUL .... Révision générale
GENERAL PURPOSE .... Universel, emploi général, polyvalent
GENERAL PURPOSE DOLLY .... Tas universel
GENERAL SERVICING .... Entretien courant
GENERALLY LIMITED .... Généralement limité
GENERATE (to) .... Engendrer, produire
GENERATING SET (unit) .... Groupe électrogène
GENERATOR .... Générateur, génératrice, dynamo, groupe électrogène
GENERATOR ARMATURE .... Induit de dynamo
GENERATOR BAR .... Barre génératrice
GENERATOR BREAKER .... Relais de ligne, d'alternateur
GENERATOR BUS .... Bus d'alternateur
GENERATOR CONTROL UNIT (GCU) .... Régulateur d'alternateur
GENERATOR COOLING .... Refroidissement alternateur
GENERATOR DRIVE .... Entraînement d'alternateur
GENERATOR DRIVE INTEGRAL OIL FILTER .... Filtre interne d'huile C.S.D.
GENERATOR DRIVE LINE OIL FILTER .... Filtre de tuyauterie C.S.D.
GENERATOR DRIVE OIL COOLER .... Radiateur d'huile C.S.D.
GENERATOR GROUND LEAD .... Câble de masse alternateur
GENERATOR IMPEDANCE .... Impédance du générateur
GENERATOR STARTER .... Génératrice démarreur
GENERATRIX .... Génératrice
GEOGRAPHICAL CHART .... Carte de géographie, géographique
GEOMAGNETISM .... Géomagnétisme
GEOMETRIC ASPECT-RATIO .... Allongement géométrique
GEOMETRIC CENTER .... Centre géométrique
GEOMETRIC FIGURE .... Figure géométrique
GEOMETRIC MEASUREMENTS Mesures, caractéristiques géométriques
GEOMETRICAL PITCH .... Pas géométrique *(hélice)*
GEOMETRY .... Géométrie
GEOPHYSICAL SATELLITE .... Satellite géophysique
GEOSTATIONARY ORBIT .... Orbite géostationnaire, des satellites géostationnaires

GEOSTATIONARY SATELLITE .... Satellite géostationnaire
GEOSTROPHIC WIND .... Vent géostrophique
GEOSYNCHRONOUS ORBIT .... Orbite géosynchrone
GEOSYNCHRONOUS SATELLITE .... Satellite géostationnaire
GERMAN SILVER .... Maillechort
GET (to) .... Obtenir, procurer
GET AWAY SPEED .... Vitesse de décollage
GET ON BOARD (to) .... Monter à bord
GET OFF (to) .... Décoller *(avion)*
GET OFF THE PLANE (to) .... Débarquer passagers
GIB .... Cale, clavette
GIB-HEAD KEY .... Clavette à talon
GILL .... Ouie, volet, ailette *(radiateur)*
GIMBAL (to) .... Monter à la cardan, basculer
GIMBAL ASSEMBLY .... Montage à rotule, cardan
GIMBAL JOINT .... Joint à rotule, cardan, articulation à cardan
GIMBAL RING .... Cadre tournant
GIMBAL SHAFT .... Cardan
GIMBALLED GUIDANCE UNIT .... Unité de guidage à suspension
GIMBALS .... Balancier
GIMLET .... Vrille
GIRDER .... Longrine, poutre, poutrelle, support
GIRT PAD .... Semelle de tablier
GIVE (to) .... Donner
GIVE A TEST RUN (to) .... Faire tourner au banc, essayer au point fixe
GIVEN POSITION .... Position donnée
GLAND .... Joint torique, presse-étoupe, garniture, articulation
GLAND NUT .... Écrou presse-étoupe
GLAND NUT SOCKET .... Douille pour presse-étoupes
GLAND OIL .... Huile de refroidissement de presse-étoupe
GLAND SEAL .... Joint presse-étoupe
GLARE .... Éclat, clarté, rayonnement
GLARE SHIELD .... Écran pare-soleil, anti-éblouissant, auvent d'éclairage
GLARESHIELD PANEL .... Écran de protection contre l'éblouissement, auvent
GLASS .... Verre, vitre
GLASS BEAD (peening) ...... Bille de verre *(grenaillage)*, perle de verre
GLASS BEAD BLASTING .... Nettoyage à la bille de verre
GLASS CLOTH .... Tissu de verre
GLASS DOOR .... Porte vitrée
GLASS FABRIC .... Tissu de verre
GLASS FIBER (glassfibre) .... Fibre de verre

GLASS PANE .... Glace
GLASS PAPER .... Papier de verre
GLASS PLY .... Épaisseur de glace
GLASS SPHERICAL BEADS .... Billes de verre
GLASS TANK .... Cristallisoir
GLASS WOOL .... Laine de verre
GLAZE FROST (glazed frost) .... Verglas
GLAZING .... Glaçage, lustrage, satinage
GLIDE (gliding) .... Vol plané, glissade ; horizontal
GLIDE (to) .... Planner, glisser, couler
GLIDE ANGLE .... Angle de plané
GLIDE ANTENNA .... Antenne de pente
GLIDE DESCENT .... Descente en vol plané
GLIDE DOWN (to) .... Descendre en vol plané, moteur réduit
GLIDE-IN APPROACH .... Approche en vol plané
GLIDE PATH (GP) .... Plan, alignement de descente, trajectoire, Chenal d'atterrissage, chemin de vol plané, radiophare d'alignement de descente, radioalignement de descente
GLIDE PATH AERIAL .... Aérien de radioalignement de descente
GLIDE PATH CAPTURE .... Capture d'alignement de descente
GLIDE PATH LOCALIZER .... Indicateur de pente
GLIDE PATH RECEIVER .... Récepteur d'alignement de descente
GLIDE PATH TRACKING .... Tenue d'axe d'alignement de descente
GLIDE PATH TRANSMITTER .... Radiophare d'alignement de descente
GLIDE RATIO .... Taux de plané
GLIDE SLOPE (glideslope), G/S .... Pente radiogoniométrique, pente de descente, radioalignement de descente
GLIDE SLOPE ANNUNCIATOR .... Annonciateur glide-slope (G/S), voyant alignement de descente
GLIDE SLOPE-AUTOMATIC .... Embrayage automatique du glide-slope (GS) en approche
GLIDE SLOPE BEAM .... Radio-pente, faisceau d'alignement de descente
GLIDE SLOPE CAPTURE .... Capture d'alignement de descente
GLIDE SLOPE FLAG .... Drapeau, « flag » G/S
GLIDE SLOPE PRESENTATION .... Présentation d'alignement de descente
GLIDE SLOPE RECEIVER .... Récepteur de pente, d'alignement de descente
GLIDE SLOPE TRACKING .... Tenue d'axe d'alignement de descente
GLIDESLOPE TRANSMITTER .... Émetteur de radioalignement de descente
GLIDED APPROACH .... Approche au moteur réduit
GLIDER .... Planeur

GLIDING .... Vol à voile
GLIDING ANGLE .... Angle de plané
GLIDING DESCENT .... Descente en plané
GLIDING FLIGHT .... Vol plané
GLIDING RATIO .... Finesse aérodynamique
GLITCH .... Rafale
GLOBE VALVE .... Robinet à soupape
GLOOMY .... Sombre
GLOSS (to) .... Lustrer, glacer
GLOSS ENAMEL .... Vernis
GLOSSING .... Lustrage
GLOSSY .... Brillant, glacé
GLOSSY FINISH .... Satiné
GLOVE .... Carénage
GLOVES .... Gants
GLOW PLUG .... Bougie à incandescence, luisante
GLOW TUBE .... Tube-néon
GLOWING .... Incandescent, rougeoyant, embrasé, rayonnant
GLUE .... Colle *(forte)*
GLUE (to) .... Coller
GLUING .... Collage
GNOMONIC PROJECTION .... Projection gnomonique
GO ABOARD (to) .... Monter à bord
GO AHEAD .... Allez-y
GO AROUND (GA) .... Remise des gaz, approche manquée
GO CONDITION .... En état de marche
GO END .... Côté « entre »
GO/NOT GO GAGE (gauge) .... Calibre entre/n'entre pas, calibre mâchoires
GO-SHOW .... Passager sans réservation
GOAL FLIGHT .... Vol au but
GOGGLES .... Lunettes *(de sécurité)*
GOLD .... Or
GOLD PLATING .... Dorure
GOLDBEATER'S SKIN .... Baudruche
GONDOLA .... Nacelle
GONIOMETER .... Goniomètre
GOOD CONDITION (IN) .... *(En)* bon état
GOODS .... Marchandises
GOOSE NECK .... Col de cygne
GORGE .... Gorge *(de poulie)*
GOUGES .... Écorchures
GOVERN (to) .... Commander, régler, réguler
GOVERNED SPEED .... Vitesse régulée
GOVERNOR ASSEMBLY .... Régulateur

GOVERNOR (pump) .... Régulateur *(de pompe)*
GOVERNOR (speed) .... Régulateur de vitesse
GRABBING .... Broutage
GRADE .... Grade, rang, degré, niveau, indice, teneur, qualité, inclinaison, pente
GRADIENT .... Gradient, dénivellation, pente, rampe
GRADIENT INDICATOR (meter) .... Indicateur de pente, clinomètre
GRADIENT OF CLIMB .... Pente de montée
GRADING .... Gradation
GRADUAL .... Graduel
GRADUALLY .... Progressivement
GRADUATE (to) .... Graduer
GRADUATED DIAL .... Cadran gradué
GRADUATED DIPSTICK .... Jauge graduée
GRADUATED ENGINEER .... Ingénieur diplômé
GRADUATED PIPETTE .... Pipette graduée
GRAIN .... Grain, fil, texture, fibre ; bloc, pain de poudre, de propergol
GRAIN FLOW .... Sens de la fibre, fibrage *(métal)*
GRAIN STRUCTURE .... Texture, granulométrie
GRAIN TEXTURE .... Texture
GRANULARY .... Granulaire, granuleux
GRANULATE (to), ... Granuler, grainer, grenailler *(un métal)*
GRANULATED .... Granulé
GRAPH .... Graphe, courbe, abaque, tracé, diagramme
GRAPH PAPER .... Papier millimétré
GRAPHICAL NAVIGATION (G-Nav) ..... Navigation graphique *(système)*
GRAPHITE (composite) .... Graphite
GRAPHITE-EPOXY .... Graphite-époxy
GRAPHITE GREASE .... Graisse à roulements
GRAPHITED GREASE .... Graisse graphitée
GRAPHITED MINERAL OIL .... Huile minérale graphitée
GRASP (to) .... Saisir, empoigner, serrer, s'emparer
GRASS (hash) .... Signaux parasites radar
GRASS STRIP .... Piste en herbe
GRATICULE .... Réticule ; canevas
GRAVEL .... Gravier, gravillon, sable
GRAVEL RUNWAY .... Piste en gravier, gravelée
GRAVIMETRIC ANALYSIS .... Dosage gravimétrique
GRAVITATION .... Gravitation
GRAVITATIONAL ACCELERATION (g) ...... Accélération de la pesanteur
GRAVITATIONAL CONCENTRATION ..... Concentration gravitationnelle
GRAVITATIONAL FIELD .... Champ gravitationnel
GRAVITATIONAL FORCE (attraction) .... Force gravitationnelle *(attraction)*

GRAVITY .... Gravité, pesanteur
GRAVITY ACCELERATION .... Accélération de la pesanteur
GRAVITY FEED .... Alimentation en charge, par gravité
GRAVITY FIELD .... Champ de pesanteur
GRAVITY FILLING (refueling) .... Avitaillement, remplissage par gravité
GRAVITY FLOW (to) .... S'écouler par gravité
GRAVITY TANK .... Réservoir en charge
GRAZE .... Éraflure, écorchure
GRAZING INCIDENCE .... Incidence rasante
GREASE .... Graisse
GREASE FITTING .... Graisseur, raccord de graissage
GREASE GUN .... Pistolet de graissage ou pompe à graisse, pistolet graisseur, graisseur à pression
GREASE HOLE .... Trou de graissage
GREASE NIPPLE .... Graisseur
GREASE PACKING GLAND .... Boîte à graisse
GREASE PROOF PAPER (greaseproof paper) .... Papier anti-graisse, papier sulfurisé
GREASE RESISTANT PAPER (grease-resisting paper) .... Papier anti-graisse
GREASING .... Graissage
GREASY .... Huileux, graisseux, encrassé
GREASY MATTER .... Corps gras, matières grasses
GREAT CIRCLE ROUTE (track) .... Orthodromie, route du grand cercle, route orthodromique
GREATER THAN .... Supérieur à
GREEN .... Vert
GREEN LIGHT .... Voyant vert
GREENWICH MEAN TIME (GMT) .... Temps universel (TU), temps moyen de Greenwich
GREY .... Gris
GRID .... Grille, réseau
GRID (to) .... Quadriller
GRID BACKLASH POTENTIAL .... Tension inverse de grille
GRID BEARING .... Relèvement grille
GRID BIAS .... Tension de polarisation de grille
GRID CURRENT .... Courant de grille
GRID MESH .... Maille de grille
GRID NAVIGATION .... Navigation grille
GRID-POINT DATA .... Données aux points de grille
GRID REFERENCE .... Référence grille
GRID SIZE .... Dimension du grain *(mesh)*
GRILLE .... Grille
GRIND .... Grincement, crissement

GRIND (to) .... Rectifier, roder, toiler, meuler, moudre, affûter
GRIND FLUSH (to) .... Araser
GRINDER .... Affûteuse, rectifieuse, meuleuse, machine à meuler, meule, ponceuse ; rectifieur
GRINDING .... Rodage, meulage, rectification, polissage, toilage, affûtage
GRINDING COMPOUND .... Pâte à roder
GRINDING MACHINE .... Rectifieuse, machine à meuler, à rectifier, meuleuse
GRINDING PASTE .... Pâte à roder
GRINDING WHEEL(S) .... Meule(s), meuleuse, disque-meule
GRINDSTONE .... Pierre, meule
GRIP .... Poignée, griffe, pince, prise, serrage ; sac de voyage
GRIP (to) .... Serrer, pincer, coincer, saisir, tenir
GRIP HANDLE .... Poignée
GRIP LENGTH .... Longueur de prise, longueur de tige *(vis)*
GRIP SPANNER (grip wrench) .... Clé à griffes
GRIPPER CUTTER PLIER .... Pince coupante à griffes
GRIPPING PLIER .... Pince multiprise
GRIT .... Grès, sable, grain abrasif, impuretés, poussière, corps étrangers
GRIT BLAST (to) .... Sabler
GRIT SIZE .... Grosseur du grain
GRIVATION .... Décligrille
GROMMET .... Bague, rondelle, guide, œillet, passe-fil, passe-câble, isolant compressible
GROMMET FOLLOWER .... Bague de compression du « grommet » dans le connecteur
GROOVE .... Gorge, rainure, rayure, cannelure, sillon, saignée, logement
GROOVED .... Cannelé, rayé
GROOVED BEARING .... Coussinet avec gorges de lubrification
GROOVED PIN .... Goupille cannelée
GROOVED SHAFT .... Arbre cannelé
GROOVING .... Rainurage, cannelure, gorgeage
GROOVING TOOL .... Outil à gorge
GROSS LOAD .... Poids brut
GROSS TAKE-OFF WEIGHT (GTOW) .... Masse totale au décollage
GROSS TARE WEIGHT .... Poids équipé
GROSS THRUST .... Poussée brute
GROSS WEIGHT (all-up weight) .... Poids maximum *(autorisé)*, poids *(total)* brut, masse totale, masse maximale
GROSS WING AREA .... Surface alaire totale

GROUND .... Terre, terrain, sol ; masse *(électrique)*
GROUND (to) .... Mettre à la terre, à la masse ; immobiliser au sol
GROUND (to be) : ground surface .... Meulé, rectifié : surface rectifiée
GROUND AIDS .... Installations au sol, aides au sol
GROUND AIR CONDITIONING ACCESS DOOR .... Porte de visite conditionnement d'air au sol
GROUND AIR SOURCE .... Prise pneumatique au sol, groupe de parc pneumatique
GROUND THE AIRPLANE (to) .... Mettre l'avion à la masse
GROUND ATTACK .... Attaque au sol
GROUND ATTACK AIRCRAFT .... Avion d'attaque au sol
GROUND BRAKING .... Freinage au sol
GROUND CART CONNECTION .... Prise de parc *(avion)*
GROUND CHARGING VALVE .... Valve, clapet de gonflage au sol
GROUND CHECKS .... Vérifications au sol
GROUND CLEARANCE .... Garde au sol
GROUND CLUTTER .... Effet de sol, écho parasite dû au sol
GROUND CONNECTION .... Prise de parc, prise de terre
GROUND CONTACT POINT .... Point de contact avec le sol
GROUND CONTROL APPROACH OR GROUND CONTROLLED APPROACH (GCA) .... Approche radiotéléphonique, approche guidée par un radar au sol, contrôlée du sol
GROUND CREW .... Personnel au sol, mécaniciens de piste
GROUND DOOR OPEN LOCK .... Sécurité de porte ouverte au sol
GROUND EFFECT .... Effet de sol, action du sol *(à l'atterrissage et au décollage)*, effet d'intéraction du sol
GROUND EFFECT VEHICLE (hovercraft) .... Véhicule à effet de sol *(aéroglisseur)*
GROUND ELECTRICAL POWER .... Groupe de parc électrique
GROUND ELECTRODE .... Électrode de masse
GROUND ELEVATION .... Altitude du terrain
GROUND ENGINEER .... Mécanicien
GROUND EQUIPEMENT .... Matériel au sol, équipement au sol, matériels de servitude
GROUND FACILITIES .... Infrastructure, installations fixes
GROUND FINE PITCH .... Petit pas sol
GROUND FINE PITCH STOP .... Butée petit pas sol
GROUND FLOODLIGHT .... Projecteur sol
GROUND FOLLOWING (followance) .... Suivi de terrain
GROUND-GROUND .... Sol-sol
GROUND HANDLING .... Manœuvres au sol, assistance au sol, avitaillement

GROUND HIGH PRESSURE AIR SOURCE .... Groupe de parc HP
GROUND HIGH PRESSURE AIR SUPPLY UNIT .... Groupe de parc pneumatique HP
GROUND HOSTESS .... Hôtesse d'accueil
GROUND IDLE RPM .... Régime de ralenti sol
GROUND IDLE STOP .... Butée ralenti sol
GROUND IDLING .... Ralenti sol
GROUND INTERCONNECT VALVE .... Robinet intercom-sol
GROUND LEAD .... Fil de masse, fil de mise à la masse
GROUND LEVEL .... Niveau du sol
GROUND LIGHT .... Balise d'aéroport
GROUND LIGHTING .... Balisage
GROUND LINE .... Ligne de terre
GROUND LOCKS .... Sécurités au sol
GROUND LOOP .... Cheval de bois, giration au sol
GROUND LOW PRESSURE AIR SUPPLY UNIT .... Groupe de parc pneumatique BP
GROUND MAINTENANCE .... Entretien au sol, de piste
GROUND MANŒUVRABILITY (maneuver) .... Évolution au sol
GROUND MAPPING .... Cartographie
GROUND MARK .... Repère au sol
GROUNDS MARKINGS .... Balisage
GROUND MODE .... Mode sol
GROUND MONITORING EQUIPMENT .. Équipements de contrôle au sol
GROUND MOVEMENTS .... Mouvements, déplacements au sol
GROUND OPERATIONS .... Évolutions, manœuvres au sol
GROUND PERSONNEL (staff) .... Personnel au sol
GROUND PNEUMATIC CART ..... Groupe de parc pneumatique *(chariot)*
GROUND POSITION INDICATOR .... Totalisateur d'estime, traceur de route, marqueur de position
GROUND POWER .... Alimentation de parc
GROUND POWER RECEPTACLE .... Prise de parc, prise d'alimentation de parc
GROUND POWER SUPPLY .... Prise de parc, source d'alimentation extérieure
GROUND POWER UNIT (GPU) .... Groupe de parc, groupe d'énergie au sol, groupe de démarrage au sol, groupe électrogène au sol
GROUND PROXIMITY WARNING SYSTEM (GPWS) .... Dispositif avertisseur de proximité du sol
GROUND RADAR .... Radar (au) sol, terrestre
GROUND RADIO OPERATOR .... Opérateur radio au sol
GROUND REFLECTED WAVE .... Onde réfléchie au sol
GROUND RETURN .... Écho de sol *(radar)*, de mer
GROUND ROLL (run) .... Roulage, roulement au sol

GROUND RUN (running) .... Point fixe *(au sol)*
GROUND RUNNING OPERATION .... Fonctionnement au sol, point fixe
GROUND SERVICE .... Service, servitude, utilisation sol, prise de parc
GROUND SERVICE CONDITIONED AIR CHECK VALVE ....Vanne anti-retour sur prise de parc
GROUND SERVICE ELECTRICAL POWER UNIT .... Groupe de parc électrique
GROUND SERVICE UNIT .... Groupe de parc
GROUND SERVICING .... Entretien de piste, services au sol
GROUND SHIFT SYSTEM .... Système de référence air/sol
GROUND SHUTDOWN .... Arrêt du moteur au sol
GROUND SIGNALMAN .... Placeur, placier
GROUND SPEED (G/S) .... Vitesse-sol, vitesse absolue, vitesse réelle de l'avion, vitesse/sol
GROUND SPOILER .... Déporteur, spoiler sol
GROUND STAFF .... Personnel au sol, à terre, non navigant, les rampants
GROUND START SELECTOR SWITCH ....Sélecteur démarrage au sol
GROUND STARTING (start) .... Démarrage au sol
GROUND STATION .... Station terrestre, au sol
GROUND SUPPORT AIRCRAFT .... Avion d'appui au sol
GROUND SUPPORT EQUIPMENT (GSE) .... Matériel de servitude au sol, équipement et matériels au sol
GROUND TERMINAL .... Borne de masse, de terre
GROUND TEST ....Vérification, essai au sol
GROUND TEST EQUIPEMENT .... Équipements pour essais au sol
GROUND THREAD .... Filets rectifiés
GROUND TIME .... Temps d'immobilisation au sol
GROUND TRAFFIC .... Circulation au sol
GROUND TRANSPORTATION .... Transport terrestre, au sol
GROUND VIBRATION TEST .... Essai de vibration au sol
GROUND VISIBILITY .... Visibilité au sol
GROUND WAVE .... Onde de sol
GROUND WEATHER REPORT .... Bulletin des conditions météorologiques au sol
GROUND WIRE .... Fil de masse, de terre
GROUNDED .... Mis à la terre
GROUNDING .... Mise à la terre, mise à la masse ; immobilisation
GROUNDING LEAD .... Fil de masse
GROUNDING PIGTAIL .... Cosse de fil de masse
GROUNDING STRIP .... Barrette de masse

GROUNDING TERMINAL .... Prise de terre, de mise à la masse
GROUNDING TIME .... Temps d'immobilisation au sol
GROUP FARE .... Tarif de groupe
GROUP TRAVEL .... Voyage en groupe
GROUPING .... Montage
GROW (to) .... Croître, augmenter
GROWLER .... Vibreur, ronfleur
GROWTH .... Augmentation, accroissement, croissance
GROWTH OF TRAFFIC .... Accroissement du trafic
GROWTH PERIOD .... Période de croissance
GROWTH RATE .... Taux de croissance
GROWTH VERSION .... Version agrandie
GRUB-SCREW (setscrew) .... Vis sans tête, ergot, goupille filetée
GUARANTEE .... Garantie
GUARANTEED .... Garanti
GUARD .... Protection, plaque, manchon de protection, cache *(de sécurité)*, écran de protection, protecteur, capot
GUARD (to) .... Garder, protéger, grillager
GUARDED SWITCH .... Interrupteur sous cache, protégé
GUARDING .... Barrière piège pour fuite de courant
GUDGEON .... Goujon, tourillon, axe
GUDGEON PIN .... Axe de piston *(flottant)*, axe de pied de bielle
GUIDANCE .... Guidage
GUIDANCE ANTENNA .... Antenne de guidage
GUIDE .... Guide
GUIDE (to) .... Guider, conduire, diriger
GUIDE ARM .... Bras de guidage
GUIDE BUSH .... Douille, manchon, bague, canon de guidage
GUIDE NUT .... Écrou guide
GUIDE PEG .... Pion de centrage
GUIDE PIN .... Axe de guidage, tenon de guidage
GUIDE RAIL (track) .... Rail de guidage, glissière
GUIDE VANES (GV) .... Aubes, aubage de guidage, aubes directrices
GUIDE VANES CASING .... Carter des aubes de guidage, carter diffuseur
GUIDED FLIGHT .... Vol guidé
GUIDELINE .... Directive
GUIDING .... Guidage
GUILLOTINE SHEARING MACHINE .... Cisaille à guillotine *(nageotte, bombled)*
GULL WING .... Aile en M
GULLY .... Goulotte
GUM .... Gomme
GUM-LAC .... Gomme laque

GUMMY .... Gommeux
GUN .... Pistolet *(masticage, peinture)*, pompe
GUNFIRING TEST .... Essai de tir au canon
GUN-MORTAR .... Mortier-canon
GUN-POD .... Conteneur canon
GUNNER .... Mitrailleur, tireur
GUNNERY EXERCISES .... Exercices de tir au canon, artillerie
GUN-RIVET (to) .... Riveter au pistolet *(pistolet riveur)*
GUNSIGHT (gun-sight) .... Collimateur, viseur *(de mitrailleuse)*
GUNSIGHT HEAD .... Tête de visée
GUSSET .... Gousset
GUSSET PLATE .... Gousset, plaque de jonction
GUST .... Coup de vent, rafale, bourrasque
GUST (to) .... Souffler en rafales
GUST DAMPER .... Amortisseur de rafales *(de vent)*
GUST INTENSITY .... Intensité de rafale
GUST LOAD .... Charge de rafale
GUST LOAD LIMIT .... Charge de rafales limite
GUST LOCK .... Blocage des gouvernes, frein de gouvernes, sécurité anti-rafale, verrouillage au sol des gouvernes
GUST LOCK SWITCH .... Microrupteur de blocage des gouvernes
GUST OF WIND .... Coup de vent
GUST TUNNEL .... Soufflerie à rafale
GUSTINESS .... Intensité de rafale
GUSTING .... Rafales
GUSTY WIND .... Vent avec rafales
GUTTER .... Gouttière, cannelure, rainure *(tôle)*, collecteur
GUY .... Hauban, étai, câble
GUY WIRE .... Hauban
GYRATE (to) .... Tourner, tournoyer
GYRATION .... Giration
GYRATION (radius of) .... Rayon de giration
GYRO .... Gyroscope
GYRO AMPLIFIER .... Amplificateur de gyro
GYRO ATTITUDE INDICATOR .... Indicateur gyroscopique d'assiette
GYRO CAGING .... Tulipage
GYRO-COMPASS (gyrocompass) .... Gyro-compas, compas gyroscopique, compas gyromagnétique, conservateur de cap
GYRO FREEDOM ANGLES .... Angles de liberté du gyro
GYRO FREQUENCY .... Gyrofréquence
GYRO-HORIZON (artificial horizon) .... Horizon gyroscopique, horizon artificiel, gyro-horizon
GYRO HOUSING .... Cage du gyro

GYRO INSTRUMENTS .... Instruments gyroscopiques
GYRO MAGNETIC COMPASS .... Compas gyromagnétique
GYRO MOTOR .... Moteur de gyroscope
GYRO PILOT SYSTEM (automatic pilot) .... Pilote automatique
GYRO-PLATFORM .... Plateforme gyroscopique
GYRO PRECESSION .... Précession gyroscopique
GYRO-SIGNAL .... Signal de gyroscope
GYRO-STABILIZED .... Gyrostabilisé
GYRO-STABILIZED GUNSIGHT (sight) .... Viseur gyrostabilisé
GYRO-STABILIZED PLATFORM .. Plateforme stabilisée par gyroscope, gyrostabilisée
GYRO TORQUER .... Moteur couple de gyro
GYRO TORQUING .... Précession du gyroscope
GYRO UNIT .... Centrale gyroscopique
GYRO WHEEL .... Toupie
GYROMAGNETIC COMPASS .... Compas gyromagnétique
GYROMETER .... Gyromètre
GYROPLANE .... Autogyre, autogire, giravion
GYRORATE SENSOR .... Boîtier capteur gyrométrique
GYROSCOPE .... Gyroscope *(toupie de précision)*
GYROSCOPIC COLLIMATOR .... Collimateur gyroscopique
GYROSCOPIC COMPASS .... Compas gyroscopique, gyrocompas
GYROSCOPIC DIRECTION INDICATOR
.... Indicateur gyroscopique de direction, indicateur gyrodirectionnel, conservateur de cap
GYROSCOPIC EFFECT .... Effet gyroscopique
GYROSCOPIC HORIZON .... Horizon gyroscopique
GYROSCOPIC INSTRUMENTS .... Instruments gyroscopiques
GYROSCOPIC PRECESSION .... Précession gyroscopique
GYROSCOPIC STABILIZER .... Stabilisateur gyroscopique
GYROSCOPIC TORQUE .... Couple gyroscopique
GYROSCOPICS .... Gyroscopie
GYROSTABILIZED SIGHT .... Lunette gyrostabilisée
GYROSYN COMPASS .... Compas gyrosyn

H

H-ARMATURE .... Induit Siémens
HACHURE (to) .... Hachurer
HACK .... Entaille, taillade
HACK-SAW (hacksaw) .... Scie à métaux
HACK-SAW FRAME .... Monture de scie à métaux
HAFT .... Poignée, manche *(d'un outil)*
HAFT (to) .... Emmancher
HAIL .... Grêle
HAIL (to) .... Grêler
HAIL GUARD .... Protection anti-grêle
HAILSTONE .... Grêlon
HAILSTORM .... Orage de grêle
HAIR .... Cheveu
HAIRLINE CRACK .... Crique cheveu, crique fine
HAIR SPRING (hairspring) .... Ressort spiral
HALF .... Demi, moitié
HALF-BALL VALVE .... Soupape à demi-bille
HALF-BEARING .... Demi-palier, demi-coussinet
HALF CASES .... Demi-carters
HALF-CLAMPS .... Demi-colliers
HALF COURSE SECTOR .... Demi-secteur d'alignement de piste
HALF-CYCLE (half-period) .... Demi-période, alternance
HALF FARE .... Demi-tarif
HALF FLANGE .... Demi-collerette
HALF FLICK ROLL .... Retournement, demi-tonneau rapide
HALF-MOON .... Demi-lune
HALF-MOON WRENCH .... Clé demi-lune
HALF-ROLL .... Demi-tonneau
HALF SHELL .... Demi-coquille, demi-noix
HALF TURN .... Demi-tour
HALF-WAVE .... Simple alternance, demi-onde
HALF-WAVE RECTIFIER .... Redresseur d'une alternance
HALF-WAY .... A mi-chemin
HALL .... Vestibule
HALL EFFECT KEY .... Touche à effet hall
HALOGEN ATMOSPHERE .... Atmosphère halogénée
HALOGEN LEAK DETECTOR .... Détecteur de fuite halogène
HALVE (to) .... Diviser en deux, couper par moitié
HALYARD .... Drisse
HAMMER .... Marteau, masse, martinet
HAMMER BLOW .... Coup de marteau

HAMMER-HARDEN (to) .... Écrouir, marteler
HAMMERED .... Écroui, martelé
HAND .... Main
HAND-ACTUATED .... Commandé à la main
HAND BAGGAGE .... Bagages à main
HAND BRAKE LEVER .... Frein à main
HAND CLEANING .... Nettoyage à la main
HAND CONTROL .... Commande manuelle
HAND DRILL .... Chignole à main
HAND-FLOWN .... *(phase de vol)* pilotée
HAND LAMP .... Baladeuse *(lampe)*
HAND LEVER .... Manette
HAND LOCK .... Poignée de verrouillage
HAND MICROPHONE .... Micro à main
HAND MIKE .... Micro
HAND-OFF .... Transfert de responsabilité, de contrôle
HAND-OPERATED .... A commande manuelle, actionné manuellement, commandé à main
HAND-OPERATED BRAKE .... Frein à main
HAND OVER (to) .... Passer les commandes *(avion)*, transférer un avion
HAND POLISHING .... Polissage à la main
HAND PUMP .... Pompe à main
HAND RAIL .... Main courante *(escalier)*, rampe
HAND REAM (to) .... Aléser à la main
HAND SANDING .... Ponçage *(papier abrasif)*
HAND SWITCH .... Commutateur manuel
HAND TAP .... Taraud à main
HAND TIGHT .... Bloqué, serré à la main
HAND WASHING .... Lavage à la main
HAND WHEEL .... Volant à main
HANDBOOK .... Manuel
HANDCRANK .... Manivelle *(à main)*
HANDGRIP .... Poignée, prise
HANDLE .... Poignée, manche, bras, manette
HANDLE (to) .... Manier, manipuler, se comporter *(avion)*
HANDLING .... Pilotage manuel, conduite, maniement, maniabilité, manœuvrabilité, pilotabilité, manutention, acheminement, transport
HANDLING CHARACTERISTICS .... Caractéristiques, qualités de pilotage, de vol, comportement en vol
HANDLING DAMAGE .... Dommage de manutention
HANDLING MARKS .... Traces de doigts
HANDLING QUALITY .... Qualité de manœuvre, de pilotage, de vol
HANDLING OF THE AIRCRAFT .... Tenue de l'appareil, maniabilité

HANDLING TROLLEY .... Chariot de manutention
HANDRAIL .... Rampe
HANDSET (hand-set) .... Combiné *(téléphone)*
HANDWHEEL .... Volant *(à main)* d'orientation
HANDWORK .... Travail manuel
HANG (to) .... Accrocher, suspendre, pendre
HANG-GLIDER .... Planeur à bras, deltaplane, aile delta
HANG-GLIDING .... Vol libre, descente en deltaplane
HANGAR .... Hangar
HANGAR FEES .... Taxes d'abri
HANGER .... Crochet, ferrure d'accrochage, support
HAPPEN (to) .... Arriver, se produire
HARBOUR .... Port
HARD ANODIZING .... Oxydation anodique dure
HARD BRAKING .... Freinage dur
HARD CHROME PLATING .... Chromage dur, d'accrochage
HARD COPY .... Copie durable, copie en clair
HARD LANDING .... Atterrissage dur
HARD POINT .... Point d'accrochage *(charge)*, d'attache
HARD SOLDER (to) .... Braser
HARD SPOT .... Point dur
HARD TEMPER .... Trempe dure
HARD TIME MAINTENANCE .... Maintenance à périodicité fixe
HARD-WIRED .... Câblé
HARDEN (to) .... Durcir, endurcir, tremper
HARDENED .... Trempé, durci
HARDENER (liquid) .... Durcisseur
HARDENING .... Durcissement, trempe
HARDNESS .... Dureté, trempe
HARDNESS CHECK .... Contrôle de dureté
HARDNESS NUMBER .... Nombre de dureté
HARDNESS OF CHROMIUM .... Dureté du chrome
HARDNESS TEST(ING) .... Essai de dureté
HARDNESS TESTER (testing machine) .... Duromètre, billeuse, machine à biller, d'essai de contrôle de dureté
HARDOVER .... Atterrissage dur, brutal, emballement
HARDWARE .... Quincaillerie, visserie, hardware, matériel, accessoires, matériel de traitement de l'information
HARDWOOD .... Bois dur
HARDWOOD SCRAPER .... Racloir en bois dur
HARMFUL .... Nocif, malfaisant, nuisible
HARMONIC DISTORTION .... Distorsion, déformation harmonique
HARMONIC FILTER .... Filtre d'harmoniques
HARMONIC FREQUENCY .... Fréquence harmonique
HARMONIC GENERATOR .... Oscillateur d'harmoniques

HARMONIC VIBRATION .... Vibration harmonique
HARMONICS .... Harmoniques
HARNESS .... Harnais, harnachement, toron, rampe, faisceau
HARSH .... Dur, rude, rèche
HARSHNESS .... Dureté, rudesse
HASH .... Bruit, signaux parasites, fantômes
HAT-RACK (hatrack) .... Porte-chapeau, filet à bagages, rangement supérieur *(cabine)*, porte-bagages, compartiment à bagages, compartiment à casquettes
HATRACK LATCH ASSY .... Verrou *(crochet)* porte-bagages
HATRACKS .... Porte-bagages
HAT-SECTION .... Section en (Ω), profil en oméga
HAT-SHAPED SECTION .... Profilé en U
HATCH .... Panneau de descente, écoutille, trappe, issue *(de secours)*
HATCH (to) .... Hacher, hachurer
HAUL .... Trajet, parcours, courrier
HAUL (to) .... Tirer, traîner *(une charge)*, remorquer, haler, transporter
HAZARD .... Hasard, risque, péril, danger
HAZARD BEACONS .... Phares de danger
HAZARD RATE .... Taux de défaillances instantané
HAZARDOUS LIQUID .... Liquide dangereux
HAZE .... Brume légère, sèche
HAZY .... Brumeux
HEAD (cylinder head) .... Tête *(culasse, tête de cylindre)* ; antenne, capteur
HEAD AMPLIFIER .... Préamplificateur
HEAD-DOWN DISPLAY .... Écran radar TRC
HEAD-DOWN SIGHT .... Viseur tête basse
HEAD INTO WIND (to) .... Mettre le nez de l'avion dans le vent, orienter face au vent
HEAD LOSS .... Perte de charge
HEAD-METAL .... Masselotte
HEAD OFFICE .... Siège social, siège de la compagnie
HEAD-ON .... De face
HEAD-ON COLLISION .... Collision de front
HEAD-ON VIEW .... Vue de face
HEAD PRESSURE .... Charge
HEAD RESISTANCE .... Résistance à l'avancement, traînée
HEAD-REST .... Appui-tête, repose-nuque
HEAD SHOCK WAVE .... Onde de choc de tête, de proue
HEAD-UP (down) .... Tête en haut *(en bas)*
HEAD-UP DISPLAY (HUD) .... Collimateur de pilotage tête haute, directeur, viseur tête haute, présentation, visualisation tête haute

HEAD-UP SIGHT .... Viseur de vol tête haute
HEAD WIND (headwind) .... Vent contraire, vent debout, de front, de face, avant
HEADER .... Collecteur
HEADER (partition) .... Linteau
HEADER TANK .... Réservoir en charge, bâche
HEADING .... Cap, orientation
HEADING ALTERATION .... Changement, altération de cap
HEADING AND ATTITUDE SENSOR (HAS) .... Centrale de cap et de verticale
HEADING AND VERTICAL REFERENCE SYSTEM ...... Centrale de cap et de verticale
HEADING BUG .... Curseur de cap
HEADING CONTROL .... Contrôle de route
HEADING CURSOR .... Curseur de cap
HEADING DRIFT .... Dérive en cap
HEADING FOR (= bound for) .... A destination de
HEADING GYROSCOPE .... Gyroscope de cap
HEADING HOLD .... Maintien de cap, tenue de cap
HEADING INDICATOR .... Indicateur de cap
HEADING INSTRUCTIONS .... Consignes de cap
HEADING MARKER .... Curseur de cap
HEADING PRE-SELECTED .... Cap pré-affiché
HEADING REFERENCE .... Référence de cap
HEADING REFERENCE UNIT .... Centrale de cap
HEADING REPEATER .... Répétiteur de cap
HEADING SELECTOR (knob) .... Sélecteur de cap, bouton « cap à tenir »
HEADING SYNCHRONIZER .... Synchroniseur de cap
HEADLAMPS (headlights) .... Phares
HEADLESS .... Sans tête
HEADPHONE .... Casque d'écoute, téléphonique, écouteur
HEADQUARTER .... Direction générale, quartier général, état-major, siège social
HEADREST .... Appui-tête
HEADROOM .... Hauteur libre, hauteur limite, hauteur sous plafond
HEADSET .... Casque radio, casque d'écoute, téléphonique, écouteurs
HEADSET WITH MICROPHONE .... Casque avec micro
HEADSTOCK .... Poupée *(de tour)*
HEADWIND (head wind) .... Vent contraire, de face, debout
HEALTH CONTROL .... Contrôle sanitaire
HEARING .... Audibilité
HEAT .... Chaleur

HEAT (to) .... Chauffer, augmenter la température
HEAT BARRIER .... Barrière thermique
HEAT DISSIPATOR (dissipation) .... Dissipateur de chaleur *(dissipation)*
HEAT EFFICIENCY .... Rendement calorifique
HEAT ENERGY .... Énergie thermique, calorifique
HEAT-ENGINE .... Moteur thermique
HEAT EXCHANGER .... Échangeur de température, échangeur thermique, refroidisseur
HEAT FLOW METER .... Débitmètre thermique
HEAT FLUX .... Flux de chaleur, thermique
HEAT INSULATION (proof) .... Calorifugeage
HEAT-PUMP .... Thermopompe, pompe à chaleur
HEAT RESISTANT GLASS .... Verre trempé
HEAT RESISTANT STEEL .... Acier réfractaire
HEAT RESISTING .... Résistant à la chaleur, réfractaire, ignifuge, thermorésistant, indétrempable
HEAT SCREEN .... Écran thermique
HEAT SEAL (to) .... Thermosouder *(gaine plastique)*
HEAT SEALING .... Thermocollage
HEAT-SEEKING .... Guidage par infra-rouge
HEAT-SETTING .... Thermodurcissable
HEAT SHIELD .... Écran pare-chaleur, cloison pare-feu, écran, protection, bouclier thermique, enveloppe pare-chaleur
HEAT-SHRINKABLE (tubing) .... Thermo-rétractable *(gaine)*
HEAT SINK (heatsink) ...... Puits thermique, refroidisseur, dissipateur de chaleur *(en alu ou en cuivre),* convecteur
HEAT-STROKE .... Coup de chaleur
HEAT TRANSFER .... Transfert thermique, de chaleur
HEAT TRANSFER COEFFICIENT ...... Coefficient d'échange de chaleur, de température
HEAT TREATED .... Traité thermiquement
HEAT TREATMENT .... Traitement thermique
HEAT VALUE .... Pouvoir calorifique
HEAT-WAVE .... Vague de chaleur
HEATER .... Groupe de chauffage, réchauffeur, radiateur
HEATER CART .... Réchauffeur de piste
HEATER-STATIC PORT .... Réchauffeur de prise statique
HEATING .... Chauffage, (r)échauffement, chauffe, calorifique, calorisation
HEATING ELEMENT .... Élément chauffant
HEATING POWER .... Puissance, pouvoir calorifique
HEATING RESISTOR .... Résistance chauffante
HEATING SET (unit) .... Groupe de chauffage
HEATING UP .... Réchauffage

HEATING VALUE .... Pouvoir calorifique
HEAVE (to) .... Lever, soulever
HEAVENLY BODY .... Corps céleste, astre
HEAVIER-THAN-AIR AIRCRAFT .... Aérodyne
HEAVY .... Lourd, pesant
HEAVY BOMBER .... Bombardier lourd (B52)
HEAVY-DUTY .... A grand rendement, à grande puissance, soumis à un service intensif
HEAVY-DUTY CONNECTORS .... Connecteurs pour service intensif
HEAVY FOG (thick fog) .... Brouillard épais
HEAVY-GAUGE SHEET METAL .... Tôles fortes
HEAVY GAUGE WIRE .... Fil de gros diamètre
HEAVY INDUSTRY .... Industrie lourde
HEAVY LANDING (rough or hard landing) .... Atterrissage dur, lourd, brutal
HEAVY LAUNCH VEHICLE (heavy-lift launch vehicle, heavy launcher) .... Lanceur lourd
HEAVY-LIFT AIRSHIP .... Dirigeable lourd
HEAVY LIFT HELICOPTER .... Hélicoptère de transport lourd, hélicoptère lourd
HEAVY-LIFT LAUNCHER .... Lanceur lourd
HEAVY LOAD .... Lourde charge, charge pesante
HEAVY-OIL .... Huile lourde
HEAVY RAIN (heavy shower) .... Pluie battante *(grosse averse)*, forte pluie
HEAVY SKY .... Ciel bouché
HEAVY TRAFFIC .... Trafic dense
HEAVY VAPOURS .... Vapeurs lourdes
HEAVY WEATHER FLIGHT .... Vol en forte turbulence
HEAVY WEIGHT .... Poids lourd, charge pesante
HEDGE-HOPPING .... Rase-mottes
HEEL .... Talon
HEEL LINE .... Ligne de fond
HEEL REST PANEL .... Repose-pieds
HEEL-SHAPED DOLLY .... Tas talon
HEIGHT .... Hauteur, élévation
HEIGHT ABOVE AIRPORT .... Hauteur au-dessus de l'aéroport
HEIGHT FINDER .... Sitomètre, altimètre
HEIGHT GAUGE .... Jauge de hauteur
HEIGHT-LOCK MODE .... Mode d'asservissement de l'altitude (PA)
HEIGHT OF CAMBER .... Hauteur de flèche
HEIGHT OF TAILSTOCK .... Hauteur de pointe
HEIGHT POWER FACTOR .... Coefficient de puissance en altitude
HELIBORNE .... A bord d'hélicoptère
HELICAL .... Hélicoïde, en hélice

HELICAL GEAR .... Pignon, engrenage hélicoïdal
HELICAL LOCKWASHER .... Rondelle « grower »
HELICAL SHAFT .... Arbre hélicoïdal
HELICAL SPLINES .... Denture hélicoïdale
HELICAL SPRING .... Ressort à boudins, en hélice
HELICAL TEETH .... Denture hélicoïdale
HELICALLY COILED INSERT .... Filet rapporté
HELICOID (helical) .... Hélicoïde
HELICOIL .... Filière rapportée, hélicoïl
HELICOIL GROOVE .... Gorge hélicoïdale
HELICOIL SLEEVE .... Hélicoïl
HELICOPTER .... Hélicoptère
HELICOPTER-CARRIER .... Porte-hélicoptère
HELICOPTER LAUNCHED .... Lancé d'hélicoptère
HELICOPTER MANUFACTURER .... Hélicoptériste, constructeur d'hélicoptères
HELICOPTER SCREW .... Hélice sustentatrice, rotor
HELIDECK .... Aire d'atterrissage pour hélicoptères
HELIOCENTRIC ORBIT .... Orbite héliocentrique
HELIOSTAT .... Héliostat
HELIOSYNCHRONOUS ORBIT .... Orbite héliosynchrone
HELIPAD (heliport deck) .... Plate-forme d'héliport
HELIPORT .... Héliport, héligare
HELISTOP .... Hélistation
HELITRAINER .... Simulateur de vol pour instruction hélicoptère
HELIUM .... Hélium
HELIUM FILLED .... Gonflé à l'hélium
HELIUM VOLUME AT SEA LEVEL .... Volume d'hélium au niveau de la mer
HELIX .... Spirale, hélice
HELMET .... Casque
HELMET SIGHT .... Viseur de casque
HEMISPHERICAL CRUISING LEVEL .... Niveau de croisière semi-circulaire
HEMISPHERICAL NOSE DOME .... Dôme d'entrée hémisphérique
HEMP .... Filasse, chanvre
HENRY .... Henry (unité d'induction)
HERMETIC .... Hermétique
HERMETICALLY .... Hermétiquement
HERRINGBONE .... A chevrons
HERTZ .... Hertz (unité de fréquence)
HERTZIAN WAVES .... Ondes hertziennes
HETERODYNE .... Hétérodyne, oscillateur de battements
HETERODYNE (to) .... Faire battre (deux fréquences)

HETEROSPHERE .... Hétérosphère
HEX BOLT .... Boulon six pans, à tête hexagonale
HEX HEAD SCREW .... Vis à tête hexagonale
HEX WRENCH (L-shaped) .... Clé six pans mâle Allen (coudée)
HEXAGON HEAD .... Tête hexagonale, tête à six pans
HEXAGON-HEADED SCREW .... Vis à tête hexagonale
HEXAGONAL BAR .... Barre six pans, fer hexagonal
HEXAGONAL BOSS .... Portée hexagonale *(écrou)*
HEXAGONAL NUT .... Écrou hexagonal, (à) six pans
HEXAGONAL SOCKET HEAD SCREW .... Vis à tête six pans creux, vis Allen
HEXAGONAL WRENCH .... Clé Allen
HF (high frequency) .... HF *(haute fréquence)*
HF COMMUNICATION SYSTEM .... Communication HF
HF GENERATOR .... Générateur HF
HF LINEAR AMPLIFIER .... Amplificateur linéaire haute fréquence
HF TRANSCEIVER .... Transmetteur-récepteur HF
HF TRANSMITTER .... Émetteur-récepteur HF
HI CHIME .... Carillon aigu
HI-SHEAR .... Fixation haute résistance au cisaillement
HI-SPEED LACQUER .... Laque à séchage rapide
HIGH .... Haut
HIGH ACCURACY .... Haute, grande précision
HIGH ALLOY STEEL .... Acier fortement allié
HIGH ALTITUDE (flying) .... *(vol à)* haute altitude
HIGH ANGLE OF ATTACK (trials) .... Haute, grande, forte incidence *(essais à)*
HIGH BYPASS ENGINE .... Réacteur double flux à grand taux de dilution
HIGH BYPASS RATIO .... (A) grande dilution, grand taux de dilution
HIGH-BYPASS RATIO JET ENGINE .... Réacteur à grand taux de dilution
HIGH CAPACITY AIRCRAFT .... Avion à grande capacité, gros porteur
HIGH COMBUSTION ENGINE .... Moteur surcomprimé
HIGH COMPRESSOR .... Compresseur HP
HIGH DENSITY .... Haute densité, dense
HIGH DENSITY CONFIGURATION .... Aménagement haute densité
HIGH DENSITY TRAFFIC .... Trafic haute densité (HD)
HIGH DUTY ENGINE .... Machine, moteur de grande puissance, à grand rendement
HIGH EFFICIENCY .... Haut rendement, rendement élevé
HIGH EFFICIENCY ENGINE .... Moteur à haut rendement
HIGH ENERGY IGNITION .... Allumage HE *(haute énergie)*
HIGH ENERGY IGNITION LEADS .... Câbles haute tension *(allumeurs)*
HIGH ENERGY STOP .... Freinage brutal, brusque, à fond
HIGH ENERGY UNIT .... Générateur haute tension

HIGH ENERGY UNITS .... Boîtes d'allumage HE
HIGH FREQUENCY (HF) .... Haute fréquence
HIGH FREQUENCY NOISE .... Bruit de haute fréquence
HIGH-g .... Forte accélération
HIGH-g MANEUVER .... Évolution, manœuvre à un nombre de g élevé, sous, à facteur de charge élevé
HIGH-GAIN ANTENNA .... Antenne à gain élevé, à haut gain
HIGH-GRADE .... Haute teneur
HIGH GROUND .... Relief
HIGH LEVEL .... Niveau élevé
HIGH LEVEL RESEARCH .... Recherche de haut niveau
HIGH LIFT .... Hypersustentation
HIGH LIFT DEVICES .... Dispositifs hypersustentateurs
HIGH-LIFT FLAPS .... Volets hypersustentateurs
HIGH LIFT WING .... Aile à haute sustentation, hypersustentatrice
HIGH-MACH FLIGHT .... Vol à mach élevé
HIGH-NICKEL ALLOY .... Alliage à fort pourcentage de nickel
HIGH-PASS FILTER .... Filtre passe-haut
HIGH PERFORMANCE AIRCRAFT .... Avion de haute performance
HIGH PITCH .... Grand pas *(d'hélice)*
HIGH POTENTIAL CURRENT .... Courant haute tension
HIGH POWER .... Haut régime, puissance élevée, forte tension
HIGH POWER TRANSMITTER .... Émetteur à grande puissance
HIGH PRECISION .... Haute précision, grande précision
HIGH PRESSURE (HP) .... Haute pression (HP)
HIGH-PRESSURE AREA .. Zone de haute pression, zone anticyclonique
HIGH PRESSURE COMPRESSOR .... Compresseur HP
HIGH PRESSURE EXHAUST GASES .... Gaz d'échappement HP
HIGH PRESSURE GAGE .... Mano HP
HIGH PRESSURE GEAR ELEMENT ... Étage à engrenage haute pression
HIGH PRESSURE MODULATING VALVE
Vanne régulatrice haute pression
HIGH PRESSURE PUMP .... Pompe à haute pression
HIGH PRESSURE RATIO .... Taux de compression élevé
HIGH PRESSURE REGULATOR .... Régulateur haute pression
HIGH PRESSURE RELIEF VALVE .... Valve de sûreté HP
HIGH PRESSURE STARTING .... Démarrage HP
HIGH PRESSURE TURBINE .... Turbine haute pression
HIGH PRESSURE VALVE .... Robinet HP
HIGH PRESSURE WATER WASHING ...... Lavage au jet haute pression
HIGH RELIABILITY .... Haute fiabilité
HIGH RESOLUTION .... Haute résolution
HIGH SENSITIVITY .... Grande sensibilité
HIGH SENSITIVITY PENETRANT .... Pénétrant haute sensibilité

HIGH SINK RATE .... A vitesse verticale élevée
HIGH SPEED .... Grande vitesse, vitesse rapide, élevée
HIGH SPEED ADHESIVE .... Colle à prise rapide
HIGH SPEED BEARING .... Roulement grande vitesse
HIGH SPEED CLIMB .... Montée rapide
HIGH SPEED CRUISE .... Régime de croisière rapide
HIGH SPEED FLIGHT .... Vol très rapide, à vitesse élevée, à grande vitesse
HIGH SPEED PINION .... Pignon grande vitesse
HIGH SPEED RANGE .... Régime élevé
HIGH SPEED STEEL (HSS) .... Acier rapide
HIGH SPEED STREAM .... Courant rapide
HIGH SPOT .... Point haut, soulèvement de métal, surépaisseur
HIGH-STOP FILTER .... Filtre passe-bas
HIGH STRENGTH STEEL (HSS) .... Acier haute résistance
HIGH TECHNOLOGICAL LEVEL .... Haut niveau technologique
HIGH TEMPERATURE .... Haute température, température élevée
HIGH TEMPERATURE RESISTING ENAMEL .... Émail résistant aux hautes températures
HIGH TENSILE .... A haute résistance
HIGH TENSILE STEEL .... Acier haute résistance à la traction
HIGH TENSION CURRENT .... Courant à haute tension
HIGH TENSION LEAD .... Câble haute tension
HIGH TENSION TRANSFORMER .... Transformateur haute tension
HIGH TRAFFIC PERIOD .... Période de pointe
HIGH VACUUM .... Vide poussé, élevé
HIGH VACUUM RECTIFIER VALVE .... Kenotron
HIGH VOLTAGE LEAD (cable) .... Fil haute tension *(câble)*
HIGH VOLTAGE POWER .... Haute tension
HIGH VOLTAGE RECTIFIER .... Redresseur haute tension
HIGH VOLTAGE TEST .... Essai de claquage
HIGH WIND .... Vent fort
HIGH WING (high-winged aircraft) .... Aile haute
HIGHER .... Supérieur, plus élevé
HIGHER COCKPIT .... Poste de pilotage surélevé
HIGHER THRUST .... Poussée accrue
HIGHLIGHTS .... Aperçu général, données, aperçu d'une révision
HIGHLY QUALIFIED (skilled) .... Hautement qualifié
HIGHWAY .... Voie principale, canal ; route à grande circulation, autoroute ; bus
HIJACK SITUATION .... Cas de détournement
HIJACKING .... Détournement d'avion, piraterie aérienne
HINGE .... Charnière, gond *(porte)*, paumelle, articulation
HINGE (to) .... S'articuler
HINGE ARM .... Bras d'articulation

HINGE BEARING .... Rotule
HINGE BOLT .... Axe, boulon d'articulation, axe de charnière
HINGE DOWN (to) .... Rabattre
HINGE FITTING .... Ferrure d'articulation
HINGE HALF .... Demi-charnière
HINGE HOUSING .... Cage d'articulation
HINGE LINE .... Axe de charnière
HINGE MOMENT .... Moment de charnière
HINGE PIN .... Axe d'articulation, de charnière
HINGE YOKE .... Axe de pivotement, corde à piano
HINGED .... Articulé, rabattable
HINGED JOINT .... Articulation
HINGED PANEL .... Panneau ouvrant
HINGED RECTANGULAR MIRROR .... Miroir orientable
HISS (hissing) .... Sifflement *(sur fréquence)*
HIT (to) .... Heurter, frapper, cogner, toucher
HIT or MISS .... Tout ou rien
HIT THE GROUND (to) .... Heurter le sol
HITCH .... Nœud
HOAR-FROST .... Gelée blanche, givre
HOHMANN TRANSFER .... Transfert de Hohmann
HOICK (to) .... Redresser un avion en vol
HOIST .... Palan, grue, treuil, appareil de levage, monte-charge
HOIST (to) .... Lever, hisser, soulever
HOIST ARM .... Bras de levage
HOIST EYE (hoisting eye) .... Anneau de levage, de hissage
HOISTING .... Levage, hissage
HOISTING BLOCK .... Moufle
HOISTING DEVICE .... Dispositif de levage, de hissage
HOISTING POINT .... Point d'élinguage
HOISTING RING .... Anneau de levage
HOISTING SLING .... Élingue de levage
HOLD .... Maintien ; soute, cale
HOLD (to) .... Tenir, maintenir, fixer, soutenir, immobiliser
HOLD A FLIGHT (to) .... Retarder un vol
HOLD A RECORD (to) .... Détenir un record
HOLD (to take up the...) .... Entrer dans le circuit d'attente
HOLD BACK .... Hale-bas
HOLDBACK SYSTEM .... Dispositif de retenue
HOLD BAGGAGE .... Bagages de soute
HOLD-DOWN BOLT .... Boulon de fixation
HOLD-IN COIL .... Bobine de maintien
HOLD IN PLACE (to) .... Tenir en place
HOLD IN POWER .... Tension de maintien
HOLD OFF (to) .... Refuser le sol, tenir éloigné

HOLD ON (to) .... Rester en ligne, ne pas quitter *(téléphone)*
HOLD OPEN (to) .... Tenir ouvert
HOLD UP (to) .... Bloquer, immobiliser, retenir
HOLD VOLUME .... Volume de soute
HOLD YOUR POSITION .... Maintenez votre position
HOLDER .... Support, attache, monture, porte-( ), bâti
HOLDING .... Tenue, maintien, fixation, serrage, retenue, attente
HOLDING ALTITUDE .... Altitude d'attente
HOLDING AREA .... Aire d'attente
HOLDING APRON .... Plate-forme d'attente de circulation
HOLDING CLEARANCE .... Autorisation d'attente
HOLDING COURSE .... Axe d'attente
HOLDING DELAY .... Attente
HOLDING FIX .... Repère, balise, point d'attente
HOLDING FIXTURE .... Outillage de fixation
HOLDING FORCE .... Force de maintien
HOLDING FRAME (fixture) .... Bâti
HOLDING-OFF SPEED .... Vitesse de plafond
HOLDING PATH .... Trajectoire d'attente
HOLDING PATTERN .... Circuit d'attente
HOLDING POINT .... Point d'attente sol
HOLDING POSITION .... Position d'attente
HOLDING PROCEDURE .... Procédure d'attente
HOLDING RELAY .... Relais de maintien
HOLDING SCREW .... Vis de fixation
HOLDING STACK (stacking) .... Circuit d'attente, pile d'attente
HOLDING TOOL ..... Outil de maintien, outillage de maintien, de retenue
HOLDING TRACK .... Axe d'attente
HOLE .... Trou, cavité, creux, orifice, lumière, trou d'air
HOLE ELONGATION .... Agrandissement de trou, ovalisation
HOLE LOCATION .... Emplacement de trou
HOLE SPOTFACING .... Lamage du trou
HOLLOW .... Creux, évidé, excavation
HOLLOW DOWEL .... Cheville creuse
HOLLOW DRIP STICK .... Jauge creuse
HOLLOW HEAD WRENCH .... Clé six pans *(creux)*
HOLLOW PUNCH .... Découpoir à l'emporte-pièce
HOLLOW RIVET .... Rivet creux, tubulaire
HOLLOW SCREW .... Vis creuse
HOLLOW SHAFT .... Arbre creux, tube, axe tubulaire
HOLLOW SPACE .... Espace vide
HOLLOW SPAR .... Longeron creux
HOLLOWNESS .... Creux, concavité, alvéolage
HOLOGRAPHIC TECHNIQUES (holography) .... Techniques holographiques *(holographie)*

HOME (to home into a station) .... Rallier *(une station)*
HOME .... Principal
HOME (to screw) .... Visser, serrer a fond, à bloc
HOMER .... Station gonio d'aérodrome
HOMING .... Autoguidage, radioguidage, radioralliement, ralliement, tirage, navigation par relèvement dans l'axe
HOMING AID .... Station de radioralliement, dispositif de radioralliement
HOMING BOMBING SYSTEM (HOBOS) ..... Système de bombardement directif
HOMING DEVICE .... Radiocompas
HOMING HEAD .... Autodirecteur, tête autodirectrice
HOMING MISSILE .... Missile autoguidé
HOMING RECEIVER .... Récepteur de radioralliement
HOMING STABILIZER .... Stabilisateur d'autodirecteur
HOMOGENEOUS .... Homogène
HOMOLOGATED .... Homologué
HOMOSPHERE .... Homosphère
HONE (hone stone) .... Abrasif, rodoir, pierre *(à polir, à aiguiser, à roder)*
HONE (to) .... Rectifier, affûter, roder
HONED .... Affûté
HONED TOOL .... Outil affûté
HONEY .... Miel
HONEYCOMB .... Nid d'abeille
HONEYCOMB CELL .... Alvéole de nid d'abeille
HONEYCOMB CORE .... Ame en nid d'abeille
HONEYCOMB PANEL .... Panneau « nida »
HONEYCOMB SANDWICH ... Panneau sandwich « nida », construction à structure alvéolaire
HONING .... Polissage, rodage cylindrique, pierrage, rectification
HONING-MACHINE .... Machine à rectifier
HONING STICK .... Bâton de rodoir
HONING TOOL .... Rodoir
HOOD .... Capote, capot *(de voiture)*, capuchon
HOOK .... Crochet, griffe, agrafe
HOOK OF HOIST .... Crochet du palan
HOOK SPANNER .... Clé à griffe, à ergot, à crochet
HOOK UP (to) .... Accrocher, agrafer
HOOP .... Cercle, cerceau, frette
HOOTER .... Avertisseur, klaxon
HOP .... Étape *(d'un voyage)*
HOP DAMPER .... Amortisseur de tangage
HOP-OFF .... Décollage
HOPPER .... Trémie, collecteur d'aspiration, auget

HORIZON .... Horizon
HORIZON AND DIRECTION INDICATOR (HDI) .... Indicateur HDI
HORIZON BAR .... Barre d'horizon
HORIZON COMPARATOR INDICATOR Compensateur avertisseur d'assiette
HORIZON GLOW .... Lueur crépusculaire
HORIZON INDICATOR .... Horizon artificiel, indicateur d'assiette
HORIZON SCANNER .... Détecteur d'horizon
HORIZONTAL FLANGE .... Bride horizontale *(réacteur)*
HORIZONTAL MILLING MACHINE .... Fraiseuse horizontale
HORIZONTAL SITUATION INDICATOR (HSI) ..... Indicateur de situation horizontale
HORIZONTAL SPEED .... Vitesse en palier
HORIZONTAL STABILIZER ...... Stabilo horizontal, plan fixe horizontal, empennage horizontal
HORIZONTAL SWEEP .... Balayage horizontal
HORIZONTAL TAIL .... Empennage horizontal
HORIZONTAL TRUSS MEMBER .... Contrefiche longitudinale atterrisseurs
HORIZONTAL WIND SHEAR .... Cisaillement horizontal du vent
HORN .... Klaxon, corne ; guignol *(gouvernes)*
HORN ANTENNA .... Cornet *(antenne)*
HORN BALANCE ... Compensateur d'évolution, corne de compensation
HORN CUT-OUT HANDLE .... Poignée d'arrêt klaxon
HORN WARNING .... Klaxon, sonnerie d'alarme
HORSE .... Cheval, chevalet
HORSE-POWER (HP) (horsepower) .... Puissance en CV, cheval-vapeur (cv) (1 HP = 1.014 cv)
HORSE-SHOE MAGNET (U-shaped magnet) ...... Aimant en fer à cheval
HOSE .... Tuyau flexible, en caoutchouc, entoilé, canne, tuyauterie souple, durite
HOSE CLAMP .... Collier de tuyauterie souple, de durite, collier serreflex
HOSE-PIPE .... Tube de durite, durite
HOSTAGE .... Otage
HOSTESS .... Hôtesse, agent de bord
HOSTESS SEAT .... Siège hôtesse
HOT .... Chaud
HOT AIR BALLOON .... Ballon à air chaud, montgolfière
HOT AIR BLEED VALVE .... Vanne de prélèvement d'air chaud
HOT AIR CONTROL VALVE .... Vanne d'air chaud
HOT AIR DRYING .... Séchage à l'air chaud
HOT AIR VALVE .... Vanne, papillon, volet d'air chaud
HOT FORGING .... Forgeage à chaud
HOT FORMING .... Formage à chaud

HOT JUG .... Bouilloire
HOT MAGNETO .... Magnéto folle
HOT PARTS .... Pièces chaudes
HOT PLATE .... Plaque chauffante
HOT PRESSURE BONDING .... Collage, soudage par diffusion
HOT SECTION INSPECTION .... Vérification des parties chaudes
HOT SECTION PART .... Partie chaude
HOT SHRINK FIT .... Ajustement, emmanchement à chaud
HOT SPOT .... Point d'inflammation, point chaud
HOT START .... Démarrage en surchauffe, départ chaud
HOT STREAK .... Point chaud
HOT WATER .... Eau chaude
HOT WEATHER TESTS .... Essais par temps chaud
HOT WIRE .... Fil chaud ; fil sous tension
HOT-WIRE ANEMOMETRY .... Anémométrie par fil chaud, à fil chaud
HOT WIRE PROBE .... Sonde à fil chaud
HOT WIRE VOLTMETER (ammeter) .... Voltmètre thermique *(ampèremètre)*
HOTTED-UP ENGINE .... Moteur poussé, gonflé
HOUR .... Heure
HOUR ANGLE .... Angle horaire
HOUR COUNTER .... Compteur horaire
HOURGLASS .... Sablier
HOURLY CONSUMPTION .... Consommation horaire
HOURMETER .... Compteur horaire, horomètre
HOUSE (to) .... Loger, contenir, renfermer, coiffer
HOUSEKEEPING .... De service, auxiliaire ; télémaintenance
HOUSEKEEPING TELEMETRY .... Télémesure de maintenance *(satellite)*
HOUSING .... Corps, logement, boîtier, carter, cage, enveloppe
HOVER (to) .... Planer
HOVER CEILING .... Plafond *(en vol stationnaire)*
HOVER COUPLER .... Coupleur de vol stationnaire
HOVER FLIGHT CEILING .... Plafond en vol stationnaire
HOVERCRAFT .... Aéroglisseur, hydroptère
HOVERING .... Vol stationnaire, vol à faible vitesse
HOVERING CEILING .... Plafond en vol stationnaire
HOVERING FLIGHT .... Vol stationnaire
HOVERING INDICATOR .... Indicateur de vol stationnaire
HOVERPLANE .... Hélicoptère
HOVERTRAIN .... Aérotrain
HP COMPRESSOR S.M.U. .... Module compresseur HP (CF6)
HP TURBINE H.M.U. .... Module turbine HP (CF6)
HUB .... Moyeu
HUB AIRPORT .... Aéroport principal, plaque tournante

HUB AND SPOKE NETWORK .... Réseau en étoile
HUB CAP (hub cover plate) .... Chapeau de moyeu, enjoliveur, couvre-moyeu
HUB CONTACT SWITCH .... Contacteur de moyeu, de pied de pale
HUB DRIVING CENTRE .... Entraînement central de moyeu
HUB PULLER (extractor) .... Arrache-moyeu
HUB SHELL .... Carter moyeu
HUB SPINDLE .... Axe de roue
HUCK .... Rivet aveugle
HUFF-DUFF (high frequency direction finding) .... Gonio HF
HULL .... Coque, carène, quille
HUM (humming) .... Ronflement, ronron, ronronnement vrombissement, bourdonnement
HUMAN-ENGINEERED DESIGN .... Conception, agencement ergonomique
HUMAN ENGINEERING .... Ergonomie
HUMID .... Humide
HUMIDIFIER .... Humidificateur
HUMIDITY .... Humidité
HUMIDITY INDICATOR .... Hygromètre, indicateur d'humidité
HUMP .... Bosse
HUMP SPEED .... Vitesse de déjaugeage *(hydravion)*
HUNG START .... Faux démarrage, démarrage avec surchauffe, hésitant
HUNT (to) .... Osciller, battre
HUNTING .... Flottement, battement, oscillations longitudinales, oscillement, mouvement de traînée
HURRICANE .... Ouragan, tornade, tempête
HURT (to) .... Faire du mal, blesser
HUSH KIT .... Lot d'insonorisation
HYBRID ANALOG/DIGITAL AUTOPILOT .... Pilote automatique (PA) hybride
HYBRID COMPUTER .... Calculateur hybride
HYBRID INTEGRATED CIRCUIT .... Circuit semi-intégré
HYBRID INTERFACE .... Interface hybride
HYBRID NAVIGATION COMPUTER ... Calculateur de navigation hybride
HYBRID NAVIGATION SYSTEM .... Centrale hybride
HYBRID PROPELLANT .... Propergol hybride, lithergol
HYBRID ROCKET .... Fusée à propergol hybride
HYBRID SYSTEM .... Système mixte
HYDRANT .... Bouche d'eau, prise d'eau
HYDRANT PITS .... Bouches de parking
HYDRATED .... Hydraté
HYDRAULIC .... Hydraulique
HYDRAULIC ACCUMULATOR .... Accumulateur hydraulique

HYDRAULIC BOOST SYSTEM .... Servo-commande hydraulique
HYDRAULIC BRAKING SYSTEM .... Circuit hydraulique de freinage
HYDRAULIC CART FOR SKYDROL .... Banc skydrol
HYDRAULIC COMPONENT .... Équipement hydraulique
HYDRAULIC CONTROL .... Commande hydraulique
HYDRAULIC CUSHION .... Coussin, amortisseur hydraulique
HYDRAULIC CYLINDER .... Vérin hydraulique
HYDRAULIC DAMPER .... Amortisseur hydraulique
HYDRAULIC DELIVERY LINE .... Tuyauterie de pression d'huile
HYDRAULIC DRIVE .... Commande hydraulique
HYDRAULIC EFFICIENCY .... Rendement hydraulique
HYDRAULIC ENERGY .... Énergie hydraulique
HYDRAULIC EQUIPMENT .... Équipement, appareillage hydraulique
HYDRAULIC FAILURE .... Panne, défaillance hydraulique
HYDRAULIC FITTING .... Raccord hydraulique
HYDRAULIC FLUID .... Liquide hydraulique, huile
HYDRAULIC GENERATOR .... Pompe basse pression, centrale hydraulique
HYDRAULIC JACK (ram) .... Vérin hydraulique
HYDRAULIC LEAKAGE .... Fuite hydraulique
HYDRAULIC LINES .... Canalisations, tuyauteries hydrauliques
HYDRAULIC LOCK(ING) .... Blocage, verrouillage hydraulique
HYDRAULIC LOW PRESSURE WARNING SWITCH ...... Mano-contact de baisse de pression hydraulique
HYDRAULIC LOW PRESSURE WARNING SYSTEM .... Circuit indicateur de baisse de pression hydraulique
HYDRAULIC MOTOR .... Moteur hydraulique
HYDRAULIC OIL .... Huile *(pour circuits hydrauliques)*
HYDRAULIC POWER .... Pression, énergie, génération hydraulique
HYDRAULIC POWER SOURCE .... Alimentation hydraulique
HYDRAULIC POWER SYSTEM .... Circuit de génération hydraulique
HYDRAULIC POWER UNIT .... Servo-commande hydraulique
HYDRAULIC-POWERED ELEVATOR .... Gouverne de profondeur actionnée hydrauliquement
HYDRAULIC PRESS .... Presse hydraulique
HYDRAULIC PRESSURE .... Pression hydraulique
HYDRAULIC PRESSURE SOURCE .... Groupe de parc hydraulique
HYDRAULIC PUMP .... Pompe hydraulique
HYDRAULIC QUANTITY INDICATOR .... Jaugeur hydraulique
HYDRAULIC RAM .... Bélier hydraulique
HYDRAULIC RESERVOIR .... Réservoir, bâche hydraulique
HYDRAULIC RESERVOIR PRESSURIZATION (pressure) .... Pressurisation bâche hydraulique
HYDRAULIC RETURN LINE .... Tuyauterie de retour d'huile
HYDRAULIC SERVICE CART .... Banc, groupe de parc hydraulique, de génération hydraulique

HYDRAULIC SERVICES .... Servitudes hydrauliques
HYDRAULIC SERVO CONTROL .... Servocommande hydraulique
HYDRAULIC SHUT-OFF VALVE .... Robinet d'arrêt hydraulique
HYDRAULIC STANDBY SYSTEM .... Circuit hydraulique de secours
HYDRAULIC SUPPLY SHUTOFF VALVE (fire) .... Robinet coupe-feu
HYDRAULIC SYSTEM .... Circuit hydraulique
HYDRAULIC TANK .... Réservoir, bâche hydraulique
HYDRAULIC TEST BENCH .... Banc hydraulique
HYDRAULIC TEST RIG (stand) .... Banc d'essai hydraulique
HYDRAULIC TUBING .... Tuyauterie hydraulique
HYDRAULICALLY CONTROLLED .... A commande hydraulique
HYDRAULICALLY POWERED ... Actionné, manœuvré hydrauliquement
HYDRAULICALLY POWERED CONTROLS .... Commandes assistées hydrauliquement
HYDRAULICS .... (l') hydraulique
HYDRAZINE (N_2H_4) .... Hydrazine
HYDRAZINE PROPULSION SYSTEM Système de propulsion à hydrazine
HYDROACOUSTICS .... Hydroacoustique
HYDROCARBIDE .... Carbure d'hydrogène
HYDROCARBON .... Hydrocarbure, carbure d'hydrogène
HYDROCHLORIC ACID .... Acide chlorhydrique
HYDROCLAVE .... Hydroclave
HYDRODYNAMIC LUBRICATION .... Lubrification hydrodynamique
HYDRODYNAMICS .... (l') hydrodynamique
HYDROFLUORIC ACID .... Acide fluorhydrique
HYDROFOIL .... Hydrofoil, *(aile d')* hydroptère, aile *(semi)*-immergée, surface portante hydrodynamique, navire à effet de surface (NES)
HYDROFOIL CRAFT .... Hydroptère
HYDROFORMING .... Hydroformage
HYDROGEN EMBRITTLEMENT .... Inclusion d'hydrogène, effet fragilisant de l'hydrogène
HYDROGEN ION .... Ion hydrogène
HYDROGEN PEROXYDE .... Hydrogène péroxyde, eau oxygénée
HYDROGEN-POWERED AIRCRAFT .... Avion à moteurs à hydrogène
HYDROGEN TANK .... Réservoir d'hydrogène
HYDROGENIC (propellant) .... Hydrogénique
HYDROGLIDER .... Hydroglisseur
HYDROJET .... Hydrojet, propulsion par jet d'eau
HYDROMAGNETISM .... Hydromagnétisme
HYDROMATIC PROPELLER (blade) .... Hélice hydro-pneumatique, hydromatique
HYDRO-MECHANICAL (hydromechanical) .... Hydro-mécanique
HYDROMECHANICAL CONTROL .... Régulation hydro-mécanique
HYDROMECHANICAL CONTROL UNIT .... Régulateur hydro-mécanique

HYDROMETER .... Pèse-acide, aréomètre, hydromètre
HYDROPHILIC .... Hydrophilique *(émulsifiant)*
HYDROPLANE .... Hydravion, hydroplane, hydroglisseur
HYDROPLANING .... Hydroplanage, aquaplanage
HYDROPNEUMATIC (hydro-pneumatic) .... Hydro-pneumatique
HYDROPRESSED RIBS .... Nervures hydropressées
HYDROPTER .... Hydroptère
HYDROSPINNING ... Fluotournage, formage par pression hydrostatique
HYDROSTATIC (lubrication) .... Hydrostatique *(lubrification)*
HYDROTEST .... Hydrotest
HYDROVALVE .... Hydrovalve
HYGROMETER .... Hygromètre
HYGROMETRIC(AL) DEGREE .... Degré hygrométrique
HYGROMETRY .... Hygrométrie
HYGROSCOPIC(AL) .... Hygroscopique
HYPERBALLISTIC .... Hyperbalistique
HYPERBOLIC ORBIT .... Orbite hyperbolique
HYPERGOL .... Hypergol
HYPERSONIC FLIGHT .... Vol hypersonique
HYPERVELOCITY MISSILE (HVM) .... Missile à très haute vitesse
HYPOID GEAR .... Engrenage hypoïde
HYTENS .... Haute tension
HYSTERESIS .... Hystérésis, traînée magnétique
HYSTERESIS ERROR .... Erreur d'hystérésis
HYSTERESIS MOTOR .... Moteur à hystérésis

I

IAS (indicated airspeed) .... Vitesse badin
IAS CONTROL (AWLS) .... Capsule de vitesse, anémométrique (ATT)
IATA (International Air Transport Association) .... IATA *(association du transport aérien international, association internationale du transport aérien)*
I BEAM .... Poutre en « I »
ICAO (International Civil Aviation Organization) .... OACI *(organisation de l'aviation civile internationale)*
ICAO NORMS .... Normes de l'OACI
ICE .... Glace, givre
ICE (to) .... Givrer
ICE ACCRETION .... Formation de glace, givrage, couche, dépôt de glace
ICE CHUNK .... Gros morceau de glace
ICE COATING .... Couche de glace
ICE DETECTOR .... Détecteur de givrage
ICE FOG .... Brouillard givrant, glacé
ICE FORMATION (formation of ice) .... Formation de glace
ICE GUARD .... Protection anti-givre
ICE PELLETS .... Grésil, granules de glace
ICE SWEEPER .... Déverglaceuse *(piste)*
ICED OVER (wing) .... Recouvert de givre *(aile)*
ICING .... Givrage, formation de glace
ICY RUNWAY .... Piste verglacée
IDENT (to) .... Identifier
IDENT BUTTON .... Bouton d'identification
IDENTIFICATION .... Identification, repérage
IDENTIFICATION LABEL .... Étiquette d'identification
IDENTIFICATION MARKINGS .... Marques, marquages d'identification
IDENTIFICATION PLATE .... Plaque d'immatriculation, minéralogique, signalétique
IDENTIFICATION TAG .... Étiquette d'identification
IDENTIFY (to) .... Identifier
IDLE .... Ralenti, à vide
IDLE DETENT .... Cran, encoche de ralenti
IDLE-FITTED .... Monté fou
IDLE JET .... Gicleur de ralenti
IDLE OVER (to) .... Tourner au ralenti
IDLE PINION .... Pignon fou
IDLE POSITION .... Position de « ralenti »

IDLE POWER .... Puissance au régime de ralenti, ralenti
IDLE PULLEY .... Poulie folle
IDLE RPM .... Régime de ralenti
IDLE SPEED TRIMMER .... Vis de réglage ralenti
IDLE STOP .... Butée de ralenti
IDLE THRUST .... Poussée au ralenti
IDLE VALVE .... Vis de ralenti
IDLE WHEEL .... Roue folle, décalée
IDLER .... Roue folle, pignon fou, libre
IDLER CABLE .... Cable fou
IDLER GEAR (wheel) .... Pignon fou, pignon intermédiaire, roue libre
IDLING ADJUSTMENT NEEDLE .... Vis pointeau de réglage de ralenti
IDLING NOZZLE .... Gicleur de ralenti
IDLING POWER .... Puissance au régime de ralenti
IDLING SPEED .... Vitesse de ralenti
IF NECESSARY .... Si besoin
IF REQUIRED .... Si besoin, si nécessaire
IFR FLIGHT (instrument flight rules) .... Vol IFR, vol aux instruments
IFR NAVIGATION .... Navigation aux instruments
IGNITE (to) .... Allumer, enflammer, embraser
IGNITED .... Allumé, mis à feu, enflammé
IGNITER CABLE .... Câble d'allumage, d'allumeur
IGNITER COIL .... Bobine d'allumage
IGNITER PLUG, IGNITER .... Bougie d'allumage, allumeur, éclateur, inflammateur
IGNITION .... Allumage, mise à feu, inflammation
IGNITION ADVANCE .... Avance à l'allumage
IGNITION BOOSTER .... Bobine de départ
IGNITION BOX .... Boîte d'allumage
IGNITION CABLE .... Fil, câble d'allumage
IGNITION CIRCUIT .... Circuit d'allumage
IGNITION COIL .... Bobine d'allumage
IGNITION CONTROL .... Commande d'allumage
IGNITION EXCITER BOX .... Boîte d'allumage haute énergie
IGNITION HARNESS .... Rampe d'allumage
IGNITION KEY .... Clé de contact
IGNITION LEAD .... Câble d'allumage
IGNITION MANIFOLD .... Rampe d'allumage
IGNITION PLUG .... Allumeur, bougie de démarrage
IGNITION SEQUENCE .... Séquence d'allumage
IGNITION SPARK .... Étincelle d'allumage
IGNITION SYSTEM .... Circuit d'allumage

IGNITION SWITCH ACTUATING CAM .... Came de commande interrupteur d'allumage
IGNITION TEST .... Essai d'allumage
IGNITION TEST SWITCH .... Interrupteur d'essai allumage
IGNITION TIMING .... Réglage, calage de l'allumage
IGNITION WIPER .... Came d'allumage
IGNITOR .... Allumeur, bougie
IGVs (inlet guide vanes) .... Aubes directrices d'entrée
ILLUMINATE (to) .... (s') allumer, éclairer
ILLUMINATED .... Allumé, éclairé
ILLUMINATED PANEL .... Panneau lumineux
ILLUMINATED PUSHBUTTON .... Poussoir lumineux
ILLUMINATION .... Éclairage
ILLUSTRATED .... Illustré, représenté
ILLUSTRATED PARTS CATALOG (IPC) .... Catalogue illustré des pièces détachées, tableau de composition illustré (TCI), nomenclature illustrée des pièces détachées
ILLUSTRATED PARTS LIST (IPL) .... Liste des pièces illustrées
ILLUSTRATED TOOL CATALOG (ITC) .... Catalogue illustré des outillages
ILS (instrument landing system) .... ILS *(système d'atterrissage aux instruments, système de guidage à l'atterrissage par faisceaux radio orientés et balises de distances)*
ILS APPROACH .... Approche ILS *(émission de 2 axes radioélectriques, l'un de radio-alignement de piste, et l'autre de radio-alignement de descente, radiopiste et radiopente)*
ILS BEAM .... Faisceau ILS
ILS DEVIATION DETECTOR .... Détecteur écarts ILS
ILS GLIDE PATH .... Alignement de descente ILS
ILS RECEIVER .... Récepteur ILS
IMAGERY .... Images, imagerie
IMBEDDED (wire) .... Enrobé
IMBIBE (to) .... Imbiber, (s') imprégner
IMMERSE (to) .... Immerger, tremper, plonger
IMMERSION CLEANING .... Nettoyage par immersion, par trempage
IMMERSION TEST .... Essai d'immersion
IMMIGRATION OFFICER .... Agent d'immigration
IMPACT .... Impact, percussion, choc, coup, prise de contact
IMPACT AIR PRESSURE .... Pression dynamique
IMPACT DRIVER .... Tournevis à frappe
IMPACT PRESSURE .... Pression dynamique, d'arrêt
IMPACT RESISTANCE .... Résistance au choc, résilience

IMPACT SCREWDRIVER .... Tournevis à choc
IMPACT TEST .... Essai de résilience, au choc
IMPACT TESTING MACHINE .... Mouton-pendule
IMPACT WAVE .... Onde de choc
IMPACT WRENCH .... Clé à frappe
IMPACTING .... Percussion
IMPAIRMENT VOLTAGE .... Tension parasite
IMPEDANCE .... Impédance
IMPEDANCE BRIDGE .... Pont à impédance
IMPEDANCE COIL .... Bobine de self
IMPEDANCE MATCHING .... Adaptation d'impédance
IMPEL (to) .... Mettre en mouvement
IMPELLER .... Rouet, roue de compresseur, rotor, turbine, compresseur centrifuge, roue à aubes, hélice, couronne mobile, volute
IMPERFECT .... Défectueux, imparfait
IMPETUS .... Vitesse acquise, élan, impulsion, choc
IMPINGE (to) .... Se heurter à ; empiéter sur les droits de
IMPINGEMENT .... Heurt, choc, impact, collision, projection ; empiètement *(sur les droits de qn)*
IMPINGEMENT CONE .... Cône de dispersion
IMPINGEMENT COOLING .... Refroidissement par impact de jets
IMPINGEMENT STARTER .... Démarreur à air
IMPINGEMENT STARTING .... Démarrage par admission directe de jets d'air comprimé dans le compresseur
IMPLEMENT (to) .... Mettre en œuvre *(un programme)*
IMPLEMENTATION .... Mise en œuvre *(d'un programme)*
IMPORT .... Importation
IMPREGNATION .... Enrobage
IMPRESSION .... Empreinte
IMPRINT (to) .... Imprimer
IMPROPERLY ADJUSTED .... Mal réglé
IMPROVE (to) .... Améliorer, perfectionner
IMPROVED FINISH .... Meilleur fini
IMPROVED VERSION .... Version améliorée
IMPROVEMENT .... Amélioration, perfectionnement
IMPROVEMENT FACTOR (ratio) .... Facteur, rapport d'amélioration
IMPULSE .... Impulsion, poussée, pulsation
IMPULSE COUNTER .... Compteur d'impulsion
IMPULSE GENERATOR .... Générateur d'impulsion
IMPULSE TURBINE .... Turbine à action
IMPULSION .... Impulsion, force impulsive
IMPULSIVE BAND .... Bande impulsive
IMPURITY .... Impureté
IN .... Entrée

IN ACCORDANCE (with) .... En accord, suivant, conformément aux instructions de
IN BULK .... En vrac
INACCURACY .... Inexactitude, imprécision
INACCURATE .... Inexact, incorrect, imprécis
INADVERTENT .... Intempestif, involontaire
INAUGURAL FLIGHT .... Vol d'inauguration, inaugural
INBOARD .... Intérieur, interne
INBOARD ACTING FORCE .... Force dirigée, agissant vers l'intérieur
INBOARD AILERON .... Aileron interne
INBOARD ENGINE .... Moteur, réacteur interne, intérieur
INBOARD FLAP .... Volet interne, intérieur
INBOARD FLAP CARRIAGE ASSEMBLY .... Chariot de volet interne
INBOUND .... A l'arrivée, en rapprochement
INBOUND HEADING .... Cap de rappochement, cap retour, route vers une station
INBOUND TRACK .... Axe, trajectoire de rapprochement
INCANDESCENT LIGHT (lamp) .... Lampe incandescente
INCENTIVE FARE .... Vol promotionnel
IN-CHARGE FLIGHT ATTENDANT .... Chef de cabine
INCIDENCE .... Incidence, calage
INCIDENCE ANGLE .... Angle d'incidence
INCIDENCE CHANGE CONTROL ... Commande de variation d'incidence
INCIDENCE PROBE .... Détecteur d'incidence
INCIDENCE ROOT .... Calage à l'emplanture
INCIPIENT CRACK .... Amorce de crique
INCIPIENT FAILURE .... Amorce de rupture
INCH .... Pouce (25,4 mm)
INCHING .... Marche par à-coups, par impulsions
INCLINE (to) .... (s') incliner
INCLINATION .... Inclinaison, pente
INCLINATION INDICATOR .... Indicateur de pente
INCLINATION ORBIT .... Orbite d'inclinaison
INCLINED .... Incliné, oblique
INCLINED PLANE .... Plan incliné
INCLINOMETER .... Clinomètre, inclinomètre
INCLUSION .... Inclusion
INCLUSIVE TOUR .... Voyage à forfait, tout compris, tous frais compris
INCOMING (air) .... Entrée, arrivée
INCOMING CIRCUIT .... Circuit d'entrée
INCOMING CREW .... Équipage arrivant, débarquant
INCOMING TRAFFIC .... Trafic à l'arrivée
INCOMPRESSIBLE FLOW .... Écoulement incompressible

INCORRECT ADJUSTMENT .... Réglage incorrect
INCREASE .... Augmentation, accroissement
INCREASE (to) .... Augmenter, accroître
INCREASE POWER (to) .... Augmenter le régime, mettre les gaz
INCREASE PRESSURE (to) .... Augmenter, faire monter la pression
INCREASE PRESSURE AND VELOCITY (to) ...... Augmenter la pression et la vitesse
INCREASING .... Augmentation, hausse
INCREMENT .... Degré, valeur, augmentation, accroissement, pas de progression, palier
INCREMENTS .... Passes *(outil)*
INCURRED .... Escamoté
INDELIBLE .... Indélébile, ineffaçable
INDENT .... Entaille, échancrure, dentelure
INDENT (to) .... Échancrer, denteler, empreindre, bosseler
INDENTATION .... Empreinte, dentelure, découpure, échancrure, enfoncement, coup
INDENTER (diamond) .... Pénétrateur *(diamant, bille)*
INDEX .... Index, repère, indice, répertoire ; aiguille
INDEX MARK(ER) .... Repère, index
INDEX NUMBER (No.) .... Chiffre indicateur, nombre, indice, repère
INDEX PIN .... Axe de repérage
INDEX POINT .... Référence
INDEX REGISTER .... Registre index
INDEXING TABLE .... Plateau indexable
INDIA STONE .... Pierre india
INDIAN INK .... Encre de chine
INDICATE (to) .... Indiquer, montrer
INDICATED AIRSPEED (IAS) .... Vitesse *(propre)* indiquée, vitesse badin, vitesse anémométrique
INDICATED COURSE LINE .... Alignement de piste indiqué (ILS)
INDICATED FLIGHT PATH .... Trajectoire de vol indiquée
INDICATED HORSE-POWER (IHP) .... Puissance indiquée
INDICATED ILS GLIDE PATH .... Alignement de descente ILS indiqué
INDICATED MACH NUMBER .... Nombre de mach indiqué
INDICATED POWER .... Puissance indiquée
INDICATING LIGHT .... Voyant lumineux
INDICATING PANEL .... Panneau, tableau de signalisation
INDICATING SYSTEM .... Circuit indicateur, de signalisation, témoin
INDICATIONS OF BURNING .... Traces de brûlures
INDICATOR .... Indicateur, récepteur, témoin, voyant, index, annonciateur

INDICATOR LAMP .... Voyant
INDICATOR LIGHT .... Voyant, lampe de signalisation, voyant lumineux, lampe témoin, avertisseuse, interrupteur lumineux
INDICATOR PAPER .... Papier indicateur, indicateur de PH, papier réactif
INDICATOR POINTER .... Aiguille de l'indicateur, indicatrice
INDICATOR SCREEN .... Écran
INDIRECT MAINTENANCE COST (IMC) .... Coût d'entretien indirect
INDIUM .... Indium *(métal blanc)*
INDIVIDUAL .... Individuel, séparé
INDIVIDUAL AIR DISTRIBUTION SYSTEM .... Circuit de distribution individuelle d'air frais, aérateur
INDIVIDUAL AIR FLOW CONTROLLER .... Régulateur débit d'air individuel
INDIVIDUAL AIR OUTLET .... Buse, prise d'air individuelle
INDUCE (to) .... Induire, admettre
INDUCED .... Induit
INDUCED AIR .... Air aspiré, forcé
INDUCED COIL .... Induit
INDUCED CURRENT .... Courant induit
INDUCED DRAFT .... Tirage induit
INDUCED DRAG .... Résistance induite, trainée induite
INDUCED VOLTAGE .... Tension induite
INDUCER .... Roue d'entrée, inducer, grille directrice d'entrée
INDUCING AIR .... Air inducteur
INDUCING CURRENT .... Courant inducteur
INDUCING LOAD .... Charge induite
INDUCTANCE .... Inductance, bobinage
INDUCTION .... Induction, aspiration, admission
INDUCTION COIL (inductance coil) .... Bobine d'induction, de self, inductrice
INDUCTION FIELD .... Champ d'induction
INDUCTION HARDENING .... Trempe par induction
INDUCTION HEATING .... Chauffage par induction
INDUCTION LINE .... Tuyauterie d'admission
INDUCTION MOTOR .... Moteur à induction, asynchrone
INDUCTION PRESSURE .... Pression d'admission
INDUCTION PIPE .... Tuyauterie d'admission
INDUCTIVE LOAD .... Charge inductive
INDUCTIVE POWER .... Pouvoir inducteur
INDUCTIVE REACTANCE .... Réactance inductive
INDUCTOR .... Inducteur, rotor, bobine self
INDURATE (to) .... Durcir, endurcir
INDUSTRIAL COMPANY .... Société, firme industrielle

INDUSTRIAL TURBINE .... Turbine industrielle
INDUSTRY .... Industrie
INEFFECTIVE .... Inefficace
INERT .... Inerte, inactif, mort, passif
INERT GAS .... Gaz inerte
INERT GAS WELDING .... Soudage sous atmosphère inerte, en atmosphère neutre, sous gaz inerte
INERTIA .... Inertie
INERTIA FORCE .... Force d'inertie
INERTIA LOADING .... Charge d'inertie
INERTIA REELING DRUM .... Enrouleur à inertie
INERTIA STARTER .... Démarreur à inertie
INERTIAL .... Inertiel
INERTIAL ACCELEROMETER .... Accéléromètre inertiel
INERTIAL-BARO FILTERING .... Filtrage inertie-baro
INERTIAL FORCE .... Force d'inertie
INERTIAL GUIDANCE .... Système de guidage par inertie, guidage inertiel
INERTIAL MEASURING UNIT (IMU) .... Unité inertielle
INERTIAL NAVIGATION .... Navigation par inertie
INERTIAL NAVIGATION SYSTEM (INS) .... Système de navigation à inertie, de navigation inertielle, centrale de navigation par inertie
INERTIAL NAVIGATION UNIT (INU) .... Unité inertielle, unité de navigation inertielle
INERTIAL NAVIGATOR .... Navigateur inertiel
INERTIAL PLATFORM .... Plate-forme inertielle, à inertie, centrale à inertie
INERTIAL REEL .... Enrouleur à inertie
INERTIAL REFERENCE SYSTEM (IRS) .... Plate-forme inertielle de référence
INERTIAL REFERENCE UNIT (IRU) .... Plate-forme inertielle
INERTIAL SENSOR .... Senseur inertiel
INERTIAL SYSTEM .... Système inertiel
INFEED .... Profondeur de passe
INFLAMMABLE .... Inflammable
INFLATE (to) .... Gonfler, enfler
INFLATABLE .... Gonflable
INFLATABLE ESCAPE SLIDE .... Manche d'évacuation gonflable
INFLATABLE RAFT .... Radeau pneumatique
INFLATION (of rafts and jackets) .... Gonflage *(des canots et gilets)*
INFLECT (to) .... Fléchir, courber, infléchir
IN-FLIGHT ANNOUNCEMENT .... Annonce à bord
IN-FLIGHT ARMING .... Armement en vol

IN-FLIGHT FUEL TO DESTINATION TABLE .... Table temps-consommation en vol
IN-FLIGHT REFUELING BOOM .... Perche de ravitaillement en vol
IN-FLIGHT REFUELING EXERCISE .... Opération de ravitaillement en vol
IN-FLIGHT SALES .... Ventes à bord
IN-FLIGHT SERVICE .... Service de cabine, à bord
IN-FLIGHT SHUTDOWN .... Arrêt, extinction moteur en vol
IN-FLIGHT SUPPLY .... Ravitaillement en vol
IN-FLIGHT THRUST VECTORING .... Orientation de la poussée en vol
INFLOW .... Flux induit, flux capté, appel d'air
INFLOW DUCT .... Conduit d'alimentation
INFLUX .... Entrée, pénétration *(de liquide)*
INFORMATION .... Information, renseignement
INFORMATION COUNTER (desk, kiosk) .... Comptoir de renseignements, d'information
INFRARED (intra-red) .... Infra-rouge (IR)
INFRA RED FORWARD LOOKING .... Détecteur axial à IR
INFRARED-GUIDE MISSILE .... Missile à infra-rouge
INFRARED HOMING HEAD .... Autodirecteur IR
INFRARED IMAGING SEEKER .... Autodirecteur à imagerie infra-rouge
INFRARED RADIOMETER .... Radiomètre infrarouge
INFRA-RED EMITTING DIODE .... Diode électroluminescente infrarouge
INFRA-RED SEARCH AND TRACK SYSTEM .... Traqueur infrarouge
INFRA-RED SEEKER .... Autodirecteur IR
INFRARED SENSOR .... Détecteur à infra-rouge *(à rayons infra-rouges)*
INFRA-RED SIGHT SYSTEM .... Système de visée à infra-rouge
INFRASTRUCTURE .... Infrastructure
IN GEAR .... En prise
IN GROUND EFFECT .... Dans l'effet de sol
INGEST (to) = SWALLOW (to) ...... Absorber, ingérer, avaler, aspirer, gober
INGESTION .... Ingestion, absorption
INGESTION DAMAGE .... Dommages par ingestion de corps étrangers
INGESTION TEST .... Essai d'absorption
INGOT .... Lingot
INGREDIENT .... Ingrédient
INGRESS .... Entrée, pénétration
INGRESS OF WATER .... Infiltration d'eau
INHERENT STABILITY .... Stabilité propre, de forme

INHIBIT (to) .... Interdire, invalider, bloquer
INHIBIT BEARINGS (to) .... Protéger les roulements *(contre l'oxydation)*
INHIBITING .... Stockage
INHIBITING FLUID .... Liquide de stockage, anti-corrosion *(huile)*
INHIBITOR .... Inhibiteur *(de corrosion)*
INITIAL APPROACH (area) .... Approche initiale *(zone)*
INITIAL CRUISE ALTITUDE .... Altitude de croisière initiale
INITIAL HEADING .... Cap initial
INITIAL PROVISIONING .... Approvisionnement initial
INITIAL VELOCITY .... Vitesse initiale
INITIATE (to) .... Engendrer, créer, provoquer, amorcer, déclencher, lancer
INITIATOR .... Moteur de lancement, lanceur, déclencheur, amorceur
INJECT (to) .... Injecter
INJECTION .... Injection
INJECTION ENGINE .... Moteur à injection
INJECTION NOZZLE .... Injecteur, buse d'injection
INJECTION RING .... Rampe d'injection
INJECTION WHEEL .... Roue d'injection
INJECTOR .... Injecteur
INJURE (to) .... (se) blesser, (se) faire mal, endommager, abîmer
INJURY .... Dommage
INK .... Encre
INLAY (to) .... Incruster
INLET .... Arrivée, admission, entrée, aspiration
INLET CASE .... Carter d'entrée d'air
INLET CONE .... Ogive d'entrée d'air réacteur, cône de pénétration
INLET DOOR .... Porte d'entrée, volet d'admission
INLET FAIRING .... Cône d'entrée *(d'air)*
INLET GUIDE VANE (IGV) .... Aubage de pré-rotation, aubes de guidage d'admission, d'entrée, aubage directeur d'entrée
INLET LINE .... Tuyauterie d'admission
INLET MANIFOLD .... Collecteur d'admission
INLET NOZZLE .... Buse d'entrée
INLET PORT .... Orifice d'entrée, d'arrivée, d'admission
INLET PRESSURE .... Pression d'entrée, d'admission
INLET SCOOP .... Prise d'air, buse d'air
INLET SCREEN .... Crépine d'admission, d'entrée, grille de protection à l'entrée
INLET VALVE .... Soupape d'admission, d'aspiration
IN-LINE .... En ligne, aligné, d'aplomb, droit
IN-LINE ENGINE .... Moteur en ligne

IN-LINE TRANSFER .... Transfert linéaire, en ligne
INNER .... Intérieur, interne
INNER DIAMETER (I.D) .... Diamètre intérieur
INNER FLAPS .... Volets internes
INNER MARKER (I.M) .... Radioborne, radio-balise intérieure, balise terminale
INNER MARKER BEACON Radioborne de bordure, radiobalise intérieure
INNER PANEL .... Panneau intérieur
INNER RACE ....Chemin de roulement intérieur, cage, bague intérieure de roulement
INNER SHAFT .... Arbre interne, intérieur
INNER TUBE .... Chambre à air
INNOXIOUS .... Inoffensif
INOPERATIVE .... Inopérant, hors service (HS), en panne, hors de fonctionnement
INOPERATIVE ENGINE .... Moteur HS, en panne
IN-ORBIT .... En orbite
IN ORDER TO .... De manière à
INORGANIC COATING .... Revêtement inorganique
INORGANIC STRIPPER .... Décapant inorganique
IN PHASE .... En phase
IN PLANE .... Dans le plan
IN PRACTICE .... En pratique, dans la pratique
IN PROGRESS .... En cours
INPUT .... Entrée, prise, admission
INPUT AMPLIFIER .... Amplificateur d'entrée
INPUT DRIVE SHAFT .... Arbre d'entraînement
INPUT GEAR (pinion) .... Pignon d'entrée, d'attaque
INPUT IMPEDANCE .... Impédance d'entrée
INPUT PORT .... Orifice d'entrée, d'admission
INPUT SHAFT .... Arbre d'entrée, d'attaque
INPUT SIGNAL .... Signal d'entrée
INPUT VOLTAGE .... Tension d'entrée, d'attaque
INQUIRE (to) .... S'informer
INQUIRY .... Enquête
INRUSH .... Irruption, à-coup
INS DRIFT .... Dérive INS
INSECURED .... Desserré
INSERT .... Douille, bague, guide, garniture, hélicoïl, pièce rapportée, insert, bague noyée
INSERT (to) .... Engager, insérer, enfiler, introduire, intercaler, entreposer, encastrer, rapporter
INSERT BLADE .... Aube à chemise
INSERTING .... Mise en place
INSERTION GAIN .... Gain d'insertion

IN-SERVICE .... En service, en exploitation
IN-SERVICE DATE .... Date de mise en service, d'entrée en service
INSET LIGHT .... Feu encastré
INSIDE DIAMETER (ID) .... Diamètre intérieur
INSIDE MICROMETER .... Micromètre, palmer d'intérieur
INSIGNIA .... Insigne
INSPAR .... Interlongeron
INSPAR RIB .... Nervure interlongeron
INSPECT (to) .... Inspecter, contrôler, examiner
INSPECTION (inspecting) .... Inspection, visite, contrôle, vérification, examen
INSPECTION/CHECK .... Inspection/vérification
INSPECTION DOOR .... Porte de visite
INSPECTION HOLE .... Trou d'inspection, regard, trou endoscopique
INSPECTION LIGHT .... Baladeuse
INSPECTION MIRROR .... Miroir glace, miroir de contrôle
INSPECTION PANEL (door) .... Panneau de visite, porte de visite
INSPECTION PERIOD .... Visite d'entretien
INSPECTION PORT (boroscope) .... Trou d'inspection boroscopique
INSPECTION TABLE .... Table de contrôle, marbre
INSPECTION WINDOW .... Hublot d'inspection, regard
INSTABILITY .... Instabilité, déséquilibrage
INSTALL (to) .... Installer, mettre en place, poser, monter
INSTALL COTTER PIN (to) .... Goupiller
INSTALL RIVETS (to) .... Poser les rivets
INSTALLATION .... Installation, montage, mise en place, pose, aménagement
INSTALLATION DIAGRAM .... Schéma de montage
INSTALLATION EQUIPMENT .... Accessoires de montage
INSTALLATION TOOL .... Outillage de montage
INSTALLED .... Monté, installé, situé
INSTALLED POSITION .... Position monté
INSTALLED WEIGHT (lb) .... Poids installé
INSTANT ACTION .... Action instantanée
INSTANTANEOUS FUEL FLOW .... Débit carburant instantané
INSTANTANEOUS VELOCITY VERTICAL CONTROL (IVVC) Calculateur de vitesse ascensionnelle
INSTANTANEOUS VERTICAL SPEED INDICATOR (IVSI) ..... Variomètre IVSI = *(vitesse verticale instantanée)*, variomètre à vitesse instantanée
INSTRUCTION BOOK .... Notice d'entretien, manuel d'instruction

INSTRUCTION MANUAL .... Manuel d'instructions
INSTRUCTION PLATE .... Plaquette indicatrice, d'instructions
INSTRUCTIONAL FLIGHT .... Vol d'instruction
INSTRUCTIONS (for use) .... Consignes, instructions, mode d'emploi
INSTRUCTOR .... Instructeur, moniteur
INSTRUCTOR PILOT .... Pilote-moniteur, instructeur de pilotage
INSTRUMENT .... Instrument, appareil, mécanisme
INSTRUMENT APPROACH .... Approche aux instruments
INSTRUMENT APPROACH CHART .... Carte d'approche aux instruments
INSTRUMENT APPROACH FIX .... Repère d'approche aux instruments
INSTRUMENT BOARD .... Tableau de bord, planche de bord
INSTRUMENT COMPARISON MONITOR (comparator) .... Comparateur d'instruments
INSTRUMENT FLIGHT .... Vol aux instruments
INSTRUMENT FLIGHT PLAN .... Plan de vol aux instruments
INSTRUMENT FLIGHT RATING .... Qualification de vol aux instruments
INSTRUMENT FLIGHT RULES (IFR) .... Règles pour le vol aux instruments, règles de vol aux instruments, règles IFR
INSTRUMENT FLYING .... Vol aux instruments, vol sans visibilité, en P.S.V, en aveugle
INSTRUMENT LANDING .... Atterrissage sans visibilité
INSTRUMENT LANDING SYSTEM (ILS) .... Système d'atterrissage aux instruments, d'atterrissage radiogoniométrique
INSTRUMENT LIGHTING .... Éclairage instruments
INSTRUMENT METEOROLOGICAL CONDITIONS (IMC) ...... Conditions météorologiques de vol aux instruments
INSTRUMENT PANEL .... Planche de bord, tableau de bord
INSTRUMENT PANEL LIGHTS (lighting) .... Éclairage tableau de bord
INSTRUMENT RATED .... Qui a une qualification aux instruments
INSTRUMENT RATING .... Qualification aux instruments, de vol aux instruments
INSTRUMENT READING .... Lecture des instruments, lecture instrumentale
INSTRUMENT TIME .... Temps aux instruments
INSTRUMENTATION (instruments) .... Appareils, instruments de bord, *(les)* instruments, instrumentation
INSULATE (to) .... Isoler, gainer

INSULATED .... Isolé, capitonné
INSULATING .... Isolant, diélectrique
INSULATING MATERIAL .... Matériau calorifugé, isolant
INSULATING PLATE .... Pastille isolante
INSULATING RESISTANCE .... Résistance d'isolement
INSULATING SLEEVE .... Gaine isolante
INSULATING TAPE .... Isolant, chatterton
INSULATION .... Isolement, isolation, isolant, protection thermique *(fourrure, gaine, enveloppe, chemise)*
INSULATION BLANKET .... Matelas, panneau d'isolation, matelas isolant
INSULATION BREAKDOWN .... Claquage, contournement d'isolant
INSULATION BREAKDOWN TEST .... Essai de claquage
INSULATION METER (megger) .... Ohmmètre
INSULATION PANEL .... Panneau isolant, d'isolation
INSULATION RESISTANCE .... Isolement *(résistance)*, résistance d'isolement
INSULATION TAPE .... Ruban isolant, scotch, chatterton
INSULATION TESTER .... Boîte d'isolement et de claquage, mégohmmètre
INSULATOR .... Isolateur, isolant
INSURANCE .... Assurance
INSURANCE ITEM .... Élément de stock de sécurité
INTAKE (air intake) .... Admission, prise, appel, entrée, aspiration *(entrée d'air)*
INTAKE DUCT (air) .... Manche à air
INTAKE GUIDE VANE .... Aube de guidage, directrice, de prérotation
INTAKE PORT .... Orifice d'entrée, d'admission
INTAKE SCREEN .... Crépine d'entrée
INTAKE VALVE .... Soupape d'admission
INTEGRAL (with) .... Solidaire *(de)*, d'une seule pièce *(avec)*, faisant bloc *(avec)*, encapsulé
INTEGRAL FUEL TANK .... Réservoir structural
INTEGRAL LUG .... Bride structurale
INTEGRAL PANELS .... Panneaux intégraux
INTEGRAL RECHARGER .... Chargeur sous boîtier
INTEGRAL RIGID HUB .... Moyeu intégré rigide
INTEGRAL STAIRS .... Escalier intégré
INTEGRAL TANK .... Réservoir de structure, structural, d'aile, intégral
INTEGRATED .... Intégré
INTEGRATED DISPLAY .... Instrument à affichage intégré
INTEGRATED CIRCUIT .... Circuit intégré
INTEGRATED COMMUNICATION SYSTEM .... Système de télécommunication intégré

INTEGRATED FLIGHT CONTROL SYSTEM .... Système de contrôle intégré du PA
INTEGRATED FLIGHT SYSTEM (IFS) .... Système d'instruments de vol intégrés
INTEGRATING CIRCUIT .... Circuit intégrateur
INTEGRATING FLOWMETER .... Débitmètre totalisateur, totalisateur de débit
INTEGRATING GYROSCOPE .... Gyro intégrateur
INTEGRATING METER .... Compteur-totalisateur, compteur intégrateur
INTEGRATOR AMPLIFIER .... Ampli intégrateur, ampli d'intégration
INTEGRITY TEST .... Essai d'intégrité
INTENDED TRACK .... Route à suivre, prévue
INTENSIFIER .... Multiplicateur
INTENSITY .... Intensité
INTERACTION .... Réaction, intéraction
INTERACTIVE TRIDIMENSIONAL AIDED DESIGN .. Conception assistée tridimensionnelle intéractive (CATI)
INTERCELL .... Chicane *(inter-cellule)*
INTERCEPTION MISSION .... Mission d'interception
INTERCEPTOR .... Intercepteur
INTERCEPTOR-FIGHTER .... Chasseur d'interception
INTERCEPTOR MISSILE .... Missile d'interception
INTERCHANGE .... Banalisation *(d'avions)*
INTERCHANGEABILITY (of engine) .... Interchangeabilité *(des moteurs)*
INTERCHANGEABLE .... Interchangeable
INTERCOM .... Interphone
INTERCOMMUNICATION SYSTEM ...... Interphone, téléphone de bord
INTERCONNECT (to) .... Relier, réunir, conjuguer
INTERCONNECT VALVE .... Robinet intercom
INTERCONNECTED .... Reliés, interconnectés, conjugués *(manches)*, couplés
INTERCONNECTION .... Interconnexion, intercommunication, accouplement, conjugaison, couplage
INTERCONNECTION BOARD .... Carte d'interconnexion
INTERCONNECTOR .... Interconnecteur, raccord d'interconnexion
INTERCONTINENTAL BALLISTIC MISSILE (ICBM) .... Missile balistique intercontinental
INTERCOOLER .... Refroidisseur, radiateur intermédiaire
INTERCOSTAL PANEL .... Cloison intercostale
INTERFACE .... Interface, interconnexion, coupleur, jonction, liaison, échange

INTERFACE CIRCUITRY .... Circuit d'interface
INTERFACE ELECTRONICS .... Électronique d'interface
INTERFACE TESTER .... Testeur d'interface
INTERFACE UNIT .... Unité d'interface
INTERFERENCE .... Interférence, brouillage, parasite, perturbation, intéraction, serrage
INTERFERENCE DRAG .... Traînée d'intéraction
INTERFERENCE FIT .... Tolérance d'ajustement, serrage, emmanchement dur, ajustement avec serrage
INTERFEROMETER .... Interféromètre
INTERGRANULAR CORROSION .... Corrosion intergranulaire
INTERIOR SURFACE .... Surface intérieure
INTERLACE .... Entrelacement
INTERLACE WIRES (to) .... Croiser les fils, entrecroiser, entrelacer
INTERLACED SCANNING .... Balayage croisé (TV)
INTERLAYER .... Couche intermédiaire
INTERLINE .... Intercompagnies
INTERLINKED .... Conjugué
INTERLOCK .... Sécurité, interdiction, interverrouillage, asservissement
INTERLOCK BELLCRANK .... Guignol d'interdiction
INTERLOCK CIRCUIT .... Circuit de sécurité
INTERLOCK MECHANISM .... Mécanisme de verrouillage
INTERLOCK RELAY .... Relais de sécurité, d'interdiction
INTERLOCKING .... Enclenchement, engrènement, interverrouillage, asservissement
INTERLOCKING CIRCUIT .... Circuit asservi
INTERLOCKING MECHANISM .... Mécanisme solidaire
INTERLOCKING PLIERS .... Pinces multiprise
INTERLOCKING SLIDE FASTENER .... Fixation à fermeture éclair
INTERMEDIATE APPROACH .... Approche intermédiaire
INTERMEDIATE CASE (casing) .... Carter intermédiaire
INTERMEDIATE GEARBOX .... Boîte de transmission intermédiaire
INTERMEDIATE LANDING .... Escale d'attente, intermédiaire
INTERMEDIATE LAY OVER (IL) .... Visite intermédiaire
INTERMEDIATE PRESSURE (IP) .... Moyenne pression (MP)
INTERMEDIATE PRESSURE COMPRESSOR .... Compresseur MP
INTERMEDIATE RANGE BALLISTIC MISSILE (IRBM) .... Engin balistique de portée intermédiaire
INTERMEDIATE STOP (station) .... Escale intermédiaire
INTERMITTENT .... Intermittent
INTERMITTENT BEEPEP .... Bip intermittent
INTERMITTENT HORN SOUNDING .... Klaxon discontinu

INTERNAL-COMBUSTION ENGINE .... Moteur à combustion interne, à explosion
INTERNAL DIAMETER .... Diamètre intérieur
INTERNAL DRAIN .... Drainage, purge interne
INTERNAL ENERGY .... Énergie interne
INTERNAL LEAKAGE .... Fuite interne
INTERNAL PIPE THREAD ELBOW .... Coude à raccordement femelle
INTERNAL RESISTANCE (voltmeter) .... Résistance interne *(voltmètre)*
INTERNAL SPLINES .... Cannelures internes, intérieures
INTERNAL SURFACE .... Surface intérieure
INTERNAL THREAD .... Filet, filetage intérieur, taraudage
INTERNAL WRENCHING BOLT .... Boulon à pans creux, à tête creuse
INTERNATIONAL AERONAUTICAL FEDERATION .... Fédération aéronautique internationale (FAI)
INTERNATIONAL AIR ROUTE .... Route aérienne internationale
INTERNATIONAL AIRPORT .... Aéroport international
INTERNATIONAL AIR SERVICE (transport) .... Service aérien international *(transport)*
INTERNATIONAL AIR TRAFFIC .... Trafic aérien international
INTERNATIONAL PASSENGERS ..... Passagers des vols internationaux
INTERNATIONAL ROUTES .... Liaisons, lignes internationales
INTERNATIONAL STANDARD ATMOSPHERE (ISA) .... Atmosphère type internationale
INTERPHONE .... Interphone, téléphone de bord, téléphone intérieur
INTERPHONE AMPLIFIER .... Amplificateur d'interphone, téléphonique
INTERPHONE CONNECTOR .... Prise interphone
INTERPHONE HANDSET .... Combiné d'interphone
INTERPHONE JACK .... Jack, prise d'interphone
INTERPHONE SELECTOR .... Commutateur téléphonique
INTERPLANETARY FLIGHT (space) .... Vol interplanétaire *(espace)*
INTERROGATION RATE .... Vitesse d'interrogation
INTERROGATION SIGNAL .... Signal d'interrogation
INTERROGATOR .... Interrogateur
INTERROGATOR MODE .... Mode interrogation
INTERRUPT (to) .... Interrompre, stopper, couper, isoler
INTERRUPT POWER (to) .... Couper l'alimentation
INTERRUPTED TAKE-OFF .... Décollage interrompu
INTERRUPTER (circuit) .... Interrupteur, coupe-circuit, disjoncteur
INTERRUPTION .... Interruption, coupure

INTERSECT (to) .... Se couper, se croiser
INTERSECTING POINT .... Point d'intersection
INTERSPAR .... Interlongerons
INTERSPAR SKIN .... Revêtement interlongerons
INTERSTAGE .... Inter-étage, entre étages
INTERSTELLAR .... Interstellaire, intérastral
INTER-TANK TRANSFER .... Transfert inter-réservoirs *(équilibrage)*
INTERVAL .... Intervalle, écartement, espacement
INTERVAL TIMER .... Temporisateur
INTO WIND .... Face au vent
INTRADOS .... Intrados
IN TRANSIT .... En mouvement, en instance
IN TRIM .... Compensé
INTRINSIC NOISE .... Bruit de fond
INTROSCOPE PROBE .... Sonde introscopique
INTRUSION .... Injection
INTUMESCENT PAINT .... Peinture anti-feu, intumescente *(pièces alu, en titane)*
INVENTORY .... Inventaire, stock
INVERSE FLOW .... Flux inverse
INVERT (to) .... Renverser, retourner, mettre à l'envers
INVERTED-V ENGINE .... Moteur en V inversé
INVERTED FLIGHT .... Vol sur le dos, vol inversé
INVERTED GULL WING .... Aile en W
INVERTED LOOP .... Looping inversé
INVERTED POSITION .... Position inversée
INVERTED SPIN .... Vrille sur le dos
INVERTED TURN .... Virage sur le dos
INVERTER .... Convertisseur, redresseur *(de courant)*, commutateur, inverseur
INVERTING AMPLIFIER .... Amplificateur inverseur
INVERTOR .... Transfo-redresseur, convertisseur, commutatrice
INVESTIGATION .... Investigation, enquête, expertise
INVESTIGATION BOARD .... Commission d'enquête
INVESTMENT .... Investissement
INVOICE .... Facture
INWARD .... Intérieur, interne, vers l'intérieur
INWARD FLOW TURBINE .... Turbine centripète
IODINE NUMBER .... Indice d'iode
ION .... Ion
IONIC PROPELLANTS .... Propulseurs ioniques
IONIZATION .... Ionisation
IONIZED SULPHUR .... Soufre ionisé
IONIZING FLUX .... Flux ionisant

IONOSPHERE .... Ionosphère
IONOSPHERIC WAVE .... Onde ionosphérique
IR (infra-red) .... IR *(infra-rouge)*
IRIDIUM .... Iridium
IRON .... Fer
IRON BAR .... Barre de fer
IRON OXIDE .... Oxyde de fer
IRON WIRE .... Fil de fer
IRRADIATION .... Irradiation, rayonnement *(d'une source de lumière)*
IRREPARABLE PART .... Pièce irréparable
ISA (international standard atmosphere) .... Atmosphère type internationale
ISA CONDITIONS .... *(en)* Atmosphère standard
ISALLOBAR .... Isallobare
ISENTROPIC COMPRESSION .... Compression isentropique
ISENTROPIC EFFICIENCY .... Rendement isentropique
ISO-SPEED .... Iso-vitesse
ISOBAR .... Isobar *(m̂ pression)*
ISOBARIC .... Isobarique, isobarométrique, *(ligne)* isobare
ISOBARIC BELLOWS .... Capsule à vide
ISOBARIC CURVE (isobar) .... Courbe, ligne isobare
ISOBARIC REGULATION .... Régulation isobarique
ISOCHRONOUS SCROLL .... Chicane isochrone
ISOCLINIC LINES .... Isoclines
ISOGONALS .... Lignes isogones
ISOGONIC LINES .... Isogones
ISOGRIV .... Isogrille
ISOLATE (to) .... Isoler
ISOLATED .... Isolé
ISOLATING RELAY .... Relais d'isolement
ISOLATING VALVE .... Robinet, clapet d'isolement
ISOLATION .... Isolement
ISOLATION VALVE .... Vanne, robinet d'isolement
ISOMETRIC .... Cavalier
ISOMETRIC PROJECTION .... Perspective cavalière
ISOPROPYL ALCOHOL .... Alcool isopropylique
ISOPROPYLIC NITRATE STARTER .... Démarreur à nitrate d'isopropyle
ISOSCELES TRIANGLE .... Triangle isocèle
ISOSTATICALLY PRESSED CASTING Moulage en compression isostatique
ISOTHERM .... Isotherme *(m̂ température)*
ISOTHERMAL (isothermic, isothermous) .... Isotherme *(ligne)*
ISOTHERMAL COMPRESSION .... Compression isothermique

ISOTHERMAL FORGING .... Forgeage isotherme
ISOTHERMAL LINES (curves) .... Isothermes
ISOTHERMAL POWER .... Puissance isothermique
ISOTHERMIC CALORIMETRY .... Calorimétrie isotherme
ISOTROPIC CONDUCTIVITY .... Conductivité isotropique
ISSUE .... Édition, envoi
ISSUE (to) .... Sortir, s'écouler, jaillir, émettre, délivrer, attribuer
ISSUE INDEX .... Indice de modification
ITEM .... Détail, repère, élément, pièce, item, rubrique, poste
ITEM No .... Détail N°, repère de l'article
ITEM NOT ILLUSTRATED .... Détail non illustré, non représenté
ITERATIVE GUIDANCE .... Guidage par itération
ITINERANT AIRCRAFT .... Avion itinérant
ITINERARY .... Itinéraire

J

JAB .... Coup, piqûre
JAB SAW .... Scie à guichet, scie à métaux
JACK .... Cric, vérin, appareil de levage ; fiche prise, connecteur, jack
JACK (to) .... Mettre sur vérin, pomper
JACK AIRPLANE (to) .... Mettre l'avion sur vérins
JACK BOX .... Boîte de raccordement, fichier, boîte à « jacks »
JACK CLUTCH .... Manchon d'accouplement, d'entraînement
JACK OUTLET .... Prise de jack
JACK PAD .... Appui de vérin, adaptateur de levage, rotule de levage
JACK PANEL .... Plaque à prises, panneau de connexion, tableau de « jacks »
JACK PLUG .... Fiche à jack
JACK SCREW .... Vis de décollage
JACK-SHAFT .... Arbre de renvoi, arbre secondaire, intermédiaire
JACK UP (to) .... Soulever avec un cric ou un vérin
JACKET .... Enveloppe, chemise, manchon ; gilet
JACKET (life) .... Gilet de sauvetage
JACKING .... Mise sur cric *(ou sur vérin)*, levage
JACKING DOME .... Capuchon sphérique pour tête de vis
JACKING POINT (pad) .... Point de levage, adaptateur, embout, patin de levage, appui de cric
JACKSCREW ACTUATOR .... Vérin à vis
JACKSCREW BALLNUT .... Écrou à bille du vérin stabilisateur
JAGGED EDGE OF HOLE .... Bordure de trou ébréchée
JAM (to) .... Coincer, gripper, serrer, presser, s'enrayer, se bloquer, emmêler ; brouiller
JAM ON THE BRAKES (to) .... Freiner brusquement, serrer les freins à bloc, bloquer les freins
JAM-PROOF ALTIMETER .... Altimètre antibrouillé
JAM THE RADARS (to) .... Brouiller les radars
JAM UP (to) .... (se) coincer
JAMMED .... Calé, coincé, serré, bloqué, embouteillé, saturé
JAMMED GEAR .... Train coincé
JAMMER .... Brouilleur
JAMMING .... Serrage, coinçage, arc-boutement, blocage, enrayage, grippage ; brouillage, interférence
JAMMING RESISTANCE .... Résistance au brouillage
JAMMING STATION .... Station perturbatrice, émetteur brouilleur

JAMMING SYSTEM .... Système de brouillage
JAMMING TRANSMITTER .... Émetteur de brouillage
JAMNUT (jam nut) .... Contre-écrou
JAPAN .... Laque de chine
JAR .... Ébranlement, secousse, choc, à-coup, battement ; bouteille, récipient
JAR (to) .... Heurter, cogner, vibrer, trembler, marcher par à-coups
JAR THE GEAR DOWN (to) .... Débloquer le train
JAW .... Mâchoire, mors, griffe, bec
JAW, CHUCK .... Mors *(de mandrin)*
JAW CLUTCH .... Manchon d'accouplement, d'entraînement
JAW PULLER .... Extracteur à griffes
JAW SCREW-TYPE GEAR PULLER .... Extracteur à griffes type vis
JAW TEETH .... Crabots
JELLY (petroleum) .... Vaseline
JELLY-BELLY PACK .... Conteneur de fret
JEOPARDIZE (to) .... Mettre en danger, compromettre
JERK .... Secousse, à-coup, suraccélération
JERK (to) .... Donner une saccade, tirer d'un coup sec
JERKY RUNNING ...... Fonctionnement, marche saccadée, par à-coups
JERKY SPIN .... Vrille avec secousses brutales
JERRY-CAN .... Jerricane
JET .... Orifice de calibrage, jet, ajutage, gicleur, brûleur, tuyère, éjecteur, souffle, avion à réaction, propulseur
JET (to) .... Émettre un jet *(de fluide, de gaz)*
JET AIRLINER (aircraft, plane) .... Avion de ligne à réaction, jet
JET ASSISTED TAKE-OFF (JATO) .... Décollage assisté par fusée
JET BLAST .... Souffle réacteur
JET BLAST APPLICATOR .... Dispositif de nettoyage par aspiration
JET DEFLECTOR (deviator) .... Déviateur de jet
JET ENGINE .... Moteur à réaction, réacteur, turboréacteur
JET EXHAUST .... Flux d'échappement, d'éjection
JET-FIGHTER AIRCRAFT .... Chasseur à réaction
JET FLAP .... Volet fluide, hypersustentateur à lame d'air
JET FLAPPED ROTOR .... Rotor à volet fluide, soufflé
JET GAS STREAM .... Flux des gaz d'éjection
JET GAUGES .... Jauges pour gicleurs
JET-HOLDER .... Raccord injecteur
JET HOLE .... Venturi, trou calibré
JET LUBRICATION .... Lubrification par projection
JET NOZZLE .... Buse, tuyère d'éjection
JET PIPE .... Buse, tuyère d'éjection, d'échappement
JET PIPE TEMPERATURE (JPT) .... Température échappement, température tuyère

JET PLANE .... Avion à réaction
JET PLUG .... Bouchon de gicleur
JET POD .... Fuseau réacteur, fuseau moteur
JET-POWERED .... A réaction, équipé de turboréacteurs
JET-POWERED AIRCRAFT .... Avion à réaction
JET-PROP ENGINE (jetprop engine) .... Turbo-propulseur
JET PROPELLED AIRPLANE (aircraft) .... Avion à turbopropulseur
JET PROPULSION .... Propulsion par réaction, réaction, propulsion par réacteurs
JET-PUMP .... Pompe à injection, trompe à vide, pompe venturi, trompe d'aspiration, gicleur
JET PUMP ACTION .... Effet de trompe
JET PUMP HP SENSING LINE TAKE-OFF .... Piquage HP pompe venturi
JET PUMP HP SUPPLY LINE .... Alimentation HP des trompes à vide
JET STREAM .... Courant-jet, jet, flux d'éjection, jet gazeux, de gaz, jet d'échappement
JET SUBMERGED .... Gicleur noyé
JET THRUST .... Poussée de jet, poussée du moteur, propulsion par réaction
JET TURBINE ENGINE .... Moteur à propulsion par réaction
JET VELOCITY .... Vitesse d'éjection
JETLINER .... Avion de ligne à réaction
JETPROP (propjet) .... Avion à turbopropulseurs
JETTISON (to) .... Vidanger, larguer, éjecter, délester
JETTISON IN FLIGHT (to) .... Vidanger en vol
JETTISON TANK .... Réservoir largable
JETTISON VALVE .... Vide-vite
JETTISONABLE .... Largable, éjectable, vidangeable
JETTISONING .... Largage, délestage
JETWAY = JETTY .... Passerelle télescopique
JEWEL BEARING .... Roulement
JEWELLER SCREWDRIVER .... Tournevis d'horloger
JIFFY DRAIN .... Bouchon de vidange rapide
JIG .... Calibre, gabarit, montage, bâti
JIG BORING MACHINE .... Machine à pointer
JIG SUPPORT .... Bâti support
JIGGER .... Transfo d'oscillations
JITTER .... Courte variation d'un signal
JITTER MEASUREMENT .... Mesure de la gigue
JOB .... Travail, tâche, besogne, emploi, métier
JOB CARD .... Carte de travail
JOB ORDER .... Ordre de travail (OT), ordre de fabrication
JOB PRODUCTION .... Fabrication à l'unité
JOBLESS .... Sans emploi, chômeur

JO-BOLT .... Rivet aveugle
JOGGING .... Marche, mouvement par à-coups, par impulsions
JOGGLE .... Goujon prisonnier, embrèvement, soyage ; secousse
JOGGLE (to) .... Goujonner, embrever, soyer
JOGGLE WEB .... Nervure soyée
JOGGLING .... Soyage
JOIN (to) .... Joindre, assembler, réunir, relier, emboîter, connecter, (ac)coupler, coller
JOIN UP .... Rassemblement
JOINER .... Menuisier
JOINERY .... Menuiserie
JOINING .... Liaison, assemblage, jonction
JOINING LINE .... Raccordement *(tuyauterie)*
JOINING POINT .... Point d'entrée
JOINING TURN .... Virage d'entrée, d'interception
JOINT .... Joint, raccordement, liaison, jointure, raccord, élément d'assemblage, articulation
JOINT (to) .... Joindre, assembler, emmancher
JOINT COVER .... Couvre-joint
JOINT FACE .... Plan de joint
JOINT FORK .... Chape articulée
JOINT NUT .... Écrou de liaison, d'assemblage
JOINTING COMPOUND .... Mastic, pâte pour *(plan de)* joint, Pâte à joint, pâte d'étanchéité, d'étanchement
JOLT .... Cahot, secousse, à-coup
JOLTY PATTERN .... Image radar qui saute
JOULE'S HEAT LOSS .... Perte par effet joule
JOURNAL .... Tourillon, fusée, portée, soie
JOURNAL BEARING .... Palier lisse, coussinet, roulement, portée lisse
JOURNAL DIAMETER .... Diamètre de la portée
JOURNEY .... Voyage, trajet
JOURNEY LOG-BOOK .... Carnet de route, de bord
JOY RIDING .... Vol du dimanche
JOY STICK .... Manche à balai, levier de commande
JUDDER .... Secousse, vibration
JUMBO JET .... Gros porteur, avion de grande capacité
JUMP (to) .... Sauter, faire un bond
JUMP SEAT .... Siège rabattable, strapontin
JUMP-WELD .... Soudure bout à bout
JUMPER .... Cavalier, barrette
JUMPER STRAP .... Cavalier, tresse de mise à la masse, de métallisation
JUMPING .... Jaillissement *(d'une étincelle)*, broutement *(d'un outil)*

JUMPING AREA .... Aire, zone de parachutage
JUNCTION .... Jonction, raccordement, (em)branchement, connexion, liaison, intersection, nœud
JUNCTION BOX .... Boîte de jonction, boîtier de raccordement
JUNCTION PANEL .... Tôle, panneau de liaison
JUNCTION PLATE .... Gousset
JUNK RING .... Joint de culasse
JURY STRUT (link) .... Contrefiche d'étayage, de renforcement
JUSTIFIED REMOVAL .... Dépose justifiée

K

KATABATIC WIND .... Vent catabatique
KEEL .... Quille, poutre
KEEL ANGLE .... Angle de quille
KEEL BEAM .... Poutre de quille, poutre longitudinale *(fuselage)*
KEEP (to) .... Garder, maintenir, protéger, réserver, laisser
KEEPER .... Armature, guide
KEEPING UP .... Entretien
KELVIN DEGREE .... Degré kelvin (K)
KELVIN TEMPERATURE .... Température kelvin
KEROSENE .... Kérosène, pétrole lampant
KEROSENE (wash in) .... Pétrole *(laver au),* kérosène
KEY .... Clavette, clé(f), manipulateur, cale, coin, fiche, touche, poussoir ; solution
KEY (to) .... Claveter, caler *(une poulie sur un arbre),* manipuler
KEY (depress) .... *(appuyer sur la)* touche
KEY BOLT .... Boulon à clavette
KEY-DRIFT .... Chasse-clavette
KEY GROOVE .... Rainure, mortaise
KEY PUNCH OPERATOR .... Mécanographe
KEY PUNCHED CARD .... Carte mécanographique
KEY SEAT (slot) .... Logement de clavette
KEY SWITCH .... Commutateur à touches
KEY (woodruff key) .... Clavette woodruff, clavette demi-lune
KEYBOARD .... Clavier, boîtier à touches, tableau de commande
KEYBOX .... Tableau de commutation
KEYED .... Claveté
KEYHOLE SAW .... Scie à guichet
KEYING .... Manipulation
KEYING PIN .... Détrompeur
KEYING PLUG .... Fiche
KEYSLOT .... Rainure de clavetage
KEYWAY (key-slot) .... Rainure, logement de clavette, rainure de clavetage, cannelure
KEYWASHER .... Frein, rondelle-frein
KEYWORD .... Désignation, mot-clé, mot significatif
KEYWORDS INDEX .... Index alphabétique
KICK (to) .... Taper, cogner
KICK BOARD .... Plinthe
KICK FUSE .... Fusible temporisé
KICKED-OFF .... Hors circuit
KICKING .... Recul, repoussement

KIDNEY-HOLE .... Trou en haricot
KIFIS SYSTEM (kollsman integrated flight instrument system) .... Système Kifis
KILLED STEEL .... Acier calmé *(acier vieilli)*
KILN .... Four, séchoir, étuve
KILN DRY (to) .... Sécher, étuver
KILOGRAM .... Kilogramme
KILOMETER .... Kilomètre
KILOVOLT-AMPERE (KVA) .... Kilovolt-ampère
KIND .... Genre, espèce, sorte
KING-BOLT (pin) .... Cheville ouvrière, pivot
KINEMATIC .... Cinématique
KINEMATIC CHAIN (linkage, mechanism) .... Chaine cinématique
KINEMATIC VISCOSITY (γ) .... Viscosité cinématique
KINETIC .... Cinétique
KINETIC ENERGY (velocity) .... Énergie cinétique, force vive, énergie vitesse
KINETIC HEAT TEST .... Essai d'échauffement cinétique
KINETIC HEATING .... Echauffement cinétique
KINK .... Pliure, décrochement, nœud, faux pli, déformation
KINK (to) .... Tortiller, tordre, nouer
KISS LANDING .... Atterrissage doux
KIT .... Trousse *(d'outillage),* nécessaire, lot, ensemble d'articles, de pièces, lot de réparation, de rattrapage, prêt à monter
KIT BAG .... Trousse à outils
KIT-OFF (to) .... Rebondir à l'atterrissage
KIT ON BOARD .... Lot de bord
KITE .... Cerf-volant
KITE BALLOON (observation balloon) .... Ballon d'observation, ballon cerf-volant
KEPLERIAN ORBIT .... Orbite képlérienne, non perturbée
KLIRR FACTOR .... Coefficient de distorsion harmonique
KLOSURE SEAL .... Joint à lèvre
KLYSTRON .... Klystron
KNEE .... Console, coude *(tuyau)*
KNEE-JOINT .... Articulation, rotule
KNEE-LEVER .... Levier coudé
KNEE-LEVER MECHANISM .... Mécanisme à genouillère
KNEE-TYPE .... A console
KNEELING .... Baraquage *(hélicoptère)*
KNIFE .... Couteau
KNIFE SWITCH .... Interrupteur à couteau, à lame
KNITTED .... Tricoté, tressé
KNOB .... Bouton *(interrupteur),* index, bosse
KNOCK (to) .... Frapper, heurter, cogner, cliqueter

KNOT .... Nœud = 1,85 km/h
KNOTTED .... Noué
KNOW-HOW .... Savoir-faire, méthode, technique, manière, tour de main
KNUCKLE .... Charnon *(d'une charnière)*, articulation *(à genouillère)*
KNUCKLE JOINT .... Joint à rotule, genouillère
KNURL (to) .... Moleter
KNURLED KNOB .... Bouton moleté
KNURLED NUT .... Écrou moleté
KNURLING .... Moletage
KRAFT PAPER .... Papier kraft *(emballage)*
KRUGER FLAPS (krueger) .... Volets kruger
KSI .... 100 PSI = 70,3 Kgf/cm²

L

L-SECTIONED .... Profilé en L
LABEL .... Étiquette
LABEL (to) .... Étiqueter, enregistrer
LABORATORY .... Laboratoire
LABOUR .... Labeur, travail, main-d'œuvre
LABYRINTH .... Labyrinthe
LABYRINTH SEAL .... Joint labyrinthe
LACE .... Lacet
LACING .... Laçage
LACING CORD .... Lacet, corde de laçage, ficelle à transfiler
LACK .... Manque, absence, défaut
LACK OF CLEARANCE .... Manque de jeu
LACK OF OIL .... Manque d'huile
LACK OF POWER .... Manque de puissance
LACQUER .... Laque, vernis
LACQUERED .... Laqué
LADDER .... Échelle
LADEN WEIGHT .... Poids en ordre de vol, en charge
LADING .... Chargement
LAG .... Débattement de traînée, retard, décalage
LAG (to) .... retarder, rester en arrière ; garnir, envelopper, revêtir
LAG ANGLE .... Angle de traînée
LAG-SCREW .... Tire-fond
LAGGING .... Garnissage, enveloppe isolante
LAGGING HINGE .... Pivot de mouvement azimutal de pales
LAMINAR .... Laminaire
LAMINAR FLOW (laminar air flow) .... Écoulement laminaire *(air)*, uniforme
LAMINAR FLOW AEROFOIL .... Profil à écoulement laminaire
LAMINAR-TO-TURBULENT TRANSITION .... Transition laminaire - turbulent
LAMINATE (to) .... Laminer, étirer, feuilleter, plastifier
LAMINATED .... Laminé, feuilleté, à lames ; contre-plaqué en lamelles, stratifié, étiré
LAMINATED ALUMINIUM WING Voilure comportant un revêtement composé de tôles d'alu collées, de tôles empilées en épaisseur
LAMINATED FIBERGLASS .... Stratifié de verre
LAMINATED GLASS .... Verre feuilleté
LAMINATED PANEL .... Panneau stratifié
LAMINATED PLY .... Laminé

LAMINATED SHIMS ... Cales feuilletées, cales pelables, cales lamellées
LAMINATED WASHER .... Rondelle pelable, peluchable
LAMINATION .... Laminage, plastification, feuilletage, lamelle, épaisseur de cale
LAMP .... Lampe, voyant
LAMP DIMMER .... Veilleuse
LAMP HOLDER .... Douille, support de lampe
LAMP SOCKET .... Culot de lampe
LAMP TEST SWITCH .... Poussoir d'essai lampes, voyants
LAMP-VOLTMETER .... Voltmètre à lampes
LAND .... Terre
LAND (to) .... Atterrir, se poser, débarquer,décharger
LAND AGAINST THE WIND (to) ...... Atterrir contre le vent, vent debout
LAND AIRCRAFT .... Avion terrestre
LAND BASE .... Base terrestre
LAND-BASED .... Basé au sol, à terre, terrestre
LAND-BASED AIRCRAFT Avion basé au sol/ *(avion embarqué)*, terrestre
LAND-BASED VERSION .... Version terrestre
LAND-BASED WEAPON .... Arme terrestre
LAND LINE .... Ligne terrestre
LAND NAVIGATION .... Navigation terrestre
LAND OPERATIONS .... Missions terrestres
LAND STATION .... Station terrestre *(radio)*
LAND VEHICLE .... Véhicule terrestre
LANDER .... Appareil à l'atterrissage, capsule *(qui se pose)*, capsule d'atterrissage
LANDING .... Atterrissage
LANDING AIDS .... Aides à l'atterrissage
LANDING AND TAXI LIGHTS ...... Éclairage d'atterrissage et de roulage
LANDING APPROACH .... Approche à l'atterrissage
LANDING AREA .... Aire d'atterrissage
LANDING ATTITUDE .... Position d'atterrissage
LANDING BEAM BEACON .... Radiophare d'atterrissage
LANDING CAPSULE (lander) .... Capsule d'atterrissage
LANDING CHARGES (FEES) .... Redevances, taxes d'atterrissage, taxes aéroportuaires
LANDING CLEARANCE .... Autorisation d'atterrir, d'atterrissage
LANDING DISTANCE AVAILABLE (LDA) .... Distance d'atterrissage utilisable
LANDING DUTY .... Taxe d'atterrissage
LANDING FIELD .... Piste, terrain d'atterrissage
LANDING FIELD LENGTH REQUIRED .... Longueur d'atterrissage *(sur piste)* nécessaire

LANDING FLARE .... Fusée, feu d'atterrissage
LANDING GEAR (L/G) .... Chassis, train d'atterrissage, atterrisseur
LANDING GEAR AXLE .... Essieu de train, axe des fusées de roues
LANDING GEAR CONTROL HANDLE (lever)
.... Manette, levier commande des trains
LANDING GEAR DOOR .... Trappe de train
LANDING GEAR DOOR WARNING SYSTEM
Circuit signalisation de porte de train
LANDING GEAR DOWN LOCKPIN .... Verrou de sécurité train *(sol)*
LANDING GEAR EMERGENCY EXTENSION SYSTEM
Système de descente en secours du train *(manivelle)*
LANDING GEAR EXTENSION .... Sortie du train
LANDING GEAR LEG .... Jambe de train, jambe d'atterrisseur
LANDING GEAR LEVER (handle) .... Levier de commande train
LANDING GEAR MANUAL EXTENSION .... Sortie manuelle du train
LANDING GEAR OVERRIDE TRIGGER
Détente surpassement d'interdiction rentrée du train
LANDING GEAR POSITION INDICATOR ...... Indicateur de position train
LANDING GEAR SUPPORT BEAM Poutre support de train, potence train
LANDING GEAR UNSAFE LIGHT Voyant désaccord train d'atterrissage
LANDING GEAR WARNING HORN SWITCH
Interrupteur klaxon avertisseur train
LANDING GEAR WARNING SYSTEM
Signalisation de train d'atterrissage
LANDING GEAR WELL .... Logement de train
LANDING GROUND .... Terrain d'atterrissage
LANDING HEADLIGHT .... Phare d'atterrissage
LANDING IMPACT .... Impact d'atterrissage
LANDING LIGHTS .... Feux, phares, projecteurs d'atterrissage
LANDING RATE .... Nombre d'atterrissages, cadence d'atterrissage
LANDING REFERENCE SPEED .... Vitesse de référence d'atterrissage
LANDING RIGHT .... droit, autorisation d'atterrissage
LANDING ROLL (run) .. Course, longueur de roulement à l'atterrissage, distance d'atterrissage
LANDING SEQUENCE .... Séquence, ordre d'atterrissage
LANDING SINK RATE .... Vitesse de descente à l'atterrissage
LANDING SKID .... Patin d'atterrissage
LANDING STRIP .... Bande, piste d'atterrissage
LANDING TOUCHDOWN .... Touché des roues à l'atterrissage
LANDING WEIGHT .... Poids ou masse à l'atterrissage
LANDLINE CIRCUIT .... Circuit de ligne terrestre
LANDMARK .... Repère au sol, point de repère, point caractéristique
LANDMARK BEACON .... Phare de repère

LANDMINE DETECTOR .... Détecteur de mines terrestres
LANDPLANE .... Avion terrestre
LANDS (inspect) .... Vérifier toutes les surfaces
LANDYARD .... Section longitudinale, cordon
LANOLIN(E) .... Lanoline
LAP .... Recouvrement, chevauchement, guipage, guipure ; tour de circuit
LAP (to) .... Guiper *(un câble),* faire chevaucher ; roder, glacer
LAP BELT .... Ceinture de sécurité
LAP JOINT .... Couvre-joint, joint de recouvrement, assemblage à recouvrement, à mi-fer, ourlet
LAP-SEAM .... Ourlet
LAP SPLICE .... Éclissage
LAP WELD(ing) .... Soudure par recouvrement, à recouvrement
LAPPED SKINS .... Revêtements superposés, en recouvrement
LAPPED THREADS .... Filets rodés
LAPPING .... Recouvrement, guipage, enrubannage
LAPPING (remove scores by) .... Rodage plan *(enlever les rayures par)*
LAPPING COMPOUND (paste) Pâte à roder *(poudre oxyde de chrome)*
LAPPING MACHINE .... Machine à roder
LAPSE .... Erreur, faute ; laps de temps, délai
LARGE .... Grand, gros, fort, important
LARGE CAPACITY AIRCRAFT (large aircraft) .... Avion de grande capacité, de gros tonnage
LARGE DIAMETER .... Grand diamètre
LARGE SECONDARY AIR INLET DOOR .... Grande porte d'admission d'air secondaire
LARGE SUBSONIC JETS .... Avions à réaction subsoniques de grande capacité
LARGE-VOLUME PUMP .... Pompe à grand débit
LARGE WASHER .... Rondelle large
LASER ANEMOMETRY .... Anémométrie laser
LASER BEAM (laser beam recorder) .... Rayon, faisceau laser *(restitueur d'images laser)*
LASER DESIGNATOR .... Désignateur laser
LASER DIODE .... Diode laser
LASER GUIDANCE .... (à) guidage laser
LASER GUIDED BOMBS .... Bombes à guidage laser
LASER GYROS .... Gyromètres (à) laser, gyrolasers
LASER PROPULSION .... Propulsion à laser
LASER RANGEFINDER (laser range-finding) .... Télémètre à laser *(télémétrie par faisceau laser)*
LASER TRANSMITTER .... Émetteur laser
LASER VELOCIMETER .... Vélocimètre de laser *(mesure optique des vitesses locales et instantanées des écoulements fluides)*

LASER WELDING .... Soudage au laser
LASH (side lash) .... Jeu *(jeu latéral)*
LASH (to) .... Lier, fixer, attacher, amarrer, brider ; fouetter
LASHING .... Amarrage, amarre, point d'amarrage ; fouettement
LASTCHANCE FILTER .... Filtre « dernière chance »
LATCH .... Cliquet, verrou, loquet, loqueteau, pène, gache, crochet de verrouillage
LATCH (to) .... Verrouiller, fermer
LATCH HANDLE .... Sauterelle *(capots)*
LATCH LEVER .... Levier de blocage, de verrouillage
LATCH MECHANISM .... Mécanisme de verrouillage
LATCH PIN .... Axe de verrouillage, loquet
LATCHED POSITION .... Position « verrouillé »
LATCHING .... Verrouillage, blocage, accrochage
LATCHING CRANK .... Guignol de verrouillage
LATCHING MECHANISM .... Mécanisme de verrouillage
LATCHING STOP .... Butée de verrouillage
LATE .... En retard
LATE ARRIVAL .... Arrivée en retard, retard à l'arrivée
LATE DUTY .... Équipe du soir
LATENT HEAT .... Chaleur latente
LATER INSTALLATION .... Montage ultérieur
LATERAL .... Latéral
LATERAL AXIS .... Axe de tangage, axe latéral, transversal
LATERAL CONTROL .... Contrôle de roulis, de gauchissement
LATERAL CONTROL SPOILER .... Déporteur de roulis
LATERAL DRIFT LANDING .... Atterrissage ripé
LATERAL GUSTS .... Rafales transversales, de coté
LATERAL MOMENT .... Moment latéral
LATERAL PLAY .... Jeu latéral
LATERAL STABILITY .... Stabilité latérale
LATERAL TRANSLATION .... Déplacement latéral
LATERAL TRIM .... Régulateur de roulis, compensation de gauchissement
LATEST .... Dernière
LATHE .... Tour *(machine)*
LATHE BED .... Banc de tour *(bâti)*
LATHE-CENTRE .... Pointe de tour
LATHE CHUCK .... Mandrin de tour
LATHE-HEAD .... Poupée de tour
LATHER .... Mousse, écume
LATITUDE .... Latitude
LATTICE .... Treillis, treillage
LATTICE (to) .... Treillager, treillisser
LATTICE GIRDER .... Poutre en treillis

LATTICE STRUCTURE .... Struture en treillis
LAUNCH(ING) .... Lancement, tir
LAUNCH (to) .... Lancer, tirer
LAUNCH A GLIDER (to) .... Lancer un planeur
LAUNCH DATE .... Date de lancement
LAUNCH GUIDANCE .... Guidage au lancement
LAUNCH PAD .... Aire de lancement, pas de tir
LAUNCH SITE .... Aire de lancement
LAUNCH TOWER (rail) .... Tour de lancement
LAUNCH VEHICLE .... Lanceur
LAUNCHER .... Lanceur, rampe de lancement, table de lancement
LAUNCHER PROGRAM .... Programme de lancement
LAUNCHER-ROCKET .... Fusée porteuse
LAUNCHING AIRCRAFT .... Avion porteur
LAUNCHING AREA .... Pas de tir
LAUNCHING BASE ..... Base de lancement, champ de tir, cosmodrome
LAUNCHING PAD .... Aire de lancement, plateforme de lancement
LAUNCHING RAIL .... Tour de lancement
LAUNCHING RAMP .... Table, rampe de lancement
LAUNCHING RAMP SHELTER .... Abri de rampe
LAUNCHING TIMETABLE .... Chronologie de lancement
LAVATORIES .... *(les)* Toilettes
LAVATORY .... Toilettes, cabinet de toilette
LAVATORY COMPARTMENT .... Compartiment toilettes
LAVATORY SERVICE UNIT .... Bloc service toilettes
LAY (to) .... Poser, mettre, appliquer
LAY DOWN (to) .... Établir *(des procédures)*
LAYER .... Couche
LAYER OF GREASE .... Couche de graisse
LAYOUT (lay-out) .... Tracé, aménagement, disposition, schéma de montage, dessin, plan, agencement, implantation, présentation
LAYOUT (to) .... Arranger, disposer, étaler, aligner, étendre
LAYOVER .... Étape, attente *(passagers)*, découcher, escale longue durée
LAYOVER TIME ..... Temps de repos équipage, temps d'immobilisation
LAYSHAFT .... Arbre intermédiaire, arbre de renvoi, arbre de transmission, pignon réducteur
LAY UP (to) .... Mettre en réserve, accumuler
LAZY EIGHT .... Huit paresseux
LEACH (to) .... Filtrer *(un liquide)*
LEAD .... Broche, contact, fiche, plomb, fil, câble électrique, câblage, fil conducteur, cordon, branchement ; hauteur du pas *(vis)* ; avance *(allumage)*, décalage en avant
LEAD (to) .... Mener, conduire, guider, diriger ; plomber, lester
LEAD/ACID BATTERY .... Batterie au plomb

LEAD BRONZE .... Bronze au plomb
LEAD-IN LIGHTS .... Balisage d'approche, lampe de balisage directif
LEAD-LAG MOTION .... Mouvement avance-retard
LEAD MECHANIC .... Mécanicien chef d'équipe
LEAD-OXIDE BATTERY ...... Accumulateur au plomb *(oxyde de plomb)*
LEAD PLATING .... Dépôt de plomb, plombage
LEAD PLUG .... Prise
LEAD SCREW .... Vis mère
LEAD SEAL .... Plomb *(joint en)*
LEAD SEAL WIRE .... Fil plombé
LEAD SEALING PLIERS .... Pinces à plomber
LEAD TIME .... Délai
LEADED FUEL .... Carburant au plomb
LEADER .... Chef de patrouille
LEADER NAVIGATOR .... Chef des navigateurs
LEADER PILOT .... Chef des pilotes
LEADERSHIP .... Maîtrise d'œuvre
LEADING .... Principal ; conduite, pilotage ; plombage ; dephasé en avant
LEADING EDGE .... Bord d'attaque ; front d'impulsion *(montée)*, flanc avant *(d'une impulsion)*
LEADING EDGE FLAP .... Volet de bord d'attaque *(volet de BA)*
LEADING EDGE SLAT .... Bec de bord d'attaque *(bec de BA)*
LEADING PARTICULARS .... Principales particularités, caractéristiques principales, généralités
LEADING PHASE .... Avance de phase
LEAF .... Feuille, lame, lamelle
LEAF SPRING .... Ressort à lames
LEAK .... Fuite, perte, écoulement, suintement, infiltration
LEAK (to) .... Fuir, s'écouler, suinter
LEAK PROOF (leakproof) .... Étanche, anti-fuites
LEAK STOPPER .... Rustine
LEAK TEST .... Essai d'étanchéité, de fuite
LEAK TIGHT BOX .... Boîte étanche
LEAKAGE .... Fuite, perte, écoulement, déperdition *(d'électricité)*
LEAKAGE (for) .... Pour recherche de fuites
LEAKAGE CURRENT .... Courant de fuite
LEAKAGE DETECTION .... Détection de fuite(s)
LEAKAGE RATE .... Valeur de fuite, débit de fuite
LEAKAGE RESISTANCE .... Résistance de fuite
LEAKAGE TEST (leak test) .... Essai, contrôle d'étanchéité, de fuite
LEAKANCE .... Perditance
LEAKING RIVET .... Rivet non étanche, fuyant
LEAKY LINE .... Ligne mal isolée
LEAN .... Maigre, pauvre

LEAN (to) .... S'appuyer, se pencher
LEAN MIXTURE .... Mélange pauvre
LEANING .... Inclinaison
LEASING .... Location-vente
LEASING IN (out) .... Affrètement *(frètement)*
LEAST TIME TRACK .... Route de temps minimum
LEATHER .... Cuir
LEATHER BOOT .... Gaine cuir
LEATHER CASE .... Sacoche, valise, mallette en cuir
LEATHERETTE .... Simili cuir
LEAVE (to) .... Laisser, quitter
LEAVING POINT .... Point de sortie *(circulation aérienne)*
LEDGE .... Rebord, saillie, épaulement, arêtier
LEE WAVE ROTORS .... Turbulences en rouleaux
LEEWAY .... Dérive *(angle de)*
LEFT HAND (L.H) .... Main gauche, à gauche
LEFT HAND THREAD .... Filetage, pas à gauche
LEFT HAND WING .... Demi-voilure gauche
LEFT HANDED SCREW .... Vis à pas à gauche
LEFT SIDE VIEW .... Vue côté gauche
LEG .... Montant, jambe *(jambe d'atterrissage)*, branche ; étape, tronçon, parcours
LEGIBILITY .... Lisibilité
LENGTH .... Longueur, course *(piston)*, parcours
LENGTH OF CHORD .... Profondeur *(d'un profil)*
LENGTH OF CRACK .... Longueur de crique
LENGTHEN (to) .... (s') allonger, prolonger
LENGTHWISE .... Longitudinalement, en longueur
LENGTHWISE STATIONS .... Stations longitudinales
LENS .... Lentille, verre, objectif *(photo)*, cabochon *(voyant)*
LESS .... Inférieur, moindre
LET (to) .... Permettre, laisser
LET-DOWN (letdown) .... Descente, percée *(vol)*
LET DOWN (to) .... Descendre *(pour atterrir)*
LET DOWN PLATE .... Carte d'approche
LETTERING .... Lettrage, estampillage, inscription
LETTING DOWN .... Descente
LEVEL .... Niveau, de niveau, à niveau, plan ; palier
LEVEL (to) .... Niveller, mettre de niveau, araser, se rétablir
LEVEL ATTITUDE .... Ligne de vol
LEVEL DROP .... Chute de niveau
LEVEL FLIGHT .... Vol en palier, horizontal, à plat, en translation
LEVEL FLIGHT POSITION .... En ligne de vol
LEVEL FLIGHT TURN .... Virage en vol horizontal
LEVEL GENERATOR .... Générateur de niveau

LEVEL INDICATOR .... Indicateur de niveau
LEVEL LANDING .... Atterrissage en ligne de vol
LEVEL OFF (to) ... Mettre, revenir en vol horizontal, en palier, stabiliser
LEVEL OUT (to) .... Stabiliser
LEVEL PLUG .... Bouchon de vérification de niveau
LEVEL SPEED .... Vitesse en palier
LEVEL TURN .... Virage en palier, en vol horizontal
LEVEL UNIT .... Niveau
LEVEL WITH .... De niveau avec, affleurant, à fleur
LEVELLING (leveling) .... Nivelage, nivellement, mise de niveau, centrage
LEVELLING CYLINDER .... Vérin de centrage, d'équilibrage
LEVELLING UNIT .... Dispositif de centrage *(de train),* détecteur gravimétrique
LEVELNESS .... Nivellement
LEVER .... Levier, manette, guignol, bras, renvoi
LEVER-LOCK SWITCH .... Interrupteur à cran d'arrêt
LH_2 — FUELLED AIRCRAFT .. Avion fonctionnant à l'hydrogène liquide
LIAISON AIRCRAFT .... Avion de liaison
LICENCE (license) .... Brevet *(de pilote),* licence
LICENCE-BUILT .... Fabriqué, construit sous licence
LICENCE-MANUFACTURE .... Fabrication, construction sous licence
LICENSED PILOT (licenced pilot) .... Pilote breveté, titulaire d'une licence
LID .... Couvercle, abattant-couvercle
LIE .... Gisement, trace
LIFE (pot life) .... Vie, durée *(limite d'utilisation),* durée de vie, endurance, longévité
LIFE-BELT .... Ceinture de sauvetage, de sécurité
LIFE-BOAT .... Canot, bateau de sauvetage
LIFE BUOYS (savers) .... Bouées de sauvetage
LIFE-CYCLE COST (LCC) .... Coût cycle de vie, coûts d'achat, d'utilisation et d'entretien, coûts de production et d'utilisation, coût d'investissement, d'exploitation et d'entretien
LIFE-INSURANCE .... Assurance-vie
LIFE JACKET (vest, preserver) .... Gilet de sauvetage, gilet flotteur
LIFE LIMIT .... Limite de vie *(cycles ou heures)*
LIFE LIMITATION .... Limite, limitation de potentiel, des heures de fonctionnement
LIFE LIMITED .... A vie, à potentiel limité
LIFE LIMITED REMOVAL .. Dépose de pièce à limite de vie, à vie limitée
LIFE MARK (to) .... Marquer les temps de fonctionnement
LIFE POTENTIAL .... Durée de vie
LIFE PRESERVER .... Gilet de sauvetage

LIFE RAFT .... Embarcation, radeau, canot de sauvetage
LIFE RAFT COMPARTMENT (stowage)
Compartiment canot de sauvetage *(logement)*
LIFE SUPPORT EQUIPMENT (system) ..... Équipement de vie, de survie
LIFETIME (life time) .... Potentiel avion, durée de vie, durabilité
LIFT .... Poussée, sustentation, portance, levée, soulèvement
LIFT (to) .... Lever, soulever, hisser
LIFT AUGMENTATION .... Hypersustentation
LIFT AUGMENTING .... Hypersustentateur
LIFT BLOWER .... Ventilateur de sustentation
LIFT CAPABILITY .... Portance
LIFT COEFFICIENT (CL) .... Coefficient de portance (Cz), de poussée
LIFT DEVICE .... Dispositif hypersustentateur
LIFT-DRAG RATIO
(lift-to-drag ratio) .... Rapport de la portance à la traînée, finesse d'un avion, finesse aérodynamique
LIFT-DUMPERS .... Destructeur de portance, déporteur
LIFT ENGINE .... Moteur de sustentation
LIFT FORCE .... Force sustentatrice, ascensionnelle
LIFT OFF .... Envol, décollage, déjaugeage, délestage, arraché, lancement (fusée)
LIFT-OFF (to) .... (se) soulever, décoller, arracher *(l'avion)*
LIFT-OFF AT .... Décollé a
LIFT-OFF SPEED (Nosewheel)
Vitesse au moment de déjaugeage *(roue AV)*, vitesse de décollage, d'envol
LIFT-OFF WEIGHT .... Poids au décollage des roues
LIFT OVER DRAG .... Portance sur traînée
LIFT PER UNIT OF AREA .... Portance
LIFT ROTOR .... Sustentateur
LIFT THRUST .... Poussée sustentatrice
LIFT TRAILER .... Chariot élévateur
LIFT TRUCK .... Chariot élévateur
LIFTER .... Poussoir, taquet
LIFTING .... Levage, relevage, sustentation
LIFTING BODIES .... Corps autoportants
LIFTING BODY .... Corps en sustentation
LIFTING EYE .... Point, anneau de levage, de hissage
LIFTING FORCE .... Force de sustentation
LIFTING - HOOK .... Crochet de levage
LIFTING - JACK .... Cric, vérin
LIFTING LUG .... Bride de levage
LIFTING MAGNET .... Aimant de suspension
LIFTING POWER .... Puissance ascensionnelle

LIFTING RING .... Anneau de levage
LIFTING ROTOR .... Rotor de sustentation, voilure tournante
LIFTING SLING .... Élingue de levage
LIFTING SURFACE .... Surface portante
LIFTING TACKLE .... Palan de levage
LIFTING-TYPE TAIPLANE .... Plan fixe porteur
LIGHT .... Léger, faible
LIGHT .... Éclairage, feu, lumière, voyant lumineux, pavé
LIGHT (to) .... Allumer, éclairer, illuminer
LIGHT AIRCRAFT (airplane) .... Avion léger
LIGHT ALLOY .... Alliage léger
LIGHT AVIATION (flying) .... Aviation légère
LIGHT BEACON .... Balise
LIGHT BEAM .... Faisceau lumineux
LIGHT BOMBER .... Bombardier léger
LIGHT BULB .... Ampoule d'éclairage
LIGHT COMBAT WINGS .... Escadres d'avions de combat légers
LIGHT DAMAGE .... Léger dommage
LIGHT DUTY .... Léger, de faible puissance
LIGHT-EMITTING DIODE (LED) .... Diode électroluminescente (DEL), émettrice de lumière
LIGHT FILM OF GREASE .... Léger film de graisse
LIGHT FLARE .... Fusée éclairante
LIGHT FLASHER .... Clignoteur
LIGHT GUN .... Lampe à signaux
LIGHT-INTENSIFYING GOGGLES .. Lunettes à intensification de lumière
LIGHT METER (foot candle, lux) .... Appareil de mesure ou de contrôle de la lumière UV, luxmètre
LIGHT OFF (to) .... Éteindre
LIGHT OIL .... Huile légère
LIGHT OVERHAUL .... Révision, réparation mineure
LIGHT OVERRIDE SWITCH .... Interrupteur surpassement éclairage
LIGHT PEN .... Photostyle *(introduction dans un ordinateur)*
LIGHT PLATE .... Panneau éclairage
LIGHT RADIATION .... Radiation lumineuse
LIGHT-SENSITIVE CELL .... Cellule photo-électrique
LIGHT SHIELD .. Panneau de signalisation lumineux, auvent d'éclairage
LIGHT SIGNAL .... Signal lumineux
LIGHT SOURCE .... Source de lumière
LIGHT-SPOT .... Spot lumineux
LIGHT STRIP .... Réglette d'éclairage
LIGHT SWITCH .... Interrupteur d'éclairage, lumineux
LIGHT TRANSPORT HELICOPTER (LTH) .... Hélicoptère de transport léger
LIGHT UP .... Allumage

LIGHT UP (to) .... S'allumer, allumer, démarrer
LIGHT-YEAR .... Année-lumière
LIGHTED AREA .... Zone éclairée
LIGHTEN (to) .... Allèger
LIGHTENING .... Allègement
LIGHTENING HOLE .... Trou d'allègement
LIGHTER .... Plus léger
LIGHTER AND HEAVIER THAN AIR ..... Plus léger et plus lourd que l'air
LIGHTER-THAN-AIR (air)CRAFT .... Aérostat
LIGHTING .... Éclairage, balisage lumineux, plots
LIGHTING CIRCUIT .... Circuit d'éclairage
LIGHTING CONTROL PANEL .... Boitier de commande éclairage
LIGHTING MODULE .... Module d'éclairage
LIGHTING PANEL .... Tableau d'éclairage
LIGHTING SYSTEM (airport) .... Balisage lumineux *(d'aéroport)*
LIGHTING UP .... Allumage
LIGHTLY .... Légèrement
LIGHTLY LOADED .... Allégé
LIGHTLY LUBRICATED (with grease) .... Légèrement graissé
LIGHTNESS .... Légèreté
LIGHTNING .... Éclair, foudre
LIGHTNING ARRESTER .... Parafoudre
LIGHTNING PROTECTION .... Parafoudrage
LIGHTNING STRIKE .... Coup de foudre, foudroiement
LIGHTNING STRIKE DAMAGE .... Endommagement par la foudre
LIGHTS .... Éclairage, balises lumineuses, feux, projecteurs
LIGHTSHIELD (light shield) .... Auvent, pare-soleil
LIGHTWEIGHT .... Poids léger
LIGHTWEIGHT FIGHTER .... Chasseur léger
LIGHTWEIGHT GEAR .... Train allégé
LIGHTWEIGHT MATERIAL .... Matière d'allègement structure
LIGIBILITY .... Netteté, lisibilité
LIME .... Lime
LIMIT .... Limite, tolérance, borne, seuil
LIMIT-LIFE .... Vie limite
LIMIT LOAD (Factor) .... Charge limite *(facteur)*
LIMIT STOP .... Butée fin de course, butée de débattement *(gouverne)*
LIMIT SWITCH
Microrupteur, contacteur de fin de course, inverseur de fin de course, contact-butée, interrupteur de sécurité
LIMIT SWITCH ADJUSTING SCREW ..... Vis de réglage de fin de course
LIMITATION .... Limitation, limite
LIMITED (is) .... Limité, n'est valable que pour

LIMITED LIFE .... Vie limitée, durée de vie autorisée
LIMITED USE .... Usage limité
LIMITER .... Limiteur, écrêteur *(radio)*
LIMITER AMPLIFIER .... Ampli limiteur
LIMITING RUNWAY .... Piste de longueur critique
LINE .... Canalisation, tuyauterie, conduite, circuit, trait, droite, ligne, compagnie *(transport)*
LINE (to) .... Revêtir, doubler, garnir, aligner, mettre en ligne
LINE AMPLIFIER .... Amplificateur de ligne
LINE AIRCRAFT .... Avion de ligne
LINE CHECK .... Visite d'escale
LINE CIRCUIT SYSTEM .... Circuit
LINE CURRENT .... Courant de ligne
LINE ITEMS .... Articles de série
LINE MAINTENANCE .... Entretien en ligne
LINE MAINTENANCE (line station maintenance) .... Entretien d'escale, en piste
LINE MAINTENANCE ITEM .... Élément de maintenance en escale
LINE OF FLIGHT .... Ligne de vol
LINE OF FLOW .... Ligne de courant
LINE OF FORCE .... Ligne de force *(champ magnétique)*
LINE OF SIGHT Ligne de visée, de mire, champ visuel, portée optique
LINE OF SIGHT WAVE .... Onde directe, en visibilité radioélectrique
LINE OPERATION .... Fonctionnement sur secteur
LINE PRINTER .... Imprimante ligne
LINE REAM (to) .... Aléser en ligne
LINE REPLACEABLE UNIT (LRU) .... Élément remplacable en escale
LINE SCANNING .... Exploration, balayage de ligne (TV)
LINE SCRATCHES .... Fritures
LINE SQUALL .... Grain en ligne
LINE STATION .... Escale
LINE TRANSFER MACHINE .... Machine à transfert rectiligne
LINE UP .... Alignement, déploiement
LINE UP (to) .... Aligner, s'aligner, concorder
LINE VOLTAGE .... Tension d'alimentation
LINE VORTEX .... Ligne-tourbillon
LINEAR ACCELERATION (Ft/sec^2) .... Accélération linéaire
LINEAR AMPLIFIER .... Amplificateur linéaire
LINEAR ACTUATOR .... Actionneur, vérin linéaire
LINEAR DIMENSIONS .... Dimensions linéaires
LINEAR INDUCTIVE POTENTIOMETER .. Potentiomètre inductif linéaire
LINEAR MOTOR .... Moteur linéaire, axial
LINEAR POLARIZATION .... Polarisation linéaire
LINEAR POTENTIOMETER .... Potentiomètre linéaire
LINEARITY .... Linéarité

LINEN .... Toile de lin
LINER .... Manchon int, chemise, enveloppe, fourrure, fourreau, frette, chemisage, garniture ; tube à flamme ; avion de ligne
LINER MATERIAL EXTRUDING
Refoulement, arrachement de la garniture
LINESCAN SYSTEM .... Système de balayage linéaire
LINING .... Doublure, garniture, revêtement intérieur
LINK .... Liaison, bielle, biellette, étrier, anneau, attache, maillon, chainon, barrette, coupleur, connecteur
LINK (to) .... Relier, attacher, lier, coupler, associer
LINK ARM .... Bras de liaison
LINK BOLT .... Boulon de liaison, d'assemblage
LINK PLATE .... Guignol
LINK-TRAINER .... Simulateur de pilotage, de vol link, link trainer
LINKAGE .... Liaison, embiellage, tringlerie, cinématique, timonerie, chaînage, couplage
LINKAGE-AILERON CONTROL .... Timonerie de commande aileron
LINKAGE ASSEMBLY .... Timonerie
LINKAGE ROD .... Biellette, tige de liaison
LINSEED OIL .... Huile de lin
LINT .... Peluche, tissu de coton
LINT-FREE CLOTH .... Chiffon non-pelucheux
LINTLESS CLOTH (rag) .... Chiffon non-contonneux, non-pelucheux
LIP .... Lèvre, bord, rebord, bec, ergot
LIPOPHILIC .... Lipophilique *(émulsifiant détection criques)*
LIPSEAL (lip seal) .... Joint à lèvre
LIP WELDING .... Soudure des lèvres
LIQUID .... Liquide
LIQUID CONTENT GAGE .... Jaugeur
LIQUID CRYSTAL .... Cristal liquide
LIQUID CRYSTAL DISPLAY .... Affichage, afficheur, indicateur à cristaux liquides
LIQUID HYDROGEN .... Hydrogène liquide
LIQUID LEVEL GAGE (gauge) .... Jaugeur, nivellomètre
LIQUID NITROGEN .... Azote liquide, neige carbonique
LIQUID OXYGEN .... Oxygène liquide
LIQUID PARAFFIN .... Huile de vaseline, vaseline liquide
LIQUID PROPELLANT .... Combustible liquide, propergol liquide
LIQUID PROPELLANT ROCKET .... Fusée à propergol liquide
LIQUID QUANTITY INDICATOR .... Jaugeur
LIQUID SOAP DISPENSER .... Distributeur de savon liquide
LIQUIDOMETER .... Liquidomètre, jauge à liquide *(huile)*
LIST .... Liste, bordereau, tableau, état, répertoire, nomenclature
LIST (to) .... Énumérer, répertorier, repérer

LIST OF PARTS .... Nomenclature des pièces
LISTED BELOW .... Mentionné, énuméré ci-dessous
LISTEN (to) .... Écouter
LISTEN IN (to) .... Être à l'écoute
LISTENER .... Écouteur, auditeur
LISTENING .... Écoute, veille
LISTENING IN STATION .... Poste d'écoute
LISTENING FREQUENCY .... Fréquence d'écoute
LISTENING SENSITIVITY .... Sensibilité d'écoute
LISTENING WATCH .... Écoute permanente
LISTING .... Liste, listage
LITHERGOL .... Lithergol, propergol hybride
LITTLE .... Petit, peu
LIVE .... Sous tension
LIVE RUNWAY .... Piste en service
LIVE TRAFFIC .... Trafic réel
LIVE-WEIGHT .... Charge utile
LIVE WIRE .... Fil sous tension
LOAD .... Charge, effort, poids, chargement
LOAD (to) .... Charger
LOAD AND BALANCE SHEET (load and trim sheet) .... Devis, feuille de poids et de centrage
LOAD CELL .... Transmetteur d'effort
LOAD COEFFICIENT .... Coefficient de charge
LOAD CONTROLLER .... Contrôleur de charge
LOAD CONVEYOR .... Tapis roulant
LOAD CURRENT .... Courant de charge
LOAD CURVE .... Courbe de charge
LOAD DISTRIBUTION (dispatch) .... Répartition des charges, centrage
LOAD DIVISION .... Répartition des charges
LOAD FACTOR .... Coefficient, facteur de charge, de chargement, coefficient de remplissage *(de charge)*, d'occupation des sièges
LOAD-FEEL .... Sensation artificielle
LOAD-FEEL SPRING .... Ressort de sensation artificielle
LOAD LIMITER .... Limiteur de charge *(gouvernes)*
LOAD LINE (loadline) .... Ligne de charge
LOAD LOSS .... Perte de charge
LOAD REGULATOR .... Régulateur de charge
LOAD RESISTANCE .... Résistance de charge
LOAD SCALE .... Peson
LOAD SHARING .... Répartition des charges
LOAD SHEDDER RELAY .... Relais de délestage
LOAD SHEDDING .... Délestage des charges
LOAD SHEET (loadsheet) .... État de charge, devis de poids
LOAD STONE .... Aimant naturel

LOAD TEST .... Essai de charge
LOAD TORQUE .... Couple de charge
LOAD VERIFICATION SHEET .... Feuille de vérification chargement
LOAD YIELD .... Limite de charge
LOADED .... Chargé, en charge
LOADED WEIGHT .... Poids en charge
LOADER .... Manutentionnaire ; chargeur, dispositif de chargement
LOADER CLUTCH .... Embrayage de dispositif de chargement
LOADER LIFT FRAME ...... Cadre de levage de dispositif de chargement
LOADER LIFT FRAME LATCH SWITCH
Contacteur de verrou de cadre de levage
LOADER LOCKOUT LATCH
Verrou de blocage de dispositif de chargement
LOADER MOTOR-BRAKE .... Frein moteur de chargement
LOADING .... Chargement, charge, répartition des charges, embarquement
LOADING AND WEIGHT DISTRIBUTION .... Poids et centrage
LOADING BRIDGE .... Passerelle télescopique d'embarquement
LOADING CHECK (spring) .... Vérification du tarage *(ressort)*
LOADING COIL .... Bobine de charge, pupin
LOADING CYLINDER .... Piston taré
LOADING GATE .... Porte d'embarquement
LOADING DOCK .... Quai de chargement
LOADING RACK .... Rampe de chargement
LOADING RAMP ...... Aire, rampe de chargement, porte de chargement
LOADING SYSTEM .... Système de chargement
LOADMETER .... Indicateur de charge
LOADSHEET .... Devis de poids
LOAN .... Prêt, emprunt
LOBE .... Lobe, bossage, renflement, épaulement
LOBBY (US) .... Hall, salle d'attente
LOC-VOR RECEIVER .... Récepteur LOC-VOR
LOCAL .... Local, ponctuel
LOCAL FLIGHT .... Vol régional
LOCAL MEAN TIME (LMT) .... Temps civil local (TCG)
LOCAL REWORK .... Retouche locale
LOCAL SERVICES .... Lignes domestiques
LOCAL SIDEREAL TIME (LST) .... Temps sidéral local (TSG)
LOCAL SOLAR TIME .... Heure solaire locale
LOCAL STAFF .... Personnel d'escale
LOCAL TIME .... Heure locale
LOCAL TOUCH-UP .... Retouche locale *(peinture)*
LOCALIZER (LOC) ...... Localiseur, émetteur d'azimut, radioalignement de piste, radiophare d'alignement de piste
LOCALIZER BEACON .... Radiophare d'alignement de piste (LOR)

LOCALIZER BEAM .... Faisceau de localisation, faisceau localizer, radiophare, faisceau d'alignement de piste, radio-piste, LOC
LOCALIZER CAPTURE .... Capture d'alignement de piste
LOCALIZER COURSE (path) .... Trajectoire d'alignement de piste
LOCALIZER LIGHT (LOC light) .... Voyant d'alignement de piste
LOCALIZER RECEIVER .... Récepteur d'alignement de piste
LOCALIZER TRACK (course) .... Axe d'alignement de piste
LOCALIZER TRANSMITTER ...... Émetteur de radioalignement de piste, radiophare d'alignement de piste, LOC
LOCATE (to) .... Situer, localiser, repérer, positionner, placer, délimiter
LOCATING .... Positionnement, centrage, piétage ; positionnant(e)
LOCATING ANGLE .... Cornière de positionnement
LOCATING DOWEL .... Pion de centrage, positionneur
LOCATING HOLE .... Trou de piétage
LOCATING PEG .... Pion de centrage, de positionnement
LOCATING PIN ... Goupille de positionnement, ergot, pion de centrage, positionneur, goupille de repère, détrompeur
LOCATING SCREW .... Ergot de centrage, vis d'épinglage
LOCATING SPIGOT .... Téton de centrage
LOCATING TAB .... Patte de fixation
LOCATING VANE .... Aube positionnante
LOCATION .... Position, situation, localisation, emplacement, implantation, lieu
LOCATION OF CRACK .... Position de la crique
LOCATOR .... Repère, gabarit de montage, positionneur, pièce de repérage ; tour de lancement ; balise de ralliement, radiobalise
LOCATOR BEACON .... Radiobalise, balise radiocompas, balise de ralliement, radiophare de jalonnement
LOCK .... Verrouillage, blocage, verrou, clavette, serrure, loqueteau ; poche
LOCK (to) .... Verrouiller, bloquer, freiner, maintenir, clavetter
LOCK ACTUATING ROD .... Biellette de verrouillage
LOCK ACTUATOR .... Vérin de verrouillage
LOCK ARM .... Bras de verrouillage
LOCK BOLT (voir lockbolt) .... Crémone
LOCK BUNGEE .... Ressort de verrouillage
LOCK BUSHING .... Bague de blocage
LOCK CRANK .... Guignol de verrouillage
LOCK DOWN (to) .... Verrouiller en position basse
LOCK HOOK .... Verrou, crochet de verrouillage
LOCK KEY .... Clavette de verrouillage, verrou
LOCK MECHANISM .... Mécanisme de verrouillage
LOCK NUT .... Écrou de blocage, écrou simmond
LOCK ON WRENCH .... Pinces-étaux, serre-joint
LOCK PIN (lockpin) ... Goupille, verrou, broche de verrouillage, broche à ergot, épingle de freinage

LOCK PLATE .... Plaquette frein, plaquette d'arrêt
LOCK RELEASE .... Déverrouillage
LOCK RING .... Bague de blocage, circlip, jonc d'arrêt
LOCK RING PLIER .... Pince pour circlip
LOCK SCREW .... Vis de blocage
LOCK SOLENOID .... Solénoïde de blocage
LOCK SWITCH .... Micro-contacteur de verrouillage
LOCK WASHER (lockwasher) .... Rondelle frein, de sécurité
LOCK WRENCH .... Contre-clé
LOCKABLE .... Verrouillage
LOCKBOLT .... Rivet de tension et de cisaillement, rivet, fixation haute résistance
LOCKED .... Bloqué, verrouillé, rendu solidaire
LOCKED DOOR .... Porte verrouillée, bloquée
LOCKED DOWN (up) .... Verrouillé en position basse *(haute)*
LOCKED POSITION ..... Position de verrouillage, position « verrouillé »
LOCKERS (baggage) .... Casier, consigne automatique
LOCKING .... Verrouillage, blocage, freinage
LOCKING CLIP .... Épingle de sûreté
LOCKING DETENT .... Cran de verrouillage
LOCKING DEVICE .... Dispositif de blocage
LOCKING DISC .... Disque de sûreté
LOCKING HANDLE .... Poignée de verrouillage, de blocage
LOCKING LEVER .... Levier, guignol de blocage
LOCKING PIN .. Ergot d'arrêt, verrou, broche, épingle de sûreté, goupille frein, pion, doigt de verrouillage, ergot de verrouillage
LOCKING PLATE .... Plaquette de freinage, frein d'écrou, plaquette frein, arrêtoir
LOCKING PLIERS .... Pince à freiner
LOCKING PLUNGER .... Doigt de retenue
LOCKING RING .... Anneau d'arrêt, jonc, bague de verrouillage
LOCKING ROLLER .... Galet de verrouillage
LOCKING SCREW .... Vis de blocage
LOCKING SLOT .... Encoche de verrouillage
LOCKING STOP .... Butée de verrouillage
LOCKING STUD .... Ergot, téton de blocage
LOCKING VALVE .... Sélecteur blocage
LOCKING WIRE .... Fil à freiner
LOCKNUT (lock nut) .... Contre-écrou, écrou-frein, écrou de blocage
LOCKOUT CYLINDER .... Vérin de blocage
LOCKOUT-DEBOOST VALVE .... Détendeur de frein, clapet autobloqueur-détendeur
LOCKOUT MECHANISM ...... Mécanisme de verrouillage, d'interdiction
LOCKOUT RELAY .... Relais de blocage, d'interdiction
LOCKPIN .... Goupille de verrouillage

LOCKPLATE .... Rondelle frein d'écrou, plaque de verrouillage
LOCKS .... Sécurités
LOCKTAB .... Frein, languette frein
LOCKWASHER
(lock washer = spring washer) .... Rondelle frein d'écrou, frein, rondelle éventail
LOCKWASHER TAB .... Languette de rondelle de frein
LOCKWASHER-TOOTH .... Rondelle éventail
LOCKWIRE .... Fil à freiner, fil de freinage, de sûreté
LOCKWIRE (to) .... Freiner *(au fil à freiner)*
LOCUS .... Lieu géométrique
LODGE (to) .... Loger, déposer
LOFT .... Épure
LOFT (to) .... Tracer
LOG .... Registre, livret de recette
LOG (flight LOG) .... Livre de bord
LOG (to) .... Totaliser, accumuler un total d'heures, noter dans un registre, enregistrer
LOG AMPLIFIER .... Amplificateur logarithmique
LOGARITHMIC .... Logarithmique
LOG-BOOK .... Livre de bord, carnet de vol, de bord, journal de bord, de navigation, registre de route, livret matricule, livret moteur
LOG BOOK STOWAGE CABINET .... Armoire à documents
LOG-ENTRIES (log report) .... Inscriptions au carnet de bord
LOGGED DATA .... Données consignées
LOGGER .... Enregistreur automatique
LOGGING .... Enregistrement automatique, étalonnage, repérage *(des stations)*
LOGIC ANALYSER .... Analyseur logique
LOGICAL DESIGN .... Conception logique
LOGICAL INTERFACE CIRCUITS .... Circuits à interface logique
LOGISTIC TRANSPORT .... Transport logistique
LOGISTICAL SUPPORT (logistic support) Soutien, support logistique
LOGISTICS SYSTEM .... Système logistique
LOITER .... Vol en attente
LOITER SPEED .... Vitesse en attente
LONG-BODIED AIRCRAFT .... Avion à fuselage long
LONG DISTANCE FLIGHT .... Vol, service long-courrier
LONG HAUL .... Long courrier, étape longue
LONG NOSE PLIERS .... Pinces à long bec
LONG RANGE ...... A long rayon d'action, longue portée, long courrier
LONG-RANGE FLIGHT .... Vol longue distance, long courrier
LONG RANGE JET .... Long-courrier à réaction
LONG RANGE NAVIGATION SYSTEM .... Loran

LONG-RANGE PLANNING .... Planning, prévision à long terme
LONG-TERM PROGRAM .... Programme à long terme
LONG WAVES (LW) .... Ondes longues, grandes ondes
LONGERON (body) .... Longeron *(fuselage)*
LONGITUDE .... Longitude
LONGITUDINAL AXIS .... Axe longitudinal, axe de roulis
LONGITUDINAL BEAM .... Longrine
LONGITUDINAL CONTROL ...... Commande en tangage, de profondeur
LONGITUDINAL SECTION .... Coupe longitudinale
LONGITUDINAL SKIN JOINT .... Joint longitudinal de revêtement
LONGITUDINAL SLOPE .... Pente longitudinale
LONGITUDINAL STABILITY (fore-and-aft) .... Stabilité longitudinale, en tangage
LONGITUDINAL TRIM .... Stabilité longitudinale, compensation longitudinale, en tangage
LOOK .... Aspect, apparence
LOOK (to) .... Regarder
LOOK-THROUGH .... Blanc *(guerre électronique)*
LOOM .... Faisceau *(de câbles)*, toron
LOOP .... Anneau, boucle, bouclage, spire, ourlet, cadre antenne, circuit ; looping
LOOP ADF ANTENNA .... Antenne cadre ADF
LOOP ANTENNA (aerial) .... Antenne *(à)* cadre, cadre antenne, cadre radiocompas
LOOP ANTENNA CABLE .... Câble de liaison cadre antenne
LOOP BEARING .... Relèvement gonio manuel
LOOP CIRCUIT .... Circuit en boucle
LOOP GALVANOMETER .... Galvanomètre à cadre
LOOPING .... Boucle, looping, figure d'acrobatie
LOOSE .... Détaché, desserré, branlant, lâche, libre, défait, délié, détendu
LOOSE (to) .... Desserrer, détacher, prendre du jeu
LOOSE ATTACHING BOLT .... Boulon de fixation desserré
LOOSE BOND .... Décollement
LOOSE CONNECTION .... Raccord déconnecté, desserré
LOOSE EQUIPMENT KIT .... Lot de bord
LOOSE FASTENER .... Fixation desserrée, branlante
LOOSE FIT .... Ajustement libre
LOOSE FIT (to) .... Monter, ajuster avec jeu
LOOSE MOUNTED .... Monté avec jeu
LOOSE PAINT .... Peinture boursouflée
LOOSE RIVETS .... Rivets desserrés
LOOSE SNOW .... Neige poudreuse
LOOSEN (to) ... Relâcher *(un nœud)*, desserrer *(un écrou)*, débloquer, détendre, dégripper *(un palier)*, dégager, prendre du jeu

LOOSENESS .... Desserrage
LORAN CHAIN .... Chaîne Loran
LOSE (to) .... Perdre
LOSE POWER (to) .... Perdre de la puissance
LOSE SPEED (to) .... Perdre de la vitesse
LOSS .... Perte, fuite, déperdition
LOSS FACTOR .... Facteur de perte
LOSS OF AIRSPEED .... Chute, perte de vitesse
LOSS OF CROSS-SECTIONAL AREA .... Diminution de section
LOSS OF ENGINE POWER .... Perte de puissance moteur
LOSS OF HEAD .... Perte de charge
LOSS OF POWER .... Perte de puissance
LOSS OF PRESSURE .... Chute de pression
LOSS OF SECTION .... Diminution de section
LOSS OF SPEED .... Perte de vitesse
LOSS OF THRUST .... Perte de poussée
LOSS OF TIME .... Perte de temps
LOST .... Perdu
LOST AND FOUND .... Objets trouvés
LOUDNESS .... Force, intensité sonore, acoustique, sonie
LOUDSPEAKER .... Haut-parleur (HP)
LOUNGE .... Petit salon (B747), salle de réception des passagers, bar-salon, promenoir, salle d'attente
LOUVER (louvre) ... Volet de capot, ouie *(de prise d'air, de ventilation)*, bouche, auvent, persienne, lucarne
LOUVERED OPENING .... Ouie
LOW .... Bas, basse, faible
LOW (meteo) .... Dépression
LOW ALLOY STEEL .... Acier faiblement allié
LOW ALTITUDE AIRWAY .... Voie aérienne à basse altitude
LOW-ALTITUDE BOMBING (LAB) ...... Bombardement à basse altitude
LOW ALTITUDE FLIGHT .... Vol à basse altitude
LOW-ALTITUDE RADAR COVERAGE Couverture radar à basse altitude
LOW APPROACH .... Approche basse altitude
LOW BYPASS TURBOFAN .... Turboréacteur à faible taux de dilution
LOW CEILING .... Plafond bas
LOW COMPRESSOR .... Compresseur BP
LOW COMPRESSOR SHAFT ..... Arbre de compresseur basse pression
LOW COST .... Faible coût, bon marché, économique
LOW-COST CARRIER .... Compagnie bon marché
LOW DRAG .... Trainée réduite
LOW EARTH ORBIT .... Orbite terrestre basse
LOW FARE .... Bas tarif, tarif réduit
LOW FLOW .... Débit faible, baisse de débit
LOW FLY-PASS (low fly-by) .... Passage à basse altitude

LOW-FLYING TARGET .... Objectif volant à basse altitude
LOW FREQUENCY (LF) .... Basse fréquence (BF)
LOW FREQUENCY BEACON .... Radiophare basse fréquence
LOW FREQUENCY GENERATOR .... Générateur BF
LOW HYDROGEN EMBRITTLEMENT CADMIUM PLATING
Cadmiage à faible inclusion d'hydrogène, cadmiage *(au tampon)* basse fragilité
LOW LEVEL .... Bas niveau, basse altitude, au ras du sol
LOW LEVEL AIRSPACE (LLA) .... Espace aérien inférieur
LOW LEVEL ENROUTE CHART .... Carte en route espace aérien inférieur
LOW LEVEL FLIGHT .... Vol à basse altitude
LOW LEVEL INDICATOR .... Indicateur de baisse de niveau
LOW LEVEL VECTORING .... Guidage à basse altitude
LOW LEVEL WIND .... Vent rasant, au niveau du sol
LOW MAINTENANCE COST .... Maintenance économique
LOW MIDWING .... Aile semi-basse
LOW NOISE AMPLIFIER .... Amplificateur à faible bruit
LOW NOISE ENGINE .... Moteur silencieux, peu bruyant
LOW NOISE LEVEL .... Faible niveau de bruit
LOW OIL PRESSURE .... Pression d'huile faible
LOW OIL PRESSURE SWITCH .... Mano-contact baisse de pression d'huile
LOW-PASS .... Passe-bas, passage à basse altitude
LOW PASS FILTER .... Filtre passe-bas
LOW PITCH .... Petit pas *(hélice)*
LOW POINT .... Point bas
LOW POWER .... Faible, basse puissance
LOW PRESSURE .... Basse pression, faible pression
LOW PRESSURE AIR STARTER .... Démarreur à air basse pression
LOW PRESSURE AREA .... Zone de basse pression
LOW PRESSURE FILTER .... Filtre BP
LOW PRESSURE GAGE .... Mano basse pression
LOW PRESSURE REGULATOR .... Régulateur BP
LOW PRESSURE SWITCH .... Mano-contact de baisse de pression
LOW PRESSURE TURBINE .... Turbine basse pression
LOW PRESSURE TURBINE HMU .... Module turbine BP
LOW PRESSURE TURBINE STATOR CASE .... Carter de turbine BP
LOW PRESSURE WARNING SWITCH
Contact avertisseur de baisse de pression, mano-contact baisse de pression, pression basse
LOW RATE .... Régime lent, bas régime
LOW SPEED .... Basse, faible vitesse
LOW SPEED RANGE .... Bas régime
LOW SPEED TURN .... Virage à faible vitesse

LOW-STOP FILTER .... Filtre passe-haut
LOW TEMPERATURE .... Basse température
LOW TENSION (LT) .... Basse tension
LOW VISIBILITY .... Visibilité faible, réduite, mauvaise visibilité
LOW VISIBILITY LANDING .... Atterrissage par mauvaise visibilité
LOW WEIGHT .... Faible masse, poids réduit
LOW WING .... Aile basse
LOWER .... Inférieur
LOWER (to) .... Abaisser, descendre, déposer
LOWER CHORD .... Semelle inférieure *(longeron)*
LOWER DECK .... Pont inférieur
LOWER FARES .... Tarifs plus bas
LOWER RUDDER .... Gouverne inférieure de direction
LOWER SIDE STRUT .... Contrefiche latérale inférieure
LOWER SPAR .... Longeron inférieur
LOWER SURFACE .... Intrados
LOWER THE FLAPS (to) .... Descendre, sortir les volets
LOWERED CEILING PANEL .... Panneau de plafond surbaissé
LOWERING .... Abaissement
LOWEST USABLE FLIGHT LEVEL .... Niveau de vol le plus bas utilisable
LOXODROMIC .... Loxodromique
LOXODROMIC CURVE .... Loxodromie
LOXODROMICS .... Navigation loxodromique
LP (low pressure) .... BP *(basse pression)*
LP TURBINE .... Turbine BP
L-SECTIONED .... Profilé en « L », cornière
LUBBER LINE (lubber's line) .... Ligne de foi *(d'une aile)*
LUBE LUBRICANT .... Lubrifiant
LUBE FITTING .... Graisseur
LUBE SYSTEM ...... Circuit de graissage, circuit d'huile, de lubrification
LUBRICANT Lubrifiant, graisse, huile de graissage, liquide d'arrosage
LUBRICATE (to) .... Lubrifier, graisser, enduire, huiler
LUBRICATE BEARINGS (to) .... Lubrifier, graisser des roulements
LUBRICATING CUP .... Godet graisseur
LUBRICATING OIL .... Huile de graissage, de lubrification, lubrifiant
LUBRICATING RING .... Joint lubrifiant, anneau de graissage, bague de graissage
LUBRICATING SYSTEM .... Circuit de graissage, de lubrification
LUBRICATION .... Graissage, lubrification
LUBRICATION CHART .... Tableau de graissage
LUBRICATION FITTING .... Graisseur
LUBRICATION JET .... Gicleur de graissage
LUBRICATION PUMP .... Pompe de graissage, de lubrification
LUBRICATION SYSTEM .... Circuit de graissage
LUBRICATOR .... Lubrificateur

LUBRICATOR FITTING .... Graisseur
LUG .... Bride, patte, lamelle, anneau, cosse, ergot, bossage, tenon, oreille, chape, étrier, oeilleton, embout
LUGGAGE .... Bagages, valises
LUGGAGE BAY .... Soute, compartiment à bagages
LUGGAGE CLAIM .... Retrait des bagages
LUGGAGE COMPARTMENT .... Soute à bagages
LUGGAGE HOLD .... Soute à bagages
LUGGAGE INSPECTION (X-ray) ... Contrôle des bagages *(aux rayons X)*
LUGGAGE RACK .... Filet à bagages
LUGGAGE TUG .... Tracteur à bagages
LUKEWARM WATER .... Eau tiède
LULL .... Accalmie
LUMBER .... Bois de charpente, de construction
LUMINANCE SIGNAL Signal de brillance, de luminosité, de luminance
LIMINOUS (screen) .... Lumineux *(écran)*
LUMPED CAPACITY .... Capacité concentrée
LUMPED RESISTANCE .... Résistance localisée
LUMP .... Morceau, bloc, tas, fragment
LUMPS .... Concassé
LUNAR EXCURSION MODULE (LEM) .... Module, capsule qui se pose sur la lune, module lunaire
LUNAR EXPLORATION .... Exploration lunaire
LUNAR ORBIT .... Orbite lunaire, de la lune
LUNAR SOIL .... Sol lunaire
LUNAR TRAJECTORY .... Trajectoire lunaire
LUNEBERG LENS .... Lentille de luneberg
LURCH .... Embardée, coup de roulis, de tabac
LURCH (to) .... Tanguer
LUSTRE .... Éclat, brillant, lustre
LUTE .... Lut, mastic
LUTE (to) .... Luter, mastiquer
LUTING .... Masticage

M

MACH/AIRSPEED INDICATOR
(mach airspeed indicator) .... Anémo-machmètre, indicateur de vitesse et de mach

MACH COMPENSATOR .... Correcteur de mach
MACH FEEL .... Sensation artificielle de mach
MACH/IAS INDICATOR .... Anémo-machmètre
MACH INDICATOR .... Indicateur de mach, machmètre
MACH LINE .... Ligne de mach
MACH NUMBER .... Nombre de mach
MACH 2.2 PLUS COMBAT AIRCRAFT ...... Avion de chasse mach +2.2
MACH SPEED INDICATOR .... Anémo-machmètre
MACH TRIM .... Compensateur de mach, réglage profondeur en fonction du nombre de mach

MACH TRIM COMPENSATOR .... Compensateur de mach
MACH TRIM COUPLER .... Coupleur mach trim
MACH TRIM OVERRIDE .... Surpassement compensateur de mach
MACHMETER .... Machmètre
MACHINE .... Machine, appareil
MACHINE (to) .... Usiner, dresser, aléser, ajuster, tailler dans la masse

MACHINE-CUT (to) .... Tailler à la machine
MACHINE-GUN (synchronized) .... Mitrailleuse *(synchronisée, avec synchronisation pour passage à travers le champ de l'hélice)*

MACHINE GUN CARRIER .... Automitrailleuse
MACHINE PROCESSING .... Mécanographie
MACHINE SHOP .... Atelier de construction mécanique, de mécanique

MACHINE-TOOL .... Machine-outil
MACHINE-TURNED .... Fait au tour
MACHINED FROM SOLID .... Taillé, usiné dans la masse
MACHINERY .... Machinerie
MACHINING .... Usinage, ajustage
MACHINING FIXTURE .... Montage d'usinage
MACHINING SHOP .... Atelier de mécanique
MACROGRAPHIC .... Macrographique
MAE VEST (mae west) .... Gilet de sauvetage *(gonflable)*, gilet flotteur

MAGAZINE .... Magasin, dépôt ; magazine, périodique
MAGAZINE RACK .... Porte-revues
MAGIC-EYE .... Oeil magique

MAGNAGLO .... Magna avec examen à l'aide de substances fluorescentes *(lumière de wood)*
MAGNESIUM .... Magnésium
MAGNESIUM ALLOY .... Alliage de magnésium
MAGNESIUM PARTS .... Pièces en magnésium
MAGNET .... Aimant
MAGNET COIL .... Bobine d'excitation
MAGNET COMPASS .... Compas magnétique
MAGNET CORE .... Noyau magnétique
MAGNET POLES .... Pièces polaires
MAGNETIC .... Magnétique, aimanté
MAGNETIC ANOMALY DETECTOR (MAD) .... « Oiseau », détecteur d'anomalie magnétique
MAGNETIC BASE .... Support magnétique
MAGNETIC BEARING .... Relèvement magnétique
MAGNETIC BRAKES .... Électrofreins
MAGNETIC CHIP .... Copeau magnétique
MAGNETIC CHIP DETECTOR .... Bouchon magnétique
MAGNETIC COMPASS .... Compas magnétique, à répétiteur
MAGNETIC COURSE .... Route, cap magnétique
MEGNETIC DECLINATION .... Déclinaison magnétique
MAGNETIC DEVIATION .... Déviation magnétique
MAGNETIC DIP .... Inclinaison magnétique
MAGNETIC FAULT INDICATOR .... Voyant magnétique de panne
MAGNETIC FIELD .... Champ magnétique
MAGNETIC FIELD INTENSITY .... Intensité du champ magnétique, de l'induction magnétique (B)
MAGNETIC FILTER .... Filtre magnétique
MAGNETIC FLOW (flux) .... Flux magnétique
MAGNETIC HEAD .... Tête magnétique
MAGNETIC HEADING (MH) .... Cap magnétique, route magnétique
MAGNETIC HOLDER .... Support magnétique
MAGNETIC INDICATING LIGHT .... Voyant magnétique
MAGNETIC INDICATOR .... Indicateur, voyant magnétique
MAGNETIC INK .... Poudre magnétique *(colorée, fluorescente)*
MAGNETIC LAG .... Traînée magnétique
MAGNETIC MOMENT .... Moment magnétique *(M)*
MAGNETIC NEEDLE .... Aiguille aimantée
MAGNETIC NORTH .... Nord magnétique
MAGNETIC PARTICLE INSPECTION CHECK .... Examen, inspection magnétoscopique, magnaflux, magnétoscopie
MAGNETIC PARTICLES .... Particules magnétiques
MAGNETIC PICK-UP TOOL .... Outil-ramasseur magnétique
MAGNETIC PLUG .... Bouchon magnétique
MAGNETIC POLE .... Pôle magnétique

MAGNETIC (power) AMPLIFIER .... Ampli magnétique
MAGNETIC SENSING .... Détection magnétique
MAGNETIC SOCKET .... Douille magnétique
MAGNETIC STORM .... Orage magnétique
MAGNETIC SWITCH .... Disjoncteur
MAGNETIC TAPE .... Ruban, bande magnétique
MAGNETIC TAPE CONTROLLED MACHINE TOOLS ...... Machine-outils à commande numérique
MAGNETIC TAPE DATA STORAGE SYSTEM .... Conservateur de données sur bande magnétique
MAGNETIC TIP SCREWDRIVER .... Tournevis à bout magnétique
MAGNETIC TRACK .... Route magnétique
MAGNETIC TRACK ANGLE .... Angle de route magnétique
MAGNETIC VARIATION .... Déclinaison magnétique
MAGNETICALLY FLAW DETECT TEST .... Magnaflux, examen, contrôle magnétoscopique, magnétoscopie
MAGNETISM .... Magnétisme
MAGNETIZE (to) .... Magnétiser, aimanter, attirer
MAGNETO (engine) .... Magnéto *(moteur)*
MAGNETOHYDRODYNAMICS .... Magnétohydrodynamique
MAGNETOMETER .... Magnétomètre
MAGNETOPAUSE .... Magnétopause
MAGNETOSCOPY .... Magnétoscopie
MAGNETOSPHERE .... Magnétosphère
MAGNETOSPHERIC .... Magnétosphérique
MAGNETRON .... Magnétron
MAGNIFICATION LENS .... Lentille, verre de grossissement
MAGNIFIER .... Loupe
MAGNIFY (to) .... Grossir, agrandir, amplifier
MAGNIFYING .... Grossissant
MAGNIFYING LENS (glass) .... Loupe, lentille grossissante
MAGNIFYING POWER .... Grossissement
MAGNITUDE .... Ampleur, grandeur, importance, module, amplitude *(d'un courant)*
MAIDEN FLIGHT .... Premier vol, vol inaugural, vol sortie usine
MAIL .... Poste, courrier
MAIL PLANE .... Avion postal
MAIN .... Principal, essentiel, premier, maîtresse
MAIN BANG .... Impulsion départ *(radar)*
MAIN BATTERY .... Batterie de bord
MAIN BUS BAR .... Barre générale de distribution
MAIN CABIN .... Cabine passagers *(pax)*
MAIN CHARACTERISTICS .... Caractéristiques principales
MAIN CIRCUIT .... Circuit principal, primaire
MAIN CONTRACTOR .... Maitre d'œuvre

MAIN DATA .... Caractéristiques principales
MAIN DC BUS .... Bus principale courant continu
MAIN DECK .... Pont principal
MAIN DISTRIBUTION MANIFOLD RELIEF VALVE .... Clapet d'expansion du collecteur principal
MAIN ELECTRIC STABILIZER TRIM ACTUATOR .... Vérin électrique de trim stabilisateur
MAIN ENGINE .... Moteur principal
MAIN ENGINE CONTROL (M.E.C) .... Régulateur carburant
MAIN FRAME .... Structure principale, cadre principal, couple fort, maître-couple
MAIN FUEL PUMP (M.F.P) .... Pompe HP carburant
MAIN GEAR .... Atterrisseur principal
MAIN GEAR ACTUATOR WALKING BEAM .... Balancier du vérin TP, balancier de TP
MAIN GEAR CENTERING CYLINDER .... Vérin de centrage TP
MAIN GEAR DOWNLOCK INSPECTION WINDOW ... Hublot d'inspection verrouillage bas TP
MAIN GEAR DRAG STRUT .... Contrefiche de traînée TP
MAIN GEAR LEG .... Jambe de train principal
MAIN GEAR LOCK CRANK .... Guignol de verrouillage train principal
MAIN GEAR SHOCK STRUT .... Amortisseur de TP
MAIN GEAR SIDE STRUT .... Contrefiche latérale de TP
MAIN GEAR SNUBBER .... Amortisseur de tangage
MAIN GEAR TREAD .... Voie train d'atterrissage
MAIN INSTRUMENT PANEL .... Panneau principal instruments, planche de bord
MAIN KEEL BEAM .... Poutre maîtresse
MAIN LANDING GEAR (MLG) .... Train principal (TP), atterrisseur principal
MAIN LANDING GEAR SHOCK STRUT .... Amortisseur de TP
MAIN LANDING GEAR SIDE STRUT ACTUATOR .... Vérin de contrefiche latérale de TP
MAIN POWER .... Alimentation principale
MAIN RESERVOIR .... Réservoir principal
MAIN RIB .... Nervure forte
MAIN ROTOR .... Rotor principal
MAIN ROTOR DIAMETER .... Diamètre du rotor principal *(hélicoptère)*
MAIN RUNWAY .... Piste principale
MAIN SWITCH .... Interrupteur principal
MAIN TANK .... Réservoir principal
MAIN UNDERCARRIAGE .... Train principal (TP)
MAIN UNDERCARRIAGE UP-LOCK RAM .... Vérin de verrouillage haut du TP

MAINS .... Réseau, secteur
MAINS AERIAL .... Antenne secteur
MAINS SUPPLY .... Alimentation sur le secteur
MAINS VOLTAGE .... Tension du secteur
MAINTAIN (to) .... Maintenir, soutenir, garder, entretenir
MAINTAIN A PRESSURE (to) .... Maintenir une pression
MAINTAINABILITY .... Maintenabilité
MAINTENANCE .... Entretien ; maintien
MAINTENANCE ANALYSIS .... Analyse de maintenance
MAINTENANCE BASE .... Base de maintenance, d'entretien
MAINTENANCE COST .... Coût, frais d'entretien
MAINTENANCE DOWNTIME .... Immobilisation pour maintenance
MAINTENANCE MANHOURS .... Main d'œuvre de maintenance
MAINTENANCE MANUAL .... Manuel, notice d'entretien
MAINTENANCE PERSONNEL .... Personnel d'entretien
MAINTENANCE PRACTICES .... Opérations, procédures, consignes d'entretien
MAINTENANCE SCHEDULE .... Période de visite ou d'entretien
MAINTENANCE SIGNIFICANT ITEM (MSI) .... Élément prépondérant de maintenance (EPM)
MAJOR AIRLINE .... Grande compagnie aérienne
MAJOR OVERHAUL .... Grande visite
MAJORED .... Révisé
MAKE .... Fabrication, façon ; marque
MAKE (at) .... En circuit
MAKE (to) .... Faire, construire, fabriquer, exécuter
MAKE-AND-BREAK .... Conjoncteur-disjoncteur
MAKE-AND-BREAK COIL .... Bobine à rupteur, à trembleur
MAKE OUT (to) .... Voir, discerner, distinguer
MAKE PULSE .... Impulsion de fermeture d'un courant
MAKE SURE (to) .... S'assurer
MAKE-UP .... Composition
MAKE-UP (to) .... Composer, former, préparer, confectionner
MAKER .... Fabriquant, constructeur *(de machine)*
MAKESHIFT AIRFIELDS (field) .... Terrains sommairement aménagés, préparés
MAKING UP .... Préparation, composition, façon, compensation
MALADJUSTMENT .... Mauvais réglage, déréglage
MALE .... Mâle
MALE ELBOW .... Coude mâle
MALE EXTENSION .... Rallonge mâle
MALE PLUG .... Bouchon, prise mâle
MALE SCREW .... Vis mâle, vis pleine

MALFUNCTION .... Mauvais fonctionnement, fonctionnement défectueux, avarie, défaillance, anomalie
MALLEABLE IRON (casting) .... Fonte malléable
MALLEABILITY .... Malléabilité
MALLET .... Maillet, masse
MAN HOLE .... Trou d'homme, trou d'inspection
MAN-HOURS .... Heures productives, de main-d'œuvre, de travail
MAN-MACHINE INTERFACE .... Interface homme-machine
MAN-POWERED AERODYNE (pedal power) .... Aviette, avion à pédales
MAN-POWERED FLIGHT .... Vol musculaire
MANAGE (to) .... Diriger, gérer, administrer, manier
MANAGEMENT .... Direction, administration, gestion
MANAGEMENT PERSONNEL .... Personnel de direction
MANAGEMENT SYSTEM .... Gestion
MANAGER (general) .... Directeur (général), responsable de service
MANAGING DIRECTOR .... *(président)* directeur général (PDG)
MANDATORY .... Obligatoire, impératif
MANDATORY DIRECTIVE REMOVAL .... Dépose impérative
MANDATORY MODIFICATION .... Modification impérative
MANDATORY REPLACEMENT ITEM .... Élément à remplacement impératif
MANDREL .... Mandrin
MANEUVER .... Manœuvre, évolution
MANEUVERABLE .... Manœuvrable, maniable
MANEUVERING CONTROLLER .... Contrôleur d'évolution
MANEUVERING RENTRY VEHICLE (MRV) .... Corps de rentrée manœuvrant
MANEUVERING SPEED .... Vitesse d'évolution
MANGANESE STEEL .... Acier au manganèse
MANHOLE .... Trou d'homme
MANHOUR .... Heure de travail
MANHOURS PER FLYING HOUR .... Heures de main-d'œuvre par heure de vol
MANIFEST .... Manifeste
MANIFOLD .... Collecteur, tuyauterie, tubulure, rampe de distribution
MANIFOLD PRESSURE .... Pression d'admission
MANIPULATE (to) .... Manipuler, manœuvrer, actionner
MANNED .... Piloté
MANNED FLIGHT .... Vol habité, piloté
MANNED LABORATORY .... Laboratoire habité
MANNED SPACEFLIGHT (spacecraft) .... Engin habité, station habitée

MANNED VEHICLE .... Véhicule piloté
MANNER .... Manière, façon
MANŒUVERING .... Manœuvres, évolutions
MANŒUVRING LOAD .... Charge de manœuvre
MANŒUVRABILITY .... Maniabilité
MANŒUVRE (maneuver = US) .... Manœuvre
MANŒUVRE MARGIN .... Marge de manœuvre
MANOMETER .... Manomètre
MANPOWER .... Main-d'œuvre
MANUAL .... Manuel
MANUAL ACTUATION .... Commande manuelle
MANUAL BYPASS VALVE .... Robinet bypass manuel
MANUAL CONTROL .... Commande manuelle, mécanique, en mode mécanique
MANUAL CONTROL MECHANISM .... Mécanisme de commande manuelle
MANUAL CONTROL SWITCH .... Interrupteur à commande manuelle
MANUAL EXTENSION HAND CRANK .... Manivelle sortie train *(secours)*
MANUAL FEATHERING .... Drapeau manuel
MANUAL FEED .... Avance manuelle
MANUAL FLIGHT CONTROL .... Pilotage en mode mécanique
MANUAL GLIDE SLOPE .... Alignement de descente manuel
MANUAL MODE .... Mode manuel
MANUAL OF OPERATIONS .... Manuel d'exploitation
MANUAL OVERRIDE CONTROL LEVER .... Levier de surpassement manuel
MANUAL SELECTION .... Affichage manuel
MANUAL SHUTOFF VALVE .... Robinet d'isolement manuel
MANUALLY .... Manuellement, à la main
MANUALLY OPERATED .... A commande manuelle, actionné manuellement, en manuel
MANUALLY OPERATED BYPASS VALVE .... Robinet by-pass à commande manuelle
MANUALLY POSITION (to) .... Positionner manuellement
MANUFACTURE .... Construction, fabrication, réalisation
MANUFACTURE COSTS .... Coûts de fabrication
MANUFACTURE WORKSHOP .... Atelier de fabrication
MANUFACTURED .... Fabriqué, construit
MANUFACTURER .... Fabricant, constructeur, industriel, avionneur
MANUFACTURER'S INSTRUCTIONS .... Instructions, normes du constructeur
MANUFACTURING WORKSHOP .... Atelier de fabrication

MANUFACTORY .... Usine, fabrique, manufacture
MAP .... Carte, plan, topogramme
MAP (to) .... Dresser une carte, un plan
MAP DISPLAY .... Indicateur à cartes séparées, dérouleur de cartes
MAP-HOLDER .... Porte-carte
MAP LIGHT .... Liseuse carte
MAP-MAKER .... Cartographe
MAP-MAKING .... Cartographie
MAP OUT (to) .... Établir des plans
MAP READING LAMP .... Lampe lecture cartes
MAPPING .... Cartographie, repérage sur carte
MAPPING DATA .... Données cartographiques
MARBRE .... Marbre
MARGIN .... Limite, tolérance, marge, écart
MARGIN OF SAFETY .... Marge de sécurité
MARGINAL LAYER .... Couche limite
MARITIME PATROL AIRCRAFT .... Avion de surveillance maritime, patrouilleur maritime
MARITIME SURVEILLANCE AIRCRAFT .... Avion de surveillance maritime
MARITIME SURVEILLANCE OPERATION .... Surveillance maritime
MARITIME SURVEY .... Surveillance maritime
MARK .... But, cible, marque, note, repère, trace, empreinte, inscription
MARK (to) .... Tracer, marquer, noter, repérer, baliser, indiquer
MARK LOCATION (to) .... Noter la position, repérer
MARK PENCIL LINE (to) .... Tracer un trait
MARK UP (to) .... Repérer, annoter
MARKED LOCATIONS .... Endroits repérés
MARKER .... Marqueur, jalonneur, balise *(à rayonnement vertical)*, radioborne, marque de distance, index, plaque à graver, portant des inscriptions
MARKER ANTENNA .... Antenne de balise
MARKER BEACON .... Radiophare de balisage, phare de repérage, radioborne, radiobalise
MARKER BEACON LIGHT .... Voyant radioborne
MARKER RECEIVER .... Récepteur de balise, récepteur radioborne
MARKER UNIT .... Boîtier marker
MARKET .... Marché
MARKET (to) .... Commercialiser, trouver des débouchés, lancer sur le marché
MARKET ANALYSIS .... Étude de marché

MARKET RESEARCH (survey) .... Étude de marché
MARKETING .... Service commercial, commercialisation, études de ventes, des marchés
MARKETING BOARD .... Office des ventes
MARKING .... Inscription, marque, marquage, balisage, repérage
MARKING BLUE (compound) .... Bleu de prusse
MARKING GAUGE (gage) .... Trusquin à tracer
MARKING INK .... Encre de marquage
MARKING OUT .... Jalonnement
MARKING PLATE .... Plaque repère
MARKING TOOL .... Pointe à tracer
MARKINGS .... Inscriptions, repères, marques extérieures, balisage
MARKS ALIGNED .... Repères alignés
MARMAN CLAMP .... Collier marman
MARSHALLER .... Placeur *(d'avions)*, placier, parqueur
MARSHALLING .... Signalisation piste
MARSHALLING SIGNALS .... Signaux de placement
MARTENSITIC STEEL .... Acier martensitique
MASK .... Masque, cache
MASK (to) .... Masquer, cacher, maroufler, protéger, épargner
MASK MICROPHONE .... Microphone de masque
MASKANT .... Épargne
MASKING COVERING .... Marouflage
MASKING TAPE .... Papier, ruban adhésif, bande protectrice collante, adhésive, ruban à masquer, à maroufler, de masquage, épargne
MASKMIKE .... Micro-masque
MASS .... Masse
MASS AIR FLOW .... Débit masse de l'air
MASS BALANCE WEIGHT .... Contrepoids d'équilibrage
MASS FLOW (rate) .... Débit massique, débit-masse
MASS FLOWMETER .... Débitmètre massique
MASS FUEL FLOW .... Débit massique de carburant
MASS OF AIR .... Masse d'air
MASS OF FUEL .... Masse de carburant
MASS PRODUCED .... Fabriqué en série
MASS PRODUCTION .... Fabrication en grande série
MASS STORAGE .... Mémoire de masse
MAST .... Mât
MASTER .... Maître, principal, étalon, pilote
MASTER COMPASS .... Compas principal
MASTER CONTROL .... Commande générale
MASTER CROSS-SECTION .... Maître-couple

MASTER DIM AND MASTER TEST SYSTEM .... Circuit principal d'essai et d'atténuation d'éclairage
MASTER ENGINE .... Moteur étalon, principal, de référence
MASTER GAGE BLOCK .... Cale étalon
MASTER OSCILLATOR (MO) .... Oscillateur de référence, pilote *(maître oscillateur)*
MASTER POWER SWITCH .... Interrupteur général d'alimentation
MASTER PRESSURE GAGE .... Manomètre étalon
MASTER ROD .... Bielle maîtresse, principale
MASTER SWITCH .... Interrupteur général, coupe-tout, coupe circuit général, général
MASTER TACHOMETER .... Tachymètre étalon
MASTER TEMPLATE .... Gabarit étalon
MASTER THERMOMETER .... Thermomètre étalon
MASTER WARNING LIGHT .... Voyant principal alarme
MASTIC .... Mastic
MAT .... Natte, revêtement, matelas
MAT(T) SURFACE .... Surface mate
MATCH (to) .... Aller sur, égaler, assortir, rivaliser, *(faire)* coïncider, approprier, adapter, apparier, équilibrer
MATCHED CONICS TECHNIQUE .... Méthode des sphères d'action d'influence
MATCHED NOZZLE .... Tuyère adaptée
MATCHED UNITS .... Éléments assortis
MATCHING .... Adaptation, liaison, reconstitution
MARCH(ING) HOLE .... Trou correspondant
MATE (to) .... Accoupler, s'ajuster
MATE FACE .... Face d'appui
MATE PINION .... Pignon satellite
MATERIAL .... Matière, matériel, matériau ; tissu, toile
MATERIAL DAMAGE .... Dommage matériel
MATERIAL REMOVAL .... Enlèvement de matière
MATERIAL THICKNESS .... Épaisseur matière *(tôle)*
MATERIALS .... Fournitures, accessoires, ingrédients
MATHEMATICAL .... Mathématique
MATING .... Accouplement, appui, assemblage
MATING CONNECTOR .... Connecteur correspondant
MATING FACE .... Plan de joint, de jonction
MATING OPERATION .... Opération d'accouplement
MATING PARTS .... Pièces d'accouplement
MATING SURFACE .... Surface de contact, plan de joint, face d'appui
MATRICULATION .... Immatriculation, inscription

MATRIX .... Matrice, moule, faisceau *(radiateur)* ; liant
MATT BLACK .... Noir mat
MATTER .... Matière, substance
MATTREST VALVE .... Valve du matelas
MAUL .... Masse *(outil)*
MAUSER CANNON .... Canon mauser
MAX-CONTINUOUS .... Maximum continu
MAX.EMPTY WEIGHT .... Masse à vide
MAX.FUEL WEIGHT .... Masse maximale de carburant
MAX.LANDING WEIGHT .... Masse maximale à l'atterrissage
MAX.RAMP WEIGHT .... Poids max au parking
MAX.TAKE OFF WEIGHT .... Masse maximale au décollage
MAX.USEFUL LOAD .... Charge utile maximale
MAX ZERO-FUEL WEIGHT .... Poids, masse maxi sans carburant
MAXARET .... Appareil anti-patinage maxaret
MAXI TAKEOFF/LANDING WEIGHT .... Poids maxi décollage/atterrissage
MAXIMUM ALLOWABLE .... Maximum toléré
MAXIMUM ALTITUDE .... Altitude maximum, maximale *(de vol)*
MAXIMUM AUTHORIZED ALTITUDE .... Altitude maximale autorisée
MAXIMUM CONTINGENCY .... Maximum d'urgence
MAXIMUM CONTINUOUS (SHP) .... Maximum continu, puissance maxi-continu
MAXIMUM CONTINUOUS POWER .... Puissance maximum continue
MAXIMUM CONTINUOUS THRUST .... Poussée maximale continue
MAXIMUM CROSS-SECTION .... Maître-couple
MAXIMUM CRUISE (max-cruise) .... Régime maximum de croisière
MAXIMUM EMERGENCY RATING .... Puissance maximale d'urgence
MAXIMUM EMPTY WEIGHT .... Masse maximale à vide
MAXIMUM FLAP EXTENDED SPEED .... Vitesse maximale volets sortis
MAXIMUM FLYING HEIGHT .... Plafond maximum de vol
MAXIMUM FUEL CAPACITY .... Capacité maximale de carburant
MAXIMUM GROSS WEIGHT .... Poids maximum
MAXIMUM LANDING GEAR EXTENDED SPEED ...... Vitesse maximale train sorti
MAXIMUM LOAD .... Charge limite
MAXIMUM NEUTRAL ENGINE .... Moteur habillé
MAXIMUM PAYLOAD .... Charge pratique maximum
MAXIMUM PERMISSIBLE OPERATING SPEED .... Vitesse maximale admissible en exploitation
MAXIMUM PERMISSIBLE WEIGHT .... Poids maximum admissible
MAXIMUM RAMP WEIGHT .... Masse maximale au parking *(avant roulage)*
MAXIMUM SPEED (reached) .... Vitesse maxi *(vitesse maximale atteinte)*, limite

MAXIMUM SPEED WARNING .... Avertisseur de vitesse excessive
MAXIMUM STRUCTURAL WEIGHT .... Masse structurale maximale
MAXIMUM TAKE-OFF (landing) WEIGHT .... Masse maximale au décollage *(à l'atterrisage)*, poids maximum au décollage *(à l'atterrissage)*
MAXIMUM THRESHOLD SPEED .... Vitesse maximale au seuil
MAXIMUM THRUST .... Poussée maximale
MAXIMUM WEIGHT .... Poids maximal, masse maximale
MAXIMUM ZERO FUEL WEIGHT .... Poids maxi, masse maximale sans carburant
MEAL TABLE .... Tablette repas
MEAN .... Moyen, milieu
MEAN AERODYNAMIC CHORD (MAC) .... Corde aérodynamique moyenne, profil moyen, corde de référence
MEAN AERODYNAMIC CENTRE .... Centre de poussée moyen
MEAN AERODYNAMIC PRESSURE .... Pression aérodynamique moyenne
MEAN CAMBER LINE .... Ligne moyenne de profil
MEAN CHORD .... Corde moyenne
MEAN DIAMETER .... Diamètre moyen
MEAN GEOMETRIC CHORD .... Corde géométrique moyenne
MEAN LENGTH OF CHORD .... Profondeur moyenne *(aile)*
MEAN SEA LEVEL (MSL) .... Niveau moyen de la mer
MEAN SOLAR TIME .... Temps moyen solaire
MEAN TASK TIME .... Temps moyen d'une tâche
MEAN TIME .... Temps moyen, moyenne des temps
MEAN TIME BETWEEN REMOVALS (MTBR) .... Temps moyen entre déposes
MEAN TIME BETWEEN UNSCHEDULED REMOVALS (MTBUR) .. Temps moyen entre déposes non planifiées
MEAN TIME TO MAINTENANCE .... Moyenne des temps entre opérations de maintenance
MEAN TIME TO REPAIR (MTTR)
Moyenne des temps de travaux de réparation
MEAN-VALUE .... Valeur moyenne
MEAN WING CHORD .... Corde moyenne de l'aile
MEANS .... Dispositif
MEANS (by) .... Au moyen
MEASURE (to) .... Mesurer, mensurer
MEASURE TEST BENCH .... Banc de mesure
MEASURED CEILING .... Plafond mesuré
MEASUREMENT .... Mesure, valeur dimensionnelle, dimension, mensuration
MEASUREMENT SENSOR .... Capteur de mesure

MEASURING APPARATUS .... Appareil de mesure
MEASURING BRIDGE .... Pont de mesure
MEASURING INSTRUMENTS .... Appareils, instruments de mesure
MEASURING POINTS .... Points de mesure
MEASURING RANGE .... Plage de mesure, étendue de mesure
MEASURING ROD .... Pige
MEASURING STICK .... Jauge à main
MEASURING TAPE .... Ruban
MEASURING UNIT .... Boîte de mesure
MECHANIC .... Mécanicien, ouvrier
MECHANICAL .... Mécanique
MECHANICAL CONTROL (drive) .... Commande mécanique
MECHANICAL DELAY .... Retard pour raison mécanique *(défaillance, panne)*
MECHANICAL DRIVING (drive) .... Entraînement mécanique
MECHANICAL EFFICIENCY .... Rendement mécanique
MECHANICAL ENERGY .... Énergie mécanique
MECHANICAL ENGINEER .... Ingénieur mécanicien
MECHANICAL ENGINEERING .... Construction mécanique
MECHANICAL FAILURE .... Panne mécanique
MECHANICAL INCIDENT .... Incident mécanique
MECHANICAL LINKAGE .... Liaison mécanique
MECHANICAL LOCK(ING) .... Verrouillage mécanique
MECHANICAL OPERATED .... Actionné mécaniquement
MECHANICAL PARTS .... Pièces mécaniques
MECHANIC POWER TAKE-OFF .... Prise de mouvement mécanique
MECHANIC PROPERTIES .... Caractéristiques, propriétés mécaniques
MECHANICAL PROPERTY .... Propriété mécanique
MECHANICAL SEAL .... Joint mécanique
MECHANICAL SPECIFICATIONS .... Caractéristiques mécaniques
MECHANICAL STOP .... Butée mécanique
MECHANICAL WORK .... Travail, énergie mécanique
MECHANICALLY-OPERATED .... A commande mécanique
MECHANISM .... Mécanisme, dispositif, appareil
MECHANIZATION .... Mécanisation
MEDIAN LINE .... Ligne médiane
MEDICAL KIT .... Trousse de premiers soins
MEDIUM .... Milieu, moyen, intermédiaire
MEDIUM-ALTITUDE .... Moyenne altitude
MEDIUM HAUL .... Moyen courrier, étape moyenne
MEDIUM HAUL SERVICES .... Services moyen-courriers
MEDIUM-LONG RANGE .... Moyen-long courrier
MEDIUM MARKER .... Radioborne intermédiaire
MEDIUM-RANGE .... A moyen rayon d'action, moyenne portée

MEDIUM RANGE LINER .... Moyen-courrier, avion à rayon d'action moyen
MEDIUM SPEED .... Vitesse moyenne
MEDIUM WAVE .... Onde moyenne
MEDIUM WEIGHT .... Moyen tonnage
MEET (to) .... Rencontrer, satisfaire, répondre
MEETING .... Rencontre
MEGAPHONE .... Mégaphone, haut-parleur, porte-voix
MEGGER .... Mégohmmètre *(mégohmètre)*
MEGOHM .... Mégohm
MEGOHMETER .... Mégohmmètre
MELT (to) .... Fondre, se dissoudre
MELT ICE (to) .... *(faire)* fondre la glace
MELTING POINT .... Point de fusion
MELTING TEMPERATURE .... Température de fusion
MEMBER .... Élément, membre, membrure, pièce, organe, partie
MEMBER AIRLINE .... Compagnie membre
MEMORIZED ITEM .... Élément mémorisé
MEMORY .... Mémoire
MEMORY CIRCUIT .... Circuit de consigne
MEMORY STORAGE .... Mémorisation
MEND (to) .... Réparer
MERCATOR PROJECTION .... Projection, carte de mercator
MERCATOR'S CHART .... Projection de mercator
MERCATOR'S PLOTTING CHART .... Cartes de tracé de mercator
MERCATOR'S SAILING .... Navigation orthodromique
MERCURY .... Mercure (Hg)
MERCURY ABSOLUTE .... Pression absolue
MERCURY COLUMN .... Colonne de mercure, colonne à mercure
MERCURY GAGE .... Manomètre à mercure
MERCURY THERMOMETER .... Thermomètre à mercure
MERCURY SWITCH .... Contacteur à mercure
MERCURY VAPOR .... Vapeur de mercure
MERCY MISSION .... Mission de secours
MERGING .... Fusion
MERIDIAN .... Méridien
MESH .... Réseau, grille, maille, trame, toile de filtre ; prise, engrenage, engrènement
MESH (to) .... (s') engrener, mettre, être en prise, endenter, s'emboîter
MESH (in) .... (en) prise
MESH FILTER .... Filtre à tamis
MESH GEAR PUMP .... Pompe à engrenages
MESOPAUSE .... Mésopause
MESOSPHERE .... Mésosphère

MESSAGE SWITCHING SYSTEM .... Réseau de commutation des messages
METAL (sheet metal) .... Métal *(tôle)*
METAL BACKING PLATE .... Renfort métallique
METAL BOX .... Boîte métallique, en métal
METAL BRISTLES .... Crins métalliques
METAL CAL .... Plaquette indicatrice auto-collante, plaquette d'identification auto-collante
METAL CASE .... Boîte métallique
METAL CHIPS .... Copeaux de métal
METAL FILINGS .... Limaille
METAL FORMING MACHINE .... Presse, machine à emboutir
METAL LABEL .... Étiquette métallique
METAL PART .... Pièce métallique
METAL PARTICLES .... Particules métalliques, limaille
METAL PICK-UP .... Arrachement de métal, transfert de métal, enlèvement de matière, entraînement de métal
METAL-PLASTIC .... Métallo-plastique
METAL RECHARGING .... Recharge de métal *(soudure)*
METAL SHEATH .... Gaine métallique
METAL SHEET .... Tôle
METAL SPRAY COATING .... Métallisation
METAL SPRAYING .... Métallisation, schoopage *(zinc)*
METAL STRAP .... Bandeau métallique
METAL STRIPS .... Feuillards
METAL-TO-METAL BONDING .... Collage métal sur métal
METALLIC .... Métallique
METALLIC ELEMENT (filter) .... Cartouche filtrante métallique
METALLIZATION (metallisation, metallizing) .... Métallisation
METALLIZED .... Métallisé
METALLOGRAPHY .... Métallographie
METALLOID .... Métalloïde
METALLURGICAL LABORATORY .... Laboratoire de métallurgie
METALLURGIST .... Métallurgiste
METALLURGY .... Métallurgie
METEOR .... Météore
METEORIC .... Météorique, météoritique
METEORITE (meteroid) .... Météorite, aérolithe
METEOROGRAFT .... Météorographe
METEOROLOGICAL BROADCAST .... Diffusion, émission météorologique
METEOROLOGICAL CHART .... Carte météorologique, du temps
METEOROLOGICAL CONDITIONS .... Conditions météorologiques
METEOROLOGICAL DATA .... Données, informations météorologiques

METEOROLOGICAL INFORMATION .... Renseignements météorologiques
METEOROLOGICAL INSTRUMENTATION .... Instruments météorologiques
METEOROLOGICAL OBSERVING STATION .... Station d'observation météorologique
METEOROLOGICAL OFFICE .... Bureau, centre météorologique
METEOROLOGICAL PARAMETERS .... Paramètres météorologiques
METEOROLOGICAL RECONNAISSANCE FLIGHT .... Vol de reconnaissance météorologique
METEOROLOGICAL REPORT .... Message d'observation météo, de situation météo
METEOROLOGICAL SATELLITE .... Satellite météorologique
METEOROLOGICAL STATION .... Station météorologique
METEOROLOGICAL WATCH .... Veille météorologique
METEOROLOGIST .... Météorologue
METEOROLOGY .... Météorologie
METER .... Mesureur, appareil de mesure, compteur, jaugeur, contrôleur
METER (to) .... Doser, mesurer
METERED FUEL .... Carburant dosé
METERED ORIFICE .... Orifice calibré
METERING .... Mesurage, calibrage, dosage, calibreur, doseur
METERING HOLE .... Trou, orifice calibré
METERING PIN (rod) .... Aiguille d'amortisseur oléo-pneumatique, pointeau calibreur, de dosage
METERING PISTON .... Tiroir distributeur
METERING PUMP .... Pompe doseuse
METERING UNIT .... Compteur, dispositif de dosage, doseur
METERING VALVE .... Doseur, calibreur, répartiteur de frein
METHANOL .... Méthanol, alcool méthylique
METHOD .... Méthode, manière, procédé
METHOD OFFICE .... Bureau des méthodes
METHYL .... Méthyle
METHYL ETHYL KETONE (MEK) .... Méthyle-éthyle-cétone (MEC)
METHYL ISOBUTYL KETONE (MIK) .... Méthyle-isobutyle-cétone
METHYLATED SPIRIT (alcohol) .... Alcool méthylique *(liquide de calibrage)*, alcool dénaturé
METHYLENE BLUE .... Bleu de méthylène
METRIC SYSTEM .... Système métrique
METRIC THREAD .... Filetage métrique, pas métrique
METROLOGIST .... Métrologiste
METROLOGY LABORATORY .... Laboratoire de métrologie
MICA .... Mica
MICROCHANNEL .... Micro-canal

MICROCIRCUIT .... Microcircuit
MICROCOMPUTER (micro-computer) .... Microordinateur, Minicalculatrice, micro-calculateur
MICROELECTRONICS (micro-electronics) .... Microélectronique
MICROFILM .... Microfilm
MICROGRAVITY .... Microgravité *(quasi absence de pesanteur)*
MICROMETER .... Micromètre *(de précision)*, palmer
MICROMETER SCREW .... Vis micrométrique
MICROMINIATURIZATION .... Microminiaturisation
(microminiaturized) .... *(microminiaturisé)*
MICRO-MOTOR (micromotor) .... Micro-moteur
MICRON FILTER .... Filtre micronique
MICRONIC FILTER .... Filtre micrométrique, micronique, microfiltre
MICROPHONE .... Microphone, micro
MICROPHONE AMPLIFIER .... Amplificateur microphonique
MICROPHONE JACK .... Prise, jack de microphone
MICROPHONE SELECTOR BOX .... Boîte sélection micro
MICROPROCESSOR .... Microprocesseur
MICROPROCESSOR TECHNOLOGY .... Technologie des microprocesseurs
MICRO-PUMP .... Micro-pompe
MICROROCKET .... Micropropulseur
MICRO-SCREW .... Micro-vis
MICROSWITCH .... Microrupteur, microcontact, minirupteur, minicontact
MICROSWITCH BOX .... Boîtier, boîte de minirupteurs
MICROTHRUSTER .... Micropropulseur
MICROVOLTMETER .... Microvoltmètre
MICROWAVE .... Hyperfréquence, micro-onde
MICROWAVE AMPLIFICATOR .... Amplificateur de micro-onde
MICROWAVE BENCH .... Banc hyperfréquence
MICROWAVE CHANNEL .... Canal hertzien
MICROWAVE FILTER .... Filtre hyperfréquence
MICROWAVE FURNACE .... Four à micro-ondes
MICROWAVE LANDING SYSTEM (MLS) .... Système d'atterrissage à micro-ondes, hyperfréquences
MICROWAVE LINK .... Liaison, faisceau hertzien, liaison par micro-ondes, hyperfréquences
MICROWAVE SCANNING BEAM LANDING SYSTEM (MSBLS) .... Système d'atterrissage hyperfréquence à faisceaux battant
MICROWAVE SENSOR .... Détecteur à micro-ondes, capteur à hyperfréquences
MICROWAVE SWITCH .... Commutateur hyperfréquence
MICROWAVE TOWER .... Tour hertzienne

MID .... Milieu
MID-AIR COLLISION .... Abordage, collision en vol
MID-FAIRING .... Carénage intermédiaire
MID-POINT .... Neutre *(position médiane)*, mi-chemin, mi-piste
MID-SCALE .... Mi-graduation
MID-SHAFT .... Arbre intermédiaire
MID-STAGE .... Étage intermédiaire
MID-STROKE (midstroke) .... Mi-course
MID-TAXIWAY .... Bretelle, voie de circulation centrale
MID-TRAVEL .... Mi-course
MID-WING .... Aile médiane
MIDDLE .... Milieu
MIDDLE MARKER (MM) .... *(radio)* balise intermédiaire, médiane, radioborne moyenne, intermédiaire
MIDFLAP .... Élément central de volet hypersustentateur
MIDGET RECEIVER .... Récepteur miniature
MIDGET SET .... Jeu de petits outils
MIKE .... Microphone
MIL (maximum) SPEED TRIMMER .... Vis de réglage poussée décollage
MILD .... Doux, tiède
MILD BLAST (of compressed air) .... Jet d'air tiède
MILD STEEL .... Acier doux
MILE (statute) .... Mille = 1609,31 m
MILEAGE .... Distance en milles, millage
MILES PER HOUR (MPH) .... « Miles » à l'heure
MILITARY .... Militaire
MILITARY ACTIVITY .... Activités, vols militaires
MILITARY AIRCRAFT (airplane) .... Avion militaire
MILITARY BASE .... Base militaire
MILITARY CLIMB CORRIDOR .... Couloir de montée pour avions militaires
MILITARY FLYING AREA .... Zone de vol militaire
MILITARY OBSERVATION SATELLITE .... Satellite d'observation militaire
MILITARY PURPOSES .... Applications militaires
MILITARY RESEARCH .... Recherche militaire
MILITARY TRANSPORT AIRCRAFT .... Avion de transport militaire
MILL .... Fraise
MILL (to) .... Moudre, broyer, fraiser, mouler, moleter, créneler
MILLER .... Fraiseuse ; fraiseur
MILLIAMMETER .... Milliampèremètre
MILLIMETER-WAVE RADAR .... Radar à ondes millimétriques
MILLING .... Fraisage, profilage, moletage

MILLING ARBOR .... Arbre porte-fraise
MILLING CUTTER .... Fraise, fraiseuse
MILLING MACHINE (Miller) .... Fraiseuse, surfaceuse
MILLING TABLE .... Table de fraisage
MILLIVOLTMETER .... Millivoltmètre
MILLIWATTMETER .... Milliwattmètre
MIND .... Souvenir, mémoire
MINE (submarine mine) .... Mine *(mine sous-marine)*
MINE-LAYING .... Mouillage de mines
MINE-LAYING AIRCRAFT (plane) .... Avion mouilleur de mines
MINERAL OIL .... Huile minérale, graisse minérale
MINIATURE .... Miniature
MINICOMPUTER .... Mini-calculateur, mini-ordinateur
MINIMAL SAFE ALTITUDE .... Altitude minimale de sécurité
MINIMIZE (to) .... Minimiser, réduire au minimum, limiter
MINIMUM AIR CONTROL SPEED .... Vitesse minimum de contrôle en vol
MINIMUM APPROACH SPEED .... Vitesse d'approche minimum
MINIMUM CONTROL SPEED .... Vitesse minimale de contrôle
MINIMUM DESCENT ALTITUDE .... Altitude minimale de descente
MINIMUM FLIGHT ALTITUDE .... Altitude minimum de sécurité
MINIMUM GROUND CONTROL SPEED ... Vitesse minimum de contrôle au sol
MINIMUM HOLDING ALTITUDE .... Hauteur minimum d'attente
MINIMUM OBSTRUCTION CLEARANCE ALTITUDE .... Altitude minimale de franchissement d'obstacles
MINIMUM RECEPTION ALTITUDE (MRA) .... Altitude minimale de réception
MINIMUM SAFE ALTITUDE .... Altitude minimale de sécurité
MINIMUM SAFE FLIGHT LEVEL .... Niveau de vol minimal de sécurité
MINIMUM TAKE-OFF SAFETY SPEED .... Vitesse minimale de sécurité au décollage
MINIMUM THRESHOLD SPEED .... Vitesse minimale au seuil
MINIMUM UNSTICK SPEED .... Vitesse minimale de décollage, de déjaugeage
MINIMUM VALUE .... Valeur minimale
MINIMUM VECTORING ALTITUDE .... Altitude minimale de guidage
MINOR .... Mineur (re)
MINOR DEFECT .... Défaut mineur
MINOR MODIFICATIONS .... Modifications mineures
MINOR OVERHAUL .... Révision partielle
MINOR PARTICLES .... Particules, paillettes minuscules
MINOR REPAIR .... Réparation légère

MIRROR .... Miroir, glace
MISADJUSTMENT .... Mauvais réglage, déréglage
MISALIGNMENT .... Mésalignement, déport, défaut d'alignement
MISCELLANEOUS .... Divers *(articles, matériels)*
MISFIRE (misfiring) .... Raté d'allumage
MISHAP .... Accident
MISLANDING .... Atterrissage manqué
MIS-LIGHT .... Raté d'allumage
MISMATCH .... Désaffleurement, décrochement, décalage, déport, faux alignement, non adaptation
MISREADING .... Erreur de lecture
MISROUTED .... Mal acheminé
MISS (to) .... Manquer
MISSED APPROACH .... Approche manquée, interrompue
MISSED APPROACH POINT .... Point d'approche manquée
MISSILE (guided missile) .... Missile, projectile, engin, fusée *(engin téléguidé)*
MISSILE FIRING .... Tir de missile
MISSILE GUIDANCE HEAD .... Autodirecteur de missile
MISSILE LAUNCHER .... Lance-missile
MISSING AIRCRAFT .... Avion porté disparu
MISSING FASTENER .... Fixation, attache manquante
MISSION .... Mission
MIST .... Brume, buée, brouillard, léger voile
MISTAKE .... Erreur, mécompte, méprise, faute
MISTRIM .... Erreur de compensation, mauvais réglage
MISTUNED .... Désaccordé
MISTY .... Brumeux
MIX (to) .... Mélanger, mêler, allier
MIXABLE .... Miscible
MIXED CARGO AIRCRAFT .... Avion mixte
MIXED CHARTER .... Vol affrété mixte
MIXED CLASS CONFIGURATION .... Aménagement mixte
MIXER .... Mélangeur, brasseur, diffuseur, batteur, combinateur
MIXER VALVE .... Tube mélangeur *(radio)*
MIXING .... Mélange, mixage, brassage
MIXING CHAMBER .... Chambre de mélange
MIXING RATIO .... Composition du mélange, proportions, dosage
MIXING VALVE .... Vanne de mélange
MIXTURE .... Mélange, combinaison
MIXTURE CONTROL .... Commande de richesse de mélange, correcteur altimétrique de mélange

MIXTURE RATIO .... Proportion, dosage du mélange
MOBILE CONVEYOR CRANE .... Pont roulant
MOBILE LAND STATION .... Station mobile terrestre
MOBILE LOUNGE .... Véhicule de transport des passagers *(dulles intern. airport)*
MOBILE POWER PLANT BUILD STAND .... Chariot, bâti roulant de transport moteur
MOBILE POWER SOURCE .... Groupe électrogène
MOBILE STATION .... Station mobile
MOBILE TARGET .... Cible mobile
MOCK-UP MODEL (aircraft) .... Maquette d'un avion, modèle *(grandeur nature)*
MODE .... Fonction, mode
MODE ANNUNCIATOR PANEL .... Panneau annonciateur de mode
MODE CONTROL .... Commande de mode
MODE SELECTION (control) .... Sélection de mode *(de vol)*, de fonctions
MODE SELECTOR (unit) .... Sélecteur de mode, de fonction (ILS), commutateur de fonction
MODE SETTING .... Affichage de mode
MODEL .... Maquette, modèle, type
MODEL AIRCRAFT .... Modèle réduit
MODELLING CLAY .... Pâte modelée
MODERATE TURN (bank) .... Virage modéré, moyen
MODERATOR .... Modérateur
MODERNIZE (to) .... Moderniser
MODIFICATION .... Modification, retouche
MODIFIED AIRCRAFT .... Avion modifié
MODIFIED VERSION .... Version modifiée
MODIFIED WING .... Aile modifiée
MODIFIER .... Modificateur
MODIFY (to) .... Modifier
MODULAR .... Modulaire, de conception modulaire
MODULAR CONCEPTION (design) .... Conception modulaire
MODULAR DESIGN .... Conception modulaire
MODULAR UNIT .... Ensemble modulaire, module
MODULATE (to) .... Moduler, osciller
MODULATED CONTINUOUS WAVE (MCW) .... Onde entretenue modulée
MODULATED PULSE .... Impulsion modulée
MODULATING SIGNAL .... Signal modulant
MODULATION FREQUENCY .... Fréquence de modulation
MODULATOR .... Modulateur
MODULE .... Module, coefficient ; module, cabine *(lunaire)*
MODULUS OF ELASTICITY (moduli of elasticity) .. Module d'élasticité, de young

MOIST .... Humide, mouillé, moite
MOISTEN (to) .... Imbiber
MOISTENED .... Imbibé
MOISTENING .... Humidification
MOISTNESS .... Humidité
MOISTURE .... Humidité, buée
MOISTURE-FREE AIR .... Air sec
MOISTURE SEPARATOR .... Séparateur d'eau, déshumidificateur
MOLD .... Moule
MOLD (to) .... Mouler
MOLDING .... Moulage, moulure
MOLECULAR DISTILLATION .... Distillation moléculaire
MOLECULAR PHYSICS .... Physique moléculaire
MOLECULAR WEIGHT .... Masse moléculaire
MOLTEN (pp melt) .... En fusion, fondu, liquide
MOLTEN BEESWAX .... Cire fondue, liquide
MOLYBDENUM SPRAYING .... Métallisation molybdène
MOLYKOTE TREATMENT .... Molikotage
MOMENT .... Moment, instant
MOMENT ARM .... Bras de levier
MOMENT OF INERTIA .... Moment d'inertie
MOMENT OF YAW (roll) .... Moment de lacet *(de roulis)*
MOMENTUM .... Force vive, vitesse acquise, élan, quantité de mvt
MOMENTUM OF MOMENTUM .... Quantité de mouvement projetée
MONITOR .... Contrôleur, moniteur, dispositif de contrôle, de surveillance
MONITOR (to) .... Suivre, surveiller, écouter, contrôler, piloter
MONITOR SYSTEM .... Système de surveillance
MONITORED ILS APPROACH .... Approche ILS surveillée
MONITORING .... Monitorage, technique de surveillance
MONITORING CIRCUIT .... Dispositif d'écoute
MONITORING COMPUTER .... Ordinateur de gestion
MONITORING EQUIPMENT .... Équipement de surveillance
MONITORING OF HIGH-ALTITUDE POLLUTION .... Contrôle pollution à haute altitude
MONITORING SYSTEM .... Système de surveillance, circuit de contrôle
MONITORING UNIT .... Unité de surveillance
MONKEY WRENCH (spanner) .... Clé à molette, anglaise, universelle
MONOBLOC .... Monobloc
MONOCHROMATIC LIGHT SOURCE .... Source de lumière monochromatique
MONOCOQUE .... Monocoque *(structure)*
MONOCOQUE FUSELAGE .... Fuselage monocoque
MONOLITHIC (structure) ...... *(structure)* monolithique, d'un seul bloc
MONOLITHIC KEYBOARD .... Clavier monolithique

MONOPLANE .... Monoplan
MONOPROPELLANT .... Monopropergol, mono-ergol, monergol *(hydrazine)*
MONOPROPELLANT CARTRIDGE .... Cartouche à poudre
MONOPROPELLANT THRUSTER .... Moteur du type monoergol
MONOPULSE INTERROGATOR .... Interrogateur monoimpulsion
MONOPULSE RADAR .... Radar à simple impulsion, monoimpulsion
MONORAIL .... Monorail
MONOSHELL .... Monocoque
MONOSPAR .... Monolongeron, à longeron unique
MONOTHERMIC .... Monothermique
MONSOON .... Mousson
MOON .... Lune
MOOR (to) .... Amarrer
MOORING .... Stationnement, amarrage
MOORING FITTING .... Amarre
MOORING RING .... Tirant d'amarrage
MORE POWERFUL ENGINE .... Moteur plus puissant
MORSE CODE .... Code morse, alphabet morse
MORSE TAPER .... Cône morse
MORTAR .... Mortier, lance-bombes
MORTISE .... Mortaise
MORTISE (to) .... Mortaiser
MORTISE GAUGE .... Trusquin
MORTISING CHISEL .... Bédane
MORTISING MACHINE .... Mortaiseuse
MOTHER AIRCRAFT .... Avion porteur
MOTHERBOARD .... Cartes d'interconnexions multicouches, fonds de panier
MOTION ... Mouvement, translation, déplacement, marche, course, jeu
MOTIVE ENERGY .... Énergie cinétique
MOTIVE POWER .... Force motrice, puissance motrice
MOTOR (four-stroke motor) .... Moteur *(moteur à 4 temps)*
MOTOR (to) .... Entraîner, lancer
MOTOR-DRIVEN PUMP ... Pompe entraînée par un moteur *(électrique)*
MOTOR ENGINE (to) .... Faire tourner le moteur
MOTOR FRAME .... Carcasse de moteur
MOTOR-GLIDER .... Motoplaneur, planeur à moteur
MOTOR OVER (to) .... Brasser un réacteur
MOTOR PUMP .... Moto-pompe
MOTOR VALVE .... Vanne automatique
MOTOR-WORK .... Travail moteur
MOTORING .... Dégommage
MOTORING OVER .... Brassage moteur
MOTORING RUN (cycle) ...... Brassage réacteur, cycle d'entraînement *(élimination surplus carburant)*

MOTORIZATION .... Motorisation
MOTORIZED .... Motorisé
MOTORIZED GLIDER .... Motoplaneur
MOULD .... Moule *(fonderie)*, calibre, gabarit, profil, matrice
MOULD (to) .... Mouler, former, façonner
MOULDED PARTS .... Pièces moulées
MOULDING .... Support isolant *(bakélite, caoutchouc)*, moulage
MOULDING PRESS .... Presse à mouler
MOUNT .... Fixation, montage, monture, support, bâti, socle
MOUNT (to) .... Monter, installer, entoiler
MOUNT BRACKET .... Support de fixation
MOUNT FITTING .... Ferrure d'attache, de fixation
MOUNT HOIST POINT .... Point d'attache, de levage
MOUNTAIN WAVES .... Ondes de relief, orographiques
MOUNTED IN LINE .... Monté en ligne
MOUNTING .... Montage, monture, support, châssis-support
MOUNTING BASE .... Embase, semelle, socle de fixation
MOUNTING BOLT .... Boulon de fixation, de montage
MOUNTING FLANGE .... Bride de fixation
MOUNTING FOOT BOSS .... Pied de suspension
MOUNTING FRAME .... Cadre-support
MOUNTING LUG .... Patte, oreille de fixation
MOUNTING NUT .... Écrou de fixation, de serrage
MOUNTING PAD .... Patte, bride de fixation, bossage de montage
MOUNTING PLATE .... Flasque de fixation, platine
MOUNTING POINT .... Point d'attache
MOUNTING SCREW .... Vis de fixation, tirant, vis de platine
MOUNTING STRAP .... Collier, sangle de fixation
MOUNTING STUD .,...................................... Goujon de fixation
MOUNTING SURFACES .... Faces d'appui, portées, surfaces d'assemblage
MOUNTS .... Attaches, fixations
MOUTHPIECE .... Embouchure
MOVABLE .... Mobile
MOVABLE FRAME .... Cadre mobile
MOVE (to) .... Déplacer
MOVE FORWARD (to) .... (se) déplacer vers l'avant
MOVE OFF (to) .... Démarrer
MOVE OUT (to) .... Démarrer, partir
MOVABLE CAM .... Came mobile
MOVABLE STOP .... Butée mobile
MOVABLE SURFACE(S) .... Gouverne(s)
MOVEMENT .... Mouvement, déplacement, course
MOVEMENT AREA .... Aire de mouvement
MOVEMENT RATES .... Fréquences des mouvements aériens, nombres de mouvements

MOVIE PROJECTOR .... Projecteur de cinéma
MOVIE SCREEN .... Écran de cinéma
MOVING .... Mobile
MOVING COMPONENTS .... Parties mobiles
MOVING-HEAD DISK .... Disque à tête mobile *(électronique)*
MOVING PARTS .... Parties, pièces, éléments mobiles
MOVING SLEEVE .... Manchon mobile
MOVING SURFACE .... Surface mobile, gouverne
MOVING TARGET INDICATOR (MTI)SYSTEM .... Détecteur de cibles mobiles *(DCM)*, suppresseur échos fixes, dispositif éliminateur des échos fixes *(radar)*
MU-FACTOR .... Coefficient de frottement
MUD .... Boue
MUDGUARD .... Garde-boue, pare-boue
MUFF .... Manchon *(d'accouplement)*
MUFF COUPLING .... Accouplement par manchon
MUFFED LANDING .... Atterrissage raté, loupé
MUFFLE .... Moufle
MUFFLER .... Silencieux, pot d'échappement
MULE .... Chariot, tracteur
MULTIBAND .... Multibande *(émetteur-récepteur)*
MULTI-BAND ANTENNA .... Antenne toutes bandes
MULTIBEAM ANTENNA .... Antenne à faisceau multiple
MULTI-CHANNEL .... Multi-canaux, à canaux multiples, multivoie, multifréquence
MULTICHANNEL RADIO-LINKS .... Systèmes hertziens multicanaux
MULTI-CONDUCTOR PLUG .... Prise multiple
MULTICOUPLER .... Multicoupleur
MULTICRYSTAL .... Multicristallin
MULTI-DIRECTIONAL .... A plusieurs directions, multidirectionnel
MULTI-DISC TYPE .... Type multidisque, à plusieurs disques
MULTI-ENGINE AIRCRAFT .... Avion multi-moteurs, multiréacteurs
MULTI-ENGINED
Multimoteur, à plusieurs moteurs, à moteurs multiples
MULTI-ENGINED AIRCRAFT .... Avion multimoteur(s)
MULTI-FLAPS .... Multi-volets *(tuyère)*
MULTI FLIGHT LEG (route) .... Parcours multi-tronçons
MULTIFUNCTION DISPLAY .... Écran multifonctions
MULTIFUNCTION RADAR .... Radar multifonctions
MULTIFORM .... Multiforme
MULTIGRID .... Multigrille
MULTI-GRIP PLIERS .... Pinces multiprises
MULTIHOLE PLATE .... Tôle, plaque multiperforée
MULTILAYER .... Multicouches, à plusieurs couches

MULTI-LOBE CAM .... Came à plusieurs bossages
MULTIMETER .... Métrix, contrôleur de courant, multimètre *(mesure d'intensité, de tension, de résistance en alternatif et en continu)*
MULTIMICROPROCESSOR SYSTEM ... Système multimicroprocesseur
MULTI-MISSION COMBAT AIRCRAFT .... Chasseur polyvalent
MULTIMODE .... Multimode, multifonction, fonctionnement sur plusieurs modes, en multimode
MULTIMODE DISPLAY .... Indicateur multifonctions
MULTIPIN (socket) .... Multibroche *(prise)*
MULTIPIN CONNECTOR .... Connecteur multicontacts
MULTI-PISTON PUMP .... Pompe à pistons multiples *(à barillets)*
MULTIPLANE .... Multiplan
MULTI-PLATE CLUTCH .... Embrayage à disques
MULTIPLE BEAM ANTENNA (multibeam) .... Antenne multi-faisceaux
MULTIPLE CONNECTOR .... Prise multiple
MULTIPLE DISK .... Multi-disques
MULTIPLE-DISK BRAKES .... Freins à disques
MULTIPLE SPAR .... Multi-longeron
MULTIPLE-STAGE FLIGHT .... Vol à escales multiples
MULTIPLE-WIRE ANTENNA .... Antenne multifilaire
MULTIPLEX .... Multiplexage
MULTIPLEX EQUIPMENT (MUX) .... Multiplexeur
MULTIPLEX SYSTEM .... Multiplexeur, système de multiplexage
MULTIPLEX TRANSMISSION .... Transmission multiplex
MULTIPLEXED .... Multiplexé
MULTIPLEXED DATA BUS .... Bus multiplexé
MULTIPLEXER .... Multiplexeur, appareil multiplex
MULTIPLEXING .... *(technique du)* multiplexage
MULTIPLEXING EQUIPMENT .... Multiplexeur
MULTIPLIED BY .... Multiplié par
MULTIPLY (to) .... Multiplier
MULTIPLYING FACTOR .... Coefficient multiplicateur
MULTIPOLAR .... Multipolaire
MULTIPROCESSING .... Multitraitement
MULTIPROCESSOR
Multiprocesseur *(ordinateur à plusieurs unités centrales)*, multicalculateur
MULTI-PURPOSE .... A missions, à usages multiples, polyvalent
MULTI-PURPOSE INTERCEPTOR .... Intercepteur polyvalent
MULTI-PURPOSE MACH 2 .... Avion de combat polyvalent mach 2
MULTI-PURPOSE PLIER .... Pince universelle
MULTI-PURPOSE WEAPONS .. Armes polyvalentes, à usages multiples
MULTI-ROLE .... Rôles multiples, polyvalent, multi-missions

MULTI-ROLE COMBAT AIRCRAFT (MRCA) Avion militaire polyvalent, avion de combat, multi-mission, polyvalent, chasseur multi-rôles
MULTI-SHEET DRAWING .... Plan à feuilles multiples
MULTI-SLOTTED WING .... Aile à fentes multiples
MULTI-SPAR .... Multi-longeron
MULTISPECTRAL SCANNER .... Analyseur multispectral, multibande
MULTI-SPINDLE .... A plusieurs broches, multibroche
MULTISPLINE WRENCH .... Clé cannelée
MULTI-STAGE COMPRESSOR Compresseur à plusieurs étages, multi-étages
MULTI-STAGE TURBINE .... Turbine à plusieurs étages
MULTISTAGE ROCKET .... Fusée multi-étages, composite, gigogne
MULTI-STOP FLIGHT .... Vol à escales multiples
MULTI-TOOTHED SCREW .... Vis polygonale
MULTITRACK .... Multipiste
MULTITUBE NOZZLE .... Tuyère multilobe, multitube
MULTIVALENT .... Polyvalent
MULTI-WEB BOX .... Caisson multi-âme
MULTI-WIRE CABLE .... Câble multi-brins
MUSH .... Ronflement
MUSHING .... Commandes molles
MUSHROOM VALVE .... Soupape en champignon, circulaire
MUSHROOMED .... émoussé
MUSHY RECEPTION .... Réception brouillée
MUSIC WIRE .... Corde à piano
MUTE .... Silence radio
MUTE (to) .... Atténuer
MUTUAL CONDUCTANCE .... Conductance mutuelle, transconductance
MUZZLE-VELOCITY .... Vitesse initiale

N

NACA AIRFOIL .... Profil NACA
NACELLE .... Nacelle, fuseau-moteur
NACELLE ANTI-ICING .... Dégivrage nacelle
NACELLE FORWARD FAIRING .... Carénage avant du mât de nacelle
NACELLE STRUT .... Mât de nacelle
NAIL .... Clou, pointe
NAIL (to) .... Clouer
NAIL-SET .... Chasse-goupille
NAKED FLAME .... Flamme nue, libre
NAME .... Nom
NAMEPLATE .... Plaquette d'identification, indicatrice, plaque signalétique
NANOCOMPUTER .... Micro-ordinateur, microcalculateur
NANOSECOND .... Nanoseconde
NAP-OF-THE-EARTH FLIGHT .... Vol en rase-mottes, au ras des obstacles
NAPALM .... Napalm
NAPALM BOMB .... Bombe au napalm
NAPHTA .... Naphte, pétrole brut
NARROW .... Étroit, serré
NARROW BAND .... Bande étroite
NARROW-BODY .... Fuselage étroit *(petite capacité)*
NARROW-BODY AIRCRAFT .... Appareil à fuselage étroit
NAS SCREW .... Vis NAS : *(NAS* = National Aircraft Standard)
NASA (national aeronautics and space administration) Administration nationale de l'aéronautique et de l'espace
NATIONAL SPACE AGENCY (french) .. Centre National d'Études Spatiales (CNES)
NATURAL FREQUENCY .... Fréquence propre
NATURAL STONE .... Pierre naturelle
NAUTICAL .... Nautique, marin
NAUTICAL MILE (NM) .... Mille marin = 1 852 m, nœud
NAVAID (navigation aid) .... Aide à la navigation aérienne, aide radioélectrique
NAV-ATTACK SYSTEM (navigation and attack system) .... Système de navigation et d'attaque (SNA)
NAV-LIGHT .... Feu de navigation
NAVAL .... Naval, de marine
NAVAL AIR ARM .... Aéronavale
NAVAL BASE .... Base navale
NAVALIZED VERSION .... Version navalisée

NAVIGABLE AIRSPACE .... Espace aérien navigable
NAVIGATE (to) .... Naviguer, diriger
NAVIGATION CHART(S) .... Carte(s) de navigation
NAVIGATION COMPUTER (receiver) .... Calculateur de navigation *(récepteur)*
NAVIGATION COMPUTER UNIT (NCU) .... Calculateur de navigation
NAVIGATION CONTROL PANEL Poste de commande de navigation (PCN), boîtier de contrôle de navigation
NAVIGATION FIX .... Balise
NAVIGATION INSTRUMENT .... Instrument de navigation
NAVIGATION LIGHTS Feux de position, de navigation, de bord, de route
NAVIGATION-LOCALIZER MODE .... Mode navigation-alignement
NAVIGATION LOG .... Carnet de navigation
NAVIGATION RECEIVER .... Récepteur de navigation (VHF), de radionavigation, récepteur VHF
NAVIGATION SYSTEM .... Système de navigation
NAVIGATION TABLE .... Table de navigation
NAVIGATION UPDATE RANGING .... Recalage de navigation
NAVIGATIONAL AIDS (nav-aids) .... Aides à la navigation
NAVIGATIONAL INSTRUMENTS .... Instruments de navigation
NAVIGATIONAL PLOT .... Relevé
NAVIGATOR .... Navigateur
NAVY .... Marine de guerre, militaire
NAVY FIGHTER PLANE .... Chasseur embarqué *(force navale)*
NAVY PILOTS .... Pilotes des forces aéronavales
NEAR .... Près, proche
NEAR MISS (near collision) .... Quasi-collision, quasi-abordage
NEARLY PARABOLIC ORBIT .... Orbite quasi parabolique
NEBULOUS .... Nuageux, nébuleux
NEBULOSITY (nebulousness) .... Nébulosité
NECESSARY .... Nécessaire, indispensable
NECK .... Cou, col, étranglement *(de tuyau)*, goulot
NECKED ROD .... Tige rétreinte
NECKING .... Rétreint(e), striction
NEED .... Besoin, nécessité
NEED (to) .... Avoir besoin, réclamer, demander
NEEDLE .... Aiguille, pointeau
NEEDLE AND BALL INDICATOR .... Indicateur de virage et d'inclinaison latérale, bille-aiguille
NEEDLE BEARING .... Roulement à aiguilles
NEEDLE JET .... Gicleur à aiguille
NEEDLE NOSE PLIERS .... Pinces à bec effilé, pinces plates « mécano »
NEEDLE SCALER .... Décapeur à pointes
NEEDLE SEAT .... Siège de pointeau

NEEDLE VALVE .... Soupape, robinet à pointeau, à aiguille, vis de richesse
NEGATIVE g .... Décélération
NEGATIVE ELECTRODE .... Cathode
NEGATIVE FEEDBACK .... Contre-réaction
NEGATIVE LIFT .... Déportance, portance négative
NEGATIVE PITCH .... Pas négatif
NEGATIVE POLARITY (negative pole) .... Pôle (—)
NEGATIVE PRESSURE .... Dépression, pression négative
NEGATIVE PRESSURE RELIEF VALVE .... Clapet de dépression
NEGATIVE RELIEF VALVE .... Clapet de sécurité dépression
NEGATIVE TERMINAL .... Borne négative
NEIGHBOURHOOD .... Voisinage, proximité
NEIGHBOURS OF THE AIRPORT .... Riverains de l'aéroport
NEON BARS .... Barres au néon
NEON LAMP .... Lampe néon
NEOPRENE PACKING .... Joint néoprène
NEOPRENE RUB STRIP .... Joint néoprène, bande néoprène
NEOPRENE RUBBER .... Caoutchouc néoprène *(caoutchouc synthétique)*
NEPHOSCOPE .... Néphoscope
NEST(ING) .... Logement, emboîtement
NET .... Net(te) ; filet, réseau
NET LIFT .... Flottabilité
NET PROFIT .... Bénéfice net
NET THRUST .... Poussée nette
NET WING AREA .... Surface alaire nette, surface nette de l'aile
NETWORK .... Réseau, filet
NETWORK STATION .... Station de réseau
NEUTRAL (in neutral) .... Neutre, indifférent, au point mort, à zéro
NEUTRAL POSITION .... Position neutre, de repos, point mort
NEUTRALIZATION .... Neutralisation
NEUTRALIZE (to) .... Neutraliser
NEUTRALIZER .... Neutraliseur *(propulsion ionique)*
NEUTRALIZING SOLUTION .... Solution neutralisante, bain de neutralisation
NEUTRON .... Neutron
NEVER EXCEED SPEED .... Vitesse à ne jamais dépasser
NEXT GENERATION .... Génération future, prochaine génération
NEXT HIGHER ASSEMBLY (NHA) .... Ensemble supérieur attenant
NEW .... Nouveau(elle)
NEW GENERATION .... Nouvelle génération, prochaine génération

NEWEL .... Noyau
NGV (nozzle guide vanes) .... Distributeur turbine
NIBBLE (to) .... Rogner
NIBBLING MACHINE .... Machine à grignoter, grignoteuse
NICK .... Éraflure, écorchure, entaille, encoche, saignée, impact
NICKED .... Éraflé, encoché, entaillé
NICKEL .... Nickel
NICKEL-CADMIUM BATTERY (accumulator) .... Batterie, accumulateur au nickel-cadmium
NICKEL PLATED .... Nickelé
NICKEL PLATING .... Nickelage
NICKEL SILVER .... Maillechort
NICKEL STEEL .... Acier au nickel
NIFE BATTERY .... Batterie au fer-nickel
NIGHT FLIGHT (night flying) .... Vol de nuit
NIGHT LIGHT .... Veilleuse
NIGHT STOP .... Escale de nuit
NIGHT VISION GOGGLES .... Lunettes de vision nocturne
NIL VISIBILITY .... Visibilité nulle
NIMBUS .... Nimbus
NIMBOSTRATUS .... Nimbo-stratus
NIP .... Pincement
NIP (to) .... Pincer, cisailler, étrangler
NIPPERS .... Pinces *(de serrage, coupantes),* tenailles, cisailles
NIPPING .... Pincement, cisaillement ; gland
NIPPING OF THE OIL SEAL .... Pincement, entailles du joint d'huile, coupures
NIPPLE .... Bout, embout, raccord tuyauterie, graisseur, mamelon, têton, olive, noix
NITAL ETCH .... Attaque au réactif nital
NITAL ETCH SOLUTION .... Solution nital
NITRIC ACID .... Acide nitrique
NITRIDED .... Nitruré
NITRIDING .... Nitruration
NITROGEN .... Azote
NITROGEN HARDENING .... Nitruration, trempe superficielle *(par diffusion d'azote)*
NITROGEN PEROXIDE (tetroxide) .... Péroxyde d'azote
NO-COMPASS HOMING .... Ralliement sans compas
« NO GO » END .... Côté « n'entre pas »
NO LIFE-LIMITED PARTS .... Pièces à vie illimitée
NO LOAD .... A vide
NO LOAD CURRENT .... Courant en circuit ouvert

NO-LOAD POWER .... Puissance à vide
NO-LOAD RUNNING .... Fonctionnement, marche à vide
NO-LOAD SPEED .... Vitesse à vide
NO. OF DEPARTURES .... Nombre de départs
NO. OF FLIGHTS .... Nombre de vols, fréquences
NO. OF SEATS .... Nombre de fauteuils
NO PLATE (to) .... Ne pas plaquer
NO SHOW PASSENGER .... Passager non présenté
NO SMOKE ENGINE .... Moteur non-polluant
NO SMOKING .... Défense de fumer
NO-SMOKING SECTION .... Zone non-fumeur
NO-SMOKING SIGN .... Voyant « défense de fumer », consigne lumineuse « ne pas fumer »
NODE .... Nœud
NODE OF NETWORK .... Nœud de réseau
NODICAL .... Nodal(e)
NODULE .... Nodule, dépôt
NOISE .... Bruit, tapage, vacarme, fracas
NOISE ABATEMENT .... Atténuation, réduction, diminution de bruit
NOISE ABATEMENT PROCEDURES .... Procédures anti-bruit, d'atténuation du bruit
NOISE BARRIER .... Barrière de bruit
NOISE CARPET .... Tapis, nappe de bruit
NOISE CERTIFICATION .... Certification acoustique *(avion)*
NOISE CONTOUR .... Courbe isosonique
NOISE FILTER .... Filtre anti-parasite
NOISE FLECK (speck) .... Bruit vidéo, parasite
NOISE GENERATOR .... Générateur de bruit
NOISE INSULATION .... Isolation acoustique
NOISE INTERFERENCE .... Brouillage parasite
NOISE LEVEL .... Niveau de bruit, niveau sonore
NOISE METER .... Sonomètre, audiomètre
NOISE MONITOR EQUIPMENT .... Banc de contrôle de bruit
NOISE MONITORING EQUIPMENT .... Capteur, détecteur de bruit, compteur de décibels
NOISE POLLUTION .... Nuisances de bruit
NOISE POWER .... Puissance de bruit
NOISE POWER RATIO (NPR) .... Rapport de densité de bruit
NOISE-SENSITIVE AREA .... Zone sensible au bruit
NOISE SHIELD .... Écran anti-bruit
NOISE SUPPRESSION FILTER .... Filtre anti-parasite
NOISE SUPPRESSOR .... Silencieux, réducteur, atténuateur de bruit, anti-parasitage

NOISE TEST .... Essai acoustique
NOISELESS .... Sans bruit, silencieux
NOISY .... Bruyant
NOMENCLATURE .... Nomenclature
NOMEX HONEYCOMB .... Nid d'abeille Nomex
NOMINAL .... Nominal
NOMINAL APPROACH PATH .... Trajectoire d'approche nominale
NOMINAL DIAMETER .... Diamètre nominal
NOMINAL LENGTH .... Longueur nominale
NOMINAL POWER .... Puissance nominale
NOMINAL SIZE .... Cote nominale
NOMINAL THICKNESS .... Épaisseur nominale
NOMINAL THRUST .... Poussée nominale
NOMINAL TRACK .... Route nominale
NOMINAL VALUE .... Valeur nominale
NOMINAL VOLTAGE .... Tension nominale
NONAQUEOUS .... Non aqueux
NON-ABSORBENT .... Non hydrophile
NON AFTERBURNING ENGINE OPERATION .... Fonctionnement du moteur sans PC
NON-ALUMINISED .... Non-aluminisé
NON COMPRESSIBLE FLUID .... Fluide non compressible
NON CONDUCTIVE .... Diélectrique
NON-CORROSIVE .... Non-corrosif
NON DESTRUCTIVE TEST(ING) (NDT) .... Essai(s) non destructif(s)
NON-DIRECTIONAL BEACON (NDB) .... Radiophare omni-directionnel, non directionnel
NON-FERROUS .... Non ferreux
NON-INFLAMMABLE .... Ininflammable
NON-INSTRUMENT RUNWAY .... Piste en vue
NON-LINEAR .... Non-linéaire
NON-MAGNETIC (nonmagnetic) .... Amagnétique
NON-OILY SOLVENT .... Solvant non gras
NON-OPERATED .... Non actionné, au repos
NON-PAINTED AREA .... Surface non peinte
NON-PRECISION APPROACH .... Approche de non-précision, percée dirigée
NON-RADAR ROUTE .... Route non radar
NON-REACTIVE .... Non-réactif
NON-REPAIRABLE .... Non-réparable
NON-RETURN VALVE (NRV) .... Clapet anti-retour, valve anti-retour, de non-retour
NON-REVENUE-EARNING SERVICE .... Service non lucratif

NON-REVENUE FLIGHT .... Vol non commercial, non payant
NON-REVENUE PASSENGER .... Passager non-payant, gratuit
NON-REVERSIBLE .... Irréversible
NON-RIGID .... Souple, non rigide
NON ROTATING .... Fixe
NON-ROUTINE MAINTENANCE .... Maintenance corrective
NON-SCHEDULED (flight) .... *(vol)* à la demande, non prévu, non régulier
NON-SCHEDULED AIR TRANSPORT ...... Transport aérien non régulier
NON SKID BRAKES .... Freins anti-dérapants
NON SKID SURFACE .... Revêtement anti-dérapant
NON-SMOKER .... Non-fumeur
NON-SPARKING TOOLS .... Outils anti-déflagrants
NON-SYNCHRONOUS .... Asynchrone
NON-TRAFFIC STOP .... Escale non commerciale, technique
NONMETALLIC .... Non métallique
NONMETALLIC SURFACE (part) .... Surface non métallique *(pièce)*
NONPRESSURIZED AREA .... Zone non pressurisée
NONSLIP (non-slip) .... Anti-dérapant
NONSLIP LOOP-TYPE KNOT .... Nœud fixe
NONSTOP (non-stop) .... Sans arrêt, direct, sans escale, sans interruption
NONSTOP FLIGHT (non-stop flight) .... Vol direct *(sans escale)*
NONSTOP SERVICE .... Service direct, sans escale
NONTHREADED .... Non fileté
NONTOXIC .... Non toxique
NOOK .... Coin
NOOSE .... Nœud coulant
NORMAL .... Normal, régulier, perpendiculaire
NORMAL AXIS .... Axe normal, axe de lacet
NORMAL CLIMB .... Montée standard
NORMAL CONFIGURATION .... Configuration normale
NORMAL FARE .... Tarif normal, plein tarif
NORMAL MODE .... Mode normal
NORMAL-MODE REJECTION RATIO .... Rapport de réjection en mode normal *(série)*
NORMAL OPERATING CONDITION .... En état de bon fonctionnement
NORMAL OPERATION .... Fonctionnement normal
NORMAL SPEED .... Vitesse de régime
NORMAL STARTING .... Démarrage normal
NORMAL VOLTAGE .... Tension de régime
NORMALIZED .... Normalisé

NORMALIZING .... Normalisation
NORMALLY-CLOSED VALVE .... Valve normalement fermée
NORTH .... Nord
NORTHBOUND .... Direction nord
NORTH LATITUDE .... Latitude nord
NOSE .... Nez, bec, pointe AV, ajutage
NOSE BULLET .... Cône de pénétration, d'entrée
NOSE CONE .... Cône de nez, pointe avant, coiffe, pointe *(fusée)*
NOSE COWL .... Capot avant, capotage pointe avant, capot d'entrée d'air
NOSE COWL ANTI-ICING .... Dégivrage capot d'entrée d'air
NOSE DIVE (to) .... Piquer du nez, descendre en piqué
NOSE DOME .... Dôme AV réacteur, cône d'entrée d'air *(réacteur)*
NOSE DOWN .... Piqué
NOSE DOWN (to) .... Piquer
NOSE DOWN ATTITUDE .... En piqué, assiette de piqué
NOSE GEAR .... Atterrisseur AV, train avant
NOSE GEAR DOORS .... Portes, trappes de train AV
NOSE GEAR DOWNLOCK INSPECTION WINDOW ... Hublot d'inspection verrouillage bas train AV
NOSE GEAR EXTENSION .... Sortie du train AV
NOSE GEAR MANUAL EXTENSION .... Sortie en manuel du train AV *(secours)*
NDSE GEAR POSITION INDICATOR .... Indicateur de position train AV
NOSE GEAR RETRACTION .... Rentrée de train AV
NOSE GEAR STEERING .... Braquage de train AV
NOSE GEAR STRUT .... Jambe de train avant
NOSE GEAR WHEEL .... Roue train AV
NOSE HEAVINESS .... Tendance à piquer
NOSE HEAVY .... Centré vers l'avant, lourd du nez, centrage avant
NOSE-IN PARKING .... Stationnement nez avant
NOSE LANDING GEAR (N.L.G) .... Train avant (TAV)
NOSE LANDING GEAR SHOCK STRUT .... Amortisseur train AV
NOSE LIFT .... Cabrage
NOSE LOADING ALL-CARGO AIRCRAFT .... Avion cargo à nez basculant vers le bas *(pélican)*
NOSE-LOW ATTITUDE .... En piqué
NOSE OF THE AIRCRAFT .... Nez de l'appareil
NOSE-OUT PARKING .... Stationnement nez arrière
NOSEOVER .... Capotage
NOSE OVER (to) .... Capoter, se mettre en pylône, passer sur le nez

NOSE PROBE .... Perche de nez
NOSE SECTION .... Partie, pointe AV
NOSE SPINNER .... Casserole d'hélice
NOSE STEERING WHEEL .... Volant d'orientation de train avant
NOSE STRAKES .... Virures
NOSE UP .... Cabré
NOSE UP ATTITUDE .... Attitude à cabrer, en cabré
NOSE WHEEL .... Roue train AV, roulette AV, de nez
NOSE-WHEEL BAY .... Logement du train AV
NOSE WHEEL STEERING .... Direction roues avant, orientation roues AV, du train AV
NOSE WHEEL UPLOCK .... Verrou haut de train avant
NOT USED .... Pas utilisé
NOTE POSITION (to) .... Relever, noter la position
NOTCH .... Cran, encoche, rainure, échancrure, entaille, créneau, brèche
NOTCH (to) .... Gruger, cranter, encocher
NOTCH FENCE .... Entaille de voilure
NOTCHED ANGLE .... Secteur cranté
NOTCHED NOZZLE .... Tuyère à lobes
NOTCHED WRENCH .... Clé à cran
NOTCHING MACHINE .... Grugeoir, machine à gruger
NOTCHING PRESS .... Presse à encocher
NOTHING ABNORMAL DETECTED (NAD) .... RAS *(rien à signaler)*
NOTIFY (to) .... Aviser, informer
NOXIOUS FUMES .... Fumées, vapeurs nocives
NOZZLE .... Injecteur *(carburant)*, tuyère, distributeur, tubulure, gicleur, diffuseur, buse, convergent, col, embout, ajutage, trompe
NOZZLE AREA .... Section de la buse, de la tuyère
NOZZLE BOX .... Carter turbine, carter de distribution des gaz
NOZZLE CLUSTER .... Groupe d'injecteurs
NOZZLE EFFICIENCY .... Rendement de la tuyère
NOZZLE EXIT PRESSURE .... Pression sortie tuyère
NOZZLE GUIDE VANES (NGV) .... Aubage distributeur, aubes directrices, aubes de guidage, distributeurs turbine, aubage stator turbine
NOZZLE RING .... Distributeur *(turbine)*
NOZZLE SWIVELLING .... Braquage de tuyère
NOZZLE THROAT .... Col de tuyère
NOZZLE VANES .... Aubes distributeur turbine, aubage fixe de distributeur turbine
NOZZLES (silencer) .... Buses à lobes, tuyaux d'orgue

NUCLEAR ARSENAL .... Arsenal nucléaire
NUCLEAR BOMB .... Bombe nucléaire
NUCLEAR BOMBER .... Bombardier stratégique
NUCLEAR FUEL .... Combustible nucléaire
NUCLEAR PHYSICS .... Physique nucléaire
NUCLEAR PLANT .... Centrale nucléaire
NUCLEAR-POWERED .... Propulsé à l'énergie nucléaire
NUCLEAR-POWERED ATTACK SUBMARINE .... Sous-marin à propulsion nucléaire
NUCLEAR RADIATION .... Radiations nucléaires
NUCLEAR REACTOR .... Réacteur nucléaire
NUCLEAR RESEARCH .... Recherche nucléaire
NUCLEAR WAR (attack) .... Guerre nucléaire *(attaque)*
NUCLEAR WARHEAD .... Tête nucléaire
NUCLEAR WEAPONS .... Armes nucléaires, armement nucléaire
NUCLEUS .... Noyau
NULL POINT .... Point zéro
NULL POSITION .... Position nulle, neutre
NULL VOLTAGE .... Tension nulle
NUMBER .... Nombre, numéro, quantité
NUMBER OF BLADES (no. of) .... Nombre de pales, d'ailettes
NUMBER OF COATS .... Nombre de couches
NUMBERED .... Numéroté
NUMERIC COMPUTER .... Calculateur numérique
NUMERICAL .... Numérique
NUMERICAL CONTROL .... Commande numérique
NUMERICAL CONTROL MACHINE .... Machine à commande numérique
NUMERICAL VALUE .... Valeur numérique
NUMERICALLY CONTROLLED MACHINE-TOOLS .... Machine-outils à commande numérique
NUMERICALLY CONTROLLED MILLING MACHINE .... Fraiseuse à commande numérique
NUSSELT NUMBER .... Nombre de Nesselt
NUT .... Écrou, noix
NUT DRIVER .... Serre-écrou
NUT LOCKWASHER .... Rondelle frein d'écrou
NUT RETAINER .... Frein d'écrou, rondelle frein
NUT RUNNER .... Boulonneuse
NUTATION (damper) .... Nutation *(amortisseur de)*
NUTPLATE .... Écrou prisonnier, plaque formant écrou
NYLON .... Nylon
NYLON CORD .... Cordelette de nylon
NYLON FLIP-TYPE GROMMET .... Œillet nylon
NYLON THREAD .... Fil nylon

O

OAK .... Chêne
OAKUM .... Étoupe, filasse
OBEY (to) .... Obéir
OBJECT .... Objet, chose, sujet, but, objectif
OBJECT IN SPACE .... Objet spatial
OBLIGATION .... Obligation
OBLIQUE .... Oblique, de biais, indirect
OBLIQUE LIGHTING .... Éclairage oblique
OBLIQUE WING .... Aile oblique
OBLITERATE (to) .... Faire disparaître, effacer *(des chiffres)*, oblitérer, obstruer *(un conduit)*
OBLONG .... Oblong, allongé
OBLONG HOLE .... Trou oblong, boutonnière
OBSCURE .... Obscur, ténébreux, sombre
OBSCURED .... Obscurci, masqué
OBSERVATION PLANE .... Avion d'observation
OBSERVATION SATELLITE .... Satellite d'observation
OBSERVATION STATION .... Station d'observation, observatoire
OBSERVATORY .... Observatoire
OBSERVE (to) .... Observer, regarder, remarquer, noter *(un fait)*
OBSERVED SPEED .... Vitesse lue
OBSERVER .... Observateur
OBSERVER SEAT .... Siège de l'observateur
OBSERVER'S STATION .... Poste observateur
OBSOLETE .... Désuet(te), hors d'usage, périmé, dépassé
OBSTACLE .... Obstacle, empêchement
OBSTACLE CLEARANCE .... Passage, marge de franchissement d'obstacle
OBSTACLE CLEARANCE LIMIT (OCL) .... Limite de sécurité obstacles, hauteur limite de franchissement d'obstacles
OBSTACLE LIGHT .... Feu d'obstacle
OBTAIN (to) .... Obtenir, se procurer
OBSTRUCT (to) .... Obstruer, encombrer, engorger, boucher *(un tuyau)*, gêner
OBSTRUCTED JET .... Gigleur bouché
OBSTRUCTION .... Obstruction, obstacle, engorgement, encrassement
OBSTRUCTION CLEARANCE ALTITUDE .... Altitude de dégagement des obstacles
OBSTRUCTION CLEARANCE LIMIT ... Hauteur limite de franchissement d'obstacle

OBSTRUCTION LIGHT .... Feu d'obstacle
OBTURATE (to) .... Boucher, obturer
OBTURATOR .... Obturateur
OBVIOUS .... Évident, clair, de toute évidence
OCCLUSION .... Occlusion *(météo)*
OCCULTING LIGHT .... Feu à éclipses, à occultation
OCCUPIED .... Occupé
OCCUR (to) .... Arriver, survenir, se produire, avoir lieu
OCEANIC AREA .... Région océanique
OCEANIC CONTROL AREA (OCA) .... Région de contrôle océanique
OCHRE .... Ocre
OCTAGON .... Octogone
OCTANE GRADE .... Indice d'octane
OCTANE NUMBER (rating) .... Nombre, indice d'octane
OCTAVE FILTER .... Filtre d'octave
OCULAR .... Oculaire
ODD .... Impair ; en trop
ODD HOLES .... Trous décalés
ODD NUMBERED .... De numéro impair
ODD PARITY .... Parité impaire
ODOUR .... Odeur
OFF .... Arrêt, coupé
OFF-AIRWAYS CLEARANCE .... Autorisation de circuler hors des voies aériennes
OFF-BALANCE .... Déséquilibre
OFF-CENTER (off-centre) .... Excentré, décentré
OFF-COURSE DEVIATION .... Déviation de route
OFF-COURSE (ILS) .... A côté de l'axe
OFF LINE .... Autonome
OFF-LINE AREA .... Région non desservie
OFF-LINE CHARTER FLIGHT .... Vol nolisé hors réseau
OFF-LOAD .... A vide
OFF-LOAD (to) .... Délester, débarquer, décharger
OFF-LOAD TEST .... Essai à vide
OFF-LOAD VOLTAGE .... Tension à vide
OFF-LOADED PASSENGER .... Passager débarqué
OFF-PEAK HOURS .... Heures de non-affluence, creuses
OFF-PEAK PERIOD .... Hors période, période hors pointe
OFF-POSITION .... Position coupé, fermé, arrêt
OFF-PUNCH .... Perforation décalée
OFF-ROUTE CHARTER .... Affrètement hors réseau
OFF-SEASON .... Hors saison
OFF-SHORE (offshore) .... Au large, en mer
OFF-SHORE INSTALLATION .... Plateforme pétrolière en mer, de forage en mer

OFF-SHORE MISSION .... Liaison, mission off-shore
OFF-SHORE OPERATIONS .... Exploitation pétrolière en haute mer
OFF-SHORE PLATFORM .... Plate-forme de forage en mer
OFFAL .... Rebut, restes, déchets, ordures
OFFER (to) .... Offrir
OFFICE .... Bureau, agence
OFFICER .... Officier, agent
OFFSET (off-set) .... Saillie, ressaut, décalage, déport, inclinaison, excentré, déporté, décalé
OFFSET (to) .... Désaxer, décentrer, déporter, décaler, compenser, couder
OFFSET AREA .... Zone décalée
OFFSET HOLE .... Trou décalé
OFFSET PRINTING .... Impression offset
OFFSET RUNWAYS .... Pistes en baïonnette
OFFSET SCREWDRIVER .... Tournevis coudé, contre-coudé
OFFSET WRENCH .... Clé coudée
OFFSHORE .... Voir off-shore
OGEE DELTA WING .... Aile gothique
OGIVE .... Ogive
OHMIC DROP .... Chute ohmique
OHMIC LOSS .... Perte joule, ohmique
OHMIC RESISTANCE .... Résistance ohmique
OHMMETER .... Ohmmètre
OIL .... Huile, pétrole, mazout
OIL (to) .... Graisser, huiler, lubrifier
OIL ANALYSIS .... Analyse des huiles
OIL AND WATER TRAP .... Séparateur eau et huile, décanteur huile et eau
OIL BATH .... Bain d'huile
OIL BATH LUBRICATION .... Graissage par bain d'huile
OIL BREATHER .... Reniflard
OIL BUFFER .... Amortisseur hydraulique
OIL CAN .... Burette, bidon à huile, burette à pompe
OIL CLEANER .... Épurateur d'huile
OIL CLOTH .... Toile cirée
OIL CONSUMPTION .... Consommation d'huile
OIL COOLED .... Refroidi par huile, à refroidissement par huile
OIL COOLER (air-oil, fuel-oil cooler) .... Radiateur d'huile
OIL COOLER AIR INLET .... Manche à air du radiateur d'huile
OIL CUP .... Godet à huile
OIL DEPOSIT .... Dépôt d'huile
OIL DILUTION .... Dilution d'huile
OIL DILUTION SYSTEM .... Circuit de dilution

OIL DRAIN PLUG .... Bouchon de vidange d'huile
OIL DRAINING DRILLING .... Perçage d'évacuation d'huile
OIL DRILLING .... Forage pétrolier
OIL DROPLET .... Gouttelette d'huile
OIL DUCT .... Canalisation d'huile
OIL FEED .... Arrivée d'huile
OIL FILL PLUG .... Bouchon de remplissage d'huile
OIL FILM .... Pellicule, film d'huile
OIL FILTER .... Filtre à huile
OIL FOAMING .... Émulsion d'huile, moussage de l'huile
OIL GAGE TRANSMITTER .... Transmetteur jaugeur d'huile
OIL GAUGE (gage) .... Indicateur, jauge de niveau d'huile, jaugeur d'huile
OIL GROOVES .... Pattes d'araignées *(graissage)*
OIL GUN .... Graisseur
OIL HOLE .... Trou graisseur
OIL HOLE DRILL .... Foret à trou d'huile
OIL JET .... Injecteur, gicleur d'huile, de graissage
OIL LEAKS (leakage) .... Fuites d'huile
OIL LEVEL .... Niveau d'huile
OIL LEVEL DIPSTICK .... Jauge de niveau d'huile
OIL LINE .... Conduite, canalisation d'huile
OIL LOW PRESSURE SWITCH .... Manocontacteur de pression mini d'huile
OIL MANIFOLD .... Rampe de graissage
OIL MIST .... Vapeurs d'huile
OIL MIST LUBRICATION .... Graissage par brouillard d'huile
OIL NIPPLE .... Graisseur, bouchon graisseur
OIL PAINTING .... Peinture à l'huile
OIL PAN .... Puisard, carter d'huile
OIL PIPE .... Tuyauterie d'huile
OIL PNEUMATIC .... Oléo-pneumatique
OIL PRESSURE GAUGE (gage) .... Manomètre pression d'huile, indicateur de pression d'huile
OIL PRESSURE SWITCH .... Manocontact baisse de pression d'huile
OIL PRESSURE TRANSMITTER (transducer) .... Transmetteur pression d'huile
OIL PRESSURE WARNING LIGHT .... Voyant de baisse de pression d'huile
OIL PRESSURE WARNING SWITCH .... Manocontact baisse de pression d'huile
OIL PUMP .... Pompe à huile
OIL QUANTITY INDICATOR .... Jaugeur d'huile, indicateur de niveau d'huile
OIL QUANTITY TRANSMITTER .... Transmetteur jaugeur d'huile

OIL QUENCHING .... Trempe à huile
OIL RECLAIMING .... Régénération d'huile
OIL RETAINING RING .... Bague de retenue d'huile
OIL RIG .... Plate-forme pétrolière
OIL RING .... Rondelle autolubrifiante
OIL SCAVENGE .... Vidange d'huile
OIL SCAVENGE PUMP .... Pompe de récupération d'huile
OIL SCRAPER RING (oil scraping ring) .... Segment racleur d'huile
OIL SCREEN .... Filtre à huile
OIL SEAL .... Joint de retenue d'huile, joint d'huile
OIL SEPARATOR .... Filtre déshuileur, séparateur d'huile
OIL SERVICING .... Remplissage d'huile, le plein d'huile
OIL SLICK .... Marée noire
OIL SPECIFICATION .... Type d'huile
OIL SPILLAGE .... Flaques d'huile, huile répandue accidentellement
OIL STONE (oilstone) .... Pierre à huile, pierre à affûter
OIL STORAGE TANK .... Réservoir d'huile
OIL STRAINER .... Filtre à huile
OIL STRAINER BYPASS SWITCH .. Manocontact de bypass filtre à huile
OIL SUMP .... Puisard d'huile
OIL SYSTEM .... Circuit d'huile
OIL SYSTEM CONTAMINATION .... Contamination du circuit d'huile
OIL TANK .... Réservoir d'huile
OIL TANK HOPPER .... Cheminée anti-émulsion
OIL TEMPERATURE BULB .... Sonde de température d'huile
OIL TEMPERATURE GAUGE/INDICATOR ..... Indicateur de température d'huile
OIL TEMPERATURE RISE .... Échauffement huile
OIL TEMPERING .... Trempe à l'huile
OIL THROWER .... Déflecteur d'huile
OIL TIGHT .... Étanche *(à l'huile)*
OIL TRAP .... Déshuileur
OIL TUBE .... Conduit d'huile
OIL VARNISH .... Vernis à huile, vernis gras
OIL VENT .... Reniflard, évent
OIL VISCOSITY .... Viscosité de l'huile
OIL WEIR .... Retenue d'huile
OIL WIPER RING .... Segment racleur d'huile
OILER .... Graisseur, burette de graissage
OILSPLASH .... Barbotage dans un bain d'huile
OILSTONE .... Pierre à huile, pierre à affûter
OILWAYS .... Orifices, passages d'huile
OILY .... Huileux, gras, onctueux
OILY RESIDUE .... Dépôt, résidu graisseux
OLD BEARING .... Roulement hors service (HS)

OLD FITTING .... Vieille ferrure
OLEO .... Amortisseur
OLEO LEG .... Jambe d'amortisseur de train
OLEO-PNEUMATIC STRUT .... Jambe oléo-pneumatique
OLEO STRUT .... Fût de train, jambe hydraulique, à amortisseur oléo-pneumatique, amortisseur de train
OLIGOCYCLIC FATIGUE .... Fatigue oligocyclique
OLIVE JOINT .... Raccord olive
OMBILICAL CORD BOOM .... Perche de commande de mise en route
OMIT (to) .... Omettre, épargner, maroufler, éviter
OMNI APPROACH .... Approche VOR
OMNI-BEARING INDICATOR (OBI) .... Indicateur de relèvement VOR, indicateur OBI
OMNI-BEARING SELECTOR (OBS) .... Sélecteur omnidirectionnel, d'azimut, de relèvement
OMNIDIRECTIONAL ANTENNA .... Antenne omnidirectionnelle, non dirigée
OMNI-DIRECTIONAL RADIO BEACON .... Radiophare omnidirectionnel
OMNIRANGE .... Omnidirectionnel *(radiophare)*
OMNIRANGE INDICATOR (selector) .... Indicateur omnidirectionnel *(sélecteur)*
ON .... Position ouvert, contact, marche, allumé
ON BOARD .... A bord
ONBOARD/ON-BOARD .... De bord
ONBOARD COMPUTER .... Calculateur de bord
ON-BOARD INSTRUMENTATION .... Instruments de bord, embarqués
ON-BOARD SOFTWARE .... Logiciel de bord
ON-BOARD SYSTEMS .... Équipements embarqués
ON CONDITION .... Pour remise en état, selon état
ON COURSE (ILS) .... Sur l'axe
ON COURSE APPROACH .... Approche alignée sur l'axe ILS
ON FINAL .... En approche finale
ON FIRE .... En feu
ON-GOING PROGRAM .... Programme en cours
ON-LINE .... En ligne, en circuit, branché, connecté, du réseau, d'une même compagnie
ON-LINE PASSENGER .... Passager compagnie
ON-LOAD .... En charge
ON-OFF .... Contact ouvert - fermé
ON-OFF SWITCH .... Interrupteur marche-arrêt
ON-ON SWITCH .... Inverseur
ON ORBIT .... Sur orbite
ON ORDER .... En commande
ON RECEIPT OF ORDER .... A réception de la commande
ON REQUEST .... Sur demande, à la demande, facultatif

ON-SCHEDULE .... A l'heure
ON-SPEED .... Vitesse constante, stabilisée
ON-THE-SPOT .... Sur le terrain
ON-THE-SPOT ASSISTANCE .... Assistance sur place
ON-TIME ARRIVAL .... Arrivée à l'heure prévue
ON-TIME DELIVERY .... Livraison dans les délais, à l'heure
ONCE .... Une fois
ONDOMETER .... Ondomètre
ONDULATOR .... Ondulateur
ONE-CLASS SERVICE .... Service en classe unique
ONE-PIECE .... Monobloc, d'une seule pièce
ONE-SIDE .... (d') un côté
ONE-STOP .... Une escale, escale unique
ONE-WAY .... A sens unique, unidirectionnel ; aller simple
ONE-WAY FARE (ticket) .... Tarif aller simple *(billet aller simple)*
ONE-WAY RESTRICTOR VALVE .... Restricteur dans un sens, à sens unique, de non retour, anti-retour
ONSET .... Attaque, assaut, commencement, début, seuil, apparition
ONSET OF COMPRESSIBILITY .... Apparition *(des troubles, des phénomènes)* de compressibilité
ONSET OF STALL .... Début de décrochage
OOZE (to) .... Suinter, dégoutter
OOZE OUT (to) .... Déborder
OOZING .... Suintement
OPCODE .... Code opération *(microprocesseurs)*
OPEN (to) .... Ouvrir
OPEN CIRCUIT .... Circuit ouvert
OPEN CIRCUIT BREAKERS (to) .... Tirer les disjoncteurs
OPEN CIRCUIT VOLTAGE .... Tension en circuit ouvert
OPEN CYCLE .... Cycle ouvert
OPEN-END SPANNER .... Clé à fourche
OPEN-END WRENCH .... Clé plate, ouverte, à fourche
OPEN FIRE .... Source de chaleur
OPEN FLIGHT .... Vol hors programme
OPEN-JAW FARE .... Tarif de circuit ouvert
OPEN-JET WIND TUNNEL .... Soufflerie à veine libre
OPEN PORT .... Orifice ouvert
OPEN POSITION .... Position d'ouverture
OPEN TICKET .... Billet ouvert
OPEN UP (to) .... Mettre à plein régime, plein gaz
OPENING .... Ouverture, orifice, découpe
OPENING GLASS PANEL .... Verrière, glace amovible
OPENING HATCHES .... Panneaux ouvrants
OPENING PRESSURE .... Pression d'ouverture
OPENING TIME .... Temps, durée d'ouverture

OPERATE (to) .... Opérer, faire fonctionner, effectuer, manœuvrer manipuler, actionner, utiliser, exploiter, solliciter
OPERATE AN AIRLINE (to) .... Exploiter une ligne aérienne
OPERATE AT IDLE POWER (to) .... Fonctionner au ralenti
OPERATE IN TENSION (in compression) (to) .... Travailler à la traction *(à la compression)*
OPERATE ONE ENGINE (to) .... Faire tourner un moteur, mettre en route un moteur
OPERATING ALTITUDE .... Altitude d'exploitation
OPERATING BOX .... Boîtier de commande
OPERATING CEILING ...... Plafond pratique, opérationnel, d'utilisation
OPERATING COST .... Coût d'exploitation
OPERATING CRUISE .... Plafond pratique
OPERATING CYCLE .... Cycle de fonctionnement
OPERATING ENGINE .... Moteur en marche
OPERATING EXPENSE .... Coût, dépense d'exploitation
OPERATING HOUR .... Heure de fonctionnement
OPERATING IN TENSION (compression) .... Travaillant à la traction *(compression)*
OPERATING INSTRUCTIONS .... Consignes d'utilisation
OPERATING LEVER .... Levier de commande, de manœuvre
OPERATING LIFE .... Durée de vie
OPERATING LIMITATIONS .... Limites d'utilisation, de fonctionnement, d'emploi
OPERATING LIMITS .... Tolérances de fonctionnement
OPERATING LINK .... Bielle de commande
OPERATING MANUAL .... Manuel d'utilisation
OPERATING MECHANISM .... Cinématique
OPERATING PERMIT .... Autorisation, licence d'exploitation
OPERATING PIN .... Maneton
OPERATING PISTON .... Piston de commande
OPERATING POINT .... Point de fonctionnement, d'utilisation
OPERATING POWER .... Puissance utile
OPERATING PRESSURE .... Pression d'utilisation, de fonctionnement, de marche, de service
OPERATING PROCEDURES .... Consignes d'utilisation, modes d'exécution
OPERATING RANGE .... Domaine, gamme, zone, cycle, plage d'utilisation, de fonctionnement ; rayon d'action
OPERATING REVENUE .... Recette d'exploitation
OPERATING RIGHTS .... Droits d'exploitation
OPERATING SPEED .... Vitesse d'utilisation
OPERATING STAFF .... Personnel d'exploitation
OPERATING SYSTEM .... Système d'exploitation
OPERATING TEMPERATURE .... Température de fonctionnement

OPERATING TIME .... Durée d'utilisation
OPERATING VALVE .... Valve de commande
OPERATING VOLTAGE .... Tension d'alimentation, d'utilisation, de service
OPERATING WEIGHT .... Poids, masse en ordre d'exploitation
OPERATION .... Commande, exploitation, fonctionnement, utilisation, conduite ; opération
OPERATION CENTER .... Centre d'opération
OPERATION OF AIRCRAFT .... Exploitation technique des aéronefs
OPERATION OF FLIGHT .... Déroulement du vol
OPERATION PERSONNEL .... Personnel d'exploitation
OPERATION RANGE .... Zone d'utilisation
OPERATION SCHEDULE .... Programme d'exploitation
OPERATION SHEET .... Gamme de fabrication
OPERATION TEST .... Essai de fonctionnement
OPERATIONS MANUAL .... Manuel d'exploitation
OPERATIONS ROOM .... Salle d'exploitation opérationnelle
OPERATIONAL .... Opérationnel, en état de marche, en fonctionnement
OPERATIONAL CEILING .... Plafond opérationnel, pratique
OPERATIONAL CONTROL .... Contrôle d'exploitation
OPERATIONAL FLEXIBILITY .... Souplesse d'utilisation
OPERATIONAL FLIGHT .... Vol opérationnel
OPERATIONAL FLIGHT PLAN .... Plan de vol exploitation
OPERATIONAL LANDING WEIGHT .... Masse à l'atterrissage en ordre d'exploitation
OPERATIONAL MONITORING .... Surveillance en exploitation
OPERATIONAL RUNWAY .... Piste utilisable
OPERATIONAL SERVICE (to be in) .... Entrer en service
OPERATIONAL STAND .... Poste de stationnement
OPERATIONAL TAKE-OFF WEIGHT .... Masse opérationnelle au décollage
OPERATIONAL TEST .... Essai de fonctionnement
OPERATIONAL ZERO FUEL WEIGHT .... Masse opérationnelle sans carburant
OPERATIVE .... En état de marche, de fonctionner
OPERATOR .... Opérateur, exécutant, utilisateur, exploitant, ouvrier, conducteur
OPINION .... Avis, opinion, jugement
OPPOSE (to) .... Opposer, s'opposer, résister
OPPOSED AIRSCREW .... Hélice bi-rotative
OPPOSED-CYLINDER ENGINE .... Moteur à cylindres opposés
OPPOSED ENGINE .... Moteur en opposition
OPPOSING SPRING .... Ressort antagoniste
OPPOSING TORQUE .... Couple résistant

OPPOSITE DIRECTION .... Direction opposée
OPPOSITE END .... Extrémité opposée
OPPOSITE TRAFFIC .... Trafic en sens inverse
OPTIC .... Optique
OPTIC(AL) FIBER .... Fibre optique
OPTIC FIBER GYROMETER .... Gyromètre à fibre optique
OPTICAL ASSEMBLY .... Assemblage optique
OPTICAL BUS SYSTEM .... Bus optique
OPTICAL CONNECTIONS .... Connexions optiques
OPTICAL ENCODER .... Codeur optique
OPTICAL FILTER .... Filtre optique
OPTICAL HEAD .... Tête optique
OPTICAL PICTURE .... Image optique
OPTICAL PYROMETER .... Pyromètre optique
OPTICAL RANGE .... Portée optique
OPTICAL READER .... Lecteur optique
OPTICAL RELAY .... Relais optique
OPTICAL RESOLUTION .... Résolution optique
OPTICAL SENSOR .... Détecteur optique, senseur optique
OPTICAL SIGHT .... Visée optique
OPTICAL TELESCOPE .... Télescope optique
OPTIMIZATION .... Optimisation
OPTIMIZE (to) .... Optimiser
OPTIMUM .... Optimum, optimal
OPTIMUM SPEED .... Vitesse optimum
OPTION .... Option, choix
OPTION (on) .... (en) option
OPTIONAL .... A votre choix, facultatif, optionnel, en option, équivalent
OPTIONAL CLIMB .... Montée facultative
OPTOCOUPLER .... Coupleur optique, isolation optique
OPTOELECTRONICS (opto-electronics) .... (l') opto-électronique
OPTO-ISOLATOR .... Opto-isolateur, photocoupleur
OPTRONIC EQUIPMENT (system) .... Équipement optronique *(système optronique)*
OPTRONIC FIRE CONTROL .... Conduite de tir optronique
OPTRONIC FIRE SUPPRESSION SYSTEM .... Système optronique de sécurité incendie
OPTRONIC SIGHT .... Nacelle optronique
OPTRONICS .... (l') optronique
ORBIT .... Orbite ; 360 (ATC)
ORBIT (to) .... Mettre en orbite *(satellite)*, faire un 360 *(manœuvre de retardement-ATC)*
ORBIT CONTROL .... Contrôle d'orbite
ORBIT DETERMINATION PLATFORM .... Plate-forme d'orbitographie

ORBIT INJECTION .... Mise en orbite, injection sur orbite
ORBIT INSERTION .... Mise sur orbite
ORBIT VEHICLE .... Véhicule orbital
ORBITAL ALTITUDE .... Altitude de mise en orbite
ORBITAL FLIGHT .... Vol orbital
ORBITAL MANEUVERING SYSTEM ENGINE (OMS) .... Moteur de correction, de manœuvre orbitale, d'orbite
ORBITAL STATION .... Station orbitale, station spatiale sur orbite
ORBITER (orbiter vehicle-OV) .... Vaisseau spatial, planeur hypersonique, station orbitale, étage orbital, orbiteur
ORBITING LABORATORY .... Laboratoire orbital
ORBITING STATION .... Station orbitale
ORDER .... Ordre, commande, instruction
ORDER (to) .... Ordonner, commander, prescrire, ranger, régler
ORDER BOOK .... Carnet de commandes
ORDER FORM .... Bon de commande
ORDER NUMBER .... Numéro de commande
ORDER OF FIRING .... Ordre d'allumage
ORDER STATUS .... Situation des commandes
ORDERED .... Commandé
ORDINANCE LIGHTS .... Consignes passagers
ORDINATE (y-axis) .... Ordonnée *(axe des ordonnées)*
ORGANIC MATTERS (material) .... Matières organiques
ORGANIC PAINT .... Peinture organique
ORGANIZE (to) .... Organiser, aménager
ORIENT (to) .... Orienter
ORIFICE .... Trou, orifice, ouverture, passage
ORIFICE PLATE .... Tôle perforée
ORIFICE ROD .... Aiguille
ORIGINAL CONTOUR .... Contour d'origine
ORIGINAL (DESIGN) DIMENSIONS .... Cotes d'origine, primitives
ORIGINAL DRAWING .... Dessin d'origine
ORIGINAL LOCATION (position) ...... Position, emplacement d'origine
ORIGINAL PART .... Pièce d'origine
ORIGINAL PATTERN .... Modèle d'origine
ORIGINAL POSITION .... Position initiale, d'origine
ORIGINATE (to) .... Prendre naissance, naître, amorcer
ORIGINATOR .... Envoyeur, expéditeur
O'RING ('o'ring, "o"ring) .... Joint torique, circulaire
O'RING GASKET .... Joint torique
O'RING GROOVE .... Gorge, logement de joint o'ring
O'RING PACKING .... Garniture, joint o'ring
OROGRAPHIC CLOUD .... Nuage orographique

ORTHODROMIC PROJECTION .... Projection orthodromique
ORTHODROMIC TRACK (route) .... Route orthodromique
ORTHODROMY .... Orthodromie
OSCILLATE (to) .... Osciller
OSCILLATING COIL .... Bobine oscillatrice, bobinage oscillateur
OSCILLATING CURRENT .... Courant oscillatoire
OSCILLATING LIGHT .... Feu oscillant
OSCILLATION .... Oscillation
OSCILLATOR .... Oscillateur, oscillatrice
OSCILLATORY .... Oscillatoire, oscillante, vibratoire
OSCILLOGRAPH .... Oscillographe
OSCILLOSCOPE .... Oscilloscope
OSCILLOSCOPE TUBE .... Tube cathodique
OTHER .... Autre
OTHERWISE .... Autrement
OTTO CYCLE .... Cycle OTTO *(cycle 4 temps)*
OUT .... Sortie
OUT-AND-RETURN COURSE .... Parcours aller-retour
OUT OF ADJUSTMENT .... Déréglé
OUT OF ALIGNMENT .... Non aligné, déporté, désaligné
OUT-OF-BALANCE .... Déséquilibré, balourd
OUT-OF-BALANCE SHAFT .... Arbre balourdé
OUT OF DATE .... Périmé
OUT OF GEAR .... Débrayé
OUT OF LINE .... Décalé
OUT OF PARALLELISM .... Faux parallélisme
OUT OF PHASE .... Déphasage
OUT OF PITCH .... Décalage
OUT OF RANGE .... Hors de portée
OUT OF REPAIR .... Hors d'usage, irréparable, réformé
OUT OF ROUND .... Ovalisé, excentré, faux rond
OUT OF SERVICE .... Hors d'usage
OUT OF SERVICE HOURS .... Heures d'indisponibilité
OUT OF SQUARE .... Faux équerrage
OUT OF TOLERANCE .... Hors tolérance
OUT OF TRACK .... Voilé *(hélice)*
OUT OF TRIM .... Déséquilibré, déréglé, non compensé
OUT OF TRUE .... Gauchi, gondolé, voilé, faussé, ovalisé, excentré, décentré, ne tournant pas rond
OUT OF USE .... Hors d'usage
OUTAGE .... Interruption de service, panne
OUTBOARD (outer) .... Extérieur, externe
OUTBOARD AILERON .... Aileron extérieur
OUTBOARD FLAP CARRIAGE ASSEMBLY .... Chariot volet externe
OUTBOUND .... Au départ, sortant, en éloignement

OUTBOUND CIRCUIT .... Circuit d'aller
OUTBOUND HEADING .... Cap d'éloignement, route en éloignement d'une station
OUTBOUND LEG .... Branche en éloignement *(d'un circuit d'attente)*
OUTBOUND TRACK .... Axe, trajectoire d'éloignement
OUTDATED .... Périmé, dépassé
OUTER .... Extérieur, externe
OUTER DIAMETER (O.D) .... Diamètre extérieur
OUTER GUIDE VANE .... Aube directrice *(sortie compresseur)*
OUTER MARKER .... Radioborne extérieure (ILS), balise extérieure
OUTER MARKER BEAM .... Radioborne extérieure
OUTER PANEL .... Panneau extérieur
OUTER RACE .... Chemin de roulement extérieur, bague, cage extérieure de roulement
OUTER SPACE .... Espace extra-atmosphérique
OUTER TAXIWAY .... Bretelle, voie de circulation extérieure
OUTFIT .... Équipement, armement, outillage
OUTFIT (to) .... Équiper
OUTFLOW .... Décharge, débit, écoulement, sortie, échappement
OUTFLOW LINE .... Tuyauterie d'évacuation
OUTFLOW TUBE .... Trop-plein
OUTFLOW VALVE .... Vanne de décharge, soupape de débit, vanne d'échappement
OUTGOING (exhaust, velocity) .... Sortant, de sortie
OUTLET .... Orifice, sortie, échappement *(d'air, de gaz)*, décharge, refoulement
OUTLET LINE .... Tuyauterie de sortie, de décharge
OUTLET PORT .... Orifice de sortie, de décharge, d'échappement
OUTLET PRESSURE .... Pression de refoulement, de sortie
OUTLET VELOCITY .... Vitesse de sortie
OUTLINE .... Contour, profil, configuration, silhouette, encombrement
OUTLINE DIMENSIONS .... Cotes d'encombrement
OUTLYING STATION .... Station éloignée
OUTPUT .... Puissance effective, rendement *(d'une machine)*, débit *(d'une pompe de générateur)*, flux, production, sortie, refoulement, émission
OUTPUT CAPACITY .... Débit
OUTPUT FACTOR .... Facteur, coefficient de rendement
OUTPUT FLOW .... Débit
OUTPUT IMPEDANCE .... Impédance de sortie
OUTPUT POWER .... Puissance de sortie
OUTPUT RATE .... Taux de rendement
OUTPUT SHAFT .... Arbre de sortie, prise de mouvement

OUTPUT SIGNAL .... Signal de sortie
OUTPUT TORQUE .... Couple de sortie
OUTPUT VOLTAGE .... Tension de sortie
OUTSIDE .... Extérieur, en dehors, hors de
OUTSIDE AIR TEMPERATURE (OAT) .... Température extérieure
OUTSIDE DIAMETER .... Diamètre extérieur
OUTSPREAD WINGS .... Ailes déployées
OUT-TO-DATE .... Démodé, dépassé
OUT-TO-DATE PASSPORT .... Passeport périmé
OUTWARD(S) .... En, au dehors, vers l'extérieur
OUTWARD JOURNEY .... Voyage aller
OUTWEAR (to) .... User *(complètement),* durer *(plus longtemps)*
OVAL .... Ovale
OVAL-SECTION (fuselage) .... Section ovalisée
OVALITY .... Ovalisation
OVALIZATION .... Ovalisation
OVALIZED .... Ovalisé
OVEN .... Four, étuve
OVEN DRY (to) .... Sécher à l'étuve
OVER .... Sur, dessus, par-dessus
OVER THE FENCE SPEED .... Vitesse au-dessus du seuil de piste
OVER THE WEATHER .... Au-dessus des nuages
OVERALL (over-all) .... Hors-tout, global, total
OVERALL CONDITION .... État général
OVERALL DIMENSIONS .... Encombrement, dimensions hors-tout
OVERALL EFFICIENCY .... Rendement total
OVERALL LENGHT .... Longueur totale, hors-tout, maximum
OVERALL WIDTH .... Largeur hors-tout
OVERBANK (to) .... Virer trop penché, incliner trop l'avion
OVERBOARD DRAIN .... Drain de trop plein
OVERBOARD LINE . Conduite, circuit de drainage, d'évacuation, drain
OVERBOOSTING .... Suralimentation
OVERCAPACITY .... Surcapacité
OVERCAST .... *(ciel)* couvert, couvert avec nuages
OVERCHARGED ...... Charge excessive, excès de charge, en surcharge
OVERCOATING .... Deuxième couche, couche supplémentaire, surépaisseur
OVERCURRENT .... Surintensité
OVERDUE .... En retard *(sur l'horaire)*
OVER-ENGINED .... Sur-motorisé
OVER-EQUIPPED .... Suréquipé
OVEREXCITED .... Surexcité
OVERFEED (to) .... Suralimenter
OVERFEEDING .... Suralimentation
OVERFILL (to) .... Faire déborder

OVERFLIGHT (over-flight) .... Survol
OVERFLIGHT RIGHTS .... Droits de survol *(de territoire)*
OVERFLOW .... Trop-plein, débordement
OVERFLOW (to) .... Déborder
OVERFLOW DRAIN .... Vidange trop-plein
OVERFLOW PIPE .... Drain, déversoir, tuyau de trop-plein, de décharge
OVERFLOW TRAFFIC .... Excédent de trafic
OVERFLOW VALVE .... Valve, robinet de trop-plein
OVERFLOWING .... Débordant, plein à déborder
OVERFLY (to) .... Survoler, voler plus vite que
OVERFUELLED .... Noyé *(moteur)*, suralimenté
OVERFUELLING .... Suralimentation *(en carburant)*
OVERHANG .... Surplomb, porte-à-faux, saillie
OVERHANG (to) .... Surplomber, être en porte-à-faux
OVERHALL .... Révision, remise en état, visite *(pour réparation)*
OVERHAUL LIFE .... Potentiel entre révisions
OVERHAUL LINE .... Chaîne de révision
OVERHAUL MANUAL .... Manuel, notice de révision, de réparation
OVERHAUL WORKSHOP (overhaul shop) .... Atelier de réparation, de révision
OVERHAULED .... Révisé
OVERHAULED ENGINE .... Moteur révisé
OVERHAULER .... Réparateur
OVERHEAD .... Au-dessus de la tête, en haut, en l'air, aérien
OVERHEAD (to) .... être à la verticale de
OVERHEAD-CAM ENGINE .... Moteur à arbre à cames en tête
OVERHEAD-CAM SHAFT .... Arbre à cames en tête
OVERHEAD CLEARANCE .... Hauteur libre
OVERHEAD COMPARTMENT .... Porte-bagages, compartiment de rangement supérieur
OVERHEAD CONVEYOR .... Pont roulant
OVERHEAD HOIST .... Palan sur rail
OVERHEAD LIGHT .... Plafonnier
OVERHEAD LINE .... Ligne aérienne
OVERHEAD PANEL .... Tableau, panneau supérieur *(pilote)*, de plafond
OVERHEAD RACKS .... Porte-bagages
OVERHEAD RAIL .... Pont roulant
OVERHEAD STOWAGE BIN .... Porte-bagages
OVERHEAD-VALVE ENGINE .... Moteur à soupapes en tête
OVERHEAT(ING) .... Surchauffe
OVERHEAT DETECTION .... Détection surchauffe
OVERHEAT DETECTOR .... Détecteur de surchauffe, bilame
OVERHEAT LIGHT .... Voyant, lampe de surchauffe

OVERHEAT PROBE .... Sonde de surchauffe
OVERHEAT SWITCH .... Thermostat
OVERHEAT WARNING SWITCH .... Contacteur de surchauffe
OVERHEAT WARNING SYSTEM .... Avertisseur de surchauffe
OVERHEATING .... Suréchauffement, surchauffe
OVERHUNG .... En porte-à-faux
OVERINFLATE (to .... Surgonfler
OVERINTENSITY .... Surintensité
OVERLAP .... Recouvremant, chevauchement, imbrication
OVERLAP (to) .... *(faire)* chevaucher, recouvrir, dépasser
OVERLAPPING .... Recouvrement, chevauchement
OVERLAY .... 2e couche, recouvrement
OVERLAY (to) .... Recouvrir, couvrir, enduire
OVERLEAD RELAY .... Relais à maxima d'intensité
OVERLOAD .... Surcharge
OVER-MODULATION .... Sur-modulation
OVERPOWER (to) .... Fournir une puissance excessive *(à un engin)*, surmotoriser
OVERPRESSURE .... Surpression, pression excessive
OVERPRESSURE SHUTOFF VALVE .... Clapet de surpression
OVERPRESSURE TEST .... Essai de surpression
OVERQUALIFIED .... Surqualifié
OVERRANGE .... Dépassement de gamme
OVERRIDE (to) .... Accélérer, survolter, augmenter, by-passer, shunter, effacer, outrepasser, annuler
OVERRIDE DEVICE .... Dispositif antagoniste
OVERRIDE HANDLE .... Poignée de commande manuelle
OVERRIDE MECHANISM .... Mécanisme de surpassement
OVERRIDE PUMP .... Pompe de secours
OVERRIDE SWITCH .... Interrupteur de bypass
OVERRIDE TRIGGER .... Gâchette de surpassement, détente
OVERRUN (over-run) .... Dépassement, prolongement d'arrêt, sortie en bout de piste, engorgement
OVERRUN (to) .... Dépasser *(une intersection)*, dépasser le bout de piste ; emballer un moteur
OVERRUN ERROR .... Erreur de cadence
OVERSEAS .... Outre-mer
OVERSEAS FLIGHT PLAN .... Plan de vol outre-mer
OVERSEAS LINK .... Liaison outre-mer
OVERSEAS TRAVEL .... Vol transocéanique
OVERSHOE (rubber) . Dégivreur de bord d'attaque *(caoutchouc)*, tablier
OVERSHOOT .... Surtension, remise des gaz
OVERSHOOT (to) .... Atterrir trop long, dépasser, déborder, remettre les gaz
OVERSHOOT LANDING (overshooting) .... Atterrissage trop long

OVERSHOOTING .... Surmodulation
OVERSIZE .... Cote réparation, surépaisseur, dimension au-dessus de la cote, surcote, sur-dimension, surdiamétrage
OVERSIZE DIMENSION .... Surcote, sur-dimension
OVERSIZE STUD .... Goujon surdimensionné, cote réparation
OVERSIZED .... Surdimensionné, hors format
OVERSIZED BUSHING .... Bague cote réparation
OVERSPEED(ING) .... Survitesse, surrégime, emballement
OVERSPEED CONTROL UNIT .... Régulateur de survitesse
OVERSPEED GOVERNOR .... Limiteur, régulateur de survitesse
OVERSPEED LIMITER .... Limiteur de survitesse
OVERSPEED RELAY .... Relais de survitesse
OVERSPEED WARNING .... Avertisseur de vitesse excessive, de survitesse
OVERSPILL LINE .... Conduit de trop-plein
OVERSPREAD (to) .... Couvrir, s'étendre, se répandre
OVERSTRESS .... Surcharge
OVERSTRESS (to) .... Surcharger
OVERTAKE (to) .... Rattraper, doubler, dépasser, gagner de vitesse
OVERTEMPERATURE .... Température excessive, surchauffe, suréchauffement
OVERTEMPERATURE LIMITER .... Régulateur thermique
OVERTEMPERATURE SWITCH .... Interrupteur de surchauffe
OVERTHROW (to) .... Renverser
OVERTIGHTEN WIRE .... Fil bandé
OVERTIME .... Heures supplémentaires *(de travail)*
OVERTONE .... Harmonique
OVERTORQUE .... Surcouple
OVERTRAVEL ...... Dépassement, jeu, garde, marge, course résiduelle
OVERTURN (to) .... (se) renverser, basculer, chavirer, capoter, foirer *(vis)*
OVERVALUE (to) .... Surestimer, surévaluer
OVERVOLTAGE .... Surtension, survoltage
OVERVOLTAGE RELAY .... Relais de surtension
OVERWATER FLIGHT .... Vol au-dessus de l'eau
OVERWATER ROUTES .... Lignes transocéaniques
OVERWEIGHT .... (en) surcharge, surchargé, surpoids, excédent
OVERWEIGHT LANDING .... Atterrissage en surcharge
OVERWHELM (to) .... Ensevelir, submerger
OVERWING EXITS .... Issues d'évacuation sur les ailes
OVERWING FILL PORTS .... Orifices de remplissage extrados
OVERWING FILLER PORTS .... Orifices de remplissage, d'avitaillement extrados, par gravité
OVERWING WINDOW EXIT ...... Issue de secours *(accès extrados aile)*

OVIFORM, OVOID .... Ovoïde
OWN .... Propre
OWN (to) .... Posséder
OWNERSHIP COST .... Coût en utilisation
OXIDANT .... Oxydant, comburant
OXIDATION .... Oxydation
OXIDE .... Oxyde
OXIDED (oxidized) .... Oxydé
OXIDIZATION (oxidizing) .... Oxydation, calcination
OXIDIZE (to) .... Oxyder
OXIDIZED .... Oxydé
OXIDIZER .... Oxydant, comburant
OXIDIZER-TO-FUEL MIXTURE RATIO .... Rapport de mélange comburant-carburant
OXY-ACETYLENE .... Oxy-acétylénique
OXY-ACETYLENE WELDING .... Soudure, soudage, oxy-acétylénique, autogène, oxy-soudage
OXYGEN .... Oxygène
OXYGEN BOTTLE (cylinder) .... Bouteille d'oxygène
OXYGEN BREATHING MASK .... Masque inhalateur d'oxygène
OXYGEN DISPENSER .... Équipement distributeur d'oxygène
OXYGEN FLOW INDICATOR .... Indicateur de débit d'oxygène
OXYGEN MASK .... Masque à oxygène, inhalateur d'oxygène
OXYGEN PRESSURE INDICATOR .... Indicateur de pression oxygène
OXYGEN PRESSURE REDUCING REGULATOR .... Régulateur détendeur de pression oxygène
OXYGEN REGULATOR .... Régulateur d'oxygène
OXYGEN SUPPLY .... Alimentation en oxygène
OXYWELDING .... Soudure autogène
OZONE .... Ozone
OZONE CONVERTER (catalytic) .... Convertisseur *(catalytique)* d'ozone
OZONE LAYER .... Couche d'ozone

P

PACE .... Pas, allure, vitesse
PACK .... Paquet, paquetage, emballage ; groupe de réfrigération
PACK (to) .... Emballer, empaqueter, tasser, serrer, bourrer, caler, étouper, garnir
PACK AUTO/MANUAL SWITCH .... Poussoir de commande automatique/manuel de groupe
PACK CLOTH .... Toile d'emballage
PACK COOLING FAN .... Ventilateur de refroidissement de groupe
PACK WITH GREASE (to) .... Garnir de graisse
PACKAGE .... (em)paquetage, emballage, paquet, colis, ensemble ; ensemble propulsif ; bloc logique, boîtier
PACKAGED .... Emballé, conditionné
PACKAGING .... Colisage
PACKBOARD (slide/raft) .... Logement emballage *(toboggan/canot)*
PACKED .... Emballé
PACKED WITH .... Garni, rempli, bourré de
PACKER .... Emballeur
PACKING .... Garniture *(de joint, de presse-étoupe),* presse-étoupe, joint caoutchouc, emballage, empaquetage, tassement
PACKING BOLT .... Boulon de serrage
PACKING CASE .... Caisse d'emballage
PACKING GLAND .... Gland de presse-étoupe, presse-étoupe
PACKING GLAND FLANGE .... Bride de presse-étoupe
PACKING GROOVE .... Logement de joint
PACKING LIST .... Bordereau d'expédition, liste de colisage
PACKING NUT .... Écrou de presse-étoupe
PACKING O'RING .... Joint o'ring, joint torique
PACKING RETAINER .... Porte-garniture
PACKING RING .... Rondelle, bague, garniture, segment, garniture de presse-étoupe, joint torique
PACKING SLIP (packing sheet) .... Bordereau d'expédition
PACKING STRIP .... Cale d'épaisseur
PACKING WASHER .... Bague de presse-étoupe
PAD (padding) .... Patin, tampon, rembourrage, coussinet, bourre, bourrelet, rondelle caoutchouc, patte, bride, semelle, support, amortisseur ; aire de tir, de lancement, pas de tir, surface renforcée
PAD (brakes) .... Garniture *(freins)*
PADDED .... Rembourré, capitonné, matelassé

PADDED CRADLE .... Bâti rembourré, berceau support
PADDER .... Condensateur d'alignement en série
PADDING .... Rembourrage, matelassage, garniture, garnissage, marouflage, remplissage
PADDLE .... Aube, pale, palette
PADDLE SWITCH .... Inverseur à palette
PADLOCK .... Cadenas
PAGE (to) .... Numéroter *(les feuilles)*, paginer *(un livre)*, mettre en page
PAGES REVISED, ADDED or DELETED .... Pages révisées, ajoutées ou annulées
PAGINATE (to) .... Paginer, folioter
PAGING .... Pagination
PAIL .... Seau
PAINT .... Peinture
PAINT (to) .... Peindre, enduire de peinture, badigeonner
PAINT BRUSH .... Pinceau
PAINT LAYER .... Couche de peinture
PAINT REMOVER .... Décapant peinture
PAINT SHOP .... Atelier de peinture
PAINT-SPRAYER .... Pistolet à peindre, pulvérisateur
PAINT STRIPPING (stripper) .... Décapage peinture *(décapant)*
PAINTED .... Peint
PAINTED AREA .... Zone peinte
PAINTER .... Peintre
PAINTING .... Peinture
PAIR .... Paire
PAIRED .... Apairé, accouplé, jumelé
PAIRS (in) .... Deux à deux
PALLET .... Palette *(de chargement)*, plate-forme de manutention
PALLET LOCK (brake) .... Verrou de palette *(frein)*
PALLET TRUCK .... Transpalette
PALLETIZATION=PALLETISATION .... Palettisation
PALLETIZE (to)=palletise (to) .... Palletiser
PALLETIZED .... Palettisé, sur palettes
PALLETIZATION .... Palettisation
PALNUT (type of locknut) .... Contre-écrou
PAN .... Bac, cuvette, carter
PAN HEAD SCREW .... Vis à tête plate, vis BER
PANCAKE (to) .... Asseoir l'appareil, (se) plaquer *(au sol)*, plaquer l'avion à l'atterrissage
PANCAKE LANDING .... Atterrissage sur le ventre, brutal, très court, plaqué
PANCHROMATIC MODE .... Mode panchromatique

PANE .... Panneau, carreau, vitre
PANE RABBET .... Feuillure de glace
PANEL (instrument panel) .... Panneau, tableau, toile *(tableau, planche de bord)*
PANEL COMPASS .... Compas de tableau
PANEL CUTTER .... Cisailles à toile
PANEL LAMP (illuminator) .... Lampe de bord, d'éclairage du tableau de bord
PANIC .... Panique, terreur, affolement
PANTRY (galley) .... Office de bord
PAPER .... Papier
PAPER (to) .... Tapisser
PAPER CUP .... Gobelet en carton
PAPER SEAL (gasket) .... Joint de papier
PAPER WASHER .... Rondelle de papier
PARABOLIC ANTENNA .... Antenne parabolique
PARABOLIC DISH .... Réflecteur parabolique
PARABOLIC REFLECTOR .... Réflecteur parabolique
PARABOLOID .... Paraboloïde
PARABRAKE .... Parachute de freinage
PARACHUTE .... Parachute
PARACHUTE FLARES .... Fusées éclairantes
PARACHUTE JUMP .... Saut en parachute
PARACHUTE TOWER .... Tour à parachute
PARACHUTING .... Parachutisme
PARACHUTING CHAMPIONSHIP .... Championnat de parachutisme
PARADROP AREA .... Aire, zone de parachutage
PARADROPPING .... Parachutage, largage de parachutistes
PARAFFIN (wax) .... Pétrole, paraffine
PARAFFIN OIL (kerosene) .... Pétrole *(lampant)*, kérosène, huile de paraffine, de vaseline
PARAFOIL, PARACHUTE .... Parachute
PARALLAX ERROR .... Erreur de parallaxe
PARALLEL .... Parallèle
PARALLEL LINES .... Lignes parallèles,//
PARALLEL MOUNTING (connection) .... Montage en parallèle
PARALLEL PLANES .... Plans parallèles
PARALLELED GENERATORS .... Générateurs couplés en parallèle
PARALLELING BUS .... Bus de couplage
PARALLELISM .... Parallélisme
PARALLELOGRAM OF FORCES .... Parallélogramme des forces
PARAMAGNETISM .... Paramagnétisme
PARAMETER .... Paramètre
PARAPHASE AMPLIFIER .... Amplificateur déphaseur
PARASITE .... Parasite

PARASITE DRAG .... Traînée parasite
PARASITIC DRAG .... Traînée de forme, parasite, résistance passive
PARASUIT .... Combinaison parachute
PARATROOP-DROPPING .... Parachutage de troupes
PARATROOPS .... Troupes de parachutistes, parachutées
PARCOLUBRITED .... Parcolubrité
PARENT METAL (material) .... Métal d'origine, de base
PARK (to) .... Parquer, garer, stationner
PARKED AIRCRAFT .... Avion au parking, en stationnement
PARKER SCREW .... Vis parker, vis auto-perceuse
PARKERIZING (parkerization) .... Parkérisation
PARKERIZE (to) .... Parkériser
PARKING .... Parking, stationnement
PARKING APRON .... Aire de stationnement
PARKING AREA .... Aire, zone de garage, de stationnement
PARKING BRAKE HANDLE .... Commande manuelle de frein de parc
PARKING BRAKE LIGHT (red plastic cover) .... Lampe témoin frein de parc
PARKING BRAKES .... Freins de parc, de stationnement
PARKING CHARGE .... Redevance de stationnement
PARKING INTERVAL .... Espacement des avions en stationnement
PARKING LIGHT .... Feux de position, de stationnement
PARKING ORBIT .... Orbite de parking, d'attente
PARKING RAMP .... Aire de stationnement
PARSEC (astronomy) .... Parsec *(unité de distance pc)*
PART .... Partie, élément, morceau, organe, pièce, composant
PART (to) .... Partager, séparer en deux, diviser, rompre *(câble)*, céder, diverger
PART LIST .... Nomenclature *(des pièces)*
PART MARKING .... Marquage, repérage des pièces
PART NUMBER (P.N) .... Numéro de pièce, référence pièce
PART OFF (to) .... Séparer
PART POWER .... Poussée partielle
PART POWER TRIM STOP .... Butée réglage poussée partielle
PARTIAL OVERHAUL .... Révision partielle
PARTIAL REPAINTING .... Retouche peinture
PARTIALLY DAMAGED .... Partiellement endommagé
PARTICLE .... Particule, paillette
PARTICULAR .... Particulier, spécial
PARTING .... Séparation
PARTING AGENT .... Agent séparateur, de démoulage
PARTING LINE .... Plan de joint
PARTING-OFF .... Tronçonnage
PARTING-OFF BLADE .... Lame à tronçonner

PARTING STRIP .... Bande de séparation
PARTING TOOL .... Outil à saigner
PARTITION .... Séparation, partage, cloisonnement, cloison *(de séparation),* compartiment
PARTITIONNED .... Cloisonné
PARTNER .... Associé, partenaire
PARTNERSHIP (in) .... (en) collaboration, (en) association
PARTS CATALOG(UE) .... Catalogue des pièces détachées
PARTS LIST .... Nomenclature des pièces
PARTS POOL .... Mise en commun d'articles, pool d'articles
PARTS PRICE LIST (spare) .... Liste des prix des pièces *(détachées)*
PARTS SHORTAGE REMOVAL .... Dépose pour cannibalisation
PARTS WEAR .... Usure des pièces
PARTY .... Équipe, atelier *(d'ouvriers),* groupe de personnes
PARTY LINE .... Ligne partagée
PASS .... Passe *(d'outil, de soudure)* ; billet gratuit, carte de transport
PASS-BAND (filter) .... Bande passante
PASS THROUGH (to) .... Traverser
PASSAGE .... Passage, orifice, conduit, canalisation
PASSAGEWAY .... Passage, couloir, passerelle
PASSENGER .... Passager, voyageur
PASSENGER ADDRESS AMPLIFIER ... Ampli pour les communications aux passagers
PASSENGER ADDRESS MODULE .... Module de communications aux passagers
PASSENGER ADDRESS SYSTEM .... Système de sonorisation
PASSENGER AIRCRAFT .... Avion de transport de passagers
PASSENGER BOARDING LIST .... Liste passagers à bord
PASSENGER BRIDGE .... Passerelle téléscopique
PASSENGER CABIN CLOSETS AND STOWAGE COMPARTMENT .... Vestiaires et placards de rangement cabine passagers
PASSENGER CABIN EQUIPMENT .... Équipement cabine pax
PASSENGER CABIN PARTITION .... Cloison de cabine pax
PASSENGER CABIN TEMPERATURE SENSOR .... Détecteur de température cabine
PASSENGER CABIN WINDOW .... Hublot cabine
PASSENGER CAPACITY .... Capacité de transport de passagers
PASSENGER/CARGO VERSION ... Version mixte, à aménagement mixte passagers/cargo
PASSENGER CHANNEL .... Circuit d'acheminement des passagers
PASSENGER COACH .... Car passagers
PASSENGER COMPARTMENT (cabin) .... Cabine passagers
PASSENGER DOOR .... Porte passagers

PASSENGER/FREIGHT VERSION .... Version mixte
PASSENGER GATE .... Porte d'embarquement, d'arrivée, de stationnement
PASSENGER-KILOMETER .... Passager-kilomètre
PASSENGER LOAD FACTOR .... Coefficient de remplissage passagers, d'occupation des sièges
PASSENGER LOADING DOOR .... Porte d'embarquement passagers
PASSENGER MANIFEST (list) .... Liste des passagers, manifeste de passagers
PASSENGER-MILE .... Passager-mille
PASSENGER NOTICE SYSTEM .... Consignes passagers
PASSENGER READING LIGHT .... Liseuse passager
PASSENGER SAFETY BELT .... Ceinture sécurité passager
PASSENGER SEAT .... Siège, fauteuil passager
PASSENGER SERVICE UNIT (P.S.U) .... Bloc service passagers
PASSENGER SIGNS .... Consignes passagers
PASSENGER STAIRWAY .... Escalier passagers
PASSENGER STEP .... Escabeau mobile passagers
PASSENGER TERMINAL .... Aérogare passagers
PASSENGER TRAFFIC .... Trafic passagers
PASSENGER TRANSPORT .... Transport de passagers
PASSENGER WARNING SIGN .... Signal lumineux passagers
PASSENGERS CARRIED .... Passagers transportés
PASSIVATE (to) .... Passiver
PASSIVATING .... Passivation
PASSIVATING SOLUTION .... Solution passivante, bain de passivation
PASSIVATION .... Passivation, oxygénation
PASSIVE CIRCUIT .... Circuit passif
PASSPORT .... Passeport
PAST .... Passé, ancien, au-delà de
PASTE .... Pâte
PASTE BRUSH .... Pinceau à colle
PATCH .... Pièce rapportée, ajout, renfort, pièce d'apport, de remplissage, plaque *(de verglas)*, nappe *(de brouillard)*
PATCH (to) .... Rapporter, renforcer, raccorder
PATCHBOARD .... Tableau de connexions
PATCHING FABRIC .... Toile d'empiècement
PATCHPLUG .... Connecteur, fiche de connexion
PATENT .... Brevet
PATENT (to) .... Faire breveter *(une invention)*
PATENTEE .... Breveté
PATH .... Ligne de vol, trajectoire, trajet, course, parcours, chemin, cheminement, circuit, passage
PATH COURSE SIGNALS .... Signaux d'alignements de piste

PATHFINDER .... Orienteur-marqueur *(parachutisme)*
PATROL .... Patrouille
PATROL AIRCRAFT .... Avion de patrouille, de surveillance, patrouilleur, avion-patrouilleur
PATTERN .... Modèle, configuration, circuit, trace, type, dessin, tableau, forme, diagramme, gabarit, schéma, structure, patron
PATTERN GENERATOR .... Générateur de données
PATTERN MAKER .... Modeleur
PATTERN MAKING .... Modelage
PATTERN SHOP .... Atelier de modelage
PAULIN (tarpaulin) .... Bâche imperméable
PAVED RUNWAY .... Piste en dur
PAVED SURFACE (paving, pavement) ..... Surface, revêtement en dur
PAVEMENT .... Chaussée, revêtement
PAWL .... Crabot, cliquet, doigt d'encliquetage, patte, linguet
PAWL COUPLING .... Accouplement à cliquet
PAWL SPRING .... Ressort de cliquet
PAX CABIN WINDOW .... Hublot cabine pax
PAY .... Paye, salaire, traitement, solde
PAY OUT (to) .... Dérouler *(câble, bande)*
PAYLOAD .... Charge marchande, charge payante, charge utile, charge commerciale
PAYLOAD AVAILABLE .... Charge offerte
PAYLOAD BAY .... Soute de charge utile
PAYLOAD CAPACITY .... Capacité marchande
PAYMENT .... Paiement, versement, règlement
PEA-SOUP .... Brouillard à couper au couteau
PEACEFUL RIDE .... Vol silencieux
PEAK .... Pointe, pic, crête, saillie, sommet, maximum
PEAK CLIPPING .... Écrêtage *(radio)*
PEAK CURRENT .... Courant de pointe
PEAK HOURS .... Heures de grande affluence, de pointe
PEAK INDICATOR .... Indicateur de valeur *(de crête)*
PEAK LOAD .... Charge de pointe, maximum
PEAK NOISE .... Niveau de bruit maxi
PEAK POINT .... Maximum
PEAK POWER .... Puissance de crête (KW), de pointe
PEAK PRESSURE .... Pression plateau
PEAK SPEED .... Vitesse de pointe
PEAK TEMPERATURE .... Température de pointe, maximale
PEAK-TO-PEAK DEFLECTION VOLTAGE .... Tension de déviation crête à crête
PEAK-TO-VALLEY RATIO .... Rapport d'amplitude
PEAK TRANSMITTING POWER .... Puissance de crête

PEAK VALUE .... Valeur de pointe, maxima *(de crête)*
PEAK VOLTAGE .... Tension de crête
PEANUT FARES (cut-fare flight) .... Tarifs réduits
PEARL .... Perle
PEDAL .... Pédale
PEDAL SHAKER .... Agitateur, branleur de palonnier
PEDESTAL .... Pupitre, pylône, support, piédestal, socle, pied support ; impulsion d'effacement (TV)
PEEL .... Pelure, peau, épluchure, écorce, écaille
PEEL (to) .... Peler, éplucher, écailler, dérouler
PEEL OUT (to) .... Défeuiller, enlever des cales *(cales pelables)*
PEEL SHIM .... Cale lamellée
PEELING .... Écorçage, lamellage, décollement
PEELING TOOL .... Outil à raboter, rabot
PEEN .... Panne de marteau
PEEN (to) .... Marteler, mater
PEENING .... Martelage, matage
PEENING INTENSITY .... Intensité de grenaillage *(flèche éprouvette almen)*
PEEP HOLE (door) .... Trou de regard *(volet)*
PEG .... Ergot, goupille, cheville, clavette, pion, têton, fiche
PEG (to) .... Cheviller, fixer, régler, placer, marquer
PELLICLE .... Pellicule, membrane
PEN .... Plume
PENCIL .... Crayon
PENDULOUS .... Pendant, balançant, oscillant, pendulaire
PENDULOUS MOVEMENT .... Mouvement pendulaire
PENDULUM .... Pendule, balancier
PENETRANT EXAMINE PER .... Ressuage suivant
PENETRANT CHECK (to perform) .... Procéder à une recherche de crique par ressuage, par procédé pénétrant
PENETRANT DYE .... Pénétrant *(colorant)*
PENETRANT INSPECT .... Ressuage *(recherche de crique par)*
PENETRANT PROCESS .... Procédé pénétrant
PENETRANT REMOVAL .... Enlèvement du pénétrant *(émulsifiant + rinçage)*
PENETRANT REMOVER .... Diluant
PENETRATE (to) .... Pénétrer, (s') introduire, percer, traverser
PENETRATING LUBRICANT .... Dégrippant
PENETRATION SPEED (low-level) .... Vitesse de pénétration *(à basse altitude)*
PENETRATOR .... Avion de pénétration *(chasseur)*
PENNANT .... Flamme
PENTAMETER .... Pentamètre
PENTAVALENT .... Pentavalent

PENTODE .... Pentode
PER .... Suivant, par
PERCEIVED NOISE LEVEL .... Niveau de bruit perçu
PERCENTAGE .... Pourcentage, %
PERCENTILE .... Percentile
PERCUSSION .... Percution, choc
PERCUSSION PRESS .... Presse à frapper
PERFECT (to) .... Achever, parfaire
PERFECT GAS EQUATION .... Équation des gaz parfaits
PERFECT VACUUM .... Vide parfait
PERFORATE (to) .... Perforer, percer, transpercer
PERFORATED .... Perforé, percé
PERFORATING MACHINE .... Machine à percer, perforeuse
PERFORATION .... Perforation, perçage
PERFORATOR .... Perforatrice
PERFORM (to) ...... Procéder, accomplir, exécuter, effectuer, assumer
PERFORM TEST (to) .... Faire un essai
PERFORMANCE .... Performance, accomplissement, acte, exploit, résultat ; marche, fonctionnement ; rendement
PERFORMANCE ANALYSIS .... Analyse des performances
PERFORMANCE DATA .... Performances
PERFORMANCE DATA COMPUTER SYSTEM (PDCS) .... Calculateur d'optimisation des performances
PERFORMANCE MANAGEMENT SYSTEM (PMS) .... Calculateur de performances
PERFORMANCE RATING CURVE Courbe des performances, des perfos
PERFORMANCES TESTS .... Essais de performances
PERIASTRON .... Périastre *(mécanique céleste)*
PERIGEE .... Périgée
PERIGEE MOTOR .... Moteur de périgée
PERIOD .... Période, durée, délai
PERIOD LIGHT .... Feu périodique
PERIOD OF OSCILLATION .... Période d'oscillation
PERIODIC .... Périodique
PERIODIC INSPECTION .... Vérification, contrôle périodique
PERIODICAL CHECK .... Contrôle périodique
PERIPHERAL SPEED .... Vitesse périphérique, circonférentielle
PERIPHERAL STATION .... Station périphérique
PERISCOPE .... Périscope
PERISCOPIC SEXTANT .... Sextant périscopique
PERISH (to) .... Périr, détériorer
PERISHABLE AIR FREIGHT .... Marchandises, denrées périssables
PERMANENT DISTORSION .... Déformation permanente
PERMANENT ECHO .... Écho fixe
PERMANENT LEAK .... Fuite permanente

PERMANENT LOAD .... Charge permanente
PERMANENT MAGNET .... Aimant permanent
PERMANENT POSITION .... Position stable
PERMANENT REPAIR .... Réparation définitive
PERMANENT SET .... Déformation, jeu permanent
PERMEABILITY (constant) .... Perméabilité *(constante de)*
PERMISSIBLE .... Tolérable, permis, admissible
PERMISSIBLE LIMITS .... Limites tolérées, tolérances
PERMITIVITY .... Constante diélectrique
PERMITTED .... Autorisé, toléré, permis
PEROXIDE .... Péroxyde
PERPENDICULAIRE .... Perpendiculaire, normal
PERPETUAL .... Perpétuel, sans fin
PERPEX .... Plexiglace
PERSONNEL (flying) .... Personnel navigant
PERSONNEL LICENSING .... Licences du personnel, délivrance des licences au personnel
PERSONNEL MANAGER .... Chef du personnel
PERSPECTIVE VIEW .... Vue en perspective
PERTURB (to) .... Troubler, perturber
PERTURBATION .... Perturbation
PERVIOUS .... Perméable *(à l'eau)*
PETCOCK .... Robinet *(de vidange, de décharge)*
PETROL .... Essence
PETROL CAN .... Bidon d'essence
PETROL ENGINE .... Moteur à essence
PETROL-LORRY .... Camion-citerne
PETROL PUMP .... Pompe à essence
PETROLATUM (vaseline) .... Vaseline de pétrole, vaseline neutre
PETROLEUM .... Pétrole, vaseline
PETROLEUM JELLY (petrolatum) .... Vaseline
PETROLEUM SPIRIT .... Éther de pétrole
PH PAPER .... Papier PH, papier indicateur PH
PHANTOM (to) .... Combiner
PHANTOM VIEW .... Écorché
PHASE .... Phase
PHASE ADAPTER .... Adaptateur de phase
PHASE ANGLE .... Angle de phase
PHASE CIRCUIT .... Circuit de mise en phase
PHASE DIFFERENCE .... Déphasage
PHASE DISCRIMINATOR .... Discriminateur de phase
PHASE DISTORSION .... Distorsion de phase
PHASE IN (to) .... Mettre en place progressivement *(de nouveaux équipements)*
PHASE INVERTER .... Inverseur de phase

PHASE JITTER .... Gigue de phase
PHASE LAG .... Retard de phase
PHASE LEAD .... Avance de phase
PHASE METER .... Phasemètre
PHASE MODULATION .... Modulation de phase
PHASE OUT (to) .... Retirer, éliminer progressivement *(de vieux équipements)*
PHASE SEQUENCE RELAY .... Relais d'ordre de phase
PHASE SHIFT .... Déphasage, décalage, glissement de phase
PHASED ARRAY .... Réseau en phase
PHASED IGNITON .... Allumage séquentiel
PHASING RESISTOR .... Résistance de mise en phase
PHENOLIC RESIN .... Résine de phénol, résine phénolique
PHENOMENON .... Phénomène
PHILLIPS HEAD (recess) .... Tête cruciforme ⊕, vis cruciforme empreinte phillips
PHILLIPS-HEAD SCREWDRIVER .... Tournevis cruciforme
PHILLIPS SCREW .... Vis cruciforme
PHONE .... Téléphone
PHONE BOX .... Cabine téléphonique
PHONE CALL .... Appel téléphonique
PHOSPHATE (to) .... Phosphater *(un métal)*
PHOSPHATE COATED .... Phosphaté
PHOSPHATING (hot, cold) .... Phosphatation *(à chaud, à froid)*
PHOSPHATING TREATMENT (phosphate treatment) ..... Phosphatation
PHOSPHORIC ACID .... Acide phosphorique
PHOSPHOROUS .... Phosphoreux
PHOTO-CONDUCTIVE .... Photo-conducteur
PHOTO-ELECTRIC CELL .... Cellule photo-électrique, photocellule
PHOTO-ENGRAVING .... Photogravure
PHOTO-MAPPER .... Aérophotogrammétrie
PHOTO RESISTOR .... Résistance photo-électrique
PHOTO TRANSISTOR(S) .... Phototransistor(s)
PHOTOCATHODE .... Photocathode
PHOTOCELL-PHOTOELECTRIC CELL .... Cellule photo-électrique ; photopile
PHOTOCOPY .... Photocopie
PHOTODIODE (photo diode) .... Photodiode
PHOTODIODE RECEIVER .... Récepteur à photodiodes
PHOTOEMISSIVE .... Photoémetteur, photoélectrique
PHOTOGRAMMETRY .... Photogrammétrie
PHOTOGRAPH .... (une) photographie
PHOTOGRAPHER .... Photographe
PHOTOGRAPHIC RECORDER .... Enregistreur photographique
PHOTOGRAPHY .... (la) photographie, prise de vues

PHOTOMETER .... Photomètre, contrôleur de fluorescence en lux ou foot-candle *(à cellule photoélectrique)*
PHOTOMETRIC SERVOCELL .. Cellule d'asservissement photométrique
PHOTOMETRY .... Photométrie
PHOTON .... Photon
PHOTOSENSITIVE .... Photosensible
PHOTOSYNTHESIS .... Photosynthèse
PHOTOTUBE .... Phototube
PHOTOVOLTAIC POWER GENERATION (photovoltaic generator) .... Générateur photovoltaïque
PHYSICAL .... Physique
PHYSICAL CONDITION .... État physique
PHYSICAL PROPERTY .... Propriété physique
PHYSICAL TEST .... Essai mécanique
PHYSICIST .... Physicien
PHYSICS .... (la) physique
PIANO TYPE HINGE .... Corde à piano *(charnière)*
PIANO WIRE .... Corde à piano
PICK .... Pioche, pic
PICKAXE .... Pioche
PICK-HAMMER .... Marteau à pointe
PICK-OFF .... Capteur, détecteur
PICK-UP .... Capteur, prise, reprise *(du moteur)* ; arrachement
PICK-UP (to) .... Prélever, capter, ramasser, piquer, prendre, entasser, empiler, reprendre, repérer *(un avion),* capter *(des ondes, une station),* s'arranger *(temps, météo)*
PICK-UP COIL .... Bobine exploratrice
PICK-UP GEAR .... Pignon à ergot
PICK-UP LEVER .... Levier de reprise
PICK-UP SELECTOR .... Sélecteur de détecteur
PICK-UP SPEED (to) .... Prendre de la vitesse
PICK-UP, VIBRATION .... Détecteur de vibration
PICKET .... Piquet
PICKET POINTS .... Points d'amarrage *(avion)*
PICKETING EYE .... Anneau d'amarrage
PICKETING SHACKLE .... Anse de levage
PICKING UP .... Accrochage
PICKLE .... Solution de décapage
PICKLE (to) .... Décaper
PICKLING .... Décapage *(à l'acide)*
PICTOGRAPH .... Pictogramme
PICTORIAL COMPUTER .... Traceur de route
PICTURE .... Image, figure
PICTURE TUBE .... Tube image

PIECE .... Pièce, morceau, fragment, partie *(d'une machine)*
PIECE OF CORD .... Morceau de ficelle
PIERCE (to) .... Percer, transpercer, pénétrer, perforer
PIERCED PLANK .... Tôle percée, grille
PIERCING SHELL .... Obus perforant
PIEZOELECTRIC SENSOR .... Capteur piézoélectrique
PIG .... Gueuse *(fonte)*
PIG IRON .... Fonte brute, fer en gueuse
PIGMENTED VARNISH .... Vernis coloré
PIGTAIL .... Extrémité en corde, en tire-bouchon, en spirale, en queue de cochon, torsade, boucle, jonction, connexion tressée
PILE .... Pieu
PILLAR .... Colonne, pilier, montant
PILLOW .... Coussin, coussinet
PILLOW BLOCK .... Palier ordinaire
PILLOW-CASE .... Taie d'oreiller *(passagers)*
PILOT (airline pilot) .... Pilote *(pilote de ligne)*, aviateur, témoin, ergot
PILOT (to) .... Piloter, mener, conduire
PILOT BUSHING .... Bague pilote, guide
PILOT-CAPTAIN .... Pilote commandant de bord
PILOT COMPLAINTS .... Plainte équipage, rapport pilote
PILOT-CONTROLLER SYSTEM .... Système de communications pilotes-contrôleurs
PILOT FACTORY .... Usine pilote
PILOT HOLE .... Avant-trou
PILOT-FLAME (bulb) .... Veilleuse
PILOT-IN-COMMAND .... Pilote commandant de bord, chef de bord
PILOT INDUCED OSCILLATION (PIO) .... Pompage piloté
PILOT-JET .... Gicleur de ralenti
PILOT LIGHT (lamp) .... Lampe pilote, témoin, voyant de fonctionnement
PILOT LINE .... Ligne pilote, tuyauterie pilote
PILOT NEEDLE .... Aiguille de ralenti
PILOT NIGHT VISION SYSTEM (PNVS) .... Aide au pilotage de nuit
PILOT-OPERATED .... Commandé par pilote
PILOT OVERHEAD PANEL .... Panneau supérieur pilote
PILOT PISTON .... Piston pilote
PILOT-PLANT (factory) .... Usine pilote
PILOT PRESSURE .... Pression pilote
PILOT RELAY .... Relais pilote
PILOT SAFETY HARNESS .... Bretelle, harnais pilote
PILOT'S CHAIR .... Fauteuil, siège pilote
PILOT'S COCKPIT .... Poste de pilotage

PILOT'S CONTROL COLUMN .... Manche pilote
PILOT'S INSTRUMENT PANEL .... Planche de bord
PILOT'S INSTRUMENTATION PANEL .... Planche de bord
PILOT'S LIGHTSHIELD .... Auvent pilote
PILOT'S MAIN INSTRUMENT PANEL .... Tableau de bord principal
PILOT'S PANEL .... Planche, panneau pilote
PILOT'S SEAT .... Siège du pilote
PILOT'S SEAT HARNESS .... Harnais, bretelle siège pilote
PILOT'S WELL .... Carlingue
PILOT SPOOL .... Tiroir pilote
PILOT TRAINING .... Entraînement des pilotes, formation des pilotes
PILOT TRAINING FLIGHT .... Vol d'entraînement de l'équipage
PILOT VALVE .... Valve, clapet pilote, tiroir
PILOTAGE (piloting) .... Pilotage, navigation à vue
PILOTED BY .... Piloté par
PILOTED DRILL .... Foret piloté
PILOTING .... Pilotage
PILOTING AIDS .... Assistance au pilotage
PILOTING SKILL .... Habileté de pilotage
PILOTLESS AIRCRAFT .... Avion téléguidé, commandé à distance, avion sans pilote, engin télécommandé
PILOTS'STATION .... Poste pilotes, de pilotage
PIN .... Ergot, gougon, goupille, cheville, broche, pion, doigt, épingle, clavette, axe, maneton, fiche, contact
PIN (to) .... Fixer, clouer, brocher, goupiller, cheviller, épingler ; repérer avec précision, localiser
PIN CONTACT .... Contact mâle, broche mâle
PIN-DRIFT .... Chasse-goupille
PIN EXTRACTOR .... Chasse-goupille
PIN, GROOVE .... Goupille cannelée
PIN GUDGEON .... Axe de piston, de pied de bielle
PIN HOLE .... Trou d'épingle, de goupille
PIN POINT .... Repère identifié, point observé
PIN PUNCH .... Chasse-goupille
PIN SPANNER .... Clé à ergots
PIN VALVE .... Robinet à pointeau
PIN WRENCH .... Clé à griffes, à ergot
PINCERS .... Pinces, tenailles
PINCH (to) .... Pincer
PINCHED SEAL .... Joint pincé, entaillé
PINCHING .... Pincement, pinçure, cisaillement
PINHOLING .... Trous d'aiguilles
PINION .... Pignon

PINK (to) .... Cliqueter
PINK COLOR .... Rose
PINKED EDGE .... Bord croqué
PINKING .... Cliquetis
PINNED NUT .... Écrou goupillé
PINPOINT .... Point, position identifiée
PINPOINT (to) .... Repérer, localiser
PINPOINT LANDING .... Atterrissage précis
PINS .... Fiche prise mâle
PINT .... Pinte
PINTLE .... Pivot central, goujon, axe
PINTLE HOOK .... Crochet d'attelage
PIP .... Écho
PIPE .... Tube *(en général)*, tuyauterie, conduit, canalisation, pipe
PIPE CLAMP .... Collier, peigne de tuyauterie
PIPE-CUTTER .... Coupe-tubes
PIPE GRIPS .... Clé à tubes
PIPE LINE .... Conduite
PIPE NOZZLE .... Douille
PIPE PLIERS .... Pinces à tubes
PIPE REDUCER .... Raccord de réduction tuyauterie
PIPE UNION .... Raccord de tuyauterie
PIPE VICE .... Étau à tubes
PIPE WRENCH .... Clé serre-tube, clé à griffes, clé à tuyaux, à tubes
PIPETTE .... Pipette, compte-gouttes
PIPING .... Tuyauterie, canalisation ; poche d'air
PISTON .... Piston
PISTON BODY .... Corps de piston
PISTON COMPRESSION .... Compression du piston
PISTON CROWN .... Fond de piston
PISTON ENGINE .... Moteur à piston(s)
PISTON ENGINE AIRCRAFT .... Avion à pistons, aéronef doté de moteur(s) à pistons
PISTON-ENGINED AIRCRAFT .... Avion à moteur à pistons
PISTON HEAD .... Tête de piston
PISTON PACKING .... Garniture de piston
PISTON PIN (gudgeon-pin) .... Axe de piston
PISTON RING (seal) .... Segment de piston
PISTON RING GROOVE .... Gorge de segments de piston
PISTON RING STICKING .... Collage des segments
PISTON ROD .... Tige de piston
PISTON SKIRT .... Jupe de piston, surface latérale du piston
PISTON STROKE .... Coup de piston, course de piston

PISTON STOP .... Butée fin de course piston
PISTON-TYPE ROTARY PUMP .... Pompe rotative à piston
PISTON VALVE .... Tiroir de distribution
PIT .... Fosse, trou, petite cavité, soute
PIT (to) .... Piquer, percer *(le métal)*
PITS .... Piqûres, points
PITCH .... Division, écartement, pas *(de vis, hélice)*, pente, inclinaison longitudinale, tangage, avancement ; tonie *(acoustique)*
PITCH (in) .... (en) site
PITCH (angle) .... Angle d'inclinaison longitudinale, d'attaque, pas de l'hélice *(angle de la corde avec plan de rotation de l'hélice)*, angle de pas
PITCH ATTITUDE .... Assiette longitudinale, inclinaison longitudinale
PITCH AXIS .... Axe de tangage, axe latéral, axe de profondeur
PITCH-CHANGE SYSTEM .... Système de changement de pas
PITCH CHANNEL .... Chaîne de tangage
PITCH CIRCLE .... Cercle primitif
PITCH CONTROL .... Contrôle en tangage, cde de profondeur, commande de pas
PITCH DAMPER .... Amortisseur de tangage
PITCH DIAMETER .... Diamètre primitif *(pignon)*
PITCH DOWN .... Piqué
PITCH DOWN ATTITUDE .... Assiette à piquer
PITCH HOLD MODE .... Mode de maintien en tangage
PITCH INCREASE .... Augmentation du pas *(hélice)*
PITCH INCREMENT .... Unité d'angle de tangage
PITCH LOCK .... Blocage de pas *(filetage)*
PITCH MODE .... Mode de tangage
PITCH NOSE DOWN (to) .... Piquer
PITCH NOSE UP (to) .... Cabrer
PITCH OF SEATS .... Espacement des sièges *(sens longitudinal)*
PITCH RADIUS .... Rayon du cercle primitif
PITCH RANGE .... Plage de variation angulaire des pales d'hélice
PITCH RATE GYRO .... Gyromètre de tangage
PITCH RATE OF CHANGE .... Vitesse de variation d'assiette en tangage
PITCH REVERSING .... Inversion de pas
PITCH ROTATION .... Tangage
PITCH SCALE .... Échelle d'inclinaison longitudinale
PITCH SEATING .... Espacement des rangées de sièges
PITCH SELECTOR SWITCH .... Sélecteur de mode tangage
PITCH SETTING .... Réglage, calage de pas *(hélice)*

PITCH TRIM .... Compensation en tangage, longitudinale
PITCH TRIM COMPENSATOR .... Compensateur de mach
PITCH TRIM INDICATOR .... Indicateur du compensateur de mach
PITCH TRIM WHEEL .... Volant de compensation en tangage
PITCH-UP .... Auto-cabrage
PITCH-UP ATTITUDE .... Assiette à cabrer
PITCH VARIATION .... Variation de pas
PITCH WHEEL CONTROL .... Molette de tangage
PITCHING .... Tangage, inclinaison longitudinale
PITCHING MOMENT (M) .... Moment de tangage
PITCHING STABILITY .... Stabilité longitudinale, en tangage
PITOT COVER .... Housse pitot
PITOT DE-ICER .... Dégivreur de pitot
PITOT HEAD .... Tube, antenne de pitot
PITOT HEATER .... Réchauffeur de pitot
PITOT HEATING .... Réchauffage de pitot
PITOT MAST .... Mât pitot
PITOT PROBE .... Sonde pitot
PITOT-STATIC PROBE .... Antenne anémométrique
PITOT-STATIC SYSTEM .... Circuit anémométrique, pitot et statique
PITOT-STATIC TUBE (heated) .... Prise statique *(réchauffée)*, sonde anémo-barométrique
PITOT TUBE .... Tube (de) pitot, sonde pitot
PITTED .... Piqué *(métal)*, corrodé
PITTING (pits) .... Trous, piqûres
PIVOT .... Pivot, articulation, tourillon, axe de rotation
PIVOT FITTING .... Monture pivot
PIVOT PIN .... Axe d'articulation, de pivotement, tourillon
PIVOT POINT .... *(point d')* articulation
PIVOT SHAFT .... Balancier
PIVOTING .... Pivotement
PLACARD .... Plaquette *(indicatrice)*, écriteau, inscriptions, plaquette d'instruction, étiquette, affiche, affichette
PLACARD (to) .... Placarder, afficher
PLACE .... Place, lieu, endroit
PLACE (to) .... Placer, poser, mettre
PLAIN .... Clair, net, évident, lisse, uni, simple, ordinaire
PLAIN BEARING .... Palier lisse
PLAIN BUSHING .... Bague, canon lisse
PLAIN FLAP .... Volet simple *(de courbure)*
PLAIN PIPE .... Tube lisse
PLAIN WASHER .... Rondelle ordinaire, rondelle plate
PLAN .... Plan, projection, relevé *(d'un terrain)*, projet
PLAN (to) .... Tracer, projeter, concevoir, combiner, prévoir, programmer

PLAN A TRIP (to) .... Projeter un voyage
PLAN POSITION INDICATOR (PPI) .... Indicateur radar de gisement, radar panoramique, grille de repérage, limbe de position *(radar)*
PLAN TO START (to) .... Décider, prévoir de partir, de lancer
PLAN VIEW .... Vue en plan
PLANAR ANTENNA .... Antenne plane, antenne type planaire
PLANAR ARRAY .... Réseau plan
PLANE (adjectif) .... Plan, uni, plat
PLANE .... Plan, aile, surface *(portante)*, avion, rabot *(outil)*
PLANE (airplane) .... Avion
PLANE (to) .... Raboter, aplanir, planer, araser
PLANE DOWN (to) .... Descendre en vol plané
PLANER .... Planeuse, raboteuse, rabot
PLANER TOOL .... Outil de raboteuse
PLANET .... Planète
PLANET GEAR .... Engrenage planétaire, pignon satellite
PLANET PINION CAGE .... Porte-satellites
PLANET PINION (wheel) .... Pignon satellite, satellite
PLANETARY .... Planétaire
PLANETARY ASTRONOMY .... Astronomie planétaire
PLANETARY GEAR(S) .... Engrenages planétaires, réducteur épicycloïdal
PLANETOID .... Planétoïde, petite planète *(astronomie)*, planète artificielle
PLANFORM .... Forme en plan
PLANING .... Rabotage, aplanissage, dressage
PLANING MACHINE .... Raboteuse, planeuse, varlopeuse
PLANISH (to) .... Dresser *(au marteau)*, aplanir, polir, lisser, satiner
PLANISHING HAMMER .... Marteau à planer
PLANISHING TOOL .... Outil à lisser
PLANK .... Planche, madrier
PLANNED .... Planifié, prévu, programmé
PLANNED ALTITUDE .... Altitude prévue
PLANNED REMOVAL .... Dépose planifiée
PLANNED TIME .... Heure prévue
PLANNER .... Planeur
PLANNING .... Planification, planigramme, ordonnancement, programme, plan, organisation
PLANNING OFFICE ...... Bureau d'étude, d'ordonnancement-lancement
PLANT .... Établissement, usine, complexe industriel, centrale, installation, appareil, matériel, outillage *(d'une usine)*

PLANT LAYOUT .... Schéma d'installation
PLASMA FLAME SPRAYING .... Métallisation à la flamme de plasma
PLASMA PLUG .... Bougie à plasma
PLASMA ROCKET .... Fusée à plasma
PLASMA SPRAYER .... Chalumeau à plasma
PLASMA SPRAYING (coating) .... Projection, métallisation au chalumeau à plasma
PLASMA TORCH (with powder) .... Chalumeau à plasma
PLASMA WELDING .... Soudage au plasma
PLASMAPAUSE .... Plasmapause
PLASMAPHERE .... Plasmaphère
PLASTER .... Emplâtre, plâtre, enduit de mur
PLASTIC .... Plastique
PLASTIC ANGLE .... Cornière en plastique
PLASTIC BAG .... Emballage, sac en plastique
PLASTIC FABRIC COVER .... Housse plastique
PLASTIC MATERIAL .... Matière plastique
PLASTIC ROTOR BLADE .... Pale en matériau composite
PLASTIC TIP HAMMER .... Massette à embout plastique
PLASTIC WALLET .... Trousse, étui plastique
PLASTICS .... Matières plastiques
PLATE .... Plaque, tôle, toile, plateau, disque, flasque, lame, platine ; anode, armature *(de condensateur)*
PLATE (to) .... Protéger, plaquer, recouvrir
PLATE-ARMOUR .... Plaque de blindage, blindage
PLATE CIRCUIT .... Circuit de plaque
PLATE-CLUTCH .... Embrayage à disques
PLATE-CONDENSER .... Condensateur à lames, à plaques
PLATE HOLDERS .... Serre-plaques
PLATE IRON .... Tôle
PLATE NUT .... Écrou prisonnier
PLATE OF A LATHE .... Plateau de tour
PLATE SPRING .... Ressort à lames
PLATE VOLTAGE .... Tension de plaque, anodique
PLATED CIRCUIT .... Circuit imprimé
PLATED WIRE STORE .... Mémoire à fils plaqués, à couche mince sur fil
PLATEN .... Platine, plateau, table *(de machine outils)*
PLATEWORK .... Travail de tôlerie
PLATFORM .... Plateforme
PLATING .... Placage, recouvrement, dépôt
PLATING SOLUTION .... Bain
PLATING THICKNESS .... Épaisseur du dépôt, apport
PLATINUM .... Platine
PLATINUM POINT (platinum tipped screw) .... Vis platinée
PLATINUM STEEL .... Acier au platine

PLAY .... Mou, jeu *(d'usure)*, débattement, fonctionnement
PLAY TAKE-UP .... Rattrapage de jeu, de mou
PLEASURE AIRCRAFT .... Avion de tourisme
PLEASURE TRIP .... Voyage d'agrément
PLENUM .... Plein
PLENUM CHAMBER .... Chambre de tranquilisation, chambre de pression, pot d'équilibrage
PLENUM CHAMBER BURNING (PCB) .... Système de chauffe du flux froid dans la chambre de tranquilisation
PLEXIGLASS .... Plexiglace
PLEXIGLASS PARTS .... Pièces en plexi
PLIABLE .... Flexible, souple
PLIER .... Pince
PLIERS (pair of) .... Tenailles, pinces
PLOT .... Tracé, graphique, relevé, courbe, diagramme, plot *(radar)*, contact
PLOT (to) .... Tracer, relever, dresser le plan
PLOT EXTRACTOR .... Extracteur radar
PLOTTER .... Marqueur, traceur de courbe, table traçante
PLOTTING .... Représentation graphique, tracé, pointage
PLOTTING CHART .... Carte de tracé de navigation
PLOTTING TABLE .... Table traçante
PLUCKING (pluck) .... Arrachement
PLUG .... Prise mâle, fiche, bougie, bouchon mâle, tampon, tronçon
PLUG (to) .... Obturer, boucher *(avec un bouchon)*, tamponner
PLUG ADAPTER .... Adaptateur de prise électrique
PLUG BOARD (plugboard) .... Tableau à fiches
PLUG BODY .... Culot de bougie
PLUG COCK .... Robinet à boisseau
PLUG CONNECTOR .... Prise électrique mâle
PLUG ENGINE INLET (to) .... Obturer l'entrée d'air réacteur
PLUG FOULING .... Encrassement d'une bougie, perlage
PLUG GAP .... Écartement des électrodes de bougie
PLUG GAUGE .... Tampon, calibre, jauge d'alésage *(∅ trou)*
PLUG HOLE .... Trou d'écoulement *(toilettes)*
PLUG-IN (to) .... Brancher, embrocher, enficher, encarter
PLUG-IN BOARD .... Carte enfichable
PLUG-IN CARD .... Carte à fiches, enfichable, à enfichage
PLUG-IN CIRCUIT BOARD .... Carte de circuit enfichable
PLUG-IN CODER .... Boîte de codage
PLUG-IN MODULE .... Module enfichable
PLUG-IN OSCILLOSCOPE .... Oscilloscope à tiroirs
PLUG-IN PANEL .... Panneau embrochable, à prise rapide
PLUG-IN RACK .... Tiroir enfichable

PLUG-IN RELAY .... Relais embrochable
PLUG-IN TYPE BASE .... Socle d'embrochage
PLUG-IN UNIT .... Tiroir, boîtier enfichable, bloc à enfichage
PLUG LINE (to) .... Obturer la canalisation
PLUG NOZZLE .... Tuyère à noyau central
PLUG-PIN .... Fiche
PLUG PORTS (to) .... Obturer les orifices
PLUG SOCKET .... Prise femelle *(de courant)*
PLUG SQUIB .... Étoupille
PLUG SWITCH .... Prise de courant, bouchon de contact
PLUG TERMINAL .... Sortie, connexion
PLUG-TYPE DOOR .... Porte type bouchon
PLUG VALVE .... Robinet à boisseau
PLUG WELD (to) .... Boucher à la soudure
PLUGGABLE .... Enfichable
PLUGGED .... Bouché, obturé, fermé
PLUGBOARD .... Tableau de connexions
PLUMB (adjectif) .... Droit, vertical, d'aplomb
PLUMB BOB .... Plomb de fil à plomb
PLUMB BOB WIRE .... Fil à plomb
PLUMB LINE .... Fil à plomb
PLUMBER .... Plombier
PLUMBING .... Tuyauterie rigide, canalisation, plomberie, conduites
PLUMBING CLIP .... Collier fixation tuyauterie
PLUMBING CONNECTION .... Raccord de tuyauterie
PLUMBING INSTALLATION .... Installation tuyauterie rigide
PLUMBING LINE .... Canalisation
PLUNGE (to) .... Plonger, immerger, tremper
PLUNGER .... Noyau mobile, piston, plongeur, doigt, poussoir, tiroir, tige poussoir, touche, percuteur
PLUNGER TRAVEL .... Course du plongeur
PLUNGER-TYPE PUMP .... Pompe à plongeur, à piston plongeur
PLUS ONE COAT .... Plus une couche
PLUTONIUM .... Plutonium
PLY .... Pli, épaisseur *(de contre-plaqué)*, brin *(fil de laine)*, toron *(de corde)*
PLY TURNUPS .... Remontés de plis
PLYWOOD .... Contre-plaqué *(bois)*
PLYWOOD VENEER .... Feuille de contreplaqué
PNEUMATIC .... Pneumatique
PNEUMATIC ACCELEROMETER .... Accéléromètre manométrique
PNEUMATIC ALTIMETER .... Altimètre barométrique, anéroïde
PNEUMATIC BLEED .... Prélèvement pneumatique

PNEUMATIC BRAKE .... Frein pneumatique
PNEUMATIC BRAKE BOTTLE .... Bouteille d'air comprimé *(secours freinage)*
PNEUMATIC CONTINUOUS FLOW CONTROL UNIT .... Régulateur pneumatique
PNEUMATIC CROSSFEED VALVE .... Vanne d'intercommunication pneumatique
PNEUMATIC CUSHION .... Coussin, amortisseur pneumatique
PNEUMATIC CYLINDER .... Vérin pneumatique
PNEUMATIC DUCT .... Canalisation d'air, conduit d'air, gaine d'air
PNEUMATIC GROUND SERVICE CONNECTION .... Prise de parc pneumatique, prise de parc BP
PNEUMATIC JACK .... Vérin pneumatique
PNEUMATIC MANIFOLD .... Conduit de génération d'air comprimé, collecteur d'air
PNEUMATIC PUMP .... Pompe pneumatique
PNEUMATIC RAIN REMOVAL SYSTEM .... Circuit chasse-pluie
PNEUMATIC RAM .... Vérin pneumatique
PNEUMATIC RELAY .... Relais pneumatique
PNEUMATIC SHOCK-ABSORBER .... Amortisseur pneumatique
PNEUMATIC STARTER (air turbine starter) .... Démarreur pneumatique, à air
PNEUMATIC STARTER CAR .... Groupe de démarrage pneumatique
PNEUMATIC SYSTEM .... Circuit pneumatique
POCKET .... Poche, cavité, trou *(d'air)*
POCKET CALCULATOR .... Calculatrice de poche
POCKET VALVE .... Soupape en chapelle
POD .... Fuseau, nacelle, conteneur, élément fuselé pouvant loger les moteurs, des équipements
PODDED ENGINE .... Moteur en nacelle
POINT .... Point, pointe, extrémité, contact
POINT (to) .... Désigner, indiquer, orienter, pointer
POINT FORWARD (to) .... Pointer vers l'avant
POINT OF NON-RETURN (of no return) .... Point de non-retour (PNR)
POINT OF SAFE RETURN .... Point de non-retour *(avec réserves)*
POINT STAKING .... Sertissage par points, sertissage par empreinte conique
POINTED JAWS .... Becs pointus
POINTER .... Aiguille, index
POINTER INDICATOR .... Indicateur à aiguille
POINTER INSTRUMENT .... Instrument à lecture directe
POINTER KNOB .... Bouton à index

POINTER ON ZERO .... Aiguille à zéro
POINTING .... Pointage
POINTING MODE .... Mode de pointage
POISE .... Équilibre, aplomb ; unité de viscosité
POISE (to) .... S'équilibrer
POLAR .... Polaire
POLAR CURVE .... Courbe polaire, courbe en coordonnées polaire
POLAR FLIGHT .... Vol polaire
POLAR ORBIT .... Orbite polaire
POLAR-ORBITING .... En orbite polaire
POLAR PROJECTION .... Projection polaire
POLAR ROUTE .... Route polaire
POLARITY .... Polarité
POLARITY INVERTER .... Inverseur de polarité
POLARIZATION .... Polarisation
POLARIZE (to) .... Polariser
POLARIZED WAVE .... Onde polarisée
POLARIZING RESISTOR .... Résistance polarisante
POLAROID ACTION .... Effet polarisant
POLE .... Pôle ; poteau, perche
POLE CORE .... Noyau polaire
POLE PIECE (pole face) .... Masse polaire
POLISH .... Vernis, cire
POLISH (to) .... Polir, satiner, gratter, brunir, lisser, poncer, lustrer, cirer
POLISHED .... Poli
POLISHER .... Polisseuse
POLISHING .... Polissage, dérochage, ponçage
POLISHING COMPOUND .... Pâte à polir
POLISHING MACHINE .... Polisseuse
POLISHING TAPE .... Bande à polir
POLISHING WHEEL .... Polisseuse *(meule feutre)*
POLL (to) .... Interroger, tester
POLLUTION (air, water) .... Pollution
POLLUTE (to) .... Polluer
POLYAMIDE RESIN .... Résine polyamide
POLYESTER .... Polyester
POLYMER .... Polymère
POLYMERIZATION .... Polymérisation
POLYMERIZED .... Polymérisé
POLYPHASE .... Polyphase
POLYPHASE CURRENT .... Courant polyphasé
POLYURETHANE COATING .... Revêtement polyuréthane *(peinture)*
POLYURETHANE FOAM .... Mousse de polyuréthane

POLYVINYL CHLORIDE (PVC) .... Chlorure de polyvinyle
PONDEROUS .... Massif, lourd, pesant
PONTOON .... Ponton, bac, flotteur
POOL .... Groupement, association, syndicat ; mare
POOL REMOVAL .... Dépose pour restitution au pool de rechanges
POOL SERVICE .... Service en commun, en pool
POOLING .... Groupage, mise en commun
POOR .... Pauvre, faible
POOR ADHESION .... Mauvaise adhérence
POOR COMPRESSION .... Compression faible
POP OUT (to) .... Sortir, éjecter brusquement
POP RIVET .... Rivet pop, explosif, à explosion
POPPET .... Poupée *(mécanique)*, train baladeur
POPPET-HEAD .... Poupée de tour
POPPET-TYPE CONTROL VALVE .... Sélecteur à soupapes
POPPET VALVE .... Soupape *(à clapet, à champignon, à tulipe)*, régulateur de débit
POPPING .... Bafouillage, ratés *(moteur)*
PORCELAIN INSULATOR .... Isolant en porcelaine
POROSITY .... Porosité
POROUS .... Poreux, perméable
POROUS SURFACE .... Surface poreuse
PORPOISING .... Marsouinage *(oscillations longitudinales et de BF)*
PORT .... Ouverture, orifice, lumière ; babord
PORT (left) .... Babord, gauche
PORT HOLE .... Hublot
PORT-HOLE SEAT .... Siège près d'un hublot
PORT WINDOWS .... Hublots côté gauche
PORT WING .... Aile gauche
PORTABLE .... Portatif, transportable, mobile
PORTABLE EQUIPMENT .... Valise de test
PORTABLE FIRE EXTINGUISHER .... Extincteur portatif
PORTABLE LAMP .... Baladeuse
PORTABLE MISSILE .... Missile portatif
PORTABLE OXYGEN BOTTLE (cylinder) .... Bouteille d'oxygène portative
PORTER .... Porteur, bagagiste
PORTFOLIO .... Porte-documents
POSITION .... Position, emplacement, situation, place, point
POSITION (to) .... Positionner, mettre en place, présenter
POSITION AMPLIFIER .... Amplificateur de positionnement
POSITION DETECTOR .... Détecteur de position
POSITION FINDING .... Relèvement du gisement
POSITION INDICATING SYSTEM .... Circuit de signalisation de position

POSITION INDICATOR (switch) .... Indicateur de position *(micro-contact)*
POSITION INDICATOR SHAFT .... Hampe de drapeau indicateur de position
POSITION LIGHT .... Voyant, feu de position
POSITION MARK .... Repère
POSITION TRANSMITTER .... Transmetteur de position
POSITIONAL CONTROL .... Commande de position
POSITIONING .... Positionnement, mise en place, centrage
POSITIONING FLIGHT .... Vol de mise en place
POSITIVE .... Positif
POSITIVE CONTROL AREA (PCA) .... Région de contrôle intégral
POSITIVE DISPLACEMENT PUMP .... Pompe volumétrique
POSITIVE POLARITY .... Pôle positif
POSITIVE POLE .... Pôle +
POSITIVE RATE-OF-CLIMB .... Vitesse ascensionnelle nette
POSITIVE SPACE .... Avec réservation, place réservée
POSITIVE TERMINAL .... Borne positive, pôle +
POSSIBLE CAUSE .... Cause possible
POST .... Poste, poteau, pieu, montant, pilier, poinçon
POST (marking) .... Borne *(de repérage)*
POST (to) .... Signaler
POST-BOOST VEHICLE .... Étage vernier
POST-EMULSIFIED (post-emulsifiable) .... Post-émulsifié
POSTFLIGHT .... Après vol
POST-FLIGHT INSPECTION .... Visite après vol
POSTPONED .... Différé
POT LIFE .... Date, durée limite d'utilisation, de conservation, vie en pot, durée de vie en pot, validité en pot
POTABLE WATER .... Eau potable
POTABLE WATER SUPPLY TANK .... Réservoir d'alimentation en eau potable
POTASSIUM CYANIDE .... Cyanure de potassium
POTENTIAL .... Potentiel, tension
POTENTIAL DIFFERENCE (PD) .... Différence de potentiel (ddp)
POTENTIAL DROP .... Chute de potentiel, de tension
POTENTIAL ENERGY .... Énergie potentielle
POTENTIAL MARKET .... Marché potentiel
POTENTIOMETER .... Potentiomètre
POTENTIOMETER WIPER .... Curseur, flotteur de potentiomètre
POTTED .... Enrobé
POTTING .... Enrobage *(par coulée)*, remplissage, surmoulage

POTTING COMPOUND .... Mastic, enduit de remplissage, silastic, mastic au silicone, mastic isolant *(prises)*, mastic pour isolement électrique, pour enrobage électrique
POTTING MATERIAL .... Agent de moulage, ciment
POUND .... Livre (453,6 g)
POUND-INCH .... Livre-pouce
POUND SQUARE INCH (PSI) .... Unité de pression = 0,07 kg/cm^2
POUR (to) .... Verser
POUR IN (to) .... Verser *(dans)*
POURING .... Coulée
POWDER .... Poudre
POWDER BOOSTER .... Fusée d'appoint à poudre
POWDER DEVELOPER (dry) .... Révélateur à poudre
POWDER METALLURGY .... Métallurgie des poudres
POWER .... Puissance, énergie, force, régime, tension secteur ; moteur, motrice
POWER (to) .... Propulser, actionner, développer, motoriser
POWER AMPLIFIER .... Amplificateur de puissance
POWER ASSISTED CONTROL .... Commande servo-assistée
POWER BOOST SYSTEM .... Système assisté
POWER CONSUMPTION .... Consommation d'énergie, puissance consommée, absorbée
POWER CONTROL CROSS-SHAFT .... Arbre de transmission commande puissance
POWER CONTROL LEVER .... Manette de poussée, de puissance
POWER CONTROL SHAFT .... Arbre de commande de puissance
POWER CONTROL UNIT (PCU) .... Servo-commande
POWER CURRENT .... Alimentation
POWER CURVE .... Diagramme, courbe de puissance
POWER CUT .... Coupure de courant
POWER CYLINDER .... Vérin
POWER DELIVERED .... Puissance développée
POWER DIVE .... Vol piqué à plein gaz
POWER DRIVE .... Prise de mouvement
POWER DRIVEN .... Entraîné par moteur, motopropulsé
POWER FACTOR .... Facteur de puissance
POWER FAILURE .... Panne de moteur
POWER FLYING .... Vol à moteur
POWER GLIDER .... Motoplaneur
POWER GROUND .... Masse d'alimentation
POWER HAMMER .... Marteau pilon
POWER JET .... Turbo-réacteur
POWER LEAD .... Fil d'alimentation électrique
POWER LEAKAGE .... Dissipation de puissance
POWER LEVER .... Manette de puissance, de poussée, des gaz

POWER LINE .... Ligne électrique, d'énergie, secteur

POWER LOADING $\frac{\textbf{shaft horsepower}}{\varnothing\ \textbf{propeller}}$ .... Rapport poids-puissance, taux de motorisation (hp/lb)

POWER LOSS .... Perte de puissance, baisse de régime

(X)-POWER MAGNIFICATION .... Grossissement (x) fois

POWER MODULE .... Bloc de puissance

POWER OFF .... Moteur arrêté, coupé, au ralenti, circuit coupé, ouvert, puissance coupée

POWER OFF DESCENT .... Descente en régime de ralenti

POWER OFF LANDING .... Atterrissage moteur coupé

POWER ON .... Circuit fermé, alimenté

POWER ON SHAFT .... Puissance sur l'arbre

POWER OPERATED .... Commande à moteur

POWER OUTPUT .... Production de puissance, puissance développée, puissance de sortie, puissance disponible

POWER PACKAGE .... Caisson moteur

POWER PACKAGE UNIT .... Groupe énergétique

POWER PLANE .... Avion à moteur

POWER PLANT (powerplant) .... Unité, installation motrice, groupe moto-propulseur (GMP, GTR, GTP), bloc moteur

POWER RATING .... Puissance *(valeur)*, régime moteur, régime de puissance

POWER RECEPTACLE .... Prise d'alimentation électrique

POWER RELAY .... Relais d'alimentation

POWER SETTING .... Réglage du moteur, régime moteur

POWER SOURCE .... Source d'alimentation

POWER STAGE .... Étage à poudre

POWER STATION .... Centrale électrique

POWER STEERING .... Direction assistée

POWER STROKE .... Course moteur, temps moteur

POWER STRUT .... Vérin

POWER SUPPLY .. *(source d')* alimentation *(électrique, pneumatique)*, boîte d'alimentation

POWER SWITCH .... Interrupteur d'alimentation

POWER SWITCHBOARD .... Tableau de commande

POWER SYSTEM .... Circuit de génération

POWER TAKE-OFF PAD (shaft) .... Prise de mouvement

POWER-TO-WEIGHT RATIO ..... Puissance massique *(d'une machine)*, rapport puissance-poids

POWER TRANSFORMER .... Transformateur d'alimentation

POWER TRANSISTOR .... Transistor de puissance

POWER TRANSMISSION SHAFT .. Arbre de transmission de puissance

POWER UNIT ...... Groupe générateur, motopropulseur, unité motrice, servo-commande, unité, groupe d'énergie, de puissance, vérin de commande ; bloc de puissance

POWERED AERODYNE .... Aérodyne à moteur
POWERED BY .... Propulsé par, actionné par, équipé de
POWERED FLIGHT .... Vol propulsé, phase propulsive de vol
POWERED GLIDER .... Moto-planeur, planeur motorisé
POWERED LIFT .... Portance assistée, sustentation par jet
POWERED LIFT AIRCRAFT .... Aéronef à moteurs de sustentation
POWERED-OFF APPROACH .... Approche tout réduit
POWERED STEERING .... Commande assistée
POWERING .... Propulsion
POWERPLANT .... Installation, unité motrice, propulseur, ensemble propulsif, de propulsion, motorisation
POWERPLANT CONTROLS .... Commandes moteur
POWERSTAT .... Rhéostat de puissance
PPI APPROACH (plan position indicator) .... Approche avec indicateur radar panoramique
PRACTICAL .... Pratique
PRACTICE .... Pratique, habituel, application, entraînement, opération
PRACTICE APPROACH .... Exercice d'approche
PRACTICE FLIGHT .... Vol d'entraînement
PRACTICES .... Consignes d'utilisation, mode d'emploi
PRANDTL NUMBER .... Nombre de Prandtl
PREALLOYED .... Pré-allié
PREAMPLIFIER .... Préamplificateur
PREASSEMBLE (to) .... Préassembler
PRECAST (prefabricated) .... Préfabriqué
PRECEDING PARAGRAPH .... Paragraphe précédent
PRECEDING STEP .... Opération précédente
PRECESSION FORCE .... Force de précession
PRECESSION SPEED (rate) .... Vitesse de précession
PRECHARGER .... Accumulateur *(hydraulique)*
PRE-CHECK .... Pré-inspection, visite préliminaire
PRECIPITATION HARDENING ..... Trempe structurale, par précipitation
PRECISION APPROACH ...... Approche radioguidée, contrôlée au radar
PRECISION APPROACH PATH INDICATOR SYSTEM (PAPI) .. Indicateur de trajectoire d'approche PAPI, indicateur visuel de pente en approche
PRECISION APPROACH RADAR (PAR) .. Radar d'approche de précision
PRECISION APPROACH RUNWAY .... Piste avec approche de précision
PRECISION FORGING .... Matriçage de précision
PRECISION GUIDANCE .... Guidage de précision
PRECISION MANOMETER .... Mano de précision

PRECISION MECHANICS .... Mécanique de précision
PRECISION OHMMETER .... Ohmmètre de précision
PRECOMBUSTION .... Précombustion
PRECOMPUTED .... Pré-calculé
PRECOOLER .... Prérefroidisseur
PREDETERMINED HEADING .... Cap prédéterminé
PREDICTED RELIABILITY .... Fiabilité prévisionnelle
PREDICTIVE .... Prédictif
PREFABRICATE (to) .... Préfabriquer
PREFERRED REPAIR .... Réparation préférée
PREFLIGHT .... Avant vol
PRE-FLIGHT BRIEFING .... Exposé verbal avant le vol
PRE-FLIGHT CHECK (inspection) .... Visite, vérification pré-vol, avant vol
PREFILL VALVE .... Valve de préremplissage
PREHEAT (to) .... Préchauffer, réchauffer à l'avance, dégourdir
PREHEATING .... Réchauffage préalable, pré-chauffage, dégourdissage *(moteur)*
PREHEATING TUBE .... Tube de préchauffage
PRE-IGNITION .... Auto-allumage, allumage prématuré, anticipé
PREIMPREGNATED FABRIC .... Tissu préimprégné
PRE-LOAD (preload) .... Précharge, charge d'étalonnage
PREMATURE REMOVAL .... Dépose prématurée, non prévue
PREPARE (to) .... Préparer
PREPARE SURFACE (to) .... Préparer la surface
PRE-PRODUCTION .... Pré-série
PRE-PRODUCTION AIRCRAFT .... Avion de pré-série
PREPRODUCTION VERSION .... Version, modèle de pré-série
PRERECORDING .... Pré-enregistrement
PRESELECT HEADING .... Cap pré-sélecté
PRESELECTED .... Préaffiché
PRESELECTED HEADING .... Cap présélecté
PRESELECTED SPEED .... Vitesse pré-affichée
PRESELECTION .... Présélection
PRESELECTOR .... Présélecteur
PRE-SERIE AIRCRAFT .... Avion de présérie
PRESERVATIVE OIL .... Huile de conservation, de stockage, de protection
PRESERVE (to) .... Préserver, conserver, garantir, stocker
PRESET (pre-set) .... Préréglé, à réglage préalable, prédéterminé, présélectionné, prédéfini
PRESET (to) .... Préafficher
PRESET HEADING CONTROL .... Commande de cap affiché
PRE-SETTING INDICATOR .... Indicateur de préaffichage
PRE-SETTING POTENTIOMETER .... Potentiomètre préaffichage

PRESS .... Presse, pression, serrement
PRESS (to) .... Serrer, presser, appuyer, mettre en place, comprimer, emboutir, matricer, emmancher à force, dur
PRESS BEARING INTO (to) .... Mettre en place le roulement dans
PRESS BRAKE .... Presse-plieuse
PRESS-BUTTON (push-button) .... Bouton-poussoir, à pression
PRESS CUTTING .... Découpage à la presse
PRESS DOWN (to) .... Appuyer vers le bas
PRESS FIT .... Emmanchement à la presse
PRESS FITTED .... Monté, emmanché en force
PRESS-FORGED .... Embouti
PRESS INTO (to) Presser dans, mettre en place, engager, emmancher
PRESS NUT .... Écrou de serrage
PRESS OUT (to) .... Dégager, extraire, arracher, chasser
PRESS OUT BEARING (to) .... Extraire un roulement
PRESS-WORK .... Estampage, emboutissage
PRESSING TOOLS .... Outillages d'emboutissage
PRESSURE .... Pression, poussée *(d'une charge)*, tension, potentiel
PRESSURE ADHESIVE TAPE Autocollant, bande autocollante, adhésive
PRESSURE ALTIMETER .... Altimètre barométrique, anéroïde
PRESSURE ALTITUDE (P.A) .... Altitude-pression, altitude barométrique
PRESSURE AMPLIFIER .... Amplificateur de pression
PRESSURE ANGLE .... Angle de pression
PRESSURE BUILD-UP .... Augmentation de pression
PRESSURE BUILDING-UP .... Montée en pression
PRESSURE BULKHEAD .... Cloison étanche *(pressurisée)*
PRESSURE BUMPS .... A-coups de pression, sautes de pression
PRESSURE CABIN .... Cabine pressurisée
PRESSURE COLUMN .... Colonne barométrique
PRESSURE COMPENSATING PUMP Pompe de régulation de pression
PRESSURE COMPENSATOR .... Compensateur de pression
PRESSURE CONTROL .... Régulation de pression
PRESSURE CONTROL UNIT .... Contrôleur, régulateur de pression
PRESSURE CONTROL VALVE .... Valve de régulation de pression
PRESSURE CONTROLLER .... Contrôleur, régulateur de pression
PRESSURE CONTOUR .... Isohypse
PRESSURE CUTOUT SWITCH .... Manocontact d'isolement
PRESSURE DEFUELING .... Reprise carburant sous pression
PRESSURE DELIVERY .... Refoulement sous pression
PRESSURE DIFFERENTIAL SWITCH .... Manocontact différentiel
PRESSURE DIFFERENTIAL VALVE .... Clapet différentiel, de surpression
PRESSURE DOOR .... Porte pressurisée

PRESSURE DRAG .... Traînée de pression
PRESSURE DROP .... Perte de charge, chute, baisse de pression
PRESSURE DROP WARNING LIGHT .... Indicateur, voyant, mano-contact de baisse de pression
PRESSURE ENERGY .... Énergie de pression
PRESSURE EQUALIZATION VALVE .... Clapet d'équilibre pression
PRESSURE EQUALIZER .... Stabilisateur de pression
PRESSURE FACE .... Intrados *(pale d'hélice)*
PRESSURE FALL .... Abaissement, chute de pression
PRESSURE FEED .... Alimentation sous pression
PRESSURE FILTER .... Filtre de pression
PRESSURE FLUCTUATIONS .... Fluctuations, variations de pression
PRESSURE FLUSH (to) .... Rincer sous pression
PRESSURE FORCE .... Force de pression
PRESSURE FUELING .... Remplissage sous pression
PRESSURE GAUGE (gage) ..... Manomètre *(de pression)*, transmetteur de pression, indicateur de pression, pressiomètre
PRESSURE GENERATOR .... Générateur de pression
PRESSURE GRADIENT .... Gradient de pression
PRESSURE HEAD .... Colonne manométrique
PRESSURE HEIGHT .... Altitude pression
PRESSURE INDICATION SWITCH .... Manocontact de pression
PRESSURE INDICATOR .... Manomètre, jauge de pression, indicateur de pression
PRESSURE INLET .... Entrée, admission de pression
PRESSURE INTAKE .... Prise de pression
PRESSURE LEAKAGE TESTING .... Essai d'étanchéité
PRESSURE LEVEL .... Niveau de pression, surface isobare
PRESSURE LIMITER .... Limiteur de pression
PRESSURE LINE .... Conduite de mise en pression, sous pression, tuyauterie, ligne de refoulement pompe
PRESSURE LOSS .... Perte de charge, de pression
PRESSURE LUBRICATION .... Graissage sous pression
PRESSURE OPERATED VALVE .... Robinet manométrique
PRESSURE PATTERN FLYING .... Vol isobare
PRESSURE-PATTERN NAVIGATION (flying) .... Vol isobarique, navigation isobarique
PRESSURE PICK-OFF .... Prise de pression
PRESSURE PORT .... Orifice de pression
PRESSURE PROBE .... Sonde de pression
PRESSURE PUMP .... Pompe de pression, de refoulement
PRESSURE RATE-OF-CHANGE SWITCH ...... Contacteur variométrique
PRESSURE RATIO .... Taux de compression, rapport de pression
PRESSURE RATIO PROBE .... Sonde de pression totale
PRESSURE RATIO TRANSMITTER PT2 ..... Transmetteur pression PT2

PRESSURE REDUCER VALVE .... Décompresseur, détenteur, réducteur de pression
PRESSURE REDUCING GAGE .... Mano-détendeur
PRESSURE REDUCING VALVE (reducer) .... Détendeur de pression, clapet de détente, valve de réduction de pression
PRESSURE REFUELING (system) .... Remplissage sous pression *(système)*
PRESSURE REGULATING VALVE .... Régulateur de pression
PRESSURE REGULATOR (valve) .... Régulateur de pression
PRESSURE RELIEF DOOR .... Volet de surpression
PRESSURE RELIEF PANEL .... Panneau d'expansion
PRESSURE RELIEF VALVE .... Clapet de surpression, clapet de sécurité, différentiel
PRESSURE RISE .... Élévation, montée, saute de pression
PRESSURE SCREW .... Vis à pression
PRESSURE SEAL .... Joint pressurisé, d'étanchéité, traversée étanche
PRESSURE SEALED .... Étanchéisé, étanche
PRESSURE SELECTOR .... Sélecteur de pression
PRESSURE SENSING PROBE .... Sonde de pression
PRESSURE SENSING RELIEF .... Sonde surpression
PRESSURE SENSITIVE DECALS .... Films décoratifs auto-collants
PRESSURE SENSITIVE INSTRUMENT .... Instrument à capsule
PRESSURE SENSOR (probe) .... Sonde, détecteur de pression, sonde manométrique
PRESSURE SETTING .... Pression de réglage
PRESSURE SOURCE .... Source de pression, prise de pression
PRESSURE SUIT .... Combinaison pressurisée
PRESSURE SURGE .... Coup de bélier, à-coups de pression
PRESSURE SWITCH .... Manocontact(eur), contacteur de pression, manométrique, pressostat, manostat
PRESSURE TAKE-OFF .... Prise de pression
PRESSURE TEST(ING) .... Essai de pression, de pressurisation, essai d'étanchéité
PRESSURE TRANSMITTER (transducer) .... Transmetteur de pression *(capteur de pression)*
PRESSURE TYPE ALTIMETER .... Altimètre barométrique
PRESSURE VARIATOR .... Variateur de pression
PRESSURIZATION .... Pressurisation, mise en pression
PRESSURIZE (to) .... Pressuriser
PRESSURIZE HYDRAULIC SYSTEM (to) ...... Faire monter la pression du circuit hydraulique
PRESSURIZED AREA .... Zone pressurisée
PRESSURIZED CABIN .... Cabine pressurisée
PRESSURIZED CAN .... Bidon pressurisé

PRESSURIZED SEAL .... Joint pressurisé, sous pression
PRESSURIZING AND DUMP VALVE (PDV) .... Soupape de pression et drainage, purgeur-distributeur
PRESSURIZING VALVE .... Valve de gonflage, de mise en pression, clapet de pressurisation
PRESTRETCH (to) .... Pré-tendre
PRESWIRL .... Prérotation
PRETIGHTEN (to) .... Pré-serrer
PREVAILING WIND .... Vent dominant
PRE-VAPORIZATION .... Pré-vaporisation
PREVENT (to) .... Empêcher, éviter, prévenir
PREVENT CORROSION (to) .... Éviter la corrosion
PREVENT FROM ENTERING (to) .... Éviter l'entrée
PREVENT FROM ROTATING (to) .... Empêcher de tourner
PREVIOUS .... Préalable, antérieur, précédent
PRICE .... Prix, coût
PRICE-LIST .... Prix courant, tarif
PRICE QUOTE .... Cotation
PRICK (to) .... Piquer, pointer, repérer
PRIMARY AIR .... Air primaire, air de combustion
PRIMARY AIRFLOW .... Écoulement, flux primaire
PRIMARY BATTERY .... Batterie de piles
PRIMARY COIL .... Enroulement primaire
PRIMARY CURRENT .... Courant primaire
PRIMARY EXHAUST STREAM .... Flux d'éjection primaire
PRIMARY HEAT EXCHANGER .... Échangeur primaire
PRIMARY NOZZLE .... Tuyère primaire, tuyère du flux primaire
PRIMARY PART .... Pièce primaire
PRIMARY PRODUCT .... Produit de base, produit brut
PRIMARY RADAR .... Radar primaire
PRIMARY RUNWAY .... Piste principale
PRIMARY TARGET .... Écho radar primaire
PRIMARY WINDING .... Enroulement primaire
PRIME (to) .... Amorcer *(une pompe)*, enrichir *(un mélange)*, apprêter une surface à peindre
PRIME CONTRACTOR .... Maître-d'œuvre
PRIME CONTRACTORSHIP .... Maîtrise d'œuvre
PRIME MANUFACTURER .... Constructeur, avionneur
PRIME MERIDIAN .... Méridien d'origine
PRIMER .... Enrichisseur *(de mélange)* ; peinture d'apprêt, de protection, primaire, d'impression
PRIMER COATING .... Protection primaire, couche d'impression, d'apprêt
PRIMER PUMP .... Pompe d'amorçage
PRIMING .... Amorçage, injection, dégommage, gavage

PRIMING COAT .... Couche d'apprêt, d'accrochage
PRIMING OF A PUMP .... Amorçage d'une pompe
PRIMING POTENTIAL .... Potentiel de polarisation
PRIMING PUMP .... Pompe d'injection *(départ),* d'amorçage
PRINCIPLE .... Principe
PRINT .... Empreinte, impression, gravure, image, tirage, bleu, copie, édition, épreuve
PRINT-OUT .... Sortie d'imprimante, état d'imprimé, tirage, listing
PRINTED .... Imprimé
PRINTED CIRCUIT .... Circuit imprimé
PRINTED CIRCUIT BOARD .... Carte circuit imprimé
PRINTED CIRCUIT TERMINALS .... Cosses picots
PRINTED TAPE .... Bande imprimée
PRINTER .... Tireuse *(sur papier),* imprimante
PRINTER CARD .... Carte d'imprimante
PRINTING .... Impression, tirage
PRIOR .... Préalable, précédent, antérieur, avant
PRIOR TO .... Préalablement à
PRIOR TO TAKE-OFF .... Avant de décoller
PRIOR TO USE (before use) .... Avant utilisation
PRIORITY VALVE .... Clapet de priorité, préférentiel
PRISM .... Prisme
PRIVATE AIRCRAFT .... Avion privé, de tourisme, particulier
PRIVATE COMPANY .... Compagnie, société privée
PRIVATE FLYING .... Aviation privée
PRIVATE PILOT .... Pilote privé
PRIZE (to) .... Soulever *(avec un levier)*
PROBABLE CAUSE (trouble shooting) .... Cause probable *(recherche de panne)*
PROBE .... Sonde, capteur, prise de pression, détecteur, antenne
PROBLEM AREA .... Source d'ennuis
PROBLEM ITEM REMOVAL .... Dépose pour défectuosité d'un élément
PROCEDURE .... Procédé, procédure, méthode, marche à suivre
PROCEDURE TRACK .... Route à suivre
PROCEDURE TURN .... Virage conventionnel
PROCEED (to) .... Continuer, poursuivre
PROCESS .... Procédure, procédé, processus, réaction, fabrication, traitement
PROCESS (to) .... Utiliser, traiter *(une matière)*
PROCESS COMPUTER .... Processeur
PROCESS DATA (to) .... Traiter des données
PROCESSING .... Traitement, gestion

PROCESSING CIRCUIT .... Circuit de traitement
PROCESSING SYSTEM .... Chaîne de traitement
PROCESSING TANK .... Bac de traitement
PROCESSING UNIT .... Unité de traitement
PROCESSOR .... Machine, unité de traitement de l'information, processeur
PROCURE (to) .... Procurer, obtenir
PROD .... Pointe de contact
PRODUCE (to) .... Réaliser, produire, fabriquer, engendrer, prolonger, extraire
PRODUCT .... Produit, fabrication *(produit),* matériel
PRODUCT SUPPORT .... Après-vente(s), service après-vente
PRODUCTION .... Production, fabrication, réalisation, série, rendement
PRODUCTION AIRPLANES (aircrafts) .... Avions de série
PRODUCTION BREAK .... Coupure, sectionnement, joint de raccordement, plan de joint
PRODUCTION CONTROL DEPARTMENT ..... Bureau d'ordonnancement et de planning
PRODUCTION DRAWING .... Dessin de fabrication
PRODUCTION ENGINE .... Moteur de série
PRODUCTION LINE .... Chaîne de montage, chaîne de production, production en série
PRODUCTION METHOD .... Méthode de fabrication
PRODUCTION MODEL .... Modèle de série
PRODUCTION ORDER .... Commande de fabrication
PRODUCTION PROCESS .... Procédé de fabrication
PRODUCTION RATE .... Cadence, taux de production, de sortie, de fabrication
PRODUCTION TOOLING .... Outillages de fabrication
PRODUCTION VERSION .... Version de série
PRODUCTION WORK .... Fabrication
PROFILE .... Profil, coupe perpendiculaire, moulure, silhouette
PROFILE ANGLE .... Cornière
PROFILE DESCENT (US) .... Descente à vitesse continue
PROFILE DRAG .... Résistance, traînée de profil
PROFILE PROJECTOR .... Projecteur de profil
PROFILED SUPPORTS .... Mâts profilés
PROFILING .... Profilage, moulurage
PROFILING MACHINE .... Machine à profiler
PROFIT MARGIN .... Marge bénéficiaire
PROGNOSTIC CHART .... Carte prévue
PROGRAM .... Programme
PROGRAM(ME) (to) .... Programmer

PROGRAM COUNTER .... Computeur ordinal
PROGRAM MANAGER .... Directeur du programme
PROGRAMABLE .... Programmable
PROGRAMING (programming) .... Programmation
PROGRAMING CARD .... Carte de programmation
PROGRAMME CONTROL UNIT .... Programmateur
PROGRAMME WORD .... Mot programme
PROGRAMMED CONTROL .... A commande programmée
PROGRAMMER .... Programmeur, programmateur
PROGRAMMING CARD .... Carte de programmation
PROGRAMMING DEVICE .... Programmateur
PROGRAMMING LANGUAGE .... Langage de programmation
PROGRESS .... Progrès, marche en avant, avancement d'un travail
PROGRESS REPORT .... Rapport d'avancement
PROGRESSIVE SCANNING .... Balayage progressif
PROHIBIT (to) .... Défendre, interdire, empêcher
PROHIBITED AREA .... Zone interdite
PROHIBITED TAKE-OFF LIGHT .... Lampe d'interdiction de décollage
PROJECT .... Projet
PROJECT (to) .... Projeter
PROJECT ENGINEER .... Ingénieur de projet, projeteur
PROJECTILE .... Projectile
PROJECTION .... Saillie, projection, avancement, porte-à-faux
PROJECTION SCREEN .... Écran de projection
PROMOTIONAL FARE .... Tarif promotionnel
PRONG .... Dent, pointe, branche
PROOF .... Épreuve, essai, preuve
PROOF (to) .... Imperméabiliser, rendre étanche, résistant
PROOF LOAD .... Charge d'épreuve
PROOF PRESSURE .... Pression d'épreuve
PROOF TEST(ED) .... Éprouvé dans les conditions limites, essai de surcharge, d'épreuve
PROP .... Appui, support, étai, soutien
PROP UP (to) .... Soutenir, appuyer, étayer
PROP DE-ICER .... Dégivreur d'hélice
PROP EFFICIENCY .... Rendement de l'hélice
PROP-FAN .... Prop-fan, hélice avec flèche en extrémité de pale, hélice à pales en forme de pétales
PROP-JET ; PROP-FAN .... Turbopropulseur, turbine à hélice
PROP WASH .... Sillage de l'hélice
PROPAGATE (to) .... (se) propager, répandre
PROPAGATION VELOCITY .... Vitesse de propagation

PROPEL (to) .... Propulser, donner une impulsion
PROPELLANT .... Agent propulsif, combustible, propergol ; propulseur(if)
PROPELLANT TANK .... Réservoir d'ergols
PROPELLENT=PROPELLANT .... Propulseur(if), combustible
PROPELLER .... Propulseur, hélice
PROPELLER BLADE .... Pale d'hélice
PROPELLER BLADE ANGLE (pitch) .... Angle d'attaque de la pale d'hélice, pas de l'hélice
PROPELLER BRAKES .... Freins d'hélice
PROPELLER CLEARANCE .... Garde de l'hélice
PROPELLER CONTROL(LER) UNIT (PCU) .... Régulateur d'hélice
PROPELLER COVER .... Housse d'hélice
PROPELLER DRAG .... Traînée de l'hélice
PROPELLER DRAUGHT .... Souffle de l'hélice
PROPELLER-DRIVEN AIRCRAFT .... Avion à hélice, à turbopropulseur(s)
PROPELLER EFFICIENCY .... Rendement de l'hélice
PROPELLER ENGINE .... Moteur à hélice
PROPELLER GOVERNOR .... Régulateur d'hélice
PROPELLER GROUND CLEARANCE ...... Garde au sol hélice immobile
PROPELLER HUB .... Moyeu de l'hélice
PROPELLER HUB SPINNER .... Casserole d'hélice
PROPELLER JET .... Turbopropulseur
PROPELLER PITCH .... Pas de l'hélice
PROPELLER PITCH ANGLE .... Angle de pas de l'hélice
PROPELLER PITCH LEVER .... Manette de pas
PROPELLER REDUCTION GEAR (box) .... Réducteur d'hélice
PROPELLER REMOVER .... Tire-hélice
PROPELLER RPM .... Vitesse de rotation de l'hélice *(en nombre de tours/mn)*
PROPELLER SETTING .... Calage de l'hélice
PROPELLER SLIP .... Recul de l'hélice
PROPELLER SHAFT .... Arbre d'hélice, arbre porte-hélice, arbre de transmission, arbre de propulsion, arbre à cardan
PROPELLER SHEATHING .... Blindage de l'hélice
PROPELLER SLIPSTREAM .... Souffle de l'hélice
PROPELLER TEST BED .... Banc hélice
PROPELLER THRUST .... Poussée, traction de l'hélice
PROPELLER TORQUE REACTION .... Couple de torsion, de renversement de l'hélice
PROPELLER TORQUE .... Couple de l'hélice
PROPELLER TRACK .... Plan de rotation de l'hélice
PROPELLER TURBINE .... Turbopropulseur

PROPELLER WAKE (wash) .... Remous de l'hélice
PROPELLING .... Propulseur, propulsif(ive)
PROPELLING NOZZLE .... Tuyère propulsive
PROPER .... Propre, convenable, correct
PROPER ALIGNMENT .... Alignement correct
PROPER FUNCTIONING .... Fonctionnement correct
PROPER MIXING .... Mélange correct
PROPER OPERATION .... Fonctionnement correct
PROPER POSITIONING .... Positionnement correct, convenable
PROPERLY INSTALLED .... Correctement installé, monté
PROPERTIES OF MATERIALS .... Propriétés des matériaux
PROPERTY .... Propriété
PROPERTY DAMAGE .... Dommages, dégâts matériels
PROPJET .... Avion à turbopropulseurs
PROPORTION .... Proportion, rapport
PROPORTION (to) .... Doser, coter, déterminer
PROPORTIONING DEVICE .... Système mélangeur *(doseur)*
PROPORTIONING PUMP .... Pompe doseuse
PROPROTOR .... Rotor orientable
PROPULSION .... Propulsion
PROPULSION SYSTEM .... Groupe, ensemble, système propulsif
PROPULSION TEST .... Essai de propulsion
PROPULSIVE EFFICIENCY .... Rendement de propulsion, propulsif
PROPULSIVE FORCE .... Force propulsive
PROPULSIVE JET .... Jet propulsif
PROPULSIVE JETPIPE .... Tuyère propulsive
PROPULSIVE LIFT .... Sustentation par jet, composante verticale de la force de propulsion
PROPULSIVE THRUST .... Traction propulsive *(hélice)*
PROPULSOR .... Propulseur
PROSPECT .... Perspective, point de vue
PROSPECT (to) .... Prospecter
PROTECT (to) .... Protéger, préserver
PROTECTED AIRSPACE .... Espace aérien protégé
PROTECTION COVER .... Housse, gaine, coiffe de protection, obturateur
PROTECTION EQUIPMENT .... Équipement de protection
PROTECTION SLEEVE .... Manchon de protection
PROTECTIVE CAP .... Bouchon de protection, capuchon, obturateur
PROTECTIVE COATING (finish) .... Protection, couche de protection, protectrice, d'apprêt, revêtement protecteur
PROTECTIVE EARMUFFS .... Casque anti-bruit
PROTECTIVE LAYER .... Couche protectrice, de protection
PROTECTIVE VARNISH .... Vernis de protection
PROTECTIVE WRAPPING .... Emballage de protection

PROTECTOR .... Dispositif protecteur, manchon de protection
PROTOTYPE MODEL .... Prototype
PROTON .... Proton
PROTRACTOR .... Rapporteur
PROTRUDE (to) .... Déborder, faire saillie, dépasser, émerger
PROTRUDING .... En saillie, saillant
PROTRUDING PLUNGER .... Poussoir saillant
PROTRUSION .... Saillie
PROVE (to) .... Éprouver, essayer, mettre à l'épreuve, démontrer
PROVEN .... Éprouvé *(technique, équipement)*
PROVIDE (to) .... Pourvoir, fournir, munir, approvisionner, permettre, équiper
PROVIDED .... Équipé
PROVISIONING .... Approvisionnement
PROVISIONING DATA MANAGEMENT .... Gestion de données d'approvisionnement
PROXIMITY DETECTOR .... Proximètre
PROXIMITY FUSE .... Fusée de proximité
PROXIMITY SWITCH .... Capteur de proximité
PROXIMITY WARNING INDICATOR (PWI) .... Avertisseur de proximité
PRY (bar) .... Levier
PRY (to) .... Mouvoir, soulever *(avec un levier)*
PRY BAR .... Barre-levier
PRY LOOSE (to) .... Décoller *(avec un levier)*
PRY OUT (to) .... Soulever, ôter
PSI (pound square inch) .... 68,948 mb = 70,3 gf/cm^2
PSOPHOMETRIC FILTER .... Filtre psophométrique
P.T.2 PROBE ANTI-ICING .... Dégivrage sonde PT2
PUBLIC ADDRESS (PA) .... Sonorisation, public adress, appel général, annonce passagers, diffuseur d'ordres
PUBLIC ADDRESS AMPLIFIER .... Ampli de sonorisation, d'annonce aux passagers
PUBLIC ADDRESS INDICATOR .... Indicateur public adress
PUBLIC ADDRESS SYSTEM ..... Système de sonorisation cabine, sono, haut-parleur, système d'annonce aux passagers
PUDDLE .... Flaque d'eau, d'huile
PUDDLE (to) .... Puddler, corroyer *(le fer)*
PUDDLE STEEL (pudded steel) .... Acier puddlé
PUFF (to) .... Souffler
PULL .... Traction, tirage
PULL (to) .... Tirer, traîner, entraîner, haler
PULL-BACK SPRING .... Ressort de rappel
PULL CABLE (to) .... Tirer le câble
PULL CIRCUIT BREAKER (to) .... Tirer le disjoncteur

PULL IN (to) .... S'arrêter, se ranger *(sur le côté)*
PULL IT OFF .... Décollez
PULL KNOB .... Tirette
PULL OFF (to) .... Enlever, retirer, démonter, extraire, arracher
PULL OUT .... Ressource, rétablissement
PULL OUT (to) .... Sortir, enlever, retirer
PULL OUT (from a dive) .... Sortir d'un piqué, redresser *(un appareil)*
PULL OUT TABS .... Brides d'extraction
PULL OVER (to) .... Se ranger *(sur le côté)*
PULL-ROPE .... Corde de lancement de moteur *(démarrage)*
PULL UP .... Remettez les gaz, remise des gaz, ressource
PULL UP (to) .... Tirer vers le haut, remonter, hisser, cabrer, remettre les gaz
PULL UP TORQUE .... Couple de démarrage
PULLED IN .... Attiré
PULLED RIVETS .... Rivets arrachés
PULLED THREADS .... Filets arrachés
PULLER (tool) .... Extracteur, arrache(eur)
PULLER BOLT .... Boulon extracteur
PULLEY .... Poulie
PULLEY BLOCK .... Palan
PULLEY BRACKET .... Support de poulie
PULLEY PULLER .... Extracteur de poulie
PULLEY WHEEL .... Réa
PULLROD (pull rod) .... Tige de rappel
PULSATE (to) .... Onduler
PULSATING CURRENT .... Courant pulsant
PULSATING FLOW .... Débit pulsé, irrégulier
PULSATING JET PIPE .... Pulsoréacteur
PULSATION .... Pulsation, battement
PULSE .... Impulsion *(électrique)*, battement
PULSE AMPLIFIER .... Ampli d'impulsions
PULSE AMPLITUDE .... Amplitude de l'impulsion
PULSE-DOPPLER RADAR .... Radar doppler à impulsions
PULSE DURATION .... Durée d'impulsion
PULSE FREQUENCY .... Fréquence d'impulsion
PULSE GENERATOR .... Générateur d'impulsion(s)
PULSE JET ENGINE .... Pulso-réacteur
PULSE RADAR .... Radar à impulsions
PULSE RECURRENCE (repetition) .... Récurrence, répétition d'impulsions
PULSE RELAY .... Relais à impulsion
PULSE REPEATER .... Répétiteur d'impulsions

PULSE SHAPER .... Conformateur d'impulsions
PULSE SQUARER .... Écrêteur
PULSE-TIME MODULATION .... Modulation par impulsions
PULSE TRAIN .... Train d'impulsions
PULSE WIDTH .... Largeur d'impulsion (µs), durée d'impulsion
PULSED LASER .... Laser à impulsions
PULSED RADAR (signal) .... Radar à impulsions *(signal)*
PULSEMETER .... Compteur d'impulsions
PULSER .... Générateur d'impulsions
PULSING .... Émission d'impulsions
PULSO-JET .... Pulso-réacteur
PULVERIZE (to) .... Pulvériser, atomiser, vaporiser
PULVERIZER .... Pulvérisateur, atomiseur, vaporisateur
PUMICE POWDER .... Poudre à poncer
PUMICE STONE .... Pierre ponce
PUMP .... Pompe
PUMP BODY .... Corps de pompe
PUMP CYLINDER .... Barillet de pompe
PUMP DELIVERY .... Refoulement, débit pompe
PUMP DISPLACEMENT .... Course des pistons *(pompe à barillets)*
PUMP GOVERNOR .... Régulateur pompe
PUMP HEAD .... Tête de pompe
PUMP HOUSING .... Carter de pompe
PUMP IMPELLER (rotor) .... Rotor de pompe
PUMP OUTLET (cu.in per mn) .... Débit pompe
PUMP OUTLET LINE .... Tuyauterie refoulement pompe
PUMP PRESSURE LINE .... Canalisation de refoulement pompe
PUMP RETURN LINE .... Tuyauterie retour pompe
PUMP SPINDLE .... Axe de pompe
PUMP STATION .... Station de pompage
PUMP UNPRIMING .... Désamorçage de pompe
PUMP WOBBLER PLATE .... Plateau incliné de pompe
PUMPING .... Pompage
PUNCH .... Poinçon, pointeau, perforateur, chasse-goupille, chasse-clavette, pince, étampe, matoir, découpoir
PUNCH (to) .... Découper, percer, poinçonner, estamper, étamper
PUNCH MARK .... Coup de pointeau, repère poinçonné
PUNCH MARKING .... Marquage au poinçon, à la frappe
PUNCH PRESS (punching machine) .... Poinçonneuse, perforeuse, presse à découper
PUNCHED CARD .... Carte perforée
PUNCHED HOLE .... Trou embouti
PUNCHED TAPE .... Bande perforée
PUNCHER .... Perforatrice

PUNCHING .... Perçage, perforage, coup de pointeau, poinçonnage
PUNCHING MACHINE .... Machine à poinçonner, poinçonneuse
PUNCTURE .... Crevaison, perforation
PURCHASE .... Achat, acquisition ; force mécanique, prise, appui, palan, moufle
PURCHASE OF LICENCE .... Achat de la licence *(de fabrication)*
PURCHASE ORDER .... Commande d'achat, bon d'achat, de commande
PURCHASE PRICE .... Prix d'achat
PURCHASER .... Acheteur, acquéreur
PURE AIR .... Air pur
PURE FLUID SYSTEM .... Fluidyne, système fluidique
PURGE (to) .... Purger, évacuer
PURGE VALVE .... Robinet de purge
PURGING .... Purge, ventilation
PURIFIER .... Épurateur
PURITY .... Pureté
PURPLE .... Violet
PURPOSE .... Dessein, objet, but, intention, fin, rôle
PURR .... Vrombissement, ronflement, ronronnement
PURR AWAY (to) .... Ronronner
PURSER .... Chef de cabine, commissaire de bord
PURSUE (to) .... Poursuivre
PURSUIT MISSION .... Mission de chasse
PURSUIT PLANE .... Avion de chasse, chasseur
PUSH (to) .... Pousser, repousser, enfoncer
PUSH BACK (to) .... Pousser *(un avion qui est prêt à rouler),* refouler
PUSH-BUTTON (pushbutton) ...... Bouton poussoir, poussoir, touche, bouton de contact
PUSH-BUTTON MICROSWITCH .... Micro-poussoir
PUSH-BUTTON SWITCH .... Interrupteur à poussoir, poussoir
PUSH IN (to) .... Enfoncer, repousser, introduire, enclencher, comprimer
PUSH-OVER .... Amorce de descente
PUSH-PULL .... A poussoir revenant, symétrique *(montage électronique)*
PUSH-PULL AMPLIFIER .... Amplificateur symétrique, push-pull
PUSH-PULL CABLE .... Câble va-et-vient
PUSH-PULL RAM .... Vérin à double effet
PUSH-PULL ROD .... Bielle ou biellette à double effet, travaillant en traction et poussée
PUSH ROD (pushrod) .... Biellette, poussoir, tringle
PUSH TO RESET (to) .... Appuyer pour réenclencher, réarmer

PUSH-TO-TEST LIGHT .... Voyant à test
PUSH-TO-TEST SWITCH ..... Poussoir d'essai, bouton d'essai, de test
PUSH TYPE .... A poussoir
PUSHER .... Poussoir, propulsif
PUSHER-PROP AIRCRAFT .... Avion à hélice propulsive
PUSHER PROPELLER (pusher screw) .... Hélice propulsive
PUT (to) .... Mettre
PUT DOWN (to) .... Déposer, (se) poser, atterrir, inscrire *(un nom sur une liste)*
PUT OFF (to) .... Remettre, différer, ajourner
PUT ON (to) .... Mettre en marche
PUT ON SPEED (to) .... Prendre de la vitesse
PUT ON THE LIGHT (to) .... Allumer la lumière
PUT OUT (to) .... Mettre hors circuit
PUT OUT A FIRE (to) .... Éteindre un incendie
PUT TOGETHER (to) .... Monter, assembler *(une machine)*
PUTTY .... Mastic, enduit
PUTTY KNIFE .... Spatule à mastiquer, couteau à mastic
PYLON .... Mât *(réacteur)*, pylône, mât-support, adaptateur
PYLON-BULKHEAD .... Cadre du mât
PYLON DRAIN .... Drain du mât
PYLON STRUCTURE .... Structure de mât
PYLON TANK .... Réservoir largable
PYLON-TO-WING ATTACH .... Attache mât/voilure
PYREX GLASS .... Verre pyrex
PYROMETER .... Pyromètre
PYROMETRIC HARNESS .... Harnais pyrométrique
PYROMETRIC LINE .... Ligne pyrométrique
PYROMETRY .... Pyrométrie *(mesure des hautes températures)*
PYROTECHNIC CARTRIDGE .... Cartouche pyrotechnique
PYROTECHNIC IGNITION (igniter) .... Allumage pyrotechnique *(allumeur)*
PYROTECHNIC TRAIN (chain) .... Chaîne pyrotechnique
PYROTECHNICS .... Pyrotechnie

Q

QFE .... Pression atmosphérique à l'altitude de l'aérodrome
QFU .... Orientation de la piste
QGO .... Interdiction d'atterrir
Q-FEEL SYSTEM .... Dispositif de sensation artificielle *(Q = pression dynamique)*
Q-SPRING ASSEMBLY .... Ressort de sensation musculaire
QUADJET .... Quadrimoteur
QUADRANT .... Secteur, guignol
QUADRANT, AILERON .... Secteur d'aileron
QUADRANT, RUDDER AFT .... Secteur arrière de direction
QUADRANT ERROR (quadrantal error) .... Erreur quadrantale
QUADRANTAL DEVIATION .... Déviation quadrantale
QUADRANTAL ERROR CORRECTOR .... Correcteur d'erreur quadrantale
QUADRATURE .... Quadrature
QUADRIPOLE .... Tétrapolaire, quadripôle
QUADRUPLANE .... Avion quadriplan, quadriplan
QUADRUPLE-SLOTTED TRAILING EDGE FLAPS .... Volets de BF à 4 fentes
QUADRUPLEXER .... Quadruplexeur
QUALIFICATION LAUNCH .... Lancement de qualification
QUALIFICATION TEST(TING) .... Épreuve, essai de qualification
QUALIFIED MANPOWER .... Main-d'œuvre qualifiée
QUALIFIED PERSONNEL .... Personnel qualifié
QUALIFIED WORKER (workman) .... Ouvrier qualifié
QUALIFY (to) .... (se) qualifier
QUALIFY AS A PILOT (to) .... Obtenir son brevet de pilote
QUALITATIVE EVALUATION .... Évaluation qualitative
QUALITY CONTROL .... Contrôle de qualité
QUALITY FACTOR .... Facteur de qualité
QUANTIFY (to) .... Dénombrer
QUANTIMETER .... Dosimètre
QUANTITATIVE EVALUATION .... Évaluation quantitative
QUANTITY .... Quantité
QUANTITY GAGE .... Jaugeur
QUANTITY GAUGING SYSTEM .... Circuit de jaugeage
QUANTITY INDICATOR (gage) .... Indicateur de jaugeur *(de jauge)*, de quantité
QUANTITY OF HEAT .... Quantité de chaleur

QUANTITY PER ASSY .... Quantité par ensemble
QUANTITY PRODUCTION .... Fabrication en grande série
QUANTITY SHIPPED .... Quantité expédiée
QUANTIZING .... Quantification
QUANTUM DETECTOR .... Détecteur quantique
QUARTER .... Quart, quartier
QUARTER TURN .... Quart de tour
QUARTER WAVE AERIAL .... Antenne en quart d'onde
QUARTERLY MAINTENANCE .... Entretien trimestriel
QUARTERING WIND .... Vent trois-quarts
QUARTZ .... Cristal de quartz
QUARTZ CONTROLLED .... Piloté par quartz
QUARTZ OSCILLATOR .... Oscillateur à quartz
QUELCH RELAY .... Relais de la lampe de silence
QUENCH (to) .... Tremper, refroidir *(le métal)*, étouffer *(un feu)*, éteindre, amortir, refroidir dans l'eau
QUENCH AGE (to) .... Vieillir par trempe
QUENCH ANNEALING .... Recuit de trempe
QUENCH HARDEN (to) .... Durcir par trempe, tremper
QUENCH IN OIL (to) .... Tremper, refroidir à l'huile
QUENCH IN WATER (to) .... Tremper, refroidir à l'eau
QUENCHING .... Trempe, abaissement de température *(injection d'huile froide dans une ligne de transfert)*, trempe liquide
QUENCHING FURNACE .... Four de trempe
QUESTION (to) .... Questionner, interroger
QUEUE .... Queue, file d'attente
QUEUE UP (to) .... Faire la queue
QUEUING .... « Faisant la queue »
QUICK .... Rapide
QUICK ACCELERATION .... Accélération rapide
QUICK-CHANGE .... Rapidement convertible, à transformation rapide
QUICK-CONNECT TERMINALS .... Cosses à clips
QUICK COUPLER .... Connecteur rapide
QUICK DISCONNECT (detachable) .... (à) démontage rapide, déconnexion rapide, à débranchement rapide
QUICK DISCONNECT CABLES .... Câbles à connexion rapide
QUICK DISCONNECT CLAMP .... Collier à attache rapide, à déclenchement rapide
QUICK DISCONNECT COUPLING .... Prise rapide
QUICK ENGINE CHANGE UNIT (Q.E.C.) ...... Moteur habillé spécifique
QUICK-FEATHERING (propeller) .... Mise en drapeau rapide *(hélice)*
QUICK OPENING GATE VALVE .... Vanne à manœuvre rapide

QUICK RELEASE .... Déblocage rapide
QUICK RELEASE ATTACHMENT .... Attache rapide
QUICK RELEASE CLAMP .... Collier à attache rapide
QUICK RELEASE FASTENER .... Fixation rapide, attache rapide
QUICK RELEASE MECHANISM (latch) .... Mécanisme à déclenchement rapide *(verrou)*
QUICK-SETTING .... (à) prise rapide
QUICK SHUTDOWN VALVE .... Valve de coupure rapide
QUIET .... Silencieux
QUIET TAKEOFF .... Décollage silencieux
QUIETER .... Moins bruyant
QUIETEST .... Le plus silencieux, le moins bruyant
QUILL SHAFT .... Arbre creux, arbre intermédiaire
QUITE .... Tout à fait, entièrement
QUOIN (to) .... Caler, coincer
QUOTATION .... Cotation, devis, prix coûtant, cours, soumission, proposition
QUOTE (to) .... Établir, faire un prix, côter une valeur ; citer, mentionner
QUOTE A PRICE (to) .... Faire un prix
QUOTIENT .... Quotient

R

RABBET .... Feuillure, rainure
RABBIT EAR CRANK .... Guignol en forme d'oreilles de lapin
RACE .... Chemin de roulement, cage à billes, cage roulement, palier ; course
RACE (to) .... (s') emballer *(moteur),* (s') affoler *(hélice)*
RACETRACK .... Circuit de piste
RACETRACK PATTERN .... Circuit en hippodrome
RACEWAY AREA .... Zone du chemin de roulement
RACK .... Crémaillère, lance-bombes, tiroir, casier, étagère, porte-bagages, filet, support, bâti, châssis, baie, ratelier, meuble électronique
RACK MOUNT .... Montage tableau
RACK-WHEEL .... Roue dentée
RACK WRENCH .... Clé à crémaillère
RACKS .... Vestiaires ; filets à bagages
RADAR (radio detection and ranging) .... Radar, détection et repérage par radio, équipement radio-électrique de détection et de télémétrie, dispositif de radio-détection
RADAR ADVISORY SERVICE .... Service consultatif radar
RADAR ALTIMETER .... Altimètre radar, radar-altimètre
RADAR ANTENNA(E) .... Antenne radar
RADAR APPROACH .... Approche au radar
RADAR ASSISTANCE .... Contrôle radar
RADAR BEACON .... Balise radar, balise répondeuse
RADAR BEAM .... Faisceau de radar
RADAR BLIP .... Plot radar
RADAR CINEMOMETER .... Cinémomètre radar *(trafic routier)*
RADAR CLUTTER .... Brouillage radar, échos parasites
RADAR CONTROL .... Contrôle radar
RADAR CONTROL UNIT (RCU) .... Boîte de commande radar
RADAR CONTROLLER .... Contrôleur radar
RADAR COVERAGE .... Couverture radar
RADAR DATA .... Données, informations radar
RADAR DATA EXTRACTOR .... Extracteur de données radar
RADAR DETECTION .... Détection radar
RADAR-DIRECTED MISSILE .... Missile dirigé par radar
RADAR DISH .... Réflecteur parabolique radar
RADAR DISPLAY .... Image, affichage, (re)présentation, scope, visualisation, écran radar
RADAR DISPLAY SYSTEM .... Système de visualisation radar

RADAR ECHO (return) .... Écho radar
RADAR FACILITY .... Installation radar
RADAR FIX .... Relevé de position radar
RADAR GUIDANCE .... Guidage radar
RADAR GUIDED .... Guidé, suivi par radar
RADAR GUIDED MISSILE .... Missile guidé au radar
RADAR HANDOVER (GB)-HANDOFF (US) .... Transfert de contrôle radar
RADAR HEADING .... Cap radar
RADAR HOOD .... Abri radar
RADAR-IDENTIFIED AIRCRAFT .... Avion identifié au radar
RADAR JAMMER .... Brouilleur de radar
RADAR MONITORING .... Surveillance, contrôle, assistance, veille radar
RADAR NAVIGATION SYSTEM .... Système de navigation radar
RADAR OPERATOR .... Radariste
RADAR-PHOTOGRAPHY .... Radar-photographie
RADAR PLOT .... Position radar
RADAR RANGE .... Portée du radar
RADAR RESPONSE .... Réponse radar
RADAR RETURN .... Écho radar
RADAR SCANNER .... Antenne radar
RADAR SCOPE (radar screen) .... Écran, indicateur radar
RADAR SEQUENCING .... Régulation radar
RADAR SEPARATION .... Espacement radar
RADAR SIGNALS .... Signaux radar
RADAR TARGET .... Cible radar
RADAR TRACKING .... Poursuite radar
RADAR TRANSPONDER ANTENNA .... Antenne de répondeur radar
RADAR VECTOR .... Vecteur radar *(cap magnétique et distance)*
RADAR VECTORING .... Guidage radar
RADIAL (VOR) .... Radial (VOR)
RADIAL DIFFUSER .... Diffuseur radial
RADIAL ENGINE .... Moteur en étoile
RADIAL-FLOW TURBINE .... Turbine à écoulement radial, centrifuge
RADIAL FORCE .... Force, effort radial, force centrifuge
RADIAL PISTON TYPE PUMP .... Pompe à pistons radiaux
RADIAL PLAY .... Jeu radial, diamétral
RADIAL THRUST .... Poussée radiale
RADIANT HEAT .... Chaleur rayonnante
RADIATE (to) .... Rayonner, irradier, émettre des rayons
RADIATING POWER .... Pouvoir émissif
RADIATION .... Radiation, rayonnement
RADIATION (cosmic) .... Radiation cosmique
RADIATION BELT .... Ceinture de radiations, de rayonnement

RADIATION METER .... Compteur de radiations
RADIATION OF HEAT .... Radiation calorifique
RADIATOR .... Radiateur, refroidisseur ; antenne d'émission
RADIATOR CORE .... Faisceau du radiateur
RADII .... Rayon
RADIO .... Radio
RADIO A MESSAGE (to) .... Envoyer un message par radio
RADIO AERIAL .... Antenne radio
RADIO AIDS .... Aides à la navigation, aides radio, radio-guidage
RADIO ALTIMETER .... Sonde radio-électrique, altimétrique, radio-altimètre, radiosonde
RADIO ALTITUDE .... Altitude radio, altitude absolue
RADIO ASTRONOMY .... Radioastronomie
RADIO-BEACON .... Radio-balise, balise, radiophare circulaire, radiophare à rayonnement circulaire, émetteur de la radionavigation
RADIO-BEACON NAVIGATION .... Radiobalisage
RADIO-BEACON STATION .... Station de radiophare
RADIO BEAM .... Faisceau de guidage, faisceau dirigé, faisceau radio, onde de radiophare
RADIO BEARING .... Relèvement radiogoniométrique, relèvement gonio
RADIO BEARING STATION .... Poste radiogoniométrique, station de relèvement
RADIO BLIND LANDING .... Atterrissage radio-guidé
RADIO BROADCAST SATELLITE .... Satellite de radiodiffusion
RADIO BROADCASTING .... Radiodiffusion
RADIO-CARRIER WAVE (R.C wave) .... *(onde)* porteuse
RADIO-CHANNEL .... Canal *(radio)*, voie de radiocommunication
RADIO CIRCUIT .... Circuit, liaison radioélectrique
RADIO COMPARTMENT .... Armoire radio
RADIO COMPASS .... Radio-compas *(radiocompas)*
RADIO-COMPASS INDICATOR .... Indicateur de radiocompas
RADIO COMMUNICATIONS .... Liaisons radiophoniques
RADIO-CONTROL .... Radiocommande
RADIO-CONTROL (to) .... Radioguider, téléguider
RADIO-CONTROLLED .... Radioguidé
RADIO DETECTION .... Détection électromagnétique
RADIO-DIRECTION .... Radioguidage
RADIO DIRECTION FINDER .... Radiogoniomètre
RADIO DIRECTION FINDING .... Radiogoniométrie, relèvement radiogoniométrique
RADIO-ELECTRIC AID .... Aide radio-électrique

RADIO-ELEMENT .... Élément radio-actif
RADIO-EQUIPMENT .... Matériel, meubles radio
RADIO FACILITY .... Installation radio
RADIO FIX .... Repère, point radio, point observé par radio, relèvement radio
RADIO FREQUENCY (RF) .... Fréquence radio, radiofréquence, haute fréquence
RADIO FREQUENCY CARRIER .... Porteuse *(onde)*
RADIO FREQUENCY INTERFERENCE (RFI) .... Interférence de fréquence radio
RADIO GUIDANCE .... Radio-guidage
RADIO-HEIGHT .... Hauteur radio-sonde
RADIO HORIZON .... Horizon radio, horizon radioélectrique
RADIO INERTIAL .... Radio inertiel
RADIO INTERFERENCE .... Parasite, friture
RADIO-ISOTOPE .... Radioisotope
RADIO LINK .... Faisceau hertzien, liaison hertzienne, liaison radio
RADIO-LINK TELEMETRY .... Télémesure par voie hertzienne
RADIO LOCATION .... Radio-localisation, radio-repérage, détection électromagnétique
RADIO MAGNETIC COMPASS .... Radio-compas
RADIO MAGNETIC INDICATOR (RMI) .... Indicateur radiomagnétique, indicateur ADF/VOR
RADIO MARKER .... Radioborne
RADIO MAST .... Mât d'antenne radio, pylône d'antenne
RADIO MASTER SWITCH .... Interrupteur général radio
RADIO-MECHANIC .... Mécanicien radio
RADIO NAVIGATION (radionavigation) .... Navigation radio, radio-navigation
RADIO NAVIGATIONAL AID .... Aide à la radionavigation, aide radio à la navigation
RADIO NOISE .... Parasite radio, signaux parasites
RADIO NOISE FILTER .... Filtre anti-parasite
RADIO OFFICER .... Radionavigant, radio, officier radio
RADIO OPERATOR .... Opérateur, officier radio, radio, télégraphiste
RADIO PANEL .... Panneau radio
RADIO PULSE .... Impulsion radio
RADIO RACK .... Armoire, baie, étagère, châssis, meuble radio
RADIO-RANGE .... Radiophare à axes, radiophare d'alignement
RADIO RANGE FILTER .... Filtre de bande
RADIO RANGE STATION .... Station de radio-alignement
RADIO RECEIVER .... Récepteur radio
RADIO-RELAY LINK .... Liaison hertzienne

RADIO REMOTE CONTROL ...... Télécommande radio, radiocommande
RADIO SET .... Poste récepteur, poste radio
RADIO SIGNAL .... Signal radio
RADIO START .... Radio source
RADIO STATION .... Station radioélectrique
RADIO-TELEPHONE LINK .... Liaison radiotéléphonique
RADIO TELEPHONY .... Radiotéléphonie
RADIO TRACK .... Route, trajectoire radio, radio-alignement
RADIO TRACKING .... Poursuite radio, pistage radioélectrique, radioactif
RADIO TRANSMITTER .... Émetteur radio, poste émetteur
RADIO TRANSMITTING FREQUENCIES ... Fréquences radio d'émission
RADIO VALVE .... Lampe, tube (TSF)
RADIO WAVES .... Ondes hertziennes, ondes radio
RADIOACTIVE ELEMENT .... Élément radioactif
RADIOACTIVITY .... Radioactivité
RADIOCOMMUNICATION .... Radiocommunication
RADIODETERMINATION .... Radiorepérage
RADIOELECTRIC DISTURBANCES .... Perturbations radioélectriques
RADIOGONIOMETER .... Radiogoniomètre
RADIOGONIOMETRY .... Radiogoniométrie
RADIOGRAM .... Radiogramme
RADIOGRAPHIC INSPECTION .... Contrôle, examen radiographique, radio
RADIOGRAPHICALLY .... Par radiographie
RADIOMETER .... Radiomètre
RADIOMETRIC .... Radiométrique
RADIOMONITORING .... Surveillance des émissions radio
RADIOPHONY .... Radiophonie
RADIORANGE BEACON .... Radiophare d'alignement, d'atterrissage
RADIOSONDE STATION .... Station de radiosondage
RADIOTELEPHONY ANTENNA .... Antenne de radiotéléphonie
RADIOWING .... Radiovent
RADIUS .... Rayon, arrondi
RADIUS FILLER .... Cale à rayon, rayonnée, arrondie
RADIUS LINE .... Rayon
RADIUS OF ACTION .... Rayon d'action
RADIUS OF TURN .... Rayon de virage *(en vol)*
RADIUS PLATE .... Plaque rayonnée
RADIUSING .... Rayonnage
RADOME .... Radome, dôme radar
RAFT (life raft) .... Radeau, canot pneumatique de sauvetage
RAG .... Chiffon
RAGGED CLOUDS .... Nuages déchiquetés
RAID .... Raid

RAIDING AIRCRAFT .... Avion ennemi, attaquant
RAIL (runway alignment indicator lights) .... Feux indicateurs d'axe de piste
RAILING .... Main-courante, garde-fou, rampe, parapet, clôture
RAILROAD (railway) .... Chemin de fer
RAILWAY LINE .... Ligne de chemin de fer
RAIN .... Pluie
RAIN (to) .... Pleuvoir
RAIN CLOUD .... Nuage de pluie
RAIN EROSION COATING .... Revêtement, couche anti-pluie
RAIN FALL (rainfall) .... Précipitation, chute de pluie
RAIN GAGE (rain gauge) .... Pluviomètre
RAIN GRADIENT .... Gradient de la pluie
RAIN REMOVAL SYSTEM .... Circuit chasse-pluie
RAIN REPELLENT .... Anti-pluie, chasse pluie
RAIN REPELLENT SPRAY NOZZLE .... Gicleur de vaporisation d'anti-pluie
RAIN REPELLENT SYSTEM .... Circuit anti-pluie, lave-glace
RAIN SHOWER .... Chute de pluie, averse de pluie
RAINBOW .... Arc-en-ciel
RAINWATER .... Eau de pluie
RAINY WEATHER .... Temps pluvieux
RAISE (to) .... Dresser, relever, soulever, élever, lever, hausser, augmenter
RAISE WING FLAPS (to) .... Rentrer les volets
RAISED .... Levé, relevé, surélevé, en saillie, en relief
RAISED COUNTERSUNK RIVET .... Rivet à tête fraisée et goutte de suif
RAISED IDENTIFICATION .... Identification en relief
RAISED METAL .... Soulèvement de matière
RAISED SURFACE .... Bossage, redan, surépaisseur
RAISING (temperature) .... Élévation *(de température)*
RAKE .... Inclinaison, pente
RAKE ANGLE .... Angle de dépouille
RAKED .... Incliné, biseauté
RAM .... Bélier, mouton, pilon, vérin, piston, plongeur
RAM AIR .... Air dynamique, vent relatif
RAM AIR DUCTS .... Conduits d'air dynamique, conduits d'air de refroidissement échangeurs
RAM AIR EXHAUST DOOR .... Persienne d'échappement d'air de refroidissement
RAM AIR INLET .... Entrée, prise d'air dynamique
RAM AIR INLET DOOR .... Volet d'admission d'air de refroidissement échangeurs

RAM AIR MODULATION DOOR ACTUATOR .... Vérin de modulation d'air de refroidissement
RAM AIR PRESSURE .... Pression dynamique
RAM AIR SCOOP .... Prise d'air dynamique
RAM AIR SYSTEM .... Circuit de refroidissement échangeurs
RAM AIR TURBINE .... Turbine à air dynamique
RAM INTAKE (inlet) .... Prise *(d'air)* dynamique
RAM, MAIN UNDERCARRIAGE .... Vérin de T.P *(train principal)*
RAM, NOSE UNDERCARRIAGE .... Vérin de T.AV *(train avant)*
RAM PRESSURE .... Pression *(aéro)* dynamique
RAM PRESSURE SWITCH .... Manocontact(eur) anémométrique
RAM PUMP .... Pompe refoulante, foulante
RAM RECOVERY .... Effet de manche, récupération d'air dynamique
RAM TEMPERATURE .... Température dynamique
RAM-TYPE PUMP .... Pompe à plongeur
RAMJET ENGINE (ram jet) .... Stato-réacteur
RAMJET NOZZLE .... Tuyère de stato-réacteur, tuyère thermopropulsive
RAMMING INTAKE .... Prise de pression dynamique, prise d'air dynamique
RAMP .... Plan incliné, pente, rampe ; piste, aire de stationnement, de trafic ; dent de scie
RAMP ACTUATOR .... Actionneur de rampe
RAMP EQUIPMENT (ramp service equipment) .... Matériel de piste
RAMP HANDLING SERVICE .... Service d'escale, assistance en escale
RAMP MANAGER .... Chef de piste
RAMP SERVICE .... Entretien de piste
RAMP SERVICEMAN .... Mécanicien de piste
RAMP SUPERVISOR .... Responsable de l'aire de trafic, de piste
RAMP TEST .... Essai au sol
RAMP-TIME CONSTANT .... Constante de temps de la dent de scie
RAMP-TO-RAMP HOURS (block time) .... Temps cale à cale
RAMP VEHICLE .... Véhicule de service
RAMP WEIGHT .... Masse au parking
RANDOM .... Occasionnel, aléatoire, erratique
RANDOM ACCESS .... Accès direct
RANDOM-ACCESS-MEMORY (RAM) .... Mémoire vive
RANDOM CHECKS .... Vérifications par sondage
RANDOM FAILURE .... Défaillance aléatoire
RANDOM INTERFERENCES .... Interférences aléatoires
RANDOM NOISE .... Bruit erratique, aléatoire, bruit intermittent *(en radar)*

RANDOM TRACK .... Route improvisée
RANGE .... Rayon d'action, portée, gamme, étendue, marge, plage *(valeurs),* fourchette, éventail, capacité, débattement, distance franchissable, course, autonomie *(de vol)*
RANGE DIVIDER .... Diviseur de gamme
RANGE FACTOR (mach $\times \frac{\text{lift}}{\text{drag}}$) .... Facteur de distance
RANGE FINDER .... Télémètre
RANGE INDICATOR .... Indicateur de distance, de portée
RANGE LIGHTS .... Feux d'alignement
RANGE MARK .... Marque de distance, ligne de distance
RANGE MARKER .... Marqueur de distance
RANGE NAVIGATION .... Navigation radiophare d'alignement
RANGE OF FIRE .... Champ de tir
RANGE OF PRODUCTS .... Gamme de produits
RANGE OF SPEEDS .... Gamme de vitesses
RANGE OF VISION .... Champ de vision
RANGING .... Télémétrie, mesure de distance, sélection de gamme
RANGING RADAR .... Radar télémétrique
RANGING SENSOR .... Senseur télémétrique
RAP (to) .... Frapper, donner un coup sec
RAPID .... Rapide, accéléré
RAPID CHANGES .... Changements rapides
RAPID DECELERATION .... Décélération rapide
RAPID DESCENT .... Descente rapide
RAPID EXHAUST VALVE .... Clapet de décharge rapide
RAPID SETTING .... Prise, séchage rapide
RARE GAS .... Gaz rare, inerte
RAREFIED AIR (gas) .... Air raréfié *(gaz)*
RASP .... Râpe, lime à bois
RASP (to) .... Râper, racler, grincer, crisser
RASPING .... Râpage, crissement, grincement
RASTER .... Trame, quadrillage (TV)
RASTER SCAN .... Balayage TV
RAT (ram air temperature) .... Température de l'air dynamique
RAT (ram air turbine) .... Turbine à air dynamique
RATCHET .... Encliquetage, cliquet *(réversible),* roue à rochet, à cliquet
RATCHET ADAPTOR .... Cliquet adaptable
RATCHET HANDLE .... Clé à rochet
RATCHET PAWL .... Rochet

RATCHET SPANNER .... Clé à cliquet, à rochet
RATCHET WHEEL .... Roue à cliquet, roue à rochet
RATCHET WRENCH .... Clé à rochet, à cran, clé à cliquet
RATCON (US) (radar terminal control) .... Contrôle terminal radar
RATE .... Nombre, valeur proportionnelle, taux, régime, cadence, puissance, vitesse, allure ; tarif, cours
RATE (to) .... Estimer, évaluer, étalonner
RATE CONTROLLER .... Régulateur variométrique
RATE GENERATOR .... Générateur variométrique, tachymétrique
RATE GYRO .... Gyromètre
RATE-OF-CLIMB .... Taux de montée, vitesse ascensionnelle
RATE-OF-CLIMB AT S.L .... Vitesse ascensionnelle au niveau de la mer
RATE-OF-CLIMB INDICATOR .... Variomètre, indicateur de vitesse ascensionnelle
RATE OF CLOSURE .... Vitesse de rapprochement *(abordage, atterrissage)*
RATE OF COMPRESSION .... Taux de compression
RATE OF DESCENT .... Vitesse verticale de descente, vitesse descensionnelle
RATE OF DEVIATION .... Taux d'écart
RATE OF EXCHANGE .... Taux de change
RATE OF FIRE .... Cadence de tir, de feu
RATE OF FIVE PER MONTH .... Cadence de cinq par mois
RATE OF FLOW .... Vitesse de l'écoulement, débit
RATE OF GROWTH .... Taux de croissance
RATE OF SINK .... Vitesse de descente, taux de chute
RATE OF SPEED .... Degré de vitesse
RATE OF TURN .... Taux de virage, vitesse angulaire de virage, cadence
RATE PER CENT .... Pourcentage, %
RATE POWER .... Puissance nominale
RATE SENSOR UNIT .... Bloc gyrométrique
RATED .... Calibré, nominal(e), qualifié
RATED ALTITUDE .... Altitude de rétablissement, altitude nominale
RATED DELIVERY .... Débit nominal
RATED HORSE-POWER .... Puissance par cheval
RATED IDLE .... Régime de ralenti
RATED POWER .... Puissance nominale
RATED SPEED .... Vitesse de régime, nominale, régime nominal
RATED THRUST .... Poussée nominale
RATED TORQUE .... Couple nominal
RATED VALUE .... Valeur nominale
RATED VOLTAGE (frequency) .... Tension nominale *(fréquence)*

RATERMETER .... Intégrateur
RATING .... Calibre, étalonnage, tarage, régime ; qualification, spécification
RATING SPEED .... Vitesse de régime
RATIO .... Taux, rapport, proportion
RATIO CHANGER .... Réducteur
RATIOMETER .... Logomètre, indicateur d'EPR
RATIOMETRIC BRIDGE .... Pont quotientométrique
RATTLE (rattling) .... Bruit de ferraille, cliquetis, crépitement
RATTLE (to) .... Ferrailler, cliqueter
RAVEL (to) .... Embrouiller, emmêler
RAVELING .... Effilochage, effilochure
RAW .... Brut, cru
RAW DATA .... Information, donnée brute
RAW IRON .... Fer brut
RAW MATERIAL .... Matière première
RAW METAL .... Métal brut
RAW RADAR DATA .... Données radar brutes, échos primaires
RAW SURFACE .... Surface brute
RAY (X ray) .... Rayon *(rayon X)*, raie
REACH .... Portée, étendue, extension, allonge, atteinte
REACH (to) .... Étendre, tendre, atteindre, arriver
REACH UP (to) .... Accéder
REACTANCE .... Réactance
REACTION FORCE .... Réaction, force de réaction
REACTION-IMPULSE TURBINE .... Turbine mixte *(réaction-action)*
REACTION-JET PROPULSION .... Propulsion à réaction
REACTION TURBINE .... Turbine à réaction
REACTIVE LOAD .... Charge réactive
REACTIVE PAPER .... Papier réactif
REACTIVE POWER .... Puissance réactive
REACTOR .... Réacteur, bobine de réactance, self
READ (to) .... Lire, relever
READ BACK (to) .... Répéter, collationner *(un message)*
READ IN DATA (to) .... Mettre des données en mémoire *(ordinateur)*
READ OUT (to) .... Lire à haute voix
READ OUT DATA (to) .... Extraire des données *(ordinateur)*
READ-ONLY-MEMORY (ROM) .... Mémoire morte
READER .... Lecteur
READING .... Lecture, affichage, indication, chiffre, relevé, valeur
READING ERROR .... Erreur de lecture
READING LAMP .... Lampe de travail

READING LIGHT .... Éclairage individuel, liseuse
READING SPEED .... Vitesse de lecture
READJUST (to) .... Rajuster, réadapter, rectifier, régler, effectuer un nouveau réglage, reprendre
READOUT .... Afficheur
READY .... Prêt, paré, prompt
READY FOR TAKE-OFF .... Prêt pour le décollage
READY POSITION .... Position paré
READY SPARE .... Rechange prêt à l'emploi
REAGENT .... Réactif
REAL LOAD .... Charge réelle, active
REAL TIME .... Temps réel
REAL TIME CLOCK .... Horloge temps réel
REAL VALUE .... Valeur effective
REALIZATION .... Réalisation *(d'un projet)*
REALIZE (to) .... Réaliser, concevoir
RE-ALUMINISING .... Réaluminisation
REAM (to) .... Aléser, fraiser, chanfreiner
REAMED HOLE .... Trou alésé
REAMER .... Alésoir, aléseuse
REAMER HOLDER .... Porte-alésoir
REAMING .... Alésage, fraisage
REAMING MACHINE .... Aléseuse
REAR .... Arrière, derrière
REAR BEARING .... Palier AR
REAR DOOR .... Porte arrière
REAR FACE .... Face AR
REAR FLIGHT .... Vol à reculons *(hélicoptère)*
REAR LIGHT .... Feu arrière
REAR MOUNT .... Attache AR
REAR-MOUNTED .... Monté à l'arrière
REAR SPAR .... Longeron arrière
REAR WIND .... Vent AR
REARVIEW MIRROR .... Rétroviseur
REARWARD .... Vers l'arrière
REARWING SPAR .... Longeron arrière d'aile
REASON FOR REMOVAL .... Motif de la dépose
RE-ASSEMBLE (to) .... Remonter
REASSEMBLY .... Remontage, réassemblage, rééquipement
REBALANCE WEIGHTS .... Masses de rééquilibrage
REBED (to) .... Refaire la portée
REBORE (to) .... Réaléser, reforer
REBORING .... Réalésage
REBUILD (to) .... Remettre en état
REBUILDING .... Réfection, remontage, reconstruction

REBUSH (to) .... Rebaguer
RE-BUSHING .... Rebaguage
RE-CADMIUM PLATE (to) .... Recadmier
RECALL ITEM .... Élément mémorisé
RECAST .... Refonte *(métal)*
RECAST (to) .... Refondre, recalculer
RECEDING WING .... Aile fuyante
RECEIVE (to) .... Recevoir
RECEIVE POWER (to) .... Être alimenté
RECEIVER .... Récepteur, écouteur, récipient, collecteur
RECEIVER AND VOR INDICATOR .... Récepteur et indicateur VOR
RECEIVER PROCESSOR UNIT .... Récepteur calculateur
RECEIVING ANTENNA .... Antenne réceptrice
RECEIPT .... Réception
RECEPTACLE .... Fiche, fichier, prise rapide, réceptacle, connecteur *(qui reçoit le plug),* prise fixe de courant, embase ; récipient, bac de récupération
RECEPTACLE CONNECTOR .... Prise électrique femelle
RECEPTION ALTITUDE .... Altitude de réception
RECEPTOR .... Récepteur
RECESS .... Évidement, creux, gorge, logement, niche, encastrement, cavité, chambrage, empochement, encoche, embrèvement
RECESS (to) .... Évider, chambrer, encastrer *(tête de vis)*
RECESS HEAD SCREW .... Vis à tête fraisée *(noyée)*
RECESSED .... Encastré
RECESSED WASHER .... Rondelle chambrée
RECESSING .... Évidement, encastrement, chambrage
RECHARGEABLE BATTERY .... Batterie rechargeable
RECHARGER .... Chargeur *(d'accumulateur)*
RECHARGING .... Recharge
RE-CHECK (to) .... Recontrôler, revérifier
RECIPROCAL BEARING .... Relèvement inverse
RECIPROCAL LEG .... Parcours d'éloignement
RECIPROCATING ENGINE .... Moteur à piston, à mouvement alternatif
RECIPROCATING MACHINE .... Machine alternative
RECIPROCATING PUMP .... Pompe alternative, à piston, à mouvement alternatif
RECIPROCATION .... Mouvement alternatif
RECIRCULATION FAN .... Ventilateur de recirculation
RECIRCULATING LIQUID .... Liquide recyclé
RECKON (to) .... Calculer, compter, estimer
RECKONING .... Compte, calcul, estimation, point
RECLAIM (to) .... Réformer, réclamer, récupérer
RECLAIMED OIL .... Huile récupérée, régénérée

RECLEAR (to) .... Donner une nouvelle autorisation (ATC)
RECLEARANCE .... Nouvelle autorisation, modification d'autorisation
RECLINABLE SEAT BACK .... Dossier inclinable
RECLINE (to) .... Appuyer, reposer, incliner
RECLINE POSITION .... Position inclinée
RECOAT .... Recouvrement
RECOAT (to) .... Reprotéger, recouvrir
RECOGNITION LIGHT .... Feu d'identification
RECOGNIZE (to) .... Reconnaître
RECOIL .... Rebondissement, détente *(d'un ressort),* recul
RECOIL AIR HOSE .... Serpentin
RECOIL DAMPER .... Amortisseur de recul
RECOMBINE (to) .... Recombiner
RECOMMENDED .... Conseillé, préconisé, recommandé
RECONDITIONING .... Reconditionnement, remise en état, réfection, régénération
RECONNAISSANCE AIRCRAFT .... Avion de reconnaissance
RECONNAISSANCE FLIGHT .... Vol de reconnaissance
RECONNECT (to) .... Rebrancher, raccorder
RECORD .... Enregistrement, dossier, registre, disque, mémoire ; record *(vitesse)*
RECORD (to) .... Enregistrer, noter, relever
RECORD PLAYER .... Électrophone
RECORDER .... Appareil enregistreur
RECORDER ELECTRONIC UNIT (REU) .... Élément électronique d'enregistrement
RECORDING .... Enregistrement, enregistreur(se)
RECORDING ALTIMETER .... Altimètre enregistreur
RECORDING TAPE .... Ruban magnétique, bande d'enregistrement
RECORDING UNIT .... Enregistreur, unité d'enregistrement
RECOVER (to) .... Retrouver, récupérer, regarnir, réentoiler, recouvrir ; faire une ressource, redresser après un piqué
RECOVERABLE .... Récupérable
RECOVERED .... Réentoilé
RECOVERY .... Récupération, repêchage, ressource, redressement, rétablissement, renouvellement
RECOVERY FACTOR .... Facteur thermique pariétal
RECOVERY PARACHUTE .... Parachute de récupération
RECTANGULAR CUTOUT .... Découpe, dégagement rectangulaire
RECTANGULAR PULSE .... Impulsion rectangulaire
RECTANGULAR WING .... Aile rectangulaire
RECTIFICATION (rectifying) .... Rectification, redressement
RECTIFIED AIRSPEED .... Vitesse *(propre)* corrigée
RECTIFIED CURRENT .... Courant redressé

RECTIFIER .... Redresseur *(de courant)*
RECTIFIER DIODE .... Diode de redressement
RECTIFIER TUBE .... Valve redresseuse
RECTIFY (to) .... Rectifier, corriger, redresser *(le courant)*
RECUPERATOR .... Récupérateur
RECURRENCE FREQUENCY .... Périodicité
RECURRENT .... Périodique
RED .... Rouge
RED ANODIZING .... Anodisation rouge
RED BRASS .... Laiton
RED DYE PENETRANT INSPECTION .... Ressuage rouge *(ardrox 996)*
RED FLAG .... Pavillon rouge
RED FLARE .... Artifice à feu rouge
RED LEAD .... Minium
RED LIGHT .... Voyant rouge
RED WARNING FLAME .... Ruban de sécurité
RED WARNING LIGHT .... Voyant rouge, signal lumineux rouge
REDESIGN (to) .... Redéfinir, redessiner, réétudier
REDRILL (to) .... Re-percer
REDUCE (to) .... Diminuer, soustraire, réduire, abaisser, atténuer
REDUCE AIRFLOW VELOCITY (to) .... Réduire la vitesse de l'écoulement d'air
REDUCE DRAG (to) .... Réduire la traînée
REDUCED ENERGY TRANSPORT .... Avion de transport à faible consommation
REDUCED FARE .... Tarif réduit
REDUCED THRUST .... Poussée réduite, moindre
REDUCED THRUST TAKE OFF .... Décollage à poussée réduite
REDUCED VISIBILITY .... Visibilité réduite, mauvaise visibilité
REDUCED VOLUME .... Encombrement réduit
REDUCER .... Réducteur, restricteur, raccord de réduction
REDUCER UNION .... Raccord réducteur
REDUCER VALVE .... Détendeur
REDUCING .... Réducteur(trice), restricteur, de réduction
REDUCING BUSH .... Mamelon
REDUCING COUPLING .... Réduction
REDUCING GEAR BOX .... Réducteur
REDUCING NIPPLE .... Embout réducteur
REDUCING UNION .... Raccord réducteur
REDUCING VALVE .... Détendeur, réducteur de pression, robinet détendeur
REDUCTION .... Réduction, diminution, démultiplication
REDUCTION GEAR(ing) .... Réducteur, engrenage de réduction, démultiplicateur

REDUCTION GEAR CASING .... Carter réducteur
REDUCTION GEAR TRAIN .... Train réducteur
REDUCTION GEARBOX .... Réducteur de vitesse
REDUCTION RATIO .... Rapport de réduction, de démultiplication
REDUNDANCY .... Surplus, redondance ; personnel en surnombre
REDUNDANT .... Redondant, en surnombre, surplus, excédent
REEL .... Bobine, enrouleur, moulinet, dévidoir, touret
REEL (to) .... Dévider, bobiner, enrouler
REELING DRUM .... Enrouleur
RE-EMBARK (to) .... Rembarquer
RE-ENGAGE (to) .... Rembrayer, rengrener, ré-engager
RE-ENGINE (to) .... Remotoriser
RE-ENGINING .... Remotorisation
RE-ENTRY (reentry) .... Rentrée
REENTRY VEHICLE .... Corps, véhicule de rentrée
RE-ESTABLISH (to) .... Rétablir
REFASTEN (to) .... Rattacher, refixer
REFECTION .... Réfection
REFER (to) .... (se) référer, (se) reporter, (se) rapporter
REFERENCE CIRCUIT .... Circuit de référence
REFERENCE MARK .... Repère, trait de repère
REFERENCE NUMBER .... Indice
REFERENCE POINT .... Point de repère *(de référence)*
REFERENCE SPEED (airspeed) .... Vitesse de référence
REFERENCE SURFACE .... Surface de référence
REFERENCE VOLTAGE STANDARD .... Tension de référence
REFILL .... Pièce de remplacement, de rechange, recharge
REFILL (to) .... Remplir *(à nouveau)*, recharger, réapprovisionner
REFINE (to) .... Raffiner, affiner, épurer
REFINED .... Raffiné
REFINEMENT .... Raffinage, affinage *(d'un métal) ;* amélioration
REFINERY .... Raffinerie
REFINING POINT .... Point de fusion *(d'un métal)*
REFIT (to) .... Réarmer, rajuster, regarnir, réaménager, remonter, remettre en place
REFLECT (to) .... Réfléchir, refléter
REFLECTANCE .... Réflectance, facteur de réflexion
REFLECTED LIGHT .... Lumière réfléchie
REFLECTED SIGNAL .... Signal réfléchi
REFLECTED WAVE .... Onde réfléchie
REFLECTING .... Réfléchissant(e)
REFLECTING MIRROR .... Miroir réfléchissant, de renvoi
REFLECTION .... Réfléchissement, réflexion
REFLECTIVE MARKERS .... Balises luminescentes
REFLECTIVE TAPE .... Bande réfléchissante

REFLECTOMETER .... Réflectomètre
REFLECTOR .... Réflecteur, parabole
REFLEX GLASS .... Glace de réfraction
REFORM (to) .... Réformer ; reformer
REFORMING .... Réforme ; remise en forme
REFRACTION .... Réfraction
REFRACTORY .... Réfractaire *(matériaux)*
REFRACTORY ALLOY (metal) .... Alliage réfractaire *(métal réfractaire)*
REFRACTORY CEMENT .... Ciment réfractaire
REFRESHMENT GALLEY .... Bar
REFRIGERATE (to) .... Réfrigérer, frigorifier, refroidir
REFRIGERATION UNIT .... Groupe de réfrigération, turbine de détente
REFRIGERATOR .... Réfrigérateur
REFUEL (to) .... (r)avitailler en combustible, réapprovisionner, (re)faire le plein de carburant
REFUELLER (refueler) .... Camion citerne, pétrolier
REFUEL(L)ING .... Remplissage, ravitaillement, avitaillement
REFUELING BOOM .... Perche, canne de remplissage *(en vol)*, de ravitaillement en vol
REFUELING COUPLAGE .... Prise de remplissage
REFUELLING IN FLIGHT .... Ravitaillement en vol
REFUELLING HOSE .... Tuyau de ravitaillement
REFUELLING HYDRANT .... Bouche de carburant
REFUELING OPERATION .... Opération d'avitaillement
REFUELING POINT .... Emplacement de ravitaillement en carburant, point de remplissage carburant
REFUELING PROBE .... Perche, canne de ravitaillement en vol, prise pour ravitaillement, cordon d'alimentation en vol
REFUELING STOP .... Escale de ravitaillement *(en carburant)*, d'avitaillement
REFUELLING TANKER (flight) .... Avion citerne, camion de ravitaillement
REFUELING VALVE .... Robinet, clapet, valve de remplissage, d'avitaillement
REFUND (to) .... Rembourser
REFURBISHING .... Remise à neuf, remise en état, réaménagement
REFUSE BIN (bag) .... Poubelle *(sac à déchets)*
REGENERATIVE SYSTEM .... Circuit régénératif, à réaction
REGENERATOR .... Régénérateur
REGIME .... Régime
REGION .... Région, domaine, zone
REGIONAL CARRIER .... Compagnie de transport régionale, compagnie régionale aérienne, compagnie de 3e niveau

REGIONAL CONTROL .... Contrôle régional
REGIONAL ROUTE .... Ligne régionale
REGIONAL TRAFFIC CONTROL CENTER .... Centre régional de navigation aérienne (CRNA)
REGISTER .... Compteur *(kilométrique)*, matricule, registre
REGISTER (to) .... Enregistrer
REGISTER LUGGAGE (to) .... Enregistrer les bagages
REGISTERED LUGGAGE (baggage) .... Bagages enregistrés
REGISTERED OFFICE .... Siège social
REGISTERED PATTERN .... Modèle déposé
REGISTRATION .... Immatriculation *(avions)*
REGISTRATION NUMBER .... Numéro d'immatriculation
REGRESS (to) .... Régresser, rétrograder
REGRIND (to) .... Réaffûter, roder à nouveau
REGULAR .... Régulier(e)
REGULAR FLIGHT .... Vol régulier
REGULARITY .... Régularité
REGULARIZE (to) .... Régulariser
REGULATE (to) .... Régler, ajuster, réguler
REGULATED CURRENT .... Courant régulé
REGULATED FLOW .... Débit régulé
REGULATED VOLTAGE .... Tension régulée
REGULATING SCREW .... Vis de réglage
REGULATING VALVE .... Valve, vanne régulatrice, régulateur, soupape de régulation
REGULATION .... Régulation, réglage, règlements, réglementation, régles
REGULATION PROBE .... Sonde de régulation *(température)*
REGULATIONS .... Règlements
REGULATOR .... Régulateur ; contrôleur chargé de mettre en œuvre les procédures de « flow control »
REGULATOR PISTON .... Piston régulateur
REGULATOR VALVE .... Soupape, vanne de régulation
REHARDEN (to) .... Retremper *(le métal)*
RE-HEAT .... Post-combustion, réchauffe
RE-HEAT (to) .... Réchauffer, recuire, recrouir
REHEATED ENGINE .... Moteur avec post-combustion
REHEATED THRUST .... Poussée avec réchauffe
RE-IGNITION IN FLIGHT .... Réallumage en vol
REINFLATE (to) .... Regonfler
REINFORCE (to) .... Renforcer, consolider, nervurer, armer
REINFORCED CONCRETE .... Béton armé
REINFORCED PLASTIC .... Plastique renforcé, armé
REINFORCEMENT PLATE .... Renfort

REINFORCEMENT STRAP .... Bande de renforcement
REINFORCING ANGLE .... Cornière de renfort
REINFORCING PLATE .... Plaque de renforcement, de renfort
REINSTALL (to) .... Réinstaller, remonter, remettre en place
REJECT (to) .... Rebuter, réformer, refuser, rejeter, éliminer
REJECTED PART .... Pièce rebutée
REJECTED TAKE-OFF .... Décollage interrompu, abandonné, accélération-arrêt
REJECT(ION) .... Pièce de rebut, rebut, rejet, refus
REJECTION BAND .... Bande de réjection
REJECTION FILTER .... Filtre de susceptibilité
REJECTOR CIRCUIT .... Circuit bouchon, éliminateur
RELATIONSHIP .... Rapport, parenté
RELATIVE .... Relatif
RELATIVE BEARING .... Gisement
RELATIVE HUMIDITY .... Humidité relative
RELATIVE VELOCITY .... Vitesse relative
RELATIVE WIND .... Vent relatif
RELATIVITY .... Relativité
RELAXED POSITION .... Position détendue, de repos
RELAY .... Relais, contacteur, servo-moteur
RELAY (overcurrent or overload) .... Relais de surintensité
RELAY (to) .... Relayer, transmettre
RELAY BOX (unit) .... Boîte à relais
RELAY CHANGE-OVER SWITCH .... Commutateur à relais
RELAY COIL .... Bobine de relais
RELAY CUT-OFF .... Coupure du relais
RELAY SATELLITE .... Satellite-relais
RELAY SOCKET .... Prise fixe de relais, « socket »
RELAY-STATION .... Station-relais
RELEASE .... Libération, déclenchement, détente, largage, disjonction
RELEASE (to) .... Lâcher, relâcher, débrayer, déclencher, dégager, débloquer, desserrer, décliquer, défaire, larguer, libérer, détendre
RELEASE BOMBS (to) .... Larguer des bombes
RELEASE BRAKES (to) .... Lâcher les freins
RELEASE BUTTON (auto pilot) .... Poussoir de débrayage (PA)
RELEASE HANDLE .... Poignée d'ouverture *(de portes),* de déverrouillage
RELEASE MECHANISM .... Mécanisme de débrayage
RELEASE NOTE .... Bordereau d'expédition, d'envoi
RELEASE POINT .... Point de lâcher, de transfert (ATC)
RELEASE PRESSURE (to) .... Relâcher, faire chuter la pression, détendre

RELEASE SPRING .... Ressort de rappel
RELEASE TIME .... Heure de débloquage *(circulation aérienne)*
RELEASE VOLTAGE .... Tension de décollage
RELEASER .... Délesteur
RELEVANT .... Significatif, pertinent *(faits)*
RELIABILITY .... Sûreté, sécurité, fiabilité, régularité
RELIABILITY ANALYSIS .... Analyse de la fiabilité
RELIABILITY REPORT .... Compte-rendu de fiabilité
RELIABILITY TRIAL .... Essai d'endurance
RELIABLE .... Sûr, fiable, garanti, valable
RELIEF .... Dégagement, dépouille, décharge ; relief
RELIEF CHAMFER .... Chanfrein de dégagement
RELIEF COCK .... Décompresseur
RELIEF CREW .... Équipage de relève
RELIEF VALVE .... Clapet de surpression, clapet de décharge, clapet d'expansion, clapet de décompression, soupape de sûreté, valve de détente, détendeur
RELIEVE (to) .... Relâcher, détendre, soulager, décharger, aider, dégager, débloquer, ouvrir *(clapet)*, mettre en relief
RELIEVE LOAD (to) .... Réduire, supprimer la charge
RELIEVE PRESSURE (to) .... Faire chuter la pression
RELIEVE TENSION (to) .... Relâcher la tension
RELIGHT (to) .... (se) rallumer
RELIGHT IN FLIGHT .... Réallumage en vol
RELIGHTED .... Rallumé
RE-LINE (to) .... Regarnir, rentoiler, rechemiser
RE-LOAD (to) .... Recharger
RELOCATE (to) .... Déplacer
REMACHINING .... Réusinage
REMAIN (to) .... Rester, demeurer
REMAINDER .... Reste, restant
REMAINING .... Restant, reste
REMAINING BOLT .... Boulon restant
REMAINING DIFFERENTIAL VOLTAGE .... Tension différentielle résiduelle
REMAINING ROD .... Biellette restante
REMAINING SEALANT .... Excédent de mastic
REMANENCE .... Rémanence
REMARK .... Remarque, attention, observation
REMEDY (to) .... Remédier
REMELTING .... Refonte
REMEMBER (to) .... Se souvenir, se rappeler
REMETAL (to) .... Réguler, réantifrictionner
REMINDER .... Relance, rappel, pour mémoire
REMODEL (to) .... Transformer

REMOTE .... Éloigné, écarté, à distance
REMOTE BATCH .... Télétraitement par lots
REMOTE COMMAND .... Commande à distance
REMOTE CONTROL .... Transmission, commande à distance, télécommande
REMOTE CONTROL OUTLET (RCO) .... Installation radio télécommandée
REMOTE CONTROL PANEL .... Panneau de commande à distance
REMOTE CONTROL UNIT (box) .... Boîte de commande à distance
REMOTE GATE .... Poste de stationnement éloigné de l'aérogare
REMOTE PROCESSING TERMINAL .... Terminal de télétraitement
REMOTE SENSING .... Télédétection, détection à distance
REMOTE SITE (radar) .... Site déporté
REMOTE SOUNDING .... Télésondage
REMOTELY CONTROLLED .... Télécommandé
REMOTELY PILOTED .... Piloté à distance, télépiloté
REMOTELY PILOTED VEHICLE (RPV) .... Engin télépiloté, sans pilote, filoguidé, drone télépiloté
REMOVABLE .... Amovible, démontable, transformable
REMOVABLE LUGGAGE COMPARTMENT .... Soute amovible
REMOVABLE PANEL .... Panneau amovible
REMOVABLE PLUG .... Prise mobile
REMOVAL .... Dépose, démontage, enlèvement, transfert
REMOVAL RATES .... Taux des déposes
REMOVAL TOOLS .... Outils, outillages de démontage
REMOVAL UNDER INVESTIGATION .... Dépose sous investigation
REMOVE (to) .... Déposer, démonter, enlever, sortir, retirer, éliminer, supprimer, déplacer
REMOVE BURRS (to) .... Ébarber, ébavurer, supprimer les bavures, éliminer le morfil
REMOVE DEFECTS (to) .... Supprimer les défauts, les imperfections
REMOVE ELECTRICAL CONNECTION (to) .... Débrancher, déconnecter
REMOVE LOCKWIRE (to) .... Enlever le fil à freiner
REMOVE OLD SEALAND (to) .... Démastiquer
REMOVE POWER (to) .... Couper le courant, la pression
REMOVE SHARP EDGES (to) .... Moucher les angles vifs, abattre les angles vifs
REMOVED .... Enlevé, ôté, démonté
REMOVER .... Arrache, extracteur ; décapant
REMOVING STAINS .... Désoxydation
RENDEZVOUS .... Rendez-vous spatial
RENDEZVOUS PROCEDURE .... Procédure de rendez-vous
RENDEZVOUS TRAJECTORY .... Trajectoire de rendez-vous
RENEW (to) .... Remplacer, renouveler, changer

RENEWABLE .... Renouvelable
RENEWAL .... Remplacement, renouvellement
RENOVATE (to) .... Rénover, renouveler, remettre à neuf
RENT (to) .... Louer
RENT A CAR (to) .... Louer une voiture
RENTAL .... Location, loyer
REORDER LEAD TIME .... Délai de réapprovisionnement
REPACK (to) .... Replier
REPAINTING .... Peinture, retouche mineure
REPAIR .... Réparation, réfection, remise en état, dépannage
REPAIR (to) .... Réparer, refectionner, remettre en état
REPAIR BUSHING .... Bague cote réparation, bague en surcote
REPAIR BY WELDING .... Réparation par soudure
REPAIR DIAGRAM .... Schéma de réparation
REPAIR DIMENSIONS .... Cotes réparation
REPAIR LOCATION .... Emplacement réparation
REPAIR OUTFIT .... Trousse, nécessaire de réparation
REPAIR PARTS .... Pièces détachées, de rechange
REPAIR PATCH .... Pièce de réparation
REPAIR SCHEME .... Procédure de réparation, instructions de réparation
REPAIR SHOP .... Atelier de réparation
REPAIR SIZE .... Cote réparation
REPAIR STATION .... Station service
REPAIR WORKSHOP (repair shop) .... Atelier de réparation
REPAIRABLE .... Réparable, révisable *(consommable)*
REPAIRABLE ITEM .... Élément réparable
REPAIRED AREA .... Zone retouchée, réparée
REPAIRED PART .... Pièce réparée
REPAIRER .... Réparateur
REPAIRING .... Réparation, remise en état
REPAIRMAN .... Ouvrier d'entretien
REPARABLE .... Réparable
REPARABLES .... Pièces réparables en station service
REPATRIATE (to) .... Rapatrier
REPATRIATION .... Rapatriement
REPEAT (to) .... Répéter
REPEAT STEP (to) .... Répéter l'opération, l'item
REPEATER .... Répétiteur *(de cap)*, recopie *(chaîne de)*, répéteur *(d'impulsions)*
REPEATER COMPASS .... Compas répétiteur
REPEATER INDICATOR .... Répétiteur
REPEATER TRANSFORMER .... Transfo recopie
REPEATER UNIT .... Boîte de recopie
REPEL (to) .... Repousser

REPELLENT .... Répulsif, repoussant
REPELLENT FLUID .... Liquide anti-pluie
REPELLENT FORCE .... Force répulsive
REPELLING POWER .... Force répulsive
REPETITION RATE .... Taux de répétition
REPLACE (to) .... Remplacer, changer, replacer, remettre en place
REPLACED BY .... Remplacé par
REPLACEMENT BUSHING .... Bague de remplacement, de rechange
REPLACEMENT OF STUDS .... Remplacement des goujons
REPLACEMENT PARTS .... Pièces de rechange, de remplacement
REPLATE (to) .... Replaquer *(ré-argenter)*
RE-PLATED .... Replaqué
REPLENISH (to) .... Réapprovisionner, ravitailler, remplir, (re)faire le plein, compléter le niveau
REPLENISHING .... Complément de plein, réapprovisionnement
REPLENISHMENT .... Réapprovisionnement, ravitaillement
REPORT .... Rapport, compte-rendu, devis
REPORT (to) .... Rapporter, rendre compte, signaler, indiquer
REPORTED VISIBILITY .... Visibilité météo signalée
REPORTED WIND .... Vent mesuré
REPORTING POINT .... Point de compte-rendu
REPOSITION (to) .... Repositionner
REPOWERING .... Remotorisation
REPRESENTATION FRACTION .... Fraction représentant l'échelle
REPRESENTATIVE .... Démarcheur
REPRINT .... Réimpression
REPROCESS (to) .... Recycler, retraiter, régénérer
REPROCESSING PLANT .... Usine de retraitement
REPROFILING .... Remise au profil, reprise de profil, reprofilage
REQUEST .... Demande, requête
REQUIRE (to) .... Demander, réclamer, exiger, nécessiter, avoir besoin
REQUIRED (to be) .... Être nécessaire, exigé, demandé, voulu
REQUIRED FIELD LENGTH .... Longueur de piste nécessaire
REQUIRED NUMBER .... Nombre requis
REQUIRED RESULT .... Résultat exigé
REQUIRED TENSION .... Tension voulue, désirée, demandée, recommandée
REQUIRED TRACK .... Route à suivre
REQUIREMENT .... Nécessité, besoin, exigence, caractéristique, condition requise
REQUISITE .... 1) adj. : requis, nécessaire
2) nom : chose nécessaire
RE-ROUTE (to) .... Dérouter, ré-acheminer
RE-ROUTING .... Déroutement, ré-acheminement

RESAGGING .... Réglage des fils
RESALE .... Revente
RESCREW (to) .... Revisser
RESCUE .... Sauvetage
RESCUE (to) .... Sauver, délivrer
RESCUE BASKET .... Nacelle de sauvetage
RESCUE EQUIPMENT .... Équipement de sauvetage
RESCUE HELICOPTER .... Hélicoptère de sauvetage
RESCUE MISSION .... Mission de sauvetage
RESCUE PARTY (team) .... Équipe de sauveteurs
RESCUE VEHICLE .... Véhicule de secours
RESCUER .... Sauveteur
RESEAL (to) .... Réétancher, remastiquer
RESEARCH .... Recherche, essai, étude
RESEARCH CENTER .... Centre de recherche
RESEARCH PROGRAM .... Programme de recherche
RESEARCH ROCKET .... Fusée-sonde
RESEARCHER .... Chercheur
RESEAT (to) .... Roder le siège *(d'une soupape),* refaire la portée, se refermer *(clapet)*
RESEAT AT 3100 psi (to) .... Se refermer à 3 100 psi
RESERVATION (x days in advance) .... Location, réserve *(de place),* réservation, restriction
RESERVATION(S) AGENT (clerk) .... Agent de réservation(s)
RESERVE .... Réserve, restriction
RESERVE FUEL .... Carburant de réserve
RESERVE POWER .... Réserve de puissance
RESERVE TANK .... Réservoir de réserve, auxiliaire, secondaire
RESERVED AIRSPACE .... Espace aérien réservé
RESERVED SEAT .... Siège réservé
RESERVOIR .... Réservoir, bâche *(hydraulique)*
RESERVOIR AIR PRESSURE .... Pressurisation bâche
RESET .... Remise à l'état initial, à zéro, rétablissement, réinitialisation
RESET (to) .... Remettre en place, à zéro, replacer, remonter, régler, ré-enclencher, ré-armer, re-caler, réactiver, rétablir
RESET ACTUATOR .... Correcteur de calage
RESET BUTTON .... Bouton « réarmement »
RESET SWITCH .... Poussoir, interrupteur, inverseur de réenclenchement, de rétablissement, de réarmement, disjoncteur à réenclenchement
RESET VALVE .... Clapet de ré-étalonnage
RESETTING (re-setting) .... Mise à zéro, recalage
RESETTING KNOB .... Bouton de recalage, de remise à zéro
RESETTLE (to) .... Réinstaller

RESHARPEN (to) .... Réaffûter, raffûter, retailler
RESIDENT (airport resident) .... Riverain
RESIDUAL .... Résiduel, résidu, reste
RESIDUAL DEPOSIT .... Dépôt résiduel
RESIDUAL LOAD .... Charge résiduelle
RESIDUAL MAGNETISM .... Magnétisme rémanent
RESIDUAL THRUST .... Poussée résiduelle
RESIDUE .... Résidu, dépôt
RESIGN (to) .... Démissionner
RESIGNATION .... Démission
RESILIENCE .... Résilience, élasticité
RESILIENT .... Élastique, résilient
RESIN .... Résine
RESIN FILLER .... Résine de remplissage, d'imprégnation
RESIST (to) .... Résister
RESISTANCE .... Résistance
RESISTANCE BRIDGE .... Pont à résistance
RESISTANCE BULB .... Sonde de thermomètre, thermométrique
RESISTANCE COIL .... Bobine de résistance
RESISTANCE TEST .... Essai de résistance, épreuve d'outrance
RESISTANCE THERMOMETER .... Thermomètre à résistance
RESISTANCE TO BENDING .... Résistance à la flexion
RESISTANCE TO WEAR .... Résistance à l'usure
RESISTANCE WELDING .... Soudage par résistance *(par points, à la molette, par refoulement)*
RESISTIVE LAYER .... Couche résistive
RESISTIVE LOAD .... Charge résistive
RESISTIVITY .... Résistivité (Ω.m), résistance spécifique
RESISTOJET .... Propulseur électrothermique
RESISTOR .... Résistance *(composant)*
RESISTOR BOX .... Boîte à résistances
RESISTOR PROBE .... Sonde à résistance
RESO-JET .... Pulsoréacteur
RESOLUTION .... Résolution, définition
RESOLVE (to) .... Résoudre
RESOLVER .... Résolver
RESONANCE .... Résonance, vibration
RESONANCE BOX .... Boîte de résonance
RESONANCE TESTING .... Essai de résonance
RESONANT (circuit) .... Résonnant *(circuit)*
RESONATOR .... Résonateur
RESORT (to) .... Avoir recours à
RESOURCE .... Ressource
RESPIRATOR .... Masque à gaz, respirateur, masque respiratoire

RESPOND (to) .... Répondre, obéir
RESPONDER .... Répondeur
RESPONDER BEACON .... Radiophare répondeur
RESPONSE CURVE .... Courbe de réponse
RESPONSE TIME .... Temps de réponse, de réaction
RESPONSIVE .... Nerveux *(moteur)*, qui réagit rapidement *(commande)*
RESPRAY (to) .... Repeindre *(au pistolet)*
RESSUSCITATION .... Réanimation
REST .... Repos
REST ROOM .... Toilettes, salle de repos
RESTAFF (to) .... Engager du nouveau personnel pour compagnie (ACC)
RESTART (to) .... Relancer un moteur, remettre en marche, en route
RESTING PLANE .... Plan de pose
RESTING POSITION (resting contact) .... Position de repos *(contact de repos)*
RESTORE (to) .... Restaurer, réparer, rénover, rétablir
RESTORING MOMENT .... Moment stabilisateur, redresseur
RESTORING TORQUE .... Couple de rappel
RESTRAIN (to) .... Retenir, empêcher
RESTRICT (to) .... Calibrer, limiter, restreindre, réduire, étrangler, diminuer, étouffer
RESTRICTED AREA .... Zone réglementée
RESTRICTED FLOW .... Écoulement calibré, limité
RESTRICTED PARTS REMOVAL .... Dépose de pièce à limite de vie
RESTRICTED VISIBILITY .... Visibilité réduite
RESTRICTING ORIFICE .... Orifice calibré, de laminage, restricteur
RESTRICTION .... Restriction, limitation, étranglement
RESTRICTOR .... Restricteur, clapet réducteur, de laminage, gicleur, étrangleur
RESTRICTOR SHAFT .... Arbre restricteur
RESTRICTOR VALVE (restrictor) .... Restricteur, clapet de laminage
RESULT .... Résultat
RESULTANT FORCE .... Force résultante
RESUME COURSE TO (to) .... Reprendre le cap vers
RETAINER .... Pièce, dispositif de retenue, jonc d'arrêt, contreplaque, rondelle de retenue, arrêtoir, segment d'arrêt
RETAINER BAR .... Barre de retenue
RETAINER NUT .... Écrou de retenue
RETAINER PLATE .... Plaque, plaquette, flasque de retenue
RETAINER RING (internal and external) .... Circlips, jonc de retenue, anneau d'arrêt

RETAINING BOLT .... Boulon d'assemblage
RETAINING CIRCLIP (retaining clip) .... Jonc de retenue
RETAINING NUT .... Écrou de retenue, de serrage
RETAINING PARTS .... Pièces, organes de fixation
RETAINING PEG .... Ergot de retenue, de fixation, cheville de retenue
RETAINING PIN .... Broche de retenue, goupille
RETAINING PLATE .... Plaque, plaquette de retenue, plaquette arrêtoir, plaque de maintien
RETAINING RING .... Segment, bague de retenue, jonc d'arrêt, arrêtoir
RETAINING SCREW .... Vis d'arrêt
RETAINING SPRING .... Ressort de maintien
RETAINING STRAP .... Sangle de retenue
RETAINING VALVE .... Clapet, valve de retenue
RETAINING WASHER .... Rondelle de retenue, de maintien
RETARD (to) .... Retarder, réduire *(les gaz),* ramener, freiner *(un engin),* ralentir
RETARD THRUST LEVER (to) .... Donner du ralenti, ramener la manette de puissance, de poussée
RETARDATION .... Décélération, ralentissement
RETARDED IGNITION .... Retard à l'allumage
RETARDED POSITION .... Position ralenti
RETENTION .... Rétention, retenue
RETENTION ACTUATOR .... Vérin de rétention
RETEST (to) .... Reprendre, recommencer, refaire un essai, réessayer
RETHREADING DIE .... Écrou-filière
RETICULE .... Réticule
RETIGHTEN (to) .... Resserrer
RETIME (to) .... Régler à nouveau *(allumage)* ; reprogrammer *(vol)*
RETIRE (to) .... Prendre sa retraite
RETIREMENT .... Retraite
RETRACT (to) .... Rétracter, rentrer, escamoter, relever, (s') effacer
RETRACT FLAPS (to) .... Rentrer les volets
RETRACTABLE .... Rétractable, escamotable, rentrant
RETRACTABLE GEAR (retractable landing gear) .... Train rentrant
RETRACTABLE LANDING LIGHT .... Phares d'atterrissage mobiles
RETRACTABLE SILENCER .... Silencieux escamotable
RETRACTABLE STAIRWAY .... Escalier escamotable
RETRACTABLE STOP .... Butée rétractable, butée effaçable
RETRACTABLE TAIL SKID .... Sabot de queue rétractable

RETRACTED .... Rétracté, position rentré
RETRACTING .... Éclipsable, effaçable, rétractable
RETRACTING SPRING .... Ressort de rappel
RETRACTION .... Rentrée, relevage, escamotage, retrait, rétraction
RETRACTION ACTUATOR .... Vérin de relevage, de rentrée, de montée
RETRACTION JACK .... Vérin de relevage
RETRACTION OVERRIDE CONTROL (L/G) .... Cde d'interdiction de relevage train
RETRACTION TEST .... Essai de relevage, de rentrée
RETREAD(ING) .... Rechapage
RETREAD (to) .... Rechaper *(un pneu)*
RETREATING BLADE .... Pale reculante
RETRAIN (to) .... Recycler, requalifier
RETROACTION .... Rétroaction
RETROCEDE (to) .... Rétrograder, reculer
RETROFIT .... Rattrapage, modification d'un matériel après sa livraison à l'usager
RETROFIT (to) .... (re)équiper, remotoriser
RETROFIT KIT .... Lot de transformation
RETROFIT REMOVAL .... Dépose pour rattrapage
RETROFITTING .... Installation en rattrapage
RETROGRADE ORBIT .... Orbite rétrograde
RETROGRESS (to) .... Rétrograder
RETRO-ROCKET (retrorocket) .... Rétro-fusée
RETROSPECT MIRROR .... Rétroviseur
RETURN .... Retour, renvoi, répercussion, rappel, refoulement ; réponse, écho ; profit, rendement *(du capital)*
RETURN (to) .... Revenir, retourner, ramener, renvoyer
RETURN CURRENT .... Contre-courant
RETURN FARES .... Tarifs aller et retour
RETURN FILTER .... Filtre de retour
RETURN FLIGHT .... Vol retour, voyage aller et retour
RETURN-FLOW COMBUSTION CHAMBER .... Chambre de combustion à écoulement inversé
RETURN LINE .... Conduite, tuyauterie de retour, refoulement
RETURN OIL .... Huile de retour, retour d'huile
RETURN PORT .... Orifice de retour
RETURN SPRING .... Ressort de rappel
RETURN SYSTEM .... Circuit de retour
RETURN TICKET .... Billet aller et retour
RETURN TO SEAT .... Regagnez vos places
RETURN TO TANK .... Retour au réservoir
RETURN TRIP .... Voyage aller-retour, de retour

REUSABLE (re-usable) .... Réutilisable
REUSE .... Réutilisation, ré-usage, ré-emploi
REV = REVOLUTION .... Tour *(/minute d'un moteur)*
REV UP (to) .... Emballer *(moteur)*
REVAMPING .... Réfection
REVENUE .... Revenu, rapport, recette
REVENUE FLIGHT .... Vol commercial, payant
REVENUE PASSENGER .... Passager payant
REVENUE PASSENGER-MILE .... Passager-mille payant
REVENUE TONNE-KILOMETRE .... Tonne-kilomètre payant
REVENUE WEIGHT LOAD FACTOR .... Coefficient de remplissage en charge payante
REVERSAL .... Inversion
REVERSE .... Marche arrière, inverse, contraire, inversion de jet, de pas
REVERSE (to) .... Renverser, inverser
REVERSE BOOSTER .... Rétro-fusée
REVERSE CURRENT RELAY .... Conjoncteur-disjoncteur différentiel, relais inverseur
REVERSE FEEDBACK .... Contre-réaction
REVERSE FLOW .... Écoulement, flux inversé, inversion d'écoulement, retour d'écoulement
REVERSE FLOW COMBUSTOR .... Chambre de combustion à flux inversé
REVERSE GEARS .... Inverseur de marche
REVERSE GRID CURRENT .... Courant inverse de grille
REVERSE MOTION .... Marche arrière
REVERSE PITCH .... Pas inverse, pas négatif
REVERSE PITCH (to) .... Inverser le pas
REVERSE PITCH LEVER .... Manette d'inversion de pas
REVERSE POLARITY .... Inversion de polarité
REVERSE STOP .... Butée de réversion
REVERSE THROTTLE LEVER .... Manette d'inversion de poussée
REVERSE THRUST .... Poussée inverse, négative
REVERSE THRUST LEVER .... Manette d'inverseur de poussée
REVERSE VOLTAGE .... Polarisation inverse
REVERSED .... Inversé
REVERSER .... Inverseur de poussée, de jet
REVERSER BUCKETS .... Coquilles, déflecteurs
REVERSER CASCADE .... Grille d'inversion de poussée
REVERSER SLEEVE .... Capot mobile d'inverseur de poussée
REVERSIBLE .... Inversible, réversible
REVERSIBLE BLADE SCREWDRIVER SET .... Tournevis à jeu de lames réversibles
REVERSIBLE-PITCH PROPELLER (airsrew) .... Hélice à pas réversible

REVERSING .... Réversion
REVERSING RELAY .... Relais inverseur
REVERSING SWITCH .... Interrupteur inverseur
REVIEW .... Révision
REVISE (to) .... Revoir, modifier *(plan de vol)*
REVISION DATE .... Date de mise à jour
REVOLUTION .... Révolution, tour
REVOLUTION COUNTER .... Compte-tours
REVOLUTION INDICATOR .... Indicateur de vitesse de rotation
REVOLUTION PER MINUTE .... Nombre de tours/minute
REVOLVE (to) .... Tourner, pivoter, faire tourner
REVOLVING .... En rotation, tournant, rotatif
REVOLVING CYLINDER BARREL .... Barillet rotatif
REVOLVING JOINT .... Joint tournant
REVOLVING LIGHT .... Feu à éclats
REVOLVING PUNCH PLIERS .... Pince emporte-pièce révolver
REVOLVING TURRET .... Tourelle révolver, évoluable, mobile
REV-UP .... Survitesse
REVS-COUNTER .... Compte-tours
REWIND (to) .... Ré-enrouler, rembobiner, rebobiner
REWINDER .... Dévideuse
RE-WINDING .... Rembobinage
REWIRE (to) .... Recâbler
REWORK (to) .... Modifier, retoucher, réusiner
REWORK DIM .... Cote réparation, retouche
REWORK LIMITS .... Tolérances de réparation, de réusinage
REWORK OF .... Modification de
REWORKED BY DRAWING .... Modifié suivant dessin
REWORKED SURFACE .... Surface retouchée
REYNOLD'S NUMBER (reynolds number) .... Nombre de Reynold
RE-ZERO (to) .... Remettre à zéro
R.H (right hand) .... Main droite *(à droite)*
RHEOSTAT .... Rhéostat, résistance à curseur
RHO-THETA SYSTEM (ϱ.θ) .... Système de radionavigation *(indiquant la distance et l'azimut)*
RHOMBIC ANTENNA (aerial) .... Antenne en losange
RHUMB LINE .... Loxodromie
RHUMB LINE TRACK (route) .... Route loxodromique
RIB .... Nervure, membrure, strie, travée d'aile
RIB (to) .... Nervurer
RIB BAY .... Baie de nervure
RIB CHORD .... Semelle de nervure
RIB WEB .... Ame de nervure
RIBBED .... Nervuré, strié

RIBBON .... Ruban, bande
RIBBON-SAW .... Scie à ruban
RICH MIXTURE .... Mélange riche
RIDE .... Course, trajet, voyage
RIDGE .... Arête, ride, strie, pli, crête, ondulation ; chaîne de hautes pressions, dorsale *(météo)*
RIDGED SURFACE .... Surface striée
RIFLE .... Rayure
RIFLING MACHINE .... Machine à rayer
RIG .... Banc, installation, équipement, bâti, châssis
RIG (to) .... Équiper, monter, installer, régler
RIG TESTED .... Essayé, éprouvé, testé au banc
RIG UP (to) .... Monter, installer
RIGGER .... Monteur-régleur, mécanicien cellule
RIGGING .... Montage, fixation, réglage, câblage
RIGGING ANGLE (of incidence) .... Angle de calage
RIGGING FIXTURE .... Montage, dispositif de réglage
RIGGING LOAD .... Tension de réglage
RIGGING OF CONTROLS .... Réglage des commandes
RIGGING PIN .... Broche de réglage
RIGGING TOOLS .... Outillages de réglage
RIGHT (to) .... Redresser
RIGHT ANGLE .... Angle droit, équerre
RIGHT-ANGLED ARROW .... Flèche coudée à droite
RIGHT-HAND THREAD .... Filetage, pas à droite
RIGHT-HAND WING .... Aile droite
RIGHT-HANDED SCREW .... Vis à pas à droite
RIGHT-OF-WAY .... Priorité de passage
RIGHT SIDE VIEW .... Vue côté droit
RIGHT TURN .... Virage à droite
RIGHTING .... Redressement
RIGHTING MOMENT .... Moment de redressement
RIGID .... Rigide, raide, fixe, résistant, indéformable, inflexible
RIGID AIRSHIP (semi-rigid) .... Dirigeable rigide *(semi-rigide)*
RIGID BLADE .... Pale rigide
RIGID COUPLING .... Accouplement rigide
RIGID PIPE .... Tuyauterie rigide
RIGIDITY .... Rigidité
RIM .... Jante, rebord, lèvre, couronne, arête, volute
RIM FLANGE .... Rebord de jante
RIM SPEED .... Vitesse périphérique
RIME .... Givre, gelée blanche
RING .... Couple, jonc, anneau, bague, segment *(piston)*, cercle, couronne, frette, faux couple *(fuselage)*

RING (outer, inner) .... Cage roulement *(ext, int)*
RING .... Son, sonnerie
RING FIN .... Semi-fenestron *(rotor anti-couple d'hélicoptère)*
RING FRAME .... Couple *(fuselage)*
RING GEAR .... Couronne dentée, planétaire
RING GROOVE .... Rainure circonférentielle, gorge
RING JOINT, RING GASKET .... Joint annulaire
RING LASER GYRO STRAP-DOWN NAVIGATION SYSTEMS ... Centrale d'attitude à composants liés
RING NUT .... Écrou annulaire, écrou de retenue
RING PISTON .... Piston à segments
RING SEAL .... Joint annulaire, anneau, joint d'étanchéité annulaire
RING SPANNER (spanner wrench) .... Clé à œil, clé fermée, clé polygonale
RING-WIPER .... Segment racleur
RINSE (rinsing) .... Rinçage
RINSE (to) .... Rincer
RINSE-STATION .... Station de rinçage
RINSE WATER .... Eau de rinçage
RIP .... Déchirure, fente
RIP SAW .... Scie à refendre
RIPCORD (rip cord) .... Cordelette de fermeture, corde de déchirure
RIPPING PANEL (rip panel) .... Panneau de déchirure
RIPPLE .... Ride *(sur l'eau)*, ondulation, pulsation
RIPPLE CURRENT .... Courant ondulé
RISE .... Élévation, montée, augmentation, hauteur, flèche
RISE (to) .... Augmenter, s'élever
RISE IN TEMPERATURE .... Élévation de la température
RISE TIME .... Temps de montée
RISER .... Gaine, cheminée, conduit ascendant, montant
RISING .... Montant, croissant, en hausse ; augmentation, élévation, soulèvement, envol, hausse, poussée
RISING STEM .... Tige montante
RISK .... Risque, péril
RIVET .... Rivet
RIVET (to) .... River
RIVET GUN .... Marteau riveur, riveteuse
RIVET HEAD .... Tête de rivet
RIVET LINE .... Ligne de rivets
RIVET PEEN .... Bouterolle
RIVET-PUNCH .... Chasse-rivet
RIVET ROW .... Rangée de rivets
RIVET-SET (peen) .... Bouterolle

RIVET-SET, RIVET-SNAP, RIVET-PUNCH .... Chasse-rivet
RIVET SHANK .... Tige de rivet
RIVET SPACING .... Espacement, pas des rivets
RIVETED .... Rivé
RIVETED JOINT .... Rivure
RIVETER .... Pistolet à river, riveur, de rivetage, riveteuse, riveuse
RIVETING (rivetting) .... Rivetage, rivure
RIVETING-DIE .... Bouterolle
RIVETING HAMMER .... Marteau-rivoir, marteau à river
RIVETING GUN .... Pistolet à river, riveur
RIVETING MACHINE .... Riveteuse, riveuse, machine à river
RIVETLESS .... Sans rivets
RIVNUT .... Écrou rivé
RMI POINTER (needle) .... Aiguille RMI
RMS CURRENT (root-mean square) .... Intensité efficace
RMS VALUE (r.m.s.v.) .... Valeur efficace
RNAV WAYPOINT .... Point de navigation RNAV, de navigation de surface
ROAD .... Route, chemin, voie
ROAK .... Soufflure, cloque, paille
ROAR (to) .... Ronfler *(moteur)*
ROBBERY .... Voir cannibalization removal
ROBOT .... Robot, automate, machine automatique
ROBOT PILOT .... Pilote automatique
ROBOTICS .... (la) robotique
ROCK (to) .... Balancer, basculer, osciller, embarder
ROCK THE WINGS (to) .... Battre des ailes
ROCKER .... Culbuteur, basculeur
ROCKER ARM .... Basculeur *(inversion de poussée)*, doigt culbuteur
ROCKER ARM SHAFT .... Axe des culbuteurs
ROCKER SWITCH .... Inverseur à bascule, interrupteur inverseur, basculeur
ROCKET .... Fusée, roquette
ROCKET BASE .... Base de lancement des fusées
ROCKET BLAST .... Souffle de la fusée
ROCKET BOOSTER (solid) .... Moteur fusée d'appoint à poudre
ROCKET ENGINE .... Moteur fusée
ROCKET FIGHTER .... Avion fusée
ROCKET FIRING .... Tir de roquettes
ROCKET FLARE .... Fusée éclairante
ROCKET-LAUNCHER .... Lance-roquette, lance-fusée
ROCKET MOTOR (solid) .... Moteur de fusée, moteur-fusée *(à poudre)*

ROCKET OFF (to) .... Décoller en chandelle
ROCKET PLANE .... Avion fusée
ROCKET POD .... Panier lance-roquettes
ROCKET PROPULSION .... Propulsion par fusée, de la fusée
ROCKET RAMJET .... Stato-fusée
ROCKETING PRICES .... Prix qui montent en flèche
ROCKING DOOR .... Porte basculante
ROCKING SHAFT .... Arbre basculant
ROCKWELL HARDNESS MACHINE .... Machine de contrôle du dureté Rockwell, duromètre Rockwell
ROD .... Tige, barre, tirant, bielle, biellette, tringle, verge, canne
ROD ASSEMBLY .... Embiellage
ROD BIG END .... Tête de bielle
ROD COUPLING .... Raccordement, emmanchement de tiges
ROD END .... Embout, extrémité de tige, tête de bielle, embout à rotule
ROD END CLEVIS .... Chape de bielle
ROD PACKING .... Garniture de tige, tresse de presse-étoupe
ROD SMALL END .... Pied de bielle
ROLL .... Coup de roulis, rouleau, cylindre, tonneau
ROLL (to) .... Laminer, rouler, faire un tonneau
ROLL ATTITUDE .... Assiette, inclinaison latérale, en roulis
ROLL AXIS .... Axe de roulis, axe longitudinal
ROLL CAB (roll cabinet) .... Armoire, servante mobile *(d'atelier)*
ROLL CHANNEL .... Chaîne de roulis
ROLL COMPUTER .... Calculateur de roulis
ROLL CONTROL .... Commande de gauchissement
ROLL DAMPER .... Compensateur de roulis
ROLL FORMING (flowing) .... Fluotournage
ROLL-HEAD .... Tête pivotante
ROLL IN (to) .... Gauchir, s'engager en virage
ROLL INSTABILITY .... Instabilité en roulis
ROLL RATE .... Vitesse angulaire de roulis, taux de roulis
ROLL RATE GYRO .... Gyromètre de roulis
ROLL REFERENCE LINE .... Ligne de référence en roulis
ROLL-OFF .... Abattée sur une aile
ROLL-OUT .... Sortie d'usine, présentation au sol, roulage au sol
ROLL OUT (to) .... Sortir *(de l'usine, de l'atelier d'achèvement) ;* dégauchir, sortir de virage
ROLL SPEED .... Vitesse de roulage au sol
ROLL SPOT WELDING .... Soudage à la molette
ROLL TRIM .... Compensation en roulis

ROLL WHEEL (to) .... Faire tourner la roue *(spinning)*
ROLLED .... Laminé
ROLLED EDGES .... Bords roulés
ROLLED IN .... Serti
ROLLED THREADS .... Filets roulés, laminés
ROLLER .... Galet, rouleau, molette
ROLLER BEARING .... Palier à rouleaux, roulement à rouleaux
ROLLER BRACKET .... Support de galet
ROLLER CONVEYOR .... Convoyeur, transporteur à rouleaux
ROLLER PIN (rollpin) .... Axe cylindrique
ROLLER SHAFT .... Arbre de porte-galet
ROLLER STAKE .... Sertissage roulement, sertissage circulaire
ROLLER STAKE (to) .... Sertir à la molette
ROLLER STAKE OUTER RACE (to) .... Sertir la cage extérieure roulement
ROLLER TRACK .... Chemin de roulement
ROLLER TRAY .... Plateau roulant, transporteur à galets, chemin de roulement
ROLLING .... Roulis ; laminage
ROLLING DISTANCE (length) .... Distance de roulement
ROLLING MILL (sheet metal) .... Acierie, laminoir *(tôles)*
ROLLING MOMENT (L) .... Moment de roulis
ROLLING PRESS (mill) .... Laminoir
ROLLING SURFACE .... Surface de roulage
ROLLING STABILITY .... Stabilité transversale, en roulis
ROLLING TAKE-OFF .... Décollage sur la lancée sans marquer d'arrêt en bout de piste, décollage en tournant *(hélicoptère)*
ROLLING TOOL .... Molette
ROLLOUT .... Sortie
ROLLOUT END .... Bout de piste
ROLLOUT GUIDANCE .... Guidage, maintien d'axe au roulement
ROOF .... Toit, voûte, plafond, ciel
ROOM .... Salle, pièce, place
ROOM TEMPERATURE .... Température de la pièce, ambiante
ROOMY .... Spacieux
ROOMY CABIN .... Cabine spacieuse
ROOT .... Emplanture, pied, racine, talon
ROOT CHORD .... Corde à l'emplanture
ROOT-MEAN SQUARE (RMS) .... Moyenne quadratique
ROOT-MEAN SQUARE CURRENT (r.m.s) .... Intensité efficace
ROOT-MEAN SQUARE VALUE (r.m.s.v) .... Moyenne quadratique, valeur efficace
ROOT OF TOOTH .... Pied de la dent
ROOT RADIUS .... Rayon à l'emplanture, à fond de filet
ROOT RIB .... Nervure d'encastrement

ROPE .... Corde, cordage, câble, filin
ROPE SLING .... Élingue
ROSSBY NUMBER .... Nombre de Rossby
ROSTER .... Tableau de service
ROSTERING (crew rostering) .... Rotation des équipages
ROTABLE .... Rotatif, orientable, tournant ; révisable non consommable, rotatoire
ROTABLE COMPONENTS .... Composants réparables, éléments économiquement remis à neuf
ROTABLE ITEM .... Élément révisable
ROTABLES .... Volant de pièces de rechange, matériels échangeables
ROTAMETER .... Rotamètre *(débit air),* débitmètre
ROTAPLANE .... Autogyre
ROTARY .... Rotatif, rotatoire, tournant
ROTARY ACTUATOR .... Actionneur rotatif
ROTARY ANTENNA .... Antenne tournante
ROTARY BREATHER .... Reniflard, épurateur centrifuge
ROTARY CONVERTER .... Convertisseur rotatif, commutatrice
ROTARY ENGINE .... Moteur rotatif, à pistons rotatifs
ROTARY FILE .... Meule rotative
ROTARY JOINT .... Joint tournant
ROTARY MOTION .... Mouvement tournant, rotatif
ROTARY PUMP .... Pompe rotative, à mouvement rotatif
ROTARY RACK .... Barillet rotatif
ROTARY SEAL .... Joint tournant
ROTARY SELECTOR .... Sélecteur rotatif, bouton sélecteur
ROTARY SPEED .... Vitesse de rotation
ROTARY SWITCH .... Commutateur rotatif
ROTARY TABLE .... Table de rotation
ROTARY WING (rotating wing) .... Voilure tournante, rotative
ROTARY-WING PROJECT .... Projet d'hélicoptère
ROTARY-WING(ED) AIRCRAFT .... Aéronef à voilure tournante
ROTATABLE NOZZLE .... Tuyère orientable
ROTATE (to) .... *(faire)* tourner, pivoter, basculer, rabattre
ROTATE CLEAR (to) .... Tourner librement
ROTATE FREELY (to) .... Tourner librement
ROTATE PROPELLER (to) .... Faire tourner l'hélice
ROTATING .... Tournant, rotatif
ROTATING ASSEMBLIES .... Ensembles tournants, rotatifs
ROTATING BEACON LIGHT .... Phare rotatif anti-collision, feu tournant anti-collision
ROTATING BLADE (rotor blade) .... Ailette mobile

ROTATING DIAL .... Rose mobile
ROTATING FIELD .... Champ tournant
ROTATING FRAME (loop) .... Cadre tournant, mobile
ROTATING GUIDE VANES (RGV) .... Aubes d'entrée rotatives, roue d'entrée
ROTATING MACHINE .... Machine tournante
ROTATING PARTS .... Pièces tournantes
ROTATING RADIO BEACON .... Radiophare tournant
ROTATING SHAFT .... Arbre tournant
ROTATING SLEEVE .... Manchon tournant
ROTATING SWEEP .... Balayage circulaire
ROTATION .... Rotation, tour
ROTATION OF THE EARTH .... Rotation de la terre
ROTATION SPEED .... Vitesse de rotation, de cabrage *(décollage)*
ROTATIONAL .... Rotationnel, rotatoire
ROTATIONAL (rotative) .... Rotatif, de rotation, rotateur
ROTATIONAL SPEED (rpm) .... Vitesse de rotation
ROTATIONAL TORQUE .... Couple de rotation
ROTATIONS PER MINUTE (rpm) .... Tours/minute
ROTATIVE SPEED .... Vitesse de rotation
ROTATORY .... Rotatoire, de rotation, rotateur(trice)
ROTOR .... Roue mobile, roue compresseur, rouet, rotor, voilure tournante *(d'un hélicoptère)*, balai rotatif, induit
ROTOR BLADE .... Pale *(d'hélice)*, aubage de rotor, contact tournant
ROTOR DRIVE SYSTEM ... Système d'entraînement du rotor, des pales
ROTOR HEAD .... Tête de rotor *(starflex)*
ROTOR HUB .... Moyeu du rotor
ROTOR MAST .... Mât rotor
ROTOR PYLON .... Pylône de rotor
ROTOR SPOOL .... Tambour rotor
ROTOR TIP VELOCITY .... Vitesse circonférentielle du rotor
ROTOR VALVE .... Robinet sélecteur rotatif
ROTORCRAFT .... Giravion, aéronef à voilure tournante, giraviation
ROUGH .... Rugueux, grossier, rèche, dur, brut
ROUGH (to) .... Dégrossir, ébaucher
ROUGH AIR .... Atmosphère agitée, turbulence
ROUGH AIRSHIP .... Terrain de fortune
ROUGH CAST .... Ébauche d'un plan ; brut de fonte
ROUGH CASTING .... Ébauche coulée
ROUGH CONTROL .... Correction brusque
ROUGH FIELD .... Terrain dur, rudimentaire
ROUGH FORGED .... Brut de forge

ROUGH FORGING .... Ébauche forgée, pièce brute de forge
ROUGH GRINDING .... Rectification d'ébauche
ROUGH LANDING .... Atterrissage dur, brutal
ROUGH LAPPING .... Rodage d'ébauche *(carborundum)*
ROUGH MACHINING .... Ébauchage, dégrossissage
ROUGH OUT (to) .... Ébaucher *(un plan)*
ROUGH PAINTED .... Peint grossièrement
ROUGH PLANING .... Corroyage
ROUGH REAMING .... Alésage d'ébauche
ROUGH SKETCH .... Ébauche, esquisse
ROUGH STRIP .... Piste sommairement aménagée, préparée
ROUGH WEATHER (heavy weather) .... Gros temps
ROUGHING .... Ébauchage, dégrossissage
ROUGHING CUT .... Passe d'ébauche, ébauche
ROUGHING LATHE .... Tour à dégrossir
ROUGHING OUT .... Dégrossissement, dégrossissage
ROUGHING TOOL .... Outil de dégrossissage, à charioter
ROUGHNESS .... Rugosité, dureté, aspérité, irrégularité
ROUND .... Circulaire, rond, reprise ; tour, circuit
ROUND (to) .... Abattre, arrondir *(les angles)*, adoucir *(une arête)*, contourner, arrondir, tourner, tournoyer
ROUND ALL SHARP EDGES (to) .... Arrondir les angles vifs
ROUND BAR .... Rondin, rond, fer rond
ROUND DIE .... Filière ronde
ROUND FILE .... Lime ronde, queue-de-rat
ROUND HEAD RIVET .... Rivet à tête ronde
ROUND HEAD SCREW (cup head screw) .... Vis à tête ronde
ROUND-HEADED BOLT .... Boulon à tête ronde
ROUND IRON .... Fer rond
ROUND-NOSE PLIERS .... Pinces rondes
ROUND NUT .... Écrou cylindrique
ROUND SHANK .... Tige ronde
ROUND-THE-CLOCK SERVICE .... Service 24 heures sur 24, continu, permanent
ROUND-THE-WORLD TICKET .... Billet tour du monde
ROUND-THE-WORLD TRIP .... Tour du monde
ROUND TRIP .... Voyage, vol aller-retour, rotation, croisière
ROUND-TRIP FARE .... Tarif aller-retour
ROUNDED .... Arrondi
ROUNDNESS .... Circularité, arrondi
ROUNDTRIP TICKET .... Ticket, billet, tarif aller-retour
ROUTE .... Itinéraire, route, voie, chemin, cheminement, ligne, parcours
ROUTE (to) .... Détourer ; acheminer
ROUTE AIR NAVIGATION .... Navigation aérienne de route

ROUTE BEACON .... Balise de route
ROUTE CHART .... Carte de navigation, routier
ROUTE DESIGNATOR .... Indicatif de route
ROUTE FORECASTS .... Prévisions de route
ROUTE MANUAL .... Routier
ROUTE OF FLIGHT .... Route de vol
ROUTE OF LINE .... Tracé d'une ligne
ROUTE SEGMENT .... Segment, tronçon de route
ROUTE STAGE .... Étape
ROUTED .... Acheminé
ROUTED BEAM .... Poutre en I
ROUTED RADIUS .... Rayon du congé
ROUTER .... Traçoir, trusquin
ROUTINE INSPECTION .... Vérification, contrôle, visite systématique, périodique
ROUTINE FLIGHT .... Vol de routine
ROUTINE MAINTENANCE (servicing) .... Entretien périodique, de routine, courant, systématique
ROUTINE REPLACEMENT .... Échange standard
ROUTING .... Détourage ; (a)cheminement, itinéraire, route, chemin
ROUTING MACHINE .... Machine à détourer, détoureuse, toupilleuse
ROUTING INDICATOR .... Indicateur d'acheminement
ROW .... Rangée, rang, file, ligne
ROW SCANNING .... Balayage de lignes
ROWING STATION .... Station mobile
RPM (rotations, revolutions per minute) .... Nombre de tours/minute
RPM CONTROL .... Commande, affichage régime, puissance
RPM CONTROL HANDLE .... Manette des gaz, de puissance
RPM CONTROL LEVER .... Manette de N
RPM INDICATOR .... Tachymètre, compte-tours
RPV (remotely piloted vehicle) .... Engin sans pilote
RUB .... Frottement, friction, bande de frottement
RUB (to) .... Frotter, frictionner, adoucir, poncer
RUB CORRODED AREA (to) .... Dérocher, gratter la zone corrodée
RUB STRIP .... Bande d'usure, bande de frottement
RUBBER .... Caoutchouc, gomme, frottoir
RUBBER BOOT .... Protection, dégivreur en caoutchouc
RUBBER BUFFER .... Tampon en caoutchouc
RUBBER-COVERED CABLE .... Fil sous gaine de caoutchouc
RUBBER-CUSHIONED MOUNT .... Support élastique, silentbloc
RUBBER FUEL CELLS .... Cellules en caoutchouc *(réservoir)*
RUBBER GASKET .... Joint caoutchouc
RUBBER HOSE .... Durite, tuyauterie souple

RUBBER PACKING .... Garniture en caoutchouc
RUBBER (sealing) RING .... Joint *(d'étanchéité)* caoutchouc
RUBBER STAMP .... Tampon encreur
RUBBER STAMP (to) .... Marquer au tampon encreur
RUBBER STRIP (rub strip) .... Bande de caoutchouc, d'usure, de frottement
RUBBING .... Frottement, frottage, friction, polissage
RUBBING COUMPOUND .... Pâte à polir
RUBBING FIN .... Léchette
RUBBING STRIP .... Bande de frottement
RUBBING WASHER (grommet) .... Rondelle caoutchouc
RUBSTRIP (teflon sheet) .... Bande de frottement, d'usure
RUDDER .... Gouverne de direction, gouvernail
RUDDER-BAR (pedals) .... Palonnier
RUDDER BAR CONTROLS .... Commandes de palonnier
RUDDER BOOSTER (hydraulic unit) .... Servo-commande direction, servo-moteur de direction
RUDDER BLOWBACK .... Refoulement de la gouverne de direction
RUDDER CONTROL .... Commande de direction
RUDDER CONTROL BAR .... Palonnier
RUDDER CONTROL JACKSHAFT ASSY .... Vérin à vis commande de direction
RUDDER CONTROL QUADRANT .... Secteur de commande gouverne de direction
RUDDER CONTROL SYSTEM LINKAGE .... Timonerie de commande gouverne de direction
RUDDER CONTROL TAB .... Servo-tab de direction
RUDDER DAMPER .... Amortisseur de direction
RUDDER DEFLECTION .... Braquage gouverne de direction, débattement direction
RUDDER FEEL MECHANISM .... Mécanisme de sensation musculaire de direction, sensation artificielle
RUDDER FEEL SPRING MECHANISM .... Mécanisme ressort de sensation direction
RUDDER FLUTTER .... Battement du gouvernail
RUDDER GUST LOCK .... Blocage direction
RUDDER LIMITER .... Limiteur de débattement de la direction
RUDDER LOAD RELIEF .... Limiteur de charge direction
RUDDER PEDAL(S) .... Pédale de palonnier, bloc pédales, pédales de cde du gouvernail de direction
RUDDER PEDAL FORCE .... Effort au pied
RUDDER PEDALS-RUDDER BAR .... Palonnier, bloc pédales *(direction)*
RUDDER POSITION INDICATOR .... Indicateur de position gouverne de direction

RUDDER POSITION SENSOR .... Détecteur de position gouverne de direction
RUDDER POST .... Axe d'articulation, longeron de gouverne de direction, montant de gouvernail
RUDDER POWER UNIT .... Servo-commande direction
RUDDER RATIO CHANGE .... Variateur de débattement direction
RUDDER SERVO .... Servo-moteur de direction
RUDDER SNUBBER ASSY .... Ensemble amortisseur hydraulique de direction
RUDDER STANDBY HYDRAULIC SYSTEM .... Circuit hydraulique de secours gouverne de direction
RUDDER TAB .... Flettner de direction, tab de direction
RUDDER TRAVEL ...... Débattement, course du gouvernail de direction
RUDDER TRAVEL LIMITER .... Limiteur de débattement de la direction
RUDDER TRIM .... Compensation de la direction, compensateur de direction
RUDDER TRIM ACTUATOR .... Vérin de trim direction
RUDDER TRIM CONTROL .... Commande de trim direction
RUDDER TRIM CONTROL ACTUATOR .... Vérin de commande trim direction
RUDDER TRIM KNOB (wheel) .... Bouton trim direction
RUG .... Tapis, moquette
RUG STRIP .... Bande de carpette, de tapis
RULE .... Règle, réglet ; règlement
RULES OF THE AIR .... Règles de l'air
RULING PEN .... Tire-ligne
RUMBLE (to) .... Remettre des gaz, gronder, s'ébranler
RUMBLING NOISE .... Grondement
RUN .... Course, parcours, distance parcourue, câblage, marche, fonctionnement
RUN (to) .... Faire fonctionner, fonctionner, *(faire)* tourner, marcher
RUN A CIRCUIT (to) .... Établir un circuit
RUN AT IDLE (to) .... Tourner au ralenti
RUN BLOCK .... Poulie mobile
RUN DOWN (to) .... Déceler, s'épuiser, se décharger
RUN-DOWN TIME .... Temps de décélération, d'arrêt *(après coupure moteur)*
RUN DRY (to) .... Tomber en panne sèche
RUN ENGINE (to) .... Faire tourner le moteur, faire fonctionner le moteur
RUN IN (to) .... Roder *(un moteur)*
RUN INTO (to) .... Rencontrer *(turbulence, givrage)*
RUN ON (to) .... Continuer sa course

RUN-OUT (runout) .... Faux-rond, coulure, prolongement, extension, ovalisation
RUN OUT (to) .... Couler, se répandre, s'étendre
RUN OUT OF FUEL (to) .... Être à court de carburant
RUN THROUGH (to) .... Passer à travers
RUN TRUE (to) .... Tourner rond
RUN UNDER ITS OWN POWER (to) .... Devenir autonome
RUN-UP .... Point fixe
RUN UP (to) .... Faire le point fixe
RUN-UP AREA (pad) .... Zone, aire de point fixe
RUN-UP BOARDS .... Panneaux d'aire de point fixe
RUN-UP TESTING .... Essai de point fixe
RUNAWAY .... Emballement, affolement
RUNAWAY OF THE ENGINE .... Emballement du moteur
RUNS (traces of) .... Traces de coulures
RUNNING .... Fonctionnement, marche
RUNNING AREA .... Surface de roulement
RUNNING CENTRE .... Pointe tournante
RUNNING DIRECTION .... Sens de marche
RUNNING ENGINE .... Moteur en marche
RUNNING HOURS .... Heures de fonctionnement
RUNNING IN .... (en) rodage
RUNNING LEAK .... Fuite permanente
RUNNING SEAL .... Joint tournant
RUNNING TIME (engine) .... Temps de fonctionnement du moteur
RUNNING WATER .... Eau courante
RUNWAY .... Piste, piste de décollage, chemin de roulement
RUNWAY ALIGNMENT (indicator) .... Alignement de piste *(indicateur d')*
RUNWAY CENTERLINE (center line) .... Axe de la piste
RUNWAY CENTRE-LINE LIGHTS .... Feux d'axe de piste
RUNWAY CENTRE-LINE MARKINGS .... Marques d'axe de piste, marques médianes
RUNWAY CIRCUIT (pattern) .... Tour de piste
RUNWAY CROSSING LIGHTS .... Feux de traversée de piste
RUNWAY DAY MARKINGS .... Balisage diurne des pistes
RUNWAY DESIGNATION MARKINGS .... Marques d'identification des pistes
RUNWAY DESIGNATOR .... Indicatif de piste
RUNWAY DRY .... Piste sèche
RUNWAY EDGE LIGHTS .... Feux de bordure de piste
RUNWAY EDGE MARKING .... Balise bout de piste, marque de bord de piste
RUNWAY EDGE MARKINGS .... Balisage de bord de piste
RUNWAY ELEVATION .... Altitude de la piste

RUNWAY END LIGHTS .... Feux d'extrémité de piste
RUNWAY EXCURSION .... Sortie de piste
RUNWAY FLOODLIGHTS .... Projecteurs de piste
RUNWAY GRADIENT (slope) .... Pente, déclivité de la piste
RUNWAY HEADING .... Orientation, cap piste
RUNWAY IDENTIFICATION LIGHTS .... Feux d'identification de piste
RUNWAY IN SIGHT .... Piste en vue
RUNWAY INTERSECTION SIGN .... Panneau indicateur d'intersection de piste
RUNWAY-IN-USE (active runway) .... Piste en service
RUNWAY LANDING LIGHTS .... Projecteurs obliques de roulage
RUNWAY LENGTH AVAILABLE .... Longueur de piste utilisable
RUNWAY LIGHTS .... Feux de piste
RUNWAY LOCALIZER .... Radiophare d'atterrissage, radiogoniomètre de bord
RUNWAY/LOCALIZER SYMBOL .... Index d'écart d'alignement de piste
RUNWAY MAGNETIC BEARING (QFU) .... Orientation magnétique de la piste
RUNWAY NUMBER .... Numéro de la piste
RUNWAY PATTERN .... Disposition des pistes
RUNWAY SIDE STRIPE MARKINGS .... Marques latérales de piste, marques marginales
RUNWAY SLOPE .... Pente, déclivité de la piste
RUNWAY STRENGTH .... Résistance de la piste
RUNWAY STRIP .... Bande de piste
RUNWAY SYSTEM .... Réseau des pistes
RUNWAY TEXTURE .... Texture de la piste
RUNWAY THRESHOLD .... Seuil de piste, entrée de piste
RUNWAY TOUCHDOWN ZONE MARKINGS ..... Marques d'aire de prise de contact
RUNWAY VISIBILITY .... Visibilité de piste
RUNWAY VISUAL MARKERS .... Balises visuelles de piste
RUNWAY VISUAL RANGE (RVR) .... Portée visuelle de piste
RUPTOR .... Rupteur
RUPTURE (to) .... Rompre, casser, lâcher
RUPTURE TEST .... Essai de rupture
RUSH (to) .... Se précipiter, s'élancer
RUSH HOUR .... Heure d'affluence *(de pointe)*
RUSH OF AIR .... Appel, entrée d'air
RUSH OF CURRENT .... A-coup de courant
RUSH REPLY .... Réponse urgente
RUST .... Rouille
RUST (to) .... Rouiller
RUST ARRESTING COMPOUND .... Composé anti-rouille

RUST-FREE .... Inoxydable, antirouille
RUST-PREVENTIVE (compound) .... Anti-rouille
RUST-PROOF (rust-resisting) .... Inoxydable
RUST REMOVING (rust remover) .... Désoxydation, dérouillage, dégrippage, dérochage
RUSTPROOF STEEL .... Acier inoxydable
RUST-RESISTANT .... Inoxydable
RUSTED .... Rouillé
RUSTY .... Rouillé, oxydé
RUT .... Ornière
RUT (to) .... Gripper
RUTTING .... Grippage

S

SABRE SAW BLADE .... Lame de scie sauteuse
SACK (to) .... Ensacher, mettre en sac ; congédier, renvoyer
SACKCLOTH .... Toile à sac, toile d'emballage
SADDLE .... Selle, coupelle d'appui, reposoir, support, trainard *(de tour)*, chariot *(de fraiseuse)*
SADDLE WASHER .... Rondelle de forme, rondelle en forme de coupelle, de selle
SAFE .... Sauf, sauve, en sûreté, à l'abri, sûr, solide
SAFE LEVEL .... Limite de sécurité
SAFE LOAD .... Charge admissible
SAFE OPERATION .... Utilisation sans danger
SAFETIED .... Freiné
SAFETY .... Sécurité, sûreté
SAFETY BARRIER NET .... Filet garde-fou
SAFETY BELT .... Ceinture de sécurité
SAFETY CATCH .... Cran d'arrêt, de sûreté
SAFETY COVER .... Couvercle, cache, obturateur, housse de sécurité
SAFETY CUT-OUT .... Coupe-circuit
SAFETY DEVICE (feature) .... Dispositif de sécurité, sécurité, perfectionnement visant à la sécurité
SAFETY DISC .... Disque de sécurité
SAFETY DISCHARGE HOSE .... Tuyau d'évacuation de sécurité
SAFETY FACTOR .... Facteur, coefficient de sécurité
SAFETY FEATURE .... Dispositif de sécurité
SAFETY FUSE .... Fusible, coupe-circuit de sécurité
SAFETY GLASS (es) .... Verre de sécurité *(lunettes de protection)*
SAFETY GOGGLES .... Lunettes de sécurité
SAFETY GUARD .... Protection, cache de sécurité
SAFETY HARNESS .... Harnais de sécurité
SAFETY INSTRUCTIONS .... Règles de sécurité
SAFETY LOCKING PIN .... Épingle de sûreté, de sécurité
SAFETY MARGIN .... Marge de sécurité
SAFETY NET .... Filet de protection
SAFETY OF FLIGHT .... Sécurité du vol
SAFETY PIN (safety pins) .... Broche de sécurité, épingle de sûreté *(sécurités)*
SAFETY PLUG .... Bouchon de sûreté
SAFETY PRECAUTIONS .... Mesures de sécurités, précautions à prendre
SAFETY REGULATIONS .... Règlements, consignes de sécurité *(règles)*, normes de sécurités

SAFETY RELAY .... Relais de sécurité
SAFETY RELIEF VALVE .... Soupape de sûreté *(de secours)*
SAFETY RING .... Jonc d'arrêt
SAFETY RULES .... Règles de sécurité
SAFETY SERVICES .... *(service de)* sécurité incendie
SAFETY STANDARDS .... Normes de sécurité
SAFETY SWITCH .... Interrupteur, contacteur de sécurité
SAFETY VALVE .... Robinet, valve de sécurité, soupape de sécurité, de sûreté, soupape, clapet de décharge
SAFETY WIRE .... Fil à freiner, fil de sûreté
SAFETYING .... Freinage *(de la visserie)*
SAFETYING DEVICES .... Systèmes de freinage, dispositifs de sécurité
SAG .... Creux, courbe, flasque, incliné ; fléchissement, gauchissement, flèche, flexion *(câble)*
SAG (to) .... S'affaisser, fléchir, s'incliner, gauchir, se relâcher, se détendre
SAIL .... Voile, voilure
SAIL-FLYING=SAIL-PLANING .... Vol à voile
SAIL-MAKER .... Voilier
SAILCLOTH .... Toile à voile, canevas
SAILING=SAIL-PLANING .... Vol à voile
SAILOR .... Marin
SAILPLANE (sail plane) .... Planeur léger
SALE .... Vente, débit, commercialisation
SALE MANAGER .... Directeur des ventes, directeur commercial
SALE-PRICE .... Prix de vente
SALEABLE .... Vendable
SALES DIRECTOR .... Directeur des ventes
SALESMAN .... Vendeur, représentant de commerce
SALES NETWORK .... Réseau commercial
SALES OFFICE .... Bureau de vente
SALES STAFF .... Agent de vente
SALIENT .... Saillant, en saillie
SALT .... Sel
SALT SPRAY .... Brouillard salin, milieu d'embruns salins
SALT WATER .... Eau salée
SALT WATER CORROSION .... Corrosion saline
SALTY ATMOSPHERE .... Atmosphère saline
SALVAGE (to) .... Sauver, effectuer le sauvetage, récupérer
SALVO .... Salve
SAME SPEED .... Même vitesse
SAMPLE (sampling) .... Échantillon, échantillonnage, prélèvement, prise, éprouvette
SAMPLE INSPECTION .... Vérification par échantillonnage

SAND .... Sable
SAND (to) .... Poncer, sabler
SANDBAG (sand bag) .... Sac de sable
SANDBLAST .... Passage au jet de sable
SAND BLAST MACHINE .... Machine à sabler, sableuse
SAND BLASTING (sandblasting) .... Sablage
SAND CAST .... Moulé, coulé au sable
SAND CASTING .... Moulage en sable
SAND CLOTH .... Toile abrasive
SAND DEVIL (whirl) .... Tourbillon de sable
SAND HAZE .... Brume de sable
SAND PILLAR .... Tourbillon de sable
SAND-STORM .... Simoun, tempête de sable
SANDER .... Ponceuse, disqueuse
SANDING .... Sablage, ponçage
SANDING BELT .... Courroie, bande abrasive
SANDPAPER .... Papier verre, toile émeri
SANDPAPER (to) .... Poncer, adoucir *(une surface)* au papier de verre
SANDSTONE .... Grès
SANDSTONE WHEEL .... Meule en grès
SAND-STORM .... Tempête de sable
SANDWICH (to) .... Serrer, intercaler
SANDWICHED .... Pris en sandwich
SANITARY CONTROL .... Contrôle sanitaire
SANITARY NAPKINS .... Serviettes sanitaires
SAS (stability augmentation system) .... Système d'augmentation de stabilité
SASH .... Châssis
SAT (static air temperature) .... Température de l'air statique
SATELLITE .... Satellite
SATELLITE-BORNE ELECTRONIC SYSTEMS ... Électronique embarquée à bord de satellites
SATELLITE PAYLOAD .... Charge utile de satellite
SATIN (to) .... Satiner
SATIN FINISH (to) .... Satiner
SATURATE (to) .... Saturer, imbiber, tremper
SATURATED AIR .... Air saturé
SATURATION FACTOR .... Coefficient de saturation
SAVE (to) .... Sauver, économiser, épargner
SAW .... Scie
SAW BLADE .... Lame de scie
SAW CUT (to) .... Découper à la scie, scier
SAWDUST .... Sciure
SAW-KNIFE .... Scie-couteau

SAW-TOOTH (sawtooth) .... Dent de scie
SAWTOOTH VOLTAGE .... Tension en dent de scie
SAWTOOTH WAVE .... Signal, oscillation en dent de scie
SCALE .... Écaille, barbure, paillette, battiture, calamine, échelle, graduation, barême, gamme
SCALE DIVISIONS .... Graduations
SCALE DRAWING .... Dessin à l'échelle
SCALE MODEL .... Modèle réduit, à l'échelle
SCALE RANGE .... Gamme de mesure
SCALED DOWN .... Miniaturisé, à échelle réduite
SCALES .... Bascules, balances
SCALING .... Écaillage, entartrage, décapage
SCALING FACTOR .... Facteur d'échelle, jauge d'échelle
SCALLOPED .... Échancré, dentelé, cranté, taillé, déchiqueté
SCALLOPING .... Festonnage
SCALPEL (cutting tool) .... Scalpel
SCAN (to) ..... Scruter, observer, explorer, examiner, balayer, scanner
SCAN CONVERTER .... Convertisseur de balayage
SCAN PLATFORM .... Plateforme d'exploration
SCANNER .... Radar de surveillance, antenne tournante, exploratrice, radar, appareil, système de balayage, balayeur, analyseur à balayage, scanneur
SCANNER CONSOLE .... Pupitre d'analyseur
SCANNER (test point) .... Commutateur de points de mesure
SCANNING .... Examen minutieux, balayage *(radar)*, exploration *(circulaire)*, analyse, recherche, scannage
SCANNING APPARATUS .... Appareil explorateur
SCANNING BEAM .... Faisceau explorateur, de balayage, battant
SCANNING PATTERN (raster) .... Diagramme de balayage *(tube image)*
SCANNING RADAR (scan radar) .... Radar d'exploration, de balayage
SCANNING RATE .... Vitesse de balayage *(radar)*
SCANNING SPEED .... Vitesse d'exploration, de balayage
SCANNING TIME .... Temps de balayage
SCANT .... Insuffisant, limité
SCANT WEIGHT .... Poids juste *(insuffisant)*
SCANTY .... Insuffisant, peu abondant
SCARF .... Chanfrein de soudure
SCARF JOINT .... Joint biseauté, jointure en sifflet, assemblage à mi-bois, à recouvrement, joint à enture
SCARF-WELDED .... Soudé à recouvrement
SCATTERED .... Éparpillé, épars
SCATTERED CLOUDS .... Nuages épars
SCATTERING .... Dispersion, diffusion, éparpillement
SCAVENGE (to) .... Récupérer, vidanger, évacuer
SCAVENGE FILTER .... Filtre de récupération

SCAVENGE PUMP .. Pompe de récupération, de vidange, d'épuisement
SCAVENGE SCREEN .... Crépine de récupération
SCAVENGING .... Récupération, évacuation *(des gaz brûlés)*
SCAVENGING DUCT .... Tuyauterie de retour, de récupération
SCHEDULE .... Bordereau, note explicative, inventaire, barême, plan d'exécution, programme, emploi du temps, horaire, indicateur, période, gamme de montage, de fabrication
SCHEDULE (ahead of) .... En avance
SCHEDULE (behind) .... En retard
SCHEDULE (on) .... à l'heure
SCHEDULED .... Régulier, fixe, prévu, indiqué, programmé, planifié
SCHEDULED AIR SERVICE .... Service aérien régulier
SCHEDULED AIRLINE .... Compagnie de transport aérien régulier
SCHEDULED AT .... Prévu à
SCHEDULED CARRIER .... Compagnie de transport régulier
SCHEDULED FLIGHT .... Vol, service régulier, vol à horaire fixe
SCHEDULED REMOVAL .... Dépose programmée, préventive
SCHEDULED SERVICE .... Service régulier
SCHEDULED SERVICE AIRPORT .... Escale régulière
SCHEDULING .... Planning, ordonnancement, emploi du temps, programmation
SCHEMATIC .... Schématique
SCHEMATIC DIAGRAM .... Schéma de principe
SCHEMATIC WIRING DIAGRAM .... Schéma de câblage
SCHEME .... Arrangement, combinaison, ordre, résumé, exposé, procédure, plan, projet, schéma, instruction
SCHOOL AIRCRAFT .... Avion-école
SCIENCE .... Science
SCIENTIFIC .... Scientifique
SCIENTIFIC APPARATUS .... Appareil scientifique
SCIENTIFIC RESEARCH .... Recherche scientifique
SCIENTIST .... Scientifique, savant
SCINTILLATE (to) .... Scintiller, étinceler
SCISSION .... Cisaillement, scission
SCISSOR (to) .... Couper, découper, cisailler
SCISSORS .... Ciseaux, compas (GB)
SCOBS .... Sciure, copeaux, limaille, scorie
SCOOP .... Ouie, oreillette, manche, prise d'air ; écope, godet, pelle à main
SCOOP AIR INLET .... Entrée d'air en saillie
SCOOPER .... Outil à évider, gouge
SCOP (to) .... Inspecter
SCOPE .... Portée, rayon, champ, écran *(de tube cathodique)*,

SCOPE DISPLAY .... Image, représentation radar
SCORE .... Éraflure, entaille, rayure, grippure, encoche, strie, trait de repère
SCORE (to) .... Érafler, rayer, strier
SCORED .... Rayé, strié, marqué, entaillé
SCORING .... Rayure, éraflement, striation, grippage, arrachement
SCOUR .... Nettoyage, récurage, dégraissage
SCOUR (to) .... Nettoyer, dégraisser, décaper, dérocher *(une surface métallique)*
SCOURING .... Nettoyage, décapage *(mécanique)*
SCOUT PLANE (scouting plane) .... Avion de reconnaissance, avion d'escorte, avion éclaireur
SCOUTING MISSION .... Mission de protection
SCOTCHBRITE .... Tampon abrasif, « scotchbrite »
SCOTCHCAL .... Bande adhésive, auto-collant
SCRAMJET (supersonic combustion ramjet) .... Statoréacteur à combustion supersonique
SCRAMBLING NETS .... Filets de sauvetage
SCRAP .... Chiffon, fragment, brin, petit bout, déchet de fabrication, ferraille, rebut, chute de coupe
SCRAP (to) .... Rebuter, réformer, mettre à la ferraille
SCRAP HEAP .... Tas de ferraille
SCRAP IRON .... Ferraille
SCRAP-METAL .... Débris métalliques
SCRAP RATE .... Taux de rebut, de ferraillage
SCRAPE (to) .... Gratter, racler, érafler, écorcher, riper, frotter
SCRAPE OFF (to) .... Décaper
SCRAPER .... Gratteur, racleur, racloir, grattoir, ripe, spatule
SCRAPER RING .... Racleur d'huile, segment racleur, racloir
SCRAPING NOISE .... Grincement
SCRAPING TOOL .... Racloir
SCRAPPED MATERIAL .... Matériel HS, mis au rebut
SCRATCH .... Écorchure, éraflure, rayure, strie, égratignure, striation, grincement, frottement
SCRATCH (to) .... Rayer, érafler, écorcher, égratigner, grincer
SCRATCH-GAUGE .... Trusquin
SCREECH .... Instabilité de la combustion=*(bruit intense et criques)*
SCREECHING .... Crissement
SCREEN .... Écran, filtre, crépine, grille, tamis, blindage, glace
SCREEN (to) .... Abriter, protéger, blinder, filtrer, masquer, dépister
SCREEN FILTER .... Filtre à tamis
SCREEN-GRID .... Grille-écran

SCREEN TEMPERATURE .... Température sous abri
SCREEN WIPER .... Essuie-glace
SCREW .... Vis ; hélice
SCREW (to) .... Visser ; fileter, tarauder
SCREW ACTUATOR .... Vérin à vis
SCREW BACK (to) .... Dévisser
SCREW BASE .... Culot à vis
SCREW, BRAZIER HEAD .... Vis à tête goutte de suif
SCREW CALIPER .... Palmer
SCREW CLAMP .... Serre-joint
SCREW COUPLING .... Manchon à vis
SCREW CUTTER .... Fileteur, tour à fileter, taraudeuse
SCREW-CUTTING .... Filetage
SCREW-CUTTING MACHINE (lathe) .... Machine à fileter *(tour)*
SCREW EYE .... Piton
SCREW GEAR .... Engrenage hélicoïdal
SCREW HEAD .... Tête de vis
SCREW-HOLDING SCREWDRIVER .... Tournevis porte-vis
SCREW HOME (to) .... Visser à fond
SCREW HOOK .... Crochet à vis
SCREW JACK .... Vérin à vis, vérin mécanique à vis, vis sans fin
SCREW LAG .... Tirefond
SCREW NUT .... Écrou à vis
SCREW OFF (to) .... Dévisser à fond, dégager
SCREW OUT (to) .... Desserrer, dévisser
SCREW PITCH .... Pas de vis
SCREW PITCH GAUGE .... Jauge à filets, de filetage, pour pas de vis
SCREW PLATE .... Filière
SCREW PLUG .... Bouchon fileté, tampon fileté
SCREW PROPELLER .... Hélice, propulseur à hélice
SCREW PUMP .... Pompe à vis
SCREW SPANNER (wrench) .... Clé à molette, clé anglaise
SCREW STARTER .... Tournevis d'amorçage
SCREW-TAP .... Taraud
SCREW TERMINAL .... Cosse à vis
SCREW THREAD .... Filet de vis, pas de vis, filetage
SCREW-TYPE PULLER .... Extracteur à vis
SCREW-TYPE PUMP .... Pompe à vis
SCREW UP (to) .... Serrer, visser
SCREW UP TIGHT (to) .... Visser à fond
SCREW WHEEL .... Roue à dents hélicoïdales
SCREWDRIVER .... Tournevis
SCREWDRIVER BIT .... Embout-tournevis
SCREWDRIVER BLADE TIP .... Pointe de tournevis

SCREWDRIVER SLOT .... Fente tournevis
SCREWED .... Fileté, taraudé, vissé
SCREWED ROD .... Tige filetée
SCREWED UP .... Serré
SCREWING .... Vissage
SCRIBE .... Pointe à tracer, tire-ligne, trusquin
SCRIBE (to) .... Repérer, centrer, pointer, tracer
SCRIBE MARK .... Repère
SCRIBER .... Pointe à tracer
SCRIBER PROBE (for bearings) .... Stylo de contrôle d'état de surface des chemins de roulements
SCRIM .... Canevas léger
SCRIM CLOTH .... Toile de nettoyage, toile *(tissus de verre)*, grillage métallique
SCROLL .... Spirale, volute
SCROLL CUP .... Coupelle en volute
SCROLLING .... Défilement
SCRUB (to) .... Récurer, nettoyer, frotter
SCRUB ROUND (to) .... Brouter
SCRUBBER .... Absorbeur-neutraliseur *(neutralisation des vapeurs d'ergol)*
SCRUBBING-BRUSH .... Brosse dure, à chiendent
SCRUPULOUSLY .... Méticuleusement, minutieusement
SCUFF (to) .... Frotter, user, racler, trainer
SCUFF PLATE .... Plaque d'usure, de protection
SCUFFING (scuff) .... Usure, jeu *(par frottement)*, éraflures, traces de frottement
SCUM .... Scories, crasse, écume, mousse
SCUPPER .... Coupelle de récupération de trop-plein, dalot
SCUPPER ASSY, FILLER .... Ensemble entonnoir de remplissage
SCUPPER DRAIN .... Drain de goulotte
SEA .... Mer
SEABORNE .... Maritime, transporté par mer
SEA FOG .... Brouillard marin
SEA LEVEL .... Niveau de la mer
SEA-LEVEL POWER .... Puissance au niveau de la mer
SEA LINK .... Liaison maritime
SEA MARKER .... Balise marine
SEA-SKIMMING .... Vol au ras des flots, au ras de l'eau
SEA-SKIMMING MISSILE .... Missile à trajectoire rasante
SEA-SKIMMER .... *(missile air-mer)* à trajectoire rasante
SEA SURVEILLANCE RADAR .... Radar de surveillance maritime
SEA TEST .... Essai en mer
SEAJET .... Hydroptère
SEAL .... Joint d'étanchéité, étanche, dispositif d'étanchéité, obturateur, plombage

SEAL (to) ..... Rendre étanche, étancher, mastiquer, obturer, boucher, sceller, plomber
SEAL BEARING .... Roulement étanche
SEAL CARRIER .... Support d'aube *(turbine)*
SEAL HOLDER .... Retenue de joint, porte-joint
SEAL HOUSING .... Logement de joint, boitier d'étanchéité
SEAL INJECTION .... Injection de mastic
SEAL PACKING .... Garniture de joint
SEAL RETAINER .... Pince-joint, retenue de joint
SEAL RETAINING CABLE .... Câble de retenue de joint de pression
SEAL RING .... Joint torique, annulaire, boudin d'étanchéité
SEAL SEGMENT .... Segment presse-joint
SEAL WASHER (sealing washer) .... Rondelle d'étanchéité, joint étanche, rondelle-joint
SEALANT .... Mastic, enduit d'étanchéité, d'étanchement, pâte à joint
SEALANT BEAD .... Boudin de mastic
SEALANT CUTTING TOOL .... Couteau à mastic
SEALED .... Rendu étanche, étanché, bouché, plombé
SEALED BEARING .... Roulement étanche
SEALED BOX .... Boîte étanche, boîtier étanche
SEALED BULKHEAD .... Cloison étanche
SEALED COMPENSATING CHAMBER Chambre de compensation étanche
SEALED HOUSING .... Boîtier, carter étanche
SEALED WIRE .... Fil plombé
SEALER .... Mastic
SEALER CEMENT .... Mastic d'étanchéisation
SEALING .... Étanchéité, étanchement, étanchéisation, masticage, obturation, colmatage, scellement
SEALING ACTION .... Étanchéisation
SEALING BUSH .... Bague d'étanchéité
SEALING BUTTERFLY VALVE .... Volet obturateur, papillon étanche
SEALING COMPOUND .... Mastic, enduit *(pour joints)*, produit d'étanchéité, pâte à joint
SEALING FACE .... Plan de joint
SEALING FINS .... Ailettes d'étanchéité
SEALING GUN .... Pistolet de masticage, à mastiquer, à mastic
SEALING OF INTEGRAL FUEL TANK .... Étanchement des réservoirs carburant
SEALING RING .... Joint, segment, anneau d'étanchéité, joint annulaire étanche, joint d'air
SEALING RIVET .... Rivet étanche
SEALING STRIP .... Tôle d'étanchéité *(réacteur)*
SEALING WASHER .... Rondelle d'étanchéité, étanche ; garniture, rondelle-joint

SEALING WIRE .... Fil à plomber
SEAM .... Bavure, couture, soudure, brasure, cordon, joint, raccordement, veinure *(dans le métal)*
SEAM (to) .... Faire une couture, souder un joint, agrafer, assembler
SEAMLESS .... Sans soudure, sans couture
SEAMLESS PIPE (tube) .... Tube sans soudure
SEAM-WELDED .... Soudé à la molette
SEAM WELDING .... Soudage, soudure à la molette, soudure continue
SEAPLANE .... Hydravion
SEAPLANE BASE .... Base d'hydravion, hydro-aéroport, hydrobase
SEARCH .... Recherche, fouille, exploration, visite
SEARCH (to) .... Inspecter, chercher, fouiller, visiter, scruter, compulser
SEARCH AIRCRAFT .... Avion de recherches
SEARCH-AND-RESCUE MISSION (aircraft) ...... Mission de recherches et sauvetage *(avion)*
SEARCH RADAR .... Radar de veille, panoramique
SEARCHLIGHT (search light) .... Projecteur, phare de recherche
SEASONAL .... Saisonnier
SEAT .... Siège, banquette, fauteuil, chaise, place, surface d'appui, embase, portée, assise
X-SEAT AIRCRAFT .... Avion à capacité (x) places, de (x) places
SEAT BACK .... Dossier de siège, de fauteuil
SEAT BELT .... Ceinture de sécurité, de siège
SEAT COVER .... Housse de siège, housse de protection pour siège
SEAT DAIS .... Socle de siège
SEAT FACTOR .... Coefficient de remplissage
SEAT IN THE DETENT (to) .... Engager dans un cran
SEAT-KILOMETER .... Siège-kilomètre
SEAT-KILOMETER AVAILABLE .... Siège-kilomètre offert
SEAT LOAD FACTOR .... Coefficient d'occupation des sièges
SEAT-MILE COST .... Prix de revient au siège-kilomètre
SEAT-MILES .... Sièges-milles, sièges-kilomètres
SEAT OCCUPIED .... Siège occupé
SEAT PITCH .... Pas des fauteuils *(inch)*
SEAT RECLINE BUTTON .... Bouton d'inclinaison
SEAT ROW .... Rangée, travée de fauteuils
SEAT TRACK .... Rail de fauteuil, de siège, glissière
SEATED .... En place
SEATING .... Assise, siège, logement, portée, surface de contact
SEATING ARRANGEMENT .... Disposition des sièges

SEATING CAPACITY .... Nombre de places *(assises)*, de sièges, capacité de (x) places, nombres de sièges offerts
SEATING FACE .... Face d'appui, de contact, portée
SEAWORTHINESS .... Aptitude à tenir la mer
SECANT .... Sécant (e)
SECOND-CLASS FARES .... Tarifs deuxième classe
SECOND-LEVEL CARRIER .... Transporteur de 2° niveau
SECOND METER .... Compteur de secondes
SECOND OFFICER (S/O) .... Second officier
SECOND PILOT (copilot) .... Pilote, co-pilote
SECOND STAGE PROPULSION NOZZLE .... Buse de propulsion du second étage
SECONDARY .... Secondaire, auxiliaire
SECONDARY AIR .... Flux, air secondaire, air de dilution, double flux
SECONDARY AIR INLET DOORS .... Portes, ouies d'entrée d'air secondaire
SECONDARY AIR VALVE .... Volet d'air secondaire
SECONDARY AIRFLOW .... Flux secondaire
SECONDARY CONTROL .... Régulation d'appoint
SECONDARY DUCT .... Conduit secondaire, de dérivation
SECONDARY HEAT EXCHANGER .... Échangeur secondaire
SECONDARY LOADS .... Charges secondaires
SECONDARY NOZZLE .... Tuyère secondaire
SECONDARY PRODUCT .... Sous-produit
SECONDARY RADAR .... Radar secondaire
SECONDARY RUNWAY .... Piste de dégagement
SECONDARY SURVEILLANCE RADAR (SSR) .... Radar secondaire de surveillance
SECONDARY WINDING .... Enroulement secondaire
SECTION .... Coupe, profil, section, partie, division, tronçon *(fuselage)*, sous-chapitre
SECTION (to) .... Profiler
SECTION A-A .... Coupe A-A
SECTION DRAWING .... Dessin de coupe
SECTION OVERHAUL .... Révision partielle
SECTION THROUGH DAMAGE .... Coupe dans la zone endommagée
SECTION TITLE .... Titre du sous-chapitre
SECTIONAL .... En coupe
SECTIONAL VIEW .... Vue en coupe
SECTOR GEAR .... Secteur denté
SECTOR OF INDUSTRY .... Secteur de l'industrie
SECURE (to) .... Attacher, fixer, retenir, immobiliser, bloquer, maintenir, assurer, mettre en sûreté

SECURE A SCREW (to) .... Bloquer une vis
SECURELY .... Sûrement, avec sécurité, solidement
SECURING CLAMP .... Collier, bride de fixation
SECURING NUT .... Écrou de fixation
SECURITY .... Sécurité
SECURITY BLANKET .... Couverture de sécurité
SECURITY OF MOUNTING .... Sécurité du montage
SECURITY SCREENING .... Contrôle de sécurité
SEDIMENT .... Dépôt, sédiment, résidu
SEE DETAIL A .... Voir détail A
SEE OFF (to) .... Accompagner quelqu'un *(pour lui dire au revoir)*
SEE VIEW 2 .... Voir figure 2
SEEDING .... Ensemencement *(de nuages)*
SEEK (to) .... Chercher, rechercher
SEEK TIME .... Temps de recherche
SEEKER .... Autodirecteur, chercheur
SEEKER HEAD .... Autodirecteur, dispositif de guidage vers l'objectif
SEEM (to) .... Sembler, paraître
SEEP (to) .... Suinter, s'infiltrer, filtrer
SEEPAGE .... Suintement, infiltration, fuite
SEEPAGE DRAIN .... Drain de récupération fuites
SEGMENT .... Segment, anneau, secteur, couple fuselage, tronçon
SEGMENT OF FLIGHT .... Tronçon du vol
SEGMENTED APPROACH PATH .... Trajectoire d'approche segmentée, en ligne brisée
SEIZE (to) .... Saisir, s'emparer, gripper, coincer, coller
SEIZED-UP .... Grippé, coincé
SEIZING .... Amarrage, grippage, coincement, calage *(piston),* blocage
SEIZURE .... Grippage ; saisie *(de marchandises)*
SELCAL (selective calling) .... Appel sélectif
SELECT (to) .... Choisir, sélectionner, trier, afficher, isoler *(fréquence)*
SELECTED .... Affiché, sélectionné
SELECTED THRUST .... Poussée affichée, choisie
SELECTION .... Choix, sélection, affichage
SELECTION CIRCUIT .... Circuit d'affichage
SELECTIVE CALL (selcal) .... Appel sélectif
SELECTIVE LEVEL METER .... Mesureur de niveau sélectif
SELECTIVE RECEIVER .... Récepteur sélectif
SELECTIVE RELAY .... Relais sélectif
SELECTIVITY .... Sélectivité
SELECTIVITY SWITCH .... Commutateur de sélectivité

SELECTOR .... Sélecteur, dispositif de sélection
SELECTOR KNOB .... Bouton sélecteur, de sélection
SELECTOR RELAY .... Relais sélecteur
SELECTOR SWITCH .... Interrupteur, bouton sélecteur, interrupteur (x) positions, combinateur, inverseur, cde manuelle commutateur sélectif, de sélection
SELECTOR VALVE .... Clapet, robinet sélecteur, vanne sélectrice, distributeur
SELENIOUS ACID .... Acide sélénieux
SELENIUM RECTIFIER .... Redresseur au sélénium
SELENIUM TUBE .... Tube à sélénium
SELF .... Inductance *(élect)*
SELF-ACTING .... Automatique
SELF-ADJUSTING .... A réglage automatique, autoréglable
SELF-ALIGNING .... A auto-centrage
SELF-ALIGNING BEARING .... Roulement à rotule, oscillant, orientable
SELF-CAPACITY .... Capacité propre
SELF-CENTRING .... A centrage automatique, autocentreur
SELF-CHECKING .... Auto-vérification
SELF-CLEANING .... Auto-nettoyant
SELF-CLOSING .... A fermeture automatique
SELF-COLOUR .... Couleur uniforme
SELF-CONTAINED .... Incorporé, autonome, monobloc, complet, indépendant
SELF-CONTAINED SHOT-PEENING .... Grenaillage avec volet à grenaille
SELF-CONTAINED SOURCE .... Source autonome
SELF-CONTAINED STARTER .... Démarreur autonome
SELF-CONTAINED TOILET DISPOSAL SYSTEM .... Dispositif de vidange de toilette autonome
SELF-CONTROL .... Auto-régulation
SELF-COOLING FAN .... Ventilateur de refroidissement intégré
SELF-DIRECTIONAL .... Autoguidé
SELF-DRIVING SPEED .... Vitesse d'autonomie
SELF-EXCITED .... Auto-excité
SELF-EXCITED OSCILLATOR .... Oscillateur à oscillations libres
SELF-EXCITER .... Auto-excitatrice
SELF-FEEDING .... A alimentation automatique
SELF-FILLING .... A remplissage automatique
SELF-FLUXING SOLDER .... Soudure autodécapante
SELF-GOVERN (to) .... Auto-réguler
SELF-GUIDANCE .... Autoguidage
SELF-HARDENING STEEL .... Acier auto-trempant
SELF-IGNITION .... Auto-allumage

SELF-INDUCTANCE .... Inductance propre
SELF-INDUCTION .... Auto-induction, self-induction
SELF-INDUCTION COIL .... Bobine de self
SELF INSTRUCTION .... Auto-formation
SELF-LOCKING .... A verrouillage, à blocage automatique, auto-frein, auto-freineur, indesserrable
SELF-LOCKING NUT .... Écrou indesserrable, écrou auto-serreur, écrou auto-frein(eur), auto-freiné, à verrouillage automatique
SELF-LOCKING NUTPLATE .... Écrou prisonnier auto-serreur
SELF-LUBRICATED .... Auto-lubrifié
SELF-LUBRICATED BEARING .... Roulement auto-lubrifiant, rotule auto-lubrifiante, rotule téflon
SELF-LUBRICATING .... Auto-lubrifiant, auto-graisseur, graissage automatique
SELF MONITORING FEATURE .... Dispositif d'auto-contrôle
SELF-PLUGGING .... Auto-obturateur
SELF-PRIMING .... (à) auto-amorçage
SELF-PROPELLED .... Autopropulsé, automoteur
SELF-RECORDER .... Enregistreur automatique
SELF-REGISTERING BAROMETER .... Baromètre enregistreur
SELF-REGULATING .... Autorégulateur, à auto-régulation, à réglage automatique
SELF-REGULATING PUMP .... Pompe auto-régulatrice
SELF SAME .... Identique
SELF-SEALING .... A obturation automatique, auto-étanche, auto, self-obturateur, auto-obturant, auto-obturable
SELF-SEALING DISCONNECT .... Raccord auto-obturateur
SELF-SEALING RIVET .... Rivet auto-étanche
SELF-STARTING .... (à) auto-démarrage, à démarrage automatique, autonome
SELF-STICKING .... Auto-collant
SELF-SUSTAINED SPEED .... Vitesse d'auto-entraînement
SELF-SUSTAINING (speed) .... Vitesse d'autonomie
SELF-SWITCHING .... Autocommutation
SELF-SYNCHRONIZING .... A synchronisation automatique, auto-synchronisation
SELF-TAP SCREW (self-tapping screw) .... Vis auto-taraudeuse *(vis Parker)*
SELF-TAPPING .... Autotaraudeur
SELF-TEST .... Auto-essai
SELF-WINDING .... A remontage automatique
SELLER .... Vendeur, marchand, fournisseur
SELLING POINT .... Argument de vente
SELLING PRICE .... Prix de vente
SEMI .... Partiel

SEMI-ACTIVE HOMING HEAD .... Autodirecteur semi-actif
SEMI-ARTICULATED ROTOR .... Rotor semi-articulé
SEMI-AUTOMATIC CYCLE .... Cycle semi-automatique
SEMI-CONDITIONED AIR .... Air tiède
SEMI-CONDUCTING MATERIAL .... Matière semi-conductrice
SEMI-CONDUCTOR .... Semi-conducteur
SEMI-MONOCOQUE .... Semi-monocoque
SEMI-RIGID .... Semi-rigide
SEMI-RIGID FOUR-BLADE PROPELLER .... Rotor quadripale semi-rigide
SEMI-STEEL .... Acier puddlé
SEMI-STIFF .... Semi-rigide
SEND (to) .... Envoyer, expédier, transmettre, émettre
SEND MIXER .... Mélangeur d'émission
SENDER .... Émetteur, générateur, transmetteur, expéditeur
SENDER VOLTAGE .... Tension émise
SENDING AERIAL .... Antenne d'émission
SENIOR EXECUTIVE .... Cadre supérieur
SENIOR MANAGEMENT .... Cadres supérieurs, encadrement
SENIOR TRAFFIC OFFICER .... Chef de piste
SENSE .... Sens ; lever de doute
SENSE (to) .... Détecter, percevoir, enregistrer, mesurer, analyser
SENSE ANTENNA (coupler) .... Antenne de lever de doute *(coupleur)*
SENSE FINDING .... Lever de doute *(gonio)*
SENSE OF FEEL .... Sensation artificielle
SENSING .... Détection, captage
SENSING ANTICIPATOR .... Sonde anticipation
SENSING CIRCUIT .... Circuit de détection
SENSING DEVICE (sensor) .... Capteur, sonde
SENSING ELEMENT .... Élément sensible *(de détection incendie)*
SENSING LOOP (heat) .... Boucle de détection
SENSING PROBE .... Sonde de détection
SENSING UNIT .... Élément détecteur, de détection, capteur, détecteur
SENSITIVE .... Sensible, sensitif
SENSITIVE AIRSPEED INDICATOR ...... Anémomètre sensible, sensitif
SENSITIVE ALTIMETER .... Altimètre de précision, sensible
SENSITIVE SWITCH .... Interrupteur sensible
SENSITIVITY (sensitiveness) .... Sensibilité
SENSOR .... Sonde, détecteur, senseur, capteur, organe, élément sensible, jauge, palpeur
SENSOR LOOP .... Boucle de détection
SENSOR/RESPONDER .... Élément sensible et répondeur *(détection incendie)*
SENSOR UNIT .... Unité de détection

SEPARATE (to) .... Séparer, détacher, désassembler, décoller, écarter
SEPARATE CHAMBERS .... Chambres séparées
SEPARATE CIRCUITS .... Circuits indépendants
SEPARATE COMBUSTION CHAMBERS .... Chambres de combustion séparées
SEPARATE NOZZLES .... Tuyères séparées
SEPARATION .... Séparation, rupture, cassure, décollement, espacement *(de route, vertical, latéral)*, délaminage, désaccouplement
SEPARATION MANEUVER .... Manœuvre, opération de séparation
SEPARATION MINIMUM (minima) .... Minimum d'espacement
SEPARATION MOTOR .... Moteur de séparation
SEPARATION ROCKET .... Fusée de séparation
SEPARATION STANDARDS .... Séparations, espacements (ATC)
SEPARATOR .... Séparateur
SEPTUM .... Cloison fine
SEQUENCE .... Séquence, ordre, succession, suite, phase, série, chaîne *(opérations)*
SEQUENCE FLASHERS .... Feux à éclats, « lièvre »
SEQUENCE VALVE ..... Clapet, valve de séquence, valve de succession de mouvements
SEQUENCED FLASHING LIGHTS .... Feux à éclats successifs, séquentiels
SEQUENCER .... Séquenceur
SEQUENCING .... Séquentiel, mise en séquence, cadencement
SEQUENCING CHAIN .... Chaîne séquentielle
SEQUENCING UNIT .... Séquenceur
SEQUENCING VALVE .... Robinet, valve de séquence
SERIAL .... Série
SERIAL ACCESS .... Accès séquentiel
SERIAL DATA .... Données sérielles
SERIAL NUMBER .... Numéro de série, numéro matricule, d'immatriculation
SERIAL TRANSFER .... Transfert en série
SERIALIZATION .... Individualisation
SERIES .... File, série, suite, gamme, échelle, réactions en chaîne
SERIES CIRCUIT .... Circuit en série
SERIES CONNECTED .... Monté en série
SERIES MOUNTING .... Montage en série
SERIES PARALLEL .... En série parallèle
SERIES PRODUCTION .... Fabrication en série
SERIES RADIATOR .... Radiateur en série
SERRATED .... Dentelé, cranté, en dent de scie, cannelé, strié

SERRATED COLLETS .... Pinces cannelées
SERRATED COUPLING .... Accouplement à dentures, à dentelures
SERRATED JAWS .... Becs striés
SERRATED PLATE .... Plaque(tte) striée
SERRATED TAPE .... Bande crantée
SERRATED WASHER .... Rondelle dentelée, rondelle frein
SERRATION .... Cannelure, encoche, dent de scie, denture, rainure
SERRATIONS .... Stries
SERVE (to) .... Servir, desservir
SERVICE .... Service ; servitude
SERVICE (to) .... Entretenir, réparer, faire le plein *(carb, huile)*, remplir, compléter le plein
SERVICE/ATTENDANTS INTERPHONE .... Interphone SOL/PNC
SERVICE BULLETIN (SB) .... Bulletin service *(fiches de modifications (FM))*
SERVICE CART .... Trolley, chariot de service à bord *(repas, boissons)*
SERVICE CEILING .... Plafond pratique, de service, plafond d'utilisation, utile
SERVICE CENTRE .... Station service
SERVICE COMPARTMENT .... Compartiment accessoires
SERVICE DOOR .... Porte de service
SERVICE EVALUATION .... Évaluation en service
SERVICE LIFE .... Seuil, vie *(équipement)*, durée de vie en service, potentiel, temps d'utilisation, limite de vie
SERVICE LOAD .... Charge mobile
SERVICE PANEL .... Panneau de service
SERVICE PERSONNEL .... Personnel de piste
SERVICE PITS .... Bouches du parking *(alimentation en eau et air comprimé)*
SERVICE STATION (service shop) .... Station service
SERVICE TROLLEY .... Chariot de service *(à bord)*
SERVICE WEAR LIMITS .... Tolérances d'usure en service
SERVICEABILITY .... En bon état, aptitude au service
SERVICEABILITY OF THREADS .... Bon état des filets
SERVICEABLE .... En état de fonctionner, de marche, utilisable, utile, avantageux
SERVICEABLE CONDITION .... En état de marche
SERVICEABLE CONDITION (to) .... Remettre en état
SERVICER .... Oléoserveur
SERVICING .... Service *(courant)*, entretien *(courant)*, réparation, dépannage, ravitaillement, service après vente
SERVICING CHART .... Tableau d'entretien
SERVICING PERSONNEL .... Personnel de piste, d'entretien
SERVICING POINT .... Point de servitude

SERVICING SHOP .... Atelier de révision
SERVICING STATION .... Station service
SERVICING TOWER .... Tour de montage
SERVING CART/TROLLEY .... Chariot de service à bord
SERVO .... Asservissement, action asservie, servo-mécanisme
SERVO-ACCELEROMETER .... Accéléromètre asservi
SERVO-ACTUATOR (servoactuator) ... Servo-moteur, servocommande *(servo-cde),* servo-actionneur, vérin d'asservissement
SERVO ALTIMETER .... Altimètre asservi
SERVO AMPLIFIER .... Ampli servo-moteur, servo-amplificateur
SERVO-BRAKE .... Servo-frein
SERVO BRACKET .... Étrier du servomoteur
SERVO-CONTROL .... Servo-commande, commande d'asservissement
SERVO-CONTROL UNIT .... Servocommande
SERVO-CONTROLLED .... A commande asservie
SERVO-CONTROLLED ACTUATOR .... Servo-commande
SERVO DEVICES .... Servo-mécanismes
SERVO DRIVE .... Servocommande
SERVO DRUM .... Tambour du servomoteur
SERVO FORCE .... Effort du servomoteur
SERVO-LOOP .... Boucle d'asservissement
SERVO-MECHANISM ...... Servo-mécanisme, chaîne d'asservissement
SERVO-MOTOR .... Servo-moteur, moteur d'asservissement
SERVO PACKAGE .... Servo-commande
SERVO-PNEUMATIC ALTIMETER .... Altimètre asservi anéroïde
SERVO-POT .... Servo-potentiomètre
SERVO-PRESSURE .... Servo-pression
SERVO-SYSTEM .... Asservissement, servocommande
SERVO-TAB .... Servo-tab, compensateur d'asservissement
SERVO-UNIT .... Servo-commande
SERVOVALVE (servo-valve) .... Servo-distributeur, valve d'asservissement, servo-valve
SERVODYNE (unit) .... Servodyne, servocommande *(irréversible)*
SERVODYNE VALVE .... Servo-commande
SERVOED .... Asservi
SERVOS ENGAGE LEVER .... Levier d'embrayage des servomoteurs
SET .... Appareil, ensemble, jeu, groupe, série, déformation permanente, poste *(de radio),* liasse *(plans)*
SET (to) .... Positionner, mettre, fixer, placer, régler, caler, bloquer, ajuster, tarer, étalonner, faire prise, durcir
SET (pp) .... Réglé, calé, monté, taré
SET A RIVET (to) .... Poser un rivet
SET BUG .... Curseur
SET BUTTON .... Poussoir de réglage

SET COUNTER .... Compteur réglable
SET COURSE TO (heading) .... Prendre le cap vers
SET IN (to) .... Encastrer
SET-IN THREAD .... Filet rapporté, hélicoïl
SET KNOB .... Bouton de réglage
SET-NUT .... Contre-écrou
SET OF ADAPTERS .... Jeu d'adapteurs
SET OF ENGINES .... Jeu de moteurs
SET OF SHIMS .... Jeu de cales
SET PARKING BRAKE (to) .... Appliquer le frein de parc
SET RING .... Rondelle de calage
SET SCREW (setscrew) .... Vis de fixation, de réglage, de blocage, d'arrêt, de pression, pointeau
SET SQUARE .... Équerre *(de dessin)*
SET SWITCH .... Bouton d'affichage, de commande
SET SWITCH (to) .... Mettre l'interrupteur sur
SET TO « RUN » .... Basculer sur marche
SET TO ZERO .... Régler à zéro
SET UP (setup) .... Installation, réglage, montage, banc
SET UP (to) .... Placer, fixer, élever, monter, installer, armer *(un appareil)*, équiper, composer, établir, afficher
SET UP DIAGRAM .... Schéma de montage, d'installation
SET UP THE CASING ON A MILLING MACHINE .... Monter le carter sur une fraiseuse
SET UP TIME .... Temps de positionnement
SETSCREW .... Vis de fixation, de réglage, de blocage, de pression, d'arrêt, pointeau
SETTEE .... Banquette
SETTING .... Mise, pose, disposition, arrangement, montage, positionnement, réglage, calage, braquage, tarage, étalonnage, ajustage, mise au point, affûtage, recollement, prise *(colle)*, monture
SETTING ANGLE .... Incidence, angle de calage, calage
SETTING CURVE .... Courbe de réglage, d'étalonnage
SETTING GAUGE .... Calibre, gabarit de réglage
SETTING KNOB .... Bouton de réglage
SETTING OFF .... Décalage
SETTING PIN .... Broche de réglage
SETTING RING .... Bague de réglage
SETTING SCALE (altimeter) .... Échelle de calage
SETTING SCREW .... Vis de réglage
SETTING SHIM .... Cale de réglage
SETTING UP (setup) .... Montage, installation, composition
SETTLE (to) .... Installer, établir, (se) déposer, laisser déposer
SETTLE (allow to) .... Laisser reposer, se stabiliser

SETTLEMENT .... Établissement, installation
SETTLING .... Clarification *(liquide)*, décantation, tassement ; conclusion, terminaison
SETTLING TIME .... Temps de mise au repos
SETTLINGS .... Dépôt, résidu
SEVEN STAGE STATOR ASSY .... Stator à sept étages
SEVER (to) .... Disjoindre, rompre, sectionner, couper
SEVERAL TIMES .... Plusieurs fois
SEVERE DAMAGE .... Avarie grave, dégâts sérieux
SEVERE TURBULENCE .... Forte turbulence
SEW (to) .... Coudre
SEXTANT .... Sextant
SHACKLE .... Maillon de liaison, anse, anneau, boucle, manille, tenon
SHADE .... Ombre, teinte, nuance
SHADED .... Hachure, ombre
SHADED AREA .... Zone hachurée
SHADOW .... Ombre, obscurité, effet d'ombres
SHADOW-MASK .... Masque *(télévision couleur)*, tube télévision type masque à ombre
SHAFT .... Arbre, axe, transmission
SHAFT ASSEMBLY .... Ligne d'arbre
SHAFT BEARING .... Palier
SHAFT GEAR .... Pignon d'arbre, à queue
SHAFT HORSEPOWER (SHP, shaft horse-power) .... Puissance sur l'arbre
SHAFT LINE .... Ligne d'arbre
SHAFT POWER (kw) .... Puissance sur l'arbre
SHAKE .... Secousse, tremblement, ébranlement
SHAKE (to) .... Secouer, agiter
SHAKEDOWN FLIGHT .... Vol d'épreuve
SHAKEPROOF .... Indesserable
SHAKER (stick shaker) .... Secoueur de manche à balai
SHALLOW .... Peu profond
SHALLOW CLIMB .... Montée sous un angle faible
SHALLOW DESCENT .... Descente à pente faible, sous angle faible
SHALLOW DIVE .... Léger piqué
SHALLOW TURN .... Virage large, lâche, à faible inclinaison
SHANK .... Tige *(de boulon)*, queue, soie, corps, pied de pale
SHANK CUTTER .... Fraise à queue
SHANK DRILL .... Foret à queue
SHANK LENGTH .... Longueur de tige, du manche
SHAPE .... Forme, configuration, coupe, moule, profil, découpe, profilé
SHAPE (to) .... Façonner, former, profiler, modeler, concevoir *(un projet)*, mettre au point, dessiner

SHAPING .... Mise en forme, formage
SHAPING-MACHINE .... Étau-limeur, machine à profiler
SHARE .... Part, portion
SHAREHOLDER .... Actionnaire
SHARP .... Tranchant, aiguisé, affuté, affilé, pointu, aigu, saillant
SHARP CORNER .... Angle vif, arête vive
SHARP-CUT OUTLINE .... Contour découpé
SHARP EDGE .... Arête vive, angle vif, morfil, tranchant
SHARP EDGED TOOL .... Outil à coté tranchant, acéré
SHARP TURN .... Virage serré, incliné
SHARPEN (to) .... Affiler, aiguiser, affûter
SHARPENING .... Affûtage
SHARPENING MACHINE .... Machine à affûter, affûteuse
SHARPENING STONE .... Pierre india
SHATTER (to) .... Fracasser, briser en morceaux
SHATTERPROOF .... Incassable
SHAVER .... Araseuse, ébarbeuse
SHAVER OUTLET .... Prise rasoir
SHAVINGS .... Copeaux, rapures
SHEAR .... Cisaillement
SHEAR (to) .... Cisailler, trancher, rompre, déchirer, casser, couper
SHEAR BOLT .... Boulon de cisaillement, axe fusible
SHEAR FLOW .... Décollement des filets d'air
SHEAR LINK .... Maillon de rupture
SHEAR LOAD .... Effort tranchant
SHEAR LOCKBOLT (rivet) .... Rivet de cisaillement
SHEAR OFF (to) .... Arracher
SHEAR PHENOMENA .... Phénomène de cisaillement
SHEAR PIN .... Axe, goupille de cisaillement, axe lisse
SHEAR RIVET (shear out rivet) .... Rivet de cisaillement, rivet fusible
SHEAR-SHAFT .... Arbre fusible
SHEAR SPINNING .... Fluotournage
SHEAR-STEEL .... Acier corroyé
SHEAR STRENGTH .... Résistance au cisaillement
SHEAR STRESS .... Effort de cisaillement, travail au cisaillement, effort tranchant
SHEAR TIE .... Hauban de cisaillement
SHEARED RIVET .... Rivet cisaillé
SHEARING .... Cisaillement
SHEARING MACHINE .... Machine à cisailler, à découper
SHEARING STRAIN (stress) .... Effort de cisaillement, tranchant
SHEARS .... Pinces coupantes, cisaille
SHEATH .... Manchon protecteur, fourreau, gaine, enveloppe, blindage

SHEATHE (to) .... Revêtir, recouvrir, doubler, armer *(un câble),* gainer
SHEATHED .... Gainé
SHEATHING .... Armement d'un câble, doublage, enveloppe, chemise *(cylindre)*
SHEATHING FELT .... Enveloppe, chemise *(d'un cylindre)*
SHEAVE .... Rouet *(de poulie),* galet
SHED .... Hangar, garage, dépôt
SHED (to) .... Délester
SHEDDING .... Perte, chute
SHEDDING CIRCUIT .... Circuit de délestage
SHEDDING DAMPER .... Circuit de délestage
SHEEN .... Lustré, luisant, brillant
SHEET .... Feuille, tôle fine, feuillet, voile, couche mince, lamelle, plaque
SHEET (to) .... Garnir, couvrir
SHEET-ALUMINIUM .... Tôle d'aluminium
SHEET-IRON .... Tôle *(ordinaire),* tôle de fer
SHEET METAL .... Tôle, métal en feuille
SHEET METAL FABRICATION SHOP .... Atelier de chaudronnerie
SHEET METAL WORKER .... Tôlier, chaudronnier
SHEET METAL WORK(ing) .... Chaudronnerie, tôlage, tôlerie
SHEET OF GRAPH PAPER .... Feuille de papier millimétré
SHEET OF ICE .... Couche, nappe de glace
SHEET OF PAPER .... Feuille de papier
SHEET-STEEL .... Tôle d'acier, feuille d'acier
SHELF (shelves) .... Tablette, planche *(d'armoire),* rayon, casier, rebord, saillie, épaulement
SHELF LIFE .... Durée, période de stockage, durée de vie en stockage
SHELF SLIDE .... Glissière de tablette
SHELF STORAGE TIME .... Durée, temps de stockage
SHELL .... Coquille, carapace, enveloppe, réceptacle, carter, boîtier, coque, virole, cage ; couche électronique ; obus
SHELL MOLD CASTING .... Moulage en coquille
SHELL STRUCTURE .... Structure en coque
SHELLAC .... Gomme laque
SHELTER .... Abri
SHELTER (to) .... Protéger, isoler, abriter
SHELVE A PROJECT .... Enterrer, mettre un projet en veilleuse
SHERARDIZING (sherardization) .... Shérardisation
SHIELD .... Boîte, boîtier, auvent, écran, bouclier, capot, panneau, blindage de protection
SHIELD (to) .... Protéger, blinder, couvrir

SHIELD ALL AREAS (to) .... Protéger toutes les surfaces, les zones
SHIELDED CABLE .... Câble gainé
SHIELDING .... Protection, blindage
SHIFT(ING) .... Changement de position, de place, équipe de relève, poste *(d'ouvriers)*, « quart » ; décalage, déviation, dérive, translation, glissement
SHIFT (to) .... Déplacer, changer de place, remuer, décaler, dévier
SHIFT ALTERATION .... Changement, modification de poste
SHIFT CYCLE .... Cycle de travail
SHIFT MECHANISM .... Mécanisme de transfert
SHIFT OF THE WIND .... Saute de vent
SHIFT SCHEDULE .... Horaire de poste
SHIFTER WALKING BEAM (torque tube) .... Guignol du mécanisme de démultiplication des efforts *(tube de torsion)* de servo-cde profondeur
SHIFTING GEAR .... Pignon baladeur
SHIFTWORK .... Travail par équipes, en équipe
SHIM .... Cale, rondelle d'épaisseur, entretoise, clinquant
SHIM-LAMINATED .... Cale pelable, cale de réglage
SHIM LAMINATIONS .... Épaisseurs de cales
SHIM SET .... Jeu de cales
SHIM, SOLID .... Rondelle pleine
SHIM STOCK (steel) .... Feuillard d'acier
SHIM THICKNESS .... Épaisseur de cales, empilage de cales
SHIM UP GAP (to) .... Rattraper le jeu *(avec des cales)*
SHIM WASHER .... Rondelle de réglage d'écartement, rondelle-entretoise
SHIMMING .... Compensation par cales, empilage de cales, calage *(cales, rondelles)*
SHIMMY .... Shimmy
SHIMMY DAMPER .... Amortisseur de shimmy
SHIMMY-FREE .... Exempt de shimmy
SHIMMY PROBLEMS .... Problèmes, ennuis de shimmy
SHINE (to) .... Briller
SHINY .... Brillant, luisant
SHIP .... Navire, bateau ; avion
SHIP-TO-SHIP MISSILE .... Missile mer-mer
SHIPBOARD (on) .... A bord *(de navire)*
SHIPBOARD FIGHTER .... Chasseur embarqué
SHIPBOARD HELICOPTER (shipborne helicopter) .... Hélicoptère embarqué
SHIPMENT ...... Envoi, expédition, emballage, cargaison, chargement
SHIPPER .... Expéditeur
SHIPPING .... Livraison, expédition, envoi, transport, chargement

SHIPPING COVER .... Couvercle d'expédition
SHIPPING NOTE .... Bordereau de livraison, d'expédition
SHIPPLANE .... Avion embarqué
SHIRT .... Chemise
SHIVER .... Éclat, fragment
SHOCK .... Choc, secousse, coup, à-coup
SHOCK-ABSORBER (strut) .... Amortisseur, jambe élastique de train
SHOCK ABSORPTION .... Amortissement, encaissement
SHOCK CARPET .... Tapis de choc
SHOCK CONE .... Souris
SHOCK CORD .... Sandow
SHOCK LOADED ENGINE .... Moteur ayant subi un choc hélice
SHOCK LOADS .... Chocs, impacts, charges d'impacts
SHOCK-MOUNT .... Silentbloc, support élastique, anti-choc, anti-vibratoire, support caoutchouc
SHOCK MOUNTED .... Monté sur silentbloc, sur amortisseur
SHOCK PATTERN .... Onde de choc
SHOCK-PROOF .... Antichoc, incassable, résistant au choc
SHOCK STRUT (compression leg) .... Amortisseur train, jambe élastique de train, jambe amortisseuse, à amortisseur
SHOCK STRUT DOORS .... Portes d'amortisseur *(de train)*
SHOCK TUBE .... Tube à choc
SHOCK-WAVE .... Onde de choc *(perturbation de pression)*
SHOCK-WAVE CONE .... Cône d'ondes de choc
SHOCK-WAVE DISTURBANCES .... Troubles de compressibilité, d'ondes de choc
SHOCK-WAVE DRAG .... Trainée d'ondes de choc
SHOE .... Semelle, patin, sabot, mâchoire
SHOE BRAKES .... Freins à mâchoires
SHOOT (to) .... Projeter, lancer, être projeté, tirer
SHOOT DOWN A FIGHTER (to) .... Abattre un chasseur
SHOOTING (trouble shooting) .... Recherche de pannes
SHOOTING RATE .... Cadence de prise de vue
SHOP .... Magasin, boutique, atelier
SHOP CHECK REMOVAL .... Dépose pour visite en atelier
SHOP TRAVELLER .... Fiche suiveuse d'atelier
SHOP-VISIT RATE .... Intervalles de visite en atelier
SHORE HARDNESS .... Dureté shore
SHORING .... Étayage, mise sur vérin
SHORT (adj.) .... Court
SHORT (adv.) (to stop short) .... S'arrêter net
SHORT-CIRCUIT .... Court-circuit
SHORT CIRCUIT CURRENT .... Courant de court-circuit
SHORTHAND-TYPIST .... Sténo-dactylographe
SHORT HAUL .... Court courrier, étape courte, courte distance

SHORT-HAUL AIRCRAFT .... Avion court-courrier
SHORT HAUL SERVICES .... Vols, services, lignes court-courriers
SHORT LANDING .... Atterrissage court
SHORT LINES .... Petites lignes, courtes liaisons
SHORT/MEDIUM HAUL (short-medium range) .... Court-moyen courrier
SHORT NOTICE (at) .... A bref délai, à court terme
SHORT OF FUEL .... A court de carburant, en panne sèche
SHORT OUT (to) .... Mettre hors circuit
SHORT RANGE .... Court rayon d'action
SHORT ROUTE (haul) .... Étape courte
SHORT RUNWAY .... Piste courte
SHORT-TAKEOFF .... Décollage court
SHORT-TAKEOFF-AND-LANDING AIRCRAFT (STOL) .. Avion à décollage et atterrissage courts (ADAC), à roulage court
SHORT-TERM .... Court terme
SHORT WAVE (SW) .... Onde courte
SHORT-WAVE TRANSMITTER .... Émetteur à ondes courtes
SHORTED DIODE .... Diode en court-circuit
SHORTEN (to) .... Raccourcir, abréger, diminuer
SHORTENED FUSELAGE .... Fuselage raccourci
SHORTER .... Plus court
SHORTER RUNWAY .... Piste plus courte
SHOT BLASTING .... Grenaillage
SHOT DOWN .... Abattu *(avion)*
SHOT-PEEN BORES (to) .... Grenailler les alésages
SHOT PEENING .... Grenaillage aux billes d'acier, martelage
SHOTS .... Grenailles
SHOULDER .... Épaule, embase, épaulement, talon
SHOULDER HARNESS .... Bretelles fauteuil *(pilote)*
SHOULDER RING .... Bague à épaulement
SHOULDER SEASON .... Saison intermédiaire
SHOULDER WING .... Aile semi-haute, mi-haute
SHOULDERED BUSHING .... Bague épaulée
SHOULDERING KNIFE .... Couteau à dégainer
SHOULDERS .... Accotements
SHOVEL .... Pelle
SHOW .... Démonstration
SHOW (air show) .... Salon aéronautique
SHOW (to) .... Montrer, faire voir, indiquer, présenter, figurer, illustrer
SHOWER .... Averse, précipitation
SHRINK (to) .... (se) contracter, (se) rétrécir, (se) rétracter, rétreindre
SHRINK FIT METHOD .... Emmanchement à l'azote liquide

SHRINK ON (to) .... Emmancher *(à chaud)*
SHRINKAGE .... Retrait, contraction, rétrécissement
SHRINKING .... Rétrécissement, frettage
SHRINKING MACHINE .... Machine à rétreindre
SHROUD .... Carénage, recouvrement, blindage, revêtement, emboîtement, gaine, enveloppe, bandage, frette, auvent, capotage, couronne ; coiffe *(fusée)*
SHROUD (to) .... Envelopper, recouvrir, blinder, caréner, voiler
SHROUD PLATFORM (blade) .... Plateau d'extrémité d'ailette, plateforme extérieure, externe
SHROUD RING .... Anneau de renforcement, d'étanchéité
SHROUDED .... Renforcé, fretté
SHROUDED BLADES .... Aubes à plateaux *(anti-vibration),* aubes à extrémités liées, ailettes renforcées
SHROUDED TAIL ROTOR .... Rotor anticouple caréné
SHUNT .... Shunt, dérivation, montage parallèle
SHUNT (to) .... Shunter, dériver, monter en dérivation
SHUNT BOX .... Boîte de dérivation
SHUNT CIRCUIT .... Circuit dérivé
SHUNT CURRENT .... Courant dérivé
SHUNT DYNAMO .... Dynamo de dérivation
SHUNTED RESISTANCE .... Résistance shuntée
SHUNTING .... Shuntage, dérivation
SHUT (to) .... Fermer
SHUT OFF .... Arrêt, coupure
SHUT OFF (to) .... Couper, interrompre, isoler
SHUT OFF COCK .... Robinet d'isolement
SHUT-OFF ELECTRICAL POWER (to) .... Couper le circuit, l'alimentation électrique
SHUT-OFF SOLENOID VALVE .... Electro-vanne d'arrêt
SHUT OFF THE ENGINE (to) .... Couper le moteur
SHUT OFF VALVE .... Vanne, robinet d'isolement, d'arrêt, robinet coupe-feu
SHUTDOWN .... Coupé, arrêt de service
SHUTDOWN (to) .... Couper, arrêter, stopper
SHUTDOWN ENGINE (to) .... Couper, stopper le moteur
SHUTDOWN PROCEDURE .... Procédure d'arrêt moteur
SHUTTER .... Persienne, volet de fermeture, obturateur, cache
SHUTTLE .... Piston flottant, navette, va-et-vient
SHUTTLE PASSENGERS (to) .... Transporter rapidement les passagers
SHUTTLE BOX .... Caisse navette
SHUTTLE BUS .... Navette
SHUTTLE FLIGHT .... Vol aller-retour à haute fréquence
SHUTTLE MOVEMENT .... Mouvement alternatif

SHUTTLE STOP PLUNGER .... Plongeur de butée de va-et-vient
SHUTTLE SYSTEM .... Système va-et-vient
SHUTTLE TRIPPING MECHANISM PLUNGER Plongeur de mécanisme de déclenchement de va-et-vient
SHUTTLE VALVE .... Clapet à noyau navette, navette, soupape de distribution, clapet pilote, baladeur
SICKNESS (air) .... Mal de l'air
SIDE .... Côté, flanc, latéral, bord, joue, face
SIDEBAND .... Bande latérale
SIDE-BAND POWER .... Puissance d'une bande latérale
SIDE BAR .... Rampe latérale *(balisage lumineux)*
SIDE BRACE (stay) .... Contrefiche latérale
SIDE BYSIDE (side-by-side) .... Côte à côte
SIDE CLEARANCE (play) .... Jeu latéral, axial
SIDE COWL(ing) .... Capot latéral
SIDE CUTTING PLIER .... Pince coupante diagonale, de côté, oblique
SIDE ENGINE STRUT .... Mât réacteur latéral
SIDE EXIT .... Sortie latérale
SIDE-FACE .... Face latérale, profil
SIDE GEAR .... Planétaire *(engrenage)*
SIDE-LASH (sidelash) .... Jeu latéral
SIDE-LIGHT .... Feu de position
SIDE LOAD .... Charge transversale, latérale, de travers
SIDE-LOADING CARGO DOOR .... Porte de chargement latérale
SIDE LOBE .... Lobe secondaire
SIDE-LOBE SUPPRESSION .... Suppression des lobes latéraux
SIDE-LOOKING AIRBORNE MODULAR MULTIMISSION RADAR (SLAMMR) .... Radar d'imagerie à balayage latéral
SIDE-LOOKING AIRBORNE RADAR (SLAR) .... Radar aéroporté à balayage latéral
SIDE MILLING .... Dressage latéral
SIDE SECTIONAL .... Coupe longitudinale
SIDE-SLIP .... Glissade *(sur l'aile)*, dérapage
SIDE-SLIP (to) .... Glisser sur l'aile
SIDESLIP ANGLE .... Angle de dérapage
SIDESLIP INDICATOR .... Indicateur de dérapage, de glissement latéral
SIDE STRUT .... Contrefiche latérale
SIDE STRUT LOWER (upper) SEGMENT ...... Demi-contrefiche latérale inférieure *(supérieure)*
SIDETONE .... Bruit de fond
SIDE TRIP (side haul) .... Bretelle
SIDEVIEW .... Vue latérale, de profil

SIDEWALL .... Paroi latérale, flanc
SIDEWALL LINING .... Garnissage des parois latérales
SIDEWALL PANEL .... Panneau latéral
SIDEWALLS .... Parois latérales, côtés latéraux
SIDE WIND .... Vent de travers
SIDE WINDOW PANEL .... Glace latérale
SIEVE (mesh metal)=SIFTER .... Tamis, crible
SIEVE (to)=SIFT (to) .... Tamiser, passer au crible
SIFTING .... Tamisage, criblage
SIGHT .... Visée, mire, viseur, lunette
SIGHT (in) .... En vue
SIGHT-BAR .... Alidade
SIGHT GAGE (gauge) .... Jauge visuelle, niveau à vue, jaugeur à fenêtre, à niveau visible
SIGHT GLASS .... Glace de jauge visuelle, de regard, de hublot
SIGHT HOLE .... Fenêtre, regard, œil, œilleton
SIGHT LINE .... Ligne de visée, de mire
SIGHT TUBE .... Tube de visée
SIGHTING AUTOCOLLIMATOR .... Autocollimateur de pointage
SIGHTING SYSTEM .... Système de visée
SIGHTING TELESCOPE .... Lunettes de visée
SIGHTSEEING TOUR .... Visite touristique
SIGMET (significant meteorological message) .... Sigmet, message d'information météorologique
SIGN .... Écriteau, avis, panneau, consigne *(lumineuse)*, signal *(lumineux)*, signalisation *(pancarte)*
SIGN OF OVERHEATING .... Signe de surchauffe
SIGN SOUND BOX .... Boîtier alarme sonore
SIGNAL .... Signal
SIGNAL (to) .... Signaler, avertir
SIGNAL AREA .... Aire à signaux
SIGNAL BOX .... Tableau, panneau de signalisation
SIGNAL GENERATOR ...... Générateur de signaux, générateur étalonné
SIGNAL INPUT .... Signal d'entrée
SIGNAL LAMP .... Lampe témoin, lampe pour signaux
SIGNAL LIGHT .... Feu de signalisation, lampe témoin, voyant de signalisation
SIGNAL MAN (marshaller (GB)) .... Placier
SIGNAL MAST .... Mât à signaux
SIGNAL-NOISE RATIO .... Rapport signal-parasites
SIGNAL PISTOL .... Pistolet à signaux, de signalisation
SIGNAL PROCESSING .... Traitement des signaux
SIGNAL PROCESSING UNIT (processor) .... Processeur de signaux, unité de traitement des signaux

SIGNAL ROCKET .... Fusée de signalisation
SIGNAL SUMMATION UNIT .... Totalisateur de signaux
SIGNAL-TO-CLUTTER RATIO .... Rapport signal-écho parasite
SIGNAL-TO-INTERFERENCE RATIO .... Rapport signal utile/signal brouilleur
SIGNAL-TO-NOISE RATIO .... Rapport signal à bruit, rapport signal-bruit
SIGNALLING (signaling) .... Signalisation, transmission de signaux
SIGNALLING CODE .... Code de signalisation
SIGNALLING LIGHTS .... Feux de signalisation
SIGNALLING MIRROR .... Miroir à signaux, hélioscope
SIGNALMAN .... Signaleur
SIGNALS .... Signaux, transmissions
SIGNBOARD .... Panneau indicateur
SIGNIFICANT WEATHER .... Conditions météo significatives, temps significatif
SIGNIFICANT WEATHER CHART .... Carte du temps significatif
SIGNS OF ABUSE .... Traces de coups
SILENCER .... Silencieux, pot d'échappement
SILENCING LOBES .... Augets de silencieux
SILENT .... Silencieux
SILENT AREA .... Zone de silence
SILENTBLOCK (silent block) .... Silentbloc
SILICA FIBRE (silica fiber) .... Fibre de silice
SILICA GEL (bag) .... *(sac)* gel de silice *(stockage)*, déshydratant
SILICON .... Silicium
SILICON CARBIDE .... Carbure de silicium
SILICONE GREASE .... Graisse silicone, graisse aux silicones
SILICONE RESIN .... Résine silicone
SILICONE RUBBER .... Caoutchouc silicone
SILICONE VARNISH .... Vernis silicone
SILK .... Soie
SILL .... Seuil (de porte)
SILO-BASED .... Dans silo
SILVER .... Argent
SILVER NITRATE .... Nitrate d'argent
SILVER PLATE (to) .... Argenter
SILVER PLATING .... Argenture, argentage, dépôt d'argent
SILVER SOLDER (to) .... Souder à l'argent
SIMILAR .... Semblable, pareil
SIMILAR TOOL .... Outil similaire
SIMPLE MAINTENANCE .... Facilité de maintenance

SIMPLE REPAIR .... Simple réparation
SIMPLEX PUMP .... Pompe simplex
SIMULATE (to) .... Simuler, reproduire
SIMULATED FAILURE .... Panne simulée, simulation de panne
SIMULATOR .... Simulateur
SIMULATOR FLIGHT .... Vol en simulateur
SIMULATOR TRAINING .... Entraînement sur simulateur
SINE CURVE .... Courbe sinusoïdale, sinusoïde
SINE WAVE (sinewave) .... Signal, onde sinusoïdale
SINE-WAVE GENERATOR .... Générateur sinusoïdal
SINGLE .... Seul, unique, unitaire, un(e), seul(e), mono
SINGLE-ACTING CYLINDER .... Vérin à simple effet
SINGLE-ACTING PUMP .... Pompe à simple effet
SINGLE AISLE .... *(à une)* seule travée, (à) couloir unique
SINGLE-BLADE PROPELLER .... Hélice monopale
SINGLE-CHANNEL TRANSPONDER (SCT) ..... Répéteur à un seul canal, à simple canal
SINGLE-CLASS LAYOUT .... Aménagement à classe unique
SINGLE-CRYSTAL .... Monocristallin(e)
SINGLE-CRYSTAL BLADE .... Aube en métal monocristal
SINGLE ENGINE .... Monomoteur
SINGLE-ENGINE FIGHTER .... Chasseur monoréacteur
SINGLE ENGINE GO-AROUND .... Remise de gaz sur un réacteur
SINGLE ENGINE LANDING .... Atterrissage avec un réacteur
SINGLE-ENGINE TAKE-OFF .... Décollage avec un seul moteur
SINGLE-ENGINED VERSION .... Version monomoteur
SINGLE ENTRY IMPELLER (single face) .... Roue à simple entrée *(une face d'aubes)*
SINGLE FACE JOINING TAPE .... Bande collante une face
SINGLE FIN .... Monodérive
SINGLE JET ENGINE .... Monoflux
SINGLE-JET FIGHTER .... Chasseur monoréacteur
SINGLE NEEDLE .... Aiguille simple
SINGLE NOZZLE ENGINE .... Moteur monotuyère *(fusée)*
SINGLE PARTS .... Pièces détachées
SINGLE-PHASE .... Monophasé, uniphasé
SINGLE-PHASE CURRENT .... Courant monophasé
SINGLE-PHASE RECTIFIER .... Redresseur monophasé
SINGLE-PHASE TRANSFORMER ..... Transfo d'isolement monophasé
SINGLE PIECE .... D'une seule pièce, monobloc
SINGLE PIECE TOOLS .... Outils monoblocs
SINGLE PILOT .... Monopilote
SINGLE POINTER .... Aiguille simple
SINGLE-POLE .... Unipolaire, monopolaire

SINGLE POLE-SINGLE THROW (-double throw) .... Unipolaire à une direction *(à deux directions)*
SINGLE POLE SWITCH .... Commutateur unipolaire
SINGLE RAIL .... Monorail
SINGLE RING BELL .... Sonnerie monocoup
SINGLE-ROW BEARING .... Roulement à une rangée de billes
SINGLE RUNWAY .... Piste unique
SINGLE SEAT (er) .... Monoplace
SINGLE SEAT AIRCRAFT (fighter) .... Avion monoplace, monopilote (chasseur)
SINGLE-SHAFT ENGINE .... Moteur à simple corps
SINGLE-SHAFT TURBOPUMP .... Turbopompe à arbre unique
SINGLE-SLOTTED FLAPS .... Volets à fente unique, à une fente
SINGLE SPAR .... Monolongeron
SINGLE SPOOL .... Mono-corps, simple-corps
SINGLE STAGE .... A un étage, monoétage
SINGLE STAGE AXIAL COMPRESSOR .... Compresseur axial à un étage
SINGLE STAGE FAN .... Soufflante monoétage
SINGLE STAGE TURBINE .... Turbine monoétage
SINGLE TICKET .... Ticket, billet aller simple
SINGLE TRIP .... Voyage simple
SINGLE-TURBINE HELICOPTER .... Hélicoptère monoturbine
SINGLE-TURBINE VERSION .... Version monoturbine
SINGLE-WIRE AERIAL .... Antenne unifilaire
SINK .... Évier, lavabo
SINK (to) ..... Sombrer, descendre, s'enfoncer ; couler, noyer ; fraiser
SINK CURRENT .... Courant absorbé
SINK INTO (to) .... S'enfoncer dans
SINK RATE .... Vitesse de chute, de descente, taux de descente, vitesse descensionnelle, d'enfoncement
SINK TANK .... Réservoir de récupération
SINKING SPEED .... Vitesse verticale de descente, vitesse descensionnelle
SINTER (to) .... Fritter
SINTERED ALLOY .... Alliage fritté
SINTERED BEARING .... Bague frittée
SINTERED BRASS .... Laiton fritté
SINTERED BRONZE .... Bronze fritté
SINTERED TUNGSTEN .... Tungstène fritté
SINTERING .... Frittage *(technique de métallurgie)*, moulage par concréfaction
SINUSOID .... Sinusoïde
SINUSOIDAL SIGNAL (Hz) .... Signal sinusoïdal
SIPHON .... Siphon
SIPHONING .... Siphonnage

SIPO WOOD .... Sipo *(bois)*
SIREN .... Sirène
SIRUPY (US) ; SYRUPY (GB) .... Sirupeux
SITE .... Emplacement
SITE AN AIRPORT (to) .... Implanter un aéroport
SITING .... Implantation
SITUATION .... Situation, emplacement ; offre, emploi
SIX-CYLINDER ENGINE .... Moteur six cylindres
SIZE .... Cote, grandeur, dimension, encombrement, format, volume, taille, calibre ; apprêt, colle
SIZE (to) .... Calibrer, mettre à la cote, mesurer ; apprêter, encoller, coller, maroufler
SKELETON DIAGRAM .... Schéma de principe
SKETCH .... Schéma, croquis, esquisse
SKEW .... Inclinaison
SKEW GEAR .... Engrenage hyperboloïde
SKI-JUMP .... Tremplin
SKID .... Béquille, patin, berceau, glissade
SKID (to) .... Glisser, déraper vers l'extérieur *(virage)*
SKID DETECTOR .... Détecteur de patinage, de dérapage
SKID-PROOF .... Anti-dérapant
SKIDDING .... Dérapage *(au sol)*
SKIDDING TURN .... Virage dérapé, glissé *(vers l'extérieur)*
SKILL .... Habileté, compétence technique
SKILLED .... Qualifié
SKILLED LABOUR .... Main-d'œuvre qualifiée, spécialisée
SKILLED PERSONNEL .... Personnel qualifié
SKILLED WORKER (workman) .... Ouvrier spécialisé, qualifié, spécialiste
SKIM .... Écume
SKIM (to) .... Voler au ras, raser, effleurer *(une surface)*, faire du rase-mottes, hydroplaner
SKIM-LEVEL ATTACK .... Attaque en vol rasant
SKIN .... Peau, revêtement
SKIN CONTACT .... Contact de la peau
SKIN CORROSION .... Corrosion de revêtement *(avion)*
SKIN EFFECT .... Effet pelliculaire, kelvin
SKIN JOINT .... Raccordement des tôles de revêtement
SKIN PANEL .... Panneau, tôle de revêtement
SKIN PLATE .... Tôle de revêtement
SKIPPER .... Commandant de bord, patron
SKIRT .... Jupe *(de réservoir)*
SKY CLEAR .... Ciel dégagé
SKY OBSCURED .... Ciel invisible
SKY OVERCAST .... Ciel couvert

SKY WAVE .... onde d'espace, réfléchie
SKYDROL RESISTANT FINISH (overcast) .... Protection anti-skydrol
SKYJACKING .... Piraterie aérienne
SLAB .... Plaque ; brame
SLABBING MILL .... Laminoir
SLACK .... Jeu, lâche, mou, détendu, dégonflé, desserré ; circuit d'attente
SLACK (to) .... Détendre, relâcher, desserrer, prendre du mou, du lâche
SLACK CONTROLS .... Commandes molles
SLACK OFF TENSION (to) .... Détendre
SLACK TAKE UP CARTRIDGE ...... Cartouche de compensation de mou
SLACK TAKE UP SPRING .... Ressort de rattrapage de mou, de jeu
SLACKEN (to) ... Desserrer, donner du mou, prendre du mou, relâcher, détendre, ralentir, diminuer
SLACKEN OFF (to) .... Desserrer
SLACKENED SPRING .... Ressort détendu, avachi
SLACKENING .... Ralentissement, diminution, relâchement, desserrage, détente
SLACKNESS .... Détente, mou, desserrage *(d'un écrou)*, avachissement
SLAG .... Laitier, scorie(s), crasse
SLAG INCLUSION .... Inclusion de scories
SLAM .... Accélération
SLAM TEST .... Essai d'accélération brutale
SLANT .... Oblique, pente, inclination, biais, biseau
SLANT (to) .... (s') incliner, être en pente, être oblique
SLANT DISTANCE .... Distance oblique
SLANT TOUCHDOWN .... Atterrissage sur terrain incliné, en pente
SLANT VISIBILITY .... Visibilité oblique
SLANT VISUAL RANGE .... Portée visuelle oblique
SLANTWISE (slantways) .... De biais
SLAP (slapping) .... Claquement *(piston)*
SLASH .... Estafilade, entaille, taillade
SLAT .... Lame, lamelle, traverse ; bec de bord d'attaque
SLAT CARRIAGE .... Chariot de bec de bord d'attaque
SLAT (control) LEVER .... Levier de commande des becs
SLAT DISAGREEMENT LIGHT .... Voyant désaccord becs
SLAT EXTENSION .... Sortie des becs
SLAT LOCK SWITCH .... Poussoir de verrouillage des becs
SLAT MONITOR PANEL .... Panneau de contrôle des becs
SLAT RETRACTION .... Rentrée des becs
SLAT TRACK .... Rail de bec de BA

SLAVE .... Asservi, secondaire
SLAVE BOLT .... Boulon prisonnier, provisoire
SLAVE ENGINE .... Moteur asservi
SLAVED .... Asservi
SLAVE(D) VALVE .... Soupape asservie
SLAVING .... Asservissement
SLAVING AMPLIFIER .... Amplificateur d'asservissement
SLAVING RATE .... Vitesse d'asservissement
SLEEPER SEAT .... Siège couchette, dormette
SLEET .... Grésil, mélange neige et pluie
SLEEVE .... Manche, manchon *(d'accouplement),* douille, bague d'assemblage, de centrage, fourrure, fourreau, hélicoil, chemise, palier
SLEEVE (to) .... Emmancher
SLEEVE COUPLING .... Accouplement à manchon
SLEEVE JOINT .... Raccord, joint à manchon
SLEEVE NUT .... Manchon taraudé
SLEEVE VALVE .... Sélecteur
SLENDER .... Effilé, mince, fuselé
SLENDER WING .... Aile effilée
SLENDER WINGED AIRCRAFT .... Avion à aile effilée
SLEW (to) .... Pivoter, tourner, virer
SLEW ANGLE .... Angle de pivotement
SLEW COMMAND .... Commande de précession
SLEW-WING AIRCRAFT .... Avion à aile pivotante
SLEWING .... Balayage *(radar)*
SLICE .... Tranche
SLIDE .... Glissière, tiroir, axe coulissant, toboggan *(d'évacuation)*, coulisseau, chariot
SLIDE (to) .... Glisser, coulisser, introduire
SLIDE ASSEMBLY .... Noix navette
SLIDE BLOCK (assy) .... Coulisseau
SLIDE BUSHING .... Bague coulissante
SLIDE CALIPER RULE .... Pied-à-coulisse
SLIDE FASTENER .... Fermeture à glissière
SLIDE GAUGE .... Pied à coulisse
SLIDE HAMMER .... Masse coulissante
SLIDE-HAMMER PULLER .... Extracteur à inertie, à frappe
SLIDE OUT (to) .... Extraire par glissement, sortir, expulser
SLIDE OUT OF (to) .... Retirer, sortir, extraire
SLIDE/RAFT .... Toboggan/canot
SLIDE RULE .... Règle à calcul
SLIDE TYPE VALVE .... Sélecteur du type à tiroir
SLIDE VALVE .... Valve, robinet à tiroir, tiroir, clapet sélecteur, sélecteur, distributeur à tiroir coulissant, clapet à tiroir, à piston

SLIDER .... Coulisseau, curseur
SLIDER COIL .... Bobine à curseur
SLIDING .... Coulissant, glissant
SLIDING BAR .... Poignée coulissante
SLIDING CALIPER .... Pied à coulisse
SLIDING COCKPIT CANOPY .... Verrière coulissante
SLIDING CUTTING LATHE .... Tour à charioter
SLIDING HAMMER .... Masse coulissante
SLIDING HANDLE .... Poignée coulissante
SLIDING HEADSTOCK .... Poupée mobile
SLIDING PANEL .... Panneau mobile, coulissant, roulant, glace coulissante
SLIDING PARTS .... Pièces en contact, frottantes
SLIDING SCALE .... Échelle mobile
SLIDING SEAT .... Siège amovible
SLIDING SHAFT .... Arbre coulissant
SLIDING SURFACES .... Surfaces frottantes
SLIDING T-HANDLE .... Poignée coulissante
SLIDING TABLE .... Table coulissante
SLIDING WINDOW .... Glace coulissante
SLIGHT .... Léger
SLIGHT MODIFICATION .... Légère modification, petite modification
SLIGHT REPAIR .... Réparation mineure, légère
SLIGHT SCRATCHES .... Légères rayures
SLIM FUSELAGE .... Fuselage élancé
SLIMMING COWLING .... Carénage effilé
SLING .... Élingue, sangle
SLING (to) .... Suspendre, élinguer, accrocher
SLING HOOK .... Crochet de l'élingue
SLING LOAD .... Charge à l'élingue
SLING REEL .... Enrouleur
SLINGING .... Élinguage
SLINGING POINT .... Point de levage, d'élinguage
SLIP .... Glissement, glissade, recul
SLIP (to) .... Glisser, coulisser, couler, patiner, enfiler
SLIP CLUTCH (slipclutch) .... Embrayage à friction
SLIP GAUGE .... Cale étalon
SLIP INDICATOR .... Indicateur de glissement latéral
SLIP-KNOT .... Nœud coulant
SLIP LOOP-TYPE KNOT .... Nœud coulant
SLIP ON (to) .... Enfiler, passer, mettre
SLIP-PROPELLER SLIP .... Recul *(de l'hélice)*
SLIP RATIO .... Coefficient de recul
SLIP-RING (S/R) .... Bague collectrice, anneau collecteur *(porte-balais)*

SLIP-RING BRUSH .... Balai de la bague collectrice
SLIP-RING SHROUD .... Bloc porte-charbons, logement des bagues collectrices
SLIP-STREAM (slipstream) .... Remous, souffle de l'hélice, écoulement d'air
SLIPPAGE .... Glissement, patinage, ripage, décalage
SLIPPER BEARING .... Roulement à segments
SLIPPER TANK .... Réservoir amovible
SLIPPERY RUNWAY .... Piste glissante
SLIPPING TURN .... Virage glissé *(vers l'intérieur)*
SLIPRING GROUP (slip ring) .... Ensemble collecteur
SLIP RING MOTOR .... Moteur à bagues collectrices, de frottement
SLIPSTREAM .... Veine d'air, souffle, flux d'air, écoulement d'air, remous d'air, sillage, souffle de l'hélice
SLIT .... Fente, fissure, rainure
SLIT (to) .... Fendre, déchirer
SLITTING SAW .... Fraise scie
SLOG (to) .... Peiner
SLOPE .... Déclivité, pente, rampe, inclinaison, dégagement *(outil)*
SLOPE DOWN .... Descente, déclivité
SLOPE LIFT .... Ascendance orographique *(vol à voile)*
SLOPE UP .... Montée
SLOPING .... En pente
SLOPPY .... Mou, flasque, détendu, négligé *(tenue)*
SLOPPY CONTROL .... Commande molle
SLOSHING .... Ballottement
SLOT .... Entaille, encoche, rainure, mortaise, cannelure, fente, créneau, fente d'aile
SLOT DRILL .... Fraise à rainurer
SLOT SEAL .... Joint à fente
SLOT SCREW .... Vis à fente
SLOT TIME .... Créneau (ATC)
SLOTTED .... A fente, fendu, encoché
SLOTTED AILERON .... Aileron à fente
SLOTTED LINE .... Axe interrompu *(long, court)*
SLOTTED NUT .... Écrou à tête fendue, à encoches, à créneaux
SLOTTED SCREW .... Vis à filets interrompus, vis à fente
SLOTTED WING .... Aile à fente
SLOTTED WING FLAP (slot flap) .... Volet à fente
SLOTTING .... Rainurage
SLOTTING CHISEL .... Bédane à rainurer
SLOTTING CUTTER .... Fraise à rainurer
SLOTTING-MACHINE .... Mortaiseuse, machine à mortaiser

SLOW .... Lent
SLOW (to) .... Ralentir
SLOW APPROACH .... Approche lente
SLOW-BURNING .... A combustion lente, peu combustible
SLOW DOWN (to) .... Ralentir
SLOW FLIGHT .... Vol à faible vitesse
SLOW LANDING SPEED .... Vitesse réduite d'atterrissage
SLOW MOTION .... Mouvement lent, ralenti
SLOW ROLL .... Tonneau lent
SLOW RUNNING .... Ralenti
SLOW SPEED .... Ralenti, basse, petite, faible vitesse
SLOW STARTING ENGINE .... Moteur à démarrage lent
SLOWLY .... Lentement, doucement
SLUDGE .... Cambouis, crasse, résidu, tartre, boue, saleté
SLUEING ASSY .... Système d'asservissement du gyroscope directionnel
SLUGGING WRENCH .... Clé à frappe
SLUGGISH .... Lent, mou
SLUGGISH BRAKES .... Freins mous
SLUGGISH RESPONSE .... Réponse faible, molle
SLUNG .... Suspendu, élingué
SLUNG LOAD .... Charge à l'élingue
SLUSH .... Boues, tartre, neige fondue, névasse
SLUSH REMOVER .... Détartrant
SM (statute mile) .... Mille terrestre
SMALL .... Petit(e),minuscule
SMALL AREAS .... Petites surfaces
SMALL BRIDGE .... Pontet
SMALL-END .... Pied de bielle
SMALL PLATE .... Plaquette
SMALL SECONDARY AIR INLET DOOR .... Petite porte d'admission d'air secondaire
SMALL SIZE .... Faible encombrement
SMALL SPAR .... Longeronnet
SMASH .... Collision
SMASH DOWN (to) .... S'écraser au sol
SMEAR (to) .... Enduire, barbouiller, graisser
SMEARY .... Taché, barbouillé, graisseux
SMELT (to) .... Fondre, extraire le métal *(par fusion)*, élaborer
SMELTING WORKS .... Fonderie
SMOG .... Brouillard des villes, mélange fumée/brouillard
SMOKE .... Fumée
SMOKE BARRIER .... Cloison anti-fumée, pare-fumée
SMOKE-BOMB .... Bombe fumigène
SMOKE DETECTION SYSTEM .... Détecteur de fumée

SMOKE EMISSION .... Fumigène
SMOKE-EMITTER .... Appareil fumigène
SMOKE FLOATS .... Bouées fumigènes
SMOKE-FREE (engine) .... Non polluant
SMOKE-GENERATOR .... Appareil fumigène, pot à fumée, générateur de fumée
SMOKELESS (smoke-free) .... Non-polluant
SMOKE GOGGLES .... Lunettes anti-fumée
SMOKE MASK .... Masque anti-fumée
SMOKE REMOVAL .... Évacuation de la fumée
SMOKE SCREEN .... Rideau fumigène
SMOKE TRAIL .... Traînée de fumée
SMOKING AREA .... Zone fumeurs
SMOOTH (surface) .... Lisse, douce, régulier(e), uni, poli, satiné, *(mouvt, fonct)* régulier, sans à-coups
SMOOTH (to) .... Lisser, adoucir, aplanir, enlever, filtrer, amortir
SMOOTH AIR .... Air calme
SMOOTH AIRFLOW .... Écoulement d'air laminaire *(sans turbulence),* régulier, uniforme
SMOOTH FILE .... Lime douce
SMOOTH FLIGHT .... Vol calme
SMOOTH JAWS .... Becs lisses
SMOOTH LANDING .... Atterrissage en douceur
SMOOTH-METAL SKIN .... Revêtement en tôle lisse
SMOOTH OPERATION .... Fonctionnement régulier, normal
SMOOTH ROTATION .... Rotation sans à-coup, sans point dur, libre
SMOOTH RUNNING .... Qui tourne rond
SMOOTH SURFACE .... Surface lisse
SMOOTH TOUCHDOWN .... Touché en douceur
SMOOTH TREAD .... Pneu lisse
SMOOTH TYRES .... Pneus lisses
SMOOTHER .... Mastic de raccordement, amortisseur
SMOOTHING .... Amortissement ; lissage
SMOOTHING HAMMER .... Marteau à tendre
SMOOTHLY .... Sans heurt, sans à-coup
SMOTHER (to) .... Étouffer, asphyxier, étouffer un feu
SMUT .... Tache de suie, saleté
SNAG .... Difficulté, entrave, obstacle, « pépin », ennui, anomalie technique
SNAG CLEARANCE .... Rectification incident technique
SNAGGING .... Ébarbage
SNAKE (to) .... Se mettre en torche *(parachute)*
SNAKE INDICATOR .... Indicateur du compensateur de mach
SNAKING .... Trajectoire sinueuse, oscillations de lacet, reptation, serpentage

SNAP .... Bouterolle
SNAP (to) .... Se fermer avec un bruit sec, claquer, agrafer
SNAP FASTENER .... Fermoir, agrafe, bouton à pression, pression, fermeture à poussoir, sauterelle
SNAP-HEAD RIVET .... Rivet à tête bouterollée, à tête ronde, rivet bouterollé
SNAP-IN .... Encliquetable
SNAP LOCK .... Serrure à ressort
SNAP RING .... Jonc d'arrêt, anneau à ressort, jonc à ergot, circlips
SNAP RIVET .... Rivet à tête bouterollée
SNAP ROLL .... Tonneau rapide, tonneau déclenché
SNAP SWITCH .... Interrupteur à rupture brusque
SNAPPING-IN .... Enclenchement
SNAPPY ENGINE .... Moteur nerveux
SNAPPY MIXTURE .... Mélange riche
SNICK .... Entaille, encoche
SNIFFLE VALVE .... Soupape de mise à l'air libre, reniflard
SNIP .... Petit morceau, petite entaille
SNIPS .... Cisailles, pinces coupantes
SNOUT .... Ajutage, buse
SNOW .... Neige
SNOW (to) .... Neiger
SNOWBOUND .... Bloqué par la neige (piste, aéroport)
SNOW CLEARING .... Déneigement
SNOW-DRIFT (snow bank) .... Congère
SNOW PLOUGH .... Chasse-neige
SNOW REMOVAL .... Déneigement
SNOW REMOVER .... Déneigeuse
SNOW SHOWER .... Averse de neige
SNOW STORM .... Tourmente, tempête de neige
SNOW SWEEPER (plough, blower) .... Chasse-neige, déneigeuse
SNOW-SWEEPING .... Déneigement
SNUB (to) .... Ralentir
SNUB COMPENSATOR .... Accumulateur
SNUB ORIFICE .... Restricteur, orifice de restriction, calibre, laminage
SNUB PISTON .... Piston amortisseur
SNUBBER .... Amortisseur, bielle à ressort, patin de freinage
SNUBBER BLOCK .... Patin
SNUBBING EFFECT .... Effet d'amortissement, de ralentissement
SNUG (nom) .... Ergot, dent
SNUG (adj.) .... Précis, ajusté ; confortable, douillet
SNUG BOLT .... Boulon à ergot

SNUG FIT .... Ajustement serré, monté serré
SNUG UP (to) .... Visser
SOAK (to) .... Imbiber, tremper, baigner
SOAKED .... Détrempé, imprégné
SOAKING .... Maintien *(de la température)*
SOAP .... Savon
SOAP AND WATER SOLUTION .... Solution savonneuse
SOAP DISPENSER .... Distributeur de savon *(en poudre ou liquide)*
SOAP DISTRIBUTOR .... Distributeur de savonnettes
SOAP SOLUTION .... Solution savonneuse
SOAP TRAY .... Porte savon
SOAPY WATER .... Eau savonneuse
SOAR (to) .... Prendre de l'altitude, monter, s'élever dans les airs, planer
SOARING .... Vol à voile
SOARING FLIGHT .... Vol plané, vol sans moteur
SOCKET .... Douille, crapaudine, emplanture *(d'aile)*, embase, prise *(femelle)*, culot, manchon, emboîture, support *(électronique)*, connecteur électrique femelle, prise de courant femelle
SOCKET CONTACT .... Contact femelle
SOCKET CROSS .... Croix femelle
SOCKET JOINT .... Joint à rotule
SOCKET PIPE .... Tuyau à emboîtement
SOCKET SET .... Jeu de douilles
SOCKET WRENCH (spanner) .... Clé à douille, à tube
SOCLE .... Socle
SODIUM CHLORIDE .... Chlorure de sodium
SODIUM CYANIDE .... Cyanure de sodium
SODIUM HYDROXIDE .... Hydroxyde de sodium
SOFT .... Mou, tendre, doux
SOFT ANNEALED .... Détrempé
SOFT BRISTLE BRUSH .... Brosse, pinceau à poils en nylon
SOFT BRUSH .... Pinceau doux
SOFT HAIL .... Grésil
SOFT IRON .... Fer doux
SOFT JAWS .... Mors doux
SOFT LANDING .... Atterrissage en douceur
SOFT MATERIALS .... Alliages légers
SOFT METAL .... Métal antifriction
SOFT PENCIL .... Crayon tendre
SOFT SOIL .... Terrain, sol mou, instable
SOFT SOLDER .... Soudure à l'étain
SOFT STEEL .... Acier doux

SOFT TEMPER .... Trempe douce
SOFT TOUCHDOWN .... Atterrissage en douceur
SOFT WATER .... Eau douce
SOFTEN (to) .... Amollir, ramollir, adoucir
SOFTLY .... En douceur
SOFTWARE .... Software, logiciel *(traitement de l'information)*
SOGGY .... Détrempé
SOIL .... Tache, salissure, crasse
SOIL (to) .... Tacher, salir, encrasser, souiller
SOILING .... Encrassement, souillure
SOLAR ARRAY .... Panneaux solaires, réseau de photopiles
SOLAR ASTRONOMY .... Astronomie solaire
SOLAR BATTERY .... Batterie solaire, photopile, batterie de pile solaire
SOLAR CELL .... Cellule solaire, photopile, pile solaire
SOLAR CONSTANT .... Constante solaire
SOLAR ECLIPSE .... Éclipse solaire
SOLAR-ELECTRIC PROPULSION .... Propulsion hélioélectrique
SOLAR ENERGY (power) .... Énergie solaire
SOLAR GENERATOR .... Générateur solaire
SOLAR PANEL .... Panneau solaire, capteur plan
SOLAR-POWERED AIRCRAFT (sun-powered) .... Avion solaire, à propulsion solaire
SOLAR RADIATION .... Rayonnement solaire
SOLAR SYSTEM .... Système solaire
SOLAR-THERMAL PROPULSION .... Propulsion héliothermique
SOLAR WIND .... Vent solaire
SOLDER .... Soudure
SOLDER (to) .... Souder *(à l'étain)*, braser
SOLDER JOINT .... Raccordement *(conducteur)* par soudure, joint de soudure
SOLDER LUG (soldering lug) .... Cosse à souder
SOLDER TACK .... Point de soudure
SOLDERER .... Soudeur
SOLDERING .... Soudure, soudage
SOLDERING BIT .... Panne de fer à souder
SOLDERING FLUX .... Flux pour étamage
SOLDERING GUN .... Pistolet à souder
SOLDERING IRON .... Fer à souder
SOLDERING LAMP .... Lampe à souder
SOLDERING LUG .... Cosse à souder
SOLDERING PLIERS .... Pince à souder
SOLDERING WIRE (rod) .... Fil de métal d'apport *(tige)*
SOLE .... Semelle

SOLENOID .... Solénoïde, électro-aimant
SOLENOID OPERATED .... A commande par électro-aimant
SOLENOID OPERATED VALVE .... Électro-valve, robinet à solénoïde
SOLENOID VALVE .... Électro-valve, électro-clapet, valve, robinet électromagnétique
SOLID .... Ébauche, solide, plein, massif, d'une pièce, d'un bloc
SOLID (from) .... Dans la masse
SOLID CLOUDS .... Nuages compacts
SOLID COPPER .... Cuivre massif
SOLID CURVE (line) .... Courbe continue, pleine *(ligne)*
SOLID FILM DRY LUBRICANT .... Lubrifiant solide
SOLID-FUEL BOOSTER .... Moteur à poudre
SOLID-GRAIN RETRO-ROCKET .... Rétrofusée à poudre
SOLID LENGTH (of a spring) .... Spires jointives
SOLID PROPELLANT .... Poudre, propergol solide
SOLID-PROPELLANT IGNITER .... Démarreur, allumeur à poudre
SOLID-PROPELLANT ROCKET .... Fusée à poudre, à propergol solide
SOLID RIVET .... Rivet plein
SOLID ROCKET BOOSTER .... Accélérateur, fusée à propergol solide
SOLID SOUND .... Son plein
SOLID-STATE .... Transistorisé, à semi-conducteurs, état solide
SOLID-STATE AMPLIFIER .... Amplificateur à semi-conducteurs
SOLID-STATE CIRCUITRY .... Circuits transistorisés
SOLID-STATE COMPONENT .... Composant transistorisé, à semi-conducteur(s)
SOLID-STATE TRANSMITTER .... Émetteur « solid-state », émetteur à semi-conducteurs
SOLID TYRE .... Pneu plein
SOLID WIRE .... Fil plein
SOLIDITY .... Solidité
SOLIDITY (propeller) .... Coefficient de plénitude *(hélice)*
SOLO FLIGHT .... Vol sans moniteur, en solo, seul
SOLUBLE OIL .... Huile soluble
SOLUTION .... Solution
SOLUTION ANALYSIS .... Dosage
SOLUTION TREATED .... Trempe fraîche
SOLVE (to) .... Résoudre
SOLVENT .... Solvant, nettoyant, dissolvant, diluant, décapant
SOMERSAULT .... Capotage
SOMETHING .... Quelque chose
SONAR .... Sonar, radar ultrasonique
SONIC .... Sonique
SONIC BANG .... Bang sonique

SONIC BARRIER (wall) .... Mur du son
SONIC BOOM .... Bang sonique
SONIC LINE .... Ligne sonique *(de la couche limite)*
SONIC SPEED (velocity) .... Vitesse du son (M=1)
SONOBUOY .... Bouée acoustique
SOOT .... Calamine, suie, encrassement
SOOT UP (to) .... (s') encrasser
SOOT UP THE PLUGS (to) .... Encrasser les bougies
SOOTED UP .... Encrassé, calaminé
SOOTING .... Encrassement, calaminage
SOOTY .... Calaminé
SOPHISTICATED .... Sophistiqué, perfectionné, performant
SORT .... Sorte, genre, espèce
SORT OUT (to) .... Trier, classifier, classer
SOUND .... Bruit, son
SOUND (to) .... Sonner, retentir
SOUND BARRIER .... Mur du son, barrière sonique
SOUND BARRIER PANELS .... Panneaux acoustiques
SOUND INTENSITY .... Intensité sonore, acoustique
SOUND ISOLATION (insulation) .... Isolation sonore, acoustique, phonique, insonorisation
SOUND LEVEL .... Niveau sonore
SOUND LEVEL INDICATOR (meter) .... Indicateur de niveau de son, sonomètre
SOUND METER .... Audiomètre, sonomètre
SOUND POWER LEVEL .... Niveau de puissance acoustique
SOUND PRESSURE LEVEL .... Niveau de pression acoustique
SOUND PROOF (to) .... Insonoriser
SOUNDPROOF CHAMBER .... Chambre sourde
SOUND-PROOFED .... Insonorisé
SOUND PROOFING (soundproofing) .... Insonorisation, isolation, protection acoustique
SOUND PROPAGATION .... Propagation du son
SOUND SUPPRESSOR .... Silencieux, atténuateur de bruit
SOUND VOLUME .... Intensité sonore
SOUND WARNING .... Avertisseur sonore
SOUND WAVE .... Onde sonore
SOUNDING BALLOON .... Ballon-sonde
SOUNDING DEVICE .... Appareil de sondage
SOUNDING ROCKET .... Fusée sonde
SOURCE .... Source
SOUTH .... Sud
SOUTH LATITUDE .... Latitude sud

SOUTHBOUND .... Direction sud
SPACE .... Espace, intervalle, espacement
SPACE (to) .... Espacer (les avions, etc.)
SPACE AGENCY .... Agence spatiale, de l'espace
SPACE ASTROMETRY .... Astrométrie spatiale
SPACE ASTRONOMICS LABORATORY .... Laboratoire d'astronomie spatiale (LAS)
SPACE ASTRONOMY .... Astronomie spatiale
SPACE BIOLOGY .... Biologie spatiale
SPACE CAPSULE .... Capsule spatiale
SPACE CENTER .... Centre spatial, spatioport, cosmodrome
SPACE CRAFT .... Astronef, spationef
SPACE ELECTRONICS .... Électronique spatiale
SPACE FLIGHT .... Vol spatial, interplanétaire, dans l'espace
SPACE FLIGHT CENTER .... Centre spatial
SPACE-LINES .... Interlignes
SPACE MAN (spaceman) .... Astronaute, cosmonaute, spationaute
SPACE METEOROLOGY .... Météorologie spatiale
SPACE PHYSICS .... Physique de l'espace, spatiale
SPACE PROBE .... Sonde spatiale
SPACE PROGRAM .... Programme spatial
SPACE RENDEZVOUS .... Rendez-vous spatial, dans l'espace
SPACE RESEARCH .... Recherche spatiale
SPACE ROCKET .... Fusée interplanétaire, cosmique
SPACE SHUTTLE .... Navette spatiale
SPACE SHUTTLE TRANSPORTATION SYSTEM ... Système de transport spatial *(spacelab)*
SPACE STATION .... Station spatiale, orbitale
SPACE SUIT .... Scaphandre, combinaison, tenue spatiale, d'astronaute, vêtement anti-g
SPACE TELESCOPE .... Télescope spatial, orbital
SPACE TRAVELLER .... Astronaute
SPACE VACUUM .... Vide spatial
SPACE VEHICLE .... Véhicule spatial
SPACEBORNE SYSTEMS .... Systèmes embarqués à bord d'astronef
SPACECRAFT ...... Astronef, véhicule, engin, navire spatial, cosmonef, spationef, vaisseau spatial, cosmique, satellite
SPACED .... Espacé, écarté
SPACED THREAD SCREW .... Vis à gros pas, vis parker
SPACELAB .... Laboratoire *(scientifique)* spatial, orbital
SPACELINER .... Aéronef de l'espace
SPACER .... Entretoise, rondelle, cale d'épaisseur, d'écartement, bague d'espacement

SPACER RING .... Bague entretoise
SPACER WASHER .... Rondelle entretoise, rondelle d'écartement
SPACESHIP (spacecraft) .... Astronef, navire, vaisseau spatial, cosmique
SPACING .... Espacement, écartement, écart, jeu, intervalle, tolérance
SPACING CURRENT .... Courant de repos
SPACING RING (washer) .... Rondelle d'épaisseur, rondelle entretoise, rondelle d'espacement
SPADE .... Bêche *(pelle-bêche)*
SPADE SILENCER .... Silencieux à pelle *(olympus 593)*
SPALLING .... =chafing
SPAN .... Envergure, portée, largeur, écartement, travée
SPANNER=WRENCH .... Clé *(de serrage)*
SPANNER WRENCH .... Clé à ergot, clé spéciale
SPANWISE BEAM .... Poutre dans le sens de l'envergure
SPANWISE STATION .... Station transversale *(d'aile)*
SPAR .... Longeron
SPAR BOOM .... Semelle de longeron
SPAR CAP .... Semelle de longeron rapportée
SPAR CHORD .... Semelle de longeron
SPAR FLANGE .... Semelle de longeron
SPAR WEB .... Nervure, âme de longeron
SPAR WEB WEDGE .... Clé d'âme de longeron
SPARE BATTERY .... pile de rechange
SPARE FLOAT .... Volant de rechanges
SPARE FUSE HOLDER .... Logement fusibles de rechange
SPARE PARTS .... Pièces de rechange, détachées
SPARE PARTS SUPPLY .... Fourniture de pièces détachées
SPARE RANGE .... Gamme des rechanges
SPARE WHEEL .... Roue de secours
SPARES .... Rechanges
SPARK .... Étincelle
SPARK (to) .... Émettre, cracher des étincelles
SPARK ADVANCE .... Avance à l'allumage
SPARK ARRESTOR .... Pare-étincelles
SPARK DISCHARGE .... Étincelle disruptive
SPARK EROSION MACHINING .... Usinage par électro-érosion
SPARK GAP .... Disrupteur, éclateur
SPARK IGNITER .... Allumeur, bougie
SPARK MANUFACTURING METHOD .... Technique d'usinage par étincelage
SPARK OUT (to) .... Usiner par étincelage

SPARK PLUG .... Bougie d'allumage
SPARK PLUG GAP .... Écartement des électrodes de bougie
SPARK PLUG SHELL .... Culot de bougie
SPARK-PLUG SPANNER .... Clé à bougie
SPARK TESTER .... Contrôleur d'allumage
SPARK TESTING SCREWDRIVER .... Tournevis testeur d'étincelle
SPARKING PLUG .... Bougie
SPARKING PLUG POINTS .... Électrodes de bougie
SPATIAL .... Spatial, dans l'espace
SPATIAL RESOLUTION .... Résolution spatiale
SPATULA .... Spatule
SPEAK (to) .... Parler
SPEAKER .... Haut-parleur
SPECIAL ALLOYS .... Alliages spéciaux
SPECIAL TOOLS .... Outils, outillages spéciaux, spécifiques
SPECIAL WRENCH .... Clé spéciale
SPECIFIC .... Spécifique
SPECIFIC FUEL CONSUMPTION (SFC) .... Consommation spécifique de carburant (Cs)
SPECIFIC GRAVITY .... Densité, poids spécifique
SPECIFIC HEAT .... Chaleur spécifique, capacité calorifique
SPECIFIC IMPULSE .... Impulsion spécifique
SPECIFIC MASS (weight) .... Masse spécifique *(poids spécifique)*
SPECIFIC RANGE .... Distance spécifique (km/kg)
SPECIFICATION .... Spécification, désignation, description, caractéristiques, normes, données techniques
SPECIFICATION (grease to) .... Conforme à la norme
SPECIFIED LOAD .... Charge prescrite, spécifique
SPECIFIED RANGE .... Plage spécifiée
SPECIFIED VALUE .... Valeur déterminée
SPECIFY (to) .... Spécifier, déterminer, préciser
SPECIMENT .... Échantillon, modèle
SPECK .... Petite tache, moucheture, tacheture, grain, point, goutte, défaut
SPECK OF SOLDER .... Grain de soudure
SPECTRAL BAND .... Bande spectrale
SPECTRAL LINES .... Spectre de raies
SPECTRO-HELIOGRAM .... Spectro-héliogramme
SPECTROGRAPH .... Spectrographe
SPECTROGRAPHIC ANALYSIS (oil) .... Analyse spectrographique *(de l'huile)*
SPECTROMETER .... Spectromètre
SPECTROMETRIC OIL ANALYSIS .... Analyse spectrométrique de l'huile

SPECTRUM ANALYSER .... Analyseur de spectre, spectral
SPEECH .... Parole
SPEECH AMPLIFIER .... Amplificateur microphonique
SPEECH CHANNEL .... Voie radiotéléphonique
SPEECH-COIL .... Bobine mobile (HP)
SPEED .... Vitesse, célérité, rapidité, allure, régime
SPEED BIAS .... Graphe de la vitesse
SPEED BRACE .... Vilebrequin
SPEED BRAKES .... Aérofreins, déflecteurs mobiles, freins aérodynamiques
SPEED BRAKE EXTENSION SYSTEM .... Circuit de sortie des aérofreins
SPEED BRAKE LEVER .... Levier aérofrein
SPEED CONTACT SWITCH .... Contacteur anémométrique
SPEED CONTROL .... Régulation, contrôle de la vitesse
SPEED CONTROL UNIT .... Régulateur de vitesse
SPEED DECAY .... Diminution de la vitesse
SPEED DEVIATION .... Écart de vitesse
SPEED DIAGRAM .... Diagramme de vitesses
SPEED DROP (abated) .... Diminution de la vitesse
SPEED FLIGHT .... Vol de vitesse
SPEED GOVERNOR .... Régulateur de vitesse, régulateur isodrome
SPEED I.A.S .... Vitesse badin
SPEED INDICATOR .... Indicateur de vitesse, anémomètre
SPEED LIMIT .... Vitesse limite, vitesse maximale
SPEED LIMITER .... Limiteur de vitesse
SPEED LOSS .... Perte de vitesse
SPEED OF LIGHT .... Vitesse de la lumière (3×10^5 km/s)
SPEED OF SOUND .... Vitesse du son (env. 340 m/s)
SPEED RANGE .... Domaine, gamme, plage des vitesses, créneau des vitesses
SPEED RATIO .... Rapport de vitesses
SPEED RECORD .... Record de vitesse
SPEED REDUCER .... Réducteur de vitesse
SPEED REDUCTION .... Réduction de vitesse
SPEED REGULATING VALVE .... Vanne de régulation de vitesse
SPEED REGULATOR .... Régulateur de vitesse
SPEED SELECTOR .... Sélecteur de vitesse
SPEED SENSING .... Détection de vitesse
SPEED SENSING DEVICE .... Détecteur de vitesse
SPEED SENSOR .... Capteur de vitesse, détecteur de vitesse, tachymètre
SPEED SWITCH .... Contacteur de vitesse, contacteur tachymétrique

SPEED TRANSDUCER .... Capteur de vitesse
SPEED TRIAL .... Essai de vitesse
SPEED VARIATOR .... Variateur de vitesse
SPEED UP (to) .... Accélérer, gagner de la vitesse
SPEEDER DEVICE .... Contrôleur de vitesse
SPEEDER HANDLE .... Vilebrequin
SPEEDING-UP .... Accélération
SPEEDOMETER .... Indicateur de vitesse, compteur de vitesse, tachymètre
SPEEDWAY .... Piste
SPEED WRENCH .... Clé à vilebrequin
SPEND (to) .... Dépenser
SPHERE OF ACTIVITY .... Gravisphère, sphère d'action, d'influence
SPHERICAL .... Sphérique
SPHERICAL BEARING .... Rotule *(sphérique)*
SPHERICAL BEARING CAGE .... Cage de noix de rotule
SPHERICAL BEARING SURFACE .... Portée sphérique
SPHERICAL BUSHING .... Bague sphérique
SPHERICAL COLLAR .... Rondelle sphérique
SPHERICAL JOINT .... Joint à rotule
SPHERICAL NUT .... Écrou à cuvette
SPIDER .. Croisillon, pattes, araignée, étoile, plateau de commande
SPIDER CONSTRUCTION .... Armature en araignée
SPIDER PATCH .... Patte d'araignée
SPIGOT .... Broche, ergot, centreur ; robinet
SPIGOT JOINT .... Assemblage à ergot, joint à emboîtement
SPIKE .... Pic, pointe, doigt de gant *(soudage)*
SPIKE (to) .... Cheviller, clouer
SPILL (to) .... (dé)verser, répandre, renverser, se perdre, déborder, évacuer
SPILL BURNER .... Brûleur à décharge, à retour
SPILL DOOR .... Volet, vanne de décharge
SPILL LINE .... Ligne de retour, conduite de décharge
SPILL VALVE .... Servo-valve, clapet régulateur, valve, vanne de décharge
SPILLAGE .... Débordement, déversement
SPILLAGE (oil spillage) .... Flaques d'huile, nappes d'huile *(sur la mer)*
SPILLAGE OF FLUID .... Écoulement de liquide
SPIN .... Tournoiement, mouvement de rotation, vrille
SPIN (to) .... Tourner, descendre en vrille, gyrer, emboutir, repousser au tour *(le métal)*

SPIN DOWN (to) .... Décélérer, baisser de régime, descendre en vrille
SPIN STABILIZATION .... Stabilisation par rotation, gyroscopique
SPIN-STABILIZED (satellite) .... Stabilisé par rotation
SPIN TABLE .... Plateau tournant
SPIN TESTING .... Essais de vrille
SPIN TRIAL .... Essai de vrille
SPIN-UP .... Montée en régime, accélération, mise en rotation de roue
SPIN-UP TIME .... Temps de lancement
SPINDLE .... Mandrin, axe, arbre, tige *(soupape),* broche, fuseau, fusée *(d'essieu),* vérin à vis, vis d'entraînement
SPINDLE GEARBOX .... Boîte de transmission des vérins à vis
SPINE .... Arête dorsale
SPINNER .... Cône, capot d'hélice, moulinet d'hélice, casserole d'hélice, dôme, cône de pénétration
SPINNER EXTENSION .... Rallonge de carénage
SPINNING .... Rotation rapide, tournoiement, survitesse, vrille, brassage des hélices, repoussage du métal
SPINNING-DIVE .... Piqué en vrille
SPINNING LATHE .... Tour à repousser
SPINNING WHEELS .... Rotation des roues
SPIRAL .... Spirale, hélice, spire, tour
SPIRAL (to) .... Former une spirale, monter, tourner en spirale
SPIRAL ANGLE .... Angle d'hélice
SPIRAL DIVE .... Spirale engagée, piqué en spirale
SPIRAL DOWN (to) .... Descendre en spirale
SPIRAL GEAR .... Engrenage hélicoïdal, pignon à denture hélicoïdale
SPIRAL SPRING .... Ressort hélicoïdal, à boudin, spiral
SPIRAL STAIRCASE .... Escalier tournant, en colimaçon
SPIRAL UP (to) .... Monter en spirale
SPIRIT .... Alcool
SPIRIT LEVEL .... Niveau à bulle d'air
SPIRIT THERMOMETER .... Thermomètre à alcool
SPIT BACK (to) .... Avoir des retours de flamme *(au carbu)*
SPITTING .... Crachement, ratés
SPITTING BACK .... Retour de flamme
SPLASH .... Éclaboussure, barbotage
SPLASH (to) .... Éclabousser
SPLASHDOWN .... Amerrissage de la capsule *(moment où la capsule touche la surface de la mer)*
SPLASH LUBRICATION .... Graissage par barbotage

SPLASH UP (to) .... Gicler
SPLASHING .... Éclaboussement, barbotage
SPLASHPROOF .... Étanchéité aux projections d'eau
SPLAY .... Chanfrein, coupe oblique, évasement
SPLAY (to) .... Chanfreiner, couper en biseau, en sifflet, épanouir
SPLAYED WHEEL .... Roue désaxée
SPLICE .... Épissure *(câble)*, éclisse, ligature, point de collage, soudure, enture
SPLICE (to) .... Faire une épissure, éclisser, raccorder, manchonner
SPLICE-ANGLE .... Éclisse d'angle
SPLICE BOX .... Boîte de jonction
SPLICE CONNECTIONS .... Plaques à bornes
SPLICE FITTING .... Ferrure de raccordement
SPLICE PLATE .... Éclisse, plaque de raccordement, de jonction
SPLICING .... Éclissage
SPLINE .... Languette, ergot, clavette, saillie, cannelure, cran, rainure
SPLINE (to) .... Claveter, canneler, rainurer, cranter
SPLINE SOCKET (spline drive socket) .... Douille cannelée
SPLINED COUPLING SLEEVE .... Accouplement à dentelures
SPLINED HUB .... Moyeu cannelé
SPLINED SHAFT .... Arbre cannelé
SPLINED SLEEVE .... Manchon cannelé
SPLINEWAY .... Logement de cannelure
SPLINT .... Éclisse
SPLINTER (to) .... Voler en éclats
SPLINTER GLASS .... Verre incassable
SPLIT .... Fente, déchirure, fêlure, séparation, rupture
SPLIT (to) .... Fendre, déchirer, éclater, diviser
SPLIT AXIS APPROACH .... Approche segmentée
SPLIT COMPRESSOR (dual) .... Double compresseur (HP, BP)
SPLIT CRANKCASE .... Carter en 2 parties
SPLIT FLAP .... Volet d'intrados
SPLIT FLAPS .... Volets jumelés
SPLIT FREQUENCY .... Fréquence de modulation
SPLIT GROMMET .... Guide fendu
SPLIT NUT .... Écrou fendu
SPLIT PIN .... Goupille fendue, goupille V
SPLIT RACE .... Chemin de roulement en deux pièces
SPLIT RING .... Anneau fendu
SPLIT-TURBINE .... Turbine bi-rotor

SPLIT WHEEL .... Roue démontable par le milieu
SPLITTER .... Brise-jet
SPLUTTER .... Bafouillage *(moteur),* ratés
SPOIL (to) .... Endommager, abîmer, détériorer, gâcher
SPOILER .... Destructeur de portance, déflecteur, spoiler, déporteur
SPOILER ACTUATOR .... Vérin de spoiler
SPOILER ASSY .... Ensemble aérofrein
SPOILER CONTROL VALVE .... Sélecteur de spoiler
SPOILER DEFLECTION .... Braquage des spoilers
SPOILER DOWN TRAVEL .... Effacement du spoiler
SPOILER EXTEND LIGHT .... Voyant spoilers sortis
SPOILER EXTENDS .... Le spoiler se braque, se lève
SPOILER EXTENSION .... Sortie des spoilers
SPOILER EXTENSION LINKAGE .... Timonerie de sortie des spoilers
SPOILER HYDRAULIC PRESSURE .... Pression hydraulique spoilers
SPOILER MIXER .... Différentiel déporteurs
SPOILER PANEL .... Panneau spoilers
SPOILER POWER SYSTEM .... Circuit hydraulique spoilers
SPOILER RETRACTION .... Rentrée des spoilers
SPOKE .... Rayon *(roue)*
SPOKED WHEEL .... Roue à rayons
SPONGE .... Éponge
SPONGE (to) .... Éponger, nettoyer à l'éponge
SPONGE CLOTH .... Tissus éponge
SPONGE RUBBER .... Caoutchouc mousse
SPONGY BRAKES .... Freins mous
SPONSONS .... Ailettes, dispositifs aérodynamiques, flotteurs
SPOOFING .... Contrefaçon de signaux
SPOOL .... Bobine, enroulement, tiroir de clapet navette, de distribution, rotor, corps, tambour, attelage compresseur-turbine
SPOOL DOWN .... Décélération
SPOOL SHIFT .... Translation du tiroir
SPOOL UP .... Accélération
SPOON .... Spatule
SPOON DOLLY .... Tas cuillère
SPOON SCRAPER .... Grattoir cuillère
SPOT .... Point, endroit, lieu, emplacement, repère *(lumineux),* trace, point de poser

SPOT (to) .... Repérer, situer, localiser, identifier
SPOT AN AIRCRAFT (to) .... Repérer un avion
SPOT CEMENT (to) .... Coller par points
SPOT CHECK .... Contrôle, vérification par sondage
SPOT ELEVATION .... Point coté
SPOT FACE (to) .... Lamer
SPOT FACING (spotfacing) .... Lamage, surfaçage
SPOT HEIGHTS (elevations) .... Points cotés, cotes
SPOT (on the) .... Sur place
SPOT LEVEL .... Cote d'altitude
SPOTLIGHT .... Projecteur
SPOT REPAINTING .... Retouche mineure, locale
SPOT TIE (to) .... Faire un point de frettage
SPOT WELD (to) .... Souder par point
SPOT WELDED .... Soudé par points
SPOT WELDING .... Soudure, soudage électrique par points
SPOT WIND .... Valeur instantanée du vent
SPOTBEAM TRANSMISSION .... Émission en faisceau étroit
SPOTFACE DEPTH .... Profondeur de lamage
SPOTMARK (to) .... Repérer
SPOTTER .... Avion de réglage de tir, observateur
SPOTTING .... Repérage
SPOUT .... Tuyau de décharge, goulotte, bec, dégorgeoir, évent
SPOUT (to) .... Jaillir
SPRAY .... Gicleur, vaporisateur, pulvérisateur, jet, nuage de gouttelettes
SPRAY (to) .... Pulvériser, vaporiser, atomiser, asperger, arroser, passer *(une couche)*, peindre au pistolet
SPRAY APPLICATION .... Application au pistolet
SPRAY BARS .... Rampes d'injection de PC *(post-combustion)*
SPRAY CASTING .... Moulage par atomisation
SPRAY CHAMBER .... Chambre de pulvérisation
SPRAY COAT .... Couche au pistolet
SPRAY DEFLECTOR .... Déflecteur
SPRAY GUN .... Pistolet *(à peindre)*, pulvérisateur
SPRAY GUN NOZZLE .... Buse pistolet
SPRAY NOZZLE .... Gicleur
SPRAY PAINTING .... Peinture au pistolet
SPRAY RINSE (to) .... Rincer au jet, au pistolet, par pulvérisation
SPRAYER .... Pulvérisateur, pistolet *(à peindre)*
SPRAYER (crop sprayer) .... Avion, hélicoptère agricole

SPRAYING .... Pulvérisation, vaporisation, arrosage ; métallisation par projection
SPREAD .... Étendue, envergure, propagation
SPREAD (to) .... Étendre, déployer, étaler, répandre, propager, disperser, écarter
SPREADER .... Extenseur, tendeur
SPREADER BAR .... Barre entretoise, d'écartement, entretoise raidisseur
SPREADING .... Déploiement, développement, propagation, extension, diffusion
SPRING .... Ressort ; extensible
SPRING ACTUATOR .... Vérin, actionneur à ressort
SPRING BACK (to) .... Revenir
SPRING BALANCE .... Peson, dynamomètre
SPRING BUNGEE .... Bielle à ressort, cartouche à ressort, ressort extenseur
SPRING BUSHING .... Bague élastique
SPRING CARRIER .... Support de ressort
SPRING CARTRIDGE .... Cartouche à ressort, bielle à ressort, élastique
SPRING CARTRIDGE ASSY .... Ensemble vérin à ressort
SPRING CHECK .... Contrôle du tarage du ressort
SPRING CLIP .... Ressort lyre, pince à ressort
SPRING COLLET .... Manchon, douille expansible, butée escamotable
SPRING COMPRESSION .... Compression de ressort, écrasement du ressort
SPRING FORCE .... Tension du ressort
SPRING GOVERNOR .... Régulateur à ressort
SPRING HOUSING .... Logement de ressort
SPRING LATCH .... Verrou à ressort, sauterelle
SPRING LINKAGE .... Timonerie à ressort
SPRING LOAD .... Tarage du ressort
SPRING LOAD SWITCH .... Inverseur à rappel
SPRING LOADED .... Maintenu, rappelé par ressort, taré, tendu par ressort, à rappel, à ressort de rappel
SPRING-LOADED CYLINDER .... Bielle élastique
SPRING-LOADED GOVERNOR .... Régulateur centrifuge
SPRING-LOADED GUARD .... Sécurité à ressort
SPRING-LOADED PAWL .... Cliquet à ressort
SPRING-LOADED LATCH MECHANISM .... Mécanisme de blocage à rappel
SPRING-LOADED RELIEF VALVE .... Soupape de surpression à ressort

SPRING-LOADED VALVE .... Soupape, clapet à ressort
SPRING LOCKPIN .... Épingle de verrouillage
SPRING PIN .... Goupille élastique, expansible
SPRING PLATE .... Coupelle de ressort
SPRING PRELOAD .... Pré-charge du ressort
SPRING PRESSURE .... Pression, action du ressort
SPRING-RETRACTABLE .... Ressort de rappel
SPRING RING .... Jonc d'arrêt
SPRING ROD .... Bielle à ressort, élastique
SPRING SCALE .... Dynamomètre à ressort, peson
SPRING SETTING .... Tarage d'un ressort
SPRING SHEET METAL .... Tôle bleue
SPRING STEEL .... Acier à ressort, acier feuillard, acier bleu
SPRING TAB .... Compensateur, flettner, tab à ressort, automatique
SPRING TRIM MECHANISM .... Mécanisme de compensation à ressort
SPRING VALVE .... Valve à ressort
SPRING (lock)WASHER .... Rondelle expansible, rondelle à ressort, élastique, grover, grower
SPRING YOKE .... Étrier élastique
SPRINGING .... Suspension, amortissement
SPRINGS .... Ressorts, suspensions
SPROCKET .... Pignon *(chaîne),* roue dentée, renvoi, dent *(de pignon)*
SPROCKET GEAR (wheel) .... Pignon à chaîne
SPROCKET SPOOL .... Tambour denté
SPUR .... Éperon, ergot
SPUR GEAR .... Engrenage droit, pignon droit
SPUR-GEAR PUMP .... Pompe à engrenages droits
SPUR GEARSHAFT .... Arbre à pignon droit
SPURIOUS .... Parasite ; faux, falsifié
SPURIOUS OSCILLATION .... Oscillation parasite
SPURT .... Jaillissement, jet
SPURT OF PETROL .... Giclée d'essence
SQUADRON .... Escadre, escadron, escadrille, flottille
SQUAL .... Grain, rafale, coup de vent
SQUARE .... Carré, équerre
SQUARE (to) .... Équarrir ; élever au carré *(nombre)*
SQUARE (to be) .... Être perpendiculaire, d'équerre
SQUARE DRIVE .... Carré conducteur, d'entraînement
SQUARE END .... Extrémité carrée

SQUARE FLANGE RECEPTACLE .... Prise femelle à flasque carré
SQUARE KNOT .... Nœud plat
SQUARE MEASURE .... Mesure de surface
SQUARE METER .... Mètre carré (m^2)
SQUARE ROOT .... Racine carrée ($\sqrt{}$)
SQUARE SHANK .... Tige à section carrée
SQUARE SOCKET .... Douille carrée
SQUARE THREADS .... Filets carrés
SQUARE WAVE .... Onde carrée, signal carré, rectangulaire
SQUARED .... *(nombre)* au carré
SQUARENESS .... Equerrage
SQUARING AMPLIFIER .... Amplificateur de quadrature *(radio)*
SQUASH .... Écrasement, aplatissement
SQUAWK (to) .... Afficher
SQUAWKS .... Pannes, ennuis
SQUEAK .... Grincement
SQUEAK (to) .... Grincer
SQUEEZE .... Compression, presse, serrement
SQUEEZE (to) .... Serrer, presser, comprimer, écraser, essorer
SQUEEZE PLUG .... Bouchon déformable *(par compression)*
SQUELCH .... Suppresseur de bruit de fond, circuit de silence, réglage silencieux, silencieux de radio
SQUIB .... Étoupille, inflammateur
SQUIB TEST .... Essai d'amorces de décharge, essai percussion
SQUIRREL-CAGE MOTOR .... Moteur à cage d'écureuil
SQUIRT (to) .... Faire jaillir, lancer un jet, gicler
SQUIRT IN OIL (to) .... Injecter de l'huile
SSR (secondary surveillance radar) .... Radar secondaire
STABILATOR .... Plan mobile, stabilisateur, empennage horizontal
STABILITY .... Stabilité
STABILITY AUGMENTATION COMPUTER (system) .... Calculateur d'augmentation de stabilité *(système)*
STABILIZATION .... Stabilisation
STABILIZE (to) .... Stabiliser, détendre, défragiliser
STABILIZED AIMING SIGHT .... Viseur stabilisé
STABILIZED CONDITION .... Régime stabilisé
STABILIZED DESCENT .... Descente stabilisée
STABILIZED FLIGHT .... Vol stabilisé

STABILIZED PLATFORM .... Plate-forme stabilisée, gyroscopique
STABILIZED RATING .... Régime stabilisé
STABILIZED SPEED .... Vitesse stabilisée
STABILIZER .... Stabilisateur, empennage, plan fixe horizontal, dérive
STABILIZER BALLNUT AND JACKSCREW GEARBOX .... Boîtier de commande trim stabilo
STABILIZER BRAKE RELEASE HANDLE .... Tirette de déblocage frein du stabilisateur
STABILIZER CENTER SECTION .... Section centrale stabilo
STABILIZER DEFLECTION .... Braquage du stabilisateur
STABILIZER OUT OF TRIM LIGHT .... Voyant déréglage compensation du stabilisateur
STABILIZER TRIM .... Compensateur du stabilisateur
STABILIZER TRIM CUT OUT SWITCH .... Interrupteur d'arrêt du compensateur de stabilisateur
STABILIZER TRIM INDICATOR .... Indicateur de compensation du stabilisateur
STABILIZER TRIM JACKSCREW .... Vis de trim stabilo
STABILIZER TRIM LIGHT .... Voyant du compensateur du stabilisateur
STABILIZER TRIM LIMIT SWITCHES .... Contacteurs de fin de course trim stabilo
STABILIZER TRIM POTENTIOMETER .... Potentiomètre de trim PA *(stabilo)*
STABILIZER TRIM SYSTEM .... Système de calage du stabilo = compensation de régime
STABILIZER TRIM WARNING SWITCH .... Contacteur signalisateur de position trim stabilo
STABILIZER TRIM WHEEL .... Volant du compensateur du stabilisateur
STABILIZING GYRO .... Gyro de stabilisation
STABILIZING JACKING POINT .... Point de maintien de stabilité
STABILIZING ROD .... Bielle stabilisatrice
STABLE .... Stable, solide, fixe
STACK .... Tas, pile, empilement ; aire de stationnement
STACK (holding stack) .... Pile, circuit d'attente, « stack » (ATC)
STACK (manifold) .... Collecteur d'admission, d'échappement, conduit
STACK UP (to) .... Empiler, entasser
STACKING .... Empilement, empilage ; attente en pile

STACKING POINT .... Point d'attente vol, position d'attente d'un avion
STAFF .... Personnel, employés, effectif *(personnel)*
STAFF MEMBERS .... Membres du personnel
STAGE .... Étage, phase ; étape de vol
STAGE 1 OR 2 .... Paragraphe 1 ou 2
STAGE LENGTH .... Longueur d'étape
STAGING FLIGHT .... Vol par étapes
STAGGER .... Décalage
STAGGER (to) .... Disposer *(rivets)* en chicane, en quinconce, décaler, échelonner, étaler
STAGGER ANGLE .... Angle de décalage
STAGGERED .... Décalé, en quinconce
STAGNATION POINT .... Point d'impact, d'arrêt, V=0
STAGNATION PRESSURE .... Pression d'arrêt
STAGNATION STALL .... Décrochage entretenu
STAGNATION TEMPERATURE .... Température d'arrêt
STAIN .... Tache, souillure, fuite légère
STAINLESS .... Inoxydable
STAINLESS STEEL LOCKWIRE .... Fil à freiner inox
STAINLESS STEEL WIRE .... Fil inox
STAIR .... Marche, degré ; escalier
STAIRCASE (stairway) .... *(cage d')* escalier *(escalier incorporé),* escalier d'accès à bord
STAIRWAY DOOR .... Trappe, porte escalier
STAIRWAY STEP .... Marche d'escalier
STAKE (at) .... En jeu *(intérêts, projet,etc.)*
STAKE (to) .... Freiner par écrasement de matière *(avec pointeau),* sertir
STAKING POINT .... Point de sertissage, coup de pointeau
STAKING TOOL .... Outil de sertissage
STALL (stalling) .... Abattée, décrochage, décollement des filets d'air, perte de vitesse ; calage d'un moteur
STALL (to) .... Décrocher, mettre en perte de vitesse ; caler, bloquer *(le moteur)*
STALL AN ENGINE (to) .... Caler un moteur
STALL DIVE .... Abattée
STALL FENCE .... Barrière, cloison de décrochage
STALL LIGHT .... Voyant décrochage
STALL RECOVERY .... Sortie de décrochage
STALL STAGNATION .... Décrochage
STALL TURN .... Décrochage en virage, figure d'acrobatie, renversement
STALL VANES .... Cloisons de décrochage

STALL WARNING .... Signal, signalisation, alerte, alarme décrochage
STALL WARNING COMPUTER .... Calculateur de l'avertisseur de décrochage
STALL WARNING HORN .... Avertisseur sonore de décrochage
STALL WARNING SYSTEM (SWS) .... Système avertisseur de décrochage, alarme sonore décrochage
STALL WARNING TEST .... Essai en vol de l'avertisseur de décrochage
STALLED TURN .... Renversement
STALLING .... Calage, blocage, arrêt, perte de vitesse, décrochage
STALLING ANGLE .... Angle d'incidence critique
STALLING MOMENT .... Moment cabreur
STALL(ING) SPEED .... Vitesse de décrochage ou vitesse minimum de sustentation, vitesse critique
STALLOMETER .... Indicateur de vitesse mini de sustentation
STAMP .... Poinçon, étampe
STAMP (to) .... Poinçonner, marquer, graver, découper à la presse, estamper, matricer, emboutir
STAMPED .... Estampé
STAMPING .... Emboutissage, estampage, pilonnage, tôle emboutie, pièce matricée, emboutie, matriçage
STAMPING DIE .... Matrice
STAMPING MACHINE .... Machine à emboutir, à matricer
STAMPINGS .... Pièces estampées
STAND .... Bâti, plateforme, support, socle, pied, banc, escabeau, montage, poste *(de stationnement)*
STAND CLEAR OF (to) .... Se tenir à l'écart, à distance
STAND FIXTURE .... Bâti
STAND-OFF .... Attente
STAND PIPE (standpipe) .... Tuyau d'alimentation vertical, tuyauterie verticale, capteur
STANDARD .... Étalon, modèle, type, norme, qualité, échantillon, support, montant ; de série
STANDARD ATMOSPHERE (in) .... (en) atmosphère standard, type
STANDARD CLIMB .... Montée standard
STANDARD DAY .... Conditions ISA
STANDARD DATUM PLANE .... Niveau de référence type, standard
STANDARD DEVIATION .... Écart type, caractéristique
STANDARD DIMENSIONS .... Dimensions normales
STANDARD FREQUENCY .... Fréquence étalon

STANDARD GAUGE .... Calibre étalon
STANDARD INSTRUMENT .... Instrument d'étalonnage
STANDARD INSTRUMENT ARRIVAL (departure) .... Arrivée normalisée aux instruments *(départ)*
STANDARD MEASURE .... Mesure-étalon
STANDARD MODEL .... Modèle de série, modèle standard
STANDARD PATTERN .... Circuit standard (ATC)
STANDARD PITCH .... Pas nominal *(hélice)*
STANDARD PRACTICES .... Techniques courantes
STANDARD PRESSURE .... Pression standard, type
STANDARD PRESSURE GAUGE .... Manomètre étalon
STANDARD RADIUS .... Rayon de référence
STANDARD REPLACEMENT .... Échange standard (E/S)
STANDARD SIZE .... Cote, dimension standard, cote type
STANDARD SIZE BUSH .... Bague de dimension standard
STANDARD TEMPERATURE (ISA) .... Température standard
STANDARD TIME .... Heure normale, du fuseau, temps légal
STANDARD TIME ZONE .... Fuseau horaire
STANDARD WEIGHT .... Poids légal
STANDARD ZERO FUEL WEIGHT .... Masse structurale sans carburant
STANDARDIZATION .... Standardisation, uniformisation, normalisation, mise en série
STANDARDIZED .... Normalisé, standardisé
STANDARDIZED PRODUCTION .... Fabrication en série
STANDARDS .... Normes
STANDBY .... Attente, secours, d'appoint, de (en) réserve, de sécurité
STAND BY .... Attendez, ne quittez pas
STANDBY ACTUATOR .... Vérin de secours
STANDBY AIRCRAFT .... Avion d'attente ou de remplacement
STANDBY BATTERY .... Batterie de réserve, de sécurité
STANDBY CREWMEMBER .... Membre d'équipage de relève
STANDBY EQUIPMENT .... Auxiliaire de secours *(appareil)*
STAND-BY FOR DESCENT .... Attendez avant de descendre
STANDBY HYDRAULIC SYSTEM SELECTOR .... Sélecteur circuit hydraulique de secours
STAND-BY PASSENGER .... Passager en attente
STANDBY POWER .... Alimentation de secours
STANDBY POWER MODULE .... Module circuit de secours
STANDBY POWER SYSTEM .... Circuit courant d'attente
STANDBY SET .... Groupe de secours
STANDBY SYSTEM .... Circuit de secours *(attente)*
STANDING WAVE .... Onde stationnaire

STANDOFF .... Entretoise d'écartement
STAPLE .... Cavalier de jonction, de fixation
STAPLE (to) .... Agrafer
STAR .... Étoile
STAR CONNECTED .... Disposé, couplé, monté en étoile
STAR NETWORK .... Réseau en étoile
STAR SYSTEM .... Système stellaire
STAR TRACKER .... Suiveur stellaire
STAR WASHER .... Rondelle éventail
STARBOARD .... Tribord, droite
STARBOARD WING .... Aile droite
STARFLEX ROTOR (head) .... *(moyeu)* rotor starflex
START .... Départ, envol, mise en route, en marche, démarrage
START (to) .... Sauter, se détacher, commencer, débuter, mettre en marche, en route, démarrer, (s') ébranler, partir, (s') amorcer
START AN ENGINE (to) .... Démarrer un moteur, lancer un moteur
START CIRCUIT .... Circuit de démarrage
START CONTROL .... Commande de démarrage
START CYCLE .... Cycle de démarrage
START DETENT .... Encoche de ralenti
START ENRICH VALVE .... Robinet d'enrichissement au démarrage
START LEVER .... Manette, levier de démarrage
START LINKAGE .... Timonerie de commande démarrage
START OFF (to) .... Lancer *(un moteur)*
START PUMP .... Pompe de démarrage
START SEQUENCE .... Séquence de démarrage
START TIME .... Heure de départ
START TIMER .... Minuterie de démarrage
START UP .... Mise en route, en marche, démarrage
START UP (to) .... Lancer *(un moteur)*
START UP CLEARANCE .... Autorisation de mise en route
START UP DATA .... Paramètres de mise en route
START VALVE .... Vanne de démarrage
STARTER .... Démarreur, appareil de mise en marche, lanceur ; placeur d'avions
STARTER AIR BOTTLE PRESSURE .... Pression d'air bouteille de démarrage
STARTER AIR SHUTOFF VALVE .... Vanne d'admission d'air démarreur
STARTER AIR VALVE .... Vanne de démarrage

STARTER CLUTCH .... Embrayage démarreur
STARTER CUTOFF SPEED .... Vitesse d'autonomie réacteur
STARTER DUCT .... Gaine, conduit d'air du démarreur
STARTER EXHAUST DUCT .... Conduit d'échappement démarreur
STARTER GENERATOR .... Génératrice démarreur, dynamo-démarreur
STARTER JAW .... Noix de démarreur
STARTER MOTOR .... Démarreur, starter, moteur de lancement
STARTER PINION .... Pignon du lanceur
STARTER PUNCH .... Chasse-pointe
STARTING .... Démarrage, commencement, amorçage, mise en marche, déclenchement
STARTING ATOMIZER .... Injecteur démarrage
STARTING CONTROLS .... Commandes de démarrage
STARTING ENGINE .... Moteur de lancement
STARTING HANDLE .... Manivelle de mise en route
STARTING LINE .... Ligne de départ
STARTING MAGNETO .... Magnéto de départ, de démarrage
STARTING MOTOR .... Moteur de lancement
STARTING POINT .... Point de départ
STARTING SEQUENCE .... Séquence de démarrage
STARTING SPEED .... Vitesse de démarrage
STARTING SYSTEM .... Circuit, groupe de démarrage
STARTING TORQUE .... Couple de démarrage
STARTING UP .... Mise en mouvement, en route, en marche, lancement, amorçage *(dynamo)*
STARVE (to) .... Priver de, manquer de
STATE OF REGISTRY .... État d'immatriculation
STATE-OF-THE-ART TECHNIQUE .... Technique de pointe, moderne
STATE OUTPUT .... Compatibilité des sorties logiques
STATEMENT .... Instruction *(langage de programmation)*
STATIC .... Statique, fixe, au point fixe
STATIC AIR TEMPERATURE (SAT) .... Température de l'air statique
STATIC AIR INTAKE .... Prise d'air statique
STATIC BALANCING .... Équilibrage statique
STATIC CONVERTER .... Convertisseur statique
STATIC DISCHARGER .... Déchargeur, déperditeur d'électricité statique, de potentiel, déperditeur statique
STATIC ELECTRICITY .... Électricité statique
STATIC GROUND WIRE .... Déperditeur statique
STATIC GROUNDING .... Mise à la terre
STATIC HEAD .... Prise statique
STATIC INVERTER .... Convertisseur statique

STATIC LOAD .... Charge statique
STATIC LOADING TEST (static-load testing) .... Essai statique, essai de charge
STATIC MARGIN .... Marge statique
STATIC PORT .... Prise statique
STATIC POWER .... Puissance statique
STATIC PRESSURE .... Pression statique
STATIC PRESSURE PICK-UP .... Prise de pression statique
STATIC PRESSURE PORT .... Prise de pression statique
STATIC PRESSURE PROBE .... Sonde, prise de pression statique
STATIC SEAL (/dynamic seal) .... Joint statique
STATIC SELECTOR VALVE .... Robinet sélecteur de prise statique
STATIC SUPPRESSOR .... Filtre antiparasite
STATIC TARGET .... Objectif fixe
STATIC TEST .... Essai statique
STATIC THRUST .... Poussée statique *(à l'arrêt),* poussée au point fixe, au banc d'essai
STATIC TUBE .... Tube de pitot
STATIC VENT (static port) .... Prise statique
STATIC WEIGHT .... Masse statique
STATIC WICK .... Mèche déperditeur
STATICS .... Mécanique statique
STATIMETER .... Statimètre
STATION .... Position, place, poste, station *(radio-nav), (d'aile),* point de référence, escale
STATION (to) .... Placer, mettre
STATION BEARING .... Relèvement station
STATION KEEPING .... Maintien en position, à poste
STATION MANAGER .... Chef d'escale
STATION MECHANIC .... Mécanicien de piste
STATION PASSAGE .... Passage à la verticale de la station
STATION PERSONNEL .... Personnel d'escale
STATION SERVICES .... Services d'escale
STATION STOP .... Escale
STATIONARY .... Stationnaire, immobile, fixe
STATIONARY CYLINDER (oxygen) .... Bouteille fixe
STATIONARY FLIGHT .... Vol stationnaire
STATIONARY PART .... Pièce fixe
STATIONARY TARGET .... Objectif immobile
STATIONARY SCALE .... Graduation fixe
STATIONARY VANE .... Aube fixe, stationnaire
STATIONARY WAVE RATIO (SWR) .... Rapport d'ondes stationnaires (ROS)

STATIONED .... En place
STATIONED BY .... Placé près
STATOR .... Roue, aubage fixe, stator, redresseur
STATOR STAGE .... Étage fixe, roue directrice
STATOR BLADE .... Aube *(fixe)* du stator
STATOR VANE (s) .... Aube fixe de stator *(redresseurs)*,
STATOSCOPE .... Statoscope
STATUS .... Statut, position, configuration, rang, titre, situation, état
STATUS REGISTER .... Registre d'état
STATUTE MILE (SM) .... Mille terrestre (1609 m)
STATUTE MILE PER HOUR (mph) .... Mille terrestre par heure
STAY .... Hauban, support, appui, tirant, contrefiche, entretoise, jambe de force, étai
STAY (to) .... Rester, arrêter ; haubaner
STAY BOLT .... Tirant
STAY CAPACITANCE .... Capacité parasite
STAY IN TURN (to) .... Rester en virage
STAY PLATE .... Gousset, ferrure d'attache de hauban
STAY ROD .... Jambe de force, contrefiche
STEADINESS .... Stabilité
STEADY .... Solide, fixe, rigide, stable, régulier, uniforme, permanent, continu, stationnaire
STEADY (to) .... Reprendre l'aplomb, remettre en équilibre
STEADY FLIGHT .... Vol stabilisé, en régime stabilisé
STEADY FLOW .... Écoulement permanent, stabilisé
STEADY GRADIENT OF CLIMB .... Pente de montée stabilisée
STEADY LEVEL FLIGHT .... Vol en palier stabilisé
STEADY LIGHT .... Feu continu, fixe
STEADY RED LIGHT .... Feu rouge continu
STEADY SIDESLIP .... Glissade, dérapage contrôlé
STEADY STATE .... État, régime permanent
STEADY WARNING .... Alarme continue
STEADY WAVE .... Onde stationnaire
STEADY WIND .... Vent régulier
STEADINESS IN FLIGHT .... Stabilité de vol
STEALTH AIRCRAFT (fighter) .... Avion invisible, furtif, qui se dérobe, indétectable
STEAM .... Vapeur d'eau, buée
STEAM CLEANING .... Nettoyage à la vapeur, au jet de vapeur
STEAM CRACKING .... Craquage de la vapeur
STEEL .... Acier
STEEL BALL .... Bille d'acier

STEEL CASTING .... Acier moulé
STEEL CLAD .... Bardé, revêtu, recouvert de tôle d'acier
STEEL FASTENER .... Fixation acier
STEEL MUSIC WIRE .... Corde à piano
STEEL PLATE .... Tôle, plaque d'acier
STEEL SHEET .... Tôle, feuille d'acier
STEEL SPRING .... Lame d'acier, ressort en acier
STEEL STAMP (to) .... Frapper, graver, marquer au vibreur, au crayon graveur
STEEL TOWER .... Pylône
STEEL VANES .... Aubes en acier
STEEL WIRE .... Câble ou fil d'acier
STEEL WIRE ROPE .... Câble acier
STEELING .... Acierage
STEELWORKS .... Acierie
STEEP .... Escarpé, raide, pente raide, rapide
STEEP (to) .... Mouiller, tremper
STEEP APPROACH .... Approche en pente raide, à forte pente
STEEP ATTITUDE .... Vol cabré
STEEP BANK .... Virage à la verticale
STEEP CLIMB .... Montée rapide, raide
STEEP DESCENT .... Descente rapide, raide
STEEP DIVE .... Piqué rapide
STEEP FRONT WAVE .... Onde à front raide
STEEP SLOPE .... Forte pente, pente raide
STEEP SPIN .... Vrille serrée, à forte pente
STEEP TURN .... Virage serré, incliné
STEEPLE .... Clocher *(flèche)*
STEER (to) .... Faire route, (se) diriger *(vers)*, orienter, braquer, mettre le cap sur, conduire, mener, gouverner, guider, voler, gouverner à un cap
STEER A COURSE (to) .... Suivre une route, un cap
STEER DUE WEST .... Cap plein ouest
STEER ONE'S COURSE (to) .... Tenir son cap
STEERABLE .... Orientable
STEERABLE NOSE LEG .... Train avant orientable
STEERABLE NOSE WHEEL .... Roulette avant directrice
STEERABLE WHEEL .... Roue orientable
STEERING .... Direction *(commande)*, conduite
STEERING ACTUATOR .... Vérin d'orientation
STEERING ANGLE .... Angle de braquage (TAV)
STEERING BOX .... Boîtier de commande de direction
STEERING COLLAR .... Collier de direction *(de roues AV)*
STEERING COLUMN .... Colonne de direction

STEERING COMMAND .... Directive de pilotage
STEERING CONTROL .... Commande de direction *(roues)*
STEERING CYLINDER .... Vérin d'orientation train AV, vérin de direction
STEERING METERING VALVE .... Sélecteur d'orientation roues AV, distributeur de direction
STEERING MOTOR .... Moteur de direction *(de roues)*
STEERING NEEDLE .... Barre directrice
STEERING RADIUS .... Rayon de braquage
STEERING SERVO-VALVE .... Distributeur commande direction
STEERING SHIFT SYSTEM .... Dispositif de transfert du circuit d'orientation
STEERING WHEEL .... Volant de direction, d'orientation
STEERING WHEEL HOLDER .... Bloque volant de direction
STELLAR .... Stellaire
STELLAR ASTRONOMY .... Astronomie stellaire
STELLAR GUIDANCE .... Guidage stellaire
STELLITE .... Stellite
STEM .... Tige, queue, broche
STEM-OPERATED (control) .... A commande par tige
STEM SEAL .... Joint de garniture
STEM STOP .... Arrêtoir de tige
STENCIL .... Pochoir, stencil
STENCIL (to) .... Marquer, imprimer au pochoir
STENCIL MARKINGS .... Inscriptions au pochoir
STEP(PING) .... Marche, pas, cran, échelon, degré, redan, épaulement ; paragraphe, item, opération ; escabeau, échelle double, marchepied
STEP 1 THRU 9 .... Paragraphe 1 à 9
STEP BEARING .... Crapaudine
STEP CLIMB (stepped climb) .... Montée par paliers
STEP CRUISE .... Croisière par paliers
STEP DESCENT (step-down) .... Descente par paliers
STEPDOWN .... Réducteur
STEPDOWN RATIO .... Rapport de démultiplication
STEP DOWN THE CURRENT (to) .... Abaisser, réduire la tension
STEP DOWN THE GEAR (to) .... Démultiplier la transmission
STEP DOWN TRANSFORMER .... Transformateur abaisseur
STEP-LADDER .... Échelle double, escabeau
STEP ON BOARD (to) .... Monter à bord
STEP SWITCH .... Interrupteur, commutateur à plots
STEP UP .... Élévateur
STEP-UP RATIO .... Rapport de multiplication
STEP UP PRODUCTION (to) .... Accélérer, augmenter la production

STEP UP THE CURRENT (to) .... Augmenter le courant, la tension
STEP-UP TRANSFORMER .... Transfo élévateur
STEPPED .... Étagé, épaulé, à gradins, à étages
STEPPED BUSHING .... Bague épaulée
STEPPED CLIMB .... Montée par paliers
STEPPED CRUISE .... Croisière par paliers
STEPPED GEAR(ING) .... Engrenage en échelon
STEPPED LANDS .... Saillies en gradins
STEPPED SEAL .... Joint étagé
STEPPER MOTOR .... Moteur pas-à-pas
STEPPING-DOWN .... Rétrécissement *(orbite)*
STEREO PLOTTER .... Traceur stéréoscopique
STERN HEAVY .... Centrage arrière
STERNPOST (stern post) .... Étambot, montant, longeron AR de dérive
STEWARD .... Steward (PNC), garçon de cabine
STEWARDESS .... Hôtesse de l'air
STICK .... Bâton, manche (à balai) ; groupe de saut (parachutisme)
STICK (to) .... Piquer, enfoncer ; coller, adhérer, (se) coincer, gommer, rester collé
STICK FORCE (load) .... Effort au *(sur le)* manche à balai
STICK FREE .... Manche libre
STICK GAUGE .... Jaugeur à tige graduée
STICK JERKS .... Secousses du manche
STICK ON (to) .... Larder
STICK PUSHER .... Pousseur de manche, pousse manche
STICK SHAKER .... « vibreur » de manche, avertisseur de décrochage, secoueur, agitateur, branleur de manche
STICKING .... Arrêt, coincement, blocage, gommage *(piston)*, grippage *(moteur)*, collage
STICKING RELAY .... Relais collé
STIFF .... Raide, rigide, dur, inflexible
STIFF-BRISTLE BRUSH (stiff-bristled brush) .... Brosse à poils durs, à poils rigides
STIFF BRUSH .... Pinceau dur
STIFF EXAMINATION .... Examen difficile
STIFF TO OPERATE .... Dur à manœuvrer
STIFF WIND .... Vent fort
STIFFEN (to) .... Raidir, roidir, renforcer
STIFFENED .... Raidi, renforcé
STIFFENED SKIN PANEL .... Panneau de revêtement renforcé
STIFFENER .... Raidisseur, pièce de renfort, nervure

STIFFENING ANGLE .... Cornière de raidissement
STIFFENING FLANGE .... Bride renfort
STIFFENING PLATE .... Plaque, tôle de renfort, de renforcement, de raidissement
STIFFNESS .... Rigidité, raideur
STILL AIR .... Air calme, tranquille
STIMULATE (to) .... Stimuler, activer, exciter
STING .... Dard, aiguillon
STIPPLE .... Grenure
STIR (to) .... Brasser, remuer, agiter, tourner, bouger, déplacer, exciter
STIRRER .... Agitateur
STIRRUP .... Étrier *(de fixation)*
STIRRUP-TYPE RUDDER CONTROL .... Commande de gouvernail de direction du type à étrier
STITCH .... Piqûre, point, maille, couture
STITCH (to) .... Coudre, larder
STITCH WELD (to) .... Souder par points continus
STITCH WELDING .... Soudure discontinue
STOCK .... Porte-filière, monture, manche ; provision, approvisionnement, dépôt, réserve
STOCK (to) .... Intégrer en magasin, approvisionner, garder, stocker
STOCK CAR .... Voiture de série
STOCK DEPLETED .... Stock épuisé
STOCK ENGINE .... Moteur de série
STOCK-KEEPER .... Magasinier
STOCK OF SPARE PARTS .... Réserve, stock de pièces de rechange
STOCKING (wind) .... Manche à air
STOL .... ADAC *(avions à décollage et atterrissage courts)*
STOL AIRCRAFT .... Avion à décollage et atterrissage court (ADAC)
STOLPORT .... Adacport
STONE .... Pierre
STONE (to) .... Pierrer
STONING (remove by) .... Pierrage, retouches à la pierre
STOOL ASSEMBLY .... Tabouret
STOP .... Arrêt, interruption, halte, pause, escale ; butée, dispositif de blocage, arrêtoir, taquet
STOP (to) .... Arrêter, couper, bloquer, stopper ; boucher, fermer *(un trou)*, obstruer, obturer *(un tuyau)*
STOP ADJUSTMENT .... Réglage de la butée
STOP-AND-GO .... Arrêt-décollé
STOP BAND .... Bande atténuée
STOP BOLT .... Boulon d'arrêt, de butée

STOP DRILL CRACK (to) .... Arrêter une crique par perçage d'un trou
STOP DRILLING .... Perçage d'arrêt
STOP GATE .... Vanne d'arrêt
STOP-HOLE (drill) .... Trou d'arrêt *(de crique)*
STOP-HOLE DRILL ENDS OF CRACKS (to) .... Percer trous d'arrêt propagation criques
STOP NUT .... Écrou butée
STOP-OFF .... Épargne
STOP PIN .... Goupille d'arrêt
STOP RING .... Bague d'arrêt, de blocage
STOP SCREW .... Vis d'arrêt, de butée
STOP TIME .... Temps d'arrêt
STOP VALVE .... Valve d'arrêt
STOP WASHER .... Rondelle d'arrêt, autofreineuse
STOP WATCH (stopwatch) .... Chronomètre, montre-chronomètre
STOP WITHDRAWAL .... Effacement de la butée
STOPDRILLING OF CRACKS .... Perçage arrêt de criques
STOPOVER .... Escale, arrêt en cours de route
STOPPER .... Bouchon, obturateur, pointeau, taquet
STOPPER CIRCUIT .... Circuit bouchon
STOPPING (stoppage) .... Arrêt, interruption
STOPPING DEVICE .... Dispositif d'arrêt
STOPPING-OFF WAX (lacquer) .... Cire épargne, cire de protection *(de zones à ne pas plaquer électrolytiquement)*
STOPPING SEGMENT .... Segment d'arrêt
STOPPING UP .... Obturation, bouchon, tampon, mastic
STOPWAY (overrun) .... Prolongement d'arrêt, prolongement occasionnellement roulable
STOPWAY LIGHTING .... Balisage des prolongements d'arrêt
STORAGE .... Accumulation, emmagasinage, entreposage, entrepôt, magasin, magasinage, stockage, rangement, conservation, mémoire
STORAGE BATTERY .... Batterie de bord, de réserve, accumulateur, batterie d'accumulateurs
STORAGE BOX .... Boîte de rangement, de stockage
STORAGE CELL .... Élément d'accumulateur
STORAGE CHARGES .... Redevances, taxes d'entrepôt
STORAGE CONTAINER .... Conteneur de stockage
STORAGE INSTRUCTIONS .... Instructions de stockage
STORAGE LIFE .... Durée de vie en stockage
STORAGE OIL .... Huile de stockage
STORAGE TUBE .... Tube à mémoire

STORE .... Entrepôt, magasin, réserve, stock, mémoire *(d'ordinateur),* charge
STORE (to) .... Accumuler, emmagasiner, stocker, conserver, loger, mettre en dépôt, entreposer, mémoriser
STORE MEMORY .... Mémoire
STORED .... Contenu, stocké, accumulé, emmagasiné, conservé
STORED ERROR .... Erreur emmagasinée
STORED FLIGHT PLAN .... Plan de vol homologué
STOREKEEPER .... Magasinier
STORM .... Tempête, orage, formation nuageuse
STORM AREA .... Zone de dépression
STORM WIND .... Vent de tempête
STORMY .... Orageux
STOVE .... Poêle, fourneau, four, étuve
STOVE (to) .... Cuire, étuver
STOVE-PIPE (stovepipe) .... Tuyau de poêle
STOVL (short take-off, vertical landing) .... ADCAV *(avions à décollage court et à atterrissage vertical)*
STOW (to) .... Ranger, arrimer, serrer, mettre en place, mettre en réserve, loger
STOW IN COIL (to) .... Lover
STOW LATCH CYLINDER .... Vérin du verrou d'escamotage
STOW POSITION .... Position rentré
STOWAGE .... Arrimage, stockage, rangement
STOWAGE BIN .... Casier, coffre à bagages, case de rangement, case porte-bagages
STOWAGE COMPARTMENT (locker, unit) .... Compartiment, armoire de rangement
STOWAWAY .... Passager clandestin
STOWING CONDITION .... Rétraction, retour réverse (CF6-50)
STRAFE (to) .... Mitrailler au sol
STRAFING .... Mitraillage au sol
STRAIGHT .... Droit, rectiligne
STRAIGHT AND LEVEL FLIGHT .... Vol rectiligne horizontal, vol en palier rectiligne
STRAIGHT BUSHING .... Bague lisse
STRAIGHT COURSE .... Cap direct
STRAIGHT CUT SHEARS .... Cisaille coupe droite
STRAIGHT EDGE .... Arête droite, règle
STRAIGHT FLOW .... Écoulement direct, simple flux
STRAIGHT-IN APPROACH .... Approche directe, en ligne droite, rectiligne
STRAIGHT LINE .... Ligne droite
STRAIGHT PART .... Partie droite, rectiligne

STRAIGHT PLUG .... Prise mâle droite
STRAIGHT UNION .... Raccord droit
STRAIGHT WING .... Aile droite
STRAIGHTAWAY .... En ligne droite
STRAIGHTAWAY SPEED .... Vitesse en palier
STRAIGHTEDGE .... Règle
STRAIGHTEN (to) .... Redresser, dégauchir, défausser, rectifier
STRAIGHTEN THE AIRFLOW (to) .... Redresser l'écoulement d'air
STRAIGHTENER .... Redresseur, rectificateur
STRAIGHTENING MACHINE .... Machine à dresser
STRAIGHTENING TOOL .... Outil à redresser
STRAIN .... Allongement, tension, surtension, effort, contrainte, fatigue, déformation
STRAIN (to) .... Tendre, surtendre *(un câble)*, déformer *(une pièce)*, se déformer, gauchir, fatiguer, filtrer, tamiser, passer *(au tamis)*
STRAIN GAUGE (gage) .... Jauge de contrainte, appareil de mesure des contraintes, extensomètre
STRAINED LINK .... Biellette déformée
STRAINER .... Tamis, filtre, crépine, épurateur, reniflard ; raidisseur, tendeur
STRAINING .... Fatigue
STRAINING-SCREW .... Tendeur à vis
STRAKE .... Lisse, onglet
STRAND .... Brin *(câble)*, toron, cordon, tresse
STRANDED WIRE .... Câble toronné
STRANDING MACHINE .... Machine à toronner
STRANGLED .... Étranglé, étouffé
STRAP .... Courroie, bande (au), lien, attache, sangle, ruban, lanière, armature, collier, chape, bride, bande de recouvrement, renfort, cerceau, frette
STRAP (to) .... Attacher, lier, cercler, sangler
STRAP BUCKLE .... Boucle de sangle
STRAPDOWN ATTITUDE-HEADING REFERENCE SYSTEM ...... Centrale liée de référence d'assiette et de cap
STRAP-DOWN ATTITUDE REFERENCE SYSTEMS .... Centrale d'attitude à composants liés
STRAPDOWN INERTIAL PLATFORM .... Plateforme inertielle liée
STRAPDOWN INERTIAL REFERENCE SYSTEM Plateforme inertielle liée
STRAP-DOWN SYSTEM .... Centrale inertielle liée, système inertiel lié
STRAP-ON BOOSTER .... Fusée, propulseur d'appoint, pousseur latéral

STRAP-TYPE CLAMP .... Collier à sangle
STRAP WRENCH .... Clé à sangle, à ruban
STRATEGIC .... Stratégique
STRATEGIC AIR COMMAND .... Aviation stratégique
STRATEGIC ALERT FORCES .... Forces stratégiques d'alerte
STRATEGIC ARMS (nuclear) .... Armes stratégiques *(atomiques)*
STRATEGIC WEAPONS .... Armes stratégiques
STRATO-CIRRUS .... Cirro-stratus
STRATO-CUMULUS (stratocumulus) .... Strato-cumulus, cumulo-stratus
STRATOCRUISER .... Avion de ligne stratosphérique
STRATOLINER .... Avion stratosphérique, avion de ligne pour vol à haute altitude
STRATOPAUSE .... Stratopause
STRATOSPHERE .... Stratosphère
STRATOSPHERIC AIRCRAFT (balloon) .. Avion stratosphérique *(ballon)*
STRATUS .... Stratus
STRAW COLOR .... Couleur paille
STRAY .... Dispersion
STRAYS .... Parasites, bruissements
STREAK .... Raie, rayure, strie, filet, sillon, trainée, trait
STREAKS OF GAS .... Filets de gaz
STREAM .... Courant, flux, veine *(d'écoulement),* écoulement
STREAM FLOW .... Écoulement
STREAM LINE (streamline) .... Ligne de courant, filet d'air
STREAMER .... Flamme, banderolle, serpentin
STREAMLINE .... Profil aérodynamique, forme fuselée, profil offrant la moindre résistance
STREAMLINE (to) .... Caréner, profiler, fuseler
STREAMLINED AIRFLOW .... Écoulement laminaire
STREAMLINED BODY .... Carène, corps profilé, fuselé, fuselage aérodynamique
STREAMLINED STRUTS .... Mâts profilés
STREAMLINING .... Profilage, carénage
STRENGTH .... Force, puissance, résistance, robustesse, rigidité
STRENGTH OF A CURRENT .... Intensité d'un courant
STRENGTH OF MATERIALS .... Résistance des matériaux
STRENGTHEN (to) .... Consolider, renforcer
STRENGTHENED .... Renforcé
STRENGTHENED STRUCTURE .... Structure renforcée
STRENGTHENED WING RIB .... Nervure d'aile renforcée
STRESS .... Fatigue, effort, contrainte, tension, travail, charge, pression
STRESS (to) .... Soumettre à des efforts

STRESS ANALYSIS .... Étude des contraintes, calcul de résistance
STRESS BOX .... Caisson résistant
STRESS DIAGRAM .... Diagramme des efforts, des contraintes
STRESS LIMIT .... Limite de fatigue
STRESS LOADS .... Efforts imposés par les charges
STRESS RELEASE .... Relâchement, détente des contraintes, traitement de détente des contraintes et des tensions internes
STRESS RELIEF .... Diminution, libération des contraintes
STRESS RELIEF TREATMENT .... Traitement de détente
STRESS SKIN .... Revêtement travaillant
STRESSED .... Sollicité en contrainte, travaillant
STRESSED BOX .... Caisson résistant
STRESSED SKIN STRUCTURE .... Structure à revêtement travaillant
STRETCH .... Allongement, extension, étirage, élasticité
STRETCH (to) .... Tendre, tirer, bander *(un câble, un ressort)* étirer, (s')allonger
STRETCH MODULUS .... Coefficient d'élasticité
STRETCH-FORMING PRESS .... Presse à former par étirage
STRETCH OF WING .... Envergure
STRETCHED THREADS .... Filets déformés
STRETCHED UPPER DECK .... Pont, cabine sup-allongée
STRETCHED VERSION .... Version allongée *(avion)*
STRETCHER .... Tendeur, tenseur, traverse, arc-boutant
STRIATED .... Strié
STRICT .... Strict, exact, précis
STRIKE .... Coup, raid, intervention aérienne ; grève
STRIKE (to) .... Frapper, percer, pénétrer, heurter, buter, cogner, avoir un choc, combattre, se mettre en grève, faire grève
STRIKE (on) .... En grève
STRIKE AIRCRAFT .... Avion d'assaut, de combat, d'appui tactique, d'attaque
STRIKE BATH .... Bain d'attaque
STRIKE PLATE .... Plaque d'arrêt
STRIKER .... Percuteur, butée, plaque butée, marteau ; gréviste
STRIKER PLATE .... Plaque formant butée
STRIKING .... A frappe
STRIKING END .... Extrémité de frappe
STRIKING VELOCITY .... Vitesse d'impact
STRIKING VOLTAGE .... Tension d'ionisation, d'allumage
STRING .... Ficelle, fine corde, cordon

STRING (to) .... Ficeler, mettre une ficelle, une corde
STRING CABLE (to) .... Passer le câble
STRINGER .... Lisse *(structure fuselage)*, longrine, longeron, tirant
STRIP .... Bande, bandeau, ruban, lame, plaquette, barrette, réglette ; piste, bande en herbe
STRIP (flight progress strip) .... Strip (ATC)
STRIP (to) .... Déshabiller, mettre à nu, dépouiller *(un câble)*, racler, décaper, enlever, démouler, arracher, démonter, dénuder, peler, ébarber, déséquiper
STRIP CADMIUM PLATING (to) .... Décadmier
STRIP IRON .... Fer en barres, feuillard
STRIP LIGHT .... Rampe d'éclairage
STRIP-RUB .... Bande de caoutchouc
STRIP SKIN .... Bandeau
STRIP (steel) .... Feuillard, lamelle
STRIP STEEL BAND .... Feuillard d'acier
STRIPE .... Raie, rayure, barre, bande, ruban
STIPPED END .... Extrémité dénudée, mise à nue
STRIPPED THREADS .... Filets arrachés, usés
STRIPPER .... Décapant
STRIPPING .... Décapage, déshabillage, démontage, foirage *(d'une vis)*, arrachement des filets
STRIPPING OF THREADS .... Foirage des filets
STRIPPING PLIERS .... Pinces à dénuder
STRIPPING SOLUTION .... Décapant, solution de décapage
STRIPPING TOOL (wire) .... Pince à dénuder
STROBE .... Trace repère
STROBE LIGHT .... Feu à éclats, feu flash
STROBOSCOPE .... Stroboscope
STROBOSCOPE TACHOMETER .... Tachymètre stroboscopique
STROKE .... Coup, mouvement, course *(piston)*, amplitude, temps *(cycle) ;* segment
STROKE CYCLE .... Course de piston *(cycle)*
STROKE LENGTH .... Longueur de course
STROKE VOLUME .... Cylindrée
STRONG .... Fort, solide, résistant
STRONG CURRENT .... Courant intense
STRONG LIGHT .... Lumière forte, vive, lampe torche
STRONG RIB .... Nervure forte
STRONG SPRING .... Ressort puissant
STRONG WIND .... Vent fort
STRUCTURAL .... Structural, de construction
STRUCTURAL LOAD FACTOR .... Facteur de charge structurale (g)
STRUCTURAL RATIO .... Indice de structure *(propulsion)*

STRUCTURAL REPAIR MANUAL .... Manuel des réparations structurales
STRUCTURAL STEEL ...... Acier de charpente, de construction, profilé
STRUCTURAL TEST .... Essai structural *(vol)*, essai de structure
STRUCTURAL YELDING .... Déformation structurale
STRUCTURALLY SIGNICANT ITEM (SSI) .... Élément prépondérant de structure
STRUCTURE .... Structure, charpente, ossature
STRUT .... Entretoise, montant, bras, support, contrefiche, traverse, hauban, mât de liaison, croisillon, fût, jambe de train, de force, vérin, bielle de contreventement, bras profilé, pylône *(moteur)*
STRUT BRACED .... Haubané
STRUT DRAIN LINE .... Drainage du mât
STRUT-HINGE .... Articulation contrefiche
STRUT MOUNTED ENGINE .... Moteur monté en fuseau
STRUTTING .... Entretoisement
STUB .... Bout, embout, tronçon, ergot, moignon, mât de liaison horizontal, raccordement, talon
STUB AXLE .... Moyeu, fusée *(de roue)*, demi-axe
STUB FILLET .... Karman du mât réacteur
STUB PLANE .... Amorce d'aile, emplanture
STUB TANK .... Réservoir d'emplanture
STUB TEETH .... Denture tronquée
STUB WING .... Moignon d'aile, mât de liaison *(réacteur)*
STUBBORN ACCUMULATIONS .... Accumulations de dépôts, de matières tenaces, difficiles à enlever
STUD .... Goujon, cheville, piton, tenon, tige, clou, plot, prisonnier, tirant
STUD BOLT .... Goujon, boulon prisonnier
STUD EXTRACTOR (remover) .... Dégoujonneuse
STUD HOLE .... Trou de goujon
STUD-MORTISE .... Mortaise aveugle
STUD REMOVER (extractor) .... Extracteur de goujon, dégoujonnière
STUD STOP .... Butée fixe
STUDENT PILOT .... Élève-pilote
STUDY .... Étude
STUDY PROJECT .... Projet d'étude
STUFF .... Matière, substance, étoffe, tissu
STUFF (to) .... Bourrer, rembourrer
STUFFED .... Rembourré
STUFFING .... Bourrage, rembourrage, bourre, garniture *(de joint)*, étoupe

STUFFING-BOX .... Boîte à étoupe, presse-étoupe
STUFFING GLAND .... Gland de presse-étoupe
STUNT (to) .... Faire des acrobaties en vol
STUNT-FLYING (trick-flying) .... Vol acrobatique
STUNTS .... Acrobaties
STURDINESS .... Robustesse
STURDY .... Robuste
S-TURN .... Virage en « S »
STYLUS CADMIUM PLATE (plating) .... Cadmiage au tampon
STYLUS PROBE (stylii probe) .... Voir scriber probe
SUB-ASSEMBLY .... Sous-ensemble, montage partiel
SUB-CIRCUIT .... Circuit secondaire
SUB-MANAGER .... Sous-directeur
SUB-ZERO (weather) .... En dessous de zéro *(température)*
SUBCARRIER .... Sous-porteuse
SUBCONTRACT (to) .... Sous-traiter
SUBCONTRACTING (sub-contracting) .... Sous-traitance
SUBCONTRACTOR (sub-contractor) .... Sous-traitant, coopérant
SUBDIAL (altimeter) .... Fenêtre
SUBJECT .... Sujet, objet, contenu, matière, chapitre ATA
SUBJECT (to) .... Soumettre, faire subir
SUBJECT TO .... Soumis à, sous réserve de
SUBMARINE .... Sous-marin, submersible
SUBMERGE (to) .... Immerger, submerger, inonder, noyer
SUBMERGED ENGINE .... Moteur noyé
SUBMERGED FUEL BOOSTER PUMP .... Pompe noyée carburant
SUBMERGED PUMP .... Pompe noyée
SUBMERGED WINGS .... Ailes immergées
SUBMITTED TO .... Soumis à
SUBORBITAL .... Sous-orbital
SUBSIDIARY .... Filiale
SUBSIDIARY FAILURE .... Défaillance subsidiaire
SUBSIDIZE (to) .... Subventionner
SUBSIDY .... Subvention
SUBSONIC .... Subsonique = $M < 1$
SUBSONIC FLIGHT .... Vol subsonique
SUBSONIC JET .... Avion à réaction subsonique
SUBSONIC SPEED .... Vitesse subsonique
SUBSONIC WIND TUNNEL .... Soufflerie subsonique
SUB-SPAR .... Longeron intermédiaire
SUBSTANDARD .... Sous-équipé *(aéroport)*, inférieur aux normes *(équipement)*
SUBSTELLAR POINT .... Point zénithal
SUBSTITUTE .... Équivalence, pièce ou produit de remplacement
SUBTITUTE (to) .... Substituer, remplacer

SUBSTITUTE RIVET .... Rivet de remplacement
SUBSYNCHRONOUS SATELLITE .... Satellite sous synchrone
SUBSYSTEMS (sub-systems) .... Servitudes, sous-systèmes, sous-circuits, sous-ensembles, équipements, systèmes supplémentaires
SUBTRACT (to) .... Soustraire, retrancher
SUBWAY .... Passage inférieur, souterrain
SUB-ZERO .... Au-dessous de zéro *(température)*
SUCCEED (to) .... Succéder, réussir
SUCCESS .... Succès, réussite
SUCK(ing) .... Succion, aspiration ; décollement des spoilers
SUCK IN (to) .... Aspirer
SUCK-IN DOORS .... Portes en dépression
SUCKED BOUNDARY LAYER .... Couche limite aspirée
SUCTION .... Aspiration, succion, appel *(d'air)*, dépression, effet de trompe, de ventouse
SUCTION DEFUELING .... Reprise de carburant par aspiration
SUCTION EFFECT .... Effet de trompe
SUCTION FACE .... Extrados *(pale d'hélice)*
SUCTION FAN .... Aspirateur
SUCTION GAGE .... Dépressiomètre
SUCTION-GRIP .... Ventouse
SUCTION LINE .... Tuyauterie d'aspiration
SUCTION PORT .... Orifice d'aspiration
SUCTION PUMP .... Pompe aspirante
SUCTION RELIEF VALVE .... Clapet limiteur de dépression, clapet de dépression
SUCTION SLOT .... Fente d'aspiration
SUCTION VALVE .... Clapet d'aspiration, d'entrée
SUITABLE .... Convenable, approprié
SUITCASE .... Valise
SUITCASE HANDLE=TRIM HANDLE .... Poignée « trim »
SUITE .... Ensemble de consoles, de positions *(salle de contrôle)*
SULFIDATION .... Sulfidation
SULFINUZATION .... Sulfinusation
SULFURIZATION .... Sulfurisation
SULPHATE .... Sulfate
SULPHATING (sulphation) .... Sulfatation
SULPHIDATION .... Sulfidation
SULPHUR (sulfur) .... Soufre
SULPHUR DIOXIDE .... Anhydride sulfureux
SULPHUR OXIDE (SOx) .... Oxyde de soufre
SULPHURATE (to) .... Sulfurer, blanchir au soufre

SULPHURIC ACID (sulfuric acid) .... Acide sulfurique (H_2SO_4)
SULPHURIZED PAPER .... Papier sulfurisé
SULTRY .... Lourd, orageux
SUM .... Somme, total, montant
SUM (to) .... Additionner, faire le total, la somme
SUMMATION UNIT .... Élément totalisateur
SUMMING .... Totalisation, intégration
SUMMING AMPLIFIER .... Amplificateur sommateur
SUMMING LINKAGE .... Timonerie d'intégration
SUMP .... Puisard, collecteur, cuvette, bac, carter d'huile, creux
SUMP DRAIN VALVE .... Robinet de vidange
SUMP VENT LINE .... Circuit reniflard
SUN-AND-PLANET GEAR .... Engrenage planétaire, épicycloïdal
SUN GEAR .... Planétaire
SUN'S GRAVITY .... Attraction solaire
SUN SHIELD .... Pare-soleil
SUN-SYNCHRONOUS .... Héliosynchrone
SUN-SYNCHRONOUS ORBIT .... Orbite à ensoleillement constant, héliosynchrone
SUN VISOR .... Pare-soleil
SUNDRY .... Divers
SUNGLASSES .... Lunettes de soleil
SUNSET .... Coucher du soleil
SUNRISE .... Lever du soleil
SUNSHADE (sun shade) .... Pare-soleil
SUNSHIP .... Vaisseau solaire, dirigeable à propulsion solaire
SUPER HEATER .... Surchauffeur
SUPERALLOY .... Superalliage
SUPERCHARGE (to) .... Suralimenter, surcomprimer
SUPERCHARGED .... Suralimenté, surcomprimé, sous pression, à compresseur
SUPERCHARGED ENGINE .... Moteur à compresseur, moteur suralimenté
SUPERCHARGER ...... Compresseur, soufflante *(de suralimentation)*, surpresseur, surcompresseur
SUPERCHARGING .... Suralimentation, surcompression
SUPERCOOLED .... Surfondu *(météo)*
SUPERCRITICAL AIRFOIL .... Profil supercritique
SUPERCRITICAL WING .... Aile supercritique, à profil supercritique

SUPERFICIAL CORROSION .... Corrosion superficielle
SUPERFINISHING .... Superfinition
SUPERHEAT SCALE .... Échelle de surchauffe
SUPERHEAT TEMPERATURE INDICATOR .... Indicateur température de surchauffe
SUPERHEATED .... Superchauffé
SUPERIMPOSE (to) .... Superposer
SUPERINTENDENT .... Directeur, chef des travaux, contremaître
SUPERSEDE (to) .... Remplacer
SUPERSEDED .... Périmé, réformé
SUPERSONIC .... Supersonique
SUPERSONIC BANG .... Bang supersonique, sonique
SUPERSONIC BOMBER (backfire) .... Bombardier supersonique *(bombardier stratégique)*
SUPERSONIC BOOM (bang) .... Double bang
SUPERSONIC CYCLE .... Cycle de vol supersonique
SUPERSONIC FLOW .... Écoulement supersonique
SUPER SONIC FREQUENCY (US) .... Fréquence ultra-acoustique
SUPERSONIC LINK .... Liaison supersonique
SUPERSONIC NOZZLE .... Tuyère supersonique
SUPERSONIC SPEED .... Vitesse supersonique=M>1
SUPERSONIC TRANSPORT (SST) ..... Avion de transport supersonique
SUPERSONIC WIND TUNNEL .... Soufflerie supersonique
SUPERVELOCITY .... Survitesse
SUPERVISOR .... Responsable, agent de maîtrise, superviseur
SUPERVISORY PERSONNEL .... Personnel de maîtrise
SUPPLEMENTAL (airline) .... *(compagnie)* charter
SUPPLEMENTAL (airline)=NON-SCHEDULED .... *(compagnie)* charter
SUPPLEMENTAL OXYGEN .... Oxygène d'appoint
SUPPLEMENTAL OXYGEN OUTLET .... Prise d'oxygène d'appoint
SUPPLEMENTAL OXYGEN SELECTOR .... Sélecteur d'oxygène d'appoint
SUPPLEMENTAL VALVE .... Valve d'appoint
SUPPLEMENTARY .... Supplémentaire
SUPPLEMENTARY MAINTENANCE .... Entretien supplémentaire
SUPPLEMENTARY STALL RECOGNITION SYSTEM .... Système supplémentaire d'identification du décrochage
SUPPLIER .... Fournisseur, approvisionneur
SUPPLY .... Alimentation, distribution, approvisionnement, ravitaillement, fourniture

SUPPLY (to) .... Fournir, alimenter, approvisionner, ravitailler, livrer, amener
SUPPLY BOTTLE .... Bouteille d'alimentation
SUPPLY DROPPING .... Ravitaillement par voie aérienne
SUPPLY DUCT .... Gaine d'alimentation
SUPPLY FILTER .... Filtre de pression
SUPPLY HOSE .... Tuyauterie souple, flexible d'alimentation
SUPPLY LINE .... Canalisation, tuyauterie d'alimentation
SUPPLY MAINS .... Câblage d'alimentation principal
SUPPLY MANIFOLD .... Collecteur de prélèvement
SUPPLY PRESSURE .... Pression d'alimentation
SUPPLY SOURCE .... Source d'alimentation
SUPPLY VOLTAGE .... Tension d'alimentation
SUPPORT .... Appui, soutien, support, pied, console, monture, berceau, chaise, aide, maintien
SUPPORT (to) .... Supporter, soutenir, appuyer, maintenir, résister
SUPPORT ANGLE .... Cornière support
SUPPORT BEAM .... Potence
SUPPORT BEARING .... Palier, roulement de support
SUPPORT CRADLE .... Berceau support *(fuselage)*
SUPPORT EQUIPMENT .... Matériel de servitude
SUPPORT FITTING .... Ferrure support
SUPPORT MOUNT .... Bâti-support
SUPPORT PLATE .... Plateau, plaque support, platine
SUPPORT SURFACE .... Surface d'appui
SUPPORTED (by) .... Supporté, maintenu *(par)*
SUPPORTING .... De support, d'appui
SUPPRESS (to) .... Cacher, dissimuler, antiparasiter
SUPPRESSED AERIAL .... Antenne encastrée, noyée
SUPPRESSION GRID .... Grille de suppression *(pentode)*, d'arrêt
SUPPRESSOR .... Suppresseur, filtre anti-parasite, silencieux
SURBOOKING .... Surréservation
SURCHARGE .... Surcharge, charge excessive ; surtaxe
SURFACE .... Aire, plan, surface ; revêtement
SURFACE (control surface) .... Gouverne
SURFACE (to) .... Apprêter, polir, surfacer, dresser, glacer, dégauchir
SURFACE BLEMISH .... Défaut de surface
SURFACE BREAK-UP .... Écaillage
SURFACE CHECK .... Vérification de l'état de surface
SURFACE COATING .... Revêtement de surface, placage

SURFACE CONDITION .... État de surface
SURFACE DEFECTS .... Défauts de surface
SURFACE DEFLECTION .... Débattement de gouverne
SURFACE-EFFECT SHIP .... Véhicule à effet de surface, aéroglisseur
SURFACE FINISH .... Fini de surface
SURFACE GRINDING .... Surfaçage
SURFACE IMPERFECTIONS .... Mauvais état de surface
SURFACE LINK TRAFFIC .... Trafic liaisons terrestres
SURFACE-PLANING .... Dégauchissage
SURFACE PLATE (table) .... Marbre *(métrologie)*
SURFACE POSITION INDICATOR .... Indicateur de position des gouvernes
SURFACE PREPARATION .... Préparation de surface
SURFACE PROTECTION .... Protection de surface
SURFACE ROUGHNESS .... Surface rugueuse, mauvais état de surface
SURFACE SERVO .... Servo-moteur de gouverne
SURFACE SHIP .... Navire de surface
SURFACE SURVEILLANCE RADAR .... Radar de surveillance des mouvements au sol
SURFACE TEMPERATURE .... Température au sol
SURFACE TREATMENT .... Traitement de surface
SURFACE-TO-AIR .... Sol-air, anti-aérien
SURFACE-TO-SURFACE .... Surface-surface, sol-sol
SURFACE VESSELS .... Bâtiments de surface
SURFACE WAVE .... Onde de sol
SURFACE WIND .... Vent au sol, de surface
SURFACING .... Apprêtage, polissage, surfaçage, dégauchissage, dressage
SURGE .... Pompage, coup de bélier, surpression, à-coup, saute, impulsion, surintensité, surtension, onde à front raide
SURGE BLEED VALVE .... Vanne de décharge *(compresseur)*= dispositif anti-pompage *(vanne)*
SURGE CHAMBER (tank) .... Chambre d'amortissement, d'accumulation
SURGE DAMPER .... Amortisseur de sautes de pression
SURGE-DAMPING VALVE .... Valve anti-choc
SURGE-FREE ACCELERATION .... Accélération *(moteur)* sans pompage
SURGE GENERATOR .... Générateur d'onde de choc
SURGE GUARD .... Dispositif anti-pompage
SURGE LINE .... Ligne, niveau de pompage
SURGE MARGIN .... Marge de pompage, marge au pompage

SURGE OF CURRENT .... A-coup de courant, onde de surtension
SURGE OF PRESSURE .... Coup de bélier
SURGE PRESSURE (pressure surge) .... Coup de bélier
SURGE PUMP .... Pompe à membrane
SURGE RELIEF VALVE .... Soupape de surpression
SURGE TANK .... Réservoir d'accumulation, tampon, d'équilibrage
SURGE VALVE .... Soupape de surpression
SURGING .... Pompage, saute de régime, ronflement
SURPLUS .... Surplus, excédent
SURPRISE AIR ATTACK .... Attaque-surprise aérienne
SURROUNDING .... Périphérique, entourant, environnant
SURRONDING AIR .... Air ambiant
SURRONDING SURFACE .... Surface environnante
SURVEILLANCE MISSION .... Mission de surveillance
SURVEILLANCE RADAR .... Radar de surveillance, de veille
SURVEILLANCE RADAR APPROACH (SRA) .... Approche au radar de surveillance
SURVEILLANCE SATELLITE .... Satellite de surveillance
SURVEY .... Levé, plan ; inspection, examen, surveillance, enquête, visite, expertise, étude, inventaire
SURVEY FLIGHT .... Vol inaugural technique, vol d'étude
SURVIVAL EQUIPMENT (survival kit) .... Équipement de survie
SURVIVAL SUIT .... Combinaison de survie
SURVIVING PASSENGERS (survivors) .... Survivants
SUSPEND (to) .... Suspendre, pendre, accrocher
SUSPEND ITS SERVICE (to) .... Suspendre son service
SUSPENDED MATERIAL .... Matière en suspension *(liquide)*
SUSPENDED SOLIDS .... Particules en suspension
SUSPENDED WATER .... Eau en suspension *(sur carburant)*
SUSPENDER BAR .... Barre de suspension
SUSPENSION .... Suspension, retrait *(de licence)*
SUSTAIN (to) .... Supporter, soutenir, sustenter
SUSTAINED FLIGHT .... Vol en palier
SUSTAINED WAVE .... Onde entretenue
SUSTAINER (sustained engine) .... Moteur de croisière
SUSTAINER ENGINE .... Moteur de croisière
SUSTENANCE .... Sustentation
SWAB (apply with) .... Appliquer au tampon
SWAB (to) .... Nettoyer, frotter, laver, éponger
SWAGE .... Étampe
SWAGE (to) .... Emboutir, étamper, sertir
SWAGE TOOL .... Outil de sertissage, outillage d'étampage
SWAGED TERMINAL .... Embout serti

SWAGING .... Sertissage
SWAGING MACHINE .... Sertisseuse *(portative)*
SWAN .... Cou, col
SWARF .... Copeau
SWASH .... Voile
SWASH CHECK .... Vérification du voile
SWASH PLATE (swashplate) .... Plateau oscillant, cyclique
SWASH PLATE PUMP .... Pompe à plateau oscillant, incliné
SWAY .... Balancement, oscillation, mouvement de va-et-vient, roulis
SWAY (to) .... (se) balancer, osciller, pencher, incliner, gauchir
SWEAT (to) .... Souder à l'étain
SWEAT COOLING .... Refroidissement par transpiration
SWEEP .... Flèche *(des ailes d'un avion)*, courbure ; balayage
SWEEP (to) .... Balayer, emporter, entraîner, avancer rapidement
SWEEP ANGLE .... Angle de flèche
SWEEP BACK ANGLE .... Dièdre horizontal
SWEEP DOWN (to) .... Fondre sur
SWEEP FLANGE .... Bride à collerette épanouie
SWEEP FUNCTION .... Fonction vobulateur
SWEEP GENERATOR (sweeper) .... Générateur de balayage, vobulateur de fréquence, générateur dent de scie, générateur vobulé, de vobulation
SWEEP MEASURING SETUP .... Banc de vobulation
SWEEP OSCILLATOR .... Oscillateur de balayage, de vobulation
SWEEP ROTATION .... Cycle de balayage
SWEEP SPEED .... Vitesse de balayage
SWEEP TIME (rate) .... Temps de vobulation *(vitesse)*, de balayage
SWEEP UNIT .... Vobulateur
SWEEP UP (to) .... Monter, gagner de l'altitude
SWEEP VOLTAGE GENERATOR .... Générateur de tension de vobulation
SWEEPABLE .... Vobulable
SWEEPBACK .... Flèche
SWEEPBACK C/4 .... Flèche à 1/4 de la corde
SWEEPBACK WING .... Aile en flèche
SWEEPER .... Balayeuse
SWEEPING .... Balayage
SWEEPING CONTACT ARM .... Balai contacteur rotatif

SWEPT BACK .... En flèche *(aile)*
SWEPT GENERATOR .... Générateur vobulé
SWEPT-VOLUME .... Cylindrée
SWEPT WING .... Aile en flèche, aile dièdre
SWELL(ING) .... Bosse, renflement, enflure, gonflement, boursouflure ; houle
SWELL (to) .... (s') enfler, gonfler, bomber
SWERVE (to) .... Faire une embardée au sol
SWILL .... Lavage à grande eau, rincage
SWILL (to) .... Rincer
SWING .... Balancement, oscillation, tour, amplitude *(d'une oscillation)*, excursion de fréquence, embardée
SWING (to) .... (se) balancer, osciller, basculer, tourner, pivoter, changer de direction, se rabattre, faire une embardée, pendre, accrocher
SWING A COMPASS (to) .... Compenser un compas
SWING BY .... Gravidéviation, gravicélération
SWING DOOR .... Porte battante
SWING JOINT .... Genouillère
SWING LATCH .... Loquet basculant, pivotant
SWING THE PROPELLER (to) .... Lancer l'hélice
SWING WINDOW (to) .... Faire pivoter la glace
SWING WING .... Ailes pivotantes, voilure basculante
SWING WING AIRCRAFT .... Avion à flèche variable
SWING WING CONFIGURATION .... A géométrie variable
SWINGING .... Balancement, oscillation, mise en marche, lancement *(de l'hélice)*
SWINGING PEDAL .... Pédale mobile
SWIRL .... Turbulence, tourbillon, remous
SWIRL (to) .... Tournoyer, tourbillonner
SWIRL ARC IGNITER .... Allumeur à étincelles tournantes
SWIRL ATOMIZER .... Atomiseur à turbulence, vaporisateur à jet tourbillonnaire
SWIRL CHAMBER .... Chambre de combustion à tourbillons, chambre de turbulence
SWIRL CUP .... Brûleur
SWIRL NOZZLE .... Injecteur à tourbillonnement
SWIRL PLATE .... Plaque, tôle de turbulence
SWIRL PLUG .... Bouchon atomiseur
SWIRL TYPE NOZZLE .... Injecteur à tourbillonnement *(douille)*
SWIRL VANE .... Aube de turbulence, déflecteur
SWIRLER .... Grille, coupelle de turbulence
SWIRLER VANE .... Aube de tourbillonnement
SWISH TAILING .... Glissade sur la queue

SWITCH .... Interrupteur, commutateur, contact(eur), disjoncteur, bouton
SWITCH (to) .... Changer la position de
SWITCH ACTUATOR .... Commande interrupteur
SWITCH BOX .... Boîte de commutation
SWITCHBOARD (switch board) .... Panneau, tableau commutateur, armoire de commande, de commutation, de distribution ; standard
SWITCH CHANGE OVER .... Inverseur *(va-et-vient)*
SWITCH GUARD .... Cache-interrupteur
SWITCH HOLD-IN SOLENOID .... Solénoïde de maintien du bouton poussoir
SWITCH IN (to) .... Mettre en circuit
SWITCH-INVERTER .... Commutateur
SWITCH KEY .... Clé de contact
SWITCH KNOB .... Bouton interrupteur, bouton poussoir
SWITCH LIGHT .... Interrupteur à voyant
SWITCH OFF (to) .... Éteindre, couper le contact, le courant, l'allumage, ouvrir le circuit, interrompre, mettre hors circuit
SWITCH OFF THE IGNITION (to) .... Couper l'allumage
SWITCH ON (to) .... allumer, ouvrir, mettre le contact, brancher
SWITCH-ON INTENSITY .... Intensité de mise en circuit
SWITCHOVER .... Commutation
SWITCH OVER (to) .... Commuter, basculer
SWITCH PANEL (electrical) .... Panneaux des commutateurs électriques
SWITCH POSITION .... Position interrupteur
SWITCH TERMINALS .... Bornes contacteurs
SWITCHABLE .... Commutable
SWITCHED .... Commuté
SWITCHING .... Commutation
SWITCHING OFF .... Mise hors-circuit
SWITCHING ON .... Mise en circuit
SWITCHING PANEL .... Tableau de commutation
SWITCHING RELAY .... Relais de commutation
SWITCHING UNIT .... Unité de commutation
SWITCHING VOLTAGE .... Tension de commutation
SWIVEL .... Pivot, tourillon
SWIVEL (to) .... Tourner, pivoter, osciller
SWIVEL ADJUSTMENT .... Réglage de pivotement
SWIVEL BEARING .... Palier à rotule
SWIVEL CONNECTION .... Raccord orientable
SWIVEL END .... Embout rotulaire

SWIVEL, SWIVEL FITTING Rotule, raccord orientable, raccord articulé, oscillant, tournant, pivot
SWIVEL GLAND .... raccord presse-étoupe, raccord articulé
SWIVEL HORN (extinguisher) .... Tromblon orientable *(extincteur)*
SWIVEL JOINT (coupling) .... Joint à rotule, articulé, raccord tournant, genouillère
SWIVEL LINK (main gear) .... Bielle d'articulation *(train principal)*
SWIVEL MIRROR .... Miroir articulé
SWIVEL NUT .... Écrou oscillant
SWIVEL PIN .... Goupille orientable
SWIVEL SHACKLES .... émerillons à billes
SWIVEL UNION .... Raccord tournant
SWIVEL YOKE .... Étrier orientable
SWIVELLING .... Orientable, pivotant, tournant, rotulage
SWIVELLING BLADES .... Pales orientables
SWIVELLING ENGINE .... Moteur basculant
SWIVELLING JET PIPE (nozzle) .... Tuyère orientable
SWOOP .... Attaque en piqué *(d'un avion)*
SYLPHON (aneroid) .... Chambre de dilatation, anéroïde
SYMBOL .... Symbole
SYMBOLIC AIRPLANE .... Maquette *(sur instrument de bord)*
SYMMETRICALLY .... Symétriquement
SYMMETRY PLANE (axis) .... Plan de symétrie *(axe)*
SYNCHRO AMPLIFIER .... Amplificateur de synchro
SYNCHRO-RESOLVER CONVERTER .... Convertisseur synchro-résolver
SYNCHRO UNIT .... Bloc, dispositif de synchronisation
SYNCHRONISM (in) .... En phase, en synchronisme
SYNCHRONIZATION .... Synchronisation, accrochage
SYNCHRONIZATION CONTROL .... Commande de synchronisation
SYNCHRONIZATION SIGNAL .... Signal de synchronisation
SYNCHRONIZE (to) .... Assurer la synchronisation, synchroniser, mettre en phase
SYNCHRONIZE BUTTON .... Bouton de synchronisation
SYNCHRONIZED MOVEMENT .... Mouvement synchronisé
SYNCHRONIZER .... Synchroniseur, boîtier synchronisation
SYNCHRONIZER INDICATOR .... Synchroscope
SYNCHRONIZER TACHOMETER .... Tachymètre, compte-tour synchroniseur
SYNCHRONIZING SYSTEM .... Circuit de synchronisation

SYNCHRONOUS BUS .... Bus de couplage
SYNCHRONOUS COORDINATION .... Coordination synchrone
SYNCHRONOUS INTERFERENCE .... Interférences synchrones
SYNCHRONOUS METEOROLOGICAL SATELLITE .... Satellite météorologique sur orbite géostationnaire
SYNCHRONOUS MOTOR .... Moteur synchrone
SYNCHRONOUS ORBIT .... Orbite synchrone, géostationnaire
SYNCHRONOUS SATELLITE .... Satellite géostationnaire
SYNCHRONOUS SLAVING .... Synchronisme forcé
SYNOPTIC CHART .... Tableau synoptique
SYNOPTIC DIAGRAM (pane) .... Schéma synoptique *(panneau)*
SYNTHESIZER .... Synthétiseur
SYNTHETIC ELASTOMER .... Élastomère de synthèse
SYNTHETIC FIBER .... Fibre synthétique
SYNTHETIC LACQUER .... Laque synthétique
SYNTHETIC LOAD .... Charge synthétique
SYNTHETIC MATERIAL (synthetic hydrocarbon) .... Matière synthétique
SYNTHETIC OIL .... Huile synthétique
SYNTHETIC PETROL .... Essence synthétique
SYNTHETIC RESIN .... Résine synthétique, bakélite
SYNTHETIC RUBBER (material) .... Caoutchouc synthétique, artificiel *(matière synthétique)*
SYNTHETIC TRAFFIC .... Simulation de trafic (ATC)
SYNTONIZE (to) .... Accorder
SYPHERING .... Assemblage à mi-bois
SYPHON .... Trompe de dépression, de soufflage
SYRINGE .... Seringue
SYRINGE (to) .... Envoyer une seringuée
SYRUPY (GB) .... Sirupeux
SYSTEM .... Système, dispositif, réseau ; circuit
SYSTEM COMPONENTS .... Composants du circuit
SYSTEMS ENGINEERING .... Systémique

T

T-COUPLING .... Raccord en T
T-HANDLE .... Poignée coulissante
T-RING PACKING .... Joint en T
T-SECTION .... Cornière T, section en T
T-SLOT .... Rainure en T, glissière en T
T-TAIL .... Empennage en T
T-TAILED .... A empennage en T
TAB .... Patte, attache, languette, volet compensateur, flettner, tab, compensateur d'évolution, volet correcteur, de correction
TAB CONTROL LINKAGE .... Timonerie de commande tab
TAB LINKAGE .... Cinématique de tab
TAB NUT .... Écrou à pattes
TAB SURFACE .... Tab, flettner
TABWASHER (tab washer) .... Rondelle frein d'écrou, plaquette frein, frein *[à languette(s) rabattable(s)]*, frein à ergot, à pattes, plaquette-arrêtoir
TABWASHERED NUT .... Écrou et rondelle frein, écrou freiné
TABLE .... Table, entablement, plateau
TABLE OF CONTENTS .... Table des matières
TABLET .... Tablette
TABULAR .... Tabulaire
TABULATE (to) .... Disposer, classifier, cataloguer
TABULATING PRINTER .... Imprimante à chariot
TACAN (tactical air navigation)
TACAN AERIAL .... Antenne Tacan
TACAN INDICATOR .... Indicateur Tacan
TACAN RECEIVER .... Récepteur Tacan *(balise radioélectrique pour la navigation)*
TACHOMETER .... Indicateur de vitesse, tachymètre, compte-tours
TACHOMETER CONTROL .... Régulation tachymétrique
TACHOMETER GENERATOR (Tacho-generator) .... Génératrice, générateur, transmetteur tachymétrique
TACHOMETER GOVERNING .... Régulation tachymétrique
TACHOMETER INDICATOR .... Indicateur tachymétrique
TACHOMETER-TRANSMITTER .... Transmetteur tachymétrique
TACHOMETER SWITCH .... Contacteur tachymétrique
TACHOMETRIC CONTROL .... Régulation tachymétrique
TACK .... Petit clou
TACK RIVET (to) .... Morpionner

TACK WELD .... Soudure de pointage
TACK WELD (to) .... Souder par points, pointer
TACK WELD(ing) .... Soudage, soudure par points, pointage, épinglage
TACKLE .... Appareil, engin, appareil de levage, moufle, poulie, palan
TACKLE BLOCK .... Moufle
TACTICAL .... Tactique
TACTICAL AERIAL NAVIGATION SYSTEM (Tacan) .... Système de navigation *(azimut-distance)* UHF, navigation aérienne tactique
TACTICAL AIR COMMAND .... Aviation tactique
TACTICAL COMBAT AIRCRAFT (TKF) .... Avion de combat tactique
TACTICAL MISSILE .... Missile tactique
TACTICAL MISSION .... Mission tactique
TACTICAL NAVIGATION COMPUTER .... Calculateur de navigation tactique
TACTICAL SUPPORT .... Appui tactique, soutien tactique
TACTICAL SUPPORT AIRCRAFT .... Avion d'appui tactique
TACTICAL SUPPORT MISSION .... Mission d'appui-feu
TACTICAL WEAPONS .... Engins, armes tactiques
TAG (label) .... Étiquette
TAG (to) .... Étiqueter, attacher, relier, verrouiller
TAG BLOCK .... Barrette à cosses
TAGGED .... Étiqueté
TAIL .... Queue, queue d'avion, empennage
TAIL ACCESSORY COMPARTMENT .... Compartiment accessoires arrière
TAIL ASSEMBLY .... Empennage
TAIL BOOM .... Poutre de queue
TAIL BUMPER .... Sabot de queue, arrière, béquille de queue
TAIL BUMPER SKID .... Patin de sabot de queue
TAIL CHUTE .... Parachute de freinage
TAIL COMPARTMENT .... Compartiment de queue
TAIL CONE .... Cône de queue, arrière, pointe arrière fuselage
TAIL CRUTCH .... Béquille de queue
TAIL DE-ICE BUTTON .... Poussoir de dégivrage empennage
TAIL DOWN .... Cabré
TAIL DRAG CHUTE .... Parachute de queue
TAIL DUCT .... Gaine de l'empennage
TAIL END .... Bout, extrémité
TAIL FIN (tailfin) .... Dérive d'empennage, empennage vertical, plan fixe vertical

TAIL GLIDE (to) = TAIL DIVE (to) .... Glisser sur la queue
TAIL-HEAVINESS .... Tendance à cabrer
TAIL HEAVY .... Centré vers l'arrière, centrage arrière, la queue lourde
TAIL HOOK .... Crochet d'appontage
TAIL-IN .... Encastré
TAIL JACK .... Béquille de queue
TAIL LANDING GEAR .... Roulette de queue
TAIL LIGHT .... Feu arrière
TAIL PIPE .... Tube d'évacuation, tuyère d'éjection, pipe d'échappement, buse de sortie, rallonge
TAIL PLANE .... Empennage horizontal, plan fixe horizontal, stabilisateur
TAILPLANE TRIM JACK .... Vérin trim stabilo
TAIL PLUG .... Cône de sortie tuyère
TAIL POD .... Béquille de queue
TAIL PROP .... Béquille de sécurité, de queue
TAIL PYLON .... Pylône de queue
TAIL ROTOR .... Rotor AR, rotor de queue *(hélicoptère)*, hélice anti-couple, rotor anti-couple
TAIL SECTION .... Section arrière
TAIL SHAFT .... Extrémité d'arbre
TAIL SHOCK WAVE .... Onde de choc oblique de queue
TAIL SHUTOFF VALVE .... Vanne empennage
TAIL SKID .... Patin, sabot de queue, arrière, béquille AR, de queue
TAIL SKID ANNUNCIATOR .... Voyant position sabot de queue
TAIL SKID DOOR .... Porte de sabot de queue
TAIL SKID STRUT .... Jambe du sabot de queue
TAIL SLIDE .... Glissade sur la queue
TAIL SPIN .... Descente en vrille
TAIL STAND .... Béquille de queue
TAIL STOCK .... Poupée mobile de tour, contre-poupée, contre-pointe *(de tour)*
TAIL SURFACES .... Empennage horizontal, surfaces portantes AR, plans de queue
TAIL UNIT .... Empennage de queue, empennages, queue de l'avion
TAIL WAVE .... Onde de choc aval
TAIL WHEEL (retractable tailwheel) .... Roulette de queue, AR *(roulette rétractable)*
TAIL WIND (tailwind) .... Vent arrière
TAIL WIND COMPONENT .... Composante vent arrière
TAIL WIND CONDITION .... Vent de queue

TAILERON .... Empennage de profondeur, gouverne faisant office à la fois d'aileron et de gouverne de profondeur
TAILHOOK .... Crochet d'appontage
TAILING .... Contre-rivure
TAILORED .... Façonné, conçu
TAILORED SEAT .... Siège enveloppant
TAILSTOCK .... Pointe, contre-pointe
TAKE (to) .... Prendre, prélever
TAKE A DRIFT (to) .... Mesurer une dérive
TAKE DELIVERY (to) .... Prendre livraison
TAKE A FIX (to) .... Faire le point
TAKE HEADING (steer) .... Prendre le cap, faire cap (au)
TAKE LOADS (to) .... Supporter des charges
TAKE MEASUREMENTS (to) .... Prendre des mesures
TAKE OFF (takeoff, T/O) .... Envol, décollage, piquage, prélèvement
TAKE OFF (to) .... S'envoler, décoller, enlever, ôter, quitter, déjanter
TAKE-OFF AREA .... Aire de décollage
TAKE OFF (data) CHART .... Table des paramètres de décollage
TAKE OFF CLEARANCE .... Autorisation de décollage, de décoller
TAKE OFF DATA .... Paramètres de décollage
TAKE OFF DISTANCE (length, run) .... Longueur de roulement au décollage, longueur, distance de décollage
TAKE-OFF DISTANCE AVAILABLE (TODA) .... Distance de décollage utilisable, longueur utilisable au décollage
TAKE-OFF DISTANCE REQUIRED .... Longueur nécessaire au décollage
TAKE-OFF DISTANCE TO 50 ft .... Distance de décollage avec franchissement d'obstacle de 50 pieds
TAKE-OFF GROSS WEIGHT .... Masse maximale au décollage
TAKE-OFF OPERATING MINIMA .... Minimums opérationnels de décollage
TAKE OFF PATH .... Trajectoire de décollage
TAKE OFF PERFORMANCE .... Performances de décollage
TAKE OFF POWER .... Puissance décollage
TAKE OFF POWER RATING .... Puissance décollage homologuée
TAKE OFF RATING .... Régime de décollage
TAKE OFF RUN (take off roll) .... Longueur, distance de décollage, course, roulement au décollage
TAKE OFF RUN AVAILABLE (TORA) .... Longueur de roulement utilisable au décollage
TAKE OFF RUN REQUIRED .... Longueur de roulement nécessaire au décollage
TAKE OFF SAFETY SPEED .... Vitesse de sécurité au décollage

TAKE OFF SPEED .... Vitesse de décollage
TAKE OFF THRUST .... Poussée décollage
TAKE OFF TIME .... Heure de décollage
TAKE OFF TO TOUCHDOWN TIME .... Temps d'étape, de fonctionnement, de vol
TAKE OFF VISIBILITY .... Visibilité au décollage
TAKE OFF WARNING HORN .... Klaxon décollage
TAKE OFF WEIGHT .... Poids, masse au décollage
TAKE OFF WEIGHT LIMITATIONS .... Limites de masse au décollage
TAKE ON (to) .... Entreprendre *(un travail)*, engager, embaucher
TAKEOVER .... Prise de contrôle *(financier)*
TAKE OVER (to) .... Prendre les commandes *(avion)* ; prendre le contrôle *(financier)*
TAKE OVER FROM (to) .... Prendre la suite de
TAKE POSITION (to) .... Prendre position
TAKE READINGS AT POINTS (to) .... Faire des lectures aux points
TAKE STEER .... Faites cap (au)
TAKE THRUST (to) .... Absorber la poussée
TAKE TO THE AIR (to) .... Prendre l'air
TAKE UP (to) .... Relever, ramasser, compenser l'usure, le mou, rattraper le jeu, absorber un choc
TAKE UP SLACK (to) .... Compenser, rattraper le mou, tendre
TAKING OFF .... Décollage
TALC .... Talc
TALCUM POWDER .... Poudre de talc
TALK (to) .... Parler
TALKING ALTIMETER .... Altimètre parlant
TALL .... Grand, de haute taille
TALLNESS .... Hauteur
TALLOW .... Suif
TALLY .... Fiche
TALLY-SHEET .... Feuille de pointage, bordereau
TANDEM ACTUATOR .... Servodyne double
TANDEM LANDING GEAR .... Train monotrace
TANDEM MOUNTING .... Montage en série, en tandem
TANDEM-SEAT TRAINER .... Avion d'entraînement avec sièges en tandem
TANG .... Soie *(d'un outil)*, languette, patte *(de rondelle frein)*, tenon ; méplat
TANG OF WASHER .... Languette de rondelle frein
TANGENT POINT .... Point de tangence, de raccordement
TANGENTIAL .... Tangentiel
TANGENTIAL FORCE .... Force tangentielle

TANGENTIAL RUNWAYS .... Pistes tangentielles
TANGENTIAL VELOCITY .... Vitesse tangentielle
TANGLE .... Emmêlement, nœud, enchevêtrement, embouteillage
TANGLE (to) .... Embrouiller, (em)mêler des fils
TANK .... Réservoir, bâche, nourrice, bidon, cuve, bac, citerne ; char d'assaut
TANK BOTTOM .... Fond de réservoir
TANK BURN .... Consommation par réservoir
TANK CAPACITY .... Contenance, capacité d'un réservoir
TANK CIRCUIT .... Circuit bouchon
TANK DUMP VALVE .... Robinet de vidange réservoir
TANK END .... Toile réservoir
TANK ENDPLATE .... Toile réservoir
TANK SELECTOR VALVE .... Robinet sélecteur de réservoir
TANK SERVICE .... Nourrice
TANK SHELL .... Enveloppe de réservoir
TANK TRAILER .... Remorque citerne
TANK TRUCK .... Camion-citerne
TANK UP (to) .... Faire le plein
TANK VENT PIPE .... Mise à l'air libre de réservoir
TANKAGE .... Capacité réservoir
TANKER AIRCRAFT (tanker-cargo aircraft) .... Avion ravitailleur, avion-citerne
TANKER TRUCK .... Camion-citerne
TANTALUM .... Tantale (ta)
TANTALUM CAPACITOR .... Condensateur au tantale
TAP .... Robinet ; dérivation ; prise intermédiaire ; branchement
TAP (screw) .... Taraud
TAP .... Coulée de métal fondu
TAP (to) .... Percer, fonctionner, brancher une conduite, piquer, capter, dériver ; tarauder, fileter
TAP BOLT .... Boulon taraudé
TAP HANDLE .... Tourne-à-gauche
TAP HOLDER .... Porte-taraud
TAP HOLE .... Trou de coulée
TAP NOZZLE .... Brise-jet
TAP OUT (to) .... Chasser *(une goupille)*
TAP PLATE .... Filière
TAP VALVE .... Robinet
TAP WATER .... Eau du robinet
TAP WRENCH .... Tourne-à-gauche
TAPE (steel tape) .... Ruban, bande *(à maroufler)*, chatterton *(ruban acier)*

TAPE (to) .... Maroufler, guiper *(un conducteur)* ; enregistrer
TAPE DRIVER .... Dérouleur de bande
TAPE PLAYER .... Lecteur de bandes
TAPE PRINTER .... Imprimeur sur bande
TAPE PUNCH .... Perforateur de ruban
TAPE READER .... Lecteur de bande, de ruban
TAPE RECORDER .... Magnétophone, enregistreur à bande
TAPE RECORDING .... Enregistrement sur bande magnétique
TAPE REEL .... Bobine
TAPE REPRODUCER .... Magnétophone
TAPE RULE .... Mètre ruban
TAPE-TO-CARD .... Bande-à-carte
TAPE UNIT .... Enregistreur à bandes
TAPE USED COUNTER .... Compteur de temps écoulé bande
TAPE WRAP .... Bande de retenue
TAPER .... Cône, conicité, conique, effilement, évolutivité, variation ; cale biaisée
TAPER (to) .... Effiler, tailler en pointe, en cône, biaiser, fuseler
TAPER BOLT .... Boulon *(à portée)* conique
TAPER BORE .... Alésage conique
TAPER GAUGE .... Tampon conique
TAPER IN THICKNESS .... Évolutif en épaisseur, effilement en épaisseur
TAPER MILLING .... Fraisage conique
TAPER PIN .... Clavette, goupille conique
TAPER RATIO .... Effilement, conicité
TAPER REAMER .... Alésoir conique
TAPER REAMING .... Alésage conique
TAPER ROLLER BEARING .... Roulement à rouleaux coniques
TAPER SHANK BOLT .... Boulon à tige conique
TAPER THREAD .... Filetage conique, filet conique
TAPERED .... Conique, en biseau, dégressif, évolutif, en pointe, effilé
TAPERED AIRFOIL .... Profil évolutif
TAPERED FILLER .... Cale en biseau, biseautée, biaisée
TAPERED FLANGE .... Bride conique
TAPERED HARDWOOD WEDGE .... Cale biseautée *(bois)*
TAPERED NUT .... Écrou conique
TAPERED PIN .... Goupille conique
TAPERED PROFIL .... Conique
TAPERED PUNCH .... Poinçon conique
TAPERED ROLLER BEARING .... Roulement à rouleaux, à galets coniques

TAPERED SECTION .... Section évolutive, à épaisseur décroissante
TAPERED SHIM .... Cale biaisée
TAPERED WING .... Aile effilée, profilée
TAPERING .... En pointe, effilé, conique, pointu
TAPING .... Marouflage, bandage
TAPPED COIL .... Bobine à prises
TAPPED HOLE .... Trou taraudé
TAPPET .... Came *(de distribution),* taquet, poussoir *(de tige de culbuteur, de soupape)*
TAPPET HOOK .... Crochet à poussoir
TAPPET LEVER .... Basculeur
TAPPET ROD .... Tige-poussoir
TAPPING .... Dérivation, piquage, prélèvement, soutirage, prise ; taraudage
TAPPING MACHINE .... Taraudeuse, machine à tarauder
TAR .... Goudron, bitume
TARE .... Tare, poids à vide, poids net
TARGET .... Cible, objectif, but, mire, écho
TARGET DRONE .... Engin-cible, avion-cible
TARGET ILLUMINATOR (illumination) .... Illuminateur de cible *(illumination)*
TARGET-PLANE .... Avion-cible
TARGET RETURN .... Écho radar
TARGET-TOWER .... Avion remorqueur de cible
TARGET TOWING (trailing) .... Remorquage de cible
TARGET TYPE REVERSER .... Inverseur à déflecteur
TARIFF .... Tarif
TARMAC .... Goudron, bitume ; aire de stationnement, de trafic, parking, aire d'embarquement, piste d'envol
TARMACADAM .... Macadam
TARNISH (to) .... Ternir
TARPAULIN .... Bâche de protection *(en toile goudronnée),* enveloppe bâchée
TARTARIC ACID .... Acide tartrique
TAS (true airspeed) .... VV *(vitesse vraie)*
TAS COMPUTER .... Calculateur de vitesse propre
TASK .... Tâche, travail, besogne, fonction ; tâche/processus *(électronique)*
TASK ELAPSED TIME .... Temps écoulé pour l'exécution d'une tâche
TAUT .... Tendu, raide, bandé
TAUTEN (to) .... Raidir, embraquer *(un câble)*
TAUTNESS .... Raideur *(d'un câble),* tension

TAX FREE SHOP .... Boutique franche
TAXI (to) .... Rouler, manœuvrer, circuler au sol
TAXI BACK (to) .... Remonter le taxiway
TAXI CHANNEL .... Chenal de circulation
TAXI CLEARANCE .... Autorisation de rouler, pour circuler
TAXI-HOLDING POSITION (point) .... Point d'arrêt, point d'attente de circulation au sol
TAXI-IN .... Roulage arrivée
TAXI IN (to) .... Rouler à l'arrivée, rentrer au parking
TAXI INSTRUCTIONS .... Instructions de roulage
TAXI LIGHT .... Phare de roulage au sol, phare de roulement
TAXI-OUT .... Roulage départ
TAXI OUT (to) .... Rouler au départ, quitter le parking
TAXI PATH .... Itinéraire de roulage
TAXI POST .... Marque de point d'attente
TAXI PLANE (taxiplane) .... Avion-taxi
TAXI ROUTE .... Itinéraire de roulage
TAXI SPEED .... Vitesse de roulage
TAXI STRIP .... Voie de circulation
TAXIWAY (taxi-strip) .... Voie, piste de circulation, voie, chemin de roulement, bretelle
TAXIWAY LIGHTS, LIGHTING .... Feux des voies de circulation
TAXIWAY PATTERN .... Disposition des voies de circulation
TAXIWAY ROUTING .... Itinéraire de roulage
TAXIWAY TURN-OFF MARKINGS .... Balisage des taxiways
TAXYING (taxiing) .... Roulage, roulement, circulation au sol, manœuvres sur piste
TAXYING LIGHTS .... Projecteurs, phares de roulage
TAXYING PATTERN (circuit) .... Circuit de roulage
TBO (see time between overhauls)
TCA = TERMINAL CONTROL AREA .... Région de contrôle terminale
TEAM .... Équipe *(d'ouvriers)*
TEAM WORK .... Travail en équipe
TEAR .... Larme, déchirure, déchirement, accroc, usure
TEAR (to) .... Déchirer, éventrer, effilocher, arracher, mettre en pièces, séparer
TEAR DOWN (to) .... Déséquiper, démonter
TEAR OFF (to) .... Arracher
TEAR PROOF .... Indéchirable
TEARDROP PROCEDURE .... Perçée par passage préalable à la verticale
TEARING .... Déchirement, arrachement

TEARING STRAIN .... Effort d'arrachement
TEARING STRENGTH .... Résistance à l'arrachement
TECHNICAL .... Technique
TECHNICAL CANCELLATION .... Annulation technique, annulation du vol
TECHNICAL DATA .... Donnée(s), note, renseignement, documentation technique
TECHNICAL DATA SHEET .... Note technique
TECHNICAL FEATURES .... Caractéristiques techniques
TECHNICAL FLIGHT .... Vol technique
TECHNICAL INCIDENT .... Incident technique
TECHNICAL INSTRUCTION .... Instruction technique
TECHNICAL MANAGER .... Directeur technique
TECHNICAL MANUAL .... Manuel, notice technique
TECHNICAL OFFICE .... Bureau technique
TECHNICAL SPECIFICATION .... Spécification, description technique
TECHNICAL STOP (technical stopover) .... Escale technique
TECHNICAL SUPPORT .... Aide, assistance technique
TECHNICIAN .... Technicien
TECHNICS = TECHNOLOGY .... Technologie
TEE .... Té, en té
TEE-CONNECTION .... Raccord en Té, Té de raccordement
TEE CONNECTOR .... Connecteur en Té
TEE FITTING .... Raccord en Té
TEE JUNCTION .... Té de raccordement
TEE SECTION .... Profilé, section en T
TEE UNION .... Raccord en T
TEETH .... Dents, denture
TEETHING TROUBLES .... Maladies de jeunesse
TEFLON BACK-UP RING .... Garniture en téflon
TEFLON CHANNEL SEAL .... Joint téflon en U
TEFLON-LINED (bearing) .... Garni de téflon *(rotule)*
TEFLON LINED BEARING .... Roulement, rotule téflon, à garniture téflon
TEFLON LINING .... Garniture téflon
TEFLON RING .... Bague téflon
TEFLON SEAL .... Joint téflon
TEFLON TAPE .... Bande téflon
TELECAST .... Émission de TV
TELECOMMAND .... Télécommande
TELECOMMUNICATION .... Télécommunication
TELECONTROL .... Télécommande, commande à distance
TELECONTROL ANTENNA .... Antenne de télécommande
TELECONTROLLED .... Télécommandé
TELECOPIER .... Télécopieur

TELECOPY .... Télécopie
TELEGRAM .... Télégramme
TELEGUIDED .... Téléguidé
TELEMETERING .... Télémesure
TELEMETRY .... Télémétrie, télémesure, transmission à distance
TELEMETRY ANTENNA .... Antenne télémétrique
TELEMETRY BEACON .... Balise de télémesure
TELEMETRY DATA .... Donnée télémétrique
TELEMETRY INSTALLATION .... Station de télémesure
TELEMETRY INSTRUMENTS .... Instruments de mesure à distance
TELEMETRY ROOM .... Salle de télémesures
TELEMETRY STATION .... Station de télémesure
TELEMETRY TRANSMITTER (receiver) .... Émetteur de télémesure
TELEPHONE .... Téléphone
TELEPHONE CALL .... Appel téléphone
TELEPHONE CHANNEL .... Voie téléphonique
TELEPHONE COMMUNICATION .... Communication téléphonique
TELEPHONE EXCHANGE .... Central téléphonique
TELEPHONE HANDSET .... Combiné téléphonique
TELEPHONE LINE .... Ligne téléphonique
TELEPHONE OPERATOR .... Standardiste
TELEPHONE SERVICE .... Téléphonie
TELEPHONY .... Téléphonie
TELEPHONY CHANNEL .... Canal téléphonique
TELEPHOTOMETRY .... Téléphotométrie
TELEPRINTER (teletypewriter) .... Téléimprimeur, télescripteur
TELEPRINTER OPERATOR .... Télétypiste
TELEPROCESSING .... Télétraitement, téléinformatique
TELESCOPE .... Télescope *(spatial)*
TELESCOPED END .... Embout télescopique
TELESCOPIC LENS .... Téléobjectif
TELESCOPIC SHAFT .... Arbre télescopique, coulissant
TELESCOPING ANTENNA .... Antenne télescopique
TELESCOPING DUCT .... Conduit télescopique
TELETALK .... Interphone
TELETYPE (teletypewriter) .... Télétype, téléimprimeur, télescripteur
TELEVISION BROADCAST SATELLITE .... Satellite de télédiffusion
TELEVISION DISPLAY .... Écran de télévision
TELEVISION GUIDED .... A guidage TV
TELEWRITER .... Perforatrice de bande
TELEX .... Transmission télégraphique
TELL (to) .... Dire, faire savoir

TEMPER .... Coefficient de dureté *(de l'acier)*, trempe
TEMPER (to) .... Tremper, adoucir, recuire
TEMPERATURE .... Température
TEMPERATURE BRIDGE CIRCUIT .... Circuit thermométrique en pont
TEMPERATURE BULB (sensing) .... Sonde de température, sonde thermométrique, thermomètre
TEMPERATURE CHANGES .... Changements de température
TEMPERATURE CONTROL .... Régulation thermique, de la température, contrôle de la température
TEMPERATURE CONTROL VALVE .... Vanne de régulation de température, vanne de mélange
TEMPERATURE CONTROLLER .... Régulateur de température
TEMPERATURE DIFFERENTIAL METHOD .... Assemblage, montage à chaud ou à froid *(azote, neige carbonique, four)*
TEMPERATURE DIVERTER VALVE .... Vanne de dérivation d'air conditionné
TEMPERATURE GRADIENT .... Gradient de température, thermique
TEMPERATURE INDICATOR .... Indicateur de température
TEMPERATURE PICK-UP .... Sonde de température
TEMPERATURE PROBE .... Sonde de température, sonde thermométrique, thermosonde
TEMPERATURE RANGE .... Gamme de température
TEMPERATURE READING DEVICE .... Thermomètre *(à lecture)*
TEMPERATURE REGULATOR .... Régulateur de température
TEMPERATURE RECOVERY FACTOR .... Coefficient d'efficacité
TEMPERATURE RELIEF VALVE .... Clapet thermostatique de surpression
TEMPERATURE RISE .... Élévation de température
TEMPERATURE SELECTOR .... Sélecteur de température
TEMPERATURE SENSING ELEMENT (device) .... Sonde de température
TEMPERATURE SENSING PROBE .... Sonde thermométrique, de température
TEMPERATURE SENSOR (switch) .... Sonde thermométrique *(interrupteur)*, détecteur de température
TEMPERATURE THERMOCOUPLE PROBE .... Sonde thermocouple de température
TEMPERATURE TRANSDUCER .... Transmetteur de température
TEMPERED .... Trempé, revenu, recuit
TEMPERED STEEL .... Acier trempé
TEMPERING .... Revenu
TEMPERING FURNACE .... Four de revenu

TEMPERING STEEL .... Acier trempant
TEMPEST .... Tempête
TEMPLATE .... Gabarit, calibre, jauge, patronne
TEMPLATE GAGE .... Gabarit de vérification
TEMPORARY REPAIR .... Réparation temporaire, provisoire
TEMPORISATION .... Temporisation
TEMPORISING .... Temporisateur
TEN-POWER MAGNIFICATION .... Loupe grossissement 10 fois
TEN-TON ENGINE .... Réacteur de dix tonnes de poussée
TEND (to) .... Tendre, se diriger *(vers)*
TENDER .... Offre, soumission
TENDER (by) .... Par voie d'adjudication
TENDER (fuel tender) .... Citerne
TENON .... Tenon
TENON (to) .... Assembler à tenon, tenonner
TENSATOR .... (de) tension
TENSE .... Tendu, raide, rigide
TENSILE .... Extensible, élastique, ductile, de traction
TENSILE STRAIN .... Déformation due à la traction
TENSILE STRENGTH (KSI) .... Résistance à la traction, à la rupture
TENSILE STRESS (load) .... Effort de traction
TENSILE STRETCH .... Allongement *(à la traction)*
TENSILE TEST SPECIMEN .... Éprouvette de traction
TENSILE YIELD .... Limite élastique
TENSIOMETER .... Tensiomètre
TENSION .... Tension, raideur, rigidité, pression, traction, voltage
TENSION ADJUSTER .... Tendeur
TENSION BOLT .... Boulon de tension
TENSION LINK .... Nervure de tension
TENSION LOAD .... Charge de tension
TENSION LOAD (to) .... Tendre *(le câble)*
TENSION PIN .... Axe de tension
TENSION REGULATOR .... Régulateur de tension
TENSION SPRING .... Ressort de tension, de traction
TENSION TEST .... Essai de traction
TENSION TIE .... Ferrure de tension *(étrier)*, hauban
TENSIO(N)-METER .... Tensiomètre
TENSOR .... Tenseur
TEPID .... Tiède
TERM .... Terme, borne, limite
TERMINAL .... Cosse, borne *(de prise de courant)*, sortie, prise, fiche, embout, chape de vérin, qui borne, qui termine, aérogare, terminal

TERMINAL AIRPORT .... Aéroport terminus, tête de ligne
TERMINAL AREA CHART .... Carte de région terminale
TERMINAL BAR .... Barrette à bornes
TERMINAL BLOCK .... Plaque, bloc de raccordement à bornes, plaque à bornes, de connexions, bornier
TERMINAL BLOCK COVER .... Cache-bornes
TERMINAL BOARD .... Plaque à bornes, de connexions
TERMINAL BOX .... Boîte à bornes, boîte de raccordement, d'extrémité
TERMINAL BUILDING .... Bâtiments de l'aérogare
TERMINAL CONTROL AREA (TCA) /REGION .... Région de contrôle terminale
TERMINAL CONTROL RADAR .... Radar de contrôle terminal
TERMINAL CONTROL UNIT (TCU) .... Unité, organe de contrôle terminal
TERMINAL COVER .... Cache-borne
TERMINAL FORECASTS .... Prévisions de région terminale
TERMINAL, LEADS .... Borne, cosse
TERMINAL LUG .... Cosse *(à borne)*
TERMINAL PLATE .... Plaque à bornes
TERMINAL PLIERS .... Pinces à bornes
TERMINAL POST .... Borne de sortie
TERMINAL RESISTANCE .... Résistance de sortie
TERMINAL STATION .... Escale terminale
TERMINAL STRIP .... Plaquette à connexions, planchette, barrette à bornes, de connexion, de raccordement, panneau de jonction, plaque à serre-fils
TERMINAL STUD .... Borne
TERMINAL SWAGED .... Embout serti
TERMINAL VELOCITY .... Vitesse limite
TERMINAL VOLTAGE .... Tension aux bornes
TERMINAL WEATHER .... Conditions météo à destination, météo région terminale
TERNPLATE (terne plate) .... Tôle plombée
TERRAIN .... Terrain, relief
TERRAIN CLEARANCE .... Marge de franchissement du relief, marge d'altitude
TERRAIN CONTOURS .... Relief
TERRAIN FOLLOWING RADAR (selected clearance altitude) .... Radar de suivi de terrain à basse altitude
TERRAIN LIGHT SWITCH .... Interrupteur d'éclairage piste
TERRESTRIAL STATION .... Station terrestre, de terre
TERRESTRIAL SURFACE .... Écorce, surface terrestre

TERTIARY AIR STREAM .... Flux d'air tertiaire
TEST .... Épreuve, essai, contrôle, vérification, test
TEST (to) .... Tester, éprouver, essayer, contrôler, vérifier, expérimenter
TEST BAND .... Bande d'essai
TEST BAR (test piece) .... Barre témoin, éprouvette
TEST BED .... Banc d'essai
TEST-BED AIRCRAFT .... Avion de servitude
TEST BENCH (stand) .... Banc d'essai, de contrôle
TEST BOARD .... Tableau d'essai, de contrôle
TEST BUTTON .... Poussoir d'essai
TEST CAMPAIGN .... Campagne d'essais
TEST CENTER .... Centre d'essai
TEST CONNECTOR .... Prise d'essai
TEST DATA .... Résultats des essais
TEST EQUIPMENT .... Équipement, appareillage, matériel d'essai
TEST ENGINE .... Moteur d'essai
TEST ENGINEER .... Ingénieur d'essais
TEST FIRING .... Tir d'essai
TEST FITTING .... Prise d'essai
TEST FIXTURE .... Banc d'essai
TEST FLIGHT .... Vol d'essai
TEST GAGE .... Manomètre d'essai
TEST HARNESS .... Rampe d'essai, harnais d'essai
TEST INDICATOR .... Indicateur d'essai
TEST INSTALLATION .... Banc d'essai
TEST INSTRUMENTATION .... Instruments d'essai
TEST JACK .... Jack d'essai
TEST JIG .... Gabarit d'essai, de vérification, bâti d'essai
TEST KIT .... Valise test
TEST KNOB .... Bouton d'essai
TEST LABORATORY .... Laboratoire d'essais
TEST LAMP .... Lampe témoin, de mesure
TEST LEAD .... Cordon de mesure, de test
TEST LIGHT .... Voyant d'essai
TEST METER .... Appareil de mesure, de contrôle, de vérification
TEST PATTERN .... Mire
TEST PHASE .... Phase d'essais
TEST PIECE .... Éprouvette
TEST PILOT .... Pilote d'essai
TEST PLUG .... Prise d'essai
TEST PRESSURE .... Pression d'épreuve, d'essai

TEST PROGRAM .... Programme d'essai
TEST REPORT .... Rapport d'essai
TEST RIG .... Banc d'essai, montage d'essai
TEST RUN .... Essai, épreuve
TEST SECTION .... Veine d'essai, veine expérimentale
TEST SET .... Valise test, appareil d'essai
TEST SET-UP .... Circuit de test
TEST SHEET .... Feuille, fiche d'essai
TEST SPECIMEN .... Éprouvette
TEST STAND .... Bâti, banc d'essai
TEST SWITCH .... Poussoir, interrupteur, sélecteur d'essai, de test
TEST TONE .... Tonalité d'essai
TEST TUBE .... Tube à essais, éprouvette
TEST VALVE (rotary) .... Robinet d'essai *(rotatif)*
TESTBED .... Banc d'essai
TESTER .... Appareil de contrôle, de mesure, vérificateur, testeur, contrôleur, banc d'essai, appareil, boîte d'essai
TESTING .... Essai(s)
TESTING CURRENT .... Courant de vérification
TESTING EQUIPMENT .... Appareillage d'essai
TESTING LABORATORY (room) .... Laboratoire d'essai *(salle)*
TETHERED TEST .... Essai à l'entrave *(non libre)*
TETRODE .... Tétrode
TEXTURE .... Texture, grain
T-FITTING .... Raccord en T
TGT (turbine gas temperature) .... Température turbine
THAW .... Dégel
THAW (to) .... Dégeler, fondre
THEODOLITE .... Théodolite
THEORETIC(AL) .... Théorique
THEORETICAL ANALYSIS .... Analyse théorique
THEORETICAL DIMENSION .... Cote théorique
THEORETICAL STUDY .... Étude théorique
THEORY OF RELATIVITY .... Théorie de la relativité
THEREFORE .... Donc, par conséquent
THERMAL (thermic) .... Thermique, calorifique
THERMAL ANTI-ICING (TAI) .... Dégivrage thermique *(air chaud)*
THERMAL BARRIER .... Barrière thermique, mur thermique, de la chaleur
THERMAL BATTERY .... Batterie thermique
THERMAL BLANKET .... Couverture calorifugée
THERMAL CIRCUIT-BREAKER .... Disjoncteur thermique

THERMAL COMPENSATEUR .... Compensateur thermique
THERMAL CONDUCTIVITY .... Conductivité, conductibilité thermique
THERMAL CONTRACTION .... Contraction thermique, rétreinte
THERMAL CONTROL .... Régulation thermique, thermorégulation
THERMAL CRACK .... Crique *(de contrainte)* thermique, tapure
THERMAL CUT-OUT .... Coupe-circuit, rupteur thermique
THERMAL CYCLE .... Cycle thermique
THERMAL DISSIPATION .... Dissipation thermique
THERMAL EFFICIENCY .... Rendement thermique
THERMAL EXPANSION .... Dilatation thermique
THERMAL FATIGUE FAILURE .... Crique de fatigue thermique
THERMAL GRADIENT .... Gradient de température, thermique
THERMAL ICE PROTECTION .... Protection thermique anti-glace
THERMAL IMAGING .... Thermographie
THERMAL INSULATION .... Isolation thermique, calorifugeage
THERMAL JET ENGINE .... Thermopropulseur
THERMAL NOISE (radio) .... Bruit thermique, souffle *(radio)*
THERMAL PLUG .... Bouchon fusible
THERMAL PROTECTION .... Protection thermique
THERMAL PROTECTION CUTOUT .... Thermocontact de surchauffe
THERMAL RADIATION .... Radiation thermique, rayonnement thermique
THERMAL RELAY .... Relais thermique
THERMAL RELIEF VALVE .... Clapet d'expansion, de surpression thermique, clapet thermostatique
THERMAL SCREEN .... Écran thermique, bouclier thermique
THERMAL SENSITIVE PAINT .... Peinture thermosensible
THERMAL SHIELD .... Bouclier thermique
THERMAL SHOCK .... Choc thermique
THERMAL STRESS .... Contrainte thermique, fatigue thermique
THERMAL SWITCH .... Contacteur, rupteur thermique, thermo-contact, bilame
THERMAL TIMER RELAY .... Relais thermique de temporisation
THERMAL TREATMENT .... Traitement thermique
THERMALLY .... Thermiquement
THERMIC LOAD LIMITER .... Limiteur de charge thermique
THERMIC POWER .... Puissance thermique
THERMIONIC .... Thermo-ionique, thermionique, thermo-électronique
THERMISTANCE SENSOR .... Sonde à thermistance
THERMISTOR .... Thermistor, thermistance
THERMOBAROMETER .... Hypsomètre
THERMOCONTROL .... Thermorégulation

THERMO-CHEMICAL .... Thermo-chimique
THERMOCOUPLE .... Thermocouple, couple thermo-électrique, sonde de température
THERMOCOUPLE HARNESS .... Rampe, faisceau thermocouple
THERMOCOUPLE LEAD .... Ligne thermocouple
THERMOCOUPLE PROBE .... Sonde thermocouple, sonde de température
THERMOCOUPLE THERMOMETER ...... Thermomètre à thermocouples
THERMODYNAMIC EFFICIENCY .... Rendement thermodynamique
THERMODYNAMIC MACHINE .... Machine thermique
THERMODYNAMIC POWER .... Puissance thermique, thermodynamique
THERMODYNAMIC PRINCIPLE .... Principe de thermodynamique
THERMODYNAMICS .... (la) thermodynamique
THERMO-ELECTRIC(AL) .... Thermo-électrique
THERMO-ELECTRIC POWER GENERATOR .... Générateur thermoélectrique
THERMO-ELECTRIC VOLTAGE .... Tension thermo-électrique
THERMO-ELECTRICITY .... Thermo-électricité
THERMOFORMED .... Thermoformé
THERMOGRAPH .... Thermomètre enregistreur
THERMOGRAPHY .... Thermographe *(rouge)*
THERMOGRAVIMETRIC .... Thermogravimétrique
THERMOGRAVIMETRY .... Thermogravimétrie *(échange de masse)*
THERMOMAGNETISM .... Thermomagnétisme
THERMOMETER .... Thermomètre
THERMOMETRY .... Thermométrie
THERMOMOTION .... Thermopropulsion
THERMO-MOTIVE .... Thermopropulsé
THERMONUCLEAR .... Thermonucléaire
THERMOPILE .... Thermopile
THERMOPLASTIC .... Thermoplastique
THERMOPLASTIC RESIN .... Résine thermoplastique
THERMOREGULATOR .... Thermorégulateur
THERMO-RELIEF VALVE .... Clapet de dilatation thermique
THERMO-RESISTOR (temperature) .... Sonde régulation température
THERMOSETTING .... Thermodurcissable
THERMOSETTING RESIN .... Résine thermodurcissable
THERMO-SHRINKABLE (tubing) .... Thermo-rétractable *(gaine)*
THERMOSTAT .... Thermostat
THERMOSTATIC .... Thermostatique
THERMOSTATIC PROBE .... Sonde thermostatique, sonde de surchauffe
THERMOSTATIC SWITCH .... Thermostat

THERMOSTATIC VALVE .... Clapet, robinet thermostatique, régulateur de température
THERMOSTATICALLY CONTROLLED .... Commandé par thermostat
THERMOSWITCH .... Interrupteur thermique
THERMOSYPHON .... Thermosyphon
THERMOWELDABLE .... Thermosoudable
THERMOWELDED .... Thermosoudé
THICK .... Épais(se), gros
THICK WASHER .... Rondelle épaisse
THICK WING .... Aile épaisse
THICKER WING .... Aile plus épaisse
THICKENESS .... Épaisseur
THICKNESS-CHORD RATIO .... Épaisseur relative d'un profil aérodynamique
THICKNESS GAUGE .... Jauge d'épaisseur
THICKNESS RATIO (thickness-chord ratio) .... Épaisseur relative
THICKNESS TAPER .... Évolution de l'épaisseur
THICKNESS WASHER .... Rondelle d'épaisseur
THIMBLE .... Dé, bague, virole, cosse, œil *(de câble)*, tambour
THIMBLE CABLE .... Œil de câble
THIN .... Mince, fin(e), fluide
THIN (to) .... Amincir, délayer
THIN AIR .... Air raréfié
THIN COAT .... Couche fine, mince, voile, flash
THIN-FILM HYBRID MICROCIRCUITS .... Microcircuits à couches minces
THIN NUT .... Écrou mince, bas
THIN OIL .... Huile fluide
THIN SHEET .... Tôle, feuille mince, fine
THIN SPANNER .... Clé plate, extra-plate
THIN WALL (thin-walled) .... Paroi mince (à)
THIN WASHER .... Rondelle mince
THIN WING .... Aile mince
THING .... Chose, objet
THINK (to) .... Penser, réfléchir, imaginer
THINNER .... Diluant, solvant
THIRD .... Troisième
THIRD CREWMAN'S SEAT .... Siège mécanicien navigant
THIRD CREW MEMBER .... Officier mécanicien navigant, ingénieur navigant
THIRD-LEVEL CARRIER (airline) .... Compagnie de 3e niveau, compagnie, transporteur régional
THOMSON BRIDGE .... Pont de Thomson
THOROUGH .... Minutieux, approfondi

THOROUGH CHECK .... Examen minutieux, détaillé
THOROUGHLY .... Tout-à-fait, parfaitement, complètement
THOUSAND .... Mille
THRASH (to) .... Vibrer, battre
THRASHING .... Vibration *(d'un vilebrequin)*
THREAD .... Filet, filetage, pas *(de vis)* ; filament, fil *(textile)*
THREAD (to) .... Fileter, tarauder ; enfiler
THREAD CHASER .... Peigne à filets
THREAD CUTTER .... Taraudeuse, tour à fileter
THREAD ENGAGEMENT .... Engagement des filets
THREAD FILE .... Filon
THREAD GRINDING .... Rectification des filets
THREAD INSERT .... Filet rapporté, douille filetée
THREAD LEAD-IN .... Entrée de filetage
THREAD LENGTH .... Longueur de filetage
THREAD LUBRICANT .... Enduit, graisse pour filetage
THREAD PROTECTOR .... Protection des filets
THREAD RESTORER .... Rénovateur de filetages, lime à raviver les filets
THREAD ROLLING .... Roulage des filets, de filetage
THREAD ROOT .... Fond de filet
THREAD RUNOUT .... Fin de filetage
THREAD STRIPPING .... Arrachement de filet
THREADED .... Fileté, vissé
THREADED AREA .... Zone, partie filetée
THREADED BUSHING .... Bague filetée
THREADED END .... Extrémité, embout fileté
THREADED END STUD .... Tige filetée en bout
THREADED HOLE .... Trou taraudé
THREADED INSERT .... Douille taraudée
THREADED PLUG .... Bouchon fileté, à vis
THREADED PROTECTOR .... Protège-filets
THREADED ROD .... Tige filetée
THREADER .... Filière
THREADING BAR .... Barre en cuivre rouge *(Magna)*
THREADING DIE .... Filière
THREADING TOOLS .... Outils à fileter
THREATEN (to) (to impend) .... Menacer
THREE .... Trois
THREE-AXIS .... Trois-axes
THREE AXIS DATA GENERATOR .... Centrale de cap et de verticale, de vol, centrale gyroscopique
THREE-AXIS INDICATOR .... Indicateur sphérique
THREE AXIS RATE SENSOR .... Gyromètre 3 axes

THREE AXIS RATE TRANSMITTER .... Transmetteur gyromètre 3 axes
THREE-AXIS STABILIZED (stabilization) .... Stabilisé sur les 3 axes *(stabilisation sur)*
THREE-BLADE PROPELLER (airscrew) .... Hélice tripale
THREE-BLADED PROPELLER .... Hélice tripale
THREE-ENGINE AIRCRAFT .... *(avion)* trimoteur
THREE-ENGINE APPROACH .... Approche sur 3 moteurs
THREE-ENGINE FERRY .... Convoyage sur trois moteurs
THREE-ENGINE GO AROUND .... Remise des gaz sur trois moteurs
THREE-ENGINE JET AIRCRAFT .... Triréacteur
THREE-ENGINED .... Trimoteur *(avion)*, à trois moteurs
THREE-FREQUENCY TRANSMITTER .... Émetteur triphasé
THREE-JAWED CHUCK .... Mandrin 3 mors
THREE-LOBE HULL .... Carène trilobée
THREE-MAN FLIGHT CREW .... Équipage à trois
THREE-PHASE .... Triphasé
THREE-PHASE CURRENT .... Courant triphasé
THREE-PHASE MOTOR .... Moteur triphasé
THREE-PHASE POWER .... Courant triphasé
THREE-PHASE POWER LINE .... Réseau triphasé
THREE-PIECE .... En trois pièces
THREE-PLY .... Contreplaqué en 3 épaisseurs
THREE-POLE SWITCH .... Contacteur tripolaire
THREE-POLE TOGGLE SWITCH .... Inverseur tripolaire
THREE-POSITION SWITCH .... Commutateur 3 positions
THREE-SEATER .... Triplace
THREE-SHAFT ENGINE .... Moteur à triple corps
THREE-SPOOL .... Triple corps
THREE-STAGE TURBINE .... Turbine à 3 étages
THREE-SWITCH CONTACTOR .... Contacteur à trois positions
THREE-TIMES THE SPEED OF SOUND .... Trois fois la vitesse du son, trisonique
THREE-TURBINE HELICOPTER .... Hélicoptère triturbine
THREE-VIEW DRAWING .... Plan trois-vues
THREE-WAY VALVE .... Sélecteur trois voies, valves à 3 voies
THRESHOLD .... Pas, seuil *(de porte)*, entrée de piste
THRESHOLD AGE .... Seuil d'âge
THRESHOLD CRUISING SPEED .... Vitesse minimum de croisière
THRESHOLD LIGHTS .... Feux de seuil
THRESHOLD SPEED .... Vitesse à l'entrée de piste, de franchissement du seuil
THROAT .... Veine *(soufflerie)*, volute d'entrée *(comp. centrifuge)*, col *(tuyère)*, gorge, entrée, rétreint

THROAT MICROPHONE .... Laryngophone
THROAT OF THE NOZZLE (jet nozzle) .... Col de la tuyère
THROB(BING) .... Battement, pulsation, ronflement *(moteur)*, vrombissement *(d'une machine)*
THROTTLE .... Étranglement, restriction, papillon, obturateur, manette des gaz
THROTTLE (to) .... Étrangler, serrer
THROTTLE BACK (to) .... Réduire les gaz, couper les gaz
THROTTLE CONTROL .... Commande des gaz, de puissance
THROTTLE CONTROL LEVER .... Manette de débit
THROTTLE CONTROLS .... Manettes de gaz
THROTTLE CREEP .... Glissement des manettes
THROTTLE DOWN (to) .... Mettre le moteur au ralenti, réduire, enlever les gaz
THROTTLE FRICTION LOCK .... Blocage des manettes de gaz
THROTTLE INTERLOCK .... Interdiction manettes
THROTTLE LEVER .... Manette des gaz, de commande de puissance, levier de débit, manette de poussée, de débit
THROTTLE LEVER STAGGER .... Décalage des manettes de poussée
THROTTLE LIGHT .... Voyant automanette
THROTTLE LOCKING FEATURE .... Interdiction manettes
THROTTLE PLATE .... Papillon *(disque)*
THROTTLE QUADRANT .... Bloc manette
THROTTLE UP (to) .... Augmenter le régime
THROTTLE VALVE .... Boisseau, papillon *(des gaz)*, volet *(obturateur)*, doseur, clapet de laminage, robinet de débit, régulateur, valve de régulation
THROTTLE WARNING LIGHT .... Voyant automanette
THROTTLEABLE .... Réglable en débit
THROTTLED .... Étranglé
THROTTLING .... Régulation, laminage, étranglement
THROUGH .... A travers, par, via
THROUGH BOLT .... Boulon traversant, traversier
THROUGH FLIGHT .... Vol direct, trans-direct, service aérien transitaire
THROUGH HOLE .... Trou traversant
THROUGH CRACK .... Crique débouchante, traversante
THROUGH-ROD CYLINDER .... Vérin à double tige
THROUGH SERVICE .... Service direct
THROUGHPUT .... Débit, écoulement, rendement
THROW .... Jet, lancement, course *(piston)*
THROW (to) .... Lancer, jeter, projeter
THROW (crank) .... Coude de vilebrequin, bras de manivelle

THROWER .... Lanceur
THROWWEIGHT .... Masse vectorisable
THRUST .... Poussée, butée, traînée (US), traction *(hélice)*
THRUST AUGMENTER .... Augmentateur de poussée
THRUST AXIS .... Axe de poussée
THRUST BALL BEARING .... Roulement de butée à billes
THRUST BEARING .... Roulement, palier de butée, butée, palier de poussée
THRUST BLOCK .... Palier de butée
THRUST BOOST .... Augmentation de la poussée
THRUST BRAKE GATE .... Butée mobile manette d'inversion
THRUST BRAKE INTERLOCK ACTUATOR .... Actionneur d'interdiction des inverseurs de poussée
THRUST BRAKE THROTTLE INTERLOCK .... Interdiction manettes d'inversion
THRUST BRAKING .... Freinage par inversion de poussée
THRUST BUSHING .... Bague d'appui
THRUST (control) CABLE .... Câble *(de commande)* de poussée
THRUST CENTER .... Centre de poussée
THRUST COEFFICIENT (Cg) .... Facteur, coefficient de poussée
THRUST COMPUTER .... Calculateur de poussée, de contrôle de poussée, de commande de gaz
THRUST CORRECTION .... Correction de poussée
THRUST CUT OFF .... Arrêt de poussée, extinction d'un propulseur *(par commande)*
THRUST DECAY .... Queue de poussée *(propulsion)*
THRUST FORCE .... Force propulsive
THRUST HANDLE .... Manette de commande de poussée
THRUST INDICATOR .... Indicateur de poussée
THRUST LEVER .... Manette de poussée, des gaz
THRUST LINE .... Ligne de poussée
THRUST LINK .... Bielle, contrefiche de poussée, palier de poussée
THRUST LOSS .... Perte de poussée
THRUST MANAGEMENT SYSTEM (TMS) .... Dispositif de gestion de la poussée
THRUST MISALIGNMENT
Désalignement de la poussée *(véhicule spatial)*
THRUST PROPELLER .... Hélice tractive
THRUST RECOVER VALVE .... Vanne de récupération de poussée
THRUST REVERSER (thrust reverse) .... Inverseur de poussée, de jet, reverse, déviateur de jet
THRUST REVERSER ACTUATION .... Manœuvre commande d'inversion de poussée
THRUST REVERSER CASCADE .... Grille d'inverseur de poussée

THRUST REVERSER CONTROL CAM Came de commande d'inverseur
THRUST REVERSER DEFLECTOR .... Déflecteur d'inverseur de poussée
THRUST REVERSER DIRECTIONAL VALVE .... Sélecteur de commande réverse
THRUST REVERSER LEVER .... Manette d'inversion de poussée
THRUST RING .... Bague, rondelle butée, contre-butée
THRUST SPOILER .... Déviateur de jet
THRUST-TO-FRONTAL AREA RATIO .... Rapport poussée-surface frontale
THRUST-TO-WEIGHT RATIO .... Rapport poussée-poids, rapport poussée-masse
THRUST TRANSMITTER .... Transmetteur de poussée
THRUST VECTOR .... Vecteur-poussée
THRUST VECTORING NOZZLE .... Tuyère rotative, d'orientation, de déflexion
THRUST WASHER .... Rondelle de butée, de poussée, rondelle d'appui, tampon, coupelle de poussée
THRUSTER .... Servocommande, impulseur, propulseur
THUMB .... Pouce
THUMB NUT .... Écrou moleté, à oreilles, papillon
THUMB SCREW .... Vis à molette, à papillon, à oreilles, à ailettes
THUMBWHEEL .... Molette
THUMBWHEEL SWITCH .... Molette de sélection
THUNDER (thunderclap) .... Tonnerre *(coup de tonnerre)*
THUNDER (to) .... Tonner
THUNDER CLOUD .... Nuage orageux
THUNDER-SHOWER .... Pluie d'orage
THUNDERBOLT .... Foudre
THUNDERSTORM .... Orage
THYRATRON .... Thyratron
THYRISTOR .... Thyristor
TICK OVER (to) .... Tourner au *(grand)* ralenti
TICKET .... Ticket, billet
TICKET (to) .... Établir un billet
TICKET COUNTER .... Comptoir des billets
TICKET OFFICE .... Agence *(en ville)*
TICKET OFFICE CLERK .... Agent de comptoir
TICKET OFFICE MANAGER .... Chef d'agence
TICKETED PASSENGER .... Passager muni d'un billet
TICKETED RESERVATION .... Réservation ferme
TICKETED STATION .... Comptoir, guichet d'enregistrement
TICKETING .... Billetterie
TICKLER .... Poussoir, plongeur
TICKLER COIL .... Bobine excitatrice

TIDY .... Bien rangé, ordonné
TIE .... Lien, attache, hauban, chaîne, tirant, sangle, traverse, entretoise, liaison
TIE (to) .... Attacher, lier, renforcer, entretoiser, ficeler, faire un nœud, sangler
TIE-BAR/TIE-ROD .... Tirant, traverse, barre d'accouplement, de synchronisation, d'ancrage, bielle de liaison
TIE-BOLT .... Tirant, boulon de liaison
TIE BREAKER .... Relais de couplage
TIE-BUS .... Bus de couplage
TIE-DOWN FITTING .... Point, ferrure d'arrimage
TIE-DOWN LUG .... Bride d'amarrage, tenon d'arrimage
TIE-DOWN POINTS .... Points d'amarrage *(avion)*
TIE-DOWN RING .... Manille d'amarrage
TIE-DOWN TRACK .... Rail d'arrimage *(frêt)*, de fixation *(fauteuil)*
TIE-DOWN WEBBING .... Filet d'arrimage
TIE OFF (to) .... Couper
TIE ROD .... Barre d'accouplement
TIE UP THE FREQUENCY (to) .... Encombrer la fréquence
TIGHT .... Étanche, hermétique, imperméable ; serré raide, tendu
TIGHT AREA .... Espace réduit
TIGHT FIT .... Ajustement serré, emmanchement dur
TIGHT ROPE .... Corde raide, tendue
TIGHT SCHEDULE .... Horaire minuté
TIGHT SEAL .... Joint étanche
TIGHT TURN .... Virage serré
TIGHTEN (to) .... Bloquer, serrer, resserrer, (re) tendre, raidir
TIGHTEN BOLTS (to) .... Torquer, serrer les boulons
TIGHTEN TO 600-700 lb.in (to) .... Serrer, torquer entre 600 et 700 lb.in *(livre.pouce)*
TIGHTEN UP THE STEERING (to) .... Rattraper le jeu de la direction
TIGHTENING TORQUE .... Couple de serrage
TIGHTNESS .... Étanchéité, imperméabilité, tension, raideur, resserrement, serrage
TILE .... Écaille, tuile, tuile de protection thermique *(shuttle)*
TILT(ING) .... Inclinaison, pente, dévers, inclinable
TILT (to) .... Incliner, pencher, renverser, basculer ; couvrir d'une bâche, bâcher
TILT CONTROL .... Sélecteur de site
TILT-PROP .... Hélice *(carénée)* orientable, basculante

TILT SEAT .... Siège inclinable
TILT SELECTOR .... Sélecteur de site
TILT TABLE .... Table inclinable
TILT-WING .... Ailes orientables, voilure basculante
TILTING OF SPINDLE .... Inclinaison de la broche
TILTING ROTOR .... Rotor basculant
TIMBER .... Bois de construction, d'œuvre
TIME .... Durée, temps, fois, mesure
TIME (to) .... Mesurer, régler, ajuster, caler *(la magnéto)*, chronométrer
TIME THE IGNITION (to) .... Régler l'allumage
TIME (out of) .... Déréglé, décalé
TIME BASE .... Base de temps
TIME BELT .... Fuseau horaire
TIME BETWEEN OVERHAUL(S) (TBO) .... Potentiel, intervalle entre révisions, durée entre grande visite
TIME BOMB .... Bombe à retardement
TIME BUFFERED .... Mémorisé
TIME CLOCK .... Minuterie
TIME CONSTANT .... Constante de temps
TIME CONTROLLED OVERHAUL .... Révision générale à potentiel
TIME DELAY .... Retard *(systématique)*, temporisation
TIME DELAY (to) .... Temporiser
TIME-DELAY NETWORK .... Réseau différé
TIME DELAY RELAY .... Relais temporisé, retardé
TIME-DELAY SWITCH (fuse) .... Interrupteur temporisé *(fusible)*
TIME-DELAY THERMAL RELAY .... Relais thermique temporisé
TIME-DELAY UNIT .... Temporisateur
TIME IN SERVICE .... Temps de fonctionnement, de vol, d'étape
TIME LAG .... Retard, décalage de temps, temps de réponse
TIME LAG EFFECT .... Effet retardé
TIME LIMIT .... Délai, temps maxi, durée de vie
TIME-LIMITED .... Limité dans le temps
TIME LOCKING RELAY .... Relais temporisé
TIME OF CLIMB .... Temps de montée
TIME OF DEPARTURE .... Heure de départ
TIME PERIOD .... Plage de temps, période
TIME RELAY .... Relais temporisé
TIME REMAINING .... Temps restant
TIME REMOVAL .... Dépose planifiée, dépose pour maintenance
TIME SCHEDULE .... Horaire
TIME SHARING .... Partage du temps, *(travail en)* temps partagé
TIME SHARING SYSTEM .... Système de temps partagé

TIME SIGNAL .... Signal horaire
TIME SINCE LAST SHOP VISIT .... Temps depuis la dernière visite en atelier
TIME SINCE OVERHAUL (TSO) .... Intervalle, temps depuis la dernière GV, depuis révision
TIME SLOT .... Créneau
TIME STAGGER REMOVAL .... Dépose répartie dans le temps
TIME-SWITCH .... Minuterie
TIME-TABLE .... Horaire, indicateur
TIME-TO-CLIMB .... Temps de montée
TIME-TO-GO .... Temps restant
TIME ZONE .... Fuseau horaire
TIMER .... Minuterie, temporisateur, chronomètre
TIMER RELAY .... Relais à minuterie
TIMETABLE (time-table) .... Indicateur, horaire, emploi du temps, calendrier
TIMING .... Réglage de l'allumage, calage *(d'une soupape)*, distribution, synchronisation, temporisation, minutage, chronométrage, horloge, calendrier
TIMING CHAIN .... Chaîne de distribution
TIMING CYCLE .... Cycle de temporisation
TIMING DEVICE .... Dispositif de synchronisation
TIMING DIAGRAM .... Diagramme de temps
TIMING GAUGES .... Jauges de réglage
TIMING GEAR .... Engrenage de distribution
TIMING LIGHT .... Lampe stroboscopique
TIMING MECHANISM .... Minuterie
TIMING SHAFT .... Arbre à cames, de distribution
TIMING SIGNAL .... Signal d'horloge
TIMING VALVE .... Clapet de séquence
TIMING WASHER .... Rondelle d'épaisseur, de réglage
TIN .... Étain, fer-blanc, boîte métallique
TIN (to) .... Étamer ; mettre, conserver en boîte
TIN (petrol) .... Bidon à essence
TIN PLATED STEEL .... Acier étamé
TIN PLATING (tinning) .... Étamage
TIN SNIPS .... Cisailles
TIN SOLDER (to) .... Souder à l'étain
TINFOIL .... Feuille d'étain, papier d'étain, fer-blanc
TINKER (to) .... Retaper, rafistoler *(une machine)*, bricoler
TINNED .... Étamé
TINNER .... Étameur
TINNER SNIPS .... Cisaille coupe droite
TINNING .... Étamage

TINPLATE .... Fer-blanc
TINPLATE (to) .... Étamer le fer
TINPLATED BRASS .... Laiton étamé
TIN SOLDER (to) .... Souder à l'étain
TINSEL .... Clinquant
TINSMITH .... Chaudronnier
TINTED WINDOWS .... Vitres, hublots teintés, colorés
TINY SHOCK WAVES .... Ondes de compression
TIP .... Bout, embout, extrémité, pointe, cosse ; pente, inclinaison
TIP (to) .... Renverser, verser, basculer, déverser, incliner, faire pencher
TIP (blade) .... Extrémité de pale, d'ailette
TIP CHORD .... Corde d'extrémité, profondeur en bout d'aile
TIP EDGE .... Bord marginal
TIP LOSS .... Décollement en bout d'aile
TIP RADIUS .... Rayon périphérique
TIP SPEED .... Vitesse en bout de pale, périphérique
TIP STALL .... Décollement marginal, en bout d'aile, de pale *(décollement des filets)*
TIP STALLING SPEED .... Vitesse de décrochage en bout de pale
TIP TANK .... Réservoir extrême *(en bout d'aile)*, de bout d'aile
TIP-UP SEAT .... Strapontin
TIP VORTEX .... Tourbillon marginal
TIPPING .... Basculant, à bascule, renversement, inclinaison
TIPPING OF AIRPLANE .... Basculement de l'avion
TIRE (tyre) .... Pneu, pneumatique
TIRE BEAD .... Talon de pneu
TIRE CREEPING ON WHEEL .... Glissement du pneu sur la jante
TIRE PRESSURE .... Pression de(s) pneu(s)
TIRE WEAR .... Usure des pneus
TISSUE PAPER .... Papier de soie
TITANIUM .... Titane
TITANIUM ALLOYS .... Alliages de titane
TITANIUM FORGINGS .... Pièces forgées en titane
TITLE .... Titre
TITRATE (to) .... Titrer, doser *(une solution)*
TO-FROM ARROW (indicator, pointer) .... Indicateur to-from, de lever de doute
TOBOGGAN .... Toboggan
TODAY .... Aujourd'hui
TOE .... Orteil, doigt ; bout, pointe, ergot, saillie, éperon
TOE-BRAKES .... Pédale(s) de frein, palonnier

TOE-PEDAL .... Pédale
TOE-SHAPED DOLLY .... Tas bombé
TOED IN .... Pincé
TOGETHER .... Ensemble
TOGGLE .... Cabillot, doigt de verrouillage
TOGGLE-JOINT .... Genouillère, joint articulé, coude
TOGGLE-LEVER .... Levier articulé
TOGGLE LINKS .... Liaisons articulées
TOGGLE PAD .... Tampon pivotant
TOGGLE-PRESS .... Presse à genouillère
TOGGLE SWITCH .... Interrupteur à bascule, à levier inverseur, inverseur à levier, commutateur
TOILET .... (les) toilettes
TOILET BOWL .... Cuvette des WC
TOILET DRAIN .... Drain, vidange toilettes
TOILET PAPER .... Papier hygiénique
TOLERANCE .... Tolérance
TOLERANCE BAND .... Tolérances admises
TOMMY BAR .... Broche, tige de manœuvre
TON (2204.6 lb = 1016 kg) .... Tonne (1 000 kgs)
TONE .... Son, timbre, tonalité, signal
TONE (to) .... Régler la tonalité, atténuer
TONE BURST MODE .... Mode générateur de rafales
TONE CONTROL .... Contrôle, réglage de la tonalité *(bouton)*
TONE FILTER .... Filtre d'écoute
TONGS .... Pinces, pincettes, tenailles, clé à mâchoires
TONGUE .... Languette, patte, ergot, soie *(outil)*
TONNE-KILOMETER AVAILABLE .... Tonne-kilomètre offert
TOO .... Trop ; aussi
TOOL .... Outil, outillage, instrument
TOOL (to) .... Usiner, travailler, équiper, outiller
TOOL BAG .... Trousse à outils, trousse d'outillage
TOOL BOX .... Caisse à outils
TOOL CABINET .... Armoire d'outillage
TOOL CHEST .... Caisse à outils
TOOL DRAWING .... Plan d'outillage
TOOL-HOLDER .... Porte-outil(s)
TOOL KIT .... Trousse à outils, de réparation, d'outillage
TOOL-MAKER .... Outilleur
TOOL-OUTFIT .... Outillage
TOOL REST .... Porte-outil
TOOL SLIDE .... Coulisseau de porte-outil
TOOL STOCK .... Porte-outil
TOOL THE SEALANT (to) .... Lisser le mastic
TOOLING .... Outillage ; usinage

TOOLING MANUFACTURE .... Fabrication d'outillages
TOOLPOST .... Tourelle
TOOLS .... Outillage, outils
TOOTH (teeth) .... Dent *(de pignon, de scie)*
TOOTH (to) .... Denter, denteler, créneler, engrener
TOOTH FORM .... Forme, profil de la dent
TOOTH LOCKWASHER .... Rondelle éventail
TOOTH PITCH .... Pas, module de dent
TOOTHED QUADRANT .... Secteur denté
TOOTHED WASHER .... Rondelle à crans
TOOTHED WHEEL .... Roue dentée
TOOTHING .... Denture
TOP .... Haut, sommet, dessus, partie supérieure
TOP (on) .... Au-dessus des nuages
TOP COAT .... Couche de finition, dernière couche
TOP DEAD-CENTER (TDC) .... Point mort haut
TOP GEAR .... Prise directe
TOP OF CLIMB .... Fin de montée, sommet de la montée
TOP OF DESCENT .... Début de la descente
TOP OF FIN .... Sommet de la dérive
TOP OF STROKE .... Point mort haut
TOP-OF-THE-RANGE .... Haut de la gamme
TOP OFF (to) .... Faire le complément
TOP POSITION .... Position haute
TOP SKIN .... Extrados
TOP SPEED .... Vitesse maximum, limite, de pointe
TOP UP (to) = TOP OFF (to) .... Faire l'appoint, compléter le plein
TOP VIEW .... Vue de dessus
TOPOGRAPHICAL .... Topographique
TOPOGRAPHY .... Topographie
TOPPING (to top) .... Ouillage *(ergols)*
TORCH .... Torche, lampe électrique ; chalumeau, lampe à souder
TORCH BRAZE (to) .... Braser au chalumeau
TORCH CUTTING .... Découpage au chalumeau
TORCH IGNITER .... Allumeur torche
TORCHING .... Flammes en sortie de réacteur
TORIC SEAL .... Joint torique
TORN (tear) .... Déchiré, arraché
TORNADO .... Ouragan, tornade
TOROID MODULATOR .... Modulateur à bobine toroïdale
TORPEDO .... Torpille
TORPEDO (to) .... Torpiller
TORPEDO-BOMBER .... Bombardier torpilleur

TORPEDO-RACK .... Lance-torpille
TORPEDO TUBE .... Tube lance-torpille
TORPEDOING .... Torpillage
TORQUE .... Couple *(de torsion)*, couple moteur, moment de torsion, de rotation
TORQUE (to) .... Serrer *(à la clé dynamométrique)*, torquer
TORQUE ARM .... Bras de torsion
TORQUE BOX .... Caisson de torsion
TORQUE BULKHEAD .... Cloison de torsion
TORQUE COEFFICIENT .... Coefficient de moment
TORQUE COMPENSATOR CAM .... Came de compensation de couple
TORQUE DATA .... Valeurs de serrage, de torquage
TORQUE DRIVER .... Tournevis dynamométrique
TORQUE DYNAMOMETER .... Frein dynamométrique
TORQUE EFFECT .... Couple de renversement
TORQUE LIMITER .... Limiteur de couple, de torquage
TORQUE LINKS .... Compas de train
TORQUE LOADINGS .... Valeurs de torquage
TORQUE METER .... Mesureur de couple
TORQUE MOTOR .... Moteur couple
TORQUE NUTS FROM-TO .... Torquer les écrous entre
TORQUE PUMP .... Pompe de couplemètre
TORQUE RANGE (pound-inch) .... Valeurs de serrage, de torquage
TORQUE SHAFT .... Arbre de torsion, de conjugaison
TORQUE SPANNER (wrench) .... Torquemètre, clé dynamométrique, clé tarée
TORQUE SWITCH .... Contacteur de couple, microrupteur baisse de pression couplemètre
TORQUE TIGHTEN (to) .... serrer à la clé dynamométrique
TORQUE TUBE .... Tube, barre de torsion, de transmission
TORQUE VALUES .... Valeurs de torquage
TORQUE WRENCH ADAPTER .... Adaptateur pour clé dynamométrique, embout dynamométrique
TORQUEMETER .... Torquemètre, couplemètre, torsiomètre, mesureur de couple
TORQUEMETER PUMP .... Pompe couplemètre
TORSION .... Torsion
TORSION BAR .... Barre de torsion
TORSION BOX .... Caisson de torsion
TORSION COUPLING .... Accouplement par barre de torsion
TORSION LINK ASSY .... Ens. compas de train
TORSION LINKS .... Compas *(de train)*
TORSION SPRING .... Ressort de torsion
TORSIONAL .... De torsion

TORSIONAL MOMENT .... Moment de torsion
TORSIONAL STRAIN .... Effort de torsion
TORSIONAL STRENGTH (rigidity) .... Résistance à la torsion
TORSIONAL TEST .... Essai de torsion
TORUS .... Tore
TOTAL .... Total, global
TOTAL AIR TEMPERATURE .... Température totale
TOTAL EQUIVALENT HORSEPOWER .... Puissance totale équivalente
TOTAL FLIGHT TIME .... Temps de vol total
TOTAL FUEL QUANTITY INDICATOR .... Indicateur totalisateur carburant
TOTAL FUEL WEIGHT .... Masse totale de carburant
TOTAL HEAD .... Pression totale, pression d'arrêt
TOTAL LENGTH .... Longueur totale
TOTAL PRESSURE .... Pression totale
TOTAL PRESSURE PROBE .... Prise de pression totale
TOTAL SPAN .... Envergure totale
TOTAL TEMPERATURE .... Température totale
TOTAL TEMPERATURE PROBE .... Sonde de température totale
TOTAL WEIGHT .... Poids total
TOTALIZER .... Totalisateur
TOTALLED .... Totalisé
TOTE (to) (US) .... Transporter
TOTE TRAY .... Plateau portatif
TOUCH (to) .... Toucher, être en contact
TOUCH-AND-GO .... Posé-décollé, touché des roues et redécollage immédiat, toucher et remettre les gaz, atterrissage et redécollage immédiat
TOUCH-DATA DISPLAY .... Dispositif d'affichage avec entrées des données par effleurement
TOUCH-DOWN .... Impact, touché, prise de contact
TOUCH DOWN, LAND (to) .... Atterrir, se poser, faire escale, toucher le sol
TOUCHDOWN POINT .... Point d'impact, de posé, de touché
TOUCHDOWN SPEED .... Vitesse au touché des roues, vitesse d'impact
TOUCHDOWN ZONE .... Aire de prise de contact
TOUCH-UP .... Retouche *(de peinture)*, placage au tampon
TOUCH-UP (to) .... Retoucher, faire un raccord
TOUGH .... Dur, résistant, solide
TOUGHEN (to) .... Durcir
TOUGHENED .... Durci, trempé
TOUGHNESS .... Dureté, résistance au choc, à l'impact, solidité, force, tenacité

TOUR .... Tour, voyage, circuit, visite
TOURING AIRCRAFT (plane) .... Avion de tourisme
TOURIST CLASS .... Classe touriste
TOURIST CLASS SEATS .... Fauteuils, sièges classe touriste
TOURIST FLYING .... Vol touristique
TOURIST'S SEAT .... Siège touriste
TOURIST TRAFFIC .... Trafic touristique
TOW .... Câble *(de remorque),* remorque ; étoupe, filasse
TOW (to) .... Remorquer, tracter, traîner, haler
TOW AN AIRCRAFT (to) .... Remorquer un avion
TOW-BAR .... Barre de remorquage, de traction, timon
TOW-LUG .... Bride de remorquage
TOW-PLANE .... Avion remorqueur
TOW-ROPE (tow-line) .... Câble de remorquage
TOWED GLIDER .... Planeur remorqué
TOWEL .... Serviettes, rouleau-sopalin
TOWEL (to) .... Essuyer, frotter
TOWEL RACK .... Porte-serviettes
TOWER .... Tour, pylône
TOWER CAB .... Vigie, cabine de la tour de contrôle
TOWING (towage) .... Remorquage, tractage, tir
TOWING-IN (towing-out) .... Tractage
TOWING LUG .... Bride de remorquage
TOWING VEHICLE (towage vehicle) .... Tracteur de remorquage
TOXIC .... Toxique
TOXIC VAPOR .... Vapeur toxique
TRACE .... Trace, empreinte, signe
TRACE (to) .... Tracer *(un plan),* esquisser, calquer
TRACE ADJUST .... Réglage de trace
TRACER .... Table traçante, traceuse
TRACER BULLET .... Balle traceuse
TRACING .... Tracé, dessin calqué, calque ; traçage
TRACING BULLET .... Balle traçante
TRACING PAPER .... Papier calque
TRACK .... Voie, route, chemin, trace, sillage, piste, trajectoire, rail, glissière, chemin, piste de roulement
TRACK (to) .... Suivre
TRACK ANGLE .... Angle de route *(géographique)*
TRACK ANGLE ERROR .... Erreur angulaire de route
TRACK ARROW .... Flèche de route
TRACK BAR .... Barre de route
TRACK CHART .... Carte de la route suivie
TRACK DESIGNATOR .... Indicatif de route
TRACK DEVIATION .... Déviation de route

TRACK DIVERSION .... Déroutement
TRACK ERROR .... Erreur de route
TRACK GUIDANCE .... Guidage de route
TRACK LEG .... Tronçon, étape de route
TRACK ROD .... Barre d'accouplement
TRACK SELECTOR .... Sélecteur de route
TRACK WHILE SCAN .... Poursuite sur information discontinue (PSID)
TRACKER .... Suiveur
TRACKING .... Alignement, réglage exact, localisation, poursuite, trajectographie, alignement des pales sur hélicoptère
TRACKING AIRCRAFT .... Avion effectuant une poursuite
TRACKING ANTENNA .... Antenne de poursuite
TRACKING BEACON .... Balise de poursuite
TRACKING RADAR (track radar) .... Radar de poursuite
TRACKING RATE .... Cadence de poursuite
TRACKING STATION .... Station de poursuite
TRACTION .... Traction, tirage
TRACTION WHEELS .... Roues motrices
TRACTOR .... Tracteur *(avion)*
TRACTOR AIRCRAFT .... Avion à hélice tractive
TRACTOR PROPELLER (tractor airscrew) .... Hélice tractive, tractrice
TRADE .... Commerce
TRADE MARK .... Marque déposée
TRADE-OFF .... Compromis technique
TRADE-UNION .... Syndicat *(ouvrier)*
TRADE UNION LEADER .... Responsable, chef syndical
TRADE-UNIONIST .... Syndicaliste
TRADE WIND .... Vent alizé, alizé
TRADESMAN .... Fournisseur, marchand ; artisan, spécialiste
TRAFFIC .... Trafic, mouvement, circulation
TRAFFIC CONTROL .... Contrôle du trafic
TRAFFIC FLOW .... Écoulement du trafic, débit, mouvements, volume du trafic
TRAFFIC GROWTH .... Augmentation du trafic
TRAFFIC JAM .... Embouteillage
TRAFFIC LEVEL .... Niveau du trafic
TRAFFIC LOAD .... Charge marchande
TRAFFIC PATTERN (US) = AERODROME CIRCUIT (GB) .... Circuit d'aérodrome, tour de piste
TRAFFIC STOP .... Escale commerciale
TRAIL .... Piste, traînée, trace
TRAIL (to) .... Traîner *(derrière soi)*

TRAIL LINE .... Ligne de traînage
TRAILED TARGET .... Cible remorquée
TRAILER .... Remorque
TRAILING EDGE .... Bord de fuite (BF) ; front de descente, arrière *(impulsion)*
TRAILING EDGE FAIRING .... Carénage de bord de fuite
TRAILING EDGE FLAPS .... Volets de bord de fuite
TRAILING VORTEX .... Tourbillon de sillage, turbulence de sillage
TRAIN .... Train, série, succession
TRAIN (to) .... Former, instruire, entraîner
TRAIN OF GEARS .... Train d'engrenages
TRAINEE .... Élève, stagiaire, apprenti
TRAINER .... Moniteur, formateur ; avion d'entraînement avion-école ; simulateur
TRAINING .... Entraînement, formation, instruction, stage, apprentissage
TRAINING CENTER (flightcrew) .... Centre d'instruction (PN)
TRAINING COURSE .... Stage d'instruction
TRAINING FLIGHT .... Vol d'entraînement
TRAINING MANUAL .... Manuel d'instruction
TRAINING MISSION .... Mission d'entraînement
TRAINING PERIOD .... Stage de formation
TRAINING SIMULATOR .... Simulateur de vol
TRAJECTOGRAPHY .... Trajectographie
TRAJECTORY .... Trajectoire
TRAMMEL .... Compas à verge
TRANSACTION .... Mouvement, transaction
TRANSATLANTIC AIRCRAFT (plane) .... Avion transatlantique
TRANSATLANTIC LINK (routes) .... Liaison transatlantique *(routes)*
TRANSBORDER FLIGHT .... Vol transfrontière, transfrontalier
TRANSCEIVER (VHF) .... Terminal émetteur-récepteur
TRANSCODER .... Transcodeur
TRANSCONDUCTANCE .... Transconductance
TRANSCONTINENTAL FLIGHT .... Vol, liaison transcontinentale
TRANSCRIBER .... Transcripteur
TRANSDUCER .... Transmetteur *(électrique)*, détecteur de vitesse, transduceur, capteur, transducteur
TRANSDUCTOR .... Transducteur
TRANSFER .... Transfert, déplacement, mutation, transport
TRANSFER BOBBIN .... Bobine de transfert
TRANSFER BUS .... Barre omnibus de transfert
TRANSFER GEARBOX (TGB) .... Boîtier de renvoi d'angle
TRANSFER GYROSCOPE .... Gyro de transfert

TRANSFER LINE .... Tuyauterie de transfert ; machine-transfert ; chaîne de transfert
TRANSFER MACHINE .... Machine-transfert
TRANSFER MANIFEST .... Bordereau de transfert
TRANSFER OF FUEL .... Transfert carburant
TRANSFER PANEL (ball mat) .... Transporteur à billes
TRANSFER PORT .... Orifice de transfert, intercommunication
TRANSFER PUMP .... Pompe de transfert
TRANSFER RELAY .... Relais de transfert
TRANSFER SLEEVE .... Manchon de transfert
TRANSFER SWITCH .... Sélecteur de transfert
TRANSFER TABLE .... Table de transfert
TRANSFER TANK .... Réservoir d'équilibrage
TRANSFER TRAFFIC .... Trafic en correspondance
TRANSFER TUBE .... Tube de transfert
TRANSFER VALVE .... Robinet de transfert, d'intercommunication
TRANSFERRED .... Transféré, transmis
TRANSFORM (to) .... Transformer, convertir
TRANSFORMER .... Transformateur *(de tension)*
TRANSFORMER RECTIFIER UNIT .... Transformateur-redresseur
TRANSFORMER SYNCHRO .... Synchro-transformateur
TRANSHIPMENT .... Transbordement
TRANSIENT .... Passager (adj.), transitoire
TRANSIENT CONDITIONS .... Régime transitoire
TRANSIENT FLIGHT .... Vol de courte durée
TRANSIENT HEATING .... Échauffement en régime transitoire
TRANSIENT PHASE .... Phase transitoire
TRANSIENT RESPONSE .... Réponse en impulsionnel
TRANSIENT STATE .... État, régime transitoire
TRANSIENT WAVE .... Onde progressive
TRANSISTOR (transfer resistor) .... Transistor
TRANSISTORIZED .... Transistorisé
TRANSISTORIZED AMPLIFIER .... Amplificateur transistorisé, à transistors
TRANSIT .... Passage, transport *(de marchandises)*, parcours, transit, mouvement d'une position à une autre, en cours de mouvement
TRANSIT (to) .... Transiter, traverser
TRANSIT-COMPASS (transit-theodolite) .... Théodolite à boussole
TRANSIT FLIGHT .... Vol en transit
TRANSIT HALL (lounge) .... Salle de transit
TRANSIT-INSTRUMENT .... Lunette méridienne
TRANSIT TIME .... Durée, temps d'escale

TRANSITION .... Transition, passage ; intermédiaire
TRANSITION ALTITUDE (level) .... Altitude de transition *(niveau)*
TRANSITION FIT .... Ajustement incertain
TRANSITION FLIGHT .... Vol de transition
TRANSITION LAYER .... Couche de transition
TRANSITION LEVEL .... Niveau de transition
TRANSLATE (to) .... Traduire ; transférer
TRANSLATING COWL .... Manchon coulissant
TRANSLATING SLEEVE (reverser) .... Capot mobile *(inverseur de poussée)*
TRANSLATION .... Traduction ; mouvement de translation
TRANSLATOR .... Traducteur, convertisseur, translateur
TRANSLUCENT .... Translucide
TRANSMISSION .... Transmission, émission, transport
TRANSMISSION ANTENNA .... Antenne d'émission
TRANSMISSION ASSEMBLY .... Ensemble de transmission
TRANSMISSION FACTOR .... Facteur, coefficient de transmission
TRANSMISSION FREQUENCY .... Fréquence d'émission
TRANSMISSION GEAR .... Renvoi
TRANSMISSION GEARBOX .... Boîte de transmission
TRANSMISSION SHAFT .... Arbre de transmission
TRANSMISSION SHAFT BEARING .... Palier d'arbre de transmission
TRANSMISSION UNIT .... Boîte de transmission
TRANSMISSOMETER .... Transmissomètre
TRANSMIT (to) .... Transmettre, émettre, manipuler, transporter *(la force)*
TRANSMIT ANTENNA .... Antenne de transmission
TRANSMIT BLIND (to) .... Transmettre sans accuser réception
TRANSMIT FREQUENCY .... Fréquence d'émission
TRANSMIT/RECEIVE .... Alternat
TRANSMITTAL SHEET .... Bordereau d'envoi
TRANSMITTANCE .... Transmittance
TRANSMITTED PULSE .... Impulsion émise
TRANSMITTER .... Transmetteur, émetteur *(radio)*, capteur de mesures, relais, microphone *(de téléphone)*
TRANSMITTER FREQUENCY .... Fréquence d'émission
TRANSMITTER POWER .... Puissance d'émission
TRANSMITTER-RECEIVER (transmitter/receiver) .... Émetteur-récepteur
TRANSMITTER-RESPONDER .... Émetteur-répondeur
TRANSMITTING ANTENNA .... Antenne émettrice

TRANSMITTING STATION .... Poste émetteur, station émettrice
TRANSOCEANIC AIRCRAFT .... Avion transocéanique
TRANSOCEANIC FLIGHT .... Vol transocéanique
TRANSONIC ACCELERATION .... Accélération transsonique
TRANSONIC FLIGHT .... Vol transsonique
TRANSONIC SPEED .... Vitesse transsonique
TRANSONIC TUNNEL .... Soufflerie transsonique
TRANSPIERCE (to) .... Transpercer
TRANSPIRATION-COOLED TURBINE BLADE ...... Aube à transpiration, à refroidissement par transpiration
TRANSPIRATION COOLING .... Refroidissement par transpiration, par suage
TRANSPOLAR FLIGHT .... Vol transpolaire, par le pôle
TRANSPONDER (ATC) .... Émetteur-répondeur, transpondeur, répondeur de bord, répéteur
TRANSPONDER BEACON .... Balise répondeuse
TRANSPONDER CHANNEL .... Répéteur
TRANSPONDER CODE .... Code transpondeur
TRANSPORT .... Transport
TRANSPORT BY AIR (railway) .... Transport par avion *(par chemin de fer)*
TRANSPORT COVER .... Housse de transport
TRANSPORT HELICOPTER .... Hélicoptère de transport
TRANSPORT MOUNT .... Bâti de transport
TRANSPORT PLANE (transport airplane) .... Avion de transport, transporteur, avion cargo
TRANSPORT PLUG .... Obturateur de transport
TRANSPORTATION DOLLY .... Chariot de transport
TRANSPORTATION STAND .... Bâti de transport
TRANS-SHIPMENT (transhipment) .... Transbordement, changement d'avion
TRANSVERSAL .... Transversal
TRANSVERSE BEAM .... Traverse, poutre transversale
TRANSVERSE FRAME .... Cadre transversal
TRANSVERSE STABILITY .... Stabilité transversale
TRANSVERSE SUPPORT .... Support transversal
TRAP .... Bouchon, piège, trappe, siphon, séparateur, éliminateur, collecteur d'huile, purgeur ; interruption logicielle, déroutement *(électronique)*
TRAP (to) .... Attraper, tenir, capturer, piéger
TRAP VALVE .... Soupape à clapet
TRAPEZOIDAL .... Trapézoïdal
TRAPEZOIDAL THREADS .... Filetages trapézoïdaux
TRAPPED .... Emprisonné, coincé, non-consommable *(carburant),* résiduel

TRAPPED AIR .... Air emprisonné
TRAPPED AIR BUBBLES .... Bulles d'air prisonnières
TRAPPING .... Rétention
TRASH BOX .... Poubelle
TRAVEL .... Déplacement, parcours, débattement, course, trajet, voyage
TRAVEL (to) .... Se mouvoir, se déplacer, voyager
TRAVEL AGENT .... Agent de voyage(s)
TRAVEL AGENCY .... Agence de voyage
TRAVEL IN GROUP (to) .... Voyager en groupe
TRAVEL INSURANCE .... Assurance-voyage
TRAVEL LIMITER HOOK .... Fourchette du limiteur de débattement
TRAVEL STOP .... Limiteur de course
TRAVEL TIME .... Temps, durée de vol
TRAVELLER (traveler) .... Voyageur, curseur *(de règle à calcul),* pont roulant
TRAVELLER'S CHEQUE .... Chèque de voyage
TRAVELLING (traveling) .... Mobile, voyageant
TRAVELLING BAG .... Sac de voyage
TRAVELLING CASE .... Malette de voyage
TRAVELLING-WAVE TUBE .... Tube à ondes progressives (T.O.P)
TRAVELLING-WAVE TUBE AMPLIFIER (TWTA) .... Amplificateur à tube à ondes progressives
TRAVERSE .... Traversée, translation latérale ; traverse, entretoise
TRAVERSE (to) .... Traverser, passer ; braquer ; charioter *(tournage)*
TRAY .... Plateau, tablette, support
TRAY FASTENER .... Fixation du plateau
TREAD .... Pas, bande, surface de roulement, chape *(d'un pneu),* voie, largeur de voie, écartement
TREADLE .... Pédale *(de tour)*
TREAT (to) .... Traiter
TREATMENT .... Traitement
TREBLE .... Triple ; fréquences élevées, aigus
TREBLE TABWASHER .... Triple rondelle frein
TREETOP HEIGHT (to fly) .... Voler en rase-mottes
TREILLIS .... Treillis, treillage
TREMBLER .... Trembleur *(élect)*
TRENCH .... Saignée, canalisation *(pour câblage électrique)*
TREND .... Tendance *(du marché, des prix)*
TRESTLE .... Tréteau, chevalet
TRIAC .... Triac *(électronique)*
TRIAL .... Essai, épreuve, vérification, expérimentation
TRIAL FLIGHT .... Vol d'essai

TRIAL PERIOD .... Période d'essai
TRIANGLE OF VELOCITIES .... Triangle des vitesses
TRIANGLE WAVES .... Signaux triangulaires
TRIANGULAR .... Triangulaire
TRIANGULAR ABRASIVE STONE .... Pierre triangulaire, india
TRIANGULAR FILE .... Tiers-point, lime triangulaire
TRIANGULAR SHAPE .... Forme triangulaire
TRICHLORETHYLENE .... Trichloréthylène
TRICHLORETHYLENE VAPOUR .... Vapeur trichloréthylène, vapeur(s) de trichlore
TRICK FLYING (riding) .... Vol d'acrobate, voltige
TRICKLE .... Filet *(d'eau)*, chargeur *(d'accu)*
TRICKLE (to) .... Couler *(goutte à goutte)*, s'infiltrer, suinter
TRICKLE CURRENT .... Courant d'entretien
TRICYCLE .... Tricycle
TRICYCLE GEARED AIRCRAFT .... Avion tricycle
TRICYCLE LANDING GEAR .... Train d'atterrissage tricycle, atterrisseur tricycle
TRICYCLE UNDERCARRIAGE .... train tricycle
TRIJET .... Triréacteur *(tri-réacteur)*
TRIJET AIRCRAFT .... Avion triréacteur
TRIG .... Cale *(roue, tonneau)*
TRIG (trigonometry) .... Trigonométrie
TRIG (to) .... Caler, enrayer
TRIGGER .... Poussoir à ressort, détente, gâchette, bascule, déclencheur
TRIGGER (to) .... Déclencher
TRIGGER RELAY .... Relais électronique
TRIGGER ACTION .... Déclenchement
TRIGGER DIODE .... Diode de déclenchement *(diac)*
TRIGGER GUARD .... Pontet
TRIGGER LEVEL .... Niveau, seuil de déclenchement
TRIGGER PULSE .... Impulsion de déclenchement
TRIGGERED MODE .... Mode déclenché
TRIGGERED PULSES .... Impulsions déclenchées, de déclenchement
TRIGONOMETRIC FUNCTIONS .... Fonctions trigonométriques
TRIM .... Assiette, équilibrage, stabilité, réglage, commande de compensation des gouvernes, compensation d'effort, de régime, correction ; garnissage, enjoliveur
TRIM (to) .... Arranger, réparer, remettre en état, mettre en ordre, équilibrer, régler, compenser, corriger, centrer, mettre à l'équilibre, trimmer, garnir, tailler *(une bande)*, ébarber, ébavurer, ragréer

TRIM ACTUATOR .... Vérin de compensation
TRIM ADJUSTMENT (setting) .... Réglage fin
TRIM AIR .... Air d'équilibrage
TRIM AUGMENTATION COMPUTER .... Calculateur d'augmentation de compensation
TRIM BOX .... Boîte de trim
TRIM CAPABILITY .... Plage de compensation
TRIM COMPUTER .... Calculateur de compensation
TRIM CONTROL SWITCH .... Interrupteur de commande électrique de compensation de régime
TRIM CONTROLS .... Commandes de trim, de compensateur de gouverne
TRIM COUPLER .... Coupleur de compensation
TRIM CUTOUT SWITCH .... Interrupteur de trim
TRIM DRIVE UNIT .... Moteur principal du compensateur
TRIM DRAG .... Résistance, traînée d'équilibrage, de compensation
TRIM/FEEL UNIT .... Ensemble de sensation artificielle et de compensation
TRIM FORCE .... Force de compensation
TRIM HANDLE .... Poignée « trim »
TRIM INDICATOR .... Indicateur de compensation, de trim, de charge
TRIM KNOB .... Bouton de commande de trim
TRIM LINE .... Plan de joint, ligne de découpe, jointure
TRIM MOTOR .... Moteur de compensation
TRIM OUT (to) .... Découper, supprimer, contrebalancer, annuler les efforts aux commandes
TRIM PANELS .... Panneaux de garnissage
TRIM-POT .... Potentiomètre
TRIM RATE .... Vitesse de compensation
TRIM SERVO-CONTROL .... Servo-moteur de trim
TRIM SETTING (adjustment) .... Réglage fin, réglage de compensation
TRIM STRIP .... Bande de raccordement, bande couvre-joint
TRIM TAB (trimming tab) .... Tab d'équilibrage, volet compensateur, flettner de compensation, de correction, compensateur de régime, tab automatique de compensation de régime
TRIM TABLES .... Tables de réglage (trim)
TRIM TANK .... Réservoir d'équilibrage
TRIM VALVE .... Vanne d'équilibrage
TRIM WHEEL .... Molette, volant de trim, de compensation

TRIMMED ATTITUDE .... Assiette compensée
TRIMMED SPEED .... Vitesse compensée
TRIMMER .... Compensateur *(centrage)*, centrage, régulateur, garnisseur
TRIMMING .... Mise en état, réglage, garnissage, garniture, ragréage, équilibrage, compensation, centrage
TRIMMING DEVICE .... Dispositif de réglage, système compensateur, système de recentrage
TRIMMING FUNCTIONS .... Fonctions de trimmage, de compensation
TRIMMING MACHINE .... Ébarbeuse
TRIM(MING) TAB (flap) .... Flettner compensateur, volet correcteur
TRINGLE .... Tringle
TRIODE .... Triode
TRIP .... Voyage, parcours, excursion ; déclenchement
TRIP (to) .... Déclencher, effacer
TRIP ARM .... Doigt de déclenchement, déclencheur
TRIP CHECK .... Vérification courte escale
TRIP COIL .... Bobine de relais
TRIP FREE CIRCUIT BREAKER .... Disjoncteur à déclenchement libre
TRIP FUEL .... Délestage carburant
TRIP FUEL WEIGHT .... Masse de carburant *(sans réserves)*
TRIP-GEAR .... Déclic, déclenchement
TRIP OFF LIGHT .... Voyant déclenchement
TRIP VALVE .... Clapet navette
TRIPHASE .... *(courant)* triphasé
TRIPLANE .... Triplan
TRIPLE-POLE SWITCH .... Commutateur tripolaire
TRIPLE SPOOL .... Triple corps
TRIPLEXER .... Triplexeur
TRIPOD .... Trépied, pied, support *(à 3 branches)*, tripode
TRIPOD BRACE .... Contrefiche triangulaire
TRIPPING .... Déclenchement
TRIPPING OFF .... Décollement
TRIPPING VOLTAGE .... Tension de collage
TRIPROCESSOR .... Tri-processeur *(ordinateur à 3 unités centrales)*
TRIPROPELLANT .... Triergol
TROLLEY .... Chariot, table roulante
TROLLEY STOWAGE .... Logement chariot
TROOP CARRIER .... Avion de transport de troupes
TROOP TRANSPORT .... Transport de troupes
TROPOPAUSE .... Tropopause $\simeq$ 2300 m
TROPOPAUSE CHART .... Carte de la tropopause

TROPOSPHERE .... Trospospère
TROPOSPHERIC SCATTER .... Diffusion troposphérique
TROUBLE .... Ennui, difficulté, panne, défaillance, défaut, anomalie, incident
TROUBLE CHARTS .... Tableaux de pannes
TROUBLE SHOOTING .... Recherche de panne, de défaillances, dépannage
TROUBLESHOOTER .... Dépanneur
TROUGH .... Cuvette, bac, puisard, auget, gouttière, caniveau ; dépression, zone dépressionnaire
TRUCK .... Chariot, wagon, camion, bogie *(train)*
TRUCK ASSY .... Boggie
TRUCK BEAM .... Poutre de bogie
TRUCK PIVOT .... Articulation du bogie
TRUCK TYPE GEAR .... Train à boggie
TRUE .... Vrai, exact, juste, droit, rectifié, ajusté, d'aplomb
TRUE AIRSPEED (TAS) .... Vitesse *(propre)* vraie (VV)
TRUE AIRSPEED COMPUTER .... Anémomètre
TRUE AIRSPEED INDICATOR .... Anémomètre badin
TRUE ALTITUDE .... Altitude vraie
TRUE ATMOSPHERE SENSE LINE .... Prise de pression statique
TRUE BEARING .... Relèvement vrai, azimut
TRUE COURSE .... Course vraie, cap vrai, cap géographique, route vraie
TRUE COURSE ANGLE .... Angle de cap vrai
TRUE HEADING .... Cap vrai, cap géographique
TRUE HORIZON .... Horizon vrai
TRUE MACH NUMBER .... Nombre de mach vrai
TRUE NORTH .... Nord vrai, nord géographique
TRUE POLE .... Pôle géographique
TRUE POSITION .... Position réelle, théorique, normale
TRUE TRACK .... Route vraie
TRUE TRACK ANGLE .... Angle de route vrai
TRUE UP (to) .... Ajuster, dégauchir, rectifier, (re)dresser une surface, mettre d'équerre, régler
TRUE WIND DIRECTION .... Direction vraie du vent
TRUENESS .... Équerrage
TRUNCATE (to) .... Tronquer
TRUNK .... Tronc, fût, jonction, ligne principale
TRUNK CARRIER .... Importante, grande compagnie aérienne, compagnie aérienne géante
TRUNK CIRCUIT .... Circuit principal
TRUNK LINE (trunk route) .... Ligne aérienne principale, grande ligne

TRUNNION .... Tourillon, dé de cardan
TRUNNION BLOCK .... Tourillon, pivot de train
TRUSS .... Armature, console, treillis, contrefiche, ossature, carcasse
TRUSS (to) .... Armer, renforcer
TRUSS BOOM .... Poutre en treillis
TRUSS MEMBER (horizontal) .... Contrefiche *(horizontale de train)*
TRUSS STRUCTURE .... Structure en treillis
TRUTH TABLE .... Table de vérité
TRY .... Essai, tentative
TRY (to) .... Éprouver, essayer, tenter, expérimenter, vérifier, ajuster
TRY OUT (to) .... Faire l'essai de (qch)
TRYING .... Essai, épreuve ; difficile, dur, rude
TUB .... Baquet, bac, benne
TUBCART .... Chariot de piste
TUBE .... Tube, tuyau, conduit, tuyauterie rigide, tubulure, chambre à air ; lampe tube *(radio)*, antenne, lampe radio
TUBE BELLING .... Épanoui
TUBE BENDER .... Cintreuse, outil à cintrer les tubes
TUBE CLAMP .... Collier de tuyauterie
TUBE CUTTER .... Coupe-tube, tronçonneuse
TUBE FITTING .... Raccord tuyauterie
TUBE FLARING TOOL .... Outil d'évasement de tube, d'épanouissement
TUBE LAUNCHER .... Panier à tubes
TUBE SIZE .... Diamètre du boudin *(de pneu)*
TUBE WRENCH .... Clé à pipe
TUBELESS .... Sans chambre
TUBELESS TYRE (tire) .... Pneu sans chambre
TUBING .... Tuyauterie, canalisation, tube, tuyau, tubage, gaine, tuyauterie rigide
TUBING COIL .... Enroulement de tuyauterie, serpentin
TUBO-ANNULAR .... Tubo-annulaire
TUBULAR .... Tubulaire, à tubes
TUBULAR SHAFT .... Arbre creux
TUBULAR SPANNER .... Clé à tube
TUCK IN (to) .... Rentrer
TUCK UNDER (tuck tendency) .... Tendance à piquer
TUG .... *(avion)* remorqueur, tracteur avion
TUG (to) .... Tirer, remorquer
TUG AIRCRAFT .... Avion remorqueur
TUG WITH WINCH .... Tracteur avec treuil
TUMBLE CLEANING .... Nettoyage au tonneau

TUMBLER .... Bascule ; interrupteur à levier, culbuteur *(d'interrupteur),* arrêt, gorge
TUMBLER SWITCH .... Interrupteur à bascule, à levier
TUMBLING .... Tonnelage ; culbutage
TUNABLE .... Accordable, variable
TUNE (to) .... Accorder *(fréquence),* syntoniser (TSF), régler *(moteur),* mettre au point
TUNE IN (to) .... Régler, accorder
TUNE IN TO (to) .... Se mettre à l'écoute de
TUNE UP (to) .... Caler, régler, mettre au point
TUNE-UP SET .... Nécessaire de réglage
TUNED .... Accordé, réglé
TUNED AMPLIFIER .... Amplificateur à résonance
TUNED GYROSCOPES .... Gyroscopes accordés
TUNED-ROTOR GYROSCOPE
Gyroscope à suspension dynamique accordée
TUNER .... Boîte d'accord, accordeur
TUNER CIRCUIT .... Circuit d'accord
TUNGSTEN .... Tungstène
TUNGSTEN ARC WELDING .... Soudage à l'arc sous gaz inerte, soudage à l'argon
TUNGSTEN CARBIDE .... Carbure au tungstène
TUNGSTEN STEEL .... Acier au tungstène
TUNING .... Mise au point, réglage, accord, syntonisation
TUNING CABLE .... Câble d'alimentation, boîte d'accord
TUNING CIRCUIT .... Circuit d'accord
TUNING COIL .... Bobine d'accord
TUNING CONTROL .... Contrôle de tonalité
TUNING CYCLE .... Cycle d'accord
TUNING DEVICE .... Accordoir
TUNING FORK .... Diapason
TUNING FORK OSCILLATOR .... Oscillateur à diapason
TUNING LINE .... Câble d'accord
TUNING METER .... Indicateur d'accord
TUNING OSCILLATOR .... Oscillateur d'accord
TUNING STRIP .... Barrette d'accord
TUNING TOOLS .... Outils à syntoniser
TUNING UP .... Calage, réglage, (re) mise au point
TUNNEL .... Tunnel
TUNNEL DIODE .... Diode tunnel
TUNNEL TESTS .... Essais en soufflerie
TURBID .... Trouble
TURBINE .... Turbine
TURBINE AIR INLET PORT .... Orifice d'entrée d'air turbine
TURBINE AIR OVERHEAT .... Surchauffe air turbine

TURBINE BEARING .... Palier de turbine
TURBINE BLADE .... Ailette, aube de turbine
TURBINE BYPASS .... Dérivation turbine
TURBINE CASE (casing) .... Carter turbine
TURBINE COOLER UNIT .... Turbo-réfrigérateur
TURBINE COUPLING .... Accouplement turbine
TURBINE DISC .... Disque de turbine
TURBINE DISCHARGE PRESSURE .... Pression sortie turbine
TURBINE DRIVEN PUMP .... Pompe à entraînement par turbine
TURBINE ENGINE (gas) .... Moteur à turbine, turbomachine, turbomoteur
TURBINE EXHAUST CASE .... Carter d'éjection, de sortie turbine
TURBINE EXHAUST DIFFUSER .... Diffuseur de sortie turbine
TURBINE EXHAUST OUTLET .... Orifice d'échappement turbine
TURBINE GAS TEMPERATURE (TGT) .... Température gaz turbine
TURBINE INLET (gas) TEMPERATURE (TIT) .... Température entrée turbine (TET)
TURBINE MID FRAME .... Module carter inter-turbines
TURBINE NOZZLE (assy) .... Distributeur de turbine
TURBINE NOZZLE CASE (box) .... Carter turbine
TURBINE NOZZLE GUIDE VANE .... Distributeur turbine
TURBINE OUTLET CASING .... Carter de sortie turbine
TURBINE OUTLET TEMPERATURE .... Température sortie turbine
TURBINE-POWERED AIRCRAFT .... Avion à hélice(s)
TURBINE REAR FRAME (TRF) .... Carter sortie turbine
TURBINE ROTOR .... Rotor, roue de turbine
TURBINE SECTION .... Section turbine
TURBINE SHAFT .... Arbre de turbine
TURBINE STAGE .... Étage de turbine
TURBINE STATOR .... Stator de turbine, aubes fixes de turbine
TURBINE WHEEL .... Roue, rotor de turbine
TURBO-ALTERNATOR .... Turbo-alternateur
TURBO-BLOWER .... Turbosoufflante
TURBOCHARGED .... Turbocompressé, à turbocompresseur
TURBOCHARGED ENGINE .... Turbocompresseur, moteur à turbocompresseur
TURBOCHARGED VERSION .... Version à turbocompresseur
TURBOCHARGER .... Turbocompresseur
TURBOCOMPRESSOR (turbo compressor) .... Turbocompresseur, compresseur centrifuge, à turbine
TURBOCOMPRESSOR AIR INLET .... Manche à air TC
TURBOCOMPRESSOR CHECK VALVE .... Clapet anti-retour TC
TURBO-ENGINE .... Turbomoteur

TURBOFAN (turbo-fan) .... Turbosoufflante, turboventilateur, turbopropulseur
TURBOFAN ENGINE (TFE) .... Turboréacteur double flux, turbosoufflante, moteur à soufflante
TURBO-GENERATOR .... Turbo-générateur
TURBO-JET .... Turboréacteur
TURBOJET AIRCRAFT (turbo-jet aircraft) .... Avion à réaction
TURBOJET ENGINE (turbo-jet engine) (TJE) .... Turboréacteur *(turbo-réacteur)*
TURBO MACHINERY (turbomachinery) .... Turbomachines *(turbines, ventilateurs, pompes)*
TURBO-MOTOR .... Turbomoteur
TURBO POWERED AIRLINER .... Avion à turbopropulseur
TURBO-PROP .... Turbopropulseur, turbo-hélice
TURBO-PROP AIRCRAFT (plane) .... Avion à hélices, à turbo-propulseurs
TURBOPROP-POWERED VERSION .... A turbopropulseur(s), équipé de turbopropulseurs
TURBO PROPELLED AIRCRAFT (turbo prop) .... Avion à turbopropulseur
TURBO-PROPELLER (turboprop) .... Turbopropulseur, turbine à hélice
TURBO-PROPELLER ENGINE .... Turbopropulseur
TURBO-PUMP (turbopump) .... Turbopompe, pompe à turbine
TURBO-RAMJET .... Turbo-statoréacteur
TURBOSHAFT ENGINE (turbo-shaft) .... Turbomoteur, turbine d'hélicoptère
TURBOSHAFT POWERPLANT .... Groupe turbo-moteur
TURBOSTARTER .... Turbomoteur de démarrage
TURBO-SUPERCHARGED (TS) .... A turbo-compresseur
TURBO-SUPERCHARGER ...... Turbo-compresseur de suralimentation
TURBOTRAIN .... Turbotrain
TURBULENCE .... Turbulence
TURBULENCE DETECTION .... Détection des turbulences *(radar météo)*
TURBULENCE PENETRATION .... Pénétration en turbulence
TURBULENCE SMOOTHING .... Amortissement d'effet de turbulence
TURBULENT AIR .... En atmosphère turbulente, agitée
TURBULENT AIR DESCENT .... Descente en turbulence
TURBULENT AIR HOLDING .... Attente en turbulence
TURBULENT BOUNDARY LAYER .... Couche limite turbulente
TURBULENT FLOW .... Écoulement turbulent
TURBULENT RE-ATTACH .... Recollement turbulent
TURBULENT WAKE .... Sillage turbulent, turbulence de sillage

TURBULENT WIND FLOW .... Courant d'air turbulent
TURN .... Tour, révolution, virage, changement de direction, giration, renversement, spire *(ressort)*, enroulement
TURN (to) .... Tourner, virer, faire tourner, pivoter, dévier, détourner, retourner, dévirer, incliner l'avion latéralement
TURN (in) .... En rotation, en virage
TURN-AND-BANK INDICATOR .... Bille-aiguille, indicateur de virage et d'inclinaison latérale, indicateur de virage-glissade, contrôleur de virage, de vol
TURN AND PITCH CONTROLLER .... Combiné d'évolutions
TURN-AND-SLIP INDICATOR .... Indicateur de virage et de dérapage, de virage et de pente transversale, de virage et de glissade
TURN-AROUND AREA .... Aire de virage, de demi-tour, raquette
TURNAROUND INSPECTION .... Visite bout de ligne
TURN-AROUND TIME .... Temps, durée d'escale, d'immobilisation au sol, temps de rotation
TURN-BACK .... Retour *(à l'aérodrome de départ)*
TURN CONTROLLER KNOB .... Bouton de commande de virage
TURN DOWN (to) .... Baisser le volume *(du son)*, diminuer l'intensité *(des feux)* ; refuser *(un candidat)* ; repousser *(une offre)*
TURN INDICATOR .... Indicateur de virage, bille d'inclinaison
TURN-KEY SYSTEM (turnkey) .... Système « clé en main »
TURN KNOB .... Bouton de virage
TURN NEEDLE .... Aiguille de virage
TURN OFF (to) .... Fermer, arrêter, couper, mettre hors circuit, éteindre, changer de route
TURN-OFF LIGHTS .... Feux de sortie de piste
TURN-OFF STRIPS .... Bandes de raccordement, de dégagement
TURN OFF SWITCH (to) .... Couper l'interrupteur
TURN ON (to) .... Ouvrir, faire couler, allumer, débloquer, fermer un circuit
TURN OUT (to) .... Couper, éteindre ; desserrer
TURN OVER (to) .... (se) retourner, capoter, culbuter, brasser *(une hélice)*, transférer
TURN POINT .... Point de virage
TURN RADIUS .... Rayon de virage
TURN RATE .... Taux de virage
TURN ROUND .... Rotation, opérations d'escale
TURN ROUND (to) .... Retourner, tourner, virer, pivoter
TURN ROUND TIME .... Durée, temps d'escale
TURN SELECTOR SWITCH .... Sélecteur de mode virage

TURN TRUE (to) (run true) .... Tourner rond
TURN TURTLE (to) .... Capoter *(avion)*
TURN UP (to) .... Augmenter le volume *(du son)*, l'intensité *(des feux)*
TURNAROUND .... Rotation *(d'un avion)*, changement de direction
TURNBUCKLE .... Tendeur à vis *(câble)*
TURNBUCKLE BARREL .... Corps de tendeur de câble, douille de tendeur
TURNED BACK .... Dévissé
TURNER .... Tourneur
TURNING .... Tournant, rotatif, giratoire, virage, changement de direction, orientation, conversion ; tournage *(tour)*
TURNING ANGLE .... Angle de braquage
TURNING BACK .... Dévirage
TURNING CUTTER .... Outil de tour
TURNING RADIUS (radii) .... Rayon de virage, de braquage, de giration
TURNING VANE .... Aube de déviation
TURNKEY INSTALLATION .... Installation « clé en main »
TURNOVER .... Chiffre d'affaires, rotation *(du stock)*
TURNOVER STAND .... Bâti tournant
TURNTABLE .... Plaque tournante, table oscillante, plateau oscillant, carrousel
TURPENTINE (oil) .... Térébenthine *(essence)*
TURPENTINE VARNISH .... Vernis à l'essence
TURRET .... Tourelle *(porte-outils)*
TURRET LATHE .... Tour révolver
TUYERE .... Tuyère
TV GUIDED .... A guidage TV
TV SCREEN .... Écran TV
TV SIGNALS .... Signaux de télévision
TWEEZERS .... Petite pince, pincettes, pinces brucelles, précelles
TWICE .... 2 fois
TWICE SIZE .... Échelle 2
TWICE-THE-SPEED-OF-SOUND .... Deux fois la vitesse du son, vitesse bisonique
TWILIGHT .... Crépuscule, demi-jour
TWILIGHT ZONE .... Zone douteuse
TWIN .... Jumelé
TWIN AISLE .... A deux couloirs
TWIN-BOOM FUSELAGE .... Fuselage bi-poutre
TWIN CYLINDER .... Moteur à 2 cylindres
TWIN-ENGINE .... Bimoteur, biréacteur, biturbopropulseur

TWIN-ENGINE HELICOPTER (twin-engined helicopter) ..... Hélicoptère biturbine
TWIN-ENGINE JET AIRCRAFT ..... Biréacteur
TWIN-ENGINE LAYOUT ..... Configuration bimoteur
TWIN-ENGINED AIRCRAFT ..... Bimoteur, biréacteur
TWIN-ENGINED JET ..... Biréacteur
TWIN-ENGINED VERSION ..... Version bi-moteur
TWIN-FIN ..... Double dérive (à), bidérive
TWIN IGNITION ..... Double allumage
TWIN-JET PLANE (aircraft) ..... Bi-réacteur
TWINJET ..... *(avion)* bi-réacteur *(biréacteur)*
TWIN-PISTON ..... Bi-moteur
TWIN-SEATER ..... Biplace
TWIN-SHAFT ..... Double corps
TWIN-SPOOL ..... Double-corps, double rotor, double bobine
TWIN SPOOL AXIAL FLOW ENGINE ..... Réacteur double corps à écoulement axial
TWIN SPOOL ENGINE ..... Réacteur à double corps
TWIN SPOOL TURBOFAN ..... Moteur double corps double-flux
TWIN SPOOL TURBOJET ..... Turboréacteur double flux, double corps
TWIN-TAIL SURFACES ..... Double dérive *(verticale)*, empennage bidérive
TWIN TURBINE (helicopter) ..... Biturbine *(hélicoptère)*
TWIN-TURBOPROP ..... Biturbopropulseur
TWIN-TURBOPROP TRANSPORT ..... Biturbopropulseur de transport
TWIN VERTICAL TAILS ..... Dérives verticales, double dérive, empennage bidérive
TWIN WHEELS ..... *(roues en)* diabolo, jumelées
TWIN WIRE ..... Fil torsadé
TWINE ..... Ficelle
TWINE (to) ..... Tordre, (en)tortiller, entrelacer, enrouler, torsader
TWINKLE (to) ..... Clignoter, scintiller
TWIRL ..... Tournoiement, volute *(de fumée)*, spire
TWIRL (to) ..... Tournoyer, pirouetter
TWIST ..... Cordon, spire, boudin, torsion, gauchissement, gondolage, vrillage
TWIST DRILL ..... Foret hélicoïdal
TWIST GRIP ..... Poignée tournante
TWISTED ..... Tordu, vrillé, entortillé
TWISTED WIRES ..... Fils torsadés
TWISTING ..... Vrillage, torsion
TWISTING LOAD ..... Charge de torsion
TWO ..... Deux

TWO-AISLE .... A double allée
TWO-BLADE ROTOR .... Biturbine
TWO-BLADED PROPELLER (two-blade airscrew) .... Hélice bipale
TWO-CREWMEMBER COCKPIT .... Cockpit à deux PNT
TWO-GYRO PLATFORM .... Plate-forme bigyroscopique
TWO-LIP DRILL .... Foret à 2 lèvres
TWO-MAN CREW (two-man cockpit) .... Équipage PNT à 2 membres
TWO-PHASE .... Biphasé, diphasé
TWO-PHASE MOTOR .... Moteur diphasé
TWO-PILOT CREW (aircraft) .... Équipage à 2 *(avion)*
TWO-PIN .... A deux broches
TWO-PLY .... A deux brins, à deux épaisseurs
TWO-POLE .... Bipolaire
TWO-POSITION .... A 2 positions
TWO-SEAT AIRCRAFT .... Avion biplace
TWO-SEAT VERSION .... Version biplace
TWO-SEATER .... *(avion)* biplace
TWO-SEGMENT FLAPS .... Volets à 2 éléments
TWO-SEGMENT TRAILING EDGE FLAPS (track-mounted) .... Volets BF hypersustentateurs à 2 éléments mobiles *(2 fentes)*
TWO-SHAFT TURBOFAN .... Moteur double corps
TWO SHOT SYSTEM .... Circuit à deux coups
TWO-SPAR .... Bi-longeron
TWO-SPEED .... A 2 vitesses
TWO-SPOOL .... Double corps
TWO-STAGE .... A 2 étages
TWO-STAGE COMPRESSOR .... Compresseur à deux étages
TWO-STAGE SHOCK ABSORBER .... Amortisseur à double effet
TWO STEP RELAY .... Relais à double effet
TWO-STROKE .... A deux temps
TWO-STROKE ENGINE .... Moteur à 2 temps
TWO-TONE CHIME .... Carillon à 2 tons
TWO-WAY .... A 2 voies, à 2 canaux, à 2 directions
TWO-WAY AMPLIFIER .... Amplificateur à 2 canaux
TWO-WAY CYLINDER .... Vérin à double effet
TWO-WAY RADIO .... Ensemble émetteur-récepteur
TWO-WAY RADIO COMMUNICATION .... Communication radio bilatérale
TWO-WAY RESTRICTOR .... Restricteur double sens
TWO-WAY VALVE .... Valve à deux voies
TWO-WIRE .... A deux fils, bifilaire
TWO-WIRE CIRCUIT .... Circuit à deux conducteurs isolés
TWO-WIRE SYSTEM .... Circuit bifilaire
TWOFOLD .... *(cordage)* à deux brins

TYPE .... Type, modèle, version
TYPE APPROVAL .... Homologation
TYPE CERTIFICATION .... Cerfification
TYPE OF AIRCRAFT .... Type d'avion, d'aéronef
TYPE OF FLIGHT .... Nature du vol
TYPE RATING .... Qualification de type
TYPE TEST .... Essai d'homologation
TYPEWRITER .... Machine à écrire
TYPHOON .... Typhon
TYPICAL PAYLOAD .... Charge marchande type
TYRE (tire) .... Pneu, pneumatique ; bandage, cercle *(de roue)*
TYRE CREEP(ING) .... Vieillissement du pneu
TYRE-GAUGE .... Manomètre *(pneu)*
TYRE-INFLATOR .... Gonfleur, pompe
TYRE-LEVER .... Démonte-pneus
TYRE PRESSURE .... Pression de pneu, pression de gonflage
TYRE PRESSURE GAUGE .... Contrôleur de pression pneu
TYRE WALL .... Flanc de pneu

U

U-BOLT .... Boulon en U, étrier
U-IRON .... Fer en U
U-SECTION .... Profilé en U *(tôle pliée)*
U-SHAPED BRACKET .... Support en forme de U
U-TUBE .... Tube en U
UHF AERIAL .... Antenne UHF
UHF TRANSCEIVER .... Émetteur-récepteur de bord UHF
UIR=UPPER INFORMATION REGION .... Région supérieure d'information de vol
ULTIMATE LIFE .... Seuil limite, durée de vie autorisée
ULTIMATE LOAD .... Charge de rupture, extrême, limite
ULTIMATE STRENGTH .... Résistance, limite, charge de rupture
ULTRA HIGH FREQUENCY (UHF) .... Ultra haute fréquence
ULTRA LIGHT ALLOYS .... Alliages ultra légers
ULTRA LIGHT MOTORISED (ULM) .... Ultra léger motorisé, avionnette
ULTRALIGHT GLIDER .... Planeur ultra léger
ULTRA SHORT TAKE OFF AND LANDING (USTOL) .... Avion à décollage et atterrissage très courts
ULTRA SHORT WAVE (USW) .... Onde ultra-courte
ULTRASONIC .... Ultrasonique, ultrasonore
ULTRASONIC CLEANING .... Nettoyage aux ultrasons
ULTRASONIC FLOWMETER .... Débitmètre à ultrasons
ULTRASONIC INSPECTION .... Inspection aux ultrasons
ULTRASONIC SPEED .... Vitesse ultrasonique
ULTRASONIC WELDING .... Soudage aux ultrasons
ULTRA-SONICALLY CLEANING .... Nettoyage aux ultrasons
ULTRA-VIOLET .... Ultra-violet
ULTRA-VIOLET LAMP .... Lampe à rayons UV, lampe, projecteur UV
ULTRA-VIOLET LIGHT .... Lumière ultra-violette, lumière de Wood, lumière noire
ULTRA-VIOLET RADIATION .... Rayonnement ultra-violet
ULTRAVIOLET SPECTRUM .... Spectre ultra-violet
UMBILICAL CABLE (cord) .... Câble ombilical *(cordon)*
UMBILICAL CONNECTOR .... Prise ombilicale
UMBILICAL MAST (tower) .... Mât ombilical *(aire de lancement fusée)*
UMBRELLA AERIAL .... Antenne en parapluie
UNABLE .... Incapable
UNACCELERATED FLIGHT .... Vol non accéléré
UNACCOMPAGNIED BAGGAGE .... Bagages non accompagnés
UNAFFECTED .... Inaltérable, inattaquable
UNAFFECTED BY AIR .... Inaltérable à l'air

UNALLOYED .... Métal pur, sans alliage
UNANNEALED .... Non recuit
UNATTENDED .... Sans surveillance
UNAVAILABLE .... Non disponible, épuisé
UNBALANCE .... Balourd, déséquilibre
UNBALANCE (to) .... Déséquilibrer
UNBALANCED .... Déséquilibré, non-équilibré, désaxé, asymétrique
UNBALANCED OUTPUT .... Sortie dissymétrique
UNBALANCING .... Excentrage
UNBALLASTING .... Délestage
UNBEND (to) .... Détendre, débander, redresser, larguer *(un câble)*, déplier, défreiner *(rondelle frein)*
UNBENDING .... Inflexible, raide
UNBLOCK (to) .... Dégager, décaler
UNBOLT (to) .... Déboulonner
UNBREAKABLE .... Incassable
UNBROKEN .... Non cassé, intact
UNBURNED .... Non brûlé, imbrûlé
UNBURNED FUEL .... Carburant imbrûlé
UNCAP (to) .... Déboucher, enlever le capuchon, décalotter
UNCHANGED .... Inchangé
UNCHECKED .... Non vérifié, non enregistré
UNCLAIMED BAGGAGE .... Bagages non retirés
UNCLIP (to) .... Dégrafer
UNCLUTCH (to) .... Débrayer
UNCOIL (to) .... (se) dérouler, débobiner
UNCOMFORTABLE .... Inconfortable
UNCONTROLLABLE .... Incontrôlable, fou
UNCONTROLLED AIRCRAFT .... Avion incontrôlé
UNCONTROLLED AIRSPACE .... Espace aérien non contrôlé
UNCONVENTIONAL .... Original
UNCOOLED .... Non refroidi
UNCOUPLE (to) .... Débrayer, désaccoupler, découpler, débrancher
UNCOUPLED .... Désaccouplé
UNCOUPLING .... Découplage, désaccouplement
UNCOVER (to) .... Découvrir, mettre à découvert, dégarnir
UNCOWLING .... Décapotage
UNCRIMP (to) .... Dessertir
UNCTUOUS .... Onctueux, huileux
UNCURED .... Non polymérisé, non séché
UNCUT .... Non taillé
UNDAMAGED .... Non endommagé, non abîmé, en état
UNDAMPED .... Non amorti
UNDEFORMED AREA .... Zone non déformée
UNDELIVERED .... Non livré

UNDER .... Sous, au-dessous de, inférieur
UNDER LICENSE .... Sous licence
UNDER PRESSURE .... Sous-pression
UNDER REPAIR .... En réparation
UNDER TEMPERATURE SENSING ELEMENT .... Détecteur de sous-température
UNDER VACUUM .... Sous vide
UNDERBANK (to) .... Virer à plat
UNDERCARRIAGE .... Train d'atterrissage, atterrisseur
UNDERCARRIAGE DOOR .... Trappe, porte de train
UNDERCARRIAGE LEG STRUT .... Amortisseur de train
UNDERCARRIAGE RETRACTION .... Relevage train
UNDERCARRIAGE SELECTOR .... Sélecteur commande de train
UNDERCARRIAGE STRUT .... Jambe de train
UNDERCOAT(ING) .... Sous-couche, couche de fond, d'apprêt
UNDERCOWL AREA .... Partie inférieure du capot
UNDERCUT(ING) .... Gorge, échancrure, décolletage, dégagement
UNDERCUT RELIEF .... Gorge de dégagement
UNDEREQUIPPED .... Sous-équipé
UNDEREXCITED .... Sous-excité
UNDERFEED (to) .... Sous-alimenter
UNDERFLUSH (to be) .... Être en retrait
UNDER-FREQUENCY .... Sous-fréquence
UNDERGO TESTS (to) .... Subir des essais, des épreuves
UNDERGROUND .... Sous terre, souterrain
UNDERGROUND TEST (nuclear explosion) .... Essai souterrain *(explosion nucléaire)*
UNDERLIE (to) .... Être sous, au-dessous de, à la base de
UNDERLYING SURFACE .... Surface sous-jacente, de dessous
UNDERPOWERED .... Sous-motorisé
UNDERPRESSURE .... Dépression, sous-pression
UNDERPRESSURE SENSING ELEMENT .... Détecteur de sous-pression
UNDERPRESSURE VALVE .... Clapet de dépression
UNDERPRESSURED .... Non pressurisé
UNDERSHOOT .... Sous-tension
UNDERSHOOT (to) .... Atterrir trop court
UNDERSHOOT AREA .... Prolongement de la piste amont
UNDERSHOOT LANDING (undershooting) .... Atterrissage trop court
UNDERSIDE .... Coté, face inférieure
UNDERSIZE .... Cote inférieure, minorée, sous-dimensionnée, sous-cote
UNDERSIZED .... Sous-dimensionné
UNDERSLUNG LOADS .... Charges extérieures
UNDERSLUNG POD .... Nacelle sous voilure
UNDERSPEED .... Vitesse inférieure, sous-vitesse

UNDERSPEED PROTECTION .... Protection sous-vitesse
UNDERSTRUCTURE .... Châssis
UNDERSURFACE (under surface) .... Intrados
UNDERVOLTAGE .... Sous-tension
UNDERWATER LOCATOR BEACON .... Radio-balise sous-marine de détresse
UNDERWING .... Intrados
UNDERWING FUEL TANKS Réservoirs supplémentaires *(extérieurs intrados)*
UNDERWING FUELLING .... Remplissage sous pression
UNDERWING LOADS .... Charges extérieures
UNDERWING PYLON .... Mât d'intrados
UNDILUTED .... Non dilué, non miscible
UNDIRECTIONAL CONDUCTIVITY .... Conductibilité unilatérale
UNDULATE (to) .... Onduler, ondoyer
UNDULATOR .... Ondulateur
UNDULY .... A l'excès
UNDUMPABLE FUEL .... Carburant non largable
UNEMPLOYED .... Sans emploi, sans travail, chômeur, en chômage
UNEMPLOYMENT .... Chômage
UNEQUIPPED .... Nu
UNEVEN .... Inégal, rugueux, irrégulier
UNEVEN BURNING .... Combustion irrégulière *(= points chauds)*
UNEXCITED .... Non excité
UNEXPECTED .... Intempestif, imprévu, inopiné
UNFASTEN (to) .... Détacher, défaire, ouvrir, libérer, déverrouiller
UNFASTEN CLAMP (to) .... Ouvrir le collier
UNFEATHERING .... Dévirage
UNFED .... Non alimenté
UNFILTERED .... Non filtré
UNFINISHED .... Inachevé
UNFITTED .... Non équipé
UNFLANGED .... Sans épaulement, sans collerette
UNFOLD (to) .... Déplier, dérouler, déployer
UNFREEZE (to) .... Dégeler, débloquer
UNGEAR (to) .... Désengrener
UNGLAZED .... Sans vitres, non vitré ; non glacé, non lustré
UNGLAZED PAPER .... Papier mat
UNGUARDED POSITION .... Position non protégée
UNGUIDED ROCKET .... Fusée non pilotée
UNHOOK (to) .... Décrocher, dégrafer, décrocheter
UNIDENTIFIED .... Non identifié
UNIDENTIFIED FLYING OBJECT (UFO) .... OVNI *(objet volant non identifié)*, soucoupe volante

UNIDIRECTIONAL .... Unidirectionnel, unilatéral, *(courant)* continu, redressé
UNIFIED .... Unifié
UNIFILAR .... Unifilaire
UNIFORM .... Uniforme, homogène, constant
UNIFORM (to) .... Uniformiser
UNIFORM COAT .... Couche uniforme, régulière
UNIFORM LOAD .... Charge uniforme
UNIFORM TEMPERATURE .... Température constante
UNIFORMITY .... Uniformité
UNIJUNCTION TRANSISTOR .... Transistor à jonction unique
UNILATERAL .... Unidirectionnel, unilatéral
UNINFLAMMABLE .... Ininflammable
UNINFLATED .... Dégonflé
UNION .... Raccord droit, universel, mamelon, raccordement ; soudure, collage ; syndicat
UNION NUT .... Raccord fileté, écrou d'assemblage, de liaison, écrou raccord
UNION RING .... Couronne de liaison
UNIPOLAR .... Unipolaire, à plot central, monopolaire
UNIT .... Unité, élément, groupe, bloc, dispositif, module, ensemble, boîtier, installation, atelier de traitement
UNIT FLYING HOURS .... Temps de vol des équipements
UNIT OF ENERGY .... Unité d'énergie, de travail
UNIT OF HEAT .... Unité de chaleur
UNIT OF POWER .... Unité de puissance
UNIT OF PRESSURE .... Unité de pression
UNIT OF TIME .... Unité de temps
UNIT OF VELOCITY .... Unité de vitesse
UNIT OF WORK .... Unité de travail
UNIT OPERATING COST .... Coût unitaire d'exploitation
UNIT PRICE .... Prix unitaire
UNIT THRUST .... Poussée unitaire
UNITY .... Unité
UNIVERSAL .... Universel ; cardan
UNIVERSAL BLOCK .... Cardan
UNIVERSAL ELBOW .... Raccord universel, orientable
UNIVERSAL GRAVITATION .... Gravitation universelle *(Kepler)*
UNIVERSAL-HAND DOLLY .... Tas universel
UNIVERSAL HEAD .... Tête universelle
UNIVERSAL JOINT .... Articulation, joint à cardan, universel, raccord universel, prise de mouvement
UNIVERSAL JOINT-GIMBAL .... Rotule
UNIVERSAL LINK .... Joint universel

UNIVERSAL MILLING MACHINE .... Fraiseuse universelle
UNIVERSAL SHAFT .... Cardan
UNKNOT (to) .... Dénouer
UNLADING .... Déchargement
UNLATCH (to) .... Déverrouiller, effacer, libérer la butée, décrocher, déloqueter
UNLEADED FUEL .... Carburant sans plomb
UNLESS .... Sauf, excepté
UNLIMITED SERVICE LIFE .... Vie illimitée
UNLOAD (to) .... Décharger, soulager
UNLOADER .... Déchargeur
UNLOADING .... Décharge, déchargement, mise à vide, débarquement
UNLOADING OPERATION Opération de débarquement, de déchargement
UNLOADING POINT .... Point de déchargement
UNLOADING VALVE .... Clapet de décharge, détendeur
UNLOCK (to) .... Déverrouiller, débloquer, desserrer, ouvrir, décrocher, défreiner
UNLOCK ROD .... Biellette de déverrouillage
UNLOCK ROLLER .... Galet de déverrouillage
UNLOCK TOOL .... Défreinoir
UNLOCKING .... Déverrouillage, déblocage
UNLOCKING CYLINDER .... Vérin de déverrouillage
UNLOCKING HANDLE .... Poignée de déverrouillage
UNMACHINED .... Brut, non usiné
UNMANAGEABLE .... Difficile à manier, à manœuvrer
UNMANNED .... Non habité, non piloté, automatique
UNMANNED VEHICLE .... Engin téléguidé
UNMEASURED .... Non mesuré
UNMODULATED .... Non modulé
UNOBSTRUCTED .... Non obstrué, dégagé
UNPACK (to) .... Déballer, dépaqueter, décomprimer, dégrouper
UNPACKED .... Déballé, non emballé
UNPAINTED .... Non peint
UNPAVED STRIP .... Piste rustique
UNPIN (to) .... Dégoupiller
UNPLASTICIZED .... Non plastifié
UNPLATED .... Non plaqué
UNPLUG (to) .... Déboucher, enlever le bouchon, débrancher
UNPOLISH (to) .... Dépolir
UNPREPARED STRIP (runway) .... Piste non préparée *(terrain)*
UNPRESSURIZED AREA .... Zone non pressurisée
UNPRIMING (of a pump) .... Désamorçage *(d'une pompe)*
UNPRINTED .... Non imprimé

UNPROFITABLE ROUTE .... Ligne déficitaire
UNPROTECTED .... Non protégé
UNPUBLISHED ROUTE .... Route non publiée
UNQUENCHED .... Non éteint
UNRAVEL (to) .... Effiler, effilocher, débrouiller, démêler
UNRECORDED .... Non enregistré
UNREFINED .... Non raffiné, brut
UNREFUELED .... Non ravitaillé
UNREFUELED RANGE .... Rayon d'action sans ravitaillement
UNREGISTERED .... Non enregistré, non inscrit
UNREGULATED .... Non régulé
UNREPORTED .... Non signalé
UNRESERVED (seats) .... Non réservé *(places)*
UNRESPONSIVE ENGINE .... Moteur peu sensible, mou, plat
UNRIVET (to) .... Dériver, dériveter
UNROLL (to) .... Dérouler
UNSAFE .... Dangereux
UNSAFE CONDITION .... État, condition d'insécurité
UNSAFE GEAR .... Train non verrouillé
UNSAFE LANDING .... Condition dangereuse d'atterrissage
UNSAFE TAKEOFF .... Condition, configuration de décollage dangereuse
UNSAFETY (to) .... Défreiner
UNSATISFACTORY START .... Démarrage manqué
UNSCHEDULED .... Non planifié, non prévu, non régulier
UNSCHEDULED AIRLINE .... Compagnie non-régulière
UNSCHEDULED ENGINE REMOVAL .... Dépose moteur prématurée *(suite incident)*
UNSCHEDULED FLIGHT .... Vol non régulier
UNSCHEDULED FUEL TRANSFER ... Transfert intempestif de carburant
UNSCHEDULED MAINTENANCE .... Maintenance corrective
UNSCHEDULED REMOVAL ... Démontage non planifié, non programmé
UNSCREENED .... Exposé, sans écran, non blindé
UNSCREW (to) .... Dévisser
UNSEAL (to) .... Déplomber
UNSEAT (to) .... Décoller *(du siège)*
UNSERVICEABLE .... Inutilisable, hors service (HS), hors d'usage
UNSERVICEABLE PARTS .... Pièces, organes hors d'usage, inutilisables
UNSEW (to) .... Découdre
UNSHACKLE (to) .... Démaniller
UNSHRINKABLE .... Irrétrécissable
UNSHROUDED BLADES .... Ailettes à extrémités libres
UNSKILFUL LANDING .... Atterrissage manqué
UNSKILLED .... Inexpérimenté, non spécialisé

UNSKILLED MANPOWER .... Main-d'œuvre non qualifiée
UNSLAVE (to) .... Annuler un asservissement
UNSLING (to) .... Décrocher *(l'élingue)*
UNSOLDER (to) .... Dessouder
UNSPRUNG .... Non suspendu
UNSTABLE .... Instable, déséquilibré
UNSTABLE BALANCE .... Équilibre instable
UNSTALL (to) .... Rattraper le décrochage
UNSTEADINESS .... Instabilité
UNSTEADY .... Peu stable, instable, peu solide, peu assuré, irrégulier, instationnaire
UNSTEADY FLOW .... Écoulement instationnaire
UNSTICK AT .... Décollé à
UNSTICK (to) .... Décoller *(quelque chose)*, dégommer
UNSTICK DISTANCE .... Distance de décollage
UNSTICK SPEED .... Vitesse au lever des roues, de décollage
UNSTOP (to) .... Déboucher, dégorger
UNSTRAP (to) .... Dessangler, déboucler
UNSTRESSED .... Non-travaillant
UNSUPPORTED .... Sans support, sans appui
UNTEMPER (to) .... Détremper
UNTEMPERED .... Non trempé
UNTESTED .... Non essayé, non éprouvé
UNTIE (to) .... Dénouer, défaire, délier, détacher
UNTIGHTEN (to) .... Desserrer
UNTIL CONTACT .... Jusqu'au contact
UNTIMELY .... Intempestif
UNTRAITED .... Non traité
UNTUNED .... Non accordé, apériodique
UNTWIST (to) .... Détordre, détortiller, dévriller, dénouer, défaire
UNUSABLE .... Inutilisable
UNVARNISHED .... Non verni
UNWARRANTED .... Non garanti
UNWIND (to) .... Dérouler, débobiner, dévider
UNWRAP (to) .... Défaire
UNYIELDING GRIP .... Prise indesserrable
UP .... Vers le haut, haut
UP GUST .... Rafale dirigée vers le haut
UP MOTION .... Mouvement de montée, ascendant
UP POSITION .... Position haute
UP-STROKE .... Course ascendante *(piston)*
UP-TO-DATE .... Moderne, à la page, récent, dernier cri
UP-TO-DATE AIRLINE FLEET .... Flotte moderne
UPDATE .... Recalage, correction, compensation, remise à jour
UPDATE (to) .... Ajourner, reporter, tenir, mettre à jour, réviser

UPDATE SYSTEM .... Dispositif de recalage
UPDATED .... A jour, surdaté, révisé, dernier cara, dernier cri
UPDATED PAGES .... Pages mises à jour
UPDATING .... Modernisation, remise à jour, révision, recalage
UPDRAUGHT (GB) (updraft) (US) ...... Courant ascendant, ascendance
UPGRADE .... Évolué, supérieur, perfectionnement, progrès
UPGRADE (to) .... Modifier, faire évoluer, faire passer dans une catégorie supérieure
UPGRADING (upgrade) .... Modification, surclassement
UPHOLD (to) .... Soutenir, supporter, maintenir
UPHOLSTERING .... Habillage, revêtement *(habillage)*
UPHOLSTERY .... Garniture, capitonnage, rembourrage
UPKEEP .... Entretien *(frais d')*
UPKEEP COST .... Coût d'entretien
UPLATCH .... Verrouillage haut, en position rentrée
UPLATCH CHECK .... Vérification de verrouillage train rentré
UPLATCH DETENT .... Cran du verrou
UPLATCH LEVER .... Levier de verrouillage train rentré
UPLIFT .... Soulèvement, élévation ; le plein
UPLIFT (to) .... Soulever, élever ; embarquer
UPLIFT FUEL .... Carburant d'appoint
UPLINK .... Liaison montante
UPLOCK .... Verrouillage haut *(train)*, verrouillage train rentré
UPLOCK MECHANICAL RELEASE HANDLE .... Poignée de déverrouillage mécanique train rentré
UPON (on) .... Sur
UPPER .... Supérieur
UPPER AIR CHART .... Carte en altitude
UPPER AIR DATA .... Données aérologiques en altitude
UPPER AIR FORECAST .... Prévisions en altitude
UPPER-AIR TEMPERATURE .... Température en altitude
UPPER CHORD .... Semelle supérieure *(longeron)*
UPPER CONTROL AREA .... Région supérieure de contrôle
UPPER DECK .... Pont supérieur
UPPER DECK ESCAPE SLIDE .... Manche d'évacuation pont supérieur (B 747)
UPPER DRAG STRUT .... Contrefiche supérieure *(train)*
UPPER FLIGHT INFORMATION .... Information dans l'espace supérieur
UPPER FLIGHT INFORMATION CENTER (UIC) .... Centre supérieur d'information de (en) vol
UPPER FLIGHT INFORMATION REGION (UIR) ...... Région supérieure d'information de (en) vol
UPPER EQUIPMENT PANEL .... Panneau d'équipements supérieur
UPPER LIP .... Lèvre supérieure
UPPER PART .... Partie supérieure

UPPER SIDE STRUT .... Contrefiche latérale supérieure *(train)*
UPPER SKIN .... Revêtement extrados
UPPER SURFACE .... Extrados
UPPER SURFACE BLOWING (USB) .... Soufflage de l'extrados de la voilure
UPPER SURFACE BLOWING (USB) TRAILING EDGE FLAP .... *(avion)* à voilure soufflée par les réacteurs
UPPER TORQUE BOX .... Caisson supérieur de torsion *(stabilo)*
UPPER WIND .... Vent en altitude
UPPER WIND REPORT .... Message aérologique
UPPER WING .... Aile haute
UPRATED ENGINE .... Moteur à puissance, à poussée augmentée, moteur gonflé
UPRIGHT .... Vertical, perpendiculaire, droit, debout, d'aplomb ; montant
UPRIGHT POSITION .... Position droite *(verticale)*
UPSET .... Renversement, désordre ; bourrelet, inclinaison ; perte de contrôle
UPSET (to) .... Renverser, culbuter, troubler, refouler
UPSETTING .... Refoulage de métal, refoulement
UPSTAIRS .... En haut *(de l'escalier)*
UPSTOP .... Butée haute, supérieure
UPSTREAM .... (en) amont
UPSTROKE .... Course ascendante du piston
UPTILT (to) .... Incliner vers le haut
UPWARD GRADIENT .... Rampe, montée
UPWARD MOTION .... Mouvement ascendant
UPWARD VISION .... Visibilité vers le haut
UPWARDS .... Vers le haut, en montant
UPWASH .... Décollement des filets d'air, déflexion vers le haut
UPWIND .... Contre le vent, vent debout
URGENCY .... Urgence
USABLE .... Utilisable
USABLE DISTANCE .... Distance utile, utilisable
USABLE FUEL .... Carburant utilisable
USAGE .... Usage, emploi, utilisation, épuisement
USE .... Emploi, usage, utilisation, utilité, coutume, habitude
USE (to) .... Employer, (se) servir, utiliser
USE SPECIAL CARE (to) .... Faire spécialement attention à
USED AIRCRAFT .... Avion usagé, d'occasion
USED ON .... Utilisé sur
USED WITH .... Utilisé avec
USEFUL .... Utile, pratique, disponible
USEFUL LIFE .... Durée de vie utile
USEFUL LOAD .... Charge utile

USEFUL POWER .... Puissance utile, disponible
USER .... Usager, utilisateur
USING .... (en) utilisant
UTILITY .... Utilité, utilitaire, de servitude, à usage général
UTILITY HELICOPTER .... Hélicoptère utilitaire
UTILITY PRESSURE .... Pression principale
UTILITY HYDRAULIC RESERVOIR .... Bâche hydraulique principale
UTILITY HYDRAULIC SYSTEM .... Circuit hydraulique principal
UTILITY LIGHT .... Liseuse
UTILITY OUTLET .... Prise de courant
UTILITY PRESSURE .... Pression principale
UTILITY RESERVOIR (hydraulic fluid) .... Réservoir principal
UTILITY SYSTEM .... Circuit principal
UTILIZATION .... Utilisation, exploitation
UTILIZATION FLEXIBILITY .... Souplesse d'utilisation
UTILIZE (to) .... Utiliser, se servir
UUF (uuf) .... Picofarad (pf)

V

V-BAND CLAMP .... Collier marman
V-BAND COUPLING .... Collier serreflex
V-BELT .... Courroie trapézoïdale
V-BLOCK .... Vé
V-ENGINE .... Moteur en V
V-GEAR .... Engrenage à chevrons
V-HOLDER .... Support en V, porte-barre en V
V-POINTER .... Aiguille en V
V-PULLEY .... Poulie à gorge pour courroie trapézoïdale
V-SECTION .... Profilé en V *(tôle pliée)*
V-SHAPED .... En forme de V
V-TAIL .... Empennage en V, en papillon, dérives inclinées
V-TYPE ENGINE .... Moteur à cylindre en V
VACANCY .... Vacance, poste disponible *(emploi)*
VACANT .... Vacant, libre
VACATE (to) .... Quitter, évacuer, démissionner, libérer *(un niveau de vol)*
VACUUM .... Vide, dépression
VACUUM BAG .... Poche à vide, tapis à dépression
VACUUM BRAKE .... Frein à vide
VACUUM CELL .... Cellule à vide
VACUUM CHAMBER .... Cloche à vide, enceinte à vide
VACUUM CLEAN (to) .... Dépoussiérer, passer à l'aspirateur, aspirer
VACUUM CLEANER .... Aspirateur
VACUUM FAN .... Ventilateur aspirant
VACUUM FURNACE .... Four sous vide
VACUUM GAUGE .... Indicateur de vide, dépressiomètre, manomètre à dépression, à vide, vacuomètre
VACUUM LAMP .... Lampe à vide
VACUUM METER .... Indicateur de vide *(manométrique)*, vacuomètre
VACUUM PACKED .... Emballé sous vide
VACUUM PUMP .... Pompe à vide, à dépression
VACUUM REGULATOR .... Régulateur de dépression
VACUUM RELAY .... Relais sous vide
VACUUM RELIEF VALVE .... Clapet de dépression, soupape de décompression
VACUUM SOURCE .... Source de dépression, banc à dépression, prise de dépression
VACUUM TUBE .... Tube à vide, tube électronique
VACUUM TUBE RECTIFIER .... Redresseur à vide poussé

VACUUM TUBE VOLTMETER .... Voltmètre à lampe
VACUUM VALVE .... Lampe à vide, électronique
VACUUM WELDING .... Soudure sous vide
VALID .... Valable, régulier, valide
VALIDATE (to) .... Valider
VALIDIFY (to) .... Vérifier la validité
VALISE .... Sac de voyage
VALLEY POINT .... Minimum *(courbe)*
VALUABLES LOCKER .... Coffre à valeurs
VALUE .... Valeur, grandeur
VALUE (to) .... Évaluer, estimer
VALUE-ADDED TAX (VAT) .... Taxe à la valeur ajoutée (TVA)
VALVE .... Soupape, clapet, valve, robinet, vanne, distributeur ; valve *(lampe),* lampe radio-électrique, électronique, tube électronique, redresseur, diode
VALVE AMPLIFIER .... Amplificateur à lampe
VALVE BASE .... Culot de lampe
VALVE BODY .... Corps de valve
VALVE BOX (case, chest) .... Boîte à clapets
VALVE CAP .... Capuchon, chapeau *(de valve)*
VALVE CHAMBER .... Chambre de distribution
VALVE CORE .... Boisseau, obus de valve
VALVE GALVANOMETER .... Galvanomètre à lampe
VALVE GEAR .... Distribution, commande de soupape
VALVE GRINDING .... Rodage de soupape
VALVE-GUIDE .... Guide de soupape
VALVE-HEAD .... Tête de soupape
VALVE HOLDER .... Douille, support de lampe
VALVE IS SET TO RELIEVE .... Le clapet est taré pour s'ouvrir
VALVE-LIFTER .... Décompresseur
VALVE-NEEDLE .... Pointeau
VALVE PIN .... Goupille de valve
VALVE PLATE .... Glace, plateau de distribution
VALVE POSITION LIGHT .... Voyant position vanne
VALVE RATING .... Calibre d'une valve
VALVE-ROCKER .... Culbuteur, basculeur de soupape
VALVE ROCKER SHANK .... Tige de culbuteur
VALVE ROD .... Tige, bielle de clapet
VALVE SEAT .... Siège du clapet, de soupape
VALVE SPRING .... Ressort de soupape
VALVE STEM .... Tige, queue de soupape ; tiroir
VALVE TAPPET .... Poussoir de soupape
VALVE TIMING .... Réglage de la distribution, des soupapes
VALVE VOLTMETER .... Voltmètre à lampes, voltmètre thermoïnique
VALVE WATTMETER .... Wattmètre à lampes

VAN .... Fourgon, wagon, camionnette
VANADIUM .... Vanadium
VANE .... Girouette, moulinet, turbine, aubage, aube fixe, ailette, pale, palette, vanne, déflecteur de volet
VANE-ANEMOMETER .... Anémomètre à moulinet
VANE PUMP .... Pompe à palettes
VANE TIP .... Extrémité d'aube, d'ailette
VANE-TYPE PUMP .... Pompe à palettes
VANITY CABINET .... Armoire
VAPOR .... Vapeur *(autre que vapeur d'eau)*
VAPOR BARRIER .... Joint anti-vapeur
VAPOR BLAST(ING) .... Sablage humide, sablage liquide
VAPOR DEGREASE (to) .... Dégraisser à la vapeur *(trichlo)*
VAPOR DEGREASING .... Dégraissage à la vapeur, au solvant en phase vapeur, aux vapeurs de solvants
VAPOR FREE FUEL .... Carburant dégazé
VAPOR LOCK .... Bouchon, poche de gaz, blocage par les gaz
VAPOR PHASE INHIBITOR (VPI) PAPER .... Papier protecteur anti-corrosion et anti-humidité *(stockage pièces)*, papier anti-rouille
VAPOR PROOF .... Étanche au gaz
VAPOR RELIEF .... Dégazage
VAPOR RELIEF VALVE .... Clapet de dégazage, dégazeur
VAPORIZATION .... Vaporisation, pulvérisation, carburation
VAPORIZE (to) .... Vaporiser, gazéifier, pulvériser, carburer
VAPORIZER .... Vaporisateur, pulvérisateur, atomiseur
VAPORIZING BURNER .... Injecteur de vaporisation
VAPOROUS .... Vaporeux
VAPOUR .... Vapeur, buée
VAPOUR BLAST .... Sablage humide
VAPOUR LINE (vent) .... Reniflard
VAPOUR LOCK .... Bouchon de gaz, poche de vapeur
VAPOURIZE (to) .... Vaporiser, pulvériser
VARHOUR .... Varheure
VARIABLE .... Variable, changeant, réglable
VARIABLE AREA .... Section variable
VARIABLE BYPASS VALVE (VBV) (variable bleed valve) .... Vanne de décharge
VARIABLE CAPACITOR .... Condensateur, capacité variable
VARIABLE CONDENSER .... Condensateur variable
VARIABLE DELIVERY .... Débit variable
VARIABLE DELIVERY HYDRAULIC PUMP .... Pompe à capacité, à débit variable
VARIABLE DELIVERY PUMP .... Pompe à débit variable, à capacité variable

VARIABLE DISPLACEMENT .... Cylindrée variable
VARIABLE EJECTOR NOZZLE .... Tuyère à section variable
VARIABLE ELECTROSTATIC CAPACITOR .... Capacité à diélectrique variable
VARIABLE FIELD .... Champ variable
VARIABLE FLOW PUMP .... Pompe à débit variable, pompe autorégulatrice
VARIABLE GEOMETRY AIR INTAKE .... Entrée d'air à géométrie variable, entrée d'air variable, prise d'air variable
VARIABLE GEOMETRY AIRCRAFT .... Avion à flèche variable, à géométrie variable
VARIABLE GEOMETRY FIGHTER .... Chasseur à géométrie variable
VARIABLE GEOMETRY NOSE .... Nez articulé
VARIABLE GEOMETRY WING(S) .... Ailes à géométrie variable
VARIABLE INCIDENCE STABILATOR .... Stabilo à calage variable
VARIABLE INCIDENCE WINGS .... Voilure, ailes à incidence variable
VARIABLE INLET GUIDE VANES .... Aubages orientables à l'entrée du compresseur
VARIABLE PITCH .... (à) pas variable
VARIABLE-PITCH FAN .... Fan, soufflante à pas variable
VARIABLE PITCH MECHANISM .... Mécanisme à pas variable
VARIABLE-PITCH PROPELLER .... Hélice à pas variable
VARIABLE PRIMARY NOZZLE .... Tuyère primaire variable
VARIABLE RANGE BALLISTIC MISSILE (VRBM) ...... Missile balistique à portée variable
VARIABLE-REACTANCE OSCILLATOR .... Oscillateur à inductance, à réactance variable
VARIABLE RESISTANCE (resistor) .... Résistance variable, rhéostat
VARIABLE RESTRICTOR .... Restricteur variable
VARIABLE SPEED INPUT .... Vitesse d'entrée variable
VARIABLE SPEED UNIT .... Variateur de vitesse
VARIABLE STATOR VANES (VSV) .... Stator à calage variable, à incidence variable *(compresseur)*
VARIABLE SWEEP .... Flèche variable
VARIABLE TORQUE .... Couple variable
VARIANCE .... Variation
VARIATION .... Variation, fluctuation, changement, différence, écart ; déclinaison
VARIATION COMPASS .... Boussole de déclinaison
VARIATOR .... Variateur
VARIOMETER .... Variomètre, indicateur de vitesse verticale
VARIOMETRIC REGULATION .... Régulation variométrique
VARIOUS .... Varié, divers
VARISTOR .... Résistance variable
VARMETER .... Varmètre

VARNISH .... Vernis
VARNISH (to) .... Vernir
VARNISH REMOVER .... Décapant, dissolvant
VARNISHING .... Vernissage
VARY (to) .... Varier, diversifier
VARYING VOLTAGE .... Tension variable
VASELINE .... Vaseline
VASIS .... Indicateur visuel de pente d'approche (VASIS)
VAT .... Cuve
VAULT .... Voûte
VECTOR .... Vecteur
VECTOR (to) .... Diriger *(un avion)* par radio, diriger, guider un avion *(en vitesse et direction)*
VECTOR ROCKET .... Fusée de contrôle
VECTOR SUM .... Somme vectorielle
VECTOR THRUST .... Poussée vectorisée, vectorielle
VECTOR VOLTMETER .... Voltmètre vectoriel
VECTORED .... Vectorisé
VECTORED-LIFT .... Poussée vecteur, portance vectorielle
VECTORED-LIFT FIGHTER (VLF) .... Chasseur à vecteur poussée, à décollage vertical
VECTORED-LIFT THRUST .... Poussée de sustension, poussée à flux dirigé
VECTORED-THRUST .... Poussée orientable, poussée dirigée, vectorielle
VECTORED THRUST AIRCRAFT .... Appareil doté d'un réacteur à poussée orientable
VECTORED-THRUST ENGINE .... Moteur à poussée vecteur, à poussée vectorielle, orientable, à jets orientables, à buses orientables
VECTORING .... Guidage
VDF .... Radiogoniomètre
VEE .... Vé
VEE-BELT .... Courroie trapézoïdale
VEE BLOCK .... Vé, support prismatique
VEE ENGINE .... Moteur en V
VEE ROD .... Tige en V
VEE TAIL .... Empennage en V, queue papillon
VEER .... Changement de direction, virage, saute *(de vent)*
VEER (to) .... Se déporter, faire une embardée, tourner, sauter *(vent)*
VEER OFF (to) .... Dévier
VEER OFF THE RUNWAY (to) .... Sortir accidentellement de la piste
VEERING OF THE WIND .... Rotation du vent, saute de vent

VEGETABLE OIL .... Huile végétale
VEHICLE .... Véhicule, voiture, engin
VEHICLE ASSEMBLY BUILDING (VAB) .... Bâtiment d'assemblage du véhicule *(navette)*
VEINED .... Marbré
VELCRO TAPE (strap) .... Bande velcro
VELOCIMETER .... Vélocimètre, célérimètre
VELOCITY .... Vitesse, rapidité, célérité
VELOCITY COMPONENTS .... Composantes de la vitesse
VELOCITY ENERGY .... Énergie vitesse, cinétique
VELOCITY GENERATOR (detector) .... Générateur de vitesse, générateur tachymétrique
VELOCITY GRADIENT .... Gradient de vitesse
VELOCITY LANDING GEAR OPERATION (VLO) .... Vitesse max pour sortir le train
VELOCITY MAX OPERATING .... Vitesse max d'utilisation
VELOCITY NEVER EXCEED (VNE) .... Vitesse à ne pas dépasser
VELOCITY OF LIGHT ($c = 3 \times 10^5$ km/s) .... Célérité de la lumière
VELOCITY OF SOUND .... Vitesse du son
VELOCITY PICK-UP .... Prise, détecteur de vitesse
VELOCITY SENSOR .... Capteur de vitesse
VELOCITY STALL OPERATING .... Vitesse de décrochage
VELOCITY TRIANGLE .... Triangle des vitesses
VELOCITY VECTOR .... Vecteur vitesse
VENDOR .... Vendeur, fournisseur
VENEER .... Contreplaqué
VENEERING .... Placage
VENEERING-WOOD .... Bois de placage
VENT .... Trou, orifice, lumière, passage, dégagement, évent, mise à l'air libre, aération, dégazage, reniflard
VENT (to) .... Mettre à l'air libre, évacuer, décharger
VENT BOX .... Réservoir de mise à l'air libre
VENT HOLE .... Évent, trou de mise à l'air libre, purge
VENT INLET .... Entrée d'air de ventilation
VENT LINE .... Conduite, tuyauterie de mise à l'air libre
VENT MANIFOLD .... Collecteur de mise à l'air libre
VENT OUTLET .... Sortie d'air de ventilation
VENT SCOOP .... Volet de mise à l'air libre
VENT SCREW .... Vis de purge
VENT SLOT .... Fente de mise à l'air libre
VENT SURGE TANK .... Compartiment de mise à l'air libre
VENT TANK .... Réservoir de mise à l'air libre
VENT VALVE .... Robinet de mise à l'air libre, purge
VENTILATE (to) .... Aérer, ventiler, brasser
VENTILATED AREA .... Zone ventilée

VENTILATING AIR INTAKE .... Entrée, admission d'air de ventilation
VENTILATING FAN .... Ventilateur
VENTILATION (ventilating) .... Ventilation, aération, aérage, brassage *(moteur)*
VENTILATOR .... Ventilateur, manche à air, volet d'aération
VENTING .... Mise à l'air libre
VENTING CIRCUIT .... Dégazage, volet d'aération, déflecteur
VENTING PASSAGE .... Orifice de mise à l'air libre
VENTING SYSTEM .... Circuit de ventilation
VENTRAL FIN .... Dérive ventrale, quille
VENTRAL STAIRS .... Escalier ventral
VENTURI .... Venturi, diffuseur, trompe
VENTURI OUTLETS .... Sorties venturi
VENTURI SECTION .... Venturi
VENTURI TUBE .... Tube, trompe de venturi
VERIFICATION .... Vérification, contrôle
VERIFY (to) .... Vérifier, contrôler
VERNIER .... Vernier
VERNIER CALLIPER (caliper) .... Jauge micrométrique, pied à coulisse, calibre à coulisse
VERNIER MOTOR .... Moteur vernier
VERNIER PROTRACTOR .... Rapporteur d'angles
VERNIER ROCKET .... Fusée vernier
VERNIER SLEEVE .... Douille-vernier
VERSATILE .... Transformable, polyvalent
VERSATILE AIRCRAFT .... Avion polyvalent
VERSATILITY .... Polyvalence, diversité d'usages, souplesse d'emploi, d'utilisation
VERTEX .... Sommet
VERTEX ANGLE .... Angle au sommet
VERTICAL .... Vertical, d'aplomb
VERTICAL ACCELEROMETER .... Accéléromètre de vol vertical
VERTICAL-ATTITUDE TAKE-OFF .... Décollage appareil pointe vers le ciel
VERTICAL AXIS .... Axe vertical, axe de lacet
VERTICAL CLIMB .... Montée verticale
VERTICAL DESCENT RATE .... Taux de descente
VERTICAL FIN .... Dérive verticale
VERTICAL GYRO (VG) .... Gyroscope de vertical (GV), d'assiette
VERTICAL HEAD MILLING MACHINE .... Fraiseuse verticale
VERTICAL LAUNCH .... Lancement vertical
VERTICAL LIFT .... Sustentation verticale
VERTICAL MILLING MACHINE .... Fraiseuse verticale
VERTICAL MODE .... Mode vitesse verticale
VERTICAL RATE-OF-CLIMB .... Vitesse ascensionnelle

VERTICAL REFERENCE UNIT (system) .... Centrale de verticale
VERTICAL RIB .... Nervure verticale
VERTICAL SPEED .... Vitesse ascensionnelle, verticale
VERTICAL SPEED INDICATOR (VSI) .... Variomètre *(de vol)*
VERTICAL SPEED WHEEL .... Molette de vitesse verticale
VERTICAL STABILIZER .... Plan fixe vertical, stabilo vertical, dérive, empennage vertical
VERTICAL SWEEP .... Balayage vertical
VERTICAL TAIL .... Dérive, empennage vertical
VERTICAL TAKEOFF .... Décollage vertical
VERTICAL-TAKEOFF-AND-LANDING (VTOL) AIRCRAFT .... Avion à décollage et atterrissage vertical (ADAV)
VERTICAL TURN .... Virage vertical
VERTICAL WIND .... Vent, courant vertical *(descendant, ascendant)*
VERTICAL WIND SHEAR .... Cisaillement vertical du vent
VERTIPLANE .... Avion convertible
VERTIPORT .... Héliport
VERY HIGH FREQUENCY (VHF) Hyperfréquence, très haute fréquence
VERY IMPORTANT PERSON (VIP) .... Haute personnalité, personnalité très importante
VERY LOW FREQUENCY (VLF) .... Très basse fréquence
VESSEL .... Récipient, vase, bac, réservoir, vaisseau, navire
VEST .... Gilet
VFR FLIGHT (visual flight rules) .... Vol à vue, vol VFR
VHF (very high frequency) .... VHF *(très haute fréquence, hyperfréquence)* pour radiotéléphonie
VHF AERIAL (antenna) .... Antenne VHF
VHF ANTENNA THERMAL ANTI-ICING SYSTEM ... Dégivrage thermique d'antenne VHF
VHF COMMUNICATION .... Communication VHF
VHF COMMUNICATIONS TRANCEIVER .... Émetteur-récepteur de télécommunications VHF
VHF COVERAGE .... Couverture VHF, de communications VHF
VHF DIRECTION FINDER (VDF) .... Goniomètre VHF
VHF NAVIGATION RADIO .... Récepteur de navigation VHF
VHF OMNIDIRECTIONAL RADIORANGE Radiophare omnidirectionnel VHF
VHF OMNIRANGE (VOR) .... VOR, radiophare omnidirectionnel VHF
VHF RECEIVER .... Récepteur VHF
VHF TRANCEIVER .... Émetteur-récepteur VHF
VHR FLIGHT PLAN .... Plan de vol VHR
VHR NAVIGATION .... Navigation à vue
VIA CHICAGO .... Par Chicago

VIAL .... Fiole, flacon
VIBRATE (to) .... Vibrer, osciller
VIBRATING .... Vibrant, *(mouvement)* vibratoire, oscillant
VIBRATION .... Vibration, oscillation, trépidation
VIBRATION AMPLIFIER .... Amplificateur de vibration
VIBRATION DAMPER .... Amortisseur de vibration, support antivibratoire
VIBRATION DATA .... Données de vibration
VIBRATION DETECTOR .... Détecteur de vibrations
VIBRATION EFFECTS .... Effets dus aux vibrations
VIBRATION INDICATOR .... Indicateur de vibration
VIBRATION ISOLATING MOUNT .... Point d'attache anti-vibration
VIBRATION MONITOR TEST BUTTON .... Poussoir d'essai du détecteur de vibrations
VIBRATION PICK-UP .... Capteur, détecteur de vibration
VIBRATION TEST(ING) .... Essai de vibrations
VIBRATOR .... Vibrateur, trembleur, oscillateur, vibreur, relais modulateur
VIBRATOR ISOLATOR .... Isolateur de vibration
VIBRATORY FREQUENCY .... Fréquence vibratoire
VIBRATORY STRESS(ES) .... Contrainte(s) vibratoire(s)
VIBRO-ENGRAVE (to) .... Vibro-graver
VIBRO-ETCH (to) .... Vibro-graver, graver au crayon électrique, au crayon graveur
VIBRO-ETCHER .... Vibro-graveur
VIBRO-ETCHING .... Vibro-gravure
VICE (vise) .... Étau
VICE CLAMPS .... Mordaches
VICINITY .... Voisinage, proximité, alentours, abords
VICINITY (to be in the) .... Approcher, avoisiner
VICKERS HARDNESS MACHINE .... Machine de contrôle de dureté Vickers
VICTUAL (to) .... Approvisionner, ravitailler
VIDEO-AMPLIFIER .... Ampli-vidéo
VIDEO CHANNEL .... Canal vidéo
VIDEO DISPLAY .... Écran vidéo
VIDEO DISPLAY TERMINAL (VDT) .... Terminal de visualisation vidéo
VIDEO EXTRACTOR .... Extracteur de signaux vidéo
VIDEO FREQUENCY (VF) .... Fréquence vidéo, de modulation d'image
VIDEO RECORDER .... Enregistreur vidéo, magnétoscope
VIDEO-SIGNAL .... Signal vidéo
VIDEO SIGNAL DISPLAY .... Visualisation de signaux vidéo
VIDEO TAPE .... Bande vidéo
VIDEO TAPE RECORDER .... Magnétoscope

VIDEO TEST SIGNAL .... Signal d'essai vidéo
VIEW .... Vue
VIEW FLIGHT RULES (VFR) .... Règles de vol à vue
VIEW LENS (viewer) .... Lunette de visée, viseur
VIEWER .... Visionneuse, hublot d'inspection, regard
VIEWFINDER (view-finder) .... Viseur
VIEWING (window) .... *(fenêtre de)* visualisation
VIEWING AXIS (angle) .... Axe de visée *(angle)*
VIEWING PORT (viewport) .... Hublot d'inspection
VIEWPOINT .... Point de vue
VIEWPORT .... Regard, trou d'inspection
VINYL .... Vinyle
VINYL LAYER .... Couche de vinyle
VIP (very important person) .... Personnalité, passager important
VIP CABIN LAYOUT .... Aménagement de cabine VIP
VIP INTERPHONE MODULE .... Module interphone VIP
VIP LOUNGE .... Salon d'honneur
VIP TRANSPORT .... Transport de personnalités
VIRGA .... Précipitation qui s'évapore avant de toucher le sol
VIRTUAL IMAGE .... Image virtuelle
VISA (permit) .... Visa
VISCOSITY .... Viscosité
VISCOSITY INDICATOR (ball) .... Viscosimètre *(à bille)*
VISCOUS .... Visqueux
VISCOUS DAMPER .... Amortisseur hydraulique
VISCOUS FLUID DAMPER .... Amortisseur hydraulique
VISCOUS FLOW .... Écoulement visqueux
VISCOUS SHIMMY DAMPER .... Amortisseur hydraulique de shimmy
VISE .... Étau
VISE-GRIP WRENCH .... Pince-étau
VISIBILITY .... Visibilité, vue
VISIBILITY FLYING RULES (VFR) .... Réglementation de vol aux conditions normales de visibilité
VISIBILITY MINIMUM .... Visibilité minimale
VISIBLE .... Visible
VISIBLE DAMAGE .... Dommage visible, apparent
VISIBLE PART .... Partie, zone visible
VISIBLE SIGNAL .... Signal optique
VISION .... Vision, vue, visibilité, champ de visibilité
VISION FREQUENCY .... Fréquence d'images
VISITOR .... Visiteur
VISITOR'S CARD .... Carte de visiteur
VISOR .... Visière, écran
VISUAL .... Visuel
VISUAL AID .... Aide visuelle

VISUAL APPROACH .... Approche à vue, visuelle
VISUAL APPROACH SLOPE INDICATOR SYSTEM (VASIS) ... Indicateur visuel de pente d'approche, indicateur lumineux d'angle d'approche
VISUAL AURAL RANGE (VAR) .... Radiophare VHF audio-visuel
VISUAL BEARING .... Relèvement visuel
VISUAL CHECK .... Vérification, contrôle, examen visuel
VISUAL CONTACT APPROACH .... Approche à vue
VISUAL CUE .... Repère visuel
VISUAL DISPLAY .... Affichage optique
VISUAL DISPLAY UNIT .... Système de visualisation
VISUAL DOWN LOCK .... Répère visuel de verrouillage train sorti
VISUAL EXAMINATION .... Examen visuel
VISUAL FLIGHT .... Vol à vue
VISUAL FLIGHT RULES (VFR) .... Règles de vol à vue
VISUAL GLIDE SLOPE INDICATOR .... Indicateur lumineux d'angle d'approche
VISUAL GROUND AIDS .... Aides visuelles au sol
VISUAL INDICATION .... Indication visuelle, optique
VISUAL INSPECTION .... Inspection visuelle
VISUAL LANDING CIRCUIT .... Circuit d'atterrissage à vue
VISUAL METEOROLOGICAL CONDITIONS (VMC) .... Conditions météorologiques de vol à vue
VISUAL NAVIGATION AID .... Aide visuelle à la navigation
VISUAL OMNI-RANGE (VOR)
VISUAL OMNIDIRECTIONAL RANGE Radiophare VHF omnidirectionnel
VISUAL PLOTTING .... Navigation à vue
VISUAL POINT .... Repère
VISUAL RANGE .... Portée visuelle, optique
VISUAL SIMULATOR .... Simulateur visuel
VISUAL SLOPE AIDS .... Aides, indicateurs visuels de pente d'approche
VISUAL TUNING .... Réglage visuel, syntonisation optique
VISUAL WARNING .... Alarme visuelle
VISUALIZATION .... Visualisation
VISUALLY INSPECT (to) .... Vérifier, contrôler visuellement
VIVID .... Vif, éclatant
VIZOR .... Visière
VOICE .... Voix
VOICE CHANNEL .... Voix téléphonique
VOICE COMMUNICATIONS Messages radiophoniques, radio téléphonie
VOICE CONVERSATION .... Dialogue
VOICE FEATURE .... Circuit phonie
VOICE FREQUENCY (VF) .... Fréquence vocale, téléphonique
VOICE GENERATOR .... Générateur de voix

VOICE LOGGER .... Enregistreur de communications vocales
VOICE POWER .... Tonalité
VOICE RECORDER .... Enregistreur de voix, de conversation
VOICE RECORDER/PLAYER ...... Enregistreur/lecteur de conversations
VOICE RECORDER UNIT .... Enregistreur de conversations
VOICE ROTATING BEACON (VRB) .... Aide à la navigation à courte distance
VOICE SERVICE .... Radiodiffusion
VOICE TRANSMISSION .... Émission en phonie, téléphonie
VOID .... Vide, soufflure
VOID DATE .... Date de péremption
VOID SPACE .... Espace vide
VOILE .... Voile
VOLATILE .... Volatil(e), gazéifiable
VOLATILE LIQUID (fluid) .... Liquide volatil *(fluide)*
VOLATILITY .... Volatilité
VOLATILIZE (to) .... Volatiliser
VOLLEY .... Rafale
VOLPLANE .... Vol plané
VOLPLANE (to) ...... Faire du vol plané, planer, descendre en vol plané
VOLT .... Volt (V) *(unité de potentiel)*
VOLT-AMPERE .... Volt-ampère, watt
VOLT RISE .... Surtension
VOLTAGE .... Voltage, tension, potentiel
VOLTAGE ACROSS TERMINALS .... Tension aux bornes
VOLTAGE AMPLIFIER .... Amplificateur de tension
VOLTAGE CABLE .... Câble de tension
VOLTAGE COEFFICIENT .... Coefficient de tension
VOLTAGE DROP .... Baisse, chute de tension
VOLTAGE OUTPUT .... Débit génératrice
VOLTAGE RANGE .... Valeurs de tension
VOLTAGE RATING .... Tension nominale
VOLTAGE REGULATOR .... Régulateur de tension
VOLTAGE STABILIZER (AC) .... Stabilisateur de tension *(alternative)*
VOLTAGE SURGE .... Surtension
VOLTAGE WAVE .... Onde de tension
VOLTAMETER .... Voltmètre-ampèremètre
VOLTAMMETER .... Voltmètre-ampèremètre, voltampèremètre
VOLTMETER .... Voltmètre
VOLUME .... Volume, cubage ; tonalité
VOLUME ADJUSTMENT .... Dosage du volume
VOLUME CONTROL .... Modérateur de son, contrôle de volume de son, d'amplification
VOLUME FLOW RATE .... Valeur de débit (gal/mn)
VOLUME LEVEL LIGHT .... Voyant intensité voix

VOLUME REGULATOR .... Régulateur de débit
VOLUMETRIC .... Volumétrique
VOLUMETRIC ANALYSIS .... Dosage volumétrique, analyse volumétrique
VOLUMETRIC CAPACITY .... Capacité volumétrique
VOLUMETRIC COMPRESSOR .... Compresseur volumétrique
VOLUMETRIC DISPLACEMENT .... Déplacement cylindrée
VOLUMETRIC EFFICIENCY .... Rendement volumétrique, coefficient de remplissage
VOLUMETRIC FLOWMETER .... Débitmètre volumétrique
VOLUMETRIC SHUT OFF SYSTEM .... Dispositif d'arrêt volumétrique
VOLUMETRIC TOP-OFF SYSTEM .... Système d'arrêt automatique de remplissage
VOLUTE .... Volute, diffuseur
VOR (very high frequency omnidirectional range) .... Radiocompas VHF, radiophare tournant en VHF
VOR ANTENNA .... Antenne VOR
VOR CONVERTER .... Convertisseur VOR
VOR FAIL FLAG .... Drapeau de panne VOR
VOR RECEIVER .... Récepteur VOR *(balise radio-électrique destinée à la navigation)*
VOR RECEIVER TEST FACILITY .... Appareil de vérification récepteur VOR
VOR STATION .... Station VOR
VOR TRACK (VOR radial) .... Alignement VOR, radial VOR
VORTEX .... Tourbillon, tourbillonnement *(d'air)*, remous ; avion gros porteur *(jargon ATC)*
VORTEX CHAMBER .... Chambre à tourbillons, centrifugeur
VORTEX FLOW .... Écoulement tourbillonnaire
VORTEX GENERATOR .... Générateur de tourbillons
VORTEX LAYER (sheet) .... Couche tourbillonnaire
VORTEX LINE .... Tube tourbillon
VORTEX RATE SENSOR .... Détecteur de régime tourbillonnaire
VORTEX RING .... Anneau tourbillonnaire
VORTEX SHEDDING .... Échappement tourbillonnaire
VORTEX SHEET .... Nappe tourbillonnaire
VORTEX SINK RATE ... Vitesse verticale, d'enfoncement des tourbillons
VORTEX SPOILER .... Déflecteur, destructeur de tourbillon
VORTEX STRENGTH .... Force du tourbillon
VORTEX TANGENTIAL VELOCITY .... Vitesse tangentielle des tourbillons
VORTEX TRAIL .... Sillage du tourbillon
VORTICAL .... Tourbillonnaire
VORTICES .... Tourbillons
VORTICITY .... Tourbillonnement, rotationnel

VORTILON (vortex inducing pylon) .... Vortilon *(pylône générateur de tourbillons)*
V/STOL .... ADAC/V
VTOL .... ADAV *(avion à décollage et atterrissage verticaux)*
VTOL AIRCRAFT .... Avion à décollage et atterrissage vertical *(Harrier)*, ADAV
VTOL TERMINAL .... Héliport
VULCANITE .... Ébonite
VULCANIZATION (vulcanizing) .... Vulcanisation
VULCANIZE (to) .... (se) vulcaniser
VULCANIZED RUBBER .... Caoutchouc vulcanisé
VULCANIZING .... Vulcanisation
VULNERABILITY .... Vulnérabilité

W

W-CLAMSHELL THRUST REVERSER .... Inverseur à coquilles
W-ENGINE (arrow engine) .... Moteur en W
WAD .... Tampon, bouchon, bourre
WADDING .... Rembourrage, feutrage, ouate
WAFER .... Galette
WAFER SWITCH .... Interrupteur à galette
WAFERED .... Gaufré
WAFERED SHEET .... Tôle gaufrée
WAFFING .... Décoller un avion trop court
WAFFLE PANEL .... Panneau alvéolé
WAGE .... Salaire
WAG(G)ON .... Chariot, camion, wagon
WAIST .... Étranglement, rétrécissement, dégagement
WAISTED .... Entaillé, évidé
WAIT (to) .... Attendre
WAITER .... Serveur
WAITING LINE .... File d'attente
WAITING LIST .... Liste d'attente
WAITING ROOM .... Salle d'attente
WAKE .... Remous, sillage
WAKE DISPLACEMENT .... Déplacement de sillage
WAKE DRAG .... Trainée de sillage
WAKE TURBULENCE .... Turbulence de sillage, remous
WAKE VORTEX TURBULENCE .... Turbulence de sillage
WALK .... Marche
WALK AREA .... Zone de cheminement, de passage
WALKAROUND INSPECTION (check) .... Vérification, inspection, visite extérieure *(de l'appareil)*, visite bout de ligne
WALKIE-TALKIE .... Émetteur-récepteur *(portatif)*, combiné, radiotéléphone, interphone portatif, top-toc
WALKING BEAM .... Balancier *(flottant)*, guignol
WALKING BEAM HANGER .... Bras de suspension du balancier
WALKING SURFACE .... Surface de passage
WALKWAY .... Marchepied, passerelle, caillebotis
WALKWAY (moving walkway) .... Tapis, trottoir roulant
WALKWAY STRIPS .... Bandes de passage
WALL .... Mur, paroi, cloison
WALL BALANCE .... Balance de paroi
WALL PANEL .... Cloison
WALL THICKNESS .... Épaisseur de la paroi *(bague)*
WANDER .... Sautillement, scintillation ; errance, dérive

WANKEL-TYPE ROTARY ENGINE .... Moteur à pistons rotatifs du type Wankel
WANT (to) .... Manquer, avoir besoin, désirer, vouloir
WAREHOUSE .... Entrepôt, magasin, dépôt
WAR-PLANE .... Avion de guerre
WARFARE AIRCRAFT .... Avion de guerre
WARHEAD .... Tête militaire, ogive, tête portant une charge *(nucléaire),* charge militaire
WARM .... Chaud
WARM (to) .... Chauffer, réchauffer
WARM AIR .... Air chaud, tiède
WARM FRONT .... Front chaud
WARM-UP .... Chauffage, réchauffage
WARM-UP (to) .... Chauffer, réchauffer
WARM-UP CYCLE .... Cycle de réchauffage
WARM-UP POWER .... Alimentation de réchauffage
WARM-UP TIME .... Temps d'échauffement, temps de mise à la température de travail
WARM WATER .... Eau chaude
WARMING .... Chauffage
WARMING PAD .... Plate-forme de mise en route
WARMING UP .... Réchauffage, mise en température
WARMING UP THE ENGINES .... Réchauffage des moteurs
WARMING UP TIME .... Temps de chauffage
WARN (to) .... Avertir, prévenir
WARNING .... Avertisseur, avertissement, signal, signalisation, alerte, alarme, attention danger, précautions à prendre
WARNING AREA (GPWS) .... Zone d'avertissement
WARNING BELL .... Avertisseur sonore, sonnette, sonnerie d'alarme
WARNING DEVICE .... Dispositif d'avertissement, avertisseur
WARNING FLAG .... Drapeau d'alarme, d'avertissement
WARNING HORN .... Alarme, avertisseur sonore, klaxon *(d'alarme),* signalisation audible
WARNING HORN SILENCING RELAY .... Relais d'extinction de l'avertisseur sonore
WARNING INDICATOR .... Voyant alarme
WARNING LAMP .... lampe témoin
WARNING LIGHT .... Lampe témoin, signal, voyant, témoin lumineux, alarme lumineuse, lampe de signalisation
WARNING MODE LIGHT .... Voyant mode d'avertissement
WARNING MODE RESET ..... Réenclenchement mode d'avertissement
WARNING RELAY BOX .... Boîte alarme à relais
WARNING ROD .... Tige témoin

WARNING SIGN .... Consigne, signal lumineux
WARNING SYSTEM .... Circuit d'alarme, de signalisation
WARP .... Chaîne, amarre ; voilure, courbure, gauchissement
WARP (to) .... (se) voiler, fausser, gauchir, (se) déformer, travailler, (se) déjeter, gondoler
WARPAGE .... Gauchissement, voilage, gondolage, déformation
WARPAGE OF BLADES OR VANES .... Gauchissement des ailettes ou des aubes
WARPED SHAFT .... Arbre faussé
WARPED WHEEL .... Roue voilée
WARPING .... Gauchissement, gondolage, voile, faussage
WARPING CONTROL .... Commande de gauchissement
WARPLANE .... Avion de guerre
WARRANT .... Garantie, autorisation, justification, certificat
WARRANTY .... Autorisation, justification, garantie
WARSHIP .... Navire, bâtiment de guerre
WASH .... Lavage, souffle *(de l'hélice)*, remous d'air, déflexion
WASH (to) .... Laver, rincer
WASH IN .... Augmentation de l'incidence à l'extrémité, à l'extérieur de l'aile, vrillage, gauchissement positif
WASH IN KEROSINE (to) .... Laver au pétrole
WASH OUT .... Diminution de l'incidence à l'extérieur, à l'extrémité de l'aile, vrillage, gauchissement négatif, effacement
WASHBASIN .... Bassine, lavabo
WASH BASIN BOWL .... Cuvette lave-mains
WASHER .... Rondelle ; laveur, machine à laver
WASHER CUTTER .... Découpe-rondelle
WASHING .... Lavage
WASHING MACHINE .... Machine à laver
WASHOUT NETWORK .... Circuit d'effacement
WASHROOM .... Salle d'eau, cabinet de toilette
WASHROOMS .... Toilettes
WASHWATER TANK .... Réservoir d'eau
WASTAGE .... Perte, déperdition, déchets, rebuts, chutes
WASTAGE OF FUEL .... Gaspillage carburant
WASTE .... Gaspillage, perte, déchets, rebuts, trop-plein
WASTE (to) .... Gaspiller, perdre
WASTE BAG HOLDER .... Support sacs à déchets
WASTE BIN .... Boîte à détritus
WASTE CONTAINER .... Boîte, récipient à déchets
WASTE DISPOSAL SYSTEM .... Circuit de vidange, d'évacuation des eaux usées

WASTE HEATER .... Réchauffeur d'eaux usées
WASTE OUTLET .... Orifice de vidange
WASTE-PIPE .... Tuyau de trop-plein
WASTE SYSTEM .... Circuit d'eaux usées
WASTE TANK .... Réservoir des eaux usées
WASTE WATER .... Eau(x) usée(s)
WASTE WATER DRAIN MAST .... Mât d'évacuation des eaux usées
WASTE-WEIR .... Déversoir
WASTED FUEL .... Carburant gaspillé
WASTED WATER .... Eau(x) usée(s)
WATCH .... Écoute, veille *(météo)*, garde, surveillance ; montre
WAT = WEIGHT-ALTITUDE-TEMPERATURE-LIMITATIONS .... Limites masse-altitude-température (WAT)
WATCH (to) .... Garder, observer, regarder attentivement, surveiller, prendre la veille
WATCH FREQUENCY .... Fréquence de veille *(météorologie)*
WATCH OUT FOR (to) .... Faire attention à
WATER .... Eau
WATER AERODROME .... Hydro-aérodrome
WATER AIRCRAFT .... Hydravion
WATER AND SLUSH IMPINGEMENT .... Projection d'eau et de neige fondue
WATER BASE .... Base sur l'eau, flottante
WATER BATH .... Bain-marie
WATER BOMBER .... Avion de lutte contre l'incendie, avion anti-incendie
WATER BOOST PUMP .... Pompe d'injection d'eau
WATER BRAKE .... Frein froude
WATER-BREAK-FREE SURFACE .... Surface à film d'eau continu *(30s après immersion ou arrosage)*, mouillabilité *(d'une pièce)*
WATER CABINET .... Borne fontaine
WATER COCK .... Robinet d'eau
WATER COLUMN .... Colonne d'eau
WATER CONDENSATION .... Condensation d'eau
WATER CONNECTOR .... Prise de remplissage d'eau
WATER CONTAINER .... Réservoir d'eau
WATER CONTENT .... Teneur en eau
WATER COOLED .... A refroidissement par eau, refroidi par eau
WATER COOLER .... Neige carbonique
WATER EXTINGUISHER .... Extincteur à eau
WATER FILTER .... Filtre d'eau

WATER GAUGE (gage) .... Indicateur de niveau d'eau, manomètre d'eau, hydromètre
WATER GUN .... Pistolet à eau
WATER HAMMER .... Coup de bélier
WATER HAMMERING .... Coup de bélier
WATER HARDEN (to) .... Tremper à l'eau
WATER HEAD .... Colonne d'eau
WATER HEATER .... Chauffe-eau
WATER INJECTION .... Injection d'eau
WATER INJECTION MANIFOLD .... Collecteur d'injection d'eau
WATER INJECTION PUMP .... Pompe d'injection d'eau
WATER JACKET .... Chemise d'eau, chemise de refroidissement par eau, enveloppe de circulation d'eau
WATER JET .... Jet d'eau
WATER JET CUTTER .... Machine de coupe à jet d'eau
WATER JET TOOL .... Outil de découpage à jet d'eau
WATER LEVEL .... Niveau d'eau
WATER LINE (waterline) .... Ligne de flottaison, ligne d'eau, ligne horizontale fictive
WATER MANOMETER .... Manomètre à eau
WATER/METHANOL (W/M) .... Eau/méthanol
WATER/METHANOL CONTROL UNIT (WMCU) .... Régulateur eau/méthanol
WATER/METHANOL INJECTION .... Injection eau/méthanol
WATER/METHANOL PUMP .... Pompe eau/méthanol
WATER NOZZLE .... Jet, lance
WATER POWER .... Énergie, force hydraulique
WATER PROOF (waterproof) .... Étanche, imperméable à l'eau, hydrofuge
WATERPROOFING .... Imperméabilisation
WATER PUMP .... Pompe à eau
WATER QUENCH (to) .... Tremper à l'eau
WATER REGULATOR .... Régulateur d'eau
WATER-REPELLENT .... Imperméable, hydrofuge
WATER RESISTING .... Hydrofuge
WATER SEAL .... Joint flottant d'eau *(cuve décapant)*
WATER SEPARATOR (water separation unit) .... Séparateur d'eau
WATER SOFTENER .... Adoucisseur d'eau
WATER SOFTENING .... Adoucissement, épuration chimique de l'eau
WATER SOLUBLE OIL .... Huile soluble dans l'eau, hydrosoluble
WATER SPOUT .... Trombe d'eau, marine
WATER SPRAY GUN .... Pistolet à pulvérisation d'eau
WATER STORAGE TANK .... Réservoir d'eau *(de stockage)*

WATER SUPPLY SYSTEM .... Circuit d'alimentation en eau potable
WATER SURFACE .... Surface de l'eau, plan d'eau
WATER SYSTEM .... Circuit, canalisation d'eau
WATER TANK .... Réservoir d'eau
WATER TIGHT (watertight) .... Étanche à l'eau, hermétique
WATERTIGHT FUSELAGE .... Fuselage étanche
WATER TRAP .... Décanteur, bac, cuve de décantation, pot de condensation
WATER TYPE FIRE EXTINGUISHER .... Extincteur à eau
WATER VAPOR (vapour) .... Vapeur d'eau
WATER WASHABLE .... Lavable, rinçable à l'eau, hydrosoluble
WATT .... Watt
WATT-HOUR .... Watt-heure
WATT-HOUR METER .... Compteur
WATTAGE .... Puissance exprimée en watts
WATTLESS .... Dewatté
WATTMETER .... Wattmètre
WAVE .... Vague, onde, ondulation
WAVE (to) .... Onduler, ondoyer, agiter, flotter
WAVE BAND .... Gamme d'onde
WAVE DRAG .... Trainée d'onde
WAVE FORM (waveform) .... Représentation graphique d'une onde, forme de l'ondulation, d'onde, forme du signal *(sinusoïde, triangle, carré)*
WAVEFRONT .... Front de propagation
WAVE GUIDE (waveguide) .... Guide d'onde(s)
WAVE-GUIDE LENS .... Lentille à guide d'ondes
WAVE LENGTH .... Longueur d'onde
WAVE-METER .... Ondemètre, contrôleur d'ondes
WAVE MOTION .... Mouvement ondulatoire
WAVE OFF .... Remise des gaz
WAVE PROPAGATION .... Propagation de l'onde
WAVE RANGE .... Gamme d'ondes
WAVE SHAPE .... Forme d'onde, forme sinusoïdale
WAVE TRAIN .... Train d'ondes
WAVE TRAP .... Circuit bouchon, absorbant
WAVER (to) .... Vaciller, trembler, osciller
WAVINESS .... Ondulation
WAX .... Cire
WAX (to) .... Cirer
WAX-PAPER (waxed paper) .... Papier ciré, paraffiné
WAXING .... Cirage
WAY .... Chemin, route, voie, distance, trajet, côté, direction ; moyen, façon, manière

WAYBILL .... Lettre de transport
WAY-LEAVE .... Droit de survol
WAYPOINT (way-point) .... Point de cheminement, point tournant
WAYPOINT SELECTOR .... Sélecteur de point de cheminement
WEAK .... Faible, pauvre, dilué, étendu
WEAK (to) .... Affaiblir, appauvrir, fléchir
WEAK CELL .... Pile usée, « à plat »
WEAK CURRENT .... Courant faible
WEAK MIXTURE .... Mélange pauvre
WEAK SPRING .... Ressort faible
WEAKEN (to) .... Atténuer, appauvrir
WEAKNESS .... Faiblesse
WEAPON LOAD .... Charge militaire
WEAPON SELECTION PANEL .... Panneau sélecteur d'armes
WEAPON SYSTEM .... Armement, système d'armes
WEAPON UNIT .... Boîtier d'armement
WEAR .... Usage ; usure, fatigue, dégradation, avarie
WEAR (to) .... Porter ; user, ronger ; virer vent AR
WEAR AND TEAR .... Usure, détérioration
WEAR INDICATOR .... Indicateur d'usure
WEAR LIMITS .... Tolérances d'usure, limites d'usure, usure tolérée
WEAR PLATE .... Plaque, disque, plaquette d'usure
WEAR TOLERANCE .... Tolérance d'usure
WEARING .... Usure
WEARING SKID .... Patin d'usure
WEARING SURFACE .... Surface d'usure
WEATHER .... Temps
WEATHER (to) .... Altérer, désagréger
WEATHER AVOIDANCE TECHNIQUE .... Technique d'évitement des perturbations météorologiques
WEATHER BROADCAST .... Bulletin météo
WEATHER CELL .... Cellule orageuse
WEATHER CHARTS .... Cartes météorologiques
WEATHER CLUTTER .... Parasites d'intempéries
WEATHER CONDITIONS .... Conditions météorologiques, atmosphériques
WEATHER ECHO .... Écho météorologique
WEATHER FORECAST .... Prévisions du temps, bulletin, prévision météorologique
WEATHER INFORMATION .... Renseignements météorologiques
WEATHER MAN .... Météorologiste
WEATHER MAPPING (map) .... Carte du temps, météorologique

WEATHER PATTERN .... Situation météo
WEATHER RADAR .... Radar météorologique
WEATHER RADAR TEST PATTERN .... Mire du radar météorologique
WEATHER RADAR ANTENNA .... Antenne radar météo
WEATHER RECONNAISSANCE FLIGHT .... Vol de reconnaissance météorologique
WEATHER REPORT .... Compte rendu, rapport, bulletin, situation météorologique
WEATHER RESISTING (resistant) .... Inaltérable, résistant aux intempéries
WEATHER RETURN (echo) .... Écho météo
WEATHER STATION .... Station météorologique
WEATHER TAG .... Fiche météo
WEATHER TARGET (return, echo) .... Écho météo
WEATHERCOCK .... Girouette
WEATHERCOCK EFFECT .... Effet girouette
WEAVE (to) .... Tisser, tresser, entrelacer, enlacer, entremêler
WEAVING .... Tissage
WEB .... Tissu, toile ; joue, bras de vilebrequin, flasque, âme, nervure, cloison
WEBBED .... Nervuré
WEBBING .... Toile, ruban à sangles, sanglage, âme de longeron
WEDGE .... Cale, coin, clavette, clef, pène *(de porte)* ; dorsale *(météo)*, chaîne de hautes pressions
WEDGE (to) .... Coincer, caler, claveter, serrer
WEDGE DOLLY .... Tas virgule
WEDGE SETTING .... Réglage sur cale
WEDGE SHAPED .... En forme de coin
WEEK .... Semaine
WEEKLY .... Hebdomadaire, par semaine
WEEKLY LINK .... Liaison hebdomadaire
WEEPING .... Suintement
WEFT .... Chaîne, trame
WEIGH (to) .... Peser
WEIGHING .... Pesée, pesage
WEIGHING MACHINE .... Appareil de pesage, bascule
WEIGHT .... Poids, pesanteur, lourdeur, charge, force, masse, tonnage
WEIGHT (to) .... Fixer un poids, charger, lester
WEIGHT-ALTITUDE-TEMPERATURE LIMITATIONS (WAT) .... Limites masse-altitude-température

WEIGHT AND BALANCE CHART .... Abaque de centrage, centrogramme
WEIGHT AND BALANCE SHEET (form) .... Devis de masse et centrage
WEIGHT EMPTY (tare) .... Poids, masse à vide
WEIGHT LIMITATION CHART .... Table des limites de masse
WEIGHT LOAD FACTOR .... Coefficient de chargement, de remplissage, taux de chargement de fret
WEIGHT SAVING .... Économie de poids, allègement de poids
WEIGHTED .... Lesté, alourdi
WEIGHTING .... Pesée
WEIGHTLESSNESS .... Apesanteur, impesanteur
WEIGHTY .... Pesant, lourd
WEIR .... Retenue, déversoir, reversoir
WELD .... Soudure, joint de soudure
WELD (to) .... Souder, corroyer *(l'acier),* unir
WELD BEAD .... Cordon de soudure, goutte de soudure
WELD CLUSTER .... Nœud
WELD FIXTURE .... Montage de soudage
WELD METAL (material) .... Soudure
WELD RUN .... Passe de soudure
WELD SPOT .... Point de soudure
WELDABILITY .... Soudabilité
WELDABLE .... Soudable
WELDED .... Soudé
WELDER .... Soudeur ; machine à souder, poste de soudure
WELDING .... Soudage, soudure, recharge de soudure
WELDING ELECTRODE .... Électrode pour le soudage
WELDING FILLER ROD .... Baguette de soudure
WELDING FLUX .... Flux de soudure, flux décapant, fondant
WELDING ROD .... Baguette de soudure
WELDING RUN .... Passe de soudure
WELDING TORCH .... Torche de soudage
WELL .... Fond de carter, puits, trou, logement, alvéole, trappe
WELL-BALANCED .... Bien équilibré
WELL-PROVEN .... Éprouvé
WELL-TRAINED CREW .... Équipage bien entraîné
WELL-TRIED PRINCIPLES .... Principes bien expérimentés
WELL-WORN .... Fortement usé
WELT .... Couvre-joint, bande de recouvrement
WELTING .... Couvre-joint, joint de recouvrement
WEST .... Ouest

WEST VARIATION .... Déclinaison occidentale
WESTBOUND .... Direction ouest
WET .... Mouillé, humide ; humidité
WET ABRASIVE BLAST CLEANING .... Nettoyage par projection d'abrasifs en voie humide
WET BLASTING (abrasive) .... Sablage humide, vapor blast
WET BULB TEMPERATURE .... Température humide
WET-BULB THERMOMETER .... Thermomètre mouillé
WET CELL .... Pile à élément humide, à liquide
WET ENGINE .... Moteur avec injection d'eau
WET LEASE .... Location d'un avion avec équipage
WET POWER .... Régime avec injection d'eau
WET RUNWAY .... Piste mouillée
WET SANDING .... Sablage humide
WEP SUMP .... Carter humide
WET TAKE-OFF (power) .... *(puissance de)* décollage avec injection *(d'eau/méthanol)*
WET THRUST .... Régime avec injection d'eau
WETNESS .... Humidité
WETTED .... Imbibé
WETTED AREA .... Surface mouillée
WETTED FUEL CELL .... Réservoir humide *(qui a contenu du carburant)*
WETTED SURFACE .... Surface totale d'un avion
WETTING .... Mouillure
WETTING AGENT .... Agent mouillant
WHEATSTONE BRIDGE .... Pont de wheatstone
WHEEL .... Roue, roulette, volant, pignon, meule
WHEEL (to) .... Tourner, faire pivoter, rouler
WHEEL ALIGNMENT .... Alignement des roues
WHEEL ARCH .... Logement des roues
WHEEL AXLE .... Fusée, axe de roue
WHEEL BALANCING .... Équilibrage des roues
WHEEL BASE .... Empattement
WHEEL BAY .... Logement du train
WHEEL BRAKES .... Freins de roue
WHEEL BRAKING .... Freinage de roue
WHEEL CAMBER .... Carrossage
WHEEL CENTERED INDICATOR .... Indicateur de roues dans l'axe
WHEEL CENTERING DEVICE .... Dispositif de rappel des roues dans l'axe
WHEEL CHOCK .... Cale de roue
WHEEL DISC .... Chapeau de roue
WHEEL DRESSER .... Décrasse-meule
WHEEL FAIRING .... Carénage de roues

WHEEL FLANGE .... Jante de roue
WHEEL GUARD .... Protège-volant
WHEEL HUB .... Moyeu de roue
WHEEL LEVER .... Balancier de roue
WHEEL-LOCK MECHANISM .... Mécanisme de verrouillage des roues
WHEEL LOCKS .... Sécurités de roues
WHEEL RIM .... Jante de roue
WHEEL ROUND (to) .... Virer
WHEEL SNUBBER .... Freins de roues *(dans logement)*
WHEEL SPAT .... Carénage de roue
WHEEL SPINDLE (assembly) .... Fusée d'essieu, de roue
WHEEL SPIN-UP .... Mise en rotation des roues
WHEEL STEERING .... Direction, orientation de la roue AV
WHEEL TRACK .... Voie du train
WHEEL TRAIN .... Train de roues
WHEEL TREAD .... Bande de roulement
WHEEL-UP LANDING (« wheels up » landing) Atterrissage train rentré
WHEEL WELL .... Puits, logement des roues, de la roulette, logement de train, caisson de train
WHEEL WELL DOORS .... Portes de logement de train
WHEEL WELL FIRE DETECTION .... Détection incendie de logement de train
WHEEL WELL LIGHT SWITCH .... Interrupteur d'éclairage logement de train
WHEELCASE .... Carter d'entraînement des accessoires
WHEELS ARE CHOCKED .... Les roues sont calées
WHEELS LOCKED .... Train verrouillé
WHEELS-ON TIME (wheels-off) .... Temps de vol
WHEELS OUT .... Train sorti
WHEELS UP .... Train rentré, roues rentrées
WHEELS-UP LANDING .... Atterrissage train rentré, sur le ventre
WHEEZE .... Souffle
WHET (to) .... Aiguiser
WHETSTONE (whet-stone) .... Pierre à aiguiser
WHIFF .... Bouffée, souffle
WHIP .... Fouettement
WHIP (to) .... Fouetter, frapper
WHIP ANTENNA (whip aerial) .... Antenne fouet
WHIPPING .... Fouettement, battement
WHIPSTALL .... Décrochement des filets d'air en bout d'aile
WHIRL .... Mouvement giratoire, giration, tourbillon, tourbillonnement, tournoiement

WHIRL (to) .... Tourbillonner, tournoyer
WHIRL COMPONENT .... Composante de rotation
WHIRL TEST BENCH .... Banc d'équilibrage dynamique de rotor
WHIRL VELOCITY .... Vitesse de rotation, vitesse tangentielle
WHIRLING MOTION .... Mouvement tournant
WHIRLWIND .... Tourbillon *(de vent)*
WHIRR .... Bruissement, ronflement, ronronnement, vrombissement
WHIRR (to) .... Tourner très rapidement, ronfler, vrombir, siffler
WHISKER .... Barbe, trichite
WHISPER OF PRESSURE .... Bruit de pression
WHISTLE .... Sifflet
WHITE .... Blanc
WHITE FROST .... Gelée blanche
WHITE HOT (to) .... Chauffer à blanc, porter au blanc
WHITE LEAD .... Céruse, blanc d'argent
WHITE METAL .... Métal blanc, antifriction, régule
WHITE METAL BORE .... Alésage garni d'antifriction
WHITE METAL LINING .... Garniture d'antifriction
WHITE NOISE .... Bruit blanc
WHITEOUT .... Voile blanc, brouillard blanc
WHITE SPIRIT .... White spirit
WHITWORTH THREAD .... Pas, filetage whitworth
WHIZZ .... Sifflement
WHOLE LENGTH .... Longueur totale
WHORL .... Tour, spire, volute
WICK .... Mèche, déperditeur statique
WIDE .... Large, vaste, ample, étendu, loin
WIDE ANGLE .... Grand angle
WIDE-ANGLE LENS .... Objectif grand-angle
WIDEBAND (wide band) .... Large bande *(amplificateur)*
WIDEBAND AMPLIFIER .... Amplificateur à large bande
WIDE-BAND TRANSMISSION .... Transmission à large bande
WIDE-BODIED JETLINER .... Avion de ligne à réaction grosporteur
WIDE-BODY AIRCRAFT .... Avion gros porteur, avion de grande capacité, à fuselage large
WIDE-BODY JET .... Avion à réaction de grande capacité
WIDE OPEN .... Grand ouvert
WIDE TURN .... Virage large
WIDE WASHER .... Rondelle large
WIDEN (to) .... Élargir, agrandir, évaser, épanouir

WIDESPREAD .... Répandu, étendu, de grande étendue
WIDTH .... Largeur, grosseur
WILD .... Non-stabilisé
WIN (to) .... Gagner, remporter, extraire
WINCH .... Manivelle, treuil à tambour, dévidoir
WIND .... Vent, souffle
WIND (to) .... Tourner, enrouler, entortiller, dévider *(le fil)*, bobiner, armer *(une dynamo)*
WIND ACROSS .... Vent traversier
WIND AHEAD .... Vent debout
WIND ALOFT .... Vent en altitude
WIND ANGLE .... Angle au vent
WIND-BREAK (windbreak) .... Brise-vent, coupe-vent
WIND COCK .... Girouette
WIND-CONE .... Manche à air, à vent, biroute
WIND COMPONENT .... Composante de vent
WIND CORRECTION .... Correction de vent
WIND DIRECTION .... Direction du vent
WIND EDDY .... Tourbillon
WIND EFFECT .... Déport dû au vent
WIND FORCE .... Vitesse du vent, force du vent
WIND-GAUGE .... Anémomètre
WIND GRADIENT .... Gradient du vent
WIND GUST .... Rafale de vent
WIND INDICATOR .... Anémomètre
WIND NIL .... Vent nul
WIND OFF (to) .... Dévider
WIND PRESSURE .... Pression du vent
WIND RESISTANCE .... Résistance de l'air
WIND ROSE .... Rose des vents
WIND SHEAR (voir windshear) .... Cisaillement du vent, vent cisaillant, gradient de vent
WIND SHEAR PROTECTION .... Protection contre les gradients de vent
WIND SHIFT .... Saute de vent
WIND SOCK .... Manche à vent, à air, biroute
WIND SPEED .... Vitesse du vent, force du vent
WIND-STOCKING .... Manche à air, biroute
WIND-TUNNEL .... Tunnel aérodynamique, soufflerie aérodynamique
WIND-TUNNEL BALANCE .... Balance aérodynamique, balance de soufflerie
WIND-TUNNEL EXPERIMENTAL CHAMBER .... Chambre d'expérience de soufflerie
WIND-TUNNEL FAN .... Hélice de soufflerie

WIND-TUNNEL GUIDE-VANES (cascades) .... Aubages directeurs de soufflerie
WIND-TUNNEL NOZZLE .... Diffuseur de soufflerie
WIND-TUNNEL TEST(ING) .... Essai(s) en soufflerie
WIND-TUNNEL TESTING HOURS .... Heures d'essais en soufflerie
WIND-TUNNEL TEST SECTION .... Chambre d'expérience, veine d'essai, d'expérience
WIND UP (to) .... Rouler, enrouler
WIND VANE .... Girouette
WIND VECTOR .... Vecteur vent, air, direction du vent
WIND VELOCITY .... Vitesse du vent, vecteur vent
WIND VELOCITY INDICATOR .... Anémomètre
WIND WHISTLING .... Sifflement du vent
WINDAGE .... Tourbillonnement *(réacteur)*
WINDER .... Bobineur, bobinoir
WINDING .... Enroulement, bobinage
WINDING AND SETTING CONTROL .... Remontoir, commande de remontage et de remise à l'heure
WINDING OFF .... Dévidage
WINDING WHEEL .... Enrouleur
WINDMILL .... Moulinet, éolienne
WINDMILL (to) .... Être en moulinet, fonctionner en moulinet (= pas maxi, pales dans le sens du vent), tourner en autorotation
WINDMILLING .... En rotation libre, en moulinet, auto-rotation
WINDMILLING ACTION .... Action moulinet
WINDMILLING DRAG .... Traînée engendrée par le moulinet de l'hélice
WINDMILLING PROPELLER .... Hélice claire *(en drapeau)*, en moulinet
WINDMILLING TIME .... Temps d'autorotation
WINDOW .... Fenêtre, glace, hublot, baie
WINDOW FAILURE .... Bris de pare-brise
WINDOW FRAME .... Cadre, encadrement, châssis de hublot
WINDOW HEAT(ING) .... Chauffage glace
WINDOW OVERHEAT LIGHT .... Voyant surchauffe glaces
WINDOW PANE .... Vitre, carreau, glace de hublot
WINDOW PANEL .... Panneau de hublot
WINDOW RABBET .... Feuillure de glace
WINDOW SHADE .... Obturateur de hublot
WINDOW-TYPE INDICATOR .... Fenêtre *(indicateur)*
WINDSCREEN (GB) .... Brise vent, parebrise, verrière
WINDSCREEN FRAME .... Cadre de parebrise

WINDSCREEN WASHER (cleaner) .... Lave-glace
WINDSCREEN WIPER .... Essuie-glace, lave-glace
WINDSHEAR .... Effet de cisaillement du vent, cisaillement du vent
WINDSHIELD (US) .... Pare-brise
WINDSHIELD AIR CONTROL .... Tirette désembuage pare-brise
WINDSHIELD ANTI-ICE CONTROLLER .... Régulateur d'anti-givrage pare-brise
WINDSHIELD ANTI-ICING .... Dégivrage pare-brise
WINDSHIELD BIRD IMPACT TESTING CANNON .... Canon d'essais aux impacts d'oiseaux contre les pare-brises
WINDSHIELD DEFOGGING .... Désembuage pare-brise
WINDSHIELD FAULT INDICATOR .... Indicateur de défaut réchauffage pare-brise
WINDSHIELD FRONT PANEL .... Glace frontale de pare-brise
WINDSHIELD GLAZING .... Vitrerie du pare-brise
WINDSHIELD HEATING .... Réchauffage pare-brise
WINDSHIELD PANE/PANEL .... Glace de pare-brise
WINDSHIELD POST .... Montant de pare-brise
WINDSHIELD SIDE PANEL .... Glace latérale de pare-brise
WINDSHIELD WASHER PUMP .... Pompe lave-glace
WINDSHIELD WIPER .... Pale, balai essuie-glace pare-brise
WINDSPEED INDICATOR .... Anémomètre
WINDSTORM .... Tempête de vent
WINDVANE .... Girouette
WINDWARD .... Au vent, côté au vent
WINDY .... Venteux
WING .... Aile, ailette, demi-voiture, demi-aile
WING (to) .... Voler, empenner
WING AERODYNAMIC CENTER .... Foyer aérodynamique, foyer de l'aile
WING AIRFOIL .... Profil de l'aile
WING ANTI-ICE AUTO TRIP OFF ..... Arrêt automatique antigivrage ailes
WING ANTI-ICE PANEL .... Panneau antigivrage ailes
WING ANTI-ICE VALVE .... Vanne antigivrage ailes
WING ANTI-ICING .... Anti-givrage aile
WING AREA .... Surface alaire, de voilure
WING ASPECT RATIO .... Allongement de l'aile
WING BENDING .... Flexion de l'aile
WING BENDING STRESS .... Effort de flexion de l'aile
WING BOLSTER BEAM .... Quille de voilure
WING BOX .... Caisson de l'aile
WING CENTER SECTION Plan central de voilure, caisson central d'aile
WING CHORD .... Corde, profondeur d'aile
WING-COMMANDER (w/cdr) .... Lieutenant-colonel

WING CURVE .... Courbure, cambrure de l'aile, profil d'aile
WING DE-ICING .... Dégivrage voilure
WING DEPTH .... Profondeur de l'aile
WING DOWN .... Aile basse
WING DRAG .... Traînée de l'aile
WING DROP .... Fléchissement de l'aile
WING DROPPING .... Tendance au basculement latéral, aile lourde
WING DUCTING .... Gaine de l'aile
WING EFFICIENCY .... Rendement, finesse de l'aile
WING FAIRING .... Carénage d'emplanture d'aile
WING FENCE .... Cloison, barrière de décrochage
WING FILLET .... Karman de voilure, carénage d'emplanture d'aile, carénage jonction aile/fuselage, raccordement d'aile, raccord aile - fuselage
WING FIXED NAVIGATION LAMP .... Feu de navigation fixe d'aile
WING FLAP CONTROL LEVER .... Levier de commande des volets
WING FLAP DEFLECTION .... Braquage des volets
WING FLAP (lever) GATE .... Butée mobile du levier volets
WING FLAP HANDLE .... Levier des volets
WING FLAP LINKAGE .... Cinématique volet de courbure
WING FLAP POSITION INDICATOR .... Indicateur de position volets
WING FLAPS .... Volets d'ailes, volets hypersustentateurs
WING FLOAT .... Ballonnet *(d'hydravion)*
WING FLOODLIGHT .... Projecteur d'éclairage voilure
WING FLUTTER .... Vibration de l'aile
WING FOLD HINGE JOINT .... Joint charnière d'aile repliable
WING FUEL TANK .... Réservoir d'aile
WING (RE)FUELLING STATION .... Prise d'avitaillement d'aile
WING FUSELAGE FAIRING .... Carénage karman
WING HARD POINT .... Point d'attache, mât de voilure
WING HEAT .... Chauffage de la voilure
WING HEAVINESS .... Lourdeur de l'aile
WING HEAVY AIRCRAFT .... Avion décentré sur l'aile
WING ILLUMINATION LIGHT .... Phare d'aile, projecteur d'éclairage voilure
WING ILLUMINATION LIGHT SWITCH .... Contacteur éclairage d'aile

WING INCIDENCE .... Incidence, calage de l'aile
WING INSPAR STRUCTURE .... Structure interlongeron d'aile
WINK JACK .... Vérin d'aile, vérin de levage
WING LEADING EDGE SLOT .... Fente de bord d'attaque
WING LEADING EDGE TANK .... Réservoir de bord d'attaque
WING LIFT .... Portance de l'aile
WING LIFT/DRAG RATIO .... Finesse de l'aile
WING LOAD(ING) .... Charge alaire
WING-MOUNTED .... Logé dans l'aile
WING NUT .... Écrou à oreilles (O), écrou papillon
WING OVER (to) .... Faire un renversement
WING PROFILE .... Profil d'aile
WING PYLON .... Pylône, mât de voilure, mât d'aile
WING REAR SPAR .... Longeron AR d'aile
WING RIB .... Nervure d'aile
WING RIGGING .... Montage de l'aile
WING ROCKING .... Échappée de roulis
WING ROOT .... Emplanture de l'aile, racine, encastrement d'aile
WING ROOT ATTACHMENT .... Attache d'aile
WING ROOT FAIRING .... Carénage d'emplanture d'aile
WING-ROOT FILLET .... Raccord aile-fuselage
WING ROOT RIB .... Nervure d'emplanture
WING SECTION .... Profil d'aile, section aile
WING SETTING .... Calage de l'aile *(angle)*
WING SHAPE .... Forme, profil de l'aile
WING SHUTOFF VALVE .... Vanne antigivrage ailes
WING SKIN .... Revêtement d'aile
WING SKIN PANELS .... Panneaux de revêtement de voilure
WING SLAT .... Bec
WING SLOT .... Fente d'aile
WING SLOT DISAGREEMENT LIGHT .... Voyant désacccord fentes de bord d'attaque
WING SOCKET .... Emplanture, encastrement de l'aile
WING SPAN (wingspan) .... Envergure
WING SPAR .... Longeron d'aile
WING SPAR BOX .... Caisson central de voilure
WING SPREAD .... Envergure
WING STATION (WS) .... Station d'aile
WING STRUCTURAL LOADS .... Charges structurales sur l'aile
WING STRUCTURE .... Structure d'aile
WING STRUT .... Mât d'aile, hauban
WING SURFACE .... Surface de la voilure, surface alaire

WING SWEEP .... Flèche des ailes, de la voilure
WING TANK .... Réservoir d'aile
WING THERMAL ANTI-ICING .... Dégivrage voilure
WING TIP .... Bout, extrémité, pointe d'aile, saumon d'aile
WING TIP (on) .... En bout d'aile
WING TIP AUXILIARY FUEL TANK .... Réservoir supplémentaire en bout d'aile
WING TIP FIN .... Ailette marginale
WING-TIP FLOAT .... Flotteur en bout d'aile
WING TIP LIGHT .... Feu saumon d'aile
WING TIP MOUNTED TAIL LIGHT .... Feu AR de saumon d'aile
WING TIP RAKE .... Biseau du saumon d'aile
WING TIP VORTEX .... Tourbillon d'extrémité d'aile
WING-TO-BODY FAIRING .... Carénage de jonction aile-fuselage
WING-TO-FUSELAGE ATTACHMENT .... Liaison voilure-fuselage
WING-TO-FUSELAGE FAIRING (fillet) .... Karman de liaison aile-fuselage, carénage de raccordement aile-fuselage, raccord aile-fuselage
WING-TO-FUSELAGE JONCTION .... Raccordement aile/fuselage
WING-TO-STRUT INTERFACE .... Interface mât-voilure
WING TOP SKIN .... Revêtement extrados
WING TWIST = WASHOUT .... Diminution de l'incidence à l'extérieur
WING UP .... Aile haute
WING VENTILATION INTAKE .... Prise de ventilation d'aile
WING WAKE .... Sillage de l'aile
WING WALK (walkway) .... Zone de passage sur l'aile
WING-WALKWAYS .... Marchepieds d'aile
WINGLESS .... Sans ailes
WINGLET .... Petite aile, ailette, dérive marginale
WINGLETTED WING .... Voilure avec ailettes d'extrémité
WINGLETS .... Ailettes marginales, ailettes en bout d'aile, ailettes d'extrémité de voilure *(provoquer une dilution des filets d'air formant le tourbillon marginal et réduire la traînée induite)*
WINGS .... Ailes, voilure
WINGS LEVEL .... Ailes horizontales
WINKING .... Clignotement
WIPE (to) .... Essuyer, ébarber, nettoyer, effacer
WIPE OFF (to) .... Enlever *(une saleté)*, éliminer par nettoyage, essuyer, éponger
WIPER .... Éponge, torchon, came, curseur, balai, racleur

WIPER ARM .... Curseur
WIPER BLADE .... Balai d'essuie-glace
WIPER CONTROL PANEL .... Panneau de commande essuie-glace
WIPER LUBRICATION .... Graissage par flotteur
WIPER RING .... Segment racleur
WIPER SHAFT .... Arbre à cames
WIRE .... Fil métallique, fil de fer, brin, hauban souple, câble, tringle ; fil électrique ; télégramme
WIRE (to) .... Attacher au fil de fer, freiner ; câbler, faire une installation électrique ; télégraphier
WIRE AMMETER (hot) .... Ampèremètre thermique
WIRE BREAK .... Rupture du fil
WIRE BRUSH .... Brosse métallique
WIRE BRUSH (to) .... Brosser
WIRE BUNDLE .... Toron, faisceau de fils électriques, de câbles, câblage
WIRE CLAMP .... Collier
WIRE CONNECTIONS .... Ligatures de fil
WIRE CUTTER (wire cutting tool) .... Coupe-fil *(pince)*
WIRE-CUTTERS .... Pinces coupantes, cisaille
WIRE-DRAW (wiredraw) (to) .... Tréfiler, étirer, travailler *(un métal)* à la filière, fileter ; étrangler, laminer
WIRE-DRAWING .... Laminage
WIRE DRAWN .... Tréfilé
WIRE FERRULE .... Passe-fil, coulant, arrêtoir
WIRE GAUZE .... Tissu, toile, gaze métallique
WIRE GAUZE FILTER .... Filtre métallique
WIRE GUARD .... Grille de protection
WIRE GUIDED .... Guidé par fil, filoguidé
WIRE-GUIDED MISSILE .... Missile téléguidé par fil
WIRE HEATING ELEMENT .... Résistance chauffante
WIRE INSERT .... Hélicoïl
WIRE LOCKING .... Freinage *(au fil à freiner)*
WIRE LOOP .... Spire
WIRE LOOPER PLIER .... Pince à boucler, à bec demi-rond
WIRE MESH .... Grillage
WIRE MESH GUARD .... Grille de protection
WIRE MESH SCREEN (filter) .... Filtre, crépine en treillis
WIRE NETTING .... Treillis métallique, treillage, filet métallique
WIRE PLIERS .... Pinces pour connexions
WIRE ROPE .... Câble métallique
WIRE SAFETYING .... Freinage au fil à freiner
WIRE SHIELD TUBE .... Tube, gaine passe-fil

WIRE SIEVE .... Tamis
WIRE SNIPS .... Ciseau coupe-fil
WIRE STRAINER .... Tendeur, raidisseur
WIRE STRIPPER (wire stripping tool) .... Pince à dénuder *(câblage électrique)*
WIRE STRIPPING PLIERS .... Pinces à dénuder
WIRE TERMINAL .... Cosse, prise
WIRE THREAD INSERT .... Hélicoïl
WIRE TWISTER WRENCH .... Pince à enrouler, à freiner
WIRE-TWISTING PLIERS .... Pince à freiner
WIRE UP (to) .... Monter, accoupler des piles
WIRE WHEEL .... Brosse métallique, brosse circulaire *(pour touret)*
WIRE WRAP .... Peigne à enrouler
WIRED IN PARALLEL .... Monté, branché, câblé en parallèle
WIRELESS .... Sans fil, télégraphie sans fil, radio-télégraphie, de radio
WIRELESS (to) .... Envoyer un message par radio
WIRELESS AERIAL .... Antenne de TSF
WIRELESS OPERATOR .... Radio-télégraphiste
WIRELESS SET .... Poste radio, poste de TSF
WIRELESS TELEPHONY (telegraphy) .... Téléphonie sans fil *(télégraphie sans fil)*
WIRELOCK (to) .... Freiner au fil à freiner
WIRING .... Pose de fils électriques, câblage, canalisation
WIRING BOARD .... Tableau de connexions
WIRING DIAGRAM .... Schéma de branchement, des connexions, de câblage électrique, câblage
WIRING DIAGRAM MANUAL (WDM) .... Manuel de schémas de câblage
WIRING HARNESS .... Harnais électrique
WIRING LUG .... Attache-tirant
WIRING PLATE .... Attache-fil(s)
WIRING SCHEMATIC DIAGRAM (scheme) .... Schéma de branchement
WIRING SHOP .... Atelier de câblage
WISP .... Traînée de fumée
WITHDRAW (to) .... Retirer, enlever, extraire, démonter, effacer, dégager, libérer
WITHDRAW ROPE (to) .... Dévider la corde
WITHDRAWAL SOLENOID .... Électro-valve d'effacement
WITHDRAWER .... Arrache (un)
WITHIN .... A l'intérieur, dans
WITHIN LIMITS .... Dans les tolérances
WITHIN THE NEXT TWO HOURS .... Dans les deux prochaines heures

WITHIN TOLERANCE (to be) .... Être dans la tolérance
WITHIN 10 DAYS .... Dans un délai de 10 jours
WITHOUT .... A l'extérieur, en dehors, sans
WITHOUT DAMAGING .... Sans endommager
WITHOUT POWER .... Sans moteur
WITHSTAND (to) .... Résister à, supporter, soutenir, pallier, encaisser
WITHSTAND A SHOCK (to) .... Supporter, encaisser un choc
WITHSTAND PRESSURE (to) .... Résister à la pression
WITNESS WIRE .... Fil témoin
WOBBLE .... Flottement, branlement, oscillation, tremblement, mouvement de lacet, shimmy
WOBBLE (to) .... Tanguer, trembler, branler, vaciller, basculer
WOBBLE FREQUENCY .... Fréquence de modulation
WOBBLE PLATE PUMP .... Pompe à plateau oscillant
WOBBLE PUMP .... Pompe à main, pompe à barillet, pompe à plateau tournant, oscillant, pompe oscillante
WOOD .... Bois
WOOD AUGER .... Mèche à bois
WOOD BLOCK .... Planche de bois
WOOD CASE .... Coffret en bois
WOOD MALLET .... Maillet en bois
WOOD SCREW .... Vis à bois
WOOD SHAVINGS .... Copeaux
WOOD SPATULA .... Spatule en bois
WOOD TIMBER (suitable) .... Bastaing
WOODEN HANDLE .... Poignée, manche en bois
WOODRUFF KEY .... Clavette woodruff, clavette demi-lune, clavette-disque
WOODWORK .... Menuiserie, ébénisterie
WOODWORKING MACHINERY .... Machines à bois
WOOF (weft) .... Trame
WOOL .... Laine
WORD .... Mot
WORK .... Travail, ouvrage, besogne, tâche
WORK (to) .... Travailler, fonctionner, marcher, actionner, commander, opérer, élaborer, exploiter
WORK-BENCH (workbench) .... Établi
WORK BLOCK .... Bloc de travail
WORK CARD .... Carte de travail
WORK CREW .... Équipe de travail
WORK-FORCE (workforce) .... Potentiel humain, effectif
WORK-HARDEN (to) .... Écrouir

WORK-HARDENED .... Écroui
WORK-IN-PROGRESS .... Travaux en cours
WORK LOAD (workload) .... Charge de travail, plan de charge
WORK ORDER .... Bon, commande de travail
WORK PLACE .... Poste de travail
WORK SPEED .... Vitesse de coupe, vitesse de travail *(rectif, coupe)*
WORK STAND (workstand) .... Escabeau
WORK STATION .... Poste de travail
WORK STOPPAGE .... Arrêt de travail
WORK-TO-RULE = GO-SLOW (US) .... Grève du zèle
WORKER .... Travailleur, ouvrier, compagnon
WORKING .... Qui travaille, qui fonctionne ; travail
WORKING CONDITION .... En état de marche, de fonctionnement, régime
WORKING CONTACT .... Plot de travail
WORKING DAY .... Jour ouvrable
WORKING DEPTH .... Profondeur d'engrènement
WORKING DRAWING .... Plan d'exécution
WORKING FREQUENCY .... Fréquence de fonctionnement
WORKING HOURS .... Heures de travail, vacation
WORKING LOAD .... Charge pratique, admissible, normale
WORKING MAN .... Ouvrier
WORKING ORDER (in) .... En état de marche
WORKING PARTS .... Pièces, parties qui travaillent
WORKING PISTON .... Piston de travail
WORKING POWER .... Puissance utile
WORKING PRESSURE .... Pression de service, de fonctionnement, pression motrice, effective
WORKING SEAL .... Joint travaillant
WORKING SPEED .... Vitesse de régime, de travail
WORKING STROKE .... Course utile
WORKING SURFACE .... Surface d'appui, portée, surface de contact, frottante
WORKING TEMPERATURE .... Température de fonctionnement
WORKING VOLTAGE .... Tension de régime, de service, de fonctionnement
WORKLOAD .... Charge de travail
WORKMAN .... Ouvrier, travailleur
WORKMANSHIP .... Qualité d'exécution, de fabrication, façon, travail, ouvrage, main-d'œuvre
WORKPIECE .... Pièce *(d'usinage)*
WORKSHOP .... Atelier
WORKSHOP CHIEF .... Chef d'atelier
WORKSPACE .... Espace de travail, zone de manœuvre

WORKSTAND (work stand) .... Établi, escabeau, dock
WORKS .... Usine
WORLD .... Monde
WORLD MARKET .... Marché mondial
WORLD SPEED RECORD .... Record du monde de vitesse
WORLDWIDE NETWORK .... Réseau mondial
WORLD-WIDE REPUTATION .... Réputation mondiale
WORM .... Filet de vis, pas de vis, vis sans fin
WORM (to) .... Fileter
WORM BIT .... Mèche à vis
WORM DRIVE .... Transmission par vis sans fin
WORM GEAR(ING) .... Engrenage à vis sans fin
WORM SCREW .... Vis sans fin
WORM WHEEL .... Engrenage hélicoïdal, roue de vis sans fin, roue dentée, roue globique
WORMED .... Fileté
WORN (out) .... Usé, usagé, fatigué
WORN PART .... Pièce, partie usée
WOUND .... Bobine, bobinage
WOUND ROTOR .... Rotor *(moteur à bagues)*
WOVEN .... Tissé
WRAP (to) .... Envelopper, enrouler, trousser
WRAP A CABLE (to) .... Guiper un câble
WRAPPED .... Roulé *(dans),* enveloppé, enroulé, sous gaine
WRAPPER .... Enveloppe *(d'emballage),* toile, papier d'emballage, couverture
WRAPPING .... Emballage, enveloppement, papier, toile d'emballage, enroulement, enroulage, enrobage, connexion enroulée
WRAPPING PAPER .... Papier d'emballage
WREATHE (to) .... Enrouler, tourbillonner, monter en volute
WRECK .... Épave
WRECKAGE .... Épave, débris d'un avion
WRECKER .... Dépanneuse *(lourde)*
WRECKING TRUCK (lorry) .... Camion de dépannage
WRENCH .... Clé *(écrous)*
WRENCH-TIGHTEN (to) .... Serrer à la clé
WRENCHING .... Serrage
WRETCHED WEATHER .... Temps de chien
WRING .... Mouvement de torsion
WRING (to) .... Tordre, forcer, déformer
WRINKLE .... Ride, ondulation, rugosité, pli
WRINKLE (to) .... Rider, plisser, faire des plis
WRINKLED .... Vermiculé
WRINKLING .... Flambage, plissement

WRIST .... Tourillon, axe de piston, maneton
WRITE (to) .... Écrire, rédiger
WRITER .... Rédacteur
WRITTEN .... Écrit
WRONG .... Mauvais, mal, inexactement, incorrectement
WRONG HANDLING .... Fausse manœuvre
WRONG POSITION (wrong location) .... Mauvaise position
WROUGHT .... Corroyé, forgé, façonné, travaillé
WROUGHT IRON (steel) .... Fer forgé *(acier forgé)*
WT (wireless telegraphy) .... Télégraphie sans fil
WYE .... En étoile
WYE CONNECTOR .... Raccord en toile

X

X-AXIS .... Axe des abscisses
X-POINT SOCKET .... Douille ouverture x pans
X-RAY (to) .... Passer aux rayons X, radiographier
X-RAY DIFFRACTION .... Diffraction des rayons X
X-RAY EXAMINATION .... Examen radiographique
X-RAY INSPECTION .... Contrôle radiographique, inspection par rayons X
X-RAY TUBE .... Tube rayons X
X-RAYS .... Rayons X
X-7 MAGNIFICATION .... Grossissement 7 fois

Y

Y-AXIS .... Axe des ordonnées
Y-CONNECTOR .... Raccord en Y
YANK (to) .... Tirer d'un coup sec, tirer sur le manche
YARD .... Yard = 0,914 m ; cour, dépôt
YARD-MEASURE .... Mesure d'un yard
YARDAGE .... Métrage ; frais de dépôt, manœuvres
YARN .... Fil *(à coudre)*
YAW .... Embardée, direction, lacet *(mouvement)*
YAW (to) .... Faire une embardée, un mouvement de lacet, pivoter suivant l'axe de lacet, embarder, voler en crabe
YAW ANGLE .... Angle de lacet
YAW AXIS .... Axe de lacet
YAW-AXIS ACCELEROMETER .... Accéléromètre latéral
YAW CHANNEL .... Chaîne de lacet
YAW COMPUTER (yaw channel computer) .... Calculateur de lacet
YAW CONTROL .... Commande de lacet, contrôle en lacet
YAW DAMPER .... Contrôleur, amortisseur de lacet, d'embardée
YAW DAMPER GROUND TEST SWITCH .... Interrupteur d'essai au sol amortisseur de lacet
YAW DAMPER GROUND TEST SWITCH .... Interrupteur d'essai au sol amortisseur de lacet
YAW DAMPER WARNING FLAG .... Drapeau amortisseur de lacet
YAW DAMPING .... Amortissement en lacet
YAW INDICATOR .... Indicateur de dérapage
YAW-OFF .... Échappée de lacet
YAW RATE .... Amplitude du lacet
YAW RATE GYROSCOPE .... Gyromètre de lacet
YAW ROTATION .... Rotation autour de l'axe de lacet, lacet
YAW STABILITY .... Stabilité en lacet
YAW STABILITY AUGMENTATION SYSTEM .... Système d'augmentation de stabilité en lacet
YAW TRIM .... Trim en lacet
YAWING .... Lacet, dérapage, oscillation, voler en crabe
YAWING AXIS .... Axe de lacet
YAWING MOMENT (N) .... Moment de lacet
YEAR .... Année, an
YEARLY .... Annuel, par an
YEARLY INSPECTION .... Visite annuelle
YEARLY MAINTENANCE .... Entretien annuel
YELLOW .... Jaune

YELLOW ANODIZING .... Anodisation jaune, or, aluminitage
YELLOW-BAND AREA .... Zone délimitée
YELLOW METAL .... Bronze, laiton
YIELD .... Production, rendement ; fléchissement, élasticité, perte de tension
YIELD (to) .... S'affaisser, fléchir, plier, céder
YIELD CAPACITY .... Productivité
YIELD LOAD .... Charge limite d'élasticité
YIELD POINT .... Limite élastique, limite de résistance
YIELD STRENGTH .... Limite élastique
YIELD STRESS .... Résistance élastique des matériaux, contrainte, résistance, limite élastique, effort de déformation permanente
YIELDING .... Mou, molle, élastique ; rendement ; affaissement, fléchissement
YOKE .... étrier, chape, guignol, fourche, noix de cardan, jumelle, manche, carcasse *(de machine électrique)*
YOKE (to) .... Accoupler des pièces, unir
YOKE BOLT .... Boulon d'articulation, axe de chape
YOKE JOINT .... Étrier, chape
YOKE PIN .... Axe de chape
YOKE PLATE .... Plateau oscillant
YOUNG'S MODULUS .... Module d'élasticité, module de young (E)
YOUTH FARE .... Tarif jeunes

Z

Z-AXIS .... Axe vertical
Z-SECTION .... Cornière, profilé, section en Z
Z-SECTION STRINGER .... Lisse à section en Z
ZAP FLAPS .... Volets Zap *(zap)*
ZEE FRAME .... Cadre en Z
ZEE SECTION .... Profilé, section en Z
ZENER DIODE .... Diode de zener
ZENER VOLTAGE .... Tension de zener
ZENITHAL PROJECTION .... Projection azimutale
ZERO .... Zéro
ZERO (to) .... (re)mettre à zéro *(comparateur)*
ZERO ADJUSTING SCREW (zero adjuster screw) Vis de remise à zéro, de réglage à zéro
ZERO ADJUSTMENT .... Réglage à zéro
ZERO AIRSPEED .... Vitesse nulle
ZERO ALTITUDE .... Altitude zéro, niveau de la mer
ZERO CEILING .... Plafond nul
ZERO FLAG .... Indicateur de zéro
ZERO FLIGHT TIME .... Heures de vol hors-ligne
ZERO FLOW PRESSURE .... Pression à débit nul
ZERO FUEL WEIGHT .... Poids à vide, masse sans carburant
ZERO-G .... Accélération nulle, apesanteur
ZERO-GRAVITY .... Apesanteur, impesanteur
ZERO LEAKAGE .... Fuite nulle
ZERO LEVEL .... Niveau zéro
ZERO-LIFT ANGLE .... Angle, incidence de portance nulle
ZERO LIFT TRAJECTORY .... Trajectoire à incidence nulle
ZERO LOAD .... Charge à vide
ZERO OFFSET .... Décalage du zéro
ZERO OUTPUT SIGNAL .... Signal de sortie nul
ZERO PITCH .... Pas nul
ZERO POINT .... Point zéro
ZERO READING INSTRUMENT .... Indicateur de zéro
ZERO RELEASE .... Rappel à zéro
ZERO SETTING .... Réglage à zéro, (re)mise à zéro
ZERO SHIFT .... Déviation zéro
ZERO STATE .... État de repos
ZERO TENSION .... Tension nulle
ZERO THE DIAL INDICATOR (to) .... Mettre le comparateur à zéro
ZERO THRUST .... Poussée nulle
ZERO TORQUE .... Couple nul

ZERO-TRACK UNDERCARRIAGE .... Train monotrace
ZERO VISIBILITY .... Visibilité nulle
ZERO WIND COMPONENT .... Composante vent nul
ZERO WIND CONDITION .... Vent nul
ZERO WIND TAKE OFF WEIGHT .... Masse au décollage par vent nul
ZERO YAW .... Dérapage nul
ZERO-ZERO EJECTION SEAT .... Siège éjectable zéro-zéro
ZEROED .... Centré, annulé, mis à zéro
ZICRAL ALLOY .... Zicral
ZIGLO .... Ressuage fluorescent *(ziglo)*
ZIGZAG .... Zigzag
ZIGZAG (to) .... Zigzaguer ; disposer des rivets en quinconce
ZIGZAG RIVETING .... Rivetage en quinconce
ZINC .... Zinc
ZINC (to) .... Zinguer, galvaniser
ZINC CHROMATE PRIMER .... Primaire au chromate de zinc
ZINC-PLATE .... Zinc en feuilles, tôle de zinc
ZINC PLATED .... Galvanisé, zingué
ZINC-PLATING .... Zinguage
ZINC-WORKER .... Zingueur
ZINKING .... Galvanisation
ZIP .... Sifflement
ZIP BAG (zipper bag) .... Sac à fermeture éclair
ZIP FASTENER .... Fermeture éclair, fermeture à curseur
ZIPPER .... Fermeture éclair
ZIRCONIATED TUNGSTEN .... Tungstène au zirconium
ZIRCONIUM (ZR) .... Zirconium
ZONE .... Zone
ZONE/CABIN BREAKDOWN .... Plan de chargement, répartition chargement
ZONE CONTROL .... Régulation de zone
ZONE MARKER .... Marker de zone
ZONE OF CONFUSION (cone of confusion) .... Cône d'incertitude
ZONE TEMPERATURE .... Température de zone
ZONE TEMPERATURE SELECTOR .... Sélecteur de température zone
ZONE TIME .... Temps fuseau
ZONE TRIM OVERTEMPERATURE SWITCH .... Thermocontact de température excessive
ZOOM Bourdonnement, vrombissement ; montée en chandelle, cabré
ZOOM (to) .... Vrombir, bourdonner ; monter en chandelle, se cabrer
ZOOM UP (to) .... Arriver en trombe
ZOOMING .... Chandelle
ZOOMING UP .... Montée en chandelle

Notes personnelles

Notes personnelles

Notes personnelles

ABRÉVIATIONS — ABBREVIATIONS

A

AAA ANTI-AIRCRAFT ARTILLERY
AACO ARAB AIR CARRIERS ORGANIZATION
AAH ADVANCED ARMED HELICOPTER
ADVANCED ATTACK HELICOPTER
AAM AIR-TO-AIR MISSILE
AASIR ADVANCED ATMOSPHERIC SOUNDER AND IMAGING RADIOMETER
AATV AIR-TO-AIR TEST VEHICLE
ABC ADVANCED BOOKING CHARTER
ABC ADVANCING BLADE CONCEPT
ABM ABEAM
ABM ANTI-BALLISTIC MISSILE
ABRES ADVANCED BALLISTIC REENTRY SYSTEM
ABRV ADVANCED BALLISTIC REENTRY VEHICLE
A/C ABSOLUTE CEILING
A/C AIRCRAFT
A/C ALTERNATING CURRENT
ACC AREA CONTROL CENTRE
ACCS AIR COMMAND AND CONTROL SYSTEM
ACCU AUTOMATIC CHART CONTROL UNIT
ACDU AUTOMATIC CHART DISPLAY UNIT
ACF AIR COMBAT FIGHTER
ACLS AUTOMATIC CARRIER LANDING SYSTEM
ACM AIR COMBAT MANEUVERS
ACM AIR CYCLE MACHINE
ACMI AIR COMBAT MANEUVERING INSTRUMENTATION
ACT ACTIVE CONTROL TECHNOLOGY
ACT ADVANCED COMPUTER TECHNOLOGY
ACU AVIONIC CONTROL UNIT
ACV AIR-CUSHION VEHICLE
AD AIRWORTHINESS DIRECTIVE
A/D ANALOG-DIGITAL
ADA ADVISORY AREA
ADAMS AIRBORNE DATA ANALYSIS AND MONITORING SYSTEM
ADATS AIR DEFENCE/ANTITANK SYSTEM
ADC AIR DATA COMPUTER
ADCN ADVANCE DRAWING CHANGE NOTICE
ADEN AUGMENTOR DEFLECTOR EXHAUST NOZZLE

ADF	AUTOMATIC DIRECTION FINDER
ADI	ATTITUDE DIRECTOR INDICATOR
ADP	AUTOMATIC DATA PROCESSING
ADR	ADVISORY ROUTE
ADSEL	ADDRESS SELECTABLE SYSTEM
ADV	AIR DEFENCE VERSION/VARIANT
AEA	ASSOCIATION OF EUROPE AIRLINES
AECMA	ASSN. OF EUROPEAN AEROSPACE MANUFACTURERS
AEI	ANALYTICAL EXPERIMENT INTEGRATION
AERA	AUTOMATED EN ROUTE AIR TRAFFIC CONTROL
AEW	AIRBORNE EARLY WARNING
AF	AUDIO FREQUENCY
AFCS	AUTOMATIC FLIGHT CONTROL SYSTEM
AFCS	AVIONIC FLIGHT CONTROL SYSTEM
AFFDL	AIR FORCE FLIGHT DYNAMICS LABORATORY
AFGL	AIR FORCE GEOPHYSICS LABORATORY
AFS	AUTOMATIC FLIGHT SYSTEM
AFTI	ADVANCED FIGHTER TECHNOLOGY INTEGRATOR
AFTN	AERONAUTICAL FIXED TELECOMMUNICATION NETWORK
AGC	AUTOMATIC GAIN CONTROL
AGARD	ADVISORY GROUP FOR AEROSPACE RESEARCH AND DEVELOPMENT
AGI	AIR GROUND INTERCEPT
AGL	ABOVE GROUND LEVEL
AHRS	ATTITUDE AND HEADING REFERENCE SYSTEM
AI	AIRBORNE INTERCEPTOR (pulse radar)
AIA	AEROSPACE INDUSTRIES ASSN. OF AMERICA
AIAA	AMERICAN INSTITUTE OF AERONAUTICS AND ASTRONAUTICS
AIDATS	ARMY IN FLIGHT DATA TRANSMISSION SYSTEM
AIDS	AIRBORNE INTEGRATED DATA SYSTEM
AIL	AVIONICS INTEGRATION LABORATORY
AIREP	AIR REPORT
AIRFILE	AIRFILED FLIGHT PLAN
AIROF	ANODIC IRIDIUM OXIDE FILM
AIRS	ADVANCED INERTIAL REFERENCE SPHERE
ALC	AIR LOGISTICS CENTER
ALCM	AIR-LAUNCHED CRUISE MISSILE
ALLD	AIRBORNE LASER LOCATOR DESIGNATOR
ALS	AUTOMATIC LANDING SYSTEM
ALT	ALTITUDE
ALT	APPROACH AND LANDING TEST
ALTN	ALTERNATE
ALU	ARITHMETIC LOGIC UNIT
ALWT	ADVANCED LIGHT-WEIGHT TORPEDO
AMARV	ADVANCED MANEUVERING REENTRY VEHICLE
AMPS	ATMOSPHERIC, MAGNETOSPHERIC AND PLASMA IN SPACE
AMR	ADVANCED MEDIUM-RANGE
AMRAAM	ADVANCED MEDIUM-RANGE AIR-TO-AIR MISSILE
AMSL	ABOVE MEAN SEA LEVEL
AMST	ADVANCED MEDIUM-RANGE STOL TRANSPORT

AMT	ACCELERATED MISSION TESTING
AMTI	AIRBORNE MOVING TARGET INDICATOR
AND	ALPHANUMERIC DISPLAY
ANMC	AMERICAN NATIONAL METRIC COUNCIL
ANMI	AIR NAVIGATION MULTIPLE INDICATOR
AOA	ANGLE OF ATTACK
AOCS	ATTITUDE AND ORBIT CONTROL SYSTEM
AOG	AIRCRAFT-ON-GROUND
AOPA	AIRCRAFT OWNERS & PILOTS ASSN.
AP	ARMOURED PIERCING
A/P	AUTOPILOT
APIT	ADVANCE PURCHASE INCLUSIVE TOUR
APP	APPROACH
APSI	AIRCRAFT PROPULSION SUBSYSTEM INTEGRATION
APU	AUXILIARY POWER UNIT
ARBS	ANGLE RATE BOMBING SYSTEM
ARC	AUTOMATIC RADIO COMPASS
ARCP	AIR REFUELING CONTROL POINT
ARIP	AIR REFUELING INITIAL POINT
ARM	ANTI-RADIATION MISSILE
ARPA	ADVANCED RESEARCH PROJECTS AGENCY
ARPS	ADVANCED RADAR PROCESSING SYSTEM
ARTCC	AIR ROUTE TRAFFIC CONTROL CENTER
ARTCRBS	AIR TRAFFIC CONTROL RADAR BEACON SYSTEM
ARTS	AUTOMATED RADAR TERMINAL SYSTEM
ARW	AEROELASTIC RESEARCH WING
ASALM	ADVANCED STRATEGIC AIR-LAUNCHED MISSILE
ASAR	ADVANCED SURFACE-TO-AIR RAMJET
ASAR	ADVANCED SYNTHETIC APERTURE RADAR
ASAT	ANTI-SATELLITE SPACE DEFENCE SYSTEM
ASD	AIRBUS SUPPORT DIV.
ASDA	ACCELERATE-STOP DISTANCE AVAILABLE
ASDAR	AIRCRAFT-TO-SATELLITE DATA REPORTING
ASDE	AIRPORT SURFACE DETECTION EQUIPMENT
ASE	AIRBORNE SUPPORT EQUIPMENT
ASEM	ANTI-SURFACE EURO-MISSILE
ASI	AIRSPEED INDICATOR
ASIR	AIRSPEED INDICATOR READING
ASL	ABOVE SEA LEVEL
ASLV	AUGMENTED SATELLITE LAUNCH VEHICLE
ASM	AIR-TO-SHIP MISSILE
ASM	AIR-TO-SURFACE MISSILE
ASM	ADVANCED SYSTEM MONITOR
ASMR	ADVANCED SHORT-TO-MEDIUM-RANGE
ASMT	ANTI-SHIP MISSILE TARGET
ASPJ	AIRBORNE SELF-PROTECTION JAMMER
ASR	AIRPORT SURVEILLANCE RADAR
ASRAAM	ADVANCED SHORT-RANGE AIR-TO-AIR MISSILE
AST	ADVANCED SIMULATION TECHNOLOGY
ASTF	AEROPROPULSION SYSTEMS TEST FACILITY

ASW	ANTI-SUBMARINE WARFARE
A/T	AUTO-THROTTLE
ATA	ACTUAL TIME OF ARRIVAL
ATAF	ALLIED TACTICAL AIR FORCE
ATC	AIR TRANSPORT COMMITTEE
ATC	AIR TRAFFIC CONTROL
ATCA	ADVANCED TANKER/CARGO AIRCRAFT
ATCRBS	AIR TRAFFIC CONTROL RADAR BEACON SYSTEM
ATCS	AIR TRAFFIC COMMUNICATIONS STATION
ATD	ACTUAL TIME OF DEPARTURE
ATDE	ADVANCED TECHNOLOGY DEMONSTRATOR ENGINE
ATEGG	ADVANCED TURBINE ENGINE GAS GENERATOR
ATIS	AIRPORT TERMINAL INFORMATION SERVICE
ATIS	AUTOMATIC TERMINAL INFORMATION SYSTEM
ATM	AIR TURBINE MOTOR
ATMR	ADVANCED TECHNOLOGY MEDIUM RANGE
ATO	ACTUAL TIME OVERFLIGHT
ATS	APPLICATIONS TECHNOLOGY SATELLITE
ATS	ACCEPTANCE TEST SPECIF
ATW	ANTI-TANK WARFARE
AU	ASTRONOMICAL UNIT
AVC	AUTOMATIC VOLUME CONTROL
AVTR	AIRBORNE VIDEO-CASSETTE TAPE
AUVS	ASSN. FOR UNMANNED VEHICLE SYSTEMS
AVSI	ADVANCED SPEED INDICATOR
AWACS	AIRBORNE WARNING AND CONTROL SYSTEM
AWANS	AVIATION WEATHER AND NOTAM SYSTEM
AWG	AMERICAN WIRE-GAUGE
AWOP	ALL-WEATHER OPERATIONS PANEL
AWSACS	ALL-WEATHER STANDOFF ATTACK AND CONTROL SYSTEM
AWY	AIRWAY

B

BAC	BOEING AEROSPACE Co.
BBL	BODY BUTTOCK LINE
BC	BACK COURSE
BCAC	BOEING COMMERCIAL AIRPLANE Co.
B-CAS	BEACON COLLISION AVOIDANCE SYSTEM
BCD	BINARY CODED DECIMAL
BDC	BOTTOM DEAD CENTER
BFO	BEAT FREQUENCY OSCILLATOR
BGRV	BOOST GLIDE REENTRY VEHICLE
BHP	BRAKE HORSE POWER
BITE	BUILT-IN TEST EQUIPMENT
BL	BUTTOCK LINE
BLC	BOUNDARY LAYER CONTROL

BLKD BULKHEAD
BM BACK MARKER
BMEWS BALLISTIC MISSILE EARLY WARNING RADAR SITE
BMS BOEING MATERIAL SPECIFICATION
BPI BITS PER INCH
BS BODY STATIONS
BSG BRITISH STANDARD GAUGE
BSS BROADCAST SATELLITE SERVICE
BTU BRITISH THERMAL UNIT

C

C^3 COMMAND, CONTROL AND COMMUNICATIONS SYSTEMS
C^3I COMMAND, CONTROL, COMMUNICATIONS AND INTELLIGENCE
CA CAPTIVE ACTIVE PHASE
CAA CIVIL AERONAUTICS ADMINISTRATION
CAAA COMMUTER AIRLINE ASSOCIATION OF AMERICA
CAB CIVIL AERONAUTICS BOARD
CAD CIVIL AVIATION DEPARTMENT
CAD COMPUTER AIDED DESIGN
CAD CUSHION AUGMENTATION DEVICE
CADAM COMPUTER-GRAPHICS AUGMENTED DESIGN AND MANUFACTURING
CADC CENTRAL AIR DATA COMPUTER
CADD COMPUTER-AIDED DESIGN AND DRAFTING
CADDS COMPUTER AUTOMATED DESIGN AND DRAFTING SYSTEM
CAM COMPUTER AIDED MANUFACTURING
CAML CARGO AIRCRAFT MINELAYER
CAS CALIBRATED AIRSPEED
CAST COMPUTERIZED AUTOMATIC SYSTEM TESTER
CAT CLEAR AIR TURBULENCE
CATO CIVIL AIR TRAFFIC OPERATIONS
C/B CIRCUIT BREAKER
CBIT CONTRACT BULK INCLUSIVE TOUR
CCD CHARGE-COUPLED DEVICE
CCF CHARTER CLASS FARE
CCV CONFIGURATED CONTROL VEHICLE
CD COEFFICIENT OF DRAG
CD COMPASS DEVIATION
CDI COURSE DEVIATION INDICATOR
CDP COMPRESSOR DISCHARGE PRESSURE
CCF CHARTER COMPETITIVE FARE
CCMS CHECKOUT CONTROL AND MONITOR SUBSYSTEM
CDRS COMMAND DATA RETRIEVAL SYSTEM
CDTI COCKPIT DISPLAY OF TRAFFIC INFORMATION
CDU CONTROL DISPLAY UNIT
CE COMPASS ERROR

CEAT FRENCH AERONAUTICAL TEST CENTRE (at Toulouse)
CFAR CONSTANT FALSE-ALARM RATE
CFR CONTACT FLYING RULES
CFRP CARBON FIBER-REINFORCED PLASTIC
CG CENTER OF GRAVITY
CI CAPTIVE INERT TESTING
CIAS CALIBRATED INDICATED AIRSPEED
CIG COMPUTER IMAGE-GENERATION
CIM COMPUTER INTEGRATED MANUFACTURING
CIRRIS CRYOGENIC INFRARED RADIANCE INSTRUMENTATION
CL CENTER LINE
CL COEFFICIENT OF LIFT
CLC COURSE LINE COMPUTER
CLMB CLIMB
CMOS COMPLEMENTARY METAL-OXIDE-SEMICONDUCTOR
CMT COMPUTER MANAGING TRAINING
CNES FRANCE'S SPACE AGENCY (Centre National d'Études Spatiales)
COMINT COMMUNICATIONS INTELLIGENCE
COSPAR COMMITTEE ON SPACE RESEARCH
CPL COMMERCIAL PILOT'S LICENCE
CPL CURRENT FLIGHT PLAN
CPU CENTRAL PROCESSOR UNIT
CPY COPY
CRC CONTROL AND REPORTING CENTRE
CRES CORROSION RESISTANT STEEL
CRM COLLISION RISK MODEL
CRT CATHODE-RAY TUBE
CRU CRUISE
CSD CONSTANT SPEED DRIVE
CSK COUNTERSINK
CSS COCKPIT SYSTEM SIMULATOR
CTOL CONVENTIONAL TAKEOFF AND LANDING
CTS COMMUNICATIONS TECHNOLOGY SATELLITE
CTVS COCKPIT TELEVISION SENSOR
CVR COCKPIT VOICE RECORDER
CW CONTINUOUS WAVE

D

DA DRIFT ANGLE
DABS DISCRETE-ADDRESS BEACON SYSTEM
DAC DIGITAL-ANALOG CONVERTER
DADC DIGITAL AIR DATA COMPUTER
DAIS DIGITAL AVIONICS INFORMATION SYSTEM
DARC DIRECT ACCESS RADAR CHANNEL

DARPA	DEFENCE ADVANCED RESEARCH PROJECTS AGENCY
DART	DATA ANALYSIS AND REPRODUCTION TOOL
DAS	DATA ACQUISITION AND RECORDING SYSTEM
DBMS	DATA BASE MANAGEMENT SYSTEM
DBS	DOPPLER BEAM SHARPENING
DC	DIRECT CURRENT
DCN	DRAWING CHANGE NOTICE
DECM	DEFENCE ELECTRONIC COUNTERMEASURES
DEEC	DIGITAL ELECTRONIC ENGINE CONTROL
DEPT	DEPARTMENT
DESC	DESCENT
DEST	DESTINATION
DEW	DISTANT EARLY WARNING
DEWIZ	DISTANT EARLY WARNING IDENTIFICATION ZONE
DF	DIRECTION FINDING
DFA	DELAYED FLAPS APPROACH
DFDR	DIGITAL FLIGHT DATA RECORDER
DFE	DERIVATIVE FIGHTER ENGINE
DFWES	DIRECT FIRE WEAPONS EFFECTS SIMULATION
DG	DIRECTIONAL GYROSCOPE
DH	DECISION HEIGHT
DI	DEVIATION INDICATOR
DIA	DIAMETER
DIAS	DELIVERY AND IMPACT ANALYSIS
DIM	DIMENSION
DINS	DORMANT INERTIAL NAVIGATION SYSTEM
DIS	DISTANCE TO WAYPOINT
DLC	DATA LINK CONTROL
DLS	DME LANDING SYSTEM
DME	DISTANCE MEASURING EQUIPMENT
DMMH/FH	DIRECT MAINTENANCE MAN-HOURS PER FLIGHT HOUR
DMSP	DEFENCE METEOROLOGICAL SATELLITE PROGRAM
DOA	DOMINANT OBSTACLE ALLOWANCE
DOC	DIRECT OPERATIONAL COST
DOS	DISK OPERATING SYSTEM
DPC	DEFENCE PLANNING OFFICE
DPM	DYE PENETRANT METHOD
DPH	DIAMOND PYRAMID HARDNESS
DR	DEAD RECKONING
DRVS	DOPPLER RADAR VELOCITY SENSOR
DSARC	DEFENCE SYSTEMS ACQUISITION REVIEW COUNCIL
DSCS	DEFENCE SATELLITE COMMUNICATION SYSTEM
DSN	DEEP SPACE NETWORK
DSP	DEFENCE SUPPORT PROGRAM
DTCS	DRONE TARGET CONTROL SYSTEM
DTK	DESIRED TRACK ANGLE
DWG	DRAWING

E

EADI	ELECTRONIC ATTITUDE DIRECTOR INDICATOR
EAF	EXECUTIVE AIR FLEET
EAR	ELECTRONICALLY AGILE RADAR
EAROM	ELECTRICALLY ALTERABLE READ-ONLY MEMORY
EAS	EQUIVALENT AIRSPEED
EAT	EXPECTED APPROACH TIME
EBF	EXTERNALLY BLOWN FLAP
ECAC	EUROPEAN CIVIL AVIATION CONFERENCE
ECCM	ELECTRONIC COUNTER-COUNTERMEASURES
ECDI	ELECTRONIC COURSE DEVIATION INDICATOR
ECAM	ELECTRONIC CENTRALIZED AIRCRAFT MONITOR
ECL	EMITTER COUPLED LOGIC
ECM	ELECTRONIC COUNTER-MEASURES
ECOM	ELECTRONIC COMPUTER-ORIGINATED MAIL
ECS	ENVIRONMENTAL CONTROL SYSTEM
ECS	EUROPEAN COMMUNICATIONS SATELLITE
EDM	ELECTRO-DISCHARGE MACHINING
EDP	ELECTRONIC DATA PROCESSING
EDU	ELECTRONICS DISPLAY UNIT
EEC	ELECTRONIC ENGINE CONTROL
EET	ESTIMATED ELAPSED TIME
EFC	ENROUTE FLIGHT CHECK
EGT	EXHAUST GAS TEMPERATURE
EHF	EXTREMELY HIGH FREQUENCY (30 à 300 gigahertz)
EHP	EFFECTIVE HORSE POWER
EHP	EQUIVALENT HORSE POWER
EHSI	ELECTRONIC HORIZONTAL SITUATION DISPLAY
EICAS	ENGINE-INDICATING AND CREW-ALERTING SYSTEM
EFIS	ELECTRONIC FLIGHT INSTRUMENT SYSTEM.
ELEV	ELEVATION
ELF	EXTREMELY LOW FREQUENCY (30 à 300 Hz)
ELINT	ELECTRONIC INTELLIGENCE
ELT	EMERGENCY LOCATOR TRANSMITTER
EMF	ELECTROMOTIVE FORCE
EMI	ELECTROMAGNETIC INTERFERENCE
EMP	ELECTROMAGNETIC PULSE
EMT	EFFECTIVE MEGATONNAGE
EMUX	ELECTRICAL MULTIPLEX SUBSYSTEM
ENGR	ENGINEER
EO	ELECTRO-OPTICS
EOARD	EUROPEAN OFFICE OF AEROSPACE RESEARCH AND DEVELOPMENT
EPCS	ELECTRONIC PROPULSION CONTROL SYSTEM
EPR	ENGINE PRESSURE RATIO
EPROM	ERASABLE PROGRAMMABLE ROM
EPR	ETHYLENE PROPYLENE RUBBER
EPS	EXTERNAL POWER SUPPLY

EPU	EMERGENCY POWER UNIT
EROS	EARTH RESOURCES OBSERVATIONS
EROS	EMITTER-RECEIVER FOR OPTICAL SYSTEMS
ERTS	EARTH RESOURCES TECHNOLOGY SATELLITE
ESA	EUROPEAN SPACE AGENCY
ESHP	EQUIVALENT SHAFT HORSEPOWER
ESM	ELECTRONIC SUPPORT MEASURES
ESSS	EXTERNAL STORES SUPPORT SYSTEM
ESTEC	EUROPEAN SPACE TECHNOLOGY CENTER
ETA	ESTIMATED TIME OF ARRIVAL
ETABS	ELECTRONIC TABULAR DISPLAYS
ETD	ESTIMATED TIME OF DEPARTURE
ETE	ESTIMATED TIME ENROUTE
ETG	ELECTRONIC TARGET GENERATOR
ETS	ENGINEERING TEST SATELLITE
EVM	ENGINE VIBRATION MONITORING
EW	EARLY WARNING
EW	ELECTRONIC WARFARE
EWA	EARLY WARNING AIRCRAFT
EWSM	ELECTRONIC WARFARE SUPPORT MEASURES

F

FAA	FEDERAL AVIATION AGENCY (USA)
FAE	FUEL-AIR EXPLOSIVE BOMB
FAF	FINAL APPROACH FIX
FAR	FEDERAL AVIATION REGULATIONS
FAR	FEDERAL AVIATION REQUIREMENTS
FAS	FEEL AUGMENTATION SYSTEM
FAX	FINAL APPROACH FIX
FBW	FLIGHT-BY-WIRE
FCS	FLIGHT CONTROL SYSTEM
FCSC	FLIGHT CONTROL SYSTEM CONTROLLER
FCU	FUEL CONTROL UNIT
FD	FLIGHT DIRECTOR
FDAU	FLIGHT DATA ACQUISITION UNIT
FDM	FREQUENCY DIVISION MULTIPLEX
FDPS	FLIGHT PLAN DATA PROCESSING SYSTEM
FDR	FLIGHT DATA RECORDER
FDS	FLIGHT DIRECTOR SYSTEM
FDS	FOG-DISPERSAL SYSTEM
FDSU	FLIGHT DATA STORAGE UNIT
FDVR	FLIGHT DATA AND VOICE RECORDER
FET	FIELD EFFECT TRANSISTOR
FF	FREE FLIGHT
FFCC	FORWARD FACING CREW COCKPIT
FIC	FLIGHT INFORMATION CENTER
FIP	FLUORESCENT INDICATOR PANEL

FIR	FLIGHT INFORMATION REGION
FISC	FLIGHT INSTRUMENT SIGNAL CONVERTER
FL	FLIGHT LEVEL
FLAME	FIGHTER-LAUNCHED ADVANCED MATERIAL EQUIPMENT
FLEXAR	FLEXIBLE ADAPTIVE RADAR
FLIR	FORWARD-LOOKING INFRARED
FLR	FORWARD LOOKING RADAR
FLT	FLIGHT
FM	FAN MARKER
FM	FREQUENCY MODULATION
FMCS	FLIGHT MANAGEMENT COMPUTER SYSTEM
FMCW	FREQUENCY MODULATED CONTINUOUS WAVE
F/O	FIRST OFFICER
FOB	FREE ON BOARD
FOBS	FRACTIONAL ORBITAL BOMBARDMENT SYSTEM
FOD	FOREIGN OBJECT DAMAGE
FOI	FOLLOW-ON INTERCEPTOR
FOSS	FIBER OPTIC SENSOR SYSTEM
FS	FIN STATIONS
FS	FUSELAGE SECTION
FSD	FULL-SCALE DEVELOPMENT
FSS	FLIGHT SERVICE STATION
FSS	FIXED SATELLITE SERVICE
FSS	FRONT SPAR STATION
FWD	FORWARD

G

G/A	GROUND/AIR
GAMA	GENERAL AVIATION MANUFACTURERS ASSN.
GAS	GASOLINE
GCA	GROUND CONTROLLED APPROACH
GCI	GROUND CONTROL INTERCEPT
GCMS	GAS CHROMATOGRAPH MASS SPECTROMETER
GCU	GENERAL CONTROL UNIT
GE	GENERAL ELECTRIC CO.
GIT	GROUP INCLUSIVE TOUR
GEODSS	GROUND-BASED ELECTRO-OPTICAL DEEP SPACE
GEOS	GEOSYNCHRONOUS OPERATIONAL ENVIRONMENTAL SATELLITE
GLCM	GROUND-LAUNCHED CRUISE MISSILE
GLLD	GROUND LASER LOCATOR DESIGNATOR
GMS	GEOSYNCHRONOUS ORBIT METEOROLOGICAL SATELLITE
GMT	GREENWICH MEAN TIME
GND	GROUND
GP	GLIDE PATH
GPC	GENERAL PURPOSE COMPUTER
GPS	GLOBAL POSITIONING SYSTEM

GPSCS	GENERAL PURPOSE SATELLITE COMMUNICATIONS SYSTEM
GPU	GROUND POWER UNIT
GPWS	GROUND PROXIMITY WARNING SYSTEM
GS	GLIDE SLOPE
GSA	GLIDE SLOPE ANGLE
GSE	GROUND SUPPORT EQUIPMENT
GTO	GATE TURN OFF
GTOW	GROSS TAKE-OFF WEIGHT

H

HAA	HEIGHT ABOVE AIRPORT
HAC	HEADING ALIGNMENT CIRCLE
HALO	HIGH-ALTITUDE LARGE OPTICS
HARM	HIGH-SPEED ANTIRADIATION MISSILE
HAS	HEADING AND ATTITUDE SENSOR
HDG	HEADING
HDUE	HIGH-DYNAMIC USER EQUIPMENT
HE	HIGH EXPLOSIVE
HEAO	HIGH-ENERGY ASTRONOMY OBSERVATORY
HEAT	HIGH EXPLOSIVE ANTI-TANK
HELCIS	HELICOPTER COMMAND INSTRUMENTATION SYSTEM
HF	HIGH FREQUENCY (3 à 30 mégahertz)
HIMAT	HIGHLY MANEUVERABLE AIRCRAFT TECHNOLOGY
HIP	HOT ISOSTATIC PRESSING
HIT	HOMING INTERCEPTOR TECHNOLOGY
HLA	HEAVY-LIFT AIRSHIP
HLD	HOLDING
HLH	HEAVY-LIFT HELICOPTER
HMU	HOSPITAL MAINTENANCE UNIT (main base)
HO	HEAD OFFICE
HOBOS	HOMING BOMBING SYSTEM
HOE	HOMING OVERLAY EQUIPMENT
HOLD	HOLDING PATTERN
HOVVAC	HOVERING VEHICLE VERSATILE AUTOMATIC CONTROL
HP	HIGH PRESSURE
HPD	HORIZONTALLY POLARIZED DIPOLE
HSI	HORIZONTAL SITUATION INDICATOR
HSS	HIGH SPEED STEEL
HSS	HIGH STRENGTH STEEL
HSST	HIGH-SPEED SURFACE TRANSPORT
HT	HIGH TENSION
HTPB	HYDROXY-TERMINATED POLYBUTADIENE
HUD	HEAD-UP DISPLAY
HVM	HYPERVELOCITY MISSILE
HYDR	HYDRAULIC
Hz	HERTZ

I

IACS	INTEGRATED AVIONICS CONTROL SYSTEM
IAF	INTERNATIONAL ASTRONAUTICAL FEDERATION
IAS	INDICATED AIRSPEED
IATA	INTERNATIONAL AIR TRANSPORT ASSOCIATION
I-CNI	INTEGRATED COMMUNICATION-NAVIGATION-IDENTIFICATION
ICAM	INTEGRATED COMPUTER AIDED MANUFACTURING
ICAO	INTERNATIONAL CIVIL AVIATION ORGANIZATION
ICBM	INTERCONTINENTAL BALLISTIC MISSILE
ID	INNER DIAMETER
ID	INSIDE DIAMETER
IDPS	INITIAL FLIGHT PLAN DATA PROCESSING SYSTEM
IDS	INTERDICTION-DEFENCE-STRIKE
IECMS	INFLIGHT ENGINE CONDITION MONITORING SYSTEM
IFF	IDENTIFY FRIENDS OR FOES
IFFA	INDEPENDENT FEDERATION OF FLIGHT ATTENDANTS
IFR	INSTRUMENT FLIGHT RULES
IFS	INTEGRATED FLIGHT SYSTEM
IFSD	INFLIGHT SHUTDOWN
IGV	INLET GUIDE VANE
IHAS	INTEGRATED HELICOPTER AVIONICS SYSTEM
IHP	INDICATED HORSE POWER
ILS	INSTRUMENT LANDING SYSTEM
ILVSI	INSTANT LEAD VERTICAL SPEED INDICATOR
IM	INNER MARKER
IMC	INSTRUMENT METEOROLOGICAL CONDITIONS
IMN	INDICATED MACH NUMBER
IMP	INTERFACE MESSAGE PROCESSOR
IMU	INERTIAL MEASURING UNIT
INBD	INBOARD
INE	INERTIAL NAVIGATION ELEMENT
INS	INERTIAL NAVIGATION SYSTEM
INU	INERTIAL NAVIGATION UNIT
IOC	INITIAL OPERATIONAL CAPABILITY
IONDS	INTEGRATED OPERATIONAL NUCLEAR DETECTION SYSTEM
IP	INTERMEDIATE PRESSURE
IPC	ILLUSTRATED PARTS CATALOG
IR	INSTRUMENT RATING
IRAS	INFRARED ASTRONOMICAL TELESCOPE
IRBM	INTERMEDIATE RANGE BALLISTIC MISSILE
IRIS	IMPROVED ROTOR ISOLATION SYSTEM
IRIS	INFRARED IMAGERY OF SHUTTLE
IRR	INTEGRAL ROCKET-RAMJET
IRS	INERTIAL REFERENCE SYSTEM
IRTM	INFRARED THERMAL MAPPER
IRU	INERTIAL REFERENCE UNIT
ISA	INTERNATIONAL STANDARD ATMOSPHERE
ISADS	INTEGRATED STRAPDOWN/AIR DATA SENSOR
ISDU	INERTIAL NAVIGATION SENSOR DISPLAY

ISEES INTERNATIONAL SUN-EARTH EXPLORERS
ISO INTERNATIONAL STANDARDS ORGANIZATION
ISPM INTERNATIONAL SOLAR-POLAR MISSION
ISS INTEGRATED SENSOR SYSTEM
ISTA INTELLIGENCE, SURVEILLANCE AND TARGET ACQUISITION
IT INCLUSIVE TOUR
ITC ILLUSTRATED TOOL CATALOG
ITEWS INTEGRATED TACTICAL ELECTRONIC WARFARE SYSTEM
ITSS INTEGRATED TACTICAL SURVEILLANCE SYSTEM
IUS INERTIAL UPPER STAGE
IVSI INSTANTANEOUS VERTICAL SPEED INDICATOR
IVVC INSTANTANEOUS VELOCITY VERTICAL CONTROL

J

JAR JOINT AIRWORTHINESS REGULATION
JATO JET ASSISTED TAKEOFF
JFS JET FUEL STARTER
JP JET PETROLEUM
JPL JET PROPULSION LABORATORY
JPT JET PIPE TEMPERATURE
JTIDS JOINT TACTICAL INFORMATION DISTRIBUTION SYSTEM

K

KCAS CALIBRATED AIRSPEED
KIAS INDICATED AIRSPEED
KIFIS KOLLSMAN INTEGRATED FLIGHT INSTRUMENT SYSTEM
KMH KILOMETERS PER HOUR
KT KNOTS
KVA KILOVOLT-AMPERE(S)
KW KILOWATT

L

L/A LIGHTER-THAN-AIR
LAB LOW-ALTITUDE BOMBING
LAD LOW-ALTITUDE DISPENSER
LAMPS LIGHT AIRBORNE MULTI-PURPOSE SYSTEM
LATAR LASER-AUGMENTED TARGET ACQUISITION
LAX LOS ANGELES INTERNATIONAL AIRPORT

LCC	LAUNCH CONTROL CENTER
LBL	LEFT BUTTOCK LINE
LCC	LIFE-CYCLE COST
LCLV	LIQUID CRYSTAL LIGHT VALVE
L/D	LIFT-TO-DRAG
LDA	LANDING DISTANCE AVAILABLE
LDEF	LONG-DURATION EXPOSURE FACILITY
LDG	LANDING GEAR
LE	LEADING EDGE
LED	LIGHT-EMITTING DIODE
LEM	LUNAR EXCURSION MODULE
LF	LOW FREQUENCY (30 à 300 kilohertz)
LFR	LOW FREQUENCY RADIO RANGE
L/G	LANDING GEAR
LH	LEFT HAND
LLTV	LOW LIGHT TELEVISION
LLV	LOW LEVEL VECTORING
LMNA	LAND-BASED MULTI-PURPOSE NAVAL AIRCRAFT
LMT	LOCAL MEAN TIME
LNAV	LATERAL NAVIGATION
LOADS	LOW ALTITUDE DEFENCE SYSTEM
LOC	LOCALIZER
LOFT	LINE ORIENTED FLIGHT TRAINING
LORAN	LONG RANGE AID FOR NAVIGATION
LOTAWS	LASER OBSTACLE AND TERRAIN AVOIDANCE SYSTEM
LOX	LIQUID OXYGEN
LP	LOW PRESSURE
LPP	LOAD PRESENT POSITION
LRCA	LONG-RANGE COMBAT AIRCRAFT
LRSOM	LONG-RANGE STAND-OFF MISSILE
LRU	LINE REPLACEABLE UNIT
LSI	LARGE SCALE INTEGRATION
LST	LASER-SPOT TRACKER
LST	LOCAL SIDERAL TIME
LT	LOCAL TIME
LT	LOW TENSION
LTA	LIGHTER-THAN-AIR
LTD	LASER TARGET DESIGNATOR
LTH	LIGHT TRANSPORT HELICOPTER
LTMRS	LASER RANGER AND MARKER TARGET SEEKER

M

MAC	MEAN AERODYNAMIC CHORD
MAD	MAGNETIC ANOMALY DETECTOR
MAL	MALFUNCTION
MARS	MULTIPLE AERIAL REFUELING SYSTEM
MARV	MANEUVERING REENTRY VEHICLE

MASR	MICROWAVE ATMOSPHERIC SOUNDING RADIOMETER
MATS	MILITARY AIR TRANSPORT SERVICE
MAW	MARINE AIRCRAFT WINGS
MAX	MAXIMUM
MBT	MICROPROGRAMMABLE BUS TERMINALS
MCL	MAXIMUM CLIMB THRUST
MCR	MAXIMUM CRUISE THRUST
MECU	MAIN ENGINE CONTROL UNIT
MDA	MINIMUM DESCENT ALTITUDE
MDBS	MULTIPLEX DATA BUS SUBSYSTEM
MEA	MINIMUM EN ROUTE ALTITUDE
MEC	MAIN ENGINE CONTROL
MECH	MECHANICAL
MED	MEDICAL
MEK	METHYL ETHYL KETONE
MET	METEOROLOGICAL
MET	MISSION ELAPSED TIME
MF	MEDIUM-FREQUENCY (300 à 3000 kilohertz)
MFP	MAIN FUEL PUMP
MFPA	MONOLITHIC FOCAL PLANE ARRAY
MHD	MAGNETOHYDRODYNAMICS
MIL	MILITARY
MIN	MINIMUM, MINUTE
MIM	MULTIPLEX INTERFACE MODULE
MIR	MULTI-TARGET INSTRUMENTATION RADAR
MIRV	MULTIPLE INDEPENDENTLY TARGETED REENTRY VEHICLES
MISC	MISCELLANEOUS
MIT	MESSACHUSETTS INSTITUTE OF TECHNOLOGY
MLG	MAIN LANDING GEAR
MLRS	MULTIPLE LAUNCH ROCKET SYSTEM
MLS	MICROWAVE LANDING SYSTEM
MM	MIDDLE MARKER
MMAS	MINI-MANNED AIRCRAFT SYSTEM
MMH	MONOMETHYLHYDRAZINE
MMR	MACH METER READING
MNOS	METAL NITRIDE OXIDE SEMICONDUCTOR
MOCA	MINIMUM OBSTRUCTION CLEARANCE ALTITUDE
MOS	METAL OXIDE SEMICONDUCTOR
MPA	MARITIME PATROL AIRCRAFT
MPD	MULTIPURPOSE DISPLAY
MPH	MILES PER HOUR
MPS	MULTIPLE PROTECTIVE SHELTER
MRA	MINIMUM RECEPTION ALTITUDE
MRASM	MEDIUM-RANGE AIR-TO-SURFACE MISSILE
MRBM	MEDIUM RANGE BALLISTIC MISSILE
MRCA	MULTIROLE COMBAT AIRCRAFT
MRV	MANEUVERING RENTRY VEHICLE
MRV	MULTIPLE RE-ENTRY VEHICLE
MSBLS	MICROWAVE SCANNING BEAM LANDING SYSTEM
MSI	MAIN SIGNIFICANT ITEM

MSL MEAN SEA LEVEL
MSS MULTISPECTRAL SCANNER
MSU MODE SELECTOR UNIT
MTBF MEAN TIME BETWEEN FAILURES
MTBR MEAN TIME BETWEEN REMOVALS
MTC MACH TRIM COMPENSATOR
MTD MOVING TARGET DETECTOR
MTI MOVING TARGET INDICATOR
MTU MOTOREN-UND TURBINEN-UNION
MUX MULTIPLEXER
MVUE MAN-PACK/VEHICULAR USER EQUIPMENT

N

NAC. STA NACELLE STATIONS
NAC. WL NACELLE WATER LINE
NACA NATIONAL ADVISORY COMMITTEE FOR AERONAUTICS
NAD NOTHING ABNORMAL DETECTED
NAS NATIONAL AIRCRAFT STANDARD
NAS NATIONAL AIRSPACE
NASA NATIONAL AERONAUTICS AND SPACE ADMINISTRATION
NASC NATIONAL AEROSPACE STANDARDS COMMITTEE
NAT NORTH ATLANTIC TRACK
NATO NORTH ATLANTIC TREATY ORGANIZATION
NAV NAVIGATION
NAVAID NAVIGATION AID
NBAA NATIONAL BUSINESS AIRCRAFT ASS.
NCU NAVIGATION COMPUTER UNIT
NDB NON-DIRECTIONAL BEACON
NDT NON DESTRUCTIVE TEST
NEAD NACELLE EQUIPMENT ACCESS DOOR
NESS NATIONAL EARTH SATELLITE SERVICE
NGE NAVIGATIONAL GUIDANCE EQUIPMENT
NGT NEXT GENERATION TRAINER
NGV NOZZLE GUIDE VANES
NLG NOSE LANDING GEAR
NM NAUTICAL MILES
NPR NOISE POWER RATIO
NRV NON-RETURN VALVE
NTSB NATIONAL TRANSPORTATION SAFETY BOARD
NTO NITROGEN TETROXIDE
NU NAVIGATION UNIT
NWS NATIONAL WEATHER SERVICE

O

OAO	ORBITING ASTRONOMICAL OBSERVATORY
OAS	OFFENSIVE AVIONIC SYSTEM
OAST	OFFICE OF AERONAUTICS AND SPACE TECHNOLOGY
OAT	OUTSIDE AIR TEMPERATURE
O/B	ON BOARD
OBI	OMNI-RANGE BEARING INDICATOR
OCA	OCEANIC CONTROL AREA
OCL	OBSTACLE CLEARANCE LIMIT
OD	OUTER DIAMETER
ODR	OMNI DIRECTIONAL RANGE
OFT	ORBITAL FLIGHT TEST
OG	ON GROUND
OM	OUTER MARKER
OME	ORBITAL MANEUVERING ENGINE
OMS	ORBITAL MANEUVERING SYSTEM
OPEC	ORGANIZATION OF PETROLEUM EXPORTING COUNTRIES
O/R	ON REQUEST
OSTA	OFFICE OF SPACE AND TERRESTRIAL APPLICATIONS
OTHB	OVER-THE-HORIZON BACKSCATTER
OTOW	OPERATIONAL TAKE-OFF WEIGHT
OTS	OPERATIONAL TEST SATELLITE
OUTBD	OUTBOARD

P

PA	PASSENGER ADDRESS SYSTEM
PA	POWER AMPLIFIER
PA	PRESSURE ALTITUDE
PA	PUBLIC ADDRESS
PALS	PASSIVE-ACTIVE LOCATING SYSTEM
PAM	PAYLOAD ASSIST MODULE
PAM	PULSE AMPLITUDE MODULATION
PAPI	PRECISION APPROACH PATH INDICATOR SYSTEM
PAR	PRECISION APPROACH RADAR
PAR	PERIMETER ACQUISITION RADAR
PAR	PRECISION APPROACH RADAR
PATCO	PROFESSIONAL AIR TRAFFIC CONTROLLERS ORGANIZATION
PATCS	PITCH AUGMENTATION CONTROL SYSTEM
PBS	PUBLIC BROADCASTING SERVICE
PCA	POSITIVE CONTROL AREA
PCB	PLENUM CHAMBER BURNING
PCL	PARCEL
PCM	PULSE CODE MODULATION
PCU	POWER CONTROL UNIT
PCU	PROPELLER CONTROL UNIT

PDCS PERFORMANCE DATA COMPUTER SYSTEM
PDS PASSIVE DETECTION SYSTEM
PDU POWERED DRIVE UNIT
PDV PRESSURIZING AND DUMP VALVE
PERC PERISHABLE CARGO
PFPA POTENTIAL FLIGHT PATH ANGLE
PFRT PRELIMINARY FLIGHT RATING TEST
PGRV PRECISION GUIDED REENTRY VEHICLE
PHM PATROL HYDROFOIL MISSILE
PIO PILOT INDUCED OSCILLATION
PLSS POSITION LOCATION STRIKE SYSTEM
PM PHASE MODULATION
PMC POWER MANAGEMENT CONTROL
PMS PERFORMANCE MANAGEMENT SYSTEM
PNR POINT OF NO RETURN
PNVS PILOT NIGHT-VISION SYSTEM (sensor)
PO PILOT OFFICER
POS POSITION
PP POWER PLANT
PPI PLAN POSITION INDICATOR
PROM PROGRAMMABLE READ-ONLY MEMORY
PSF POUNDS PER SQUARE FOOT
PSGR PASSENGER
PSI POUND/PER SQUARE INCH
PSLV POLAR SATELLITE LAUNCH VEHICLE
PSN POSITION
PSU PASSENGER SERVICE UNIT
PUDD PROGRAMMABLE UNIVERSAL DIRECT DRIVE
PVC POLYVINYL CHLORIDE
PVD PLAN VIEW DISPLAY
PWI PROXIMITY WARNING INDICATOR
PWR POWER

Q

QEC QUICK ENGINE CHANGE UNIT
QRA QUICK REACTION ALERT
QRC QUICK REACTION CHANGE
QSRA QUIET, SHORT-HAUL RESEARCH AIRCRAFT
QT QUALIFICATION TEST
QTY QUANTITY

R

RADAR	RADIO DETECTION AND RANGING
RAF	ROYAL AIR FORCE
RAM	RANDOM-ACCESS-MEMORY
RASSR	RELIABLE ADVANCED SOLID-STATE RADAR
RAT	RAM AIR TURBINE
RCC	REINFORCED CARBON CARBON
RCG	REACTION CURED GLASS
RCO	REMOTE CONTROL OUTLET
RCU	RADAR CONTROL UNIT
RCVV	REAR COMPRESSOR VARIABLE VANE
REC	RADIO ELECTROMAGNETIC COMBAT
RECAT	REDUCED-ENERGY CONSUMPTION OF THE AIR TRANSPORTATION SYSTEM
REU	RECORDER ELECTRONIC UNIT
RF	RADIO FREQUENCY
RFI	RADIO FREQUENCY INTERFERENCE
RGV	ROTATING GUIDE VANES
RH	RIGHT HAND
RHI	RANGE-HEIGHT INDICATOR
RMI	RADIO MAGNETIC INDICATOR
RMS	ROOT-MEAN-SQUARE
RMS	REMOTE MANIPULATOR SYSTEM
RN	REYNOLDS NUMBER
RNC	RADIO NAVIGATION CHART
RNWY	RUNWAY
ROC	REQUIRED OPERATIONAL CAPABILITY
ROCC	REGION OPERATIONS CONTROL CENTER
ROM	READ-ONLY-MEMORY
RPM	REVOLUTIONS PER MINUTE
RPM	ROTATIONS PER MINUTE
RPRT	REPORT
RPRV	REMOTELY PILOTED RESEARCH VEHICLE
RPS	REVOLUTIONS PER SECOND
RPV	REMOTELY PILOTED VEHICLES
RQ	REQUEST
RSBN	REFERENCED SCANNING-BEAM SHORT-RANGE NAVIGATION SYSTEM
RSDS	RANGE SAFETY DISPLAY SYSTEM
RSRA	ROTOR SYSTEMS RESEARCH AIRCRAFT
RTA	RECEIVER/TRANSMITTER ANTENNA
RTE	ROUTE
RTG	RADIOISOTOPE THERMOELECTRIC GENERATOR
RTV	ROOM TEMPERATURE VULCANIZING
RVR	RUNWAY VISUAL RANGE
RWR	RADAR WARNING RECEIVERS
RWY	RUNWAY

S

SAAC	SIMULATOR FOR AIR-TO-AIR COMBAT
SABRE	SELF-ALIGNING BALLISTIC REENTRY
SAC	STRATEGIC AIR COMMAND
SACEUR	SUPREME ALLIED COMMANDER EUROPE
SAGW	SURFACE-TO-AIR GUIDED WEAPON
SAIL	SHUTTLE AVIONICS INTEGRATION SYSTEM
SALT	STRATEGIC ARMS LIMITATION TALKS
SAM	SURFACE-TO-AIR MISSILE
SAMSO	SPACE AND MISSILE SYSTEMS ORGANIZATION
SAR	SEARCH AND RESCUE
SAS	STABILITY AUGMENTATION SYSTEM
SAT	STATIC AIR TEMPERATURE
SATCO	SIGNAL AUTOMATED AIR TRAFFIC CONTROL
SAW	SURFACE ACOUSTIC WAVE
S/C	SERVICE CEILING
SCT	SINGLE-CHANNEL TRANSPONDER
SDC	SIGNAL DATA CONVERTER
SDMS	SPATIAL DATA MANAGEMENT SYSTEM
SEAM	SIDEWINDER EXPANDED ACQUISITION MODE
SELCAL	SELECTIVE CALLING SYSTEM
SEO	SATELLITE FOR EARTH OBSERVATION
SEP	SOLAR ELECTRIC PROPULSION
SFAR	SPECIAL FEDERAL AVIATION REGULATION
SFC	SPECIFIC FUEL CONSUMPTION
SFIR	SPECIFIC FORCE INTEGRATING RECEIVER
SGEMP	SYSTEM-GENERATED ELECTROMAGNETIC PULSE
SHF	SUPERHIGH FREQUENCY (3 à 30 gigahertz)
SHP	SHAFT HORSEPOWER
SID	STANDARD INSTRUMENT DEPARTURE
SIF	SELECTIVE IDENTIFICATION FEATURE
SIGINT	SIGNALS INTELLIGENCE
SIGMET	SIGNIFICANT METEOROLOGICAL MESSAGE
SIOP	SINGLE INTEGRATED OPERATIONAL
SIRE	SPACE INFRARED EXPERIMENT
	SATELLITE INFRARED EXPERIMENT
SIROF	SPUTTERED IRIDIUM OXIDE FILM
SL	SEA LEVEL
SLAR	SIDE-LOOKING AIRBORNE RADAR
SLAT	SHIP-LAUNCHED AIR-TARGETABLE
SLBM	SUBMARINE-LAUNCHED BALLISTIC MISSILE
SM	STATUTE MILE
SMCS	STRUCTURAL MODE CONTROL SYSTEM
SMET	SIMULATED MISSION ENDURANCE TESTING
SMM	SOLAR MAXIMUM MISSION
SMS	SYNCHRONOUS METEOROLOGICAL SATELLITE
SMU	SHOP MAINTENANCE UNIT
S/O	SECOND OFFICER
SPADOC	SPACE DEFENCE OPERATIONS CENTER

SPAS	SHUTTLE PALLET SATELLITE
SPO	SYSTEM PROGRAM OFFICE
SQ.FT	SQUARE FOOT
SQ.IN(S)	SQUARE INCH(ES)
SRA	SURVEILLANCE RADAR APPROACH
SRAM	SHORT-RANGE ATTACK MISSILE
SRR	SHORT-RANGE RESCUE HELICOPTER
SRR	SHORT-RANGE RECOVERY HELICOPTER
SSB	SINGLE SIDEBAND
SSI	STRUCTURALLY SIGNIFICANT ITEM
SSM	SURFACE-TO-SURFACE
SSME	SPACE SHUTTLE MAIN ENGINE
SSR	SECONDARY SURVEILLANCE RADAR
SSSM	SURFACE-TO-SUBSURFACE MISSILE
SST	SUPERSONIC TRANSPORT
SSUS	SPIN-STABILIZED UPPER STAGE
STAB.STA	STABILIZER STATIONS
STAC	SUPERSONIC TACTICAL AIRCRAFT
STAR	STANDARD TERMINAL ARRIVAL ROUTE
STAR RPV	SHIP-DEPLOYABLE TACTICAL AIRBORNE RPV
START	STRATÉGIC ARMS REDUCTION TALKS
STAT	SMALL TRANSPORT AIRCRAFT TECHNOLOGY
STM	SUPERSONIC TACTICAL MISSILE
STOL	SHORT TAKE-OFF AND LANDING
STOVL	SUPERSONIC SHORT TAKEOFF VERTICAL LANDING
STP	STOP
STP	SPACE TEST PROGRAM
STS	SPACE TRANSPORTATION SYSTEM
STWD	STEWARD
SUAWACS	SOVIET AIRBORNE WARNING AND CONTROL SYSTEM
SVR	SHOP VISIT RATE
SW	SHORT WAVE
SWR	STATIONARY WAVE RATIO
SWS	STALL WARNING SYSTEM

T

TAC	TACTICAL AIR COMMAND
TACAN	TACTICAL AIR NAVIGATION AID
TACTS	TACTICAL AIRSCREW COMBAT TRAINING SYSTEM
TADS	TARGET ACQUISITION AND DATA SYSTEM (and designation sight)
TAI	THERMAL ANTI-ICING
TAM	TECHNICAL AREA MANAGER
TAS	TRUE AIRSPEED
TAS	TRACKING ADJUNCT SYSTEM
TASES	TACTICAL AIRBORNE SIGNAL EXPLOITATION SYSTEM

TAT	TOTAL AIR TEMPERATURE
TAWC	TACTICAL AIR WARFARE COMMAND
TAWDS	TARGET ACQUISITION WEAPONS DELIVERY SYSTEM
TBO	TIME-BEFORE-OVERHAUL
TBO	TIME BETWEEN OVERHAUL
TC	TURBOCOMPRESSOR
TCA	TERMINAL CONTROL AREA
T-CAS	THREAT-ALERT AND COLLISION AVOIDANCE SYSTEM
	TRAFFIC-ALERT/COLLISION AVOIDANCE SYSTEMS
TCS	TELEVISION CAMERA SET
TCU	TERMINAL CONTROL UNIT
TCV	TERMINAL-CONFIGURED VEHICLE
TDC	TOP DEAD CENTER
TDI	TIME DELAY INTEGRATION DEVICE
TDMA	TIME-DIVISION MULTIPLE ACCESS
TDRSS	TRACKING AND DATA RELAY SATELLITE SYSTEM
TE	TRAILING EDGE
TEC	TECHNICAL FLIGHT
TEL	TRANSPORTER-ERECTOR-LAUNCHER
TEWS	TACTICAL ELECTRONICS WARFARE SYSTEM
TFE	TURBOFAN ENGINE
TF/TA	TERRAIN FOLLOWING/TERRAIN AVOIDANCE
TGB	TRANSFER GEARBOX
TGT	TURBINE GAS TEMPERATURE
THP	THRUST HORSEPOWER
THRU	THROUGH
TIBOS	TELEVISION INFRARED OBSERVATION SATELLITES
TIG	TUNGSTEN-INERT GAS
TISEO	TARGET IDENTIFICATION SYSTEM ELECTRO-OPTICAL
TIT	TURBINE INLET TEMPERATURE
TK	TRACK ANGLE
TKE	TRACK ANGLE ERROR
TKF	TACTICAL COMBAT AIRCRAFT
TML	TERMINAL
TMN	TRUE MACH NUMBER
TMS	THRUST MANAGEMENT SYSTEM
T/O	TAKE-OFF
TOA	TIME OF ARRIVAL
TOD	TOP OF DESCENT
TODA	TAKE-OFF DISTANCE AVAILABLE
TORA	TAKE-OFF RUN AVAILABLE
TOW	TUBE-LAUNCHED, OPTICALLY TRACKED, WIRE-GUIDED
TPE	TURBOPROP ENGINE
TRAM	TARGET RECOGNITION ATTACK MULTISENSOR
TRU	TRANSFORMER-RECTIFIER UNIT
TRVL	TRAVEL
T/S	TURN AND SLIP INDICATOR
TSO	TIME SINCE OVERHAUL
TSO	TECHNICAL STANDARD ORDER
TST MUX	TEST MULTIPLEXER

TSU TELESCOPIC SIGHT UNIT
TTB TANKER/TRANSPORT/BOMBER
TTL TRANSISTOR-TRANSISTOR LOGIC
TVC THRUST VECTOR CONTROL
TVM TRACK VIA-MISSILE
TWT TRAVELING WAVE TUBE

U

UAMS UPPER ATMOSPHERE MASS SPECTROMETER
UDC UPPER DEAD CENTER
UDMH UNSYMMETRICAL DIMETHYLHYDRAZINE
UFO UNIDENTIFIED FLYING OBJECT(S)
UHF ULTRA HIGH FREQUENCY (300 à 3000 megaherz)
UIC UPPER FLIGHT INFORMATION CENTER
UIR UPPER INFORMATION REGION
ULM ULTRA LIGHT MOTORISED
U/S UNSERVICEABLE
USAF US AIR FORCE
USB UPPER SURFACE BLOWING
USTOL ULTRA SHORT TAKEOFF AND LANDING
UTTAS UTILITY TACTICAL TRANSPORT AIRCRAFT SYSTEM

V

VAP VISUAL AIDS PANEL
VAP VISUAL APPROACH
VAR VISUAL AURAL RANGE
VAS VISUAL AUGMENTATION SYSTEM
VASIS VISUAL APPROACH SLOPE INDICATOR SYSTEM
VAST VERSATILE AVIONIC SHOP TEST
VBV VARIABLE BYPASS VALVE
Vc DESIGN CRUISING SPEED
VD DESIGN DIVING SPEED
VDT VIDEO DISPLAY TERMINAL
VF VOICE FREQUENCY (300 à 3 000 hz)
VF FLAP LIMITING SPEED
VFR VISIBILITY FLYING RULES
VFR VIEW FLIGHT RULES
VIMD SPEED FOR MINIMUM DRAG
VIMP SPEED FOR MINIMUM POWER
VG VERTICAL GYRO

VHF VERY HIGH FREQUENCY (30 à 300 megahertz)
VHRR VERY HIGH RESOLUTION RADIOMETER
VHSIC VERY HIGH SPEED INTEGRATED CIRCUIT
VIP VIDEO INTEGRATOR AND PROCESSOR
VIP VERY IMPORTANT PASSENGER
VERY IMPORTANT PERSON
VLBI VERY LONG BASELINE INTERFEROMETRY
VLF VECTORED-LIFT FIGHTER
VLF VERY LOW FREQUENCY (3 à 30 kilohertz)
VLO VELOCITY LANDING GEAR OPERATION
VLSI VERY LARGE SCALE INTEGRATION
VMC VISUAL METEOROLOGICAL CONDITIONS
VNAV VERTICAL NAVIGATION
VOIR VENUS ORBITING IMAGING RADAR
VOL VOLUME
VOR VISUAL OMNIRANGE
VPD VERTICALLY POLARIZED DIPOLE
VPI VAPOR PHASE INHIBITOR
VRB VOICE ROTATING BEACON
VRBM VARIABLE RANGE BALLISTIC MISSILE
VSD VERTICAL SITUATION DISPLAY
VSI VERTICAL SPEED INDICATOR
VSS VECTOR SCORING SYSTEM
VSV VARIABLE STATOR VANES
VTK VERTICAL TRACK DEVIATION
VTO VERTICAL TAKE-OFF
VTOL VERTICAL-TAKE-OFF-AND-LANDING

W

WAAS WIDE AREA ACTIVE SURVEILLANCE SYSTEM
WAT WEIGHT-ALTITUDE-TEMPERATURE
W.BL WING BUTTOCK LINE
WDM WIRING DIAGRAM MANUAL
WGHT WEIGHT
WIDE WIDE-ANGLE INFINITY DISPLAY EQUIPMENT
WL WATERLINE
WMCU WATER/METHANOL CONTROL UNIT
WND WIND
WOWS WIRE OBSTACLE WARNING SYSTEM
WPT WAYPOINT
WS WING STATION
WT WEIGHT
WT WIRELESS TELEGRAPHY

Y

Y/D YAW DAMPER
YIG YTTRIUM-IRON GARNET

Z

ZFW ZERO FUEL WEIGHT

INDEX DES TABLES DE CONVERSION

1. DICTIONNAIRE DES UNITÉS FRANÇAISES ET ÉTRANGÈRES CONVERSION DES MESURES

UK signifie « United Kingdom ».
US signifie « United States ».

acre :

1 acre = 4047 m^2.
= 40,47 a.
= 0,404 685 ha.
= 4 840 sq yd.
= $4,356 \times 10^4$ sq ft.
= $1,562 \times 10^{-3}$ sq miles.
= $1,60 \times 10^2$ sq rods.

ampère :

1 A = $1,04 \times 10^{-5}$ Faradays/sec.

ampère-heure :

1 A·h = 3 600 coulombs.

ampère par mètre :

1 A/m = (4 π/1000) œrsted.

ampères/sq ft :

1 A/sq ft = 0,00108 A/cm^2.

angle droit :

1 L = $\pi/2$ rad = 1,570 796 rad.
= 100 gr.
= 90° = 540′ = 32 400″.

angström :

1 Å = 10^{-7} mm = 10^{-10} m.
= 10^{-4} µ (micron).
= $3,937 \times 10^{-9}$ inches.

are :

1 a = 100 m^2.
= 0,02471 acre.

atmosphère ou pression atmosphérique normale :

1 atm = 101 325 Pa.
= 1,013 250 bar (hectopièze).
= 760 mm d'Hg à 0 °C.
= 29,92 in. Hg à 0 °C.
= 10 332,2 mm CE.
= 33,90 ft water at 4 °C.
= 1,033 228 kgf/cm^2.
= 2 116 lb/sq ft.
= 14,696 psi (lb/sq in).

bar :

1 bar = 10^5 Pa = 10^4 daPa.

= 1 hpz.
= 1,0197 kgf/cm^2.
= 750,06 mm Hg.
= 10 197 mm H_20.
= 14,504 psi.
= 29,53 in.Hg.

barns :
= 10^{-24} cm^2 (nuclear cross section).

barrel (for petroleum) :
1 barrel = 0,158 98 m^3.
= 158,984 l.
= 5,6145 cu ft.
= 42 gal (US).
= 39,97 gal (UK).

barye :
1 barye = 0,1 Pa = 1 dPa.
= 1 dyn/cm^2.
= 1 µbar.

bel :
1 dB = 0,115 Np.

biot :
1 Bi = 10 A.

british thermal unit (Btu) (BThU) :
1 Btu = 1 055,06 J.
= 0,251 996 Kcal.
= 778,26 ft lb.
= 3,930 × 10^{-4} hp.hr.
= 2,931 × 10^{-4} kwh.
= 1,076 × 10^2 kgm.
1 Btu/lb = 0,555 73 kcal/kg.
1 Btu/cu ft = 8,901 95 $kcal/m^3$.
1 Btu/sec = 1 055 watts.

Bushel (UK) :
1 bu (UK) = 36,3677 l.
= 1,284 315 cu ft.
= 4 pecks.
= 2 219,36 cu in.

Bushel (US dry measure) :
1 bu (US) = 35,2383 l.
= 1,244 430 cu ft.
= 4 pecks.
= 2 150,42 cu in.

calorie :
1 cal = 4,1855 J.
= 0,426 86 kgm.
= 10^{-6} th.
1 kcal = 3,967 Btu.

calorie par heure :

1 cal/h = 0,001163 W.
1 kcal/h = 1,163 W.

calorie par seconde :

1 cal/s = 4,1855 W.
= 0,4268 kgm/s.

carat (métrique) :

1 carat = 0,2 g = 2 dg = 200 mg.

centimètre :

1 cm = 0,3937 in.
= 0,0328 ft.
= 393,7 mils.

cm Hg :

1 cm Hg = 5,354 in H_20 at 4 °C.
= $4,460 \times 10^{-1}$ ft H_20 at 4 °C.
= $1,934 \times 10^{-1}$ lb/sq in.
= 27,85 lb/sq ft.
= 135,95 kg/m^2.

cm/seconde :

1 cm/s = $3,281 \times 10^{-2}$ ft/sec.
= $2,237 \times 10^{-2}$ mph.
= 0,036 km/h.

centipoise :

= $6,72 \times 10^{-4}$ lb/sec ft.
= 3,60 kg/hrm.

chain :

= 100 links.
= 66 ft.

cheval-heure :

1 ch. h = 0,7355 kwh.

cheval-vapeur :

1 ch. = 0,7355 kw.
= 0,698 Btu.
= 0,176 kcal/sec.
= 75 kgm/s.
= 0,9870 HP (bhp).
= 542,7 ft/lb/sec.

circular mils :

= $7,854 \times 10^{-7}$ sq in.
= $5,067 \times 10^{-4}$ mm^2.
= $7,854 \times 10^{-1}$ sq mils.

cord :

= 128 cu ft.

cubic centimeter :

1 cm^3 = 10^{-3} litre ($9,9997 \times 10^{-4}$ litres).
= $6,1024 \times 10^{-2}$ cu in. (in^3).

= $3{,}53 \times 10^{-5}$ cu ft.
= $2{,}642 \times 10^{-4}$ US gal.
= 0,0338 ounces.
= 0,0021 pints.

cubic foot (pluriel : cubic feet) :
1 cu ft = 28,3168 dm^3 ou litres.
= 7,481 US gal.
= 29,92 quarts.
= 1 728 cu in.
= $3{,}704 \times 10^{-2}$ cu yards.
1 cu ft/min = $4{,}719 \times 10^{-1}$ l/sec.
= $2{,}832 \times 10^{-2}$ cu m/min.
1 cu ft H_2O = 62,428 lb.
1 cu ft/lb = 0,062428 m^3/kg.

cubic inch (pluriel = cubic inches) :
1 cu in = 16,387 064 cm^3.
= $1{,}639 \times 10^{-2}$ l.
= $1{,}732 \times 10^{-2}$ quarts.
= $4{,}329 \times 10^{-3}$ US gal.
= 0,554 ounces.
1 cu in/lb = 36,127 cm^3/kg.

cubic meter [voir mètre cube (m^3)].
1 cu m = 61 023 cu in.
= 1,308 cu yards.
= 35,314 cu ft.
= 264,17 US gal.

cubic yard :
1 cu yd = 0,764 555 m^3.
= 27 cu ft.
= 43 656 cu in.
= $2{,}022 \times 10^2$ US gal.

degré (arc) :
= $1{,}745 \times 10^{-2}$ radians.

degré (d'angle) :
$1° = \pi/180$ rd.
= 1,1111 gr.
= 60′ = 3 600″.

degré de température :
Voir tableau de correspondance : Degrés Fahrenheit, degrés centésimaux.
T °K = t °C + 273,15 = 5/9 Ⓗ °R.

Nota :

degré Celsius ou centésimal (°C)
degré Kelvin ou absolu (°K)
} unités du système SI, donc légales.

degree Fahrenheit (°F)
degree Rankine (°R)
} unités étrangères

dram :

1 dr ou dr av = 27,343 grains.
= 0,0625 ounces.
= 1,771 grammes.

Fluidram (US) :

1 fl dr = 60 minims.
= 0,225 cu in.
= 3,696 ml.

Fluidram (UK) :

1 fl dr = 60 minims.
= 0,216734 cu in.
= 3,5516 cm^3.

dyne :

1 dyn = $1,020 \times 10^{-3}$ grams.
= 10^{-5} N = 10μN.
= 10^{-8} sn = 10 nsn.
= $2,248 \times 10^{-6}$ lb.
= $7,233 \times 10^{-5}$ poundals.

électron-volt :

1 eV = $1,59 \times 10^{-19}$ J.
= $1,602 \times 10^{-12}$ ergs.

erg :

1 erg = 10^{-7} J = 0,1 μJ.
= $2,388 \times 10^{-11}$ kcal.
= $9,478 \times 10^{-11}$ Btu.
= 1 dyne cm.
= $6,242 \times 10^{11}$ e.V.
= $7,376 \times 10^{-8}$ ft lb.
= $1,020 \times 10^{-3}$ gm cm.

Faraday :

= $9,65 \times 10^{-4}$ coulombs.

Faraday/second :

= 96 500 Ampères.

Fathom :

= 6 Feet.
= 1,829 m.

Foot :

1 ft = 304,799449 mm.
= 0,3048 m.
= $3,333 \times 10^{-1}$ yards.
= $1,894 \times 10^{-4}$ miles.
= $1,646 \times 10^{-4}$ nautical miles.
= 12 in.

Foot of water :

1 ft H_2O = 2989 Pa.
= 304,8 mm CE.
= 12 in H_2O.

Ft water at 4 °C :
= $2{,}950 \times 10^{-2}$ atmosphères.
= $4{,}335 \times 10^{-1}$ lb/sq in.
= 62,43 lb/sq ft.
= $3{,}048 \times 10^{2}$ kg/m^2.
= $8{,}826 \times 10^{-1}$ in Hg at 0 °C.
= 2,240 cm Hg at 0 °C.

Foot/sec :
1 ft/sec = 0,681818 mph.
= 1,0972 km/h.
= 30,48 cm/sec.
= 0,5925 knots.

Foot-pound :
1 ft lb = 1,35573 J.
= $3{,}24 \times 10^{-4}$ kcal
= 0,138245 kgm.
= $1{,}285 \times 10^{-3}$ Btu.
= $3{,}766 \times 10^{-7}$ Kwh.
= $5{,}12 \times 10^{-7}$ ch.h.

Foot-pound per second :
1 ft lb/sec. = 1,356 W = $1{,}356 \times 10^{-3}$ KW.
= $1{,}818 \times 10^{-3}$ HP
= 0,138 kgm/s.
= $1{,}843 \times 10^{-3}$ ch.

Fluid oz (US) :
1 fl oz = 8 drams.
= 29,6 cu cm (cm^3) ou ml.

Fluid ounce (UK) :
1 fl oz = 8 fluidrams.
= 28,416 cm^3.

Franklin :
1 Fr = 333,563 pC.

Furlongs :
= 660 Ft.
= 220 yards.
= 40 rods.

gal :
1 Gal = 0,01 m/s^2.

gallon (UK) :
1 gal (UK) = 4,545 963 dm^3 ou litres.
= 277,41 cu in.
= 0,160 544 ft^3.
= 1,20 095 gal (US).
= 4 quarts (UK) = 8pt (UK).
1 gal (UK)/mile = 2,8247 l/km.

gallon (US) :

gal (US) dry.

1 gal (US) = 268,8 cu in.
= $1{,}556 \times 10^{-1}$ cu ft.
= 1,164 US gal, liq.
= 4,405 litres.

gal (US) liquid.

1 gal (US) = 231,0 cu in.
= $1{,}337 \times 10^{-1}$ cu ft.
= 3,785 332 litres.
= $8{,}327 \times 10^{-1}$ gal (UK).
= $1{,}280 \times 10^{2}$ fluid oz.
= 4 quarts.

1 gal (US)/mile = 2,352209 l/km.

gauss :

1 G ou Gs = 0,1 mT.

gilbert :

1 gilbert = $(10/4\pi)$A.

gill :

1 gi (US) = 4 fluidounces.
= 7,218 cu in.
= 118,291 ml.

1 gi (UK) = 5 fluidounces.
= 8,669 cu in.
= 142,066 cm^3.

grade :

1 gr = $(\pi/200)$ rad.
= 0,0150796 rad.
= 0°54′0″.

grain :

1 gr = 0,06479891 grams.
= 0,036 drams.
= 0,002285 ounces (Avdp).

gramme :

1 gr = 15,43 grains.
= $3{,}527 \times 10^{-2}$ oz avdp.
= $2{,}205 \times 10^{-3}$ lb avdp.
= 1,000 mg.
= 10^{-3} kg.
= 980,67 dynes.

gramme-calorie :

= $3{,}969 \times 10^{-3}$ Btu.

gramme-force ou gramme-poids :

1 gf ou gp = 0,00980665 N

gramme par centimètre :

1g/cm = 0,1 kg/m.
= $6{,}721 \times 10^{-2}$ lb/ft.
= $5{,}601 \times 10^{-3}$ lb/in.

gramme par centimètre carré :
1 gf/cm^2 ou gp/cm^2 (g/cm^2) = 98,0665 Pa.
= 10 mm CE.
= 0,7361 mm Hg.
= 0,980665 mb.

gramme par centimètre cube.
1 g/cm^3 = 1 000 kg/m^3.
= 1kg/dm^3 ou 1g/l.
= 1 t/m^3.
= 62,43 lb/cu ft.
= 0,036127 lb/in^3.

gramme/litre :
= 0,134 ounces/gallon (avdp)

hand :
= 4 ft.

hectare :
1 ha = 10^4 m^2.
= 2,471 acres.

hectopieze :
1 hpz = 29,53 in. Hg.

hertz :
1 Hz = 1 période/seconde.

heure :
1 h = 60 mn = 3 600 s.

horsepower :
1 HP = 0,7457 kW.
= 1,025 ch.
= 33 000 ft lb/min.
= 550 ft lb/sec.
= 76,04 kgm/sec.
= 1,014 metric hp (ch).
= 0,7068 Btu/sec.

horsepower metric :
= 75 m.kg/s.
= 9,863 × 10^{-1} hp.
= 7,355 × 10^{-1} kw.
= 6,971 × 10^{-1} Btu/sec.

horsepower-hour :
1 HP.h = 2 544,4 Btu.
= 2 684,5 kJ.
= 1,98 × 10^6 ft lb.
= 2,737 × 10^5 m.kg.

long hundredweight :
1 long cwt = 50,8023 kg.
= 112 lb.
= 1/20 ton ou 0,05 long ton.

short hundredweight :

1 sh. cwt = 45,3592 kg.
= 100 lb.
= 1/20 sh. ton ou 0,05 sh. ton.

inch (pluriel : **inches**). *Voir tableau de correspondances « inches en millimètres ».*

1in = 25,399 541 mm arrondi à 25,4 mm.
= 83,33 × 10^{-3} ft = 1/12 ft.
= 0,027 yards.
= 1 000 mils.

inch of mercury :

1in Hg = 3386,39 Pa.
at 0°C :
= 40,66 in. Ac Br_4.
= 3,342 × 10^{-2} atmosphères.
= 13,60 in. H_2O at 4 °C.
= 1,133 ft H_2O.
= 4,912 × 10^{-1} lb/sq in.
= 70,73 lb/sq ft.
= 3,453 × 10^2 kg/sq m.

inch of water :

1in H_2O = 249,089 Pa.
at 4 °C = 2,99 in. Ac Br_4.
= 7,355 × 10^{-2} in. Hg at 0 °C.
= 1,868 × 10^{-1} cm. Hg at 0 °C.
= 3,613 × 10^{-2} lb/sq in.
= 5,202 lb/sq ft.
= 25,40 kg/m^2.
at 15 °C = 7,349 × 10^{-2} in. Hg at 0 °C.

joule :

1 J = 0,0002778 Wh ou 2,778 × 10^{-4} Wh.
= 0,101972 kgm.
= 0,23892 cal.
= 10^7 ergs.
= 0,737609 ft lb.
= 9,480 × 10^{-4} Btu.
= 3,725 × 10^{-7} hp hr.
= 3,78 × 10^{-7} ch hr.

jour :

1 j = 24 h = 86 400 sec.

kilogramme :

1 kg = 2,20462 lb.
= 35,27 oz.
= 10^3 grams.
= 15 432,4 grains.

kg-calories :

1 kg cal = 3,9685 Btu.

= 3087 ft lb.
= $4,269 \times 10^2$ m.kg.

kilogramme par centimètre carré :
1 kgf/cm^2 = 98066,5 Pa ou N/m^2.
= 0,980665 bar ou hpz.
= 0,967841 atm.
= 10 000 mm CE.
= 14,2233 psi ou lb/in^2.
= $2,048 \times 10^3$ lb/sq ft.
= 28,96 in. Hg at 0 °C.
= $3,28 \times 10^{-7}$ ft H_2O at 4 °C.

kilogramme par mètre cube :
1 kg/m^3 = 0,001 g/cm^3 ou 10^{-3} g/cu.cm.
= $62,428 \times 10^{-3}$ lb/cu ft.

kilogramme-force ou kilogramme-poids :
1 kgf ou kgp = 9,80665 N.
= 2,204 623 lbf.

kilogrammètre :
1 kgm = 9,80665 J.
= 0,002724 wh.
= 7,23301 ft lb.
= 86,796 in lb.

Kilogrammètre par seconde :
1 kgm/s = 9,80665 W.
= 0,01333 ch.
= 0,01315 HP.

Kilomètre :
1 km = $3,281 \times 10^3$ ft.
= $6,2137 \times 10^{-1}$ miles.
= $5,3961 \times 10^{-1}$ nautical miles (NM).
= 10^5 cm.

kilomètre par heure :
1 km/h = 0,27777 m/s.
= 0,62137 mph.
= $9,1134 \times 10^{-1}$ ft/sec.
= $5,39605 \times 10^{-1}$ knots (kt).

kilowatts :
1 kw = $9,480 \times 10^{-1}$ Btu/sec.
= $7,376 \times 10^2$ ft lb/sec.
= 1,34102 bhp.
= 1,3587 ch.
= $2,389 \times 10^{-1}$ kg cal/sec.
= 101,97 kgm/sec.

knot : (british admiralty knot) :
1 kn (UK) = 1 nautical mile (UK)/heure.

= 1,8531792 km/h.
= 0,514772 m/s.
= 1,000639 nœuds.
= 1,688 ft/sec.
= 1,15152 mph.
= 6 080 ft/h.

league (US) :
= 3 nautical mile.

link :
= 7,92 in.

litre :
1 l = 1 dm^3 = 1 000 cm^3 ou 10^3 cu cm.
= 61,025 cu in.
= $3,532 \times 10^{-2}$ cu ft.
= $2,642 \times 10^{-1}$ US Gal.
= $2,200 \times 10^{-1}$ imperial Gal.
= 1,057 quarts.
= 1,7598 pt (UK), 2,11 pt (US).
1 l/km = 0,354024 gal (UK)/mile.
= 0,425141 gal (US)/mile.

livre :
Voir pound.

lux :
1 lx = 100 µph.

maxwell :
1 M (ou Mx) = 10 nWb.

mètre :
1 m = 1,093613 yd.
= 3,28083 ft.
= 39,37 in.
= $6,214 \times 10^{-4}$ miles.
= 0,001 km.

mètre carré (centiare) :
1 m^2 = 1550 sq in (in^2).
= 10,7639 sq ft (ft^2).
= 1,19599 sq yd (yd^2).

mètre carré par seconde :
1 m^2/s = 10^{-6} cSt.

mètre cube :
1 m^3 = $10^3 dm^3$ ou l.
= 35,3147 cu ft (ft^3).
= 1,30795 cu yd (yd^3).
= 28,3682 bushel (US).
= 27,4969 bushel (UK).
= 6,28994 barrel (of petroleum).
= 0,882865 shipping ton.
= 0,353147 registered ton.

1 dm^3 ou l = 61,024 cu in.
= 0,0353 cu ft.
= 1,057 liq. quart (US).
= 0,9081 dry quart (US).
= 0,8799 quart (UK).

meter-kilogram :
Voir kilogrammètre.

mètre par seconde :
1 m/s = 3,6 km/h.
= 3,281 ft/sec.
= 2,23693 miles/hr.

micron :
1 μ = 0,001 mm.
= 10^{-6} m.
= 10^4 Å.
= $3{,}937 \times 10^{-5}$ in.

micro amp :
= $6{,}24 \times 10^{12}$ unit charges/sec.

microhms :
1 μΩ = 1×10^{-12} Megohms.
= 1×10^{-6} Ω.

mile (nautical) UK :
1 mile = 1853,184 m.
= 1,000639 mille marin international.
= 6080 ft.

mile (nautical) US :
= 6080,20 ft.
= 1853,248 m.

Nota : en navigation le nœud est rattaché au mile marin qui vaut 1852 m.

mile (statute ou land) :
1 mile = 1609,344 m.
= 5280 ft.
= $8{,}690 \times 10^{-1}$ nautical mile (NM).
= 1760 yd.
= 8 furlongs.
= 320 rods.

mile per hour :
1 mph = 1,609344 km/h.
= 1,46666 ft/sec.
= $4{,}4704 \times 10^{-1}$ m/s.
= $8{,}690 \times 10^{-1}$ knots.

mile per hr sq :
1 mile/hr sq. = 2,151 ft/sec sq.

mile per gallon :
1 mpg (US) = 235,2 l/100 km.
1 mpg (UK) = 282,5 l/100 km.

mille (marin, international) :

mile marin français vaut 1851,52 m ou 2025,246 yards.
1 mille= 1852 m norme française, valeur proposée par le bureau hydrographique international.
= 0,9994 nautical mile UK.
= 6076,1 ft.

milibar :

1 mb = 2,953 × 10^{-2} in. Hg à 0 °C.

millimètre de colonne d'eau :

1 mm CE = 9,80665 Pa.
= 10^{-4} kg/cm^2.
= 0,07361 mm Hg.

millimètre de mercure :

1 mm Hg = 133,322 Pa.
= 1,333 mb.
= 13,59 mm CE.
= 1/760 atm ou 1,316 × 10^{-3} atm.
= 1,357465 g/cm^2.
= 0,03937 inch of mercury.
= 1,36 × 10^{-5} kg/mm^2.

mils :

= 0,00254 cm.
= 0,001 in.
= 25,4 microns (µ).

minim :

1 min (US) = 1/60 fluidram.
= 0,003759 cu in.
= 0,061610 ml.
1 min (UK) = 1/60 fluidram.
= 0,003612 cu in.
= 0,059194 cm^3.

minute (d'angle) :

1′ = 60″.
= 0,01851 gr.
= 0,000290 rad.

Nautical mile (NM) :

1 NM = 1,15152 miles.
= 1,8532 km.
(voir mile).

neper :

1 Np = 8,69 dB.

newton :

1 N = 0,001 sn = 1 msn.
= 10^5 dyn = 100 kdyn.
= 0,101971 kgf.
= 7,233 pdl.
= 0,2248 lbf.

nœud :

1 nœud = 1 mille/heure.
= 0,999361 knot (UK).
= 0,514 m/s.
= 1,853 km/h.

œrsted :

1 œrsted = (1 000/4π) A/m.

ounce : (avdp) :

1 oz = 28,3495 g.
= 4,375 × 10^2 grains.
= 6,250 × 10^{-2} lb = 1/16 lb.
= 16 drams.

Fluid ounce (UK) :

1 fl oz (UK) = 28,416 cm^3.
= 8 fluidrams.
= 1,7339 cu in.

Fluid ounce (US) :

1 fl oz (US) = 29,5729 cm^3.
= 1,805 cu in.
= 8 fluidrams.
= 1/128 gallons.
= 0,0296 l.
= 1/16 pints.
= 0,031 qt.

ounces/gallon (fluid) :

= 7,7 cc/litre.

Pascal :

1 Pa ou N/m^2 = 10 μ bar = 10 baryes.
= 1 mpz.
= 0,07506 mm Hg.
= 0,10197 mm CE.
= 0,000145 psi.
= 0,004015 in.H_2O.
= 0,010197 g/cm^2.
= 0,209 lb/ft^2.

1 daPa = 0,10197 g/cm^2.
1 Mpa = 10 bars.

Peck :

1 pk (US dry measure) = 8 quarts.
= 537,605 cu in.
= 8,809 l.

1 pk (UK) = 2 gallons.
= 554,84 cu in.
= 0,009 m^3.

phot :

1 ph = 10^4lx.

pied : voir foot.

pièze : voir bar :

1 pz = 10^3 Pa = 1 kPa.
= 10^4 baryes.
= 10,197 g/cm^2.
= 10 mbar.
= 103,329 mm CE.
1 hpz = 1 bar.

pint (UK) :

1 pt (UK) = 0,568245 l.
= 34,67636 cu in.
= 4 gills.

liquid pint (US) :

1 liq pt (US) = 0,473166 l = 0,125 gallons.
= 28,87429 cu in = 0,017 cu ft.
= 4 gills.

pint (US dry measure) :

= 1/2 quart.
= 33,600 cu in.
= 0,550 l.

poise :

1 Po = 0,1 Pl.

poiseuille :

1 Pl = 10 Po.

pole ou rod :

= 16,5 ft.
= 5,5 yd.
= 5,029 m.

pouce : *voir inch.*

pound : avdp :

1 lb, avdp = 453,59237 g.
= 7000 grains.
= 16 ounces (oz).
= 32,174 poundals.
= 3,108 × 10^{-2} slugs.

pound-force :

1 lbf = 4,44822 N.
= 453,6 gf.
= 32,174 pdl.
1 lb/bhp = 0,447387 kg/ch.

pound per cubic foot :

1 lb/cuft = 16,0185 kg/m^3.

pound per cubic inch :

1 lb/cu in = 1728 lb/cu ft.
= 27,68 grams/cm^3.

pound (force) per square inch :

1 lb/sq in ou psi = 0,0689476 bar.
= 2,036 in. Hg à 0 °C.
= 2,307 ft H_2O à 4 °C.
= 7,031 × 10^2 kg/m^2 ou 0,0703 kg/cm^2.

psia = pression absolue en psi :
psig = pression relative en psi.

pound per square foot :

1 lb/sq ft = 4,883 kg/m^2.

poundal :

1 pdl = 0,138255 N= 13825,5 dynes.

quart (UK) :

1 quart (UK) = 1,13649 l.
= 69,3527 cu in.
= 2 pints.

dry quart (US) :

1 dry quart (US) = 1,101196 l.
= 67,1989 cu in.
= 2 pints.

liquid quart (US) :

1 liquid quart (US) = 0,9463 l.
= 57,74664 cu in.
= 0,033 cu ft.
= 2 liq. pints = 32oz.
= 0,25 gallons.

quarter :

1 qr = 12,7 kg.

quintal :

1 q = 100 kg.

radian :

1 rd ou rad = 200/π = 63,662 gr.
= 180/π = 57,296 degré (arc)

radian/sec :

1 rad/s = 57,30 deg/sec.
= 15,92 × 10^{-2} rev/sec.
= 9,549 rev/min.

registered ton. : *voir « ton ».*

revolution :

= 6,283 radians.

revolution per minute :

1 rev/min = 1,047 × 10^{-1} rad/sec.
1 rpm = 1 tr/mn.

rod ou pole :

= 16,5 ft.
= 5,5 yd.
= 5,029 m.

seconde (d'angle) :
$1'' = 1/60' = 1/3600\,°$.

seconde (de temps) :
1 s = 1/60 mn = 1/3600 h.

siemens :
$1\ s = 1/\Omega$.

slug :
= 32,174 lb.

span :
= 9,0 in.

spat :
$1\ sp = 4\,\pi\ sr$.

square centimeter :
$1\ cm^2$ = sq cm = $1{,}550 \times 10^{-1}$ sq in (in^2).
= $1{,}076 \times 10^{-3}$ sq ft.
= 127,32 circular millimeters.
= 197350 circular mils.

square foot (pluriel square feet) :
1 sq ft = 929,031 cm^2.
= 144 sq in.
= $1{,}111 \times 10^{-1}$ sq yd.
= $2{,}296 \times 10^{-5}$ acres.

square inch :
sq in or in^2.
1 sq in = 645,161 mm^2.
= 0,069444 sq ft.
= 0,00077 sq yd = 1/1296 sq yd.
= 1,2732 circular mils.
= 10×10^{-6} square mils.

square kilometer :
1 sq km = $3{,}861 \times 10^{-1}$ sq miles.

square meter :
1 sq m = 10,76 sq ft.
= 1,196 sq yd.

square miles :
sq mi or m^2.
sq. mile = 2,590 sq km.
= 640 acres.
= 102400 square rods.

square rod :
sq rd or rd^2.
= 30,25 sq yd.
= 0,006 acres.
= 25,293 m^2.

square yard :

sq yd or yd^2.
1 sq yd = 0,836127 m^2.
= 9 sq ft.
= 1296 sq in.

stère (de bois) :

1 st = 1 m^3.

sthène :

1 sn = 1000 N = 1 kN.

stilb :

1 sb = 10000 cd/m^2.

stoke :

1 St = 1/10000 m^2/s (unités SI).

stone :

= 14 lb.
= 6,343 kg.

tablespoons :

= 0,5 fl oz.

tesla :

1 T = 10000 Gs.

thermie :

1 th = 1000 kcal = 10^6 cal.
= 4,1855 × 10^6 J.
= 1,1626 kwh.
= 3967 Btu.

ton : long ton or gross or british :

1 ton = 1,01605 t ou 1016 kg.
= 2240 lb.
= 20 long cwt.
= 1,12 sh tn (short or US).
ton/in^2 = 1,57488 kg/mm^2.

short ton : or US

1 sh ton = 0,907185 t.
= 0,89286 ton (gross or long).
= 2000 lb.
= 20 short cwt.
1 sh tn miles = 1,459969 t. km
1 sh tn/in^2 = 1,4061 kg/mm^2.

registered ton :

1 registered ton = 2,83168 m^3.
= 1 tonneau.
= 100 cu ft.

shipping ton :

1 shipping ton = 1,132676 m^3.
= 40 cu ft.

ton of refrigeration :

1 ton of refrigeration = 0,84 fg/s.
= 3,516 kw.

tonne :

1 t = 1000 kg = 10^6 g.
= 1,10231 sh tn.
= 0,984 206 ton (gross or long).
= 2204,622 lb.

tonne par mètre cube :

1 t/m^3 = 1000 kg/m^3.
= 1g/cm^3.

t. km :

= 0,684942 sh tn miles.

tonneau :

1 tonneau = 2,83168 m^3.
= 1 registered ton.

tour par minute :

1 tr/mn = 2π/60 = 0,1047195 rd/s.

U^{235} fissions/sec :

= $3{,}21 \times 10^{-11}$ watts.

unit charges/sec :

= $1{,}6 \times 10^{-13}$ micro amp.

var :

1 var = 1VA (pour puissance réactive).

watt :

1 W = 1J/s = 10^7 erg/s.
= 0,101972 kg.m/s.
= 0,86011 kcal/h.
= 0,7376 ft lb/s.
= $9{,}481 \times 10^{-4}$ Btu/sec.
= $3{,}12 \times 10^{10}$ U^{235} fissions/sec.

yard :

1 yd = 0,91438348 m arrondi à 0,9144 m.
= 3 ft.
= 36 in.

2. TABLEAU DE CONVERSION DES MESURES ANGLAISES ET AMÉRICAINES EN MESURES MÉTRIQUES
CONVERSION TABLE OF ENGLISH AND AMERICAN MEASURES IN METRIC MEASURES

***Nota :* Signes conventionnels :**

Le point décimal est indiqué en français par une virgule : exemple : 6,25.

En anglais : ·010 ou 0·010 1·010
En américain : ·010 ou 0·010 1·010
En français : 0,010 1,010

1. MESURES DE LONGUEUR
LINEAR MEASURE

Mesures du système métrique

1 mètre (m) .... × 39,370078 .... = inch (pouces).

1 mètre (m) .... × 3,280839 .... = feet (pieds).
1 mètre (m) .... × 1,0936143 .... = yard.
1 mètre (m) .... × 0,546806 .... = fathom.
1 kilomètre (km) .... × 0,621371 .... = mile.
1 kilomètre (km) .... × 0,539611 .... = mile marin (NM).

Mesures anglaises et américaines
(mi, rd, yd, ft or ′, in or ″)

1 inch (in) ou pouce .... × 25,3995 .... = mm.
1 foot (ft) ou pied = 12″ .... × 304,794 .... = mm.
1 yard (yd) = 3 ft, 36 in .... × 914,399 .... = mm.
1 fathom (6 ft) .... × 1,8288 .... = m.
1 rod = 1 pole = 5,5 yd .... × 5,0292 .... = m.
1 chain = 22 yd .... × 20,1168 .... = m.
1 furlong (220 yd) = (40 rods) .. × 201,168 .... = m.
1 statute mile
(1760 yd) = (5280 ft) .... × 1609,347 .... = m.
1 mile marin (6080 ft) .... × 1853,184 .... = m.
of nautical mile (GB) .... × 1,15152 .... = miles.
1 league = 3 miles.

2. MESURES DE VITESSE SPEED MEASURE

Mesures du système métrique

1 kilomètre-heure (kmh) .... × 0,6215 .... = mile per hour (mph).
1 kilomètre-heure (kmh) .... × 0,539605 .... = nœud (kt).
1 kilomètre-heure .... × 0,91134 .... = ft/s.
1 m/s. = 3,6 km/h = 2,236932 mph.
1 m/s. .... × 196,8504 .... = ft/mn.
accélération = γ = m/s^2 ou m/s/s.

Mesures anglaises et américaines

1 foot per second (ft/sec) .... × 0,3048 .... = m/s.
1 foot per second (ft/sec) .... × 0,681818 .... = mph.
1 foot per second (ft/sec) .... × 1,09728 .... = km/h.
1 mile per hour (m.p.h.) .... × 1,609347 .... = km/h.
1 mile per hour (m.p.h.) .... × 26,821 .... = m/mn.
1 mile per hour (m.p.h.) .... × 0,447 041 .... = m/s.
1 mile per minute (m.p.m.) .... × 26,821 .... = m/s.
1 nœud (kts) .... × 1,852 .... = km/h.
1 kt .... × 1,15152 .... = m.p.h.

3. MESURES DE SURFACE SQUARE MEASURE

Mesures du système métrique

1 centimètre carré (cm^2) .... × 0,155 .... = square inch.
1 mètre carré (m^2) .... × 10,76390 .... = square feet
1 mètre carré (m^2) .... × 1,195990 .... = square yard.
1 are (a) .... × 119,599004 .... = square yard.
1 hectare (ha) .... × 2,471053 .... = acres.
1 kilomètre carré (km^2) .... × 0,386102 .... = square mile.

Mesures anglaises et américaines

(sq mi or mi^2, sq rd or rd^2, sq yd or yd^2, sq ft or ft^2, sq in or in^2)

1 square inch (sq in)
(0,007 sq ft) .... × 645,16 .... = mm^2.
1 square foot (sq ft)
(144 sq in) .... × 929,0304 .... = cm^2.
1 square yard (sq yd)
= 9,59 sq ft .... × 0,836127 .... = m^2.
1 square mile (102400 sq rod)
(640 acres) .... × 2,589988 .... = km^2.
1 square rod (sq rd)
(30,254 yd^2, 0,006 acres) .... × 25,293 .... = m^2.

1 perch (30,25 sq yd)
ou square rod .... × 25,292852 .... = m².
1 rood (40 perch) .... × 1011,714105 .... = m².
1 acre (4840 sq yd) = 4 roods ... × 4046,856422 .... = m².
1 section = 1 square mile.

4. MESURES DE VOLUME
CUBIC MEASURE

Mesures du système métrique

1 centimètre cube (cm³) .... × 0,061023 .... = cubic inch.
1 mètre cube (m³) .... × 35,314667 .... = cubic feet.
1 mètre cube (m³) .... × 1,307954 .... = cubic yard.

Mesures anglaises et américaines
(cu yd or yd³, cu ft or ft³, cu in or in³)

1 cubic inch (cu in or in³) .... × 16,387064 .... = cm³.
1 cubic foot
(cu ft = 1728 cu in) .... × 28316,846 .... = cm³.
1 cubic yard
(cu yd = 27 cu ft) .... × 0,764554857 .... = m³.
1 ton (register) (100 cu ft) .... × 2,831684659 .... = m³.
1 cubic fathom (216 cu ft) .... × 6,116438863 .... = m³.
1 shipping ton (40 cu ft) .... × 1,1327 .... = dm³.
1 perch .... × 24,75 .... = cubic feet.
1 cord .... × 128 .... = cubic feet.

5. MESURES DE CAPACITÉ
MESURE OF CAPACITY

Mesures du système métrique en mesures américaines.

1 litre (l) .... × 8,453 .... = gills.
1 litre (l) .... × 2,113 .... = pints.
1 litre (l) .... × 1,056 .... = quart.
1 litre (l) .... × 0,264178 .... = US gallon.
1 litre (l) .... × 0,1135 .... = peck.
1 litre (l) .... × 0,02837 .... = bushel.

Mesures du système métrique en mesures anglaises.

1 litre (l) .... × 7,0392 .... = gills.
1 litre (l) .... × 1,75975 .... = pints.
1 litre (l) .... × 0,8799 .... = quart.
1 litre (l) .... × 0,219975 .... = imperial gallon (UK).
1 litre (l) .... × 0,109985 .... = peck.
1 litre (l) .... × 0,027496 .... = bushel.

Mesures américaines.
US liquid measure.

1 gallon US .... × 0,83267 .... = gal (UK).
1 gallon US (1 gal = 4 qts) .... × 3,78533 .... = l.
1 quart (1 qt = 2 pints) .... × 0,946352 .... = l.
1 pint (1 pt = 4 gills) .... × 0,473176 .... = l.
1 gill (1 gi = 4 fluidounces) ...... × 0,118294 .... = l.
1 fluidounce
(1 fl oz = 8 fluidrams) .... × 0,029573 .... = l.
1 fluidram (1 fl dr = 60 minims) × 0,003696 .... = l.
1 minim (1 min = 1/60 fluidram) × 0,00061610 .... = l.
1 barrel = 31 1/2 gallons.
1 hogshead = 2 barrels.

US dry measure.

1 bushel (1bu = 4 pecks) .... × 35,2384 .... = l.
1 peck (1 pk = 8 qts) .... × 8,8096 .... = l.
1 quart (1 qt = 2 pints) .... × 1,101 .... = l.
1 pint
(1 pt = 1/2 quart = 33,60 cu in) × 0,550 .... = l.

Mesures anglaises.
British imperial liquid and dry measure.

1 gill (1 gi = 5 fluidounces .... × 0,142066 .... = l.
1 pint (1 pi = 4 gills) .... × 0,568246 .... = l.
1 quart (1 qt = 2 pints) .... × 1,13648 .... = l.
1 imperial gallon
(1 gal. = 4 qts = 8 pints) .... × 4,54596 .... = l.
1 gallon (UK) .... × 1,20095 .... = gal (US).
1 peck (1 pk = 2 gal) .... × 9,09184 .... = l.
1 bushel
(1 bu = 4 pecks = 8 gallons) ... × 36,36736 .... = l.
1 quarter (1 qter = 8 bu) .... × 290,94 .... = l.
1 fluidounce
(1 fl oz = 8 fluidrams) .... × 28,416 .... = cm^3.
1 fluidram (1 fl dr = 60 minims) × 3,5516 .... = cm^3.
1 minim (1 min = 1/60 fluidram) × 0,059194 .... = cm^3.

POIDS
MEASURES OF WEIGHT

Mesures du système métrique en mesures américaines.

1 kilogramme (kg) .... × 0,0220462 .... = hundred weight.
1 tonne (t) .... × 2,204622 .... = kip.
1 tonne (t) .... × 1,102311 .... = short ton.
1 kgp = 9,81 N (newton).

Mesures du système métrique en mesures anglaises.

1 gramme (g) .... × 15,432 .... = grains.
1 gramme (g) .... × 0,035273 .... = ounce (oz).
1 kilogramme (kg) .... × 2,204622 .... = pounds (lbs).
1 kilogramme (kg) .... × 0,15747 .... = stone.
1 kilogramme (kg) .... × 0,019684 .... = hundred weight.
1 tonne (t) .... × 0,9842 .... = ton.
1 newton (N) .... × 0,1019 .... = kgf.

Mesures américaines.

1 short hundred weight (100 lb) × 45,359299 .... = kg.
1 kip (1000 lb) .... × 453,592992 .... = kg.
1 short ton (t) (2000 lbs) .... × 907,185984 .... = kg.
1 short ton .... × 0,89286 .... = ton.
1 long ton
= 1 ton anglaise = 2240 lbs .... × 1016,048 .... = kg.
× 1,12 .... = sh tn.

Mesures anglaises (avoirdupoids)
tous objets autres que matières précieuses
et produits pharmaceutiques.

1 grain (gr) = 0,036 dr .... × 0,064799 .... = g.
1 dram (dr = 27 11/32 gr) .... × 1,771 .... = g.
1 ounce
(oz = 16 dr = 437,5 gr) .... × 28,349562 .... = g.
1 pound
(livre-lb) = 16 oz = 7000 gr ..... × 0,453592992 .... = kg.
1 stone (st) (14 lb) .... × 6,3503 .... = kg.
1 quarter (qr = 28 lb) .... × 12,7006 .... = kg.
1 hundred weight (cwt)
= 4 g = 112 lbs .... × 50,802 .... = kg.
1 ton (t) = 2240 lb = 20 cwt ..... × 1016,05 .... = kg.

Mesures de poids troy
pour les matières précieuses

1 grain (gr) (0,042 dwt) .... × 0,0648 .... = g.
1 pennyweight (dwt = 24 gr) .... × 1,5552 .... = g.
1 troy ounce (oz = 20 dwt) .... × 31,1035 .... = g.
1 pound (lb = 12 oz, 240 dwt) ... × 373,25 .... = g.

Mesures de poids apothecaries
Pour les produits pharmaceutiques.

1 pound (1 lb ap = 12 ounces
= 5760 grains) .... × 0,373 .... = kg.
1 ounce (1 oz ap = 8 drams
= 480 grains) .... × 31,103 .... = grammes.

1 dram (1 dr ap = 3 scruples = 60 grains) .... × 3,887 .... = grammes.
1 scruple (1 s ap = 20 grains = 0,333 drams) .... × 1,295 .... = grammes.
1 grain (1 gr = 0,05 scruples = 0,0166 drams) .... × 0,0648 .... = grammes.

PRESSION
MEASURE OF PRESSURE

Mesures du système métrique

1 bar .... × 14,49 .... = PSI.
1 pascal .... × 0,00014 .... = PSI.
1 Pa .... × 0,209 .... = lb/ft^2.
1 kilogramme par cm^2 .... × 14,223324 .... = lb per sq in (PSI)
1 kilogramme par mm^2 .... × 0,7112 .... = sh tn/in^2.
1 kilogramme par mm^2 .... × 0,634968 .... = tonper square inch.
1 kilogramme par m^2 (9,81 Pa) × 0,204815 .... = lb per sq ft.
1 tonne par m^2 .... × 0,091435 .... = ton per sq ft.
1 tonne par m^2 .... × 0,822919 .... = ton per sqyd.
1 mm Hg .... × 0,0393 .... = in. Hg.

Nota :
1 bar = 10^5 Pa = 1,0193 kgf/cm^2.
Pa = 1013 mbar = 76 cm de Hg = 14,7 PSI = 29,93 pouces de Hg.
1 kgf/cm^2 = 0,981 bar.

Mesures anglaises et américaines

1 pound per square inch (PSI) .. × 2,0362 .... = in Hg.
1 pound per square inch (PSI) .. × 0,070307 .... = kg/cm^2.
1 pound per square inch (PSI) .. × 0,068894 .... = hpz.
1 PSI = 2,036 in Hg = 0,069 bar = 6900 Pa.
1 pound per square foot .... × 4,7846 .... = Pa.
1 pound per square foot (PSF) .. × 0,04882434 .... = kg/cm^2.
1 pound per square foot (PSF) .. × 0,0478 .... = pz.
1 pound per square yard (PSY) × 0,5425 .... = kg/m^2.
1 ton per square inch (TSI) (GB) × 1,574880 .... = kg/mm^2.
1 ton per square inch (TSI) (GB) × 154,35 .... = hpz.
1 ton per square inch (TSI) (US) × 140,6 .... = kg/cm^2.
1 ton per square foot (TSF) ...... × 10,93667 .... = t/m^2.
1 ton per square yard .... × 1,215186 .... = t/m^2.
1 inch mercury (in Hg) .... × 25,4 .... = mm Hg.
1 inch mercury (in Hg) .... × 0,4911 .... = PSI.
1 inch mercury (in Hg) .... × 33,87 .... = mbar.

PUISSANCE
MEASURE OF POWER

1 cheval vapeur (ch)	× 0,986319	= horse power (bhp).
1 cheval vapeur	× 736	= watt.
1 cheval vapeur	× 75	= kgm/s.

Nota :
1 kgm/s = 9,81 W.
1 ch = 75 kgm/s = 736 W.
1 watt-heure = 367 kgm = 1,36 × 10^{-3} cheval heure = 0,865 grande calorie en kg degré.
1 kwh = 367000 kgm = 1,3587 cheval heure = 1,34102 bhp = 865 grande calorie en kg degré.
(1 grande calorie en kg degré = 424 kgm).

1 horse-power (bhp)	× 1,013872	= ch.
1 horse-power (bhp)	× 745,70	= watts.
1 horse-power	× 76,04039 .... ou 646 cal.	= kgm/s.
1 watt	× 0,00138	= horsepower.
1 watt	× 0,00136	= ch.

CHALEUR
HEAT

Mesures du système métrique.

1 grande calorie (kg cal.)	× 3,96832	= B.T.U.
1 grande calorie/m^2	× 0,369	= B.T.U/ sq ft.
1 grande calorie/m^2/°C de diff. de T	× 0,2048	= B.T.U/ sq ft/°F.
1 grande calorie/kg	× 1,80018	= B.T.U/lb.
1 grande calorie/m^3	× 0,112	= B.T.U/ cb.ft.

1 grande calorie en kg degré = 424 kgm = 0,00157 cheval heure = 1,155 wh.

Mesures anglaises et américaines.

1 British Thermal Unit (B.T.U) ...	× 0,252	= grande calorie (mth).
1 B.T.U per square foot	× 2,713	= grandes calories/m^2.
1 B.T.U per square foot et par degré fahrenheit	× 4,882	= grandes calories/m^2 et par degré centigrade.

1 B.T.U par pound .... × 0,5555 .... = grande calorie/kg.
1 B.T.U par cubic foot .... × 8,9 .... = grandes calories/m³.

TEMPÉRATURE

°Centésimal = $(°F - 32) \times \frac{5}{9}$

ou $°C = \frac{5}{9}(°F + 40) - 40$

°Fahrenheit = $(°C \times \frac{9}{5}) + 32$

ou $°F = \frac{9}{5}(°C + 40) - 40$

°K (kelvin) = °C + 273.
°R = °F + 460.

MOMENT-COUPLE
TORQUE

Mesures du système métrique.

1 kgm = 9,81 J (Joule).
1 mètre kilogramme (kgm) .... × 86,796046 .... = in lbs.
1 mètre kilogramme (m. kgf) ..... × 7,233003 .... = ft lbs.
1 mètre kilogramme (m. kgf) ..... × 9,80665 .... = m.N.
1 mètre tonne (tonne-mètre) .... × 38,748171 .... = in tons.
1 mètre tonne .... × 3,229014 .... = ft tons.
1 mètre newton (m.N) .... × 0,7390 .... = ft lbs.
1 mètre newton (m.N) .... × 8,9285 .... = in lbs.
1 mètre newton (m.N) .... × 0,101971621 .... = m. kgf.

Mesures anglaises et américaines.

1 inch pound .... × 0,011521 .... = mkg ou kgm.
1 inch pound (in. lbs) .... × 0,1128 .... = m.N.
1 foot pound .... × 0,138255 .... = mkg.
1 foot pound .... × 1,353 .... = m.N.
1 inch ton .... × 0,025807 .... = mt.
1 foot ton .... × 0,309692 .... = mt (tonnes-mètres).

MESURES DIVERSES
MISCELLANEOUS

1 kg/m .... × 0,67197 .... = lb/ft.
1 kg/m .... × 2,015905 .... = lb/yd.

1 kg/m	× 3547,999	= lb/mile.
1 kg/m	× 0,002999	= ton/ft.
1 kg/m	× 0,008999	= ton/yd.
1 kg/cm^3	× 36,127298	= lb/cu. in.
1 kg/m^3	× 0,062427	= lb/cu. ft.
1 kg/m^3	× 1,685552	= lb/cu. yd.
1 tonne/m^3	× 0,752477	= ton/cu. yd.
1 kg/l	× 10,022024	= lb/gallon.
1 g/l	× 70,154169	= grain/gallon.
1 l/m^2	× 0,020436	= gallon/sq ft.
1 kg/ch	× 2,235201	= lb/HP.
1 m^2/ch	× 10,913206	= sq ft/HP.
1 m^3/ch	× 35,804564	= cu ft/HP.
1 lux	× 0,929	= foot-candles ou candle-feet.
1 mph.p.s.	× 0,446	= m/s^2.
1 lb. per foot	× 1,48816	= kg/m.
1 lb. per yard	× 0,496055	= kg/m.
1 lb. per inch	× 0,17857	= kg/cm.
1 lb. per mile	× 0,281849	= kg/km.
1 ton per foot	× 3333,497	= kg/m.
1 ton per yard	× 1111,1657	= kg/m.
1 ton per mile (GB)	× 1,635	= t/km.
1 ton per mile (US)	× 1,46	= t/km
1 pound per cubic inch	× 0,027679	= kg/cm^3.
1 pound per cubic foot	× 16,018486	= kg/m^3.
1 pound per cubic yard	× 0,593277	= kg/m^3.
1 ton per cubic yard	× 1,328943	= t/m^3.
1 pound per gallon	× 0,099780	= kg/l.
1 grain per gallon	× 0,014254	= g/l.
1 gallon per square foot	× 48,931875	= l/m^2.
1 pound per horse power	× 0,447387	= kg/ch.
1 pound per horse power	× 0,608	= kg/kW.
1 square foot per horse power	× 0,091632	= m^2/ch.
1 cubic foot per horse power	× 0,027929	= m^3/ch.
1 foot candle ou candle-foot	× 10,76	= lux.

litres aux 100 km .... $\dfrac{235}{\text{miles per gallon US}}$

litres aux 100 km .... $\dfrac{282}{\text{miles per gallon imperial}}$

Miles per gallon US .... $\dfrac{235}{\text{litres aux 100 km}}$

Miles per gallon Imperial .... $\dfrac{282}{\text{litres aux 100 km}}$

3. CONVERSION DES FRACTIONS ET DES DÉCIMALES DE POUCES EN MILLIMÈTRES

TABLE DE CONVERSION DES FRACTIONS DE POUCES EN DÉCIMALES DE POUCES ET EN MILLIMÈTRES

Conversion table of inch fractions in inch decimals and millimeters

Fractions de pouces	Décimales et pouces	Millimètres	Fractions de pouces	Décimales de pouces	Millimètres
1/128	.007812	0,1984	9/16	.5625	14,2872
1/64	.015625	0,3968	37/64	.578125	14,6841
1/32	.03125	0,7937	19/32	.59375	15,0809
3/64	.046875	1,1906	39/64	.609375	15,4778
1/16	.0625	1,5874	5/8	.625	15,8747
5/64	.078125	1,9843	41/64	.640625	16,2715
3/32	.09375	2,3812	21/32	.65625	16,6684
7/64	.109375	2,7780	43/64	.671875	17,0653
1/8	.125	3,1749	11/16	.6875	17,4621
9/64	.140625	3,5718	45/64	.703125	17,8590
5/32	.15625	3,9686	23/32	.71875	18,2559
11/64	.171875	4,3655	47/64	.734375	18,6527
3/16	.1875	4,7624	3/4	0.75	19,0496
13/64	.203125	5,1592	49/64	.765625	19,4465
7/32	.21875	5,5561	25/32	.78125	19,8433
15/64	.234375	5,9530	51/64	.796875	20,2402
1/4	0.25	6,3498	13/16	.8125	20,6371
17/64	.265625	6,7467	53/64	.828125	21,0339
9/32	.28125	7,1436	27/32	.84375	21,4308
19/64	.296875	7,5404	55/64	.859375	21,8277
5/16	.3125	7,9373	7/8	.875	22,2245
21/64	.328125	8,3342	57/64	.890625	22,6214
11/32	.34375	8,7310	29/32	.90625	23,0183
23/64	.359375	9,1279	59/64	.921875	23,4151
3/8	.375	9,5200	15/16	.9375	23,8120
25/64	.390625	9,9216	61/64	.953125	24,2089
13/32	.40625	10,3185	31/32	.96875	24,6057
27/64	.421875	10,7154	63/64	.984375	25,0026
7/16	.4375	11,1122	1″	1.	**25,399541**
29/64	.453125	11,5091	2″	2.	50,7990
15/32	.46875	11,9060	3″	3.	76,1986
31/64	.484375	12,3029	4″	4.	101,598
1/2	0.50	12,6997	5″	5.	126,998
33/64	.515625	13,0966	6″	6.	152,397
17/32	.53125	13,4934	7″	7.	177,797
35/64	.546875	13,8903	8″	8.	203,196
			9″	9.	228,596
			10″	10.	253,995
			11″	11.	279,394
			12″	12.	304,794

DÉCIMALES DE POUCE ANGLAIS EN MILLIMÈTRES
Conversion table of inch decimals in millimeters

Pouces	Milli-mètres	Pouces	Milli-mètres
0,0001	0,00254	0,130	3,302
0,0002	0,00508	0,140	3,556
0,0003	0,00762	0,150	3,810
0,0004	0,01016	0,160	4,064
0,0005	0,01270	0,170	4,318
0,0006	0,01524	0,180	4,572
0,0007	0,01778	0,190	4,826
0,0008	0,02032	0,200	5,080
0,0009	0,02286	0,210	5,334
0,001	0,02540	0,220	5,588
0,002	0,05080	0,230	5,842
0,003	0,07620	0,240	6,096
0,004	0,10160	0,250	6,350
0,005	0,12700	0,260	6,604
0,006	0,15240	0,270	6,858
0,007	0,17780	0,280	7,112
0,008	0,20320	0,290	7,366
0,009	0,22860	0,300	7,620
0,010	0,25400	0,310	7,874
0,020	0,5080	0,320	8,128
0,030	0,7620	0,330	8,382
0,040	1,0160	0,340	8,636
0,050	1,2700	0,350	8,890
0,060	1,5240	0,360	9,144
0,070	1,7780	0,370	9,398
0,080	2,0320	0,380	9,652
0,090	2,2860	0,390	9,906
0,100	2,5400	0,400	10,160
0,110	2,7940	0,410	10,414
0,120	3,0480	0,420	10,668

DÉCIMALES DE POUCE ANGLAIS EN MILLIMÈTRES
Conversion table of inch décimals in millimeters

Pouces	Millimètres	Pouces	Millimètres
0,430	10,922	0,730	18,542
0,440	11,176	0,740	18,796
0,450	11,430	0,750	19,050
0,460	11,684	0,760	19,304
0,470	11,938	0,770	19,558
0,480	12,192	0,780	19,812
0,490	12,446	0,790	20,066
0,500	12,700	0,800	20,320
0,510	12,954	0,810	20,574
0,520	13,208	0,820	20,828
0,530	13,462	0,830	21,082
0,540	13,716	0,840	21,336
0,550	13,970	0,850	21,590
0,560	14,224	0,860	21,844
0,570	14,478	0,870	22,098
0,580	14,732	0,880	22,352
0,590	14,986	0,890	22,606
0,600	15,240	0,900	22,860
0,610	15,494	0,910	23,114
0,620	15,748	0,920	23,368
0,630	16,002	0,930	23,622
0,640	16,256	0,940	23,876
0,650	16,510	0,950	24,130
0,660	16,764	0,960	24,384
0,670	17,018	0,970	24,638
0,680	17,272	0,980	24,892
0,690	17,526	0,990	25,146
0,700	17,780	1,000	25,400
0.710	18,034	—	—
0.720	18,288	—	—

Exemple : convertir 0,752″ en millimètres :

0,750 = 19,05
0,002 = 0,0508

d'où 0,752″ = 19,1008 mm

Pour convertir des pouces en mm : × **25,4.**

Exemple : .0048″ × 25,4 = 0,12192 mm.

4. TEMPERATURE CONVERSION CHART

$$°C = (°F - 32) \times 5/9 \;/\; °F = (°C \times 9/5) + 32$$

°F ←	°C/°F	→ °C
-459.688	-273.16	-169.533
-328.0	-200	-128.89
-238.0	-150	-101.11
-148.0	-100	-73.8
-130.0	-90	-67.8
-112.0	-80	-62.2
-94.0	-70	-56.7
-76.0	-60	-51.1
-74.2	-59	-50.6
-72.4	-58	-50.0
-70.6	-57	-49.4
-68.8	-56	-48.9
-67.0	-55	-48.3
-65.2	-54	-47.8
-63.4	-53	-47.2
-61.6	-52	-46.7
-59.6	-51	-46.1
-58.0	-50	-45.6
-56.2	-49	-45.0
-54.4	-48	-44.4
-52.6	-47	-43.9
-50.8	-46	-43.3
-49.0	45	-42.8
-47.2	44	-42.2
-45.4	43	-41.7
-43.6	-42	-41.1
-41.6	-41	-40.5
-40.0	-40	-40.0
-38.2	-39	-39.4
-36.4	-38	-38.9
-34.6	-37	-38.3
-32.8	-36	-37.8
-31.0	-35	-37.2
-29.2	-34	-36.7
-27.4	-33	-36.1
-25.6	-32	-35.6
-23.8	-31	-35.0
-22.0	-30	-34.4
-20.2	-29	-33.9
-18.4	-28	-33.3
-16.6	-27	-32.8
-14.8	-26	-32.2
-13.0	-25	-31.7
-11.2	-24	-31.1
-9.4	-23	-30.6
-7.6	-22	-30.0
-5.8	-21	-29.4
-4.0	-20	-28.9
-2.2	-19	-28.3
-0.4	-18	-27.8
1.4	-17	-27.2
3.2	16	-26.7
5.0	15	-26.1
6.8	-14	-25.6
8.6	-13	-25.0
10.4	-12	-24.4
12.2	-11	-23.9
14.0	-10	-23.3
15.8	-9	-22.8

°F ←	°C/°F	→ °C
17.6	-8	-22.2
19.4	-7	-21.7
21.2	-6	-21.1
23.0	-5	-20.6
24.8	-4	-20.0
26.6	-3	-19.4
28.4	-2	-18.9
30.2	-1	-18.3
32.0	0	-17.8
33.8	1	-17.2
35.6	2	-16.7
37.4	3	-16.1
39.2	4	-15.6
41.0	5	-15.0
42.8	6	-14.4
44.6	7	-13.9
46.4	8	-13.3
48.2	9	-13.8
50.0	10	-12.2
51.8	11	-11.7
53.6	12	-11.1
55.4	13	-10.6
57.2	14	-10.0
59.0	15	-9.4
60.8	16	-8.9
62.5	17	-8.3
64.4	18	-7.8
66.2	19	-7.2
68.0	20	-6.7
69.8	21	-6.1
71.6	22	-5.6
73.4	23	-5.0
75.2	24	-4.4
77.0	25	-3.9
78.8	26	-3.3
80.6	27	-2.8
82.4	28	-2.2
84.2	29	-1.7
86.0	30	-1.1
87.8	31	-0.6
89.6	32	0.0
91.4	33	0.6
93.2	34	1.1
95.0	35	1.7
96.8	36	2.2
98.6	37	2.8
100.4	38	3.3
102.2	39	3.9
104.0	40	4.4
105.8	41	5.0
107.6	42	5.6
109.4	43	6.1
111.2	44	6.7
113.0	45	7.2
114.8	46	7.8
116.6	47	8.3
118.4	48	8.9
120.2	49	9.4
122.0	50	10.0
123.8	51	10.6

°F ←	°C/°F	→ °C
125.6	52	11.1
127.4	53	11.7
129.2	54	12.2
131.0	55	12.8
132.8	56	13.3
134.6	57	13.9
136.4	58	14.4
138.2	59	15.0
140.0	60	15.6
141.8	61	16.1
143.6	62	16.7
145.4	63	17.2
147.2	64	17.8
149.0	65	18.3
150.8	66	18.9
152.6	67	19.4
154.4	68	20.0
156.2	69	20.6
158.0	70	21.1
159.8	71	21.7
161.6	72	22.2
163.4	73	22.8
165.2	74	23.3
167.0	75	23.9
168.8	76	24.4
170.6	77	25.0
172.4	78	25.6
174.2	79	26.1
176.0	80	26.7
177.8	81	27.2
179.6	82	27.8
181.4	83	28.3
183.2	84	28.9
185.0	85	29.4
186.8	86	30.0
188.6	87	30.6
190.4	88	31.1
192.2	89	31.7
194.0	90	32.2
195.8	91	32.8
197.6	92	33.3
199.4	93	33.9
201.2	94	34.4
203.0	95	35.0
204.8	96	35.6
206.6	97	36.1
208.4	98	36.7
210.2	99	37.2
212.0	100	37.8
213.8	101	38.3
215.6	102	38.9
217.4	103	39.4
219.2	104	40.0
221.0	105	40.6
222.8	106	41.1
224.6	107	41.7
226.4	108	42.2
228.2	109	42.8
230.0	110	43.3

°F ←	°C/°F	→ °C
231.8	111	43.9
233.6	112	44.4
235.4	113	45.0
237.2	114	45.5
239.0	115	46.1
240.8	116	46.7
242.6	117	47.2
244.4	118	47.8
246.2	119	48.3
248.0	120	48.9
249.8	121	49.4
251.6	122	50.0
253.4	123	50.6
255.2	124	51.1
257.0	125	51.7
258.8	126	52.2
260.6	127	52.8
262.4	128	53.3
264.2	129	53.9
266.0	130	54.4
267.8	131	55.0
269.6	132	55.6
271.4	133	56.1
273.2	134	56.7
275.0	135	57.2
276.8	136	57.8
278.6	137	58.3
280.4	138	58.9
282.2	139	59.4
284.0	140	60.0
285.8	141	60.6
287.6	142	61.1
289.4	143	61.7
291.2	144	62.2
293.0	145	62.8
294.8	146	63.3
296.6	147	63.9
298.4	148	64.4
300.2	149	65.0
302.0	150	65.6
303.8	151	66.1
305.6	152	66.7
307.4	153	67.2
309.2	154	67.8
311.0	155	68.3
312.8	156	68.9
314.6	157	69.4
316.4	158	70.0
318.2	159	70.6
320.0	160	71.1
321.8	161	71.7
323.6	162	72.2
325.4	163	72.8
327.2	164	73.3
329.0	165	73.9
330.8	166	74.4
332.6	167	75.0
334.4	168	75.6
336.2	169	76.1
338.0	170	76.7
339.8	171	77.2
341.6	172	77.8
343.4	173	78.3
345.2	174	78.9
347.0	175	79.4

°F ←	°C/°F	→ °C
348.8	176	80.0
350.6	177	80.6
352.4	178	81.1
354.2	179	81.7
356.0	180	82.2
357.8	181	82.8
359.6	182	83.3
361.4	183	83.9
363.2	184	84.4
365.0	185	85.0
366.8	186	85.6
368.0	187	86.1
370.4	188	86.7
372.2	189	87.2
374.0	190	87.8
375.8	191	88.3
377.6	192	88.9
379.4	193	89.4
381.2	194	90.0
383.0	195	90.6
384.8	196	91.1
386.6	197	91.7
388.4	198	92.2
390.2	199	92.8
392.0	200	93.3
393.8	201	93.9
395.6	202	94.4
397.4	203	95.0
399.2	204	95.6
401.0	205	96.1
402.8	206	96.7
404.6	207	97.2
406.4	208	97.8
408.2	209	98.3
410.0	210	98.9
411.8	211	99.4
413.6	212	100.0
415.4	213	100.6
417.2	214	101.1
419.0	215	101.7
420.8	216	102.2
422.6	217	102.8
424.4	218	103.3
426.2	219	103.9
428.0	220	104.4
429.8	221	105.0
431.6	222	105.6
433.4	223	106.1
435.2	224	106.7
437.0	225	107.2
438.8	226	107.8
440.6	227	108.3
442.4	228	108.9
444.2	229	109.4
446.0	230	110.0
447.8	231	110.6
449.6	232	111.1
451.4	233	111.7
453.2	234	112.2
455.0	235	112.8
456.8	236	113.3
458.6	237	113.9
460.4	238	114.4
462.2	239	115.0
464.0	240	115.6

°F ←	°C/°F	→ °C
465.8	241	116.1
467.6	242	116.7
469.4	243	117.2
471.2	244	117.8
473.0	245	118.3
474.8	246	118.9
476.6	247	119.4
478.4	248	120.0
480.2	249	120.6
482.0	250	121.1
483.8	251	121.7
485.6	252	122.2
487.4	253	122.8
489.2	254	123.3
491.0	255	123.9
492.8	256	124.4
494.6	257	125.0
496.4	258	125.6
498.2	259	126.1
500.0	260	126.7
501.8	261	127.2
503.6	262	127.8
505.4	263	128.3
507.2	264	129.9
509.0	265	129.4
510.8	266	130.0
513.6	267	130.6
514.4	268	131.1
516.2	269	131.7
518.0	270	132.2
519.8	271	132.8
521.6	272	133.3
523.4	273	133.9
525.2	274	134.4
527.0	275	135.0
528.8	276	135.6
530.6	277	136.1
532.4	278	136.7
534.2	279	137.2
536.0	280	137.8
537.8	281	138.3
539.6	282	138.9
541.4	283	139.4
543.2	284	140.0
545.0	285	140.6
546.8	286	141.1
548.0	287	141.7
550.4	288	142.2
552.2	289	142.8
554.0	290	143.3
555.8	291	143.9
557.6	292	144.4
559.4	293	145.0
561.2	294	145.6
563.0	295	146.1
564.8	296	146.7
566.6	297	147.2
568.4	298	147.8
570.2	299	148.3
572.0	300	148.9
573.8	301	149.4
575.6	302	150.0
577.4	303	150.6
579.2	304	151.1
581.0	305	151.7

°F ←	°C/°F	→ °C
582.8	306	152.2
584.6	307	152.8
586.4	308	153.3
588.2	309	153.9
590.0	310	154.4
591.8	311	155.0
593.6	312	155.6
595.4	313	156.1
597.2	314	156.7
599.0	315	157.2
600.8	316	158.3
602.6	317	159.4
604.4	318	158.9
606.2	319	159.4
608.0	320	160.0
609.8	321	160.6
611.6	322	161.1
613.4	323	161.7
615.2	324	162.2
617.0	325	162.7
618.8	326	163.3
620.6	327	163.9
622.4	328	164.4
624.2	329	165.0
626.0	330	165.6
627.8	331	166.1
629.6	332	166.7
631.4	333	167.2
633.2	334	167.8
635.0	335	168.3
636.8	336	168.9
638.6	337	169.4
640.4	338	170.0
642.2	339	170.6
644.0	340	171.1
645.8	341	171.7
647.6	342	172.2
649.4	343	172.8
651.2	344	173.3
653.0	345	173.9
654.8	346	174.4
656.6	347	175.0
658.4	348	175.6
660.2	349	176.1
662.0	350	176.7
663.8	351	177.2
665.6	352	177.8
667.4	353	178.3
669.2	354	178.9
671.0	355	179.4
672.8	356	180.0
674.6	357	180.6
676.4	358	181.1
678.2	359	181.7
680.0	360	182.2
681.8	361	182.8
683.6	362	183.3
685.4	363	183.9
687.2	364	184.4
689.0	365	185.0
690.8	366	185.6
692.6	367	186.1
694.4	368	186.7
696.2	369	187.2
698.0	370	187.8

°F ←	°C/°F	→ °C
699.8	371	188.3
701.6	372	188.9
703.4	373	189.4
705.2	374	190.0
707.0	375	190.6
708.8	376	191.1
710.6	377	191.7
712.4	378	192.2
714.2	379	192.8
716.0	380	193.3
717.8	381	193.9
719.6	382	194.4
721.4	383	195.0
723.2	384	195.6
725.0	385	196.1
726.8	386	196.7
728.6	387	197.2
730.4	388	197.8
732.2	389	198.3
734.0	390	198.9
735.8	391	199.4
737.6	392	200.0
739.4	393	200.6
741.2	394	201.1
743.0	395	201.7
744.8	396	202.2
746.6	397	202.8
748.4	398	203.3
750.2	399	203.9
752.0	400	204.4
753.8	401	205.0
755.6	402	205.6
757.4	403	206.1
759.2	404	206.7
761.0	405	207.2
762.8	406	207.8
764.6	407	208.3
766.4	408	208.9
768.2	409	209.4
770.0	410	210.0
771.8	411	210.6
773.6	712	211.1
775.4	413	211.7
777.2	414	212.2
779.0	415	212.8
780.8	416	213.3
782.6	417	213.9
784.4	418	214.4
786.2	419	215.0
788.0	420	215.6
789.8	421	216.1
791.6	422	216.7
793.4	423	217.2
795.2	424	217.8
797.0	425	218.3
798.8	426	218.9
800.6	427	219.4
802.4	428	220.0
804.2	429	220.6
806.0	430	221.1
807.8	431	221.7
809.6	432	222.2
811.4	433	222.8
813.2	434	223.3
815.0	435	223.9

°F ←	°C/°F	→ °C
816.8	436	224.4
818.6	437	225.0
820.4	438	225.6
822.2	439	226.1
824.0	440	226.7
825.8	441	227.2
827.6	442	227.8
829.4	443	228.3
831.2	444	228.9
833.0	445	229.4
834.8	446	230.0
836.6	447	230.6
838.4	448	231.1
840.2	449	231.7
842.0	450	232.2
843.8	451	232.8
845.6	452	233.3
847.4	453	233.9
849.2	454	234.4
851.0	455	235.0
852.8	456	235.6
854.6	457	236.1
856.4	458	236.7
858.2	459	237.2
860.0	460	237.8
861.8	461	238.3
863.6	462	238.9
865.4	463	239.4
867.2	464	240.0
869.0	465	240.6
870.8	466	241.1
872.6	467	241.7
874.4	468	242.2
876.2	469	242.8
878.0	470	243.3
879.8	471	243.9
881.6	472	244.4
883.4	473	245.0
885.2	474	245.6
887.0	475	246.1
888.8	476	246.7
890.6	477	247.2
892.4	478	247.8
894.2	479	248.3
896.0	480	248.9
897.8	481	249.4
899.6	482	250.0
901.4	483	250.6
903.2	484	251.1
905.0	485	251.7
906.8	486	252.2
908.6	487	252.8
910.4	488	253.3
912.2	489	253.9
914.0	490	254.4
915.8	491	255.0
917.6	492	255.6
919.4	493	256.1
921.2	494	256.7
923.0	495	257.2
924.8	496	257.8
926.6	497	258.3
928.4	498	258.9
930.2	499	259.4
932.0	500	260.0

5. CONVERSION DES PRESSIONS DU SYSTÈME ANGLAIS AU SYSTÈME FRANÇAIS

… par carré … i)	kg/cm²	bar (ou hpz)	Livres par pouce carré (psi)	kg/cm²	bar (ou hpz)	Livres par pouce carré (psi)	kg/cm²	bar (ou hpz)
1	0,070307	0,068969	61	4,288727	4,207109	310	21,79517	21,38039
2	0,140614	0,137938	62	4,359034	4,276078	320	22,49824	22,07008
3	0,210921	0,206907	63	4,429341	4,345047	330	23,20131	22,75977
4	0,281228	0,275876	64	4,499648	4,414016	340	23,90438	23,44946
5	0,351535	0,344845	65	4,569955	4,482985	350	24,60745	24,13915
6	0,421842	0,413814	66	4,640262	4,551954	360	25,31052	24,82884
7	0,492149	0,482783	67	4,710569	4,620923	370	26,01359	25,51853
8	0,562456	0,551752	68	4,780876	4,689892	380	26,71666	26,20822
9	0,632763	0,620721	69	4,851183	4,758861	390	27,41973	26,89791
0	0,703070	0,689690	70	4,921490	4,827830	400	28,12280	27,58760
1	0,773377	0,758659	71	4,991797	4,896799	410	28,82587	28,27729
2	0,843684	0,827628	72	5,062104	4,965768	420	29,52894	28,96698
3	0,913991	0,896597	73	5,132411	5,034737	430	30,23201	29,65667
4	0,984298	0,965566	74	5,202718	5,103706	440	30,93508	30,34636
5	1,054605	1,034535	75	5,273025	5,172675	450	31,63815	31,03605
6	1,124912	1,103504	76	5,343332	5,241644	460	32,34122	31,72574
7	1,195219	1,172473	77	5,413639	5,310613	470	33,04429	32,41543
8	1,265526	1,241442	78	5,483946	5,379582	480	33,74736	33,10512
9	1,335833	1,310411	79	5,554253	5,448551	490	34,45043	33,79481
0	1,406140	1,379380	80	5,624560	5,517520	500	35,15350	34,48450
1	1,476447	1,448349	81	5,694867	5,586489	510	35,85657	35,17419
2	1,546754	1,517318	82	5,765174	5,655458	520	36,55964	35,86388
3	1,617061	1,586287	83	5,835481	5,724427	530	37,26271	36,55357
4	1,687368	1,655256	84	5,905788	5,793396	540	37,96578	37,24326
5	1,757675	1,724225	85	5,976095	5,862365	550	38,66885	37,93295
6	1,827982	1,793194	86	6,046402	5,931334	560	39,37192	38,62264
7	1,898289	1,862163	87	6,116709	6,000303	570	40,07499	39,31233
8	1,968596	1,931132	88	6,187016	6,069272	580	40,77806	40,00202
9	2,038903	2,000101	89	6,257323	6,138241	590	41,48113	40,69171
0	2,109210	2,069070	90	6,327630	6,207210	600	42,18420	41,38140
1	2,179517	2,138039	91	6,397937	6,276179	610	42,88727	42,07109
2	2,249824	2,207008	92	6,468244	6,345148	620	43,59034	42,76078
3	2,320131	2,275977	93	6,538551	6,414117	630	44,29341	43,45047
4	2,390438	2,344946	94	6,608858	6,483086	640	44,99648	44,14016
5	2,460745	2,413915	95	6,679165	6,552055	650	45,69955	44,82985
6	2,531052	2,482884	96	6,749472	6,621024	660	46,40262	45,51954
7	2,601359	2,551853	97	6,819779	6,689993	670	47,10569	46,20923
8	2,671666	2,620822	98	6,890086	6,758962	680	47,80876	46,89892
9	2,741973	2,689791	99	6,960393	6,827931	690	48,51183	47,58861
0	2,812280	2,758760	100	7,03070	6,89690	700	49,21490	48,24830
1	2,882587	2,827729	110	7,73377	7,58659	710	49,91797	48,96799
2	2,952894	2,896698	120	8,43684	8,27628	720	50,62104	49,65768
3	3,023201	2,965667	130	9,13991	8,96597	730	51,32411	50,34737
4	3,093508	3,034636	140	9,84298	9,65566	740	52,02718	51,03706
5	3,163815	3,103605	150	10,54605	10,34535	750	52,73025	51,72675
6	3,234122	3,172574	160	11,24912	11,03504	760	53,43332	52,41644
7	3,304429	3,241543	170	11,95219	11,72473	770	54,13639	53,10613
8	3,374736	3,310512	180	12,65526	12,41442	780	54,83946	53,79582
9	3,445043	3,379481	190	13,35833	13,10411	790	55,54253	54,48551
0	3,515350	3,448450	200	14,06140	13,79380	800	56,24560	55,17520
1	3,585657	3,517419	210	14,76447	14,48349	810	56,94867	55,86489
2	3,655964	3,586388	220	15,46754	15,17318	820	57,65174	56,55458
3	3,726271	3,685357	230	16,17061	15,86287	830	58,35481	57,20427
4	3,796578	3,724326	240	16,87368	16,55256	850	59,76095	58,62365
5	3,866885	3,793295	250	17,57675	17,24225	875	61,51862	60,34787
6	3,937192	3,862264	260	18,27982	17,93194	900	63,27630	62,07210
7	4,007499	3,931233	270	18,98289	18,62163	925	65,03397	63,79632
8	4,077806	4,000202	280	19,68596	19,31132	950	66,79165	65,52055
9	4,148113	4,069171	290	20,38903	20,00101	975	68,54932	67,24477
0	4,218420	4,138140	300	21,09210	20,69070	1 000	70,3070	68,969

TABLE DES MATIÈRES

TABLE OF CONTENTS

ACHEVÉ D'IMPRIMER SUR LES PRESSES DE
L'IMPRIMERIE TARDY QUERCY (S.A.)
46000 CAHORS
EN NOVEMBRE 1982
N° d'Imprimeur : 2308
Dépôt légal : 3e trimestre 1982
Imprimé en France
ISBN 2.904105.00.X